hippomanie

© Jean-Louis Gouraud, 2011
ÉDITIONS FAVRE SA
Siège social / 29, rue de Bourg – 1 002 Lausanne (Suisse)
tel.: 021 312 17 17 / fax: 021 320 50 59 / e-mail: lausanne@editionsfavre.com
Bureau de Paris / 12, rue Duguay Trouin – 75006 Paris (France)
tel. & fax: 01 42 22 01 90 / e-mail: paris@editionsfavre.com

ISBN 978-2-8289-1183-6

réalisation: Mireille Lejeune

Jean-Louis Gouraud

hippomanie

FAVRE

à propos de la couverture de ce livre...

Au-delà de toutes les vertus qu'on lui prête, au-delà de tous les talents qu'on lui reconnaît, au-delà de sa science de l'équitation, de la chorégraphie et de la mise en scène, Bartabas est un formidable fournisseur d'images.

Au-delà de l'admiration – et de l'amitié – que je lui porte, je lui suis reconnaissant d'avoir nourri ma mémoire de mille souvenirs, mille formes inoubliables, mille saynettes, récoltés tout au long des spectacles qu'il a réalisés au cours du quart de siècle qui vient de s'écouler : Bartabas est un formidable fournisseur de souvenirs.

J'ai fait sa connaissance aux touts-débuts du théâtre équestre auquel il avait donné le nom de son cheval, Zingaro, un magnifique frison noir. D'une noirceur à la fois resplendissante et inquiétante, comme dans le célèbre poème de Joseph Brodsky : « Noir, si noir qu'il ne pouvait être plus noir / Noir, aussi noir qu'une nuit sombre / Aussi noir que le trou noir / Aussi noir qu'en nous-mêmes. »

Ses dix spectacles, je les ai vus et revus, chacun plutôt dix fois qu'une : les trois Cabarets et l'Opéra équestres, puis – longue litanie de titres à sept lettres, comme le patronyme du cheval fétiche – « Chimère », « Éclipse », « Triptyk », « Loungta », « Battuta », « Darshan »... J'y ai grappillé des sensations, des sons, des couleurs, définitivement gravés au fond de mon cœur ou, plus profondément encore, jusque dans mes entrailles.

Il y a, bien sûr, les chevaux. Mais aussi les oies, les belles écuyères ; les acrobaties, les pitreries. Mais aussi les cloches, les squelettes ; les galops-arrière. Il y a Stravinski dirigé par Boulez. Mais aussi le bruit – jusqu'à l'insupportable – du marteau sur l'enclume. Il y a la distribution de vin chaud. Mais aussi l'eau qui tombe du chapiteau, l'eau qui fait miroir sur la piste, et qui multiplie les cavaliers dont les turbans multicolores se déploient ici, tel le voile de la mariée ailleurs. À la seule évocation du nom de Zingaro, des images fortes surgissent ainsi. Elles jaillissent, elles se bousculent, sans toutefois jamais se superposer ni se confondre.

Et puis l'une d'elles, sortie de « Loungta », finit toujours par prendre le dessus. On y voit, fragile mais nullement inquiet, un être humain – seul au milieu d'un flot chevalin. Les vagues, ici, ce sont des dos, des encolures et des croupes alezanes de criollos. Il y a dans cette solitude tranquille, au beau milieu d'un océan de chevaux, quelque chose qui me touche particulièrement : comme la représentation d'un sentiment qui m'habite non pas seulement depuis « Loungta », mais depuis… longtemps ! Le sentiment d'appartenance à un univers dans lequel le cheval, les chevaux sont omniprésents. Dans lequel le cheval, les chevaux composent mon environnement naturel. Dans lequel le cheval, les chevaux constituent l'élément dans lequel je me sens bien. Dans lequel s'est développé, on l'a compris, mon hippomanie.

Le fait que cette image évoque la mer ajoute à la justesse de l'allégorie. Le cheval est certes lié aux quatre éléments. À la terre, au feu (« C'est le cheval qui est soleil, et non l'homme », proclamait Antonin Artaud), à l'air : Homère attribuait au zéphyr la paternité des chevaux d'Achille (« L'Iliade ») et, selon les Arabes, « Allah prit une poignée de vent pour en créer le cheval » (« Le Naceri ») – mais c'est à l'eau qu'il a été le plus souvent associé. Pour les Anciens, en effet, c'est Poséidon (Neptune), le dieu des océans, la divinité des profondeurs aquatiques qui, d'un simple coup de trident, a fait naître le bel animal. Et c'est Pégase, le cheval ailé, qui, d'un simple coup de sabot, a fait jaillir de la roche une source, l'hippocrène, à laquelle les Muses sont venues se désaltérer et puiser l'inspiration qu'elles transmettaient ensuite aux poètes.

Le fait que ses belles images restent gravées à jamais dans la mémoire de ceux qui ont assisté à ses spectacles n'a jamais été pour Bartabas une garantie suffisante de pérennité. Conscient de l'extrême volatilité de ses créations, il a mis beaucoup de soin à en garder – et en laisser – une trace, supervisant lui-même leur captation, et autorisant quelques photographes à en fixer des instants. Parmi ces derniers, Antoine Poupel occupe une place particulière.

Attiré par des genres très différents, Poupel s'est essayé à différents styles : auteur de compositions complexes – parfois tourmentées –, de portraits où se superposent visages et activités du personnage portraituré, qui lui ont d'ailleurs valu les honneurs des meilleures galeries de Paris, de Tokyo, de Moscou, il excelle aussi dans des exercices plus simples. Là où *je le préfère, c'est lorsqu'il se livre à l'activité « basique » du photographe – consistant à voir, à capter, à saisir le réel. Ou plutôt, à choisir dans le réel ce qu'il faut en voir, ce qu'il a décidé de nous en montrer.*

Dans cette catégorie, proche du reportage, je place en tête un petit album « à l'italienne », excellemment édité (mais hélas bien mal diffusé) contenant ses meilleures prises de vue, lors du tournage d'un film au fin fond de la Russie (« Chamane », 1996). Toujours (trop) modeste, Antoine, en effet, s'était proposé d'y tenir le rôle de photographe de plateau – une activité souvent mal rétribuée, et de ce fait fréquemment confiée à des débutants. Sauf que là, le réalisateur n'était autre que Bartabas, dont Antoine « suivait » le travail, à Zingaro ou ailleurs, depuis cinq ou six ans déjà. Précisément depuis l'« Opéra équestre ».

Devenu au cours des ans le photographe attitré du théâtre de Bartabas, Antoine a ainsi accumulé des centaines, voire des milliers de photographies de ces spectacles, dont il a publié une sélection dans un album géantissime, publié aux éditions du Chêne (2007) et, cette fois, fort bien diffusé.

En feuilletant ce beau-livre, je suis tombé en arrêt – en extase – devant une photo montrant Solenn Heinrich, écuyère du théâtre Zingaro, environnée de huit ou neuf chevaux paisibles. Cette photo, extraite de « Loungta » (2003), aurait été digne de figurer en couverture de l'album d'Antoine. Mais puisque ce n'était pas le cas, je me jurai d'en faire la couverture d'un de mes prochains livres ! Si, bien sûr, Antoine Poupel et Bartabas lui-même m'en donnaient l'autorisation.

Ils m'en ont donné l'autorisation. Voilà comment cette photo, si fidèle à mon souvenir et si représentative de mon hippomanie, occupe la première page, et la première place, de ce nouveau recueil de mes œuvrettes hippomaniaques.

à Anouk
Chint
Don Perignon
Jumping
Le Rambucher
Lochness
Marengo
Murat
Prince de la Meuse
Prinz
Robin
Tadjik
Tsar
Utin Royal
et tous ces chevaux qui m'ont porté,
supporté,
et tant apporté.

des livres et moi (seigneur)

Quand on sait qu'on va être obligé d'aborder des sujets sérieux, des questions graves, on peut commencer, pour essayer de détendre l'atmosphère, par raconter une bonne blague.

C'est l'histoire d'un mec (moi, en l'occurrence) qui assiste aux exploits équestres de la fille d'un de ses amis. Il veut l'encourager, la récompenser de ses premiers succès, lui faire un cadeau.

– Veux-tu que je t'offre un livre ?

– Oh non, merci, répond-elle. J'en ai déjà un.

Sauf que ceci n'est pas une histoire drôle : c'est une histoire vraie.

De nos jours, qui veut encore de la lecture ? « Pourquoi lire ? » s'interroge à juste titre Charles Dantzig dans son dernier essai (Grasset, 2010). À quoi servent les livres aujourd'hui ? À quoi bon continuer à en écrire, en publier, en produire ?

À la toute fin du XIXe siècle, dans un ouvrage que j'ai souvent cité, un certain Pierre Giffard annonçait « La fin du cheval » (Armand Colin, 1899). Il se trompait, bien sûr : selon les derniers chiffres disponibles, les équidés sont encore en France plus d'un million, et le nombre de leurs usagers ne cesse d'augmenter : « l'effectif des cavaliers licenciés à la Fédération Française d'Équitation continue de progresser : il atteint près de 690 000 cavaliers sur la saison 2010 », peut-on lire dans *Equ'idée*, le très officiel bulletin de l'Institut Français du Cheval et de l'Équitation (hiver 2010).

Ceux qui, en ce début du XXIe siècle, annoncent, ou redoutent le déclin de l'écrit, la fin du livre, se trompent-ils autant que Pierre Giffard s'est trompé ?

Dans son dernier essai, d'ailleurs très remarquable, « L'œuvre des écuyers français » (Belin, 2010), Michel Henriquet fait très justement observer que « en une année, il sort en France trois fois plus d'ouvrages consacrés à l'équitation qu'il n'en a été publié en deux cents ans, du XVIIe au XIXe siècles. »

Est-ce vraiment rassurant ? Cette inflation n'est-elle pas plutôt un signe négatif, les ultimes soubresauts d'un moribond ? L'homme immensément cultivé qu'est Michel Henriquet a beau expliquer que, loin de s'opposer, littérature et équitation sont complémentaires et que, en la matière, « la théorie et la pratique s'assistent mutuellement », je m'inquiète. Du moins, je m'interroge.

Un début de réponse se trouve peut-être dans ce que Jeff Bezos déclarait en juin 2008 au *Wall Street Journal*. Bezos est un spécialiste : il est le fondateur de « Amazon », un des plus grands succès du nouveau monde internautique et du commerce électronique. Je ne sais pas pourquoi il a donné à son entreprise le nom des intrépides cavalières de l'Antiquité, mais je sais que sa librairie en ligne a vendu en 2010 plus de livres électroniques que de livres-papier. En voilà donc un qui sait de quoi il parle. Or, que dit-il ? « Dans un avenir proche, nous lirons sur des appareils électroniques » déclare-t-il au journaliste venu l'interviewer à l'occasion du lancement de son e-book (en français : livrel), *Kindle*. Et d'ajouter : « Les livres en papier ne disparaîtront pas complètement, comme les chevaux n'ont pas complètement disparu […] Je suis certain que les gens aiment leurs chevaux. Mais vous n'allez pas vous rendre au travail en selle juste parce que vous aimez votre cheval. Notre boulot, c'est de fabriquer un objet qui soit plus pratique qu'un livre. »

Plus pratique ? C'est à voir. En tout cas moins sensuel. À poursuivre la comparaison, même Bezos sera d'accord pour reconnaître qu'une voiture ou une moto, c'est tout de même moins excitant, moins agréable à renifler, à caresser, à tripoter qu'un cheval.

Bref, on comprendra qu'après avoir produit en un quart de siècle près de cent cinquante livres consacrés au cheval, je me fasse un peu de souci. Mais, en vérité, ce qui me tracasse le plus, ce n'est évidemment pas la vertigineuse progression de l'internet, dont on ne peut, en fait, que se réjouir. Non, ce qui me navre, me désole, me consterne, c'est le peu d'intérêt, le peu de goût pour la lecture dont témoigne la (relative) indifférence avec laquelle sont accueillis certains des chefs-d'œuvre que j'ai édités ou réédités.

Je me suis déjà vanté, dans un ouvrage précédent, « Pour la gloire (du cheval) » (Favre, 2006), d'avoir publié des livres importants, comme celui dans lequel Jean Deloche prouve que l'étrier existait déjà en Inde au premier siècle de notre ère (« Le cheval et son harnachement dans l'art indien », *caracole*, 1986), ou ceux grâce auxquels des textes fondamentaux ignorés jusque-là ont été révélés. L'œuvre de Kikkuli, par exemple, cet entraîneur de l'Antiquité dont le manuel, gravé en écriture cunéiforme sur des tablettes d'argile quinze siècles avant notre ère, est le plus ancien traité d'équitation de l'Histoire. Ou bien ces inédits de Étienne Beudant : « Vallerine » (*caracole*, 2005), et plus récemment, la version, profondément remaniée par lui, mais restée inédite, de son fameux « Extérieur et haute-école » (*Arts équestres*, 2008).

Je m'y flattais aussi d'avoir été le premier éditeur de Bartabas, le premier éditeur de Giniaux, le premier éditeur de Racinet. J'aurais pu m'y vanter encore d'avoir fait connaître d'immenses artistes, peintres ou sculpteurs de chevaux injustement oubliés : les Russes Svertchkov et Lanceray, l'italo-chinois Castiglione. J'aurais pu m'y enorgueillir encore d'avoir suscité la traduction d'un curieux poème inconnu de Vittorio Alfieri (dans le n° 2 de la revue *cheval-chevaux*), ainsi que celle d'une très belle nouvelle de Alexandre Kouprine (*in* « Quand les chevaux parlent aux hommes », Le Rocher, 2003) et, cinq ans plus tard, d'avoir fait traduire des textes aussi difficiles que celui de Kay Boyle (« Le cheval aveugle », Le Rocher, 2008), ou aussi touchants que celui de Susan Richards (« Choisie », Le Rocher, 2008) qui aurait mérité un succès populaire au moins aussi grand que le roman de Nicholas Evans, « L'homme qui murmurait à l'oreille des chevaux » (Albin Michel, 1996).

À ce palmarès, je peux ajouter la réédition de purs chefs-d'œuvre de la littérature étrangère, passés à peu près inaperçus lors de leurs premières sorties : les nouvelles de Sherwood Anderson (« Les chevaux de l'adolescence », Le Rocher, 2006) ; un roman, d'une infinie délicatesse, de Pier Antonio Quarantotti Gambini, l'auteur des illustrissimes « Régates de San Francisco » (« Le cheval Tripoli », Le Rocher, 2007). Et, par-dessus tout, l'immense livre de Virgil Gheoghiu, dont la trop fameuse « Vingt-cinquième heure » a fait oublier qu'il était l'auteur d'un autre grand livre : « Les noirs chevaux des Carpates » (Le Rocher, 2008) qui, à mes yeux, est un des plus beaux textes du siècle. Le seul, dans le petit monde littéraire et l'encore plus petit monde équestre à s'en être rendu compte, à l'avoir remarqué, est mon ami Homeric, qui a d'ailleurs songé à en acquérir les droits d'adaptation cinématographique.

Certains verront dans cette longue jérémiade une forme d'autosatisfaction, une manière larmoyante de m'autoglorifier. J'accepte la remarque, tout en précisant que je ne vois pas en quoi il serait indécent pour un chef d'entreprise de faire l'article pour les produits dont il est fier, pour un banquier de mettre en avant ses (bons) résultats, ou pour un homme politique de dresser de façon positive le bilan de son action. Sauf que, chez moi, le bilan me semble sinon négatif, du moins décevant. Nuance !

Dans l'indécence, l'immodestie, la vantardise, on trouvera pire, ici même. Le fait, par exemple, d'oser composer un livre de vieux textes déjà publiés – ce qui est le cas dans le présent volume : voilà en effet quelque chose d'assez contestable. Même si ces textes se rapportent (presque) tous au cheval, on n'est plus seulement dans l'hippomanie, mais carrément dans la mégalomanie. Tous ces petits textes, ces exercices minuscules, ces texticules, n'aurai-je pas dû les réunir sous un titre, plus parlant et plus juste : « Mes galops » ?

Là encore, d'accord pour plaider : responsable, mais pas coupable.

Le vrai coupable, ce n'est pas moi. C'est mon éditeur, Pierre-Marcel Favre. J'ai déjà chanté ses louanges dans un précédent recueil, « Pour la gloire (du cheval) », paru en 2006 à l'occasion du vingtième anniversaire de la création de *caracole*, première collection de langue française entièrement et exclusivement consacrée au cheval, à l'équitation, à l'hippologie. Dans le présent recueil, on trouvera un nouvel éloge de cet ami généreux, courageux et fidèle (cf. *« Le Petit Prince » au Somaliland*), auquel je ne trouve qu'un seul gros défaut : il déteste qu'on lui souhaite son anniversaire (notez-le quand même : c'est le 9 août). Lui, par contre, ne rate jamais une occasion de me rappeler mon âge (j'ai cinq mois de plus que lui). Pour le vingt-cinquième anniversaire de *caracole* – un quart de siècle ! –, il m'a proposé, sachant que bien sûr cela me ferait plaisir, de récidiver et de réunir en un nouveau volume les innombrables billets, chroniques, préfaces, postfaces, enquêtes, reportages et autres qui ne figuraient pas dans la « compil » du vingtième anniversaire (pour l'excellente raison qu'ils n'avaient pas été, pour la plupart, encore écrits en 2006).

Certes, j'aurais pu tricher un peu, maquiller cette accumulation de textes épars en une œuvre cohérente. Faire un peu comme un de mes auteurs préférés (ne serait-ce que pour son « Roi des Aulnes »), Michel Tournier, lorsqu'il a composé son « Journal extime » (La Musardine, 2002). Ce soi-disant journal, qui va effectivement de janvier à décembre, ne porte aucune date. Et pour cause : ce n'est là qu'un stratagème, une astuce pour caser les notes, les brouillons, les idées, griffonnées au jour le jour, qui encombraient ses tiroirs et qui auraient été sans doute perdus s'il ne les avait aménagés en une sorte de carnet de bord.

Dans un genre voisin, mais en moins artificiel, de façon plus authentique, c'est également sous forme de « journal » que Jérôme Garcin – que je tiens, on le sait, en très haute estime – a choisi d'étaler au grand jour, lui aussi, son hippomanie (« Cavalier seul », Gallimard, 2006), une maladie finalement plus répandue qu'on ne le croit.

L'hippomanie – autrement dit l'amour du cheval – est une affection (c'est le cas de le dire) qui consiste principalement à rechercher en permanence, et de façon quasi obsessionnelle, la compagnie des chevaux, à éprouver le besoin viscéral de les sentir, les toucher, les fréquenter. Dans sa forme la plus grave, elle amène celui qui en est atteint à voir des chevaux partout. Et même, lorsqu'il n'y en a pas, à en inventer, en rêver : le cheval est leur fantasme. Médecins et vétérinaires sont du même avis : non, ce n'est pas une maladie grave, mais le problème est qu'on ne sait pas la soigner. L'hippomanie fait partie de ces quelques maladies rares, dites orphelines, qui, touchant – croit-on – peu de gens, ont été très peu étudiées.

En acceptant l'offre qui m'a été faite de réunir en un volume des textes aussi divers, j'ai voulu – moi qui en suis atteint depuis ma plus tendre enfance – contribuer à une meilleure connaissance du syndrome, aider à son examen clinique, et permettre d'en mesurer l'ampleur. Rien n'échappe à la contamination. Ni l'histoire, ni la littérature, ni la politique, ni les arts, ni les sciences, ni les techniques, ni les loisirs : quel que soit le sujet abordé ou la discipline étudiée, l'hippomane ramène tout au cheval. C'est mon cas, comme on le constatera en parcourant ce recueil de textes. L'inconvénient, le risque, c'est l'impression de désordre que cela peut produire. Un entassement incohérent, une sorte de bric-à-brac (sans compter les inévitables redites : conçus pour être lus séparément, ces articles ne sont pas faits pour une lecture continue). Pour atténuer cette impression, j'ai tenté un vague classement. Mais ce qui, j'espère, me sauvera, c'est que les changements brusques de sujet, d'un texte à l'autre, apparaîtront pour ce qu'ils sont en vérité : des variations sur un même thème. Contrairement aux apparences, je ne saute pas dans ce livre du coq à l'âne, mais toujours du cheval à l'homme. À moins que ce soit l'inverse.

1
dictionnaire

Dans ce petit dictionnaire, on ne trouvera que des noms propres (et très peu de malpropres) : une cinquantaine de fortes personnalités, dont une dizaine de femmes. Ailleurs dans ce livre, beaucoup d'autres hautes figures – Alfieri, Nietzsche, Beudant, Abd el-Kader – sont évoquées, mais je m'en suis tenu ici à mes seuls contemporains. Une dizaine d'entre eux, hélas, ne sont plus de ce monde. D'autres auraient dû trouver leur place dans ce répertoire – Gilles Lapouge, Jean-Loup Trassard, etc. On les croisera plus loin, dans les différents chapitres qui composent ce livre. Pour les retrouver, le mieux sera de se reporter à l'index général situé en fin de volume.

a

❑ ANDRÉANI Jean-Louis

« M. Raoul a sauté par la fenêtre, a couru à l'écurie, y a retrouvé son cheval, mais avec le jarret coupé ; alors, il a fait le serment, s'il rencontrait le comte, de lui couper le jarret comme le comte l'avait coupé au cheval, tenant pour lâche de mutiler sans nécessité un noble animal. »

Bonjour l'ambiance.

Si elle évoque un peu celle des « Trois Mousquetaires » – cascades, galopades, capes et épées –, il ne faut pas s'en étonner : ce bref passage est extrait d'un roman (peu connu) de l'illustrissime Alexandre Dumas, « Le Meneur de loups », que Jean-Louis Andréani a eu la bonne idée de rééditer pour inaugurer une collection de textes littéraires classiques mais oubliés, ou devenus introuvables, ayant pour cadre la vaste région que constituent les départements de l'Aisne, de l'Oise et de la Somme.

Andréani est un homme paradoxal : éditorialiste au quotidien *Le Monde*, habitué aux arcanes des partis, aux coulisses des ministères, aux combines électorales, il préfère la fréquentation des chevaux à celle de ces drôles de zèbres que sont souvent ceux qui nous gouvernent. À la politique intérieure, il préfère l'équitation d'extérieur. Aux allées du pouvoir, les allées cavalières. Enfin, originaire du sud (Corse et fier de l'être), il a choisi de s'installer au nord : son cheval est en pension là-haut, du côté de Compiègne. Et c'est à cheval qu'il a découvert, puis aimé cette Picardie qu'il veut à son tour faire découvrir – y compris aux Picards eux-mêmes, qui ignorent souvent que leur région a inspiré d'innombrables chefs-d'œuvre.

En puisant à grandes brassées dans le fonds des XIXe et (début) XXe siècles, Andréani va ainsi rééditer les plus intéressants, à raison de deux volumes tous les deux mois. Titre de la collection : *lettres de Picardie.*

Les deux premiers volumes (13,80 € pièce) viennent de paraître : une jolie description de la vie quotidienne dans la région à la fin du XIXᵉ siècle (« L'Hortillonne », de Léon Duvauchel, publié pour la première fois en 1897), et un étonnant roman de Alexandre Dumas (« Le Meneur de loups » : la première édition date de 1857), dont l'action se situe au cœur de la forêt de Villers-Cotterêts, terre natale de l'écrivain, et dans lequel on retrouve le rythme auquel nous a habitué le père de d'Artagnan, mais avec, cette fois, plus de mystère, d'étrangeté : un côté fantastique, hallucinant, voire infernal qu'on ne lui connaissait pas. Une heureuse (re)découverte, donc.

Pour bien marquer ses propres goûts, mais également pour rappeler que cette Picardie est, elle aussi, une région à chevaux (Il n'y a pas que la Normandie ou le Limousin ! Chantilly est bien, en effet, un des plus grands centres d'entraînement de galopeurs du monde, et la baie de Somme a donné naissance à la dernière race reconnue par les Haras Nationaux, le henson.), Jean-Louis Andréani a donné à sa jeune maison d'édition un nom un peu étonnant mais très sympathique : Le Trotteur ailé (BP 5 / 60350 Cuise-la-Motte).

Bienvenue à ce poulain, ailé comme Pégase, et fringant comme son fondateur.

[Paru sous le titre « Bienvenue au Trotteur ailé » dans LE CHEVAL n° 100 (23 mai 2008).]

❑ ARSENIEV Vladimir

Un des meilleurs spécialistes russes des affaires africaines, Vladimir Romanovitch Arseniev, s'est éteint le samedi 30 octobre 2010 à Saint-Pétersbourg, foudroyé par une hémorragie cérébrale, tandis qu'il prononçait un petit discours joliment tourné, comme il savait si bien le faire, en hommage à un de ses collègues disparu quelques années auparavant.

Pour sa famille bien sûr, sa femme Jeanne, son fils Pierre ; pour ses innombrables amis (il n'avait d'ailleurs pas d'ennemis), pour ses élèves, ses disciples, évidemment, la perte est atroce, insupportable – mais elle est irréparable aussi pour l'ensemble de la communauté scientifique russe, dans laquelle Vladimir occupait une place tout à fait originale. Bien qu'issu de façon archiclassique du monde universitaire soviétique, Vladimir Arseniev, en effet, sut mener sa carrière de façon, au contraire, totalement atypique. Un peu à son image : non conventionnelle.

À peine sorti de l'Université d'État de Léningrad (la ville où il est né, le 7 août 1948), sa bonne connaissance de la langue française lui vaut d'être expédié à Bamako, dans le rôle d'interprète militaire : c'était l'époque, en effet, où la coopération entre le Mali et l'Union Soviétique était à son apogée.

Pour le jeune Arseniev, alors âgé d'à peine 23 ans, l'Afrique est une révélation, un coup de foudre. Il apprend les langues locales, profite de ses moindres moments de liberté pour partir en brousse, et se faire admettre des chefs de village, avec lesquels il noue des liens profonds. Il s'intéresse aux coutumes et traditions, aux contes et légendes – et commence à entasser un bric-à-brac d'objets usuels, d'amulettes, de poteries, de statuettes qui finira par constituer une prodigieuse collection. Laquelle enrichira, bien des années plus tard, les grands musées russes. À commencer par le Musée d'anthropologie et d'ethnographie de Léningrad (Saint-Pétersbourg) où il est nommé, en 1977, à son retour du Mali.

C'est un des lieux les plus étonnants de l'ancienne capitale impériale russe. Plus connu sous le nom de Kunstkamera, cet établissement a été construit sur les bords de la Neva pour abriter, à l'origine, les étranges collections constituées au cours de ses voyages par le fondateur de la ville, l'empereur Pierre-le-Grand, en particulier une invraisemblable quantité de bocaux contenant des fœtus humains, des moutons à deux têtes, et d'autres monstres baignant dans le formol. Enrichi des innombrables cadeaux apportés aux empereurs successifs par des visiteurs du monde entier, le cabinet de curiosité devint après la révolution un musée d'état consacré aux cultures et civilisations des cinq continents.

Visiter les salles de ce musée consacrées à l'Afrique avec Vladimir Arseniev pour guide était une expérience inoubliable. Avec cet enthousiasme qui ne l'abandonnait jamais, Vladimir mimait devant les vitrines les artisans au travail, racontait des histoires, en russe et en français, ou chantait en bambara – une langue qu'il maîtrisait parfaitement.

Docteur es sciences (histoire), ethnologue, chercheur, conférencier, enseignant, dessinateur talentueux, chroniqueur dans un des principaux quotidiens de Saint-Pétersbourg, membre du conseil « Afrique » de la fameuse Académie des Sciences de l'Union ex-Soviétique, Vladimir Arseniev était aussi membre de divers cercles savants en France, telles la Société des Africanistes (depuis 2004) et l'Académie des Sciences d'Outre-Mer (depuis 1999). Mais le titre dont il était le plus fier était celui qui lui avait été accordé au Mali : après de longues années d'initiation, il avait été admis, en effet, au sein de la caste des chasseurs bambaras, sous le nom de N'Tji Coulibaly.

Ces dernières années, il s'était défait de ses fabuleuses collections d'objets bambaras, dogons, senoufos, ashantis et autres constituées au cours de ses nombreux voyages sur le terrain, pour les confier aux principaux musées de Russie. Mille trois cents pièces sont allées ainsi à la Kunstkamera, deux cents à l'Ermitage et une centaine au Musée des religions : le trésor d'une longue mais trop courte vie, entièrement tournée vers l'Afrique.

[Paru (légèrement tronqué) dans JEUNE AFRIQUE n° 2602
(21 au 27 novembre 2010) dans la rubrique *Adieu*.]

❏ AUBIN Françoise

Françoise Aubin, c'est un cas.

Des chercheurs, des universitaires, des professeurs, j'en ai pourtant connu – et fréquenté – des tas : spécialistes de l'islam dans les Balkans, spécialistes du chamanisme sibérien, spécialistes de la cosmogonie des Dagons, spécialistes du pastoralisme en Iran, spécialistes de la mythologie germanique…

On vit dans un pays formidable – il faut le dire –, un pays où l'on a des spécialistes de tout, des experts en tout. Je le dis sans ironie. Et je parle d'expérience. Vous avez besoin d'un hittitologue pour vous aider à comprendre un passage obscur du plus ancien traité d'équitation du monde ? Vous cherchez quelqu'un de sérieux pour vous assurer que Arthur Koestler a dit moins de bêtises sur les Khazars que Marek Halter ? Pas de problème ! Dans une de nos universités, un de nos instituts de recherche, une de nos grandes écoles, vous trouverez celui que vous cherchez. L'oiseau rare, le type qui, dans son coin, ne s'occupe que de ça depuis vingt ans. Ravi – ou en tout cas stupéfait – d'en rencontrer un autre que son affaire passionne aussi.

Bien avant d'être incité à aller farfouiller, via google ou wikipedia, dans les grandes poubelles d'internet, il suffisait, quand on avait besoin de renseignements sûrs, d'informations vérifiées, d'études approfondies ou d'analyses pertinentes, d'aller frapper à la porte du CNRS.

Puisse, d'ailleurs, cette institution magnifique ne pas subir le même sort – la liquidation pure et simple – que celui qu'on est en train d'infliger (qu'on me pardonne cette comparaison) aux Haras Nationaux, autre exception française, autre formidable réservoir de compétences, sous prétexte qu'il n'en existe pas de semblable aux États-Unis, au Japon, en Allemagne ou en Grande-Bretagne – ce qui, plaident aujourd'hui les liquidateurs, n'empêche pas les États-Unis, le Japon, l'Allemagne ou la Grande-Bretagne de produire de bons chevaux et, diront-ils demain, de mener d'excellentes recherches scientifiques.

J'ai souvent, pour ma part, puisé dans ce prodigieux vivier (je ne parle plus ici des Haras, mais du CNRS) : fascination, peut-être, du journaliste pour le chercheur ?

C'est une histoire qu'on raconte à tous ceux qui veulent faire carrière dans la presse. Trois reporters se rendent pour la première fois en Chine (ou en Inde, ou en Afrique, peu importe : la parabole est valable pour toutes les destinations). Le plus jeune y reste une semaine ; à son retour, enthousiaste, il décide de tirer de son expérience un livre. Le second, déjà expérimenté, mesurant l'ampleur de la tâche, prévoit, lui, un séjour d'un mois ; à son retour, il arrive péniblement à « pondre » un article, tout en nuances. Le troisième, enfin, vieux routier, obtient de sa rédaction-en-chef, compte tenu de l'immensité et de la complexité du sujet, de pouvoir y passer un an ; à son retour, il n'ose plus écrire quoi que ce soit.

J'ai envie d'ajouter : le voilà mûr pour le CNRS, où il pourra, trente ans encore, se pencher sur la question qu'il a choisi d'étudier sans autre vraie obligation que de participer à quelques colloques réunissant d'autres spécialistes de la même spécialité, ou d'une spécialité voisine, et de produire, épisodiquement, dans des revues illisibles (et que d'ailleurs à peu près personne ne lit) des articles sur un aspect, le plus microscopique possible, de la question en question !

Il n'y a pas là, soyez en bien sûrs, l'ombre d'un reproche, d'une critique, d'une réserve. C'est tout le contraire : j'ai pour les chercheurs qui cherchent le plus grand respect. Même (pour reprendre un propos attribué au général de Gaulle) s'ils ne trouvent pas toujours. Fascination, je l'ai dit, de l'homme de presse, de l'homme pressé ? Peut-être. Fascination du scribouillard pour le chartiste, du caboteur pour le navigateur au long cours, de celui qui cueille pour celui qui laboure, de celui qui coupe les arbres pour celui qui les plante ? Sûrement.

Tout ça pour dire quoi ? Pour dire que le petit monde des sciences humaines, je connais un peu. Que, des scientifiques de haut vol, des jeunes chercheurs (chercheuses, surtout) et des vieux savants, j'en ai connu des tas. Mais des comme Françoise Aubin, aucun. Aucun autre.

Françoise Aubin, c'est un cas.

D'abord, et à la différence de tous ses collègues, qui n'envisagent pas d'autre façon de travailler que d'aller, au moins de temps en temps, enquêter sur le terrain, Françoise Aubin, au contraire, met un point d'honneur à n'y jamais mettre les pieds. Ne croyez pas que ce soit à cause de son handicap : crapahuter en Mongolie ou au Sinkiang en chaise à roulettes n'est certes pas chose aisée, mais là n'est pas vraiment le problème. Je soupçonne Françoise Aubin d'avoir, consciemment ou non, d'autres raisons en tête. Une sorte de coquetterie intellectuelle, un goût pour l'exploit cérébral, une façon de prouver son excellence, voire sa supériorité sur les bipèdes toujours valides : une gageure (il faut dire aujourd'hui, je crois : un challenge) ?

Le plus extraordinaire est que ça marche parfaitement. Françoise Aubin est bien, en effet, la meilleure. Un exemple (parmi d'autres) : mongolisante, mais n'ayant fréquenté la Mongolie que dans sa lointaine jeunesse, Françoise Aubin publie, en 1993, dans une de ces revues savantes et confidentielles dont j'évoquais plus haut l'existence (il s'agit ici des *Cahiers d'Études sur la Méditerranée Orientale et le monde Turco-Iranien*, en abrégé *CEMOTI*), un long article – 50 pages ! – intitulé « Renouveau gengiskhanide et nationalisme dans la Mongolie post-communiste ». Ayant moi-même, à la différence de Françoise Aubin, beaucoup voyagé en Mongolie – avant et après la chute du communisme –, je me précipite, bien sûr, sur ce texte écrit de loin, le stylo à la main, prêt à souligner, biffer, caviarder cet article probablement bourré de fautes matérielles, d'erreurs d'interprétation et d'approximations en tous genres – et forcément dépourvu de « vécu ».

Je ne dirai pas que je fus déçu – mais presque. Non, je fus plutôt ébahi. Stupéfait d'en constater, au contraire, l'extraordinaire justesse. Je ne parle pas seulement de l'exactitude des faits rapportés, de la précision des informations, ni de la finesse des analyses – mais surtout de l'incroyable authenticité dans la restitution du climat politique, de l'ambiance générale, que j'avais ressenti moi-même au cours du séjour que je venais de faire sur place.

Quel talent !

Comment ne pas comparer cette formidable capacité à s'informer à distance avec l'incroyable incapacité de la plupart de nos diplomates – y compris les résidents – à savoir et à comprendre quoi que ce soit de la situation qui prévaut, et encore moins des mouvements qui s'annoncent, dans les pays dont ils sont censés s'occuper ?

C'est Michel Jobert, alors ministre des affaires étrangères, je crois, qui, faisant le même constat, avait eu l'idée de créer un Centre d'Analyse et de Prévision, confiant à quelques universitaires le soin d'éclairer la lanterne des fonctionnaires du Quai d'Orsay. Bien que son utilité, je veux dire son efficacité, ne soit pas entièrement démontrée, on peut au moins profiter de l'occasion pour proclamer ici la supériorité du système français sur le système américain. Même si ce n'est pas vrai à cent pour cent, on peut dire que la qualité de notre recherche orientaliste nous a en tout cas épargné de grosses bêtises politiques (et humaines), telles que l'invasion de l'Irak.

Tout en déplorant, du même élan, que ceux qui nous gouvernent fassent si peu de cas des travaux de nos chercheurs. À ceux qui voudraient tenter de comprendre – et prévoir – ce qui se passe aujourd'hui et se passera demain en Asie Centrale, par exemple, et tout spécialement dans la partie musulmane de la Chine, je ne saurais trop recommander de fréquenter davantage la prose de Françoise Aubin.

Car la Mongolie n'est pas, loin s'en faut, la seule spécialité de Françoise Aubin. Françoise Aubin, je l'ai dit, c'est un cas.

Alors que la plupart de ses collègues veillent à ne jamais déborder de leur étroite spécialité, afin que nul ne puisse les soupçonner d'avoir tendance à se disperser, Françoise Aubin, elle, au contraire, cultive la diversité, aussi bien verticale qu'horizontale, passant avec une agilité d'acrobate d'un siècle à un autre, d'un continent à un autre, du monde chrétien au monde musulman – mais aussi de l'ethnologie à la politologie, de l'histoire au droit, et de la sociologie à la philologie.

C'est dans cette dernière discipline que j'ai eu la très grande chance de pouvoir assister, un jour, « en live », à un de ces exercices de haute voltige que je voudrais brièvement raconter ici, dans le seul but d'illustrer à la fois l'étendue de son champ d'investigation, l'universalité de ses connaissances, et la souplesse de ses neurones. Sachant que je devrais aller passer quelques jours – en touriste – chez des Bouriates du Heilongjiang (c'était en 1986!), Françoise Aubin me pria de passer la voir avant de partir, afin de me familiariser avec la cinquantaine de fiches qu'elle avait préparées à mon intention: elle espérait profiter de mon séjour là-bas pour tenter d'y voir plus clair dans les innombrables manières que les Mongols ont de désigner les allures de leurs chevaux – pas, trot, galop, amble – en sachant qu'on n'utilise pas le même mot pour un trot ordinaire que pour un petit trot retenu, pour un trot bref que pour un trot qui dure longtemps, pour un pas élégant que pour un pas qui fatigue le cheval – et que, pour tout simplifier, les termes utilisés en Mongolie dite intérieure ne sont souvent pas les mêmes que ceux utilisés en Mongolie dite extérieure.

Ne pouvant refuser ce service à une dame qui s'était déjà montrée fort serviable à mon égard, je dus me rendre à la Tour du Pin, son repaire de l'époque, au fin fond du Maine-et-Loire, vaste demeure tapissée de bibliothèques débordantes et encombrée de tables, chaises, fauteuils, sofas et guéridons ensevelis sous les dossiers et les livres.

Le numéro auquel j'assistai alors est inoubliable. Une Françoise Aubin, toujours vissée à son fauteuil roulant, consultant, pour vérifier le sens d'un mot mongol calligraphié à la ouïghoure (vous voyez ? ces élégants vermicelles verticaux), un manuel écrit en cyrillique, puis un dictionnaire chinois. Passant du russe au japonais, puis du japonais à nouveau au chinois. Quelque chose de prodigieux : l'habileté d'un jongleur, l'adresse d'un illusionniste, comme au cirque.

Même si mes efforts pour rapporter des éléments de réponse aux mille questions contenues dans ses fiches n'ont pas été entièrement couronnés de succès, et même si ces foutues fiches ont largement contribué à gâcher mes vacances chez les cavaliers bouriates, je conserve, comme consolation, le souvenir émerveillé de l'exercice de prestidigitation linguistique que m'offrit Françoise Aubin ce jour-là.

L'autre bon souvenir de cette première visite à Françoise Aubin en ses terres angevines fut d'une toute autre nature.

J'ai oublié d'expliquer (j'aurais pourtant dû commencer par ça) que Françoise Aubin et moi avons une passion commune : les chevaux. Et l'équitation. Françoise, bien sûr, possédait un cheval, qu'elle avait baptisé Del (comme le manteau mongol) : elle me le présenta ce jour-là. C'était une sorte de grande bringue capricieuse (trop gâtée, sans doute), une espèce d'anglo-arabe dégingandé qui s'obstinait à montrer son cul si on ne lui apportait pas des carottes ou des sucres par poignées entières. Bref, une saleté de bestiole.

Je me suis toujours demandé comment Françoise parvenait à grimper sur son grand escogriffe, à se hisser de son fauteuil à roulettes jusque sur la selle. Mais elle y parvenait, et partait ainsi, défiant les règles de la plus élémentaire prudence, galoper par monts et par vaux…

J'ai trop parlé, peut-être, des qualités de Françoise Aubin : peut-être ne me reste-t-il plus guère de place pour évoquer ses défauts ? Il en est un, au moins, que j'aimerais pourtant dénoncer. Françoise Aubin est une perfectionniste, une tatillonne, une coupeuse de cheveux en quatre. Du coup, les travaux qu'on lui confie ont parfois du mal à sortir.

Je me souviens avoir eu ainsi l'imprudence de lui demander de bien vouloir relire, pour simple vérification, la traduction que j'avais fait faire du bref récit (une centaine de pages) qu'un certain Evdokimov avait écrit en 1890, racontant l'extraordinaire cavalcade d'un jeune officier russe, Mikhaïl Aseev, lequel avait réussi à parcourir, avec ses deux juments, montées en alternance, « à la turkmène », 2 633 km (la distance séparant sa garnison d'Ukraine de... Paris) en trente-trois jours seulement. Françoise garda le manuscrit pendant trois ans ! Mais quand elle me le restitua, elle avait tout retraduit, annoté, préfacé ; elle avait retrouvé les coupures de presse de l'époque, reconstitué sur une série de cartes l'itinéraire, et établi un tableau comparatif des noms de localités à l'époque et aujourd'hui : bref, un boulot parfait. Pour un éditeur, le rêve.

Cette méticulosité maniaque a, parfois, tout de même, quelques inconvénients. Comme je l'ai déjà raconté dans un de mes livres, le projet – que j'avais lancé en 1989 ou 1990 – de consacrer au cheval un numéro spécial de la revue *Études Mongoles et Sibériennes* n'a toujours pas – près de vingt ans plus tard ! – abouti tout simplement parce que sa réalisation a été confiée à Françoise Aubin qui, bien sûr, veut tout relire, tout vérifier, tout refaire, et tout réécrire ! *

En l'occurrence, on ne peut pas la soupçonner de ne pas être suffisamment motivée : le cheval, c'est encore, c'est toujours son dada.

Au point (je finirai par cette anecdote) qu'elle me demanda un jour de l'aider à visiter le Salon du Cheval, vaste bazar hippolâtre qui se tient, chaque année en décembre, à Paris (Porte de Versailles). J'acceptai avec plaisir de pousser le fauteuil à roulettes de la grande dame à travers les allées odorantes du salon, fonçant à tout berzingue au milieu des vans, des selleries, des accessoires, pour s'attarder, au contraire, près des boxes, à contempler les chevaux, ces animaux à la fois puissants et fragiles, à la fois virils et féminins, ces grandes bêtes mystérieuses.

Comment oublier la scène ? Nous voilà soudain bloqués par un obstacle, un enchevêtrement. Impossible d'approcher davantage d'une petite carrière où se pavanent quelques belles montures.

---

* Depuis la rédaction de ce texte, ce numéro a fini par paraître, en version électronique, courant 2010, Françoise Aubin ayant accepté de céder sa place de directrice de la rédaction à la jeune et très efficace Carole Ferret. Ce numéro, 41e du nom, a pour titre : « Le cheval : monture, nourriture et figure ». (http://emscat.revues.org)

J'assiste alors à quelque chose d'inouï. Françoise se met debout et, quittant son fauteuil, s'approche des gracieuses créatures pour leur caresser le chanfrein. Ce n'est plus Paris, c'est Lourdes !

Les chevaux, parfois, font des miracles.

[A l'origine de ce texte, il y a le désir d'honorer la brillante chercheuse qu'est Françoise Aubin. Comme il est d'usage dans les milieux universitaires, ses collègues, en effet, voulurent célébrer son éméritat (voir plus loin) en publiant une sorte de *Liber amicorum*, pour lequel, sachant l'estime et l'amitié que je porte à Françoise Aubin, on voulut bien me solliciter. Hélas, je ne compris pas que l'exercice ne consistait point à chanter les louanges de l'intéressée, mais à rédiger un texte savant sur un thème de sa compétence. On me fit donc comprendre, fort aimablement, que ma contribution, n'étant pas dans ce moule, ne pourrait y être publiée.

Désireux de participer tout de même, à ma façon, à la célébration, je décidai alors de publier cet hommage (rédigé en janvier 2007) dans le premier numéro, daté octobre 2007-mars 2008, de « ma » revue CHEVAL-CHEVAUX. Publiée par les éditions du Rocher, semestrielle, cette revue se voulait austère, mais pas triste : il me paraissait que le ton de mon éloge de Françoise Aubin reflétait assez bien cette double intention. Par malheur, ce ne fut pas du tout l'interprétation qu'en fit la principale intéressée, que ce texte rendit paraît-il furieuse, ce qui me navre d'autant plus que mon intention était de dire combien je l'admire.

Afin de justifier la publication de ce portrait dans la revue, je le fis précéder de ce qu'on appelle un « chapeau » explicatif dont voici le texte :

Il y a des mots qui prêtent à rire, et qui pourtant désignent quelque chose de sérieux, ou même de grave. Tenez : le mot imamat. C'est le terme qui désigne l'état dans lequel se trouve un imam : un imam exerce son imamat. L'Aga Khan, par exemple, se prépare à célébrer, courant 2008, le cinquantième anniversaire de son imamat.

Dans un portrait consacré par Le Monde *(30 juin 2007) à David Martinon, le porte-parole du nouveau président de la République, le journaliste Philippe Ridet ose le mot porteparolat.*

Dans cette catégorie, il y a aussi le mot éméritat. L'éméritat est le terme qui désigne la situation dans laquelle se trouve un chercheur ou un professeur d'université à la retraite que ses collègues autorisent tout de même à exercer encore. Les attributaires de ces prolongations s'appellent des professeurs émérites. L'éméritat n'est pas accordé à vie, mais par tranches. Histoire de s'assurer que le bénéficiaire (si l'on peut dire) n'est pas, entretemps, devenu gâteux, il doit être renouvelé tous les quatre ou cinq ans.

Françoise Aubin, à laquelle l'hommage qui suit est consacré, fêtera à la fin de l'année l'accomplissement de son premier éméritat. Bonne occasion de dire tout le bien qu'on en pense. Il faut bien rire un peu.]

b

❏ BABA KAKÉ Ibrahima

Ce qu'il y avait de plus visible chez Ibrahima Baba Kaké, c'était sa vitalité.

Difficile d'imaginer qu'un personnage aussi vivant… ne le soit plus.

Difficile et insupportable.

Kaké était une bourrasque permanente, un tourbillon, un déluge. Il foisonnait d'idées, bouillonnait d'activités, débordait de travail.

Il en riait : « je bosse comme un nègre », disait-il à ses amis blancs.

Il faisait partie de ces gens étonnants (extra-terrestres ?) qui semblent disposer de 48 heures par jour, ou de 30 jours par semaine. De ces gens qui, en une vie, en mènent plusieurs.

Difficile de comprendre que, tout à coup, ce 7 juillet 1994 à 20 heures, toutes ces vies se sont arrêtées en même temps.

Dans une de ces vies, il était professeur d'histoire (dans un lycée parisien). Dans une autre, il militait : contre la tyrannie de Sekou Touré jusqu'à la mort de ce dernier, et pour l'instauration d'un régime démocratique en Guinée depuis lors. Dans une troisième vie, il faisait vivre une des émissions les plus célèbres des radios africaines, « Mémoire d'un Continent ». Il était le plus fameux « griot » de l'histoire africaine. Dans une autre vie encore, il écrivait des livres (d'histoire), participait à des colloques, donnait des conférences. Non content d'écrire et de faire écrire des ouvrages, il s'était mué, dans une cinquième vie simultanée, en éditeur. Il sillonnait l'Afrique pour diffuser ses bouquins, rencontrer ses auteurs, fréquenter ses collègues, interviewer des grands témoins, haranguer les jeunes. Et aider les siens.

Car Kaké avait aussi le temps de mener une vie familiale intense.

D'autant plus intense que sa « famille » était vaste. D'autant plus vaste que sa renommée était grande. Or en Afrique, si vous êtes célèbre, c'est que vous êtes riche. Et si vous êtes riche, vous devez donner. Kaké n'était pas riche, mais il donnait. Pas seulement de l'argent : du temps, des sentiments, des encouragements, des idées. Il donnait, donnait, donnait.

Il en est mort.

Si en Afrique, la réincarnation existe (?), Kaké sera réincarné en arbre. Un arbre solidement enraciné jusqu'au plus profond de la terre africaine, mais avec des branches immenses, respirant l'air bien au-delà de l'Afrique. Un arbre généreux, prolifique.

Un flamboyant.

[Écrite sous le coup de l'émotion le lendemain même du décès, cette notice est parue dans JEUNE AFRIQUE n° 1749 (14 au 20 juillet 1994). J'aurais aimé en dire davantage, faire d'autres comparaisons: avec une flamme, par exemple, qui ne cesse de bouger et de briller. J'aurais alors intitulé mon texte « Le feu s'est éteint ». Mais, sous la cendre, les braises sont encore chaudes: les livres de Kaké (dont j'ai la fierté d'avoir été l'éditeur), constamment ré-imprimés, continuent à se vendre en Afrique.]

❏ BALLEREAU Jean-François

Ce matin-là, il fait un temps de chien: « il tombe une pluie froide », raconte Jean-François Ballereau. Mais cela ne suffit pas à refroidir son ardeur: le 4 avril 1976, il enfourche son petit cheval, appelé Dragon qui, lui aussi (avec un nom pareil, c'est la moindre des choses), pète le feu – et les voilà partis pour un long voyage, un tour de France insolite, que Jean-François racontera dans un livre, qui paraîtra l'année suivante, « Mon rêve à cheval » (Arthaud, 1977; réédition Caracole, 1992).

En se lançant dans cette aventure, sans préparation aucune, sans soutien logistique, sans même avoir prévu un itinéraire précis, le gaillard ignore qu'il est en train d'inventer quelque chose. Non pas une nouvelle équitation – Jean-François monte façon cow-boy –, mais un nouveau loisir: le tourisme équestre. Une nouvelle manière d'utiliser le cheval, à une époque où, devenu « inutile » aux labours, à la guerre ou aux transports, l'animal est sinon menacé, du moins sur le déclin. L'aventure réussie de Jean-François contribuera, par son exemple, à ralentir la chute: c'est par dizaines, par centaines même que les amoureux de la nature et de la liberté se lanceront après lui sur les chemins et sentiers de France et de Navarre, le phénomène prenant tant d'ampleur qu'il faudra bientôt, pour encadrer, assister et défendre ces « nouveaux cavaliers », créer une sorte de fédération bis: la FREF, absorbée plus tard par l'Association Nationale du Tourisme Équestre (ANTE), absorbée elle-même par la Fédération Française d'Équitation. Par la suite, Ballereau multipliera les voyages équestres au long cours: du Canada au Mexique, puis à travers l'Amérique latine (en compagnie, cette fois, de celle qu'il aimait appeler sa « moitié », Constance Rameaux), servant ainsi de modèle à toute une génération de jeunes garçons et filles exaspérés par la vie citadine.

Je n'ai pas peur de le dire : Jean-François Ballereau a ainsi réellement contribué à sauver le cheval de la disparition. J'ose le dire ici, uniquement parce que Jean-François ne peut plus ni m'entendre, ni me lire. S'il m'avait entendu énoncer un truc pareil, il aurait immédiatement protesté. J'entends d'ici sa voix gouailleuse : « Dis donc pépère, faut pas pousser ! ». Ballereau, en effet, était un gars modeste. Il détestait les flatteries, fuyait les mondanités, ne supportait pas la flagornerie – ni dans un sens, ni dans l'autre : quand il avait quelque chose à dire, il ne s'embarrassait pas, non plus, de litotes ou de périphrases. Cette façon directe, toutefois, ne cachait aucune agressivité : Jean-François était tout simplement sincère. C'était un homme honnête – et un honnête homme.

C'est sans doute cette modestie (presque) maladive qui l'amena à proposer d'intituler l'ouvrage monumental que vous tenez en mains d'une formule alambiquée, genre « petit lexique équestre », « encyclopédie des mots du cheval », ou autre contorsion verbale, afin de ne surtout pas donner l'impression d'avoir la prétention d'avoir réalisé là un travail vraiment complet, vraiment scientifique – vraiment sérieux, quoi ! Et pourtant !

Il est le résultat d'une vie entière consacrée au cheval et à son utilisation. Esprit curieux, Jean-François Ballereau n'était pas l'homme d'une seule discipline ou d'une seule spécialité : tout l'intéressait, tous les chevaux, petits ou grands, d'ici ou d'ailleurs, d'hier et d'aujourd'hui ; et tous leurs usages – pas uniquement le tourisme équestre, mais aussi l'attelage, le polo, le horse-ball, la voltige, le saut d'obstacles, le dressage (etc. !). Il avait d'ailleurs fini par en faire son métier : après avoir été poseur de rails, vendeur de machines à laver et chauffeur de taxi, Jean-François, ayant la plume alerte, était devenu journaliste – à *Cheval magazine* et autres gazettes de la spécialité, mais aussi pour des publications plus austères, comme un fameux quotidien du soir (*Le Monde*) qui fit plusieurs fois appel à lui.

Exploit inouï : Jean-François réussit même à se faire admettre dans toutes les chapelles, toutes les obédiences, toutes les sectes dont se compose la grande religion du cheval. Que ce soit dans le monde des courses, celui des sports olympiques (Dressage, CSO, Complet) ou des loisirs. Dans chacun de ces milieux, il se fit des amis – auxquels il fit appel, une fois son dictionnaire terminé, pour une relecture critique. Des observations ou recommandations qui lui furent ainsi faites, Jean-François tint compte, ou non – j'en sais quelque chose – selon sa propre appréciation. Il faut donc le proclamer ici haut et fort : Ballereau est l'unique auteur de cet ouvrage ; lui et lui seul en assume l'entière responsabilité. Ou plutôt l'aurait assumée, puisque malheureusement, Jean-François s'est éteint avant la publication de ce dictionnaire, qui fut son dernier grand chantier.

Après avoir beaucoup voyagé (à cheval) et beaucoup écrit (sur le cheval), Ballereau s'était vu soudain contraint, en 1991, à l'immobilité, à la suite d'un accident automobile dont il ne se remit jamais tout à fait. Ayant conservé, heureusement, la force et le goût d'écrire, il se lança alors dans de vastes entreprises, la plus charmante étant cette espèce de manuel d'initiation à l'univers équestre qu'il conçut pour les enfants et dont le titre – « Copain des chevaux » – est bien dans sa manière, à la fois nette et familière. De réédition en réédition, ce bouquin des bourrins (tiens, j'adopte son style) est devenu un best-seller. Il est aujourd'hui un classique.

C'est peut-être en rédigeant son traité destiné à la jeunesse que Jean-François Ballereau prit conscience du fait que les adultes aussi avaient bien besoin d'un ouvrage sinon d'initiation, du moins qui les aide à s'y retrouver dans le labyrinthe de l'univers équestre. Un univers dans lequel le vocabulaire ressemble souvent à un langage d'initiés. Pire : dans lequel le même mot peut avoir plusieurs sens. Pire encore : dans lequel la même expression peut avoir des significations différentes selon qu'elle est utilisée par un jockey ou par un meneur, par un Arabe ou par un Espagnol, par un écuyer du XVIIIe siècle ou par une amazone du XIXe.

Avec courage, Jean-François s'est attaqué à cette lourde tâche, a pénétré dans ce maquis. De ce voyage, bien plus ardu que ceux qu'il avait réalisés en pleine nature, il est sorti victorieux, ayant identifié plus de deux mille termes, qu'il tente ici de définir, à sa façon : toujours claire, accessible. Et modeste.

Victorieux, disais-je, mais épuisé. Ayant mis la dernière main à ce travail monumental, Jean-François Ballereau s'est éteint, le 20 janvier 2005.

[Texte paru (sous le titre « L'encyclopédiste vagabond »)
en introduction au « Dictionnaire encyclopédique du cheval »
de Jean-François Ballereau, paru chez Belin en 2010.]

❑ BÉCHY Stéphane

Il était une fois un beau jeune homme qui avait un magnifique cheval. Souvent, ils partaient ensemble pour d'interminables chevauchées. Tant et si bien que la jalousie finit par s'emparer de la fiancée du jeune homme...

Un jour, pour se venger d'une (trop) longue absence, la fiancée empoisonna l'animal. Le cavalier, en larmes, resta une nuit entière à caresser son cheval agonisant, en lui passant les doigts dans la crinière. Il le caressa, le caressa tant et tant que les crins, soudain, se mirent à chanter, à faire de la musique.

C'est ainsi, racontent les Mongols, qu'est né l'instrument de musique national, le *morin-khur*, la vièle-cheval, dont les deux cordes, en effet, sont en crins (et dont le manche, en bois, se termine par une petite tête de cheval sculptée).

Il existe, qu'on se rassure, de nombreuses autres versions moins cruelles de cette belle légende. Mais le résultat est le même, et il est surprenant : de cet instrument rustique, de cet outil primitif, les bardes parviennent à tirer des mélodies complexes, exprimant toute la gamme des sentiments humains. Ils obtiennent une infinie variété de sons, tantôt exaltants, tantôt déchirants en frottant des crins contre des crins : les crins composant les cordes contre les crins tendus entre les deux extrémités de l'archet.

Chez nous aussi, le crin de cheval est indispensable à la confection des archets des instruments à corde : viole, violon, violoncelle, alto ou contrebasse. Ce qu'on sait peu, c'est que ce crin de cheval provient en général de Mongolie, un des derniers producteurs de la précieuse fibre : la fibre-qui-vibre. On oublie souvent, en écoutant Rostropovitch, que c'est de la queue d'un petit animal de l'Altaï ou du Gobi que vient son extraordinaire vibrato.

Ce n'est donc pas tout à fait par hasard qu'à l'inverse on désigne sous le nom très expressif de *crincrin* l'ustensile de mauvaise qualité, ou mal utilisé (et le bruit qu'il produit). Ce n'est pas non plus par hasard que, lorsqu'ils vont essayer pour la première fois un instrument tout neuf, les professionnels disent qu'ils vont « débourrer » leur violon.

Le cheval lui-même, l'animal tout entier – et pas seulement sa mélodieuse pilosité – a été souvent comparé à un instrument de musique. Par les poètes, surtout. Dans un de ses livres, « Le grand tournant » (Letemps-qu'il-fait, Cognac, 1998), Pascal Commère, par exemple, avance que « les chevaux sont des guitares, ils sont pleins de musique ». La poétesse Lucienne Desnoues (j'adore Lucienne Desnoues!), elle, pense plutôt à une contrebasse : « Pour jouer de cet instrument / L'on fait glisser gravement / Sur l'échine d'une jument / Un archet en crin d'étalon flamand », écrit-elle dans « Un obscur paradis » (Gérard Oberlé, Manoir de Pron, 1998).

Dans sa plus célèbre Nouvelle, « Milady » (Gallimard, Paris, 1936), Paul Morand fait dire à un maître de manège, s'adressant à son élève à cheval : « accorde ton violon et tâche de jouer juste ».

« Le plus délicat, c'est d'accorder son cheval. On le monte d'un demi-ton, petit à petit, et on a l'accord », confirme Cécile Peltekian dans un Mémoire présenté au Conservatoire de Musique de la Roche-sur-Yon – cité par Jérôme Garcin dans son journal « Cavalier seul » (Gallimard, Paris, 2006).

Dans un recueil paru trois ans auparavant, sous le titre « Perspectives cavalières », le même Jérôme Garcin raconte joliment la découverte tardive des joies de l'équitation par un réparateur d'harmoniums à la retraite. Lorsqu'à la fin de son récit, il parle d'un « indocile animal symphonique », on ne sait plus très bien s'il s'agit de l'orgue ou du cheval.

L'orgue et le cheval : avec Stéphane Béchy, on a les deux en un.

Stéphane Béchy, en effet, est titulaire de l'orgue de l'église Saint-Merri, à Paris, succédant ainsi à quelques musiciens prestigieux : Dandrieu au XVIIIe siècle et Saint-Saens au XIXe ! Il est aussi cavalier ; et c'est d'ailleurs pour pouvoir monter plus régulièrement à cheval qu'il a choisi de s'installer en Normandie.

À Caen, où il réside, il a présidé la Société Hippique Urbaine (de 2004 à 2008), mais il y occupe également les plus éminentes fonctions musicales : directeur du Conservatoire National de Région, directeur artistique de l'Orchestre de Caen, du festival « Aspects des Musiques d'Aujourd'hui » et du Festival International d'Orgue.

Formé à l'orgue par Marie-Claire Alain, au clavecin par Olivier Beaumont et Davitt Moroney, Stéphane Béchy a été initié à l'équitation par René Bacharach et Patrice Franchet d'Espèrey. C'est par ce dernier que j'ai fait sa connaissance, au cours d'une réunion de la sympathique Académie Pégase, à laquelle nous appartenons tous trois.

Très vite, j'ai eu l'envie de l'entendre parler de ses deux passions, ses deux arts, ses deux métiers : d'emblée, je lui ai proposé de prendre la rédaction en chef d'un numéro de ma revue (*cheval-chevaux*) consacré au cheval et à la musique !

Ce n'est pas qu'il manque d'enthousiasme – au contraire ! –, mais Stéphane est un garçon prudent, et réfléchi. Sans doute se demande-t-il alors dans quelle galère je cherche à l'entraîner. Ce n'est pas de la méfiance ; plutôt de la pudeur. Il a toujours soigneusement veillé à cloisonner sa vie professionnelle de sa vie privée, et n'est pas disposé à laisser le premier venu piétiner les plates-bandes de ses jardins secrets. Et puis, le cheval et la musique, voilà typiquement le sujet ambigu et confus qui l'horripile, aussi bien comme cavalier que comme musicien.

Je lui sors alors les grandes orgues, lui donnant toutes les garanties, lui faisant toutes les promesses, lui offrant toutes les libertés : il composera le numéro comme bon lui semble. De ces pouvoirs, Stéphane Béchy a usé avec modération, discrétion et délicatesse : avec tact, comme on pouvait s'y attendre de la part d'un écuyer raffiné et d'un claviériste distingué.

Ce qui l'a, je crois, définitivement décidé d'accepter la besogne, c'est le titre que je lui ai proposé pour intituler son ensemble : « La musique du cheval ». Belle formule, jugea-t-il, poétique à souhait, et – gros avantage – ne voulant pas dire grand-chose.

Je me suis bien gardé de le démentir, mais l'expression, bien connue des turfistes, signifie au contraire quelque chose de très précis. Sur un hippodrome, la musique d'un cheval désigne l'ensemble de ses performances, de ses résultats ; c'est un peu le C.V. du galopeur ou du trotteur. Ce palmarès se compose de chiffres et de lettres, pas toujours faciles à décrypter. Une sorte de solfège.

Stéphane Béchy m'a rendu la monnaie de ma pièce, en quelque sorte, en choisissant pour la couverture de « son » numéro des couleurs mystérieuses. C'est un des privilèges régaliens des rédacteurs en chef de *cheval-chevaux* : le choix des coloris. Pour le premier numéro, j'avais essayé de me rapprocher de l'alezan. Pour le deuxième, Chérif Khaznadar avait choisi le vert, couleur (paraît-il) du paradis. Pour le troisième, Christophe Donner avait tenu au blanc, et pour le quatrième, Axel Kahn au bleu.

Vert, blanc, bleu : des couleurs simples, faciles à comprendre. Mais pourquoi diable noir et or ? Voici la réponse de Stéphane : « Cher Jean-Louis, le noir fait référence à l'introspection, à la recherche de la sensation alors qu'on ferme les yeux pour être concentré sur les autres sens. Le frac du musicien et du cavalier sont noirs… L'or est la quête du grand œuvre des alchimistes. La lettre d'or exprime le gain le plus précieux de l'artiste, cavalier, musicien : la trace d'une flamme spirituelle dans les ténèbres. Enfin, si on vous demande s'il y a lieu d'y voir un hommage au Cadre (d'or puis noir), répondez que je fais mienne cette belle idée de Paul Morand : la tunique noire, tenue de ceux qui ont fait le deuil de la facilité ! »

Stéphane Béchy, on l'a compris, n'est pas seulement un artiste : c'est aussi un intellectuel. Je n'ai pas dit torturé.

[Ce « portrait » de Stéphane Béchy est extrait de l'éditorial dans lequel j'avais à présenter le numéro 5 de la revue CHEVAL-CHEVAUX (printemps-été 2010) dont je lui avais confié la rédaction en chef et qui avait pour titre, comme on l'aura compris, « La musique du cheval ».]

❑ BESSON Patrick

Dans le petit village littéraire gaulois, Patrick Besson occupe une place à part. Physique d'Obélix mais malice d'Astérix, c'est pourtant au barde de la fameuse bande dessinée qu'il ressemble le plus : il fait tellement mal aux oreilles qu'on a souvent envie de le bâillonner. Comme Assurancetourix, Patrick Besson a un peu tendance à se mêler de tout, à intervenir à tout propos, à donner son avis à tout bout de champ – de préférence quand on ne le lui demande pas. Depuis une bonne vingtaine d'années, ses chroniques font grincer les dents du tout-Paris littéraire, artistique, politique, syndical, religieux, journalistique (et autre : son champ de tir n'a pas de frontières). Publiées d'abord dans l'*Humanité*, le quotidien du Parti Communiste, puis dans le *Figaro magazine*, l'hebdomadaire de la bourgeoisie, et aujourd'hui dans le *Point*, ses chroniques acidulées et drôlissimes (même et surtout lorsque le sujet est dramatique), l'ont rendu célèbre, à la fois redouté et très recherché. Car – c'est là sa différence avec le barde gaulois qui chante faux – Besson a un talent fou.

Écrivain précoce (premier roman à 17 ans) et prolifique (une bonne cinquantaine d'ouvrages), ayant reçu très tôt les plus hautes distinctions littéraires, aujourd'hui membre du jury Renaudot, il est un des rares écrivains français dont les nouveautés sont toujours attendues avec impatience. Et inquiétude.

Avec le roman qui paraîtra à la rentrée de septembre, les inquiets vont être servis. C'est un énorme pavé (près de 500 pages) : un pavé, en effet, dans la mare de la Françafrique. Dans l'habile labyrinthe de l'intrigue, on croise d'anciens agents de la DGSE reprenant du service à la demande de puissances étrangères, de jolies femmes dont une au moins, d'origine Russe, a travaillé pour le KGB, des chefs d'État africains cyniques (parfois pire) – pour lesquels l'auteur éprouve néanmoins une espèce de fascination –, un curé génocidaire, un jeune métis découvrant sur le tard la stupéfiante identité de son père, de jolies filles dont, parfois, le ramage vaut largement le plumage. Et puis, personnage principal, peut-être, du livre : la ville de Brazzaville, grouillante de vie, criante de vérité.

Pour choisir le titre de son roman, Besson s'est inspiré d'une chanson qu'il a entendue, dit-il, sur les rives du Congo : « Mais le fleuve tuera l'homme blanc » (Fayard, sortie en librairie dans les premiers jours de septembre [2009]).

Ce livre, à la fois terrible et magnifique, pourra être lu à divers niveaux. On pourra n'y voir qu'un polar africain, un thriller doublement noir, une sorte de « SAS à Brazza », en mieux évidemment. On pourra y voir aussi un roman à clés : ceux qui connaissent l'Afrique y reconnaîtront sans difficulté des situations, des lieux, des personnages familiers. Ici, la toile de fond est fournie par le génocide qui a ravagé le Rwanda, et dont les séquelles, notamment en ce qui concerne les relations entre ce pays et la France, sont loin d'être soldées. Besson imagine (mais est-ce tellement inimaginable ?) qu'elles se prolongent par quelques règlements de comptes sur les bords du fleuve Congo.

On pourra lire, enfin, ce livre comme un brûlot politique, ou comme une œuvre de pure littérature, riche de ses mille digressions.

Pour ceux qui seront tentés de pénétrer dans ce livre touffu, un conseil : qu'ils se munissent, eux aussi, d'une machette. Elle pourra leur servir, tant pour se frayer un chemin dans l'épaisse forêt de l'intrigue, que pour se défendre contre les innombrables agresseurs qui surgissent à toutes les pages.

Attention ! Ce livre est dangereux. Non seulement on en sort épuisé, lessivé, essoré, mais on y perd, au passage, ses (éventuelles) dernières illusions sur la nature humaine : Blancs ou Noirs, il n'y en a aucun pour rattraper l'autre (lire à ce sujet l'interview ci-après).

Ce qui sauvera le lecteur de la déprime, c'est l'espèce de gaîté qui se dégage de l'écriture de Besson, une sorte d'allégresse, d'élan, de vitalité qui emporte tout, et lui permet de tout dire, y compris ce qu'il n'est généralement pas convenable de dire, y compris l'indicible, et de tout raconter, y compris les pires horreurs : elles s'accompagnent toujours de renaissance, de résurrection. Si l'on tue beaucoup, on fait aussi beaucoup d'enfants, dans ce livre. On s'y livre à toutes sortes d'acrobaties érotiques. Ce livre de mort est aussi un grand roman d'amour.

[Paru sous le titre « Attention, livre dangereux » dans JEUNE AFRIQUE n° 2536/2537 (du 16 au 29 août 2009) accompagné de l'entretien qui suit, dans lequel la rédaction en chef de l'hebdo a remplacé par le vouvoiement le tutoiement que Besson et moi utilisons habituellement.]

Q 1 - Décrivant la passion d'un de tes personnages – un Européen – pour l'Afrique, tu dis qu'il a « attrapé le virus ». Et toi, ce virus pour l'Afrique, tu l'as attrapé quand ? Où ? Et comment ?

R 1 - Ne parle pas de virus, s'il te plaît. Amour ? Je dirais passion. Obsession. Fascination. L'Afrique est un roman d'aventure dont j'ai adoré lire les 53 chapitres : les 53 pays africains. Trois ans de travail, ça ne suffit pas pour devenir un africaniste, mais ça ouvre quand même un peu l'esprit sur ce continent qu'il est impossible, que ce soit sur le plan politique ou sur le plan poétique, d'ignorer. Peut-être étais-je davantage en Afrique quand je me trouvais à Paris, entre deux séjours au Congo. L'Afrique se rêve. Le nombre de pays imaginaires où les écrivains africains ont situé leurs livres, afin de pouvoir entrer en vacances chez eux ! Il n'y a pas, dans la littérature latino-américaine, de pays imaginaires. Ni dans la littérature asiatique. Et moins encore dans la littérature européenne. Le pays imaginaire est une invention de la littérature africaine. Est-ce parce que nous imaginons l'Afrique, les Africains en premier ?

Q 2 - Tu mets en scène un jeune métis qui, par certains côtés, te ressemble beaucoup. Sa mère est russe (toi, c'est ton grand-père) ; il est jeune, fougueux, plein d'idées. Tu le pré-nommes Pouchkine (rien que ça !). Après qu'il ait cité Françoise Sagan, Louis Aragon, Carson McCullers, Edmond Rostand – et même Léon Tolstoï ! – tu lui fais dire « Les meilleures œuvres sont des œuvres de jeunesse ». Tu as aujourd'hui plus de cinquante ans et tu es l'auteur de plus de cinquante livres ! Tu as publié ton premier roman en 1974, à l'âge de 17 ans, obtenu le Grand Prix de l'Académie française à l'âge de 29 ans, le Renaudot à 39 ans. « Mais le fleuve tuera l'homme blanc », pourtant annoncé par ton éditeur comme ton œuvre « la plus accomplie » n'est-il donc pas ton meilleur livre ?

R 2 - Il est impossible à un romancier d'être d'accord avec tous ses personnages. Sade n'était pas sadique et Dostoïevski n'a jamais tué son père. La plupart des propos tenus dans ce livre – y compris la stupide remarque de Pouchkine concernant l'âge des créa-teurs – ne le sont pas par moi. Je pense évidemment à toutes les choses désagréables que les gens, dans mon roman, disent les uns sur les autres, surtout ceux d'une ethnie différente. Le romancier invente des personnages qui choisissent, ou pas, de le mettre ensuite dans la merde par des propos intempestifs et des actes répréhensibles. Là, on dirait bien que c'est le cas.

Q 3 - Durant les conflits qui ont déchiré les Balkans, tu as pris position clairement – et courageusement – en faveur des Serbes. Ici, on dirait que tu t'abstiens de tout jugement, renvoyant les belligérants dos-à-dos. Hutus et Tutsis, Flamands et Wallons, Congolais du nord et Congolais du sud, services secrets français et services secrets rwandais : nul n'a vraiment grâce à tes yeux ?

R 3 - Le traitement médiatique infligé aux Serbes dans les années quatre-vingt-dix est l'une des pires ignominies dont se soient jamais rendus coupables les journalistes et les intellectuels occidentaux. Je ne crois pas que je pourrai le leur pardonner, même quand je serai très vieux. Cela dit, aucun rapport entre les Serbes et les Hutus. Il n'y a aucune raison de les rapprocher, sauf la mauvaise foi. Tout le monde, sur terre, trouve grâce à mes yeux. Après, quand ça descend jusqu'au stylo, je change un peu. Mais je rédige des romans, pas des dépliants publicitaires pour l'humanité : elle n'est pas à vendre.

Q 4 - Est-ce de toi que tu parles lorsque tu décris un personnage – un dénommé Bernard – en ces termes : « Bernard était sincère et, en même temps, il pouvait changer d'avis en une minute. Sur tout. Par ennui, caprice, intérêt. J'ai aimé cette incertitude entourée d'un joli style » ? Tu as été communiste, et tu ne l'es plus. À quoi crois-tu encore aujourd'hui ? Pour combien de temps ?

R 4 - Je suis communiste depuis l'âge de 15 ans et n'ai aucune intention de cesser de l'être. Bernard n'est pas moi, bien que nous ayons un certain nombre d'expériences politiques et amoureuses en commun. Pour les finances, il a été bien meilleur que moi, je l'admets.

Q 5 - Le journaliste d'investigation Pierre Péan a été traîné devant les tribunaux pour avoir rapporté, dans son livre sur le génocide rwandais la remarque d'un de ses interlocuteurs sur « la culture du mensonge et de la dissimulation » chez les Rwandais de toutes origines. Ne crains-tu pas, toi aussi, les foudres de la justice pour rapporter dans ton livre tant de propos certes imaginaires, mais souvent « limite » ?

R 5 - Je ne suis partie prenante en rien dans le conflit hutu-tutsi tel qu'il s'est déroulé depuis le XIVe siècle. Ce qui relève de l'Histoire dans mon roman a été trouvé dans des livres qui sont en vente libre en France et en Europe, n'ayant fait l'objet d'aucune condamnation. Un procès est parfois une bonne chose pour une œuvre d'art : celui de « Madame Bovary », celui des « Fleurs du mal », celui des « Particules élémentaires ». Je serais surtout peiné d'avoir blessé un peuple, que ce soient les Tutsi, les Hutus ou les Congolais. Je parle dans « Mais le fleuve tuera l'homme blanc » d'individus nullement représentatifs de toute une collectivité, et – j'insiste – les opinions qu'ils profèrent les uns sur les autres n'engagent qu'eux-mêmes.

Q 6 - À te lire, à écouter tes personnages, on se demande si tu crois à la démocratie en Afrique – et même si tu le souhaites.

R 6 - La démocratie, c'est quand chacun a un toit et un travail, ainsi que le droit de dire ce qu'il pense, comme il le pense, quand il le pense, et à ma connaissance ce système politique n'existe pas encore, que ce soit en Afrique ou n'importe où dans le monde.

❑ BOISELLE Gabriele

Même s'il n'est fait aucune mention, dans la Bible, de la présence d'un cheval au paradis terrestre, on a la preuve que cet animal exerce sur l'homme une irrésistible attirance depuis les temps les plus anciens ; j'allais dire depuis toujours. La fascination que l'homme éprouve pour le cheval est bien antérieure à sa domestication. Trente mille ans au moins avant qu'il ait eu l'idée extravagante de tenter de l'apprivoiser, l'homme lui a témoigné son admiration : plus du tiers de l'ensemble des animaux représentés par les « artistes » préhistoriques sur les parois des cavernes sont des chevaux. On en a un bel échantillon avec les fresques de la grotte Chauvet, produites trente-cinq mille ans avant notre ère !

Longtemps, très longtemps plus tard, après avoir réussi enfin à l'amadouer, à l'approcher, à le « d'hommestiquer » – à accaparer ainsi, en quelque sorte, sa force, sa vitesse, sa taille, l'homme a usé et abusé du cheval. Grâce à lui, il est parti à la conquête du monde. À cause de lui, il s'est pris pour le maître de l'univers.

Antiquité, Moyen Âge, Renaissance : les artistes, peintres ou sculpteurs, ne se sont guère intéressés, dès lors, à l'animal, sauf à le considérer comme le piédestal des rois, des empereurs, des vainqueurs, n'ayant d'yeux que pour cette espèce de centaure, ce demi-dieu, que forme le couple cheval-cavalier. Cela a d'ailleurs produit, il faut bien le reconnaître, quelques chefs-d'œuvre. À s'en tenir aux seuls temps modernes, il suffit d'évoquer les noms de Stubbs en Angleterre, Svertchkov en Russie, Kossak en Pologne, De Dreux ou Vernet en France.

Lorsque, dans les temps futurs, on évoquera la production artistique des XXe et XXIe siècles en la matière, un nom au moins émergera : celui de Gabriele Boiselle. Je le dis sans rire, en mesurant le poids des mots. Tout en comprenant bien que cela mérite quelques explications.

Au moment même où, sous l'effet de la mécanisation générale, le cheval commençait à n'être plus considéré comme un animal vraiment indispensable, ni tout à fait comme une représentation du pouvoir, un art nouveau faisait timidement son apparition : la photographie. Le déclin de l'un, l'envol de l'autre : ils auraient pu se croiser sans se voir. Heureusement, c'est l'inverse qui s'est produit. D'emblée les photographes se sont emparés du sujet, en ont fait un de leurs modèles préférés, séduits à leur tour, désireux comme leurs prédécesseurs de fixer, d'immobiliser et, dans le cas des sculpteurs, de pétrifier ce qui constitue la principale beauté du cheval : son mouvement. Innombrables sont ceux qui s'y sont essayés. Rares sont ceux qui, comme Gabriele Boiselle, y sont parvenus. Le fait que ce soit une femme n'est d'ailleurs sans doute pas le fruit du hasard.

S'étant détournés de lui, avec leur ingratitude habituelle, au profit d'engins plus rapides encore, et surtout plus dociles, les messieurs ont cédé aux dames leur monopole auprès du cheval. Tant mieux pour les chevaux ! Sachant d'instinct qu'une relation de qualité ne peut s'instaurer dans un rapport de force, les femmes (qui, aujourd'hui, constituent l'immense majorité de la population équestre) portent sur le cheval un regard nouveau, différent, pacifique, ou plutôt pacifié. C'est ce que prouvent, en tout cas, les photos de Gabriele.

Voilà un bon quart de siècle que cette Allemande lumineuse, à la flamboyante crinière blonde, harnachée de son appareil photo, cherche à saisir, partout dans le monde, l'infinie variété des anatomies chevalines. Parmi les centaines de milliers de clichés qu'elle a ainsi emmagasinés, il n'était pas facile, on s'en doute, de faire une sélection. Un critère principal, toutefois, y a beaucoup aidé : on ne trouvera trace dans ce livre – comme dans les gravures ou peintures de la préhistoire ! – de la moindre présence humaine. Ce qui intéresse ici l'artiste, c'est la seule beauté naturelle, libre, nue, parfois folle mais toujours gracieuse de l'animal, sa chorégraphie, sa poésie.

Poésie ? Le mot est lâché. On sait depuis longtemps que le cheval et la poésie ont partie liée : c'est Pégase, le cheval ailé, qui fit jaillir un jour, d'un simple coup de sabot, hippocrène (« la fontaine du cheval »), la source de toute poésie, où les Muses aimaient venir se désaltérer. On ne s'étonnera donc pas de trouver, parmi les citations qui accompagnent les photos de l'archange Gabriele, beaucoup de textes relevant davantage de la poésie que de la technique.

Le plus difficile pour moi n'a pas été de réunir ici trois cent soixante-cinq textes de trois cent soixante-cinq auteurs différents. Le plus dur a été de renoncer, au contraire, à des milliers d'autres textes, écrits par des centaines d'autres auteurs. Pour tenter de me conformer au principe retenu dans le choix des photos, j'ai systématiquement écarté (à quelques exceptions près) les propos cavaliers, les préceptes d'équitation, les conseils sur l'art et la manière de seller, éperonner ou cravacher sa monture. En d'autres termes, j'ai chassé l'homme de ce paradis. D'où la présence, en exergue, du petit poème de Francis Jammes, qui à la fois constitue une sorte de déclaration d'intention à notre ouvrage, et fournit, pour les années bissextiles, un trois cent soixante sixième texte.

Les trois cent soixante-cinq autres, d'auteurs célèbres ou inconnus (les proverbes, les dictons), ont été glanés dans toutes les littératures de tous les temps : ainsi, en feuilletant les 504 pages de cet album, pourra-t-on accompagner le cheval non seulement « au jour le jour » mais aussi au fil des siècles.

[Introduction à un ouvrage paru en 2010
aux éditions de La Martinière : « Chevaux au jour le jour ».
Énorme pavé de plus de 500 pages (format 21,5 x 21,5 cm), cet album regroupe quatre cents photos de Gabriele, classées (arbitrairement) du 1er janvier au 31 décembre, chaque journée étant accompagnée d'une citation d'un auteur plus ou moins célèbre choisie par moi. J'avais intitulé cette introduction « Les chevaux de l'archange Gabriele ».]

❏ BRUNEL Sylvie

Il y a (au moins) deux Sylvie Brunel. D'une part l'éminente géographe, professeur à la Sorbonne, membre du conseil de la vénérable Société de Géographie, spécialiste du développement durable, auquel elle a consacré quelques ouvrages qui font référence, expert respecté et conférencière recherchée. Et puis, d'autre part, la femme, l'amoureuse, l'épouse, la mère. Forte femme ? Faible femme ? C'est selon. *

Sylvie Brunel a épousé voici un bon quart de siècle un homme très séduisant et supérieurement intelligent qui, après lui avoir fait trois enfants (deux filles et un garçon, tous trois très réussis) l'a quittée, pour convoler avec une jolie gamine à peine plus âgée que l'aînée de leurs filles. Dire qu'il l'a quittée n'est pas rendre compte de toute la réalité : lasse, sans doute, de ses infidélités à répétition, Sylvie l'a d'abord menacé de le chasser puis, mettant ses menaces à exécution, a demandé le divorce – ouvrant ainsi la voie à un possible remariage... de son ex-époux.

Ce dernier n'attendit pas longtemps : à peine l'acte de séparation était-il signé qu'il annonçait l'imminence d'une nouvelle union avec une jeunette orientale de près de trente ans sa benjamine. Ce qui eut pour effet immédiat de déclencher la fureur de Sylvie – laquelle, prise de violentes envies de meurtre, se défoula en se lançant dans la rédaction d'un brûlot, écrit à la kalachnikov et au titre explicite : « Manuel de guérilla à l'usage des femmes » (Grasset, 2009). Le livre remporta un immense succès, que certains attribuèrent au fait que l'ex-mari, un certain Éric Besson, était devenu entre-temps un homme célèbre (ministre de la Sarkozie), et que l'identité de sa jeune et jolie fiancée avait été révélée par la presse pipeule : Yasmine Torjeman, appartenant à une des familles les plus en vue de la haute société tunisienne.

Loin d'apaiser la colère de son auteur, le succès de ce livre donna au contraire à Sylvie Brunel la furieuse envie d'en écrire un autre. Cette fois, sous forme plus ou moins romanesque : il s'intitule « Le voyage à Timimoun », et vient de paraître aux éditions JC Lattès.

Dans ce « roman » (il faut mettre des guillemets, on verra plus loin pourquoi) elle raconte, avec un réel talent narratif, un rocambolesque voyage de presse dans le sud algérien, organisé par un pittoresque tour-opérateur que tous les gens du milieu n'auront aucun mal à recon-

---

* En vérité, il y en a une troisième : la femme de cheval, la passionnée d'équitation, la lauréate 2008 du Prix Pégase (École Nationale d'Équitation). Et peut-être d'autres encore...

naître. Comme nous n'aurons aucun mal à reconnaître derrière les principaux personnages Éric Besson (devenu Marc), sa nouvelle épouse Yasmine (devenue Shéhérazade) – et l'auteure elle-même (devenue Laura) : si « roman » il y a, il s'agit donc d'un roman à clés, dont les clés sont grosses comme des enclumes.

Le récit, il faut le souligner, est mené de main de maître. Sylvie Brunel a le regard affûté et la langue bien pendue. Sa peinture de la petite société qui, au cours de ce voyage au cœur du Sahara s'agite sous ses yeux, est à la fois juste et, ceci expliquant cela, cruelle. Mais l'essentiel n'est pas là. Le projet de Sylvie Brunel n'est pas de faire la preuve (elle l'a déjà faite, dans un de ses romans précédents, « Cavalcades et dérobades », paru également, voici deux ans, chez JC Lattès) de sa capacité à décrire des situations ou à portraiturer des personnages. Il est de crier une fois encore, sous une autre forme, sa douleur. De re-raconter ses malheurs. De redire combien son ex-mari est un splendide salaud. De ressasser son dépit d'avoir été larguée, sa fureur de se voir si vite remplacée, et son désespoir de ne pas voir revenir son homme qui – pour tout compliquer, annonce son intention de faire un enfant à sa nouvelle épouse : « Apocalypse bébé » ! comme dirait Virginie Despentes, qui vient d'obtenir, avec ce titre, le Prix Renaudot (Grasset, 2010).

Là où le long sanglot, entrecoupé de charges héroïques et de morceaux de bravoure, se transforme soudain en un roman véritable – c'est-à-dire lorsqu'on pénètre enfin en pleine fiction – c'est lorsque Sylvie Brunel, à partir de la deux centième page (sur trois cents) veut nous faire croire qu'elle trouve soudain dans cette liberté nouvelle, dans cette solitude imposée une sorte de renaissance, presque une rédemption. On croirait lire alors un des plus beaux cas de résilience tels que les adore le neuropsychiatre Boris Cyrulnik. On s'en réjouit, on s'en régale, bien sûr, mais on n'y croit guère, convaincus qu'elle ne fait ici que donner le change, ou se persuader elle-même que la page est tournée. À un moment, Sylvie ose même dire que Yasmine, pardon Shéhérazade, lui a au fond rendu un sacré service en la débarrassant de Marc, pardon Éric. Ah l'hypocrite ! Plus encore qu'au livre de Virginie Despentes, Sylvie Brunel aurait pu, pour en faire le sous-titre de son propre livre, emprunter au récent roman d'une – jeune et belle, elle aussi – journaliste et écrivaine libanaise, Joumana Haddad : « J'ai tué Shéhérazade » (Actes Sud, 2010).

Tendre tueuse, nature généreuse, Sylvie Brunel donne, avec son

« Voyage à Timimoun », un livre bouleversant de vérité, tant dans la restitution de ses tourments que dans la proclamation de ses enthousiasmes.

[Paru sous le titre « Passions sahariennes » dans LA REVUE n° 8 (décembre 2010-janvier 2011).]

❏ BSHARI Brahim

La disparition tragique de Brahim Bshari, tué dans un accident de voiture le 13 septembre 1997, sur la route de Tripoli (Libye) à Syrte, est une perte immense. Non seulement pour sa famille, ses amis, son pays. Mais pour l'Afrique tout entière.

Brahim Bshari, qui n'avait pas encore 50 ans, dirigeait le cabinet de Mouamar Kadhafi depuis un peu plus d'un an. Pour la plupart des cadres politiques libyens, un tel poste aurait été une consécration. Pour Bshari, chacun s'accordait à penser que ce n'était qu'un échelon, une étape dans une carrière particulièrement brillante.

Brahim Bshari venait tout juste d'achever ses études de droit lorsque, le 1er septembre 1969, un jeune officier plein de charme et d'idées, un certain Mouamar Kadhafi, renversait la monarchie libyenne et proclamait la révolution. D'enthousiasme, Bshari rallia aussitôt le mouvement. À la radiodiffusion, d'abord, puis dans l'ensemble des médias, agence de presse incluse, dont il ne tarda pas à prendre la direction.

Soutenu par un autre Brahim, proche de Kadhafi, Brahim Bjaad, qui dirigeait à l'époque le secrétariat du « Guide de la révolution », Bshari se retrouve bientôt Ministre de l'Information et de la Culture (en jargon révolutionnaire : Secrétaire du Comité Populaire). C'était en 1980.

Mais Bshari n'était pas un banal journaliste devenu un simple « ministre des journalistes ». Son extraordinaire habilité diplomatique, son intelligence vive et souple avaient été remarquées, et utilisées, dans bien des missions qui n'avaient rien de journalistique. Il fut chargé, par exemple, d'établir des contacts, à titre exploratoire, avec une autre révolution, fondamentalement différente de celle que menait Kadhafi en Libye : la révolution iranienne. Entre les deux, Bshari sut à la fois créer des liens – et maintenir des distances. On lui confia également l'épineux dossier tchadien. Lui-même natif d'Abeche, à moitié « tchadien » et fier de l'être, Bshari fit preuve dans ces diverses missions impossibles de tant de savoir-faire que Abdallah Snoussi, beau frère de Kadhafi (par les femmes) et responsable de sa sécurité, suggéra qu'on confie à ce juriste-journaliste la responsabilité des Services spéciaux : au fond, le fossé qui sépare l'Information du Renseignement n'est pas infranchissable, surtout pour un homme aussi doué que Brahim Bshari.

À la tête des Services pendant près de 6 ans, il réussit l'exploit non seulement de ne pas s'y faire d'ennemis, mais de n'y commettre ni de faute, ni même ce qu'on appelle pudiquement dans ces milieux-là de « bavure ».

À la différence de certains autres services libyens, tel le Mataba, qui n'hésitaient pas à utiliser des méthodes que la morale réprouve, Bshari s'opposa toujours à toute forme de violence, milita toujours contre tout acte de terrorisme. Il était partisan des méthodes douces, des arrangements discrets, des accommodements avantageux pour tous, bref, des bons procédés entre gens de bonne compagnie.

Les Services français DGSE (Extérieur) comme DST (Intérieur) le savent bien, qui purent, grâce à Bshari, « maintenir le contact », même aux pires moments des relations franco-libyennes. S'ils acceptent un jour de parler, les responsables français de l'espionnage et du contre-espionnage – le général Rondot, les préfets Gérard ou Silberzahn, etc… – diront comment, grâce à Bshari, à son entregent, à son art du compromis, à son calme, à sa façon de toujours tenir parole (ce qui, en Libye, n'est pas le cas de tout le monde), les tensions entre les deux pays n'allèrent jamais jusqu'à la rupture. Y compris après la rencontre-catastrophe entre Kadhafi et Mitterrand (en Crète en 1984). Y compris dans l'affaire tchadienne, finalement résolue grâce à un consensus franco libyen dont Bshari est largement l'inspirateur. Y compris à propos de l'attentat contre le vol UT772, dans lequel il est remarquable – et significatif – que le juge Bruguière, en général prompt à dégainer, n'a jamais tenté d'impliquer Bshari, pourtant responsable des Services spéciaux libyens à l'époque des faits.

Tant de succès « en douceur » valurent à Bshari, bien sûr, quelques jalousies. Il n'eut d'ailleurs jamais d'autres ennemis que les envieux. Parmi ceux-ci, certains tentèrent de faire admettre que ses trop bonnes relations avec Paris étaient suspectes. Insinuer que Bshari pouvait être vendu à l'étranger était bien mal le connaître. Il était d'un nationalisme sourcilleux, et d'une fidélité à son pays absolue. Certes, son extrême courtoisie faisait que ses sentiments s'exprimaient avec placidité et retenue, alors que le « style libyen » est plutôt à la vocifération, mais cette politesse n'excluait nullement la fermeté.

C'est vrai que Bshari, parfaitement francophone, était attaché à la culture française. Il tenait cela de son père, Mohamed, qui avait longtemps exercé son métier de grand commerçant au Tchad, où il avait notamment fréquenté le président Tombalbaye, avec lequel il s'exprimait en français. Brahim voulut maintenir cette tradition familiale et fit apprendre le français à son fils unique, Mohamed également (autre tradition familiale: on fait alterner de génération en génération, les Mohamed et les Brahim).

Pour Bshari, la France était d'abord et avant tout un des rares pays occidentaux avec lequel la Libye pouvait s'entendre à cause de sa triple « culture » méditerranéenne, arabe et africaine. Un des rares pays sur lesquels la Libye pourrait peut-être s'appuyer pour sortir de sa mise à l'écart par les Anglo-Saxons (Grande-Bretagne et États-Unis).

Il faut croire que Kadhafi partagea, au moins un moment, ce point de vue: en 1992, il lui confia le Ministère des Affaires Étrangères (pardon: le Secrétariat du Comité Populaire aux Relations Extérieures), poste qu'il ne conserva qu'un an.

Si ce poste éminent lui fut si vite retiré, ce n'est point tant parce qu'il échoua dans l'impossible mission de desserrer l'étau dans lequel l'Amérique, via les Nations Unies, cherchait à broyer la Jamahiriya, qu'à cause de l'incroyable jeu d'influences qui s'exerça (et s'exerce toujours) dans l'entourage de Kadhafi. Un clan ayant juré au « leader de la révolution » qu'il se faisait fort d'infléchir la position américaine grâce aux relations – excellentes, mais secrètes, bien sûr – entre de louches intermédiaires, qu'on pourrait remercier en leur faisant faire quelques belles affaires (certains journaux avancèrent, à l'époque, les noms de Adnan Kashoggi, de Tiny Rowland) et de mystérieux personnages influents à Washington, le clan Bshari préféra s'incliner et se retirer. Cinq ans plus tard, on le voit le résultat – mais passons...

Bshari prit un peu de champ. Il partit au Caire, ou il tint la double représentation de son pays auprès de la Ligue Arabe, et de la République Égyptienne.

C'est pendant cet intermède que se produisit la malheureuse disparition, au Caire, justement, de Mansour Kikhia, cet ancien ministre libyen des Affaires étrangères devenu vaguement « opposant » au régime de Kadhafi – mais sans jamais rompre vraiment tout contact avec ses séides – et dont Béchir Ben Yahmed accusa dans ces colonnes Bshari d'en être le responsable sinon l'auteur. À tort, j'en suis absolument persuadé. D'ailleurs, chaque fois que j'évoquais cette triste affaire devant Brahim, avec lequel j'avais des liens fraternels, il me répondait avec obstination : « Ne me demande pas à moi où est passé ce pauvre Mansour. Demande plutôt à Moubarak ». Cela a certainement un sens.

Loin de s'occuper de basses œuvres, au Caire, Bshari s'activa beaucoup non seulement auprès de ses collègues arabes – mais auprès de ses collègues africains.

Brahim aimait beaucoup l'Afrique. Il répétait souvent : « Les Africains sont mes frères. Je suis né au Tchad. Je suis un véritable Africain ». Et il était sincère. À la différence de bien des Libyens – y compris des ministres et des ex-ministres, qui protestent bruyamment, cigare à la bouche, de leur « amitié » à l'égard des Nègres, mais qui n'en pensent, et n'en agissent pas moins –, pour qui l'Afrique Noire n'est qu'un vaste réservoir d'anciens esclaves et d'éternels quémandeurs, tout juste bons à signer des pétitions et des motions de soutien contre l'embargo des Nations Unies, Bshari, lui, aimait réellement, sincèrement, les Africains.

Ceux-ci le lui rendaient bien. Demandez à un Eyadema, un Compaoré, un Museweni, un Patassé, un Deby, un Konaré : tous vous diront combien, et pourquoi, ils ont apprécié Brahim Bshari.

Aussi son « purgatoire » cairotte ne dura-t-il pas : Kadhafi, se rendant compte que l'Afrique devait prendre de plus en plus d'importance dans la diplomatie libyenne, le fit rentrer dare dare à Tripoli, et créa pour lui le poste de « Ministre » des Affaires Africaines. Logé dans un minuscule bureau au rez-de-chaussée du ministère des Affaires Étrangères, Bshari, dont la nouvelle fonction avait, au début, fait sourire ses collègues, prit bientôt tant de poids que Kadhafi, carrément, le fit venir auprès de lui, et lui confia la direction de son cabinet. De là, il avait vue sur (à peu près) tous les dossiers. Exceptés, on ne s'en étonnera pas, les affaires militaires (tenues par Aboubakr Younes, apparenté, d'ailleurs, à la famille Bshari), les services secrets (tenus par Moussa Kossa, l'ancien patron du Mataba) et la sécurité (tenue par Abdallah Snoussi) – tous trois en liaison directe et exclusive avec le grand frère (Big Brother) lui-même.

Kadhafi qui, soit dit en passant, est, comme Bshari, dépourvu de tout racisme, porte aux Africains une considération qui n'est pas feinte. L'attrait est réciproque : Kadhafi, c'est indiscutable, est (avec Thomas Sankara hier, et Nelson Mandela aujourd'hui – deux de ses amis) une des personnalités politiques les plus populaires en Afrique, comme l'a prouvé récemment encore l'accueil qui lui a été réservé au Niger et au

Nigeria, deux pays dont les populations ne sont pas les plus exubérantes du continent.

Pour les affaires africaines, il s'en remettait très largement à Brahim Bshari. Or l'Afrique, c'est bien la grande réussite de la diplomatie libyenne.

Alors que les relations de la Jamahiriya avec les pays occidentaux (Amérique et Europe) ont été troublées par de nombreux incidents et sont encore marqués par une incompréhension réciproque ; alors que les relations avec les pays communistes ou ex-communistes ont toujours été empreintes d'une certaine méfiance mutuelle ; alors que les relations avec les pays arabes se soldent par un bilan décevant ; les relations avec l'Afrique, au contraire, présentent un résultat extrêmement positif.

La Libye entretient des relations de bon voisinage, de confiance et de coopération avec le Niger, le Mali, le Tchad, le Burkina Faso, comme l'a démontré de façon spectaculaire la visite à Tripoli des chefs d'État de ces quatre pays à la mi-août 97. La Libye entretient des liens d'amitié avec les dirigeants du Nigeria, du Togo, du Burkina, de l'Ouganda, du Ghana, etc. La Libye, qui a soutenu avec constance les Mouvements de Libération, perçoit aujourd'hui les bénéfices de cette politique, spécialement depuis l'arrivée au pouvoir de Nelson Mandela (Afrique du Sud) et Sam Nujoma (Namibie). L'affluence record enregistrée au dernier sommet des Ministres de l'OUA, qui s'est tenu à Tripoli cette année prouve le bien fondé des investissements politiques libyens en Afrique.

Par une patiente et constante politique consistant à éteindre les incendies là où la Libye, autrefois, avait contribué à les allumer (situation au Tchad, affaire de la Bande d'Aouzou, rébellion touarègue) et par une constante politique d'aide (même modeste) et de coopération avec tous les pays du continent, Kadhafi, aidé de Bshari, a fini par démontrer l'africanité de la Libye, à établir la confiance et à devenir, sans bruit ni remue-ménage, une véritable « puissance » africaine.

Résultat de cette sage politique : c'est d'Afrique que sont venus les soutiens les plus fermes à la Libye lorsque celle-ci s'est trouvée confrontée aux pressions occidentales et à l'embargo des Nations Unies : l'Afrique unanime, l'OUA tout entière a manifesté intempestivement sa solidarité.

Tout sentimentalisme mis à part, force est pour Kadhafi de reconnaître que sa politique africaine a été bien plus « rentable » que sa politique arabe, par exemple. La Libye, bien que faisant preuve de générosité à l'égard des Africains, a investi, c'est sûr, moins d'argent dans sa politique africaine que dans sa politique arabe ; elle en a pourtant tiré bien meilleur profit.

Sous l'influence de Bshari, la Libye a compris que si ses origines sont arabes, son avenir est africain.

C'est donc à l'apogée de sa réussite que Brahim Bshari est décédé, le samedi 13 septembre, des suites d'un accident automobile. Il se rendait de Tripoli, où il était venu voir sa famille, à Syrte, où l'appelait son « patron ».

La Libye a le meilleur réseau routier d'Afrique. Les routes y sont nombreuses et bonnes – trop bonnes, peut-être : on y roule au maximum de la puissance de sa voiture : 130, 160, et même au-delà. Un pneu qui éclate, un chameau qui traverse, un étourdi qui débouche sans faire attention, et c'est l'embardée. Il y a ainsi en Libye des dizaines et des dizaines de morts par an.

Toutefois, il faut bien insister sur le fait que ce ne sont pas des « victimes de la route », comme on dit. Ce sont des victimes de l'embargo. En interdisant à la Libye, non seulement les vols internationaux, mais aussi l'achat de pièces détachées nécessaires à l'entretien des avions, les vols intérieurs y sont devenus rares et irréguliers : du coup, tout le monde prend la route. Brahim est mort victime de l'absurde et inefficace brimade imposée à son pays par les États-Unis qui, à force de vouloir partout « faire justice », façon western, créent l'injustice.

Brahim détestait l'injustice, la loi du plus fort. Il détestait la force, qui est l'argument des imbéciles. Il croyait à la discussion. En bon Africain, il croyait à la valeur de la palabre. Il était attentif à autrui, il respectait les autres. Y compris ses collaborateurs les plus humbles, ses employés les plus modestes. Il ne savait pas engueuler les gens. Parfois, il s'efforçait de faire les gros yeux, mais il ne tenait pas longtemps dans ce rôle. Il détestait les conflits, les crises, les frictions. C'était un homme de conciliation, un homme de consensus.

Tous ceux qui l'ont approché l'ont apprécié : non seulement pour son intelligence, son habileté, sa courtoisie – mais pour sa générosité, dont beaucoup ont profité. Moi qui l'ai bien connu, je sais combien c'était un homme bon.

Je n'en finirais pas, si je m'écoutais, d'énoncer ses qualités et ses vertus.

Il était patient. Il savait attendre, mais il était prompt à bondir, et à rebondir, lorsque l'occasion se présentait.

Il avait sa fierté, bien sûr – et savait en jouer, lorsque cela lui semblait nécessaire. Mais au fond de lui-même, c'était un modeste : trop conscient de la relativité des choses, de la fragilité des positions, de la vanité des comportements – trop réaliste, en un mot – pour se laisser griser par les apparences. Il avait le sens du dérisoire, et donc beaucoup d'humour. C'est peut-être cela qui rendait sa fréquentation si agréable.

Brahim n'avait pas peur de la mort. Nous en parlions souvent. Elle lui semblait banale, normale, ordinaire. Comme faisant partie du jeu : on naît, on vit, on meurt. C'est la règle.

Cette attitude me semblant profondément musulmane, j'en conclus que Brahim était croyant, même s'il n'était pas du genre à exhiber ses convictions religieuses. Je suis certain qu'il se trouve aujourd'hui – en paix – auprès d'Allah.

La disparition de Brahim est une grande perte pour toute l'Afrique en général, pour son pays en particulier, auquel il a consacré sa vie.

Kadhafi perd là un de ses plus précieux collaborateurs. Ni servile, ni rebelle, Bsahri a beaucoup fait pour contrebalancer l'influence des clans extrémistes, pour gommer le côté brouillon de certaines décisions, pour donner au régime un peu de respectabilité et d'honorabilité.

Sa femme Salma, son fils Mohamed, ses parents, ses frères, au nombre desquels je me compte, ses amis, ont perdu avec lui une grande partie de leur raison – ou de leur joie – de vivre.

[Paru dans JEUNE AFRIQUE n° 1918
(8 au 14 octobre 1997) sous le titre « Un grand Africain ».]

[L'année 1997 fut pour moi une année noire. Décès en septembre de deux de mes meilleurs amis : Philippe Rossillon le 6, Brahim Bshari le 13. La même année, disparition de trois personnalités camerounaises avec lesquelles j'entretenais des liens mieux que cordiaux : Henri Bandolo, Adalbert Owona et François Sengat-Kuo. En novembre, enfin, décès d'une amie très chère, la talentueuse Françoise Prévost, fille de l'écrivain Jean Prévost et de Marcelle Auclair (fondatrice de *Marie-Claire*), élève de Jean Vilar, coqueluche des cinéastes de la « nouvelle vague », journaliste et romancière surdouée, brillante, belle, intelligente, drôle et libertine. Elle avait épousé un Corse grognon mais séduisant, François Poli, lui aussi fort talentueux, auteur de quelques *Série Noire*, et collaborateur intermittent de *Jeune Afrique*, où j'ai fait sa connaissance, en 1968. Nous devînmes très proches.
Le dimanche 30 novembre, j'apprends la mort de Françoise. Je note sur un bout de papier (retrouvé en préparant ce livre) : « Je lui ai parlé voici un mois. En plein traitement (métastases au cerveau, etc.). Optimiste : dès que je sors de l'hôpital me dit-elle, je me mets au boulot. Mon éditeur m'a demandé un nouveau volume de ma série des *Nulles* (cuisinières nulles, bricoleuses nulles) : ce sera un livre pour les amoureuses nulles ; les filles qui n'arrivent jamais à être heureuses avec un mec ! Beau projet. Ciao Françoise. Tu vas retrouver le Poli, cet emmerdeur avec lequel, je crois, tu as été si heureuse. »]

C

❑ CHAUDUN Nicolas

Il dit qu'il monte à cheval comme un sac de pommes de terre. Je ne l'ai jamais vu en selle, mais je ne le crois pas. À mon avis, cette confession relève davantage de la coquetterie que de la modestie. Un homme comme lui ne peut pas ressembler à un tas de patates. Qu'il monte comme un cosaque, comme un hussard, c'est possible. Comme un chasseur, c'est probable. Je crois qu'il monte, en fait, comme il écrit : avec panache, sabre au clair, à grandes foulées, mais toujours avec élégance, et dans le respect de sa monture.

Nicolas Chaudun a l'écriture majestueuse, le propos noble. Ses phrases ont de l'ampleur ; il ne déteste pas les enjoliver de fioritures : après tout, quand on est au galop de charge, rien n'interdit de faire quelques moulinets de son épée. Plus le clairon retentira, plus furieux semblera l'assaut. Mais, sous des apparences martiales, le gaillard est d'une exquise délicatesse. S'il met parfois, dans ses belles envolées, un peu de préciosité, qui – dans ce monde de brutes – s'en plaindra ?

Certes, tant de talent serait vain, voire agaçant, s'il était mis au service de frivolités, mais ce n'est point du tout le cas chez lui. Doté d'une immense culture artistique, Nicolas Chaudun s'attaque au contraire à de vastes sujets. Il publie ces jours-ci un essai – magistral – sur l'homme qui a redessiné Paris, « Haussmann, préfet-baron de la Seine » (Actes Sud, 2009). Quelques années auparavant, il avait brossé, dans « La majesté des centaures » (Actes Sud, 2006), une fresque, un panorama, balayant l'art du « portrait équestre dans la peinture occidentale » à travers les âges. Un livre superbe, au titre bien choisi, qui valut à son auteur le Goncourt de la spécialité, le Prix Pégase-École Nationale d'Équitation.

Dans cet ouvrage, Chaudun fait preuve – c'est une autre de ses qualités – d'audace en cherchant à démontrer (je résume, je simplifie, je caricature) que si, dans la peinture, le cheval a d'abord servi à l'homme de faire-valoir, de simple accessoire, il y a pris, petit à petit, la première place, occupé le premier rôle. S'appuyant sur une iconographie très convaincante, Chaudun montre qu'après avoir installé leurs modèles humains sur ce piédestal, ce socle, ce pinacle vivant qu'est le cheval, les peintres se sont peu à peu intéressés davantage aux montures qu'aux cavaliers. Pour réaliser leurs portraits soi-disant équestres, Antoine Van Dyck, Thomas Gainsborough, Joshua Reynolds, pour ne donner que ces trois exemples, ont fait mettre pied à terre à ceux qu'ils étaient censés portraiturer. Allant plus loin que leurs prédécesseurs, nombre d'artistes ont ensuite carrément repoussé les hommes hors cadre, hors champ, pour ne plus conserver que l'animal en majesté, pour se « concentrer sur l'éloge de la bête », comme l'écrit Chaudun.

Je ne sais pas si cette thèse est juste, mais son auteur sait nous y rallier, au moins le temps de sa lecture. Chaudun n'est pas qu'un sabreur, c'est aussi un meneur. Un guerrier !

Guerrier ? Oui, j'en suis persuadé : c'est là sa véritable nature – qu'il nous révèle, cette fois, non point comme écrivain, mais comme éditeur. Après avoir longtemps « fait le journaliste » (il a dirigé la rédaction du magazine *Beaux Arts*), Nicolas Chaudun a créé, en effet, une petite maison d'édition qui porte son nom et ne publie que des beaux livres – vraiment beaux. Le plus récent s'intitule, nous y voilà, « Peindre la guerre ».

Je le dis tout net, c'est un livre magnifique et essentiel, un ouvrage indispensable grâce auquel on découvre ce qui peut apparaître après coup comme une banalité, mais n'avait jamais été explicité auparavant : peindre la guerre, c'est principalement peindre des chevaux. Les deux auteurs du livre, tous deux historiens de l'art, Jérôme Delaplanche et Axel Sanson (par ailleurs peintre et plasticien, mais aussi passionné d'uniformologie) nous en apportent la preuve époustouflante, à travers une abondante iconographie dans laquelle il ne manque pas un bouton de guêtre, pas un seul maître du genre, de Paolo Uccello et Piero della Francesca à Meissonier et Detaille, en passant, bien sûr, par Tintoret, Rubens, Tiepolo, Girodet, Gros, Lejeune, Delacroix, Vernet, et cinquante autres peintres moins connus.

Le survol proposé ici par les auteurs est chronologique – la Renaissance, l'Âge Classique, le XIXᵉ siècle –, mais chaque période est intelligemment subdivisée : pour l'Âge Classique, par exemple, ils distinguent, à juste titre, le « tumulte » (les grandes mêlées) de la « topographie » (les perspectives cavalières). S'il faut saluer la subtilité de leurs analyses, l'abondance des exemples qu'ils proposent, on regrettera un peu que le chevalier Chaudun n'ait pas ici pris la plume lui-même. Avec un tel sujet, il aurait pu déployer tous ses talents de pourfendeur empanaché, mener quelques belles charges et faire faire à ses destriers quelques voltes majestueuses. Il a préféré s'en remettre à de bons artilleurs, excellents techniciens certes, mais tout de même simples fantassins, pauvres piétons. Or il n'est pas de vraie bataille – c'est du moins ce que prouve ce livre – sans déploiement de cavalerie.

[Paru sous le titre « Quand Nicolas Chaudun s'en va t'en guerre » dans LE CHEVAL n° 120 (27 mars 2009).]

d

❑ DONNER Christophe (1)

Ça y est, j'ai compris. J'ai enfin compris à quoi il jouait, à gaspiller son talent comme ça, à droite, à gauche. Des livres pour enfants, des articles dans des gazettes, des romans plus ou moins autobiographiques : ça partait dans tous les sens. C'était souvent brillant, cela dénotait une formidable facilité d'écriture, un style inimitable, une vraie personnalité, mais on se demandait un peu où il voulait en venir. Comme d'un pianiste manifestement doué, mais qui n'aurait joué que des gammes. Maintenant, j'ai compris, tout ça c'était, en effet, des brouillons, des exercices de style préparatoires. Un peu comme ces peintres qui, avant de se lancer dans une fresque, un grand tableau, multiplient les esquisses, les croquis, travaillent des détails sur des bouts de papier. Ce n'est pas du temps perdu. Ce n'est pas du gâchis. Ce sont des préalables indispensables à l'exécution d'une grande œuvre.

Christophe Donner, après vingt romans pour adultes et vingt récits pour la jeunesse vient de réaliser – et de réussir – son chef-d'œuvre : « Un roi sans lendemain » (Grasset, 2007). Un pavé de près de 400 pages, dans lequel on retrouve tout ce qu'on a aimé jusqu'ici chez Donner : la tendresse et la férocité, la drôlerie et la tristesse, la grossièreté sans la vulgarité, la délicatesse sans la mièvrerie, mais avec un truc en plus. Une hauteur de vue, une intelligence, une pensée.

Non point que ses œuvres précédentes en aient manqué. Mais elles étaient mises principalement au service de l'examen de son nombril. Il y a dans « Un roi sans lendemain » encore un peu d'autofiction, que les fidèles de Christophe Donner se rassurent, mais il y a aussi beaucoup plus, beaucoup mieux. Un véritable essai historique, avec une vision originale de l'Histoire, et une façon nouvelle de la raconter. Employant des mots qu'on n'a pas l'habitude de lire sous la plume des historiens patentés. Un langage d'écrivain, pas de professeur. Un mélange des genres, fiction et réalité, du meilleur effet. Un chef-d'œuvre, disais-je.

Ah oui : « de quoi ça cause » ? J'allais oublier. Petite histoire dans la grande : une productrice de cinéma, odieuse, naturellement, demande à un écrivain, Norden (on n'a pas grand mal à y voir l'anagramme de Donner) de confectionner le scénario d'un film consacré à Louis XVII. Grande histoire qui enveloppe la petite : celle du jeune fils de Marie-Antoinette, mort en prison en 1795, à l'âge de 10 ans – ou plutôt celle du responsable de sa mort.

Comme Donner le souligne dans son livre, s'il existe mille versions de la disparition de ce pauvre enfant, personne ne s'est par contre jamais posé sérieusement la question de savoir qui l'avait tué.

À la suite d'un vrai travail d'historien, après de longues recherches et mûre réflexion, Donner désigne un coupable : l'affreux Hébert. Jacques-René Hébert, le pamphlétaire du *Père Duchesne*. À propos duquel Donner a cette formule : « si ses écrits ne font pas de lui un assassin, ils le dénoncent bien comme l'auteur du crime ».

Un des paradoxes (ou une des habilités) de ce beau livre est que Donner y prend, parfois, le ton d'Hébert, spécialement lorsqu'il s'agit de dénoncer la bêtise, la cruauté et la laideur révolutionnaires. On sent bien que, pris d'amour, de compassion, ou au moins de tendresse pour son « héros », le jeune « roi sans lendemain », Henri Norden est pris d'accès de haine pour les foules hurlantes et avinées des sans-culottes : « deux mille cochons traitant le roi de cochon » ; il ne décolère pas au spectacle de la révolution, cette « kermesse égalitaire », « cette foire d'empoigne, de vanités, de cabotinages » ; il mettrait bien, si ça ne tenait qu'à lui, ses principaux acteurs à la lanterne.

Heureusement, Christophe-Norden-Henri-Donner n'a pas de pique : seulement un bic. Ça fait tout aussi mal, et c'est plus propre.

S'il met tant de hargne à dénoncer cette révolution-là, n'est-ce pas par détestation d'une autre, qu'il a approchée de près ? Ce jeune roi, cet « ange déchu », n'est-ce pas un peu lui ? Avec Donner, on n'est jamais très loin de l'autobiographie, de la confession.

Et puis, il y a tout le reste : les très belles déclarations d'amour de Christophe à Monique (pardon, de Henri à Dora), les portraits irrésistibles de la faune du cinéma et de l'édition. Enfin – et surtout – la passion pour les chevaux, qu'il s'arrange pour caser tout de même quelque part, entre une émouvante évocation de l'enfant martyr et une réflexion originale sur le sens (et le non-sens) de l'Histoire. Sous couvert de Henri Norden, Christophe Donner passe aux aveux : « Dora avait changé son abonnement au câble pour recevoir *Equidia*, la chaîne du cheval. Henri regardait les courses, et de temps en temps il faisait un pari par téléphone [...] S'il avait pu ne faire que ça : jouer aux courses ! Mais il n'avait jamais eu assez d'argent, jamais eu cette mise de départ à partir de quoi il aurait pu commencer à jouer sérieusement, professionnellement, et gagner de quoi s'acheter un cheval, puis un haras avec des poulinières. Quand il n'aurait plus ni l'envie d'écrire, ni le courage de faire des films, il irait encore aux courses. Même sans jouer, prétendait-il, j'irai regarder passer les chevaux. L'échéance approchait, ses chances de faire fortune s'amenuisaient, mais le rêve n'était pas mort, la promesse de monter une écurie de courses tenait toujours, et quand il pensait aux trois cent mille euros qu'allait lui rapporter ce scénario, il apercevait déjà les poulains derrière la lice blanche des herbages ».

Pour saluer ce vrai beau roman, j'espère que les jurés des grands prix littéraires de l'automne se bousculeront au portillon, qu'ils se disputeront l'honneur d'être les premiers à le couronner. On a souvent insinué que ces prix étaient réservés à une mafia appelée Galligraseuil. Donner mérite à lui tout seul le prix Medirenaucourt.

[Paru dans LE CHEVAL n° 83 (7 septembre 2007)
sous le titre « Le chef-d'œuvre de Christophe Donner ».
Le chef-d'œuvre en question faillit bien remporter, en effet, un des grands prix littéraires de l'automne, mais de sombres magouilles de dernière minute firent capoter l'affaire. Du coup, lorsque le *Figaro magazine*, en décembre, voulut le récompenser de son prix annuel, Christophe préféra refuser ce qu'il interpréta comme un maigre lot de consolation.]

❑ DONNER Christophe (2)

Un conseil : méfiez-vous des écrivains. Ce sont (souvent) des gens infréquentables. Des gens, du moins, dont la fréquentation présente certains dangers. Vous vous croyez leur ami, vous êtes en confiance, vous vous laissez aller et boum – vous vous retrouvez dans un de leurs prochains bouquins. Plus ou moins ressemblant, plus ou moins caricaturé, vous vous en tirez rarement à votre avantage. Ils n'ont aucun scrupule à vous transformer, vous, leur ami, en personnage de roman.

Avec leur famille, c'est encore pire. Cela déclenche parfois de véritables drames. Cela donne parfois aussi de véritables chefs-d'œuvre. On se souvient (quand on a l'âge de s'en souvenir) de « Vipère au poing » (Grasset, 1948) dans lequel Hervé Bazin fait de sa mère une épouvantable harpie – ce qui, d'ailleurs, était peut-être le cas. Il faut mentionner, plus près de nous, « L'Empire de la morale » (Grasset, 2001), dans lequel Christophe Donner s'en prend à sa mère et son père, « le fossile et la marteau ».

Christophe Donner est passé maître du genre : sous couvert d'autofiction, il a portraituré ainsi, dans la douzaine de romans dont il est l'auteur, des dizaines de personnages qui ont croisé son chemin ou partagé sa vie. Le voilà qui récidive, en courant cette fois le risque énorme de se brouiller avec sa propre femme. Dans son nouveau roman, « Vivre encore un peu » (Grasset, 2011), il s'en prend, en effet, à sa belle famille. Une famille orientale, ce qui, bien sûr, complique encore le problème : des maronites de Beyrouth – toute une tribu dont la vie tourne autour d'un personnage unique : le père de famille, Elias Chamoun, cent quatre ans.

Le vieux bonhomme est encore solide, et loin d'être complètement gâteux, même s'il joue parfois, quand ça l'arrange, à le faire croire. Mais il est insupportable. Exigeant, capricieux et, par-dessus tout, radin. C'est d'ailleurs le principal reproche que lui fait Farah, son épouse, qui n'a pas digéré, un demi-siècle après, la mesquinerie dont il a fait preuve en lui achetant, au lieu de la belle bague qu'elle avait choisie, un misérable bijou de pacotille.

Au point où il en est arrivé, l'encombrant vieillard n'aspire plus qu'à une chose : « Vivre encore un peu » (d'où le titre du livre). « Ce n'est pas seulement un espoir, c'est un projet, commente Christophe Donner. Sa femme en a assez, elle voudrait que Dieu l'emporte, tandis que les enfants, les petits-enfants le voient comme une créature éternelle, n'ayant plus aucune raison de mourir. »

Avec cette façon, à la fois tendre et cruelle qui n'appartient qu'à lui, de raconter des histoires, de ne rien cacher des turpitudes humaines, de farfouiller dans les tréfonds des âmes – tantôt en appuyant là où ça fait mal, tantôt en caressant là où ça fait du bien –, Christophe Donner parvient à transformer la sinistre sarabande qui s'organise autour de ce vieillard qui n'en finit pas de claquer, en une sorte de saga familiale non pas gaie, mais drolatique.

La scène finale, à elle seule, justifie la lecture (d'ailleurs délectable d'un bout à l'autre) des 180 pages qui précèdent, dans lesquelles le turfiste invétéré qu'est Christophe Donner n'a pas pu s'empêcher d'aller promener son lecteur dans un de ces hippodromes qui constituent ses lieux de perdition favoris. Malgré les guerres incessantes qui, depuis plus qu'un quart de siècle, dévastent Beyrouth, on n'a jamais cessé d'y faire courir des chevaux. Dans son roman, le narrateur qui, comme Christophe, se prénomme Christophe (!) réussit à entraîner son beau-père à assister à une de ces courses. Mieux encore : il parvient à convaincre ce vieux radin de casser sa tirelire pour tout parier sur un cheval qui – miracle ! – va gagner.

Cette victoire, je ne révélerai pas ici comment, apportera une heureuse conclusion à la formidable et misérable histoire de la famille Chamoun.

[Paru dans LA REVUE n° 9 (février 2011).]

f

❏ FERRET Carole

Il faudrait une audace inouïe, une prétention sans borne pour oser ajouter quoi que ce soit à la somme vertigineuse d'informations réunies dans l'ouvrage monumental de Carole Ferret, résultat d'une bonne quinzaine d'années de recherches – sur le terrain et dans les bibliothèques.

Toutefois, lorsqu'on a soi-même fréquenté (un peu) les contrées qu'elle a si méticuleusement étudiées, on est tenté, ici ou là, d'ajouter son grain de sel, de confirmer ses dires par un témoignage ou par une anecdote.

Lorsqu'elle se lance, par exemple, dans l'exposé des pratiques hippophagiques des Iakoutes, comment résister au plaisir de raconter la scène hilarante à laquelle j'ai assisté, en octobre 1994 ? J'avais entraîné alors Bartabas, l'illustre metteur en scène de spectacles équestres, au fin fond de la Sibérie, dans le but de préparer un film dont l'action se déroulait en Iakoutie. Au cours d'un « repérage » chez un groupe d'éleveurs de chevaux, nous voilà conviés à un somptueux banquet – entièrement composé de viandes chevalines, accommodées de diverses façons. Bartabas, qui avait fait le malin, peu de temps auparavant, en déclarant à une gazette parisienne : « si vous aimez le cheval, mangez-en » (il voulait expliquer par là que seule la boucherie pouvait sauver la plupart des races françaises de la totale disparition), se retrouva devant la pénible obligation d'appliquer à lui-même ses propres exhortations. Irrésistible, vous dis-je !

En outre, cette petite histoire a une fin heureuse : c'est ce film, sorti sur les écrans deux ans plus tard, sous le titre de « Chamane », qui a donné envie, en effet, à une jeune cavalière, étudiante en ethnologie, de se lancer, après Carole Ferret, dans l'étude des pratiques équestres en République Sakha. Elle s'appelle Émilie Maj et a soutenu en 2007 sa thèse de doctorat sur le cheval « emblème culturel » des Iakoutes.

On me pardonnera cette longue digression, qui avait en fait pour seul but de souligner qu'en lisant les travaux savants de Carole Ferret, on est frappé non pas seulement, bien sûr, par leur exactitude (qui est la moindre des choses), mais par leur justesse. On n'est pas là, comme c'est trop souvent le cas chez les auteurs universitaires, dans la théorie, le livresque, le témoignage de seconde main – mais au contraire dans la poussière ou la boue du terrain, dans l'odeur du crottin : dans la vie, la vraie vie.

J'ajoute, c'est une autre caractéristique du travail de Carole Ferret qu'il importe de souligner, que cette espèce de vérité qui se dégage de ses exposés est due aussi à la grâce de son écriture, à sa limpidité, à sa simplicité qui font que son texte, une fois encore, sonne juste.

Il y a bien d'autres motifs d'admirer Carole Ferret : son courage, sa ténacité, son inébranlable détermination, qui lui ont permis de surmonter les incroyables difficultés (je ne donnerai pas de détails) ayant jalonné son parcours – et de soutenir enfin une thèse de doctorat (à Paris en juin 2006) dont le présent ouvrage et celui qu'elle nous annonce pour l'an prochain reprennent l'essentiel.

Après l'éloge de Carole Ferret, que je pourrais prolonger indéfiniment si j'en avais la place, un peu d'autosatisfaction. La thèse de doctorat de Carole portait un titre sans doute très comme-il-faut (« Techniques iakoutes aux confins de la civilisation altaïque du cheval. Contribution à une anthropologie de l'action »), mais franchement inutilisable pour une édition « grand public ». C'est en me souvenant du titre que André Leroi-Gourhan (auquel se réfère aussi Jean-Pierre Digard dans sa préface) avait donné à un de ses travaux – « La civilisation du renne » – que je proposai à Carole d'utiliser une formule voisine pour intituler le sien. Ce qui fut fait.

[Paru en postface du bel ouvrage de Carole Ferret
« Une civilisation du cheval. Les usages de l'équidé, de la steppe à la taïga »
publié fin 2009 aux éditions Belin, avec une préface de Jean-Pierre Digard.]

❏ FILLON Penelope

Bon d'accord, ce n'est peut-être pas la meilleure cantine de Paris. À proximité immédiate, dans ce qu'on appelle le quartier des Ministères, il y a mieux, sans doute : deux ou trois restaurants étoilés au Michelin. Pas le meilleur, donc, mais sûrement le plus beau : c'est l'Hôtel Matignon. À la fois lieu de travail et résidence du Premier Ministre, François Fillon.

Le plus beau, disais-je. J'ajoute : et, pour moi, le moins cher ! Je suis invité !

Vendredi 28 mars [2008]. Treize heures moins dix. Entrée principale, rue de Varenne. Au poste de police, une escouade de gaillards en uniforme sombre : des flics ou des gendarmes ? Je ne sais pas bien faire la différence. Sobriété du dialogue :

– Monsieur, vous désirez ?

– J'ai rendez-vous à déjeuner avec Madame Fillon.

– Votre nom ? Avez-vous une pièce d'identité ?

Contrôle rapide. On me fait passer le portail de sécurité, puis traverser la cour encombrée de berlines bien astiquées. Le Premier Ministre a convoqué la moitié de son gouvernement pour discuter des affaires de l'État. La situation, en effet, n'est pas brillante. Crise financière internationale, aggravation du déficit public, menaces de grèves. Seul motif de satisfaction : dans les sondages, la cote de popularité de François Fillon ne cesse de grimper.

Je suis accueilli au pied de l'escalier monumental qui mène aux appartements par des gardes beaux comme des soldats de plomb, sanglés dans des vestes bien ajustées, la poitrine couverte de décorations : gardes mobiles ou gardes républicains ? Je ne sais pas bien, là non plus, faire la différence. Simplement, je me demande, vu leur jeune âge, à quelles guerres ils ont bien pu participer pour mériter tant de médailles.

Réflexion vite interrompue par la contemplation du parc magnifique que j'aperçois par les baies vitrées du salon où l'on m'a introduit : près de deux hectares, paraît-il. En plein cœur de Paris. Royal ! Dorures au plafond, tableaux de maître sur les murs. La République offre à ses serviteurs d'assez jolis logements.

Par une porte d'angle, arrive sans bruit une gracieuse personne, qui me tend en souriant sa blanche main. Je devine plus que je ne la reconnais : voici Penelope (1), l'épouse de François Fillon. Son visage, c'est

---

1. À l'anglaise, prononcer pénélopé, mais orthographier sans accents.

bien dommage, n'apparaît presque jamais dans les magazines. Elle cultive la discrétion. Elle n'est pas distante, mais réservée. Très british, en quelque sorte. Ce qui n'est guère surprenant dans son cas : elle est née au pays de Galles, et a grandi à Londres – avant de venir étudier le français en France, où elle a rencontré, puis épousé, un beau jeune homme brun aux yeux de velours devenu, vingt-sept ans plus tard, Premier Ministre de la France.

Tout en sachant que cela ne se fait pas – ou, du moins, ne se fait plus, sous peine d'être taxé de machisme, de sexisme, ou pire – il me faut dire ici quelque chose de la grâce de cette dame, de son charme. Il y a des femmes qui auraient la beauté du diable. Elle, ce serait plutôt la beauté d'un ange. Ou, si l'on n'aime pas ces comparaisons célestes, la beauté fragile de la porcelaine. La porcelaine anglaise, naturellement, bien connue pour sa délicatesse. Teint clair, grands yeux bleus, visage opaline aux traits fins et réguliers, encadré d'une courte coiffure argentée, mince silhouette que cinq maternités n'ont nullement affectée, vêtue avec élégance mais simplicité (veste et pantalon bleus marine, chemisier blanc cassé), Penelope Fillon a beaucoup de naturel et, en même temps, beaucoup de classe. Elle se présente avec, à la fois, avenance et retenue.

Elle me fait asseoir, et s'installe en vis-à-vis, dans un vaste canapé au-dessus duquel est accroché un immense tableau barbouillé de noir. Signé Soulages.

Sujet de conversation tout trouvé :

– Soulages, lui dis-je, c'est aussi le nom d'un cheval – noir, évidemment – appartenant à Bartabas, qui adore donner à ses montures des noms de peintres : Géricault, Goya, Picasso… Je crois que, d'ailleurs, vous connaissez ce cheval, vous l'avez déjà vu. C'est une des stars de l'Académie équestre de Versailles.

– C'est possible, répond doucement Penelope. J'étais venue à l'inauguration de cette Académie, en effet. Il y a quatre ou cinq ans. [C'était, très exactement, le 24 février 2003.] J'avais réussi à y entraîner mon mari [à l'époque, ministre des Affaires sociales du gouvernement Raffarin.]

– L'entraîner, pourquoi ? Les chevaux, l'équitation, l'art équestre : tout ça ne le passionne pas ?

Au moment où je pose la question, j'entends une porte s'ouvrir derrière moi, quelqu'un s'approcher. Le maître d'hôtel, sans doute, venant apporter les apéritifs ? Pas du tout. C'est le Premier Ministre en personne. Sourire, poignée de main, téléphone cellulaire collé à l'oreille, il s'éclipse par une autre porte. Qu'est ce qui le fait fuir ainsi ? L'urgence à régler les affaires de la République ou une forte allergie à la chose équine ?

– Plutôt l'urgence, me rassure Penelope, qui s'empresse de préciser : mon mari n'a rien contre les chevaux. Nos cinq enfants ont tous fait de l'équitation. À l'époque où nous habitions à la campagne [dans la Sarthe, le fief électoral de François Fillon], nous avions des chevaux à la maison. Je faisais un peu d'élevage. J'ai toujours là-bas une jument de six ans, Onyx, que je monte lorsque nous retournons chez nous, près de Solesmes. Mais François a toujours été plus habile au volant d'une voiture qu'aux rênes d'un cheval. Je ne pense pas que les chevaux lui fassent peur, mais je crois qu'il s'en méfie un peu.

Entre nous soit dit : il n'a pas tort. Les chevaux sont des grosses bêtes fantasques, imprévisibles. Un peu comme les foules, les peuples, les opinions publiques. Raison pour laquelle on enseignait, autrefois, l'équitation aux Princes. Entre l'art de soumettre une monture et l'art de gouverner, il y a bien des points communs. Il s'agit, dans les deux cas, de savoir imposer ses volontés à plus fort que soi.

Aux chevaux-crottin, François Fillon préfère donc les chevaux-vapeur. Il adore conduire des bolides – 300 chevaux sous le capot – et trouve plus de griserie à rouler à 300 à l'heure sur piste qu'à gratter un poulain entre les quatre murs d'un manège. En cela, il est en parfaite adéquation avec son terroir, la Sarthe, dont le chef-lieu, Le Mans, possède un des circuits automobiles les plus célèbres du monde.

Penelope, elle aussi, reste fidèle à son terroir : le pays de Galles, l'Angleterre sont de vastes terrains de chasse, où l'on galope à grand train en sautant haies et fossés sans ralentir l'allure. Penelope a conservé ce goût pour l'équitation d'extérieur, le cross, le concours complet.

-- Il faut avouer que le concours complet, c'est moins frustrant que les simples concours de saut d'obstacles, ajoute-t-elle. Surtout quand il s'agit d'y conduire les enfants le dimanche matin. Il faut se lever à l'aube, rouler des heures, pour que parfois tout se termine en quinze secondes : trois refus, et hop, il faut reprendre le van et rentrer. Avec le concours complet, au moins, on a la satisfaction de voir ses enfants se présenter en dressage, en saut et en cross. C'est quand même plus amusant.

– Jamais de chute ? Jamais d'accident ? Chez les cavaliers, c'est rare. Vous ne vous êtes jamais rien cassé ?

– Presque rien. Juste une fois : un petit doigt.

Assez bavardé. Il est temps de passer à table. La salle à manger est juste à côté. Au mur, deux grands Braque tristounets, guère appétissants. Menu de jockey: caviar de légumes, filet de rouget et salade d'agrumes.

Très vite, on y revient. Difficile, quand on est entre passionnés par les chevaux, de parler d'autre chose. On essaye. L'art, la littérature (Penelope a fait des études de Lettres et de Droit), la musique.

– François se passionne pour l'art contemporain. Moi, un peu, moins. Je préfère le Moyen Âge, précise-t-elle en souriant.

Le Premier Ministre est un sage. Il sait se protéger. Éviter les soirées inutiles. Fuir les mondanités. Conserver un peu de temps pour soi, pour sa famille. Réfléchir, lire, écouter de la musique.

– Nous sommes allés assister, l'autre soir au récital de Cecilia Bartoli en hommage à La Malibran (2).

Voilà qui nous ramène – au galop – à nos chevaux. Oui, ses obligations de « deuxième Dame de France » lui laissent le loisir, heureusement, de monter, au moins une fois par semaine, à l'École Militaire, qui possède, en plein Paris, un grand manège qu'il a été fortement question de raser, pour le remplacer – horreur! – par des bureaux. Miracle: il semble que ce projet vienne d'être reporté. Le fait que le Ministre de la Défense, Hervé Morin, se passionne pour les chevaux (de course) et que l'épouse du Premier Ministre pratique les arts équestres a-t-il joué un rôle dans cette reculade? Interrogée, l'intéressée esquive avec élégance. Impossible de prendre Penelope Fillon en flagrant délit d'indiscrétion – et, encore moins, d'orgueil: elle est la simplicité même. Dans sa vie publique comme dans sa vie privée. Elle amène elle-même, par exemple, son petit dernier – Arnaud, 6 ans – à l'école, et va le chercher à la sortie. Avec beaucoup de drôlerie, elle évoque ce jour où le garnement a déboulé en Salle du Conseil pendant une réunion de Ministres, tandis qu'elle peinait à le rattraper, tant il avait hâte de grimper dans sa chambre après la classe.

Pour se tenir au courant de l'actualité politique, Madame Fillon n'a sans doute pas beaucoup d'effort à faire (il est probablement plus difficile, au contraire, de s'en tenir à l'écart). Pour l'actualité hippique, elle lit un mensuel spécialisé, *L'Éperon*.

Pour concilier les deux, il lui suffira de lire, désormais *La Revue*.

[Paru dans LA REVUE POUR L'INTELLIGENCE DU MONDE n° 14 (mai-juin 2008), dans une rubrique intitulée « Déjeuner avec… ».

---

2. Cantatrice du début du XIXᵉ siècle, décédée à l'âge de 28 ans des suites d'une chute de cheval.

Il y avait un troisième convive à ce déjeuner : Sylvie Brunel, professeur de géographie à la Sorbonne, éminente spécialiste du Développement durable, passionnée par les chevaux et – à l'époque – épouse du ministre Éric Besson. Je l'avais rencontrée dans les studios de EUROPE 1, où nous avions été invités tous deux à la veille du Salon du Cheval de Paris (décembre 2007) par le charmant Jacques Pradel. Sylvie Brunel venait de publier, chez JC Lattès, son roman « Cavalcades et dérobades » et moi je ne sais plus quelle nouveauté. D'emblée, nous sympathisâmes. Comment faire autrement avec une personne aussi chaleureuse, avenante et pleine d'entrain que Sylvie ?

Cette dernière me proposa d'organiser un jour – ce que, bien sûr, je m'empressai d'accepter – un déjeuner avec l'épouse du Premier Ministre du gouvernement auquel appartenait alors son mari et qu'elle connaissait déjà un peu : « C'est une très bonne cavalière et une femme délicieuse », m'annonça-t-elle.

Si délicieuse, en effet, que je lançai l'idée, au cours du déjeuner qui s'ensuivit, de lui faire visiter un jour Saumur : son École de Cavalerie, son École Nationale d'Équitation, sa médiathèque, ses écuries, ses manèges, son musée du cheval, son château. En compagnie, bien sûr, de Sylvie Brunel, qui se chargea de faire un compte-rendu de cette visite mémorable, dans le n° 282 de L'ÉPERON (septembre 2008), le magazine préféré de Penelope Fillon.]

❑ FRANCHET D'ESPÈREY Patrice

C'est une belle histoire, qui commence d'ailleurs comme un conte de fées : il était une fois un jeune homme portant un nom prestigieux, hérité d'un ancêtre maréchal de France, auquel il ne restait plus qu'à se faire un prénom.

Il y parvint.

Patrice Franchet d'Espèrey, écuyer au Cadre Noir de Saumur, responsable du centre de documentation de l'École Nationale d'Équitation, président de l'Académie Pégase, est aujourd'hui un personnage incontournable de l'univers équestre « français » – ou, pour mieux dire, « de tradition française ».

Héritage, tradition : les maîtres-mots sont prononcés. Dans un livre touffu et stimulant, qui vient de paraître aux éditions Odile Jacob, Patrice Franchet d'Espèrey a décidé, la maturité venue, de tout dire, tout avouer, tout raconter. De régler ses comptes, aussi. Ce qui, chez lui, commence par reconnaître ses dettes.

Encore inexpérimenté, le jeune Franchet a eu la « chance » de rencontrer un personnage extraordinaire : un maître. Il s'appelait René Bacharach. Parfumeur de métier, éditeur à l'occasion, Bacharach était surtout, était essentiellement un écuyer. Un écuyer d'une érudition impressionnante, d'une culture (équestre) incomparable. J'ai eu, moi aussi, la « chance » de le connaître, et de publier, en 1996, son dernier ouvrage (épuisé depuis longtemps : on en voit « passer » un exemplaire, de temps en temps, dans le catalogue de la librairie Philippica), recueil de citations composé des préceptes les plus judicieux, des conseils les plus utiles, des sentences les plus exactes, à ses yeux, de toute la littérature équestre : un domaine qu'il connaissait mieux que personne, lui qui s'était constitué, au cours d'une longue vie de chercheur inlassable, une sorte de bibliothèque idéale. Il avait donné à ce recueil le titre – très provocateur – de « Réponses équestres » : allusion, on l'a compris, aux fameuses « Questions équestres » du général L'Hotte.

Comme le rappelle Franchet d'Espèrey dans son livre, « disciple du capitaine Beudant, lui-même disciple du général Faverot de Kerbrech, Bacharach avait travaillé avec le général Decarpentry et le commandant Licart, et faisait partie du groupe des cavaliers français qui avaient découvert Nuno Oliveira dont il avait traduit et publié les premiers écrits. » Jolie généalogie, au sommet de laquelle on trouve, naturellement, la divinité Baucher.

Disciple de René Bacharach, Patrice Franchet d'Espèrey en fut aussi l'héritier : c'est à lui que le vieil écuyer décida de léguer sa prodigieuse bibliothèque, sur laquelle louchaient pourtant de nombreux amateurs, tels Jean-Louis Bonvalet (librairie Elbé), prêts à en payer le prix.

Le prix qu'en paye aujourd'hui Patrice Franchet d'Espèrey est celui de la reconnaissance. Son livre est, avant tout, un hommage à celui qui fut son père spirituel, et à son enseignement. Le titre est d'ailleurs explicite : « La Main du maître (réflexions sur l'héritage équestre) ».

Qu'on se rassure : il ne s'agit ni d'une biographie, ni d'une autobiographie (bien qu'on y trouve un peu des deux). Encore moins d'une hagiographie : à aucun moment, en effet, Franchet ne se départit de sa liberté de jugement, ni ne perd son esprit critique – qui est grand : pour lui, disciple ne veut pas dire discipliné.

À lire son livre, on constate que Franchet a fait bon usage de la merveilleuse bibliothèque dont il a hérité. Hérité dans les deux sens du terme, comme il le démontre dès le deuxième chapitre de son livre, joliment intitulé « tout cavalier a besoin d'un père », et dans lequel il propose un survol de l'histoire de l'équitation – de l'art équestre, plutôt –, seul socle sur lequel il est possible, aujourd'hui encore, de bâtir sinon une doctrine, du moins une pratique.

S'appuyant sur de très nombreuses références aux grands textes classiques et sur une iconographie très « parlante », l'auteur se livre dans les chapitres suivants à une époustouflante leçon d'équitation, passant tantôt par une ré-explication des airs, des figures, et des allures, tantôt par la re-définition de notions aussi vagues que la posture, la légèreté ou la flexibilité.

S'il fallait trouver quelque chose à reprocher ici à Patrice Franchet d'Espèrey, ce serait à propos du plan de son livre, pas toujours d'une parfaite logique : on a un peu l'impression que son auteur, face à l'abondance de la matière accumulée, à la prolifération des sujets abordés, a choisi de ne pas choisir. Mais ce qui sauve un ensemble qui, sous une autre plume, aurait pu passer pour un fatras, un amoncellement hétéroclite de connaissances, c'est l'entrain dont fait preuve son auteur. Son allant, sa gaîeté, son enthousiasme sont communicatifs et font vite pardonner le relatif désordre dans lequel ce gai-savoir est présenté.

L'autre raison de se réjouir est de trouver dans cet ouvrage une réponse aux Cassandre qui ne cessent de répéter, à Saumur, à Bercy, à Versailles ou ailleurs que « tout fout le camp » : tout fout le camp, c'est possible, mais, à lire Franchet d'Espèrey, on voit bien que tout n'est pas irrémédiablement foutu !

Dans le nom même de Franchet, n'y a-t-il pas beaucoup de franchise ; et dans le nom d'Espèrey, un peu d'espoir ?

[Paru sous le titre « L'héritage équestre de Patrice Franchet d'Espèrey » dans LE CHEVAL n° 97 (11 avril 2008) accompagné du petit encadré suivant.]

En dehors de ceux de Baucher, Beudant ou Bacharach, quelques noms reviennent fréquemment sous la plume de Franchet, qui n'est décidément pas le disciple d'un seul maître, l'adorateur d'un seul dieu. Il y a aussi celui de Luc de Goustine. Bonne occasion de signaler ici la parution récente (aux éditions Pilote 24, à Périgueux) du nouvel ouvrage dudit Luc de Goustine : une magnifique biographie romancée du célèbre troubadour Bernard de Ventadour, « le poète de l'amour ».
Ouvrage savant, brillant exercice littéraire, ce livre plein de musique et de poésie, mais aussi de guerres et d'aventures, se présente comme une sorte de « roman d'initiation ». Chez de Goustine (« Bernard de Ventadour ou les jeux du désir ») comme chez Franchet (« La Main du maître ») on est, on le voit, dans la même problématique : la transmission d'un savoir, la captation d'un héritage, la sauvegarde d'une culture.

g

❏ GARCIN Jérôme

Comment fait-il donc ? D'où tient-il cet art de nous amener là où l'on ne veut pas nécessairement aller ? De nous intéresser à un sujet qui, a priori, ne nous intéresse que très modérément ? De nous séduire avec un personnage en vérité assez peu séduisant ? De nous faire aimer, enfin, quelqu'un de, pourtant, pas spécialement admirable ? Moi qui ne peux admirer que par amour, et n'aimer que par admiration, je n'en reviens toujours pas : je me suis fait avoir. J'ai succombé.

Jérôme Garcin a choisi pour prétexte de son nouveau « roman » (ou récit ?) un hommage posthume à François-Régis Bastide, son prédécesseur à la direction de la célèbre émission radiophonique « Le masque et la plume ». Passionné de musique et de littérature – mais qui ne fut ni un grand compositeur ni un grand écrivain –, cet escogriffe, auquel son aspect donnait des allures vaguement aristocratiques, était tout à la fois grand amateur de femmes et d'honneurs, de Ravel et de Gobineau, d'Allemagne et de Provence, de jardinage et d'astrologie. C'était également, du moins en était-il lui-même persuadé, un homme « de gauche ».

Aussi à gauche, en tout cas, que l'était François Mitterrand qui, d'ailleurs, s'amusa à en faire un ambassadeur de France (à Copenhague, puis à Vienne), réussissant ainsi d'une pierre plusieurs coups : il remerciait de sa fidélité un vieil ami, qui aurait adoré, certes, devenir ministre – mais il lui fallait aussi caser Jack Lang – et, plaisir suprême, bousculait les petites intrigues des prélats du Quai d'Orsay.

Mitterrand raffolait de ces jeux délicieux : il éprouva, par exemple, un malin plaisir à nommer ambassadeur dans un pays musulman, la Tunisie, où siégeaient la Ligue Arabe et la direction (en exil) de l'Organisation de Libération de la Palestine, un journaliste du *Monde* – antisioniste certes, mais juif quand même –, mon ami Éric Rouleau.

Qu'avait donc ce François-Régis Bastide pour plaire à Jérôme Garcin au point de lui consacrer un livre ? Même après l'avoir lu, je m'interroge. Je ne vois pas bien. Rien ! Du moins, rien d'autre que l'amitié. Le titre étrange de cet ouvrage, « Son excellence, monsieur mon ami » (Gallimard, 2008), a le mérite au moins d'annoncer la couleur ! Alors, par quelle sorcellerie finit-on par avoir, à son tour, un peu plus que de la sympathie pour un personnage dont la seule vraie grandeur était la taille ? Quel subterfuge Garcin a-t-il utilisé pour changer ainsi le plomb en or ? Son secret, Mesdames et Messieurs, je vais vous le dire une fois, je vais vous le révéler deux fois, je vais vous le dévoiler trois fois. C'est le style. L'élégance de la phrase, la grâce de l'écriture, la magie des mots. Jérôme Garcin est bien mieux qu'un bon journaliste, c'est un grand écrivain. La preuve : la manière de raconter a beaucoup plus d'importance que le contenu de la narration. Le plumage vaut largement le ramage. Surtout, le regard de l'écrivain est infiniment plus intéressant que ce qu'il regarde.

Pour dire les choses plus clairement, ce qu'il y a de plus fort, de plus touchant dans ce livre, ce n'est pas François-Régis Bastide, c'est Jérôme Garcin – dont la haute silhouette de cavalier apparaît à tous les détours du récit.

Évoquant « les plus belles années » de sa vie d'homme de presse, Garcin se souvient du lancement, sous la houlette du flamboyant et postillonnant Jean-François Kahn, de *L'Événement du jeudi* (1984) : « À cette époque, raconte-t-il, pour le seul plaisir du bon mot, de la formule assassine, d'aiguiser mes griffes contre les institutions et de prétendre défaire une réputation, j'exécutais chaque semaine les livres et leurs auteurs… Je n'ai pas un bon souvenir de ces grimaces d'intransigeance. »

Il a bien raison, car c'est dans l'éloge qu'il est le meilleur, et non dans la férocité, la méchanceté, le sarcasme ou l'ironie. Cela vaut tant pour ses chroniques, hier dans *L'Événement du jeudi*, aujourd'hui au *nouvel Observateur*, que pour ses romans : on le préfère dans l'héroïsation du personnage – somme toute plutôt répugnant, mais dont il fait une personnalité attachante – de « C'était tous les jours tempête » (2001) que dans la critique acidulée d'un certain parisianisme des « Sœurs de Prague » (2007).

Ses meilleurs livres – essais ou récits – sont ceux dans lesquels il dit son admiration : « Pour Jean Prévost » (1994), ou pour « Barbara, claire de nuit » (1999), voire ses amours si joliment affichées dans « Théâtre intime » (2003). C'est là qu'il déploie le mieux ses talents, que brille de ses mille feux une écriture ciselée – taillée en effet comme un diamant – et que s'accomplit sous nos yeux et à notre profit le miracle que seule est capable de produire la bonne littérature. Jérôme Garcin a cette force, cette capacité à nous embarquer à notre insu vers des univers lointains, à nous amener insensiblement sur des rivages enchantés que, sans lui, nous n'aurions jamais songé à aborder.

Combien de lecteurs ont été, grâce à lui, convertis à l'équitation après avoir lu « La chute de cheval » (1998) ? Nombreux seront ceux qui, dans « Son excellence, monsieur mon ami » trouveront, sous l'apparence d'une brillante oraison funèbre prononcée sur la tombe d'un cher disparu, une fresque extraordinairement vivante, grouillante de mille personnages (parmi lesquels Garcin n'est pas mécontent de figurer), de la vie intellectuelle en France dans la seconde moitié du XXᵉ siècle. Ils y trouveront aussi, à condition de savoir regarder, des esquisses qui complètent utilement les croquis que Garcin avait dessinés dans « Bartabas, roman » (2004), qui était passé, parfois, pour une simple hagiographie de l'ogre d'Aubervilliers – alors que c'était plus sûrement un pudique et magnifique autoportrait !

[Paru sous le titre « Son excellence Monsieur Garcin »
dans LE CHEVAL n° 91 (18 janvier 2008).]

❏ GINIAUX Dominique

Quatre ans seulement, quatre ans déjà. Une éternité. Dans la nuit du 3 au 4 mai 2004 s'éteignait celui dont le nom est le pluriel de génial : Dominique Giniaux.

Inventeur de l'ostéopathie équine, ce vétérinaire surdoué est aujourd'hui encore regretté par tous ceux qui l'ont connu, approché ou tout simplement vu travailler – magicien capable de redonner, du bout des doigts, sa vigueur à un cheval fatigué, sa fécondité à une jument stérile – et sa joie à un propriétaire désespéré.

À le fréquenter, on apprenait beaucoup. En premier lieu que la santé est un équilibre. Un équilibre instable, fragile, pouvant être remis en cause à tout instant. Un peu comme sur une bicyclette : quand on le perd, c'est la chute. La bonne médecine est celle qui permet de rétablir cet équilibre, qui aide l'organisme à le retrouver – pour que la bicyclette puisse continuer à rouler.

Excellent pédagogue, Dominique Giniaux ne répugnait jamais à utiliser des images simples, des comparaisons amusantes, des métaphores pour se mettre à la portée de ses interlocuteurs, et s'en faire comprendre.

Ce que j'ai compris à son contact, c'est que, dans ce jeu de poids et contrepoids, dans cette recherche naturelle de compensations, de juste milieu – en un mot : d'harmonie – le corps (d'un homme comme celui d'un cheval) forme un ensemble qu'il ne faut pas chercher à segmenter, à désolidariser, mais qu'il faut prendre, au contraire, dans sa globalité.

Grâce à un petit livre paru récemment aux éditions Forvil, on s'aperçoit qu'il en va de même de la pensée. Aussi cohérente qu'elle fut, celle du Dr Giniaux était, elle aussi, composite. Intitulé « Citations de vie », cet opuscule, en effet, reproduit le contenu d'un bloc-notes sur lequel le bon docteur notait non seulement des idées qui lui traversaient l'esprit, mais aussi des citations, glanées ici ou là, qui lui paraissaient à la fois judicieuses et conformes à sa propre réflexion, à ses propres recherches. « Toutes ces citations forment une sorte de colonne vertébrale de sa pensée » écrit Bénédicte Giniaux, son épouse, la mère de ses filles, sa muse, à laquelle on doit cette édition. Nous reproduisons ci-dessous quelques spécimens des aphorismes rédigés par Dominique lui-même. On peut s'en procurer l'intégralité pour 12 euros seulement (port compris) sur www.forvil.fr

Un cheval est un mammifère ongulé herbivore monogastrique, supportant pas mal de choses de la part des humains qui l'utilisent à son insu comme psycho-thérapeute; il les porte même sur son dos sans vraiment comprendre qu'il pourrait s'opposer catégoriquement à cette humiliation...

Le raisonnement de cause à effet est une erreur à chaque fois que la cause et l'effet sont deux conséquences d'une autre cause qui souvent n'existe plus.

C'est parce qu'on bouge qu'on reste en vie, et pas parce qu'on vit qu'on bouge!

Les microbes ne sont jamais responsables des maladies, ils ne font que profiter de l'état des lieux.

Un généraliste est un homme qui sait très peu de chose sur un très grand nombre de sujets et qui, progressivement, en sait de moins en moins sur un nombre de choses toujours plus grand, jusqu'à ce qu'il ne sache pratiquement plus rien sur à peu près tout... Un spécialiste est un homme qui sait beaucoup de choses sur un sujet très limité et qui, avec le temps, en sait de plus en plus sur un sujet de plus en plus limité, jusqu'à ce qu'il sache finalement tout sur à peu près rien...

Le cheval s'est beaucoup simplifié au cours de son évolution, tout ce qui est resté est utile.

[Paru dans LE CHEVAL n° 101 (6 juin 2008).]

❏ GRAINVILLE Patrick

Il est fou, complètement fou. De roman en roman, Patrick Grainville invente des histoires de plus en plus loufoques, de plus en plus foldingues. Cette fois, comme son titre l'indique (« Lumière du rat », Le Seuil, 2008), c'est celle d'un rongeur, terrifiant d'intelligence, et dont le regard finit par obséder la gamine qu'il ne cesse d'observer en silence de ses petits yeux brillants. On se demande si ce rat n'est pas Patrick Grainville lui-même, qui se révèle ici un contemplateur aigu des troubles, des angoisses, des excès, des effrois, des crises de l'adolescence.

Les adolescentes, les adolescents, il connaît. Le Prix Goncourt qu'il a obtenu en 1976 (pour « Les Flamboyants »), les succès littéraires qu'il ne cesse, depuis, d'accumuler, à raison, approximativement, d'un livre par an, ne lui ont pas fait tourner la tête : imperturbable, il continue à enseigner (le français, on s'en serait douté) dans un lycée de banlieue parisienne, et donc à fréquenter de très près cette jeunesse tendre et violente, irritante et attachante qu'il sait si bien raconter, avec parfois une coupable bienveillance : ces gamines affriolantes – déjà des femmes –, ces gamins mal dans leur peau – pas encore des hommes (parfois l'inverse).

Clotilde, sa sœur Armelle, sa voisine Carine s'échangent, se fauchent, se refilent leurs petits copains qui, eux-mêmes, ne paraissent pas encore définitivement fixés sur leurs goûts : leurs « tendances », comme on dit.

Ce ballet amoureux, ces entrechats érotiques, donnent à Patrick Grainville l'occasion de déployer au mieux son art prodigieux à faire tourbillonner les phrases, de donner libre cours à sa formidable inventivité langagière, à sa verve poétique, proliférante, torrentielle : « flamboyante ».

Dans un merveilleux fatras de chairs nues, de viandes crues, de volailles, de poiscailles auxquelles se mêlent des odeurs forestières, des senteurs animales – toute une vie exubérante, une nature énorme, une vitalité dionysiaque, dépourvues sinon de morale, du moins de moralité –, Grainville nous abreuve d'images, nous gave de mots, nous inonde, nous ensevelit sous l'avalanche de son bavardage magnifique.

Il y a dans tout cela (260 pages) de véritables morceaux de bravoure, des scènes inoubliables, des pages d'anthologie : le combat géant du rat et d'un cygne, la baignade d'une femme enceinte, les gémissements d'une grand-mère à la digestion difficile, l'atterrissage d'un avion à Orly, la promenade d'un étrange bonhomme, accompagné de quatre chiens roux, sur une plage de Normandie, plage sur laquelle Carine, totalement nue, va inventer une étonnante chorégraphie solitaire – et mille autres moments grandioses où Grainville se déchaîne, tout spécialement lorsqu'il décrit les replis intimes du corps féminin.

Manifestement, cet écrivain raffole de sexe : plus, d'ailleurs, son anatomie que sa pratique. Grainville est un cérébral. Un intellectuel. Un visuel. Outre la chair et la danse, il aime la photographie : sa complicité avec Lucien Clergue est bien connue (cf. « Le Nu foudroyé », publié en 2004 chez Actes Sud). Ici, c'est Newton, dont les photographies de grandes femmes impeccables, androgynes, frigides et cruelles ont fait le tour du monde, qui devient un personnage à part entière du roman. *

La description détaillée d'une des photos du maître fournit à Grainville l'occasion – la seule, dans « Lumière du rat » – d'évoquer une autre de ses passions : les chevaux. Et à nous, celle de donner un échantillon de la prose grainvillienne : « dans le fond (écrit-il, page 115), sur une invisible console, une sculpture représentait un quadrige à bride abattue mené par un aurige. À côté, un énorme bouquet de lys glorieux fleurissait. Un peu à droite de cette effusion de corolles s'étalait un immense tableau dont le motif était un cheval énorme, incongru, presque rustique ».

On est loin, très loin, des épiques envolées hippiques dont était composé, pour l'essentiel, son précédent roman (« La main blessée », Le Seuil, 2006). Loin, très loin de ses grandioses discours sur la beauté féminine des chevaux, de ses affolements, ses emballements charnels déclenchés, notamment, par la caballine fringance d'une belle amazone (musulmane) aux « fesses délicieusement rondes et compactes dont la cambrure renforçait la protubérance » (page 21).

Ces merveilleux délires, servis par une écriture somptueuse, m'avaient alors donné une furieuse envie de rencontrer leur auteur. Pas seulement, comme on va m'en soupçonner, parce que je serais victime des mêmes fantasmes, non : j'avais déjà éprouvé avec Grainville une proximité, une sorte de fraternité lorsqu'il avait fait paraître « Les Flamboyants », dont l'action se déroule en Afrique, ayant retrouvé, à sa lecture, la vive sensualité, les couleurs excessives, les odeurs puissantes de ce continent auquel je venais de consacrer sept ans de ma vie, comme directeur de la rédaction d'un hebdomadaire spécialisé (*Jeune Afrique*). J'avais aimé le style tropical, l'écriture diluvienne de ce jeune auteur qui n'avait alors pas encore trente ans.

Dans « La main blessée », aussi, je me suis senti un peu chez moi. Du coup, j'ai désiré voir Grainville chez lui. Un beau jour de février 2006, il a bien voulu me recevoir en ces lieux qu'il avait évoqués vingt ans auparavant, dans un autre de ses romans (« Le paradis des orages ») mais dont je me demandais s'ils étaient pure invention d'écrivain ou fidèle description de la réalité : « d'innombrables écuries ponc-

---

* Newton, décidément, n'a jamais tant inspiré les écrivains que depuis qu'il est mort (en 2004) : il est cité à plusieurs reprises aussi dans le dernier (du moins, on l'espère !) roman de Frédéric Beigbeder, « Au secours, pardon » (Grasset, 2007). Lequel se croit drôle en précisant que ce Newton-là se prénomme Helmut, et non Isaac (ah ! ah ! ah !).

tuent le parc où je demeure. Le long de la Seine, un champ de courses rassemble les yearlings et les pur-sang pour des compétitions célèbres. J'aime voir les animaux fumants et triomphateurs, trempés d'une bave blanche, quitter l'hippodrome, escortés par les lads [...] J'aime sentir mon logis inscrit au centre de ce vaste réseau de chevaux qui tournent. Clandestines et pures juments comme étonnées de leur majesté, de leur puissance et de leur indicible délicatesse. J'aperçois sous les saules et les noisetiers le balancement de vos fesses de Nubie. C'est vrai que dans la hiérarchie des culs, rien ne peut égaler ce fleuron nuptial d'une croupe de jument imbue de sa beauté. »

Eh bien oui, j'ai vérifié, tout cela est exact. Patrick Grainville, c'est vrai, habite à Maisons-Laffitte. Des fenêtres de son salon, c'est juste, on voit passer les chevaux à l'entraînement.

Quant à la hiérarchie des culs, j'en témoigne, Grainville sait de quoi il parle. Il a étudié la question de près. Scientifiquement. Méthodiquement. Les murs de son appartement – l'entrée, le séjour, les couloirs – sont couverts de culs, photographiés, dessinés, de profil, de face (si j'ose dire) ou de trois quarts. Du sol au plafond : des culs, des culs, des culs. Culs de chevaux, culs de pouliches. Culs de femmes, de demoiselles, de donzelles, de pucelles. Culs noirs, culs blancs, culs multicolores, multiraciaux, pluriethniques et pluridisciplinaires. Des ronds, des ovales, des rebondis, des cambrés, des appétissants, des époustouflants, des renversants, culs par dessus-tête ! Oui, c'est sûr, il a un grain, Grainville !

Reste à savoir quel genre de grain. Grain d'orge ou d'avoine pour ses chevaux de papier ? Grain de pluie plutôt : une averse, entre deux orages, deux déluges de mots, entre deux romans ?

Lorsqu'il me reçoit, je découvre qu'il parle comme il écrit : à vive allure. Tout au galop. Il ressemble, d'ailleurs, à ces pur-sang dont il admire tant la vivacité. Sec, nerveux, agité, il a une grande mèche, une sorte de toupet, qui vient parfois lui couvrir l'œil.

Dans le vaste décor ultra-fessu de son appartement, il a tout de même dégagé quelques pans de murs. Ici une bibliothèque : un fouillis de livres. Là un petit morceau d'Afrique : une branche de baobab, des statuettes nègres. Dans un recoin, enfin, une sorte de chapelle, de tabernacle, tapissé d'images pieuses, de vierges saintes et d'un crucifix géant.

D'où lui vient cette passion (exclusivement littéraire et purement livresque) pour les chevaux ? De son enfance normande, peut-être ? Son père, entrepreneur en charpenterie, maire de son village (Villerville, entre Honfleur et Trouville) l'emmenait aux courses à

Deauville. « Ce feu, cette fougue du galop : c'est ça que j'essaye d'obtenir avec des mots, de mettre dans des phrases », dit aujourd'hui Patrick Grainville, en guettant par les grandes fenêtres de son salon l'arrivée d'un lot à l'entraînement sur les allées cavalières percées dans les bois.

Les livres de Patrick Grainville présentent la particularité d'éreinter ceux qui les lisent. Des livres de Grainville, on sort toujours épuisé. Comme essoré. Comme rescapé d'une tornade, d'un typhon, d'un cyclone, d'un tsunami. On met un temps fou à s'en remettre.

P.-S. : La prochaine fois, il faudra que je vérifie : a-t-il épinglé au mur les fesses (aimables) de Simone de Beauvoir, qui ont fait « la une » du premier numéro du *nouvel Observateur* de 2008 ?

> [Paru dans le numéro 2 de la revue CHEVAL-CHEVAUX
> (avril-septembre 2008) sous le titre « Le grain de Grainville ».]

❏ GREGOR Jean

C'est de pire en pire. On avait certes l'habitude d'une rentrée littéraire toujours abondante, d'une production romanesque pléthorique, alignant chaque fin d'été un nombre effarant de partants à la course aux grands prix de l'automne. Il y a une dizaine d'années, cela tournait autour de 400 nouveaux romans par rentrée. Puis on est passé à 500, voire à 600. Parmi lesquels, évidemment, seuls une dizaine ont une chance d'émerger, de faire leur trou…

Et puis vint « la crise ». Les éditeurs convinrent qu'il fallait se calmer un peu, ralentir le rythme, modérer la production, la ramener à des chiffres raisonnables. Mais voilà que ça redémarre à la hausse : il y en a, cette année 2010, plus de 700 ! Sept cent un exactement, d'après la comptabilité de *Livres Hebdo* (n° 828 du 2 juillet), le magazine de la profession. Au moment où la plupart des spécialistes (?) annoncent la fin imminente du livre, irrésistiblement condamné, disent-ils, par le numérique, 700 nouveautés, ce n'est pas si mal : le moribond fait encore preuve d'une belle vitalité !

Impossible, évidemment, d'absorber tout ça. Aucun libraire, aucun critique littéraire, aucun membre d'aucun jury ne pourra jamais lire toutes ces nouveautés : entreprise surhumaine ! Mais, pour ma part, j'en ai lu quelques-unes. Et s'il faut ici n'en recommander qu'une seule, je proposerai « Transports en commun », de Jean Gregor, un jeune auteur qui, après avoir publié cinq romans au Mercure de France, rejoint cette année l'écurie Fayard.

Jean Gregor est un véritable écrivain, c'est-à-dire un créateur d'univers – un univers qui n'appartient qu'à lui, même si c'est celui dans lequel nous vivons tous : un entrelacs de béton, d'autoroutes, d'aéroports, d'usines et de bureaux, envahi par les machines. Des machines qui nous encombrent, nous harcèlent, et finissent même parfois par nous dominer.

Les machines, ici, ce sont les voitures, les trains, les avions. Mais, heureusement, une trentaine de pages avant la fin de son histoire (qui en comporte 316), Jean Gregor fait apparaître des chevaux. C'est un peu comme un soulagement, une rédemption, pour le lecteur comme pour l'héroïne du roman, Sylvie, qui se retrouve aux États-Unis, dans un ranch où de pauvres filles paumées cherchent à se réconcilier avec la vie en s'occupant des chevaux. « Contrairement aux hommes qu'elles avaient connus (écrit Jean Gregor), le cheval n'en ferait pas trop avec elles, ni dans un sens ni dans un autre. Il ne les baratinerait pas. »

Dans un contexte certes différent, un autre écrivain a fait une observation comparable : « l'équitation est ce qu'un jeune prince peut apprendre de mieux (écrit-il), car jamais son cheval ne le flattera. » Son auteur est un Grec du nom de Plutarque.

C'était il y a vingt siècles.

[Paru dans CHEVAL MAGAZINE n° 466 (septembre 2010) dans la rubrique *Ruades*.]

k

❏ KADARÉ Helena et Ismaïl

Il y a des déclarations d'amour qui tiennent en quelques lignes, voire en quelques mots. Celle que Helena Kadaré adresse aujourd'hui à son mari Ismaïl, l'illustre écrivain albanais, est si débordante qu'elle a du mal à entrer dans les 750 pages pourtant serrées d'un livre qui vient de paraître sous un beau titre – emprunté à celui d'un poème de son mari : « Le temps qui manque » (Fayard, 2010).

Il est vrai que ce livre n'est pas qu'une simple déclaration d'amour : c'est l'évocation de toute une vie de couple – un demi-siècle –, toute une vie de relations intimes avec un homme exceptionnel. Exceptionnel, ce qui ne veut pas dire parfait.

L'amour que Helena porte à son époux n'est pas aveugle. Ismaïl Kadaré a beau être un génie, l'auteur d'une œuvre parmi les plus importantes de la littérature mondiale du XXᵉ siècle, il n'en a pas moins de solides défauts. Et d'abord, un fichu caractère : ombrageux, lunatique, réfrigérant. Lorsqu'il débarque pour la première fois dans la famille de celle qui deviendra sa femme, par exemple, cette dernière témoigne (page 85) : « comme s'il avait apporté avec lui un vent glacé, sa présence frigorifia l'atmosphère ».

Souvent glacial, le gaillard ne l'est toutefois pas toujours : il serait même plutôt du genre chaud lapin, ainsi que le révèle Helena lorsqu'elle raconte les années au cours desquelles le jeune Kadaré était censé étudier la littérature à l'Institut Gorki, à Moscou.

À lire son livre, on se demande parfois : comment a-t-elle fait pour tomber amoureuse d'un type pareil et, pire, pour le rester si longtemps ? C'est qu'elle est généreuse. Elle n'est pas dupe, loin de là, elle est bien informée, elle est lucide, mais elle pardonne. Intelligente, elle sait apprécier à sa juste valeur les qualités de son génial époux, en comparaison desquelles ses petits et grands travers ne comptent guère.

Dans ce livre de mémoires, Helena Kadaré fait preuve non seulement d'une grande capacité à pardonner, mais aussi d'une grande capacité à admirer. Son mari, bien sûr, son œuvre, ses pensées, ses désirs, ses idées, ses projets – et même ses rêves, qu'elle note soigneusement (page 174, par exemple) ou ses brouillons, qu'elle collectionne amoureusement (page 301 notamment). Mais aussi le monde dans lequel elle vit, les gens qu'elle rencontre. Elle s'extasie de ce qui lui est arrivé, à elle, la petite fille d'un village d'Albanie, férue de poésie, qui aurait aimé se lancer, également, dans l'écriture si l'ombre géante de son mari ne l'en avait dissuadée, devenue la compagne, l'épouse, la confidente d'un des plus grands écrivains du siècle.

Dissuadée ? Pas complètement : accaparée par un mari tourmenté, compliqué, envahissant, Helena Kadaré a tout de même trouvé l'énergie d'écrire quelques livres – dont un joli roman, qui a été traduit en français : « Une femme de Tirana » (Stock, 1995). Sans parler de la naissance de ce qu'elle considère comme ses véritables chefs-d'œuvre : ses deux filles, Gresa et Besiana, dont l'évocation nous vaut, dans son recueil de mémoires, quelques anecdotes charmantes, comme celle-ci (page 213) : dans les années 1960, pour les Albanais, « les voyages à l'étranger étaient un événement si insolite que, dans ces cas-là, toute la famille se rendait à l'aéroport pour escorter le voyageur ». Un jour, Helena et sa première fille accompagnent ainsi Ismaïl Kadaré, invité à se rendre au Vietnam. « Je me souviens, raconte-t-elle, que, tenant

Gresa par la main, nos têtes levées pour regarder l'avion géant monter dans le ciel, alors qu'il avait pris bien de l'altitude et ressemblait déjà à un moineau, Gresa, effrayée, se tourna vers moi pour me faire remarquer : "Mais il est trop petit pour contenir papa, maintenant !" »

On le voit : Helena prend un plaisir manifeste à raconter des histoires, à se plonger dans ses souvenirs, et fait preuve dans cet exercice d'un réel talent. Toutefois, l'intérêt principal de son livre n'est pas dans cette accumulation d'anecdotes, aussi savoureuses ou croustillantes soient-elles, pas plus que dans le récit détaillé des turpitudes extraconjugales de son incorrigible époux – à propos desquelles, courageusement, Helena écrit (page 602) « le fait que je continuasse à lui témoigner un dévouement absolu ne voulait pas dire que je ne remarquais ni ses défaillances ni ses faiblesses, car je n'étais ni aveugle ni stupide. Si je tenais bon, c'est que je voyais dans notre relation quelque chose de plus grand et de plus profond. »

Le grand, l'immense intérêt de cet ouvrage, est de nous plonger dans la réalité, souvent tragique, de la création littéraire, spécialement lorsqu'elle s'accomplit, et même – c'est là le grand paradoxe – s'épanouit, dans un contexte aussi terrifiant que l'était la dictature communiste en Albanie au temps de Enver Hoxha. Le grand, l'immense avantage de cet ouvrage est de nous aider à lever un coin de ce qu'on a appelé le mystère Kadaré. Que sa pensée soit sinon mystérieuse, du moins complexe, toute son œuvre – une centaine de romans et d'essais : plus de vingt mille pages publiées, sans compter d'innombrables notes, synopsis, correspondances inédits – en témoigne. Mais à cela s'ajoute une énigme à la fois politique, philosophique et littéraire, qu'un essayiste russe, A. J. Roussakov (cité par Helena page 189) a résumé d'une phrase : « Kadaré arbore à la fois les traits du plus grand écrivain officiel et ceux du plus grand écrivain dissident d'Albanie ». C'est cette ambiguïté, sans doute, qui a jusqu'à présent retenu le jury Nobel de lui attribuer enfin le fameux prix – ce dont il a été souvent question, mais à quoi il ne s'est (hélas) jamais résolu, ne sachant si Kadaré avait été, au temps du communisme, un opposant ou un sympathisant – ou, pire encore, un simple opportuniste. À lire le témoignage de Helena, on se rend bien compte qu'il y a quelque chose de monstrueux à se poser ce genre de question, quelque chose, en tout cas, de monstrueusement injuste à douter à la fois de l'héroïsme d'un intellectuel ayant su résister à toutes les menaces, toutes les pressions, et du talent, pour ne pas dire du génie, d'un écrivain ayant su déjouer toutes les embûches idéologiques et autres placées sur son chemin. Tantôt accusé par les tenants du régime d'être vendu à l'Occident – parce que ses livres y connaissaient le succès –, tantôt par les opposants d'être vendu au régime – parce que Kadaré, bien qu'il y ait songé souvent, renonça à fuir son pays, ce qui aurait été alors considéré par beaucoup comme une désertion. Que l'Albanie officielle se soit servi de lui, de sa notoriété pour tenter d'améliorer l'image du régime, c'est certain ; mais il est non moins sûr (Helena apporte à ce sujet des preuves tangibles) que Enver Hoxha, même s'il admirait Kadaré, se méfiait de lui.

Kadaré était-il donc un écrivain anti-communiste dans un régime communiste ? Helena propose plutôt le terme de « a-communiste ». Ses adversaires, de l'intérieur comme de l'extérieur, ont cru pouvoir définir Ismaïl Kadaré par des contraires : quand il publia « Le Concert », rappelle Helena (page 214) « on lui reprocha d'être anti-chinois. À cause du « Général de l'armée morte », on l'avait traité d'anti-italien. À cause d'autres romans, d'anti-turc. À cause de « L'Hiver de la grande solitude », d'anti-russe. Anti-yougoslave allait de soi, à cause du Kosovo. Mais, ainsi qu'il le remarquait lui-même, on l'avait surtout qualifié d'anti-albanais » !

La meilleure réponse à toutes ces accusations a été donnée par Kadaré lui-même : ainsi que le rapporte sa femme (page 292), il ne s'est jamais considéré comme un écrivain officiel, ni comme un écrivain dissident – mais comme un écrivain tout court ! Ce n'est pas une simple pirouette, une habile formule. Kadaré n'utilise jamais cette expression à la légère. Il se fait une trop haute idée du rôle de l'écrivain dans la société et place très haut la responsabilité de ce dernier, et plus haut encore le pouvoir de la littérature.

Tout en n'ayant pas de doute sur sa place personnelle dans la lignée des plus grands écrivains de tous les temps – Homère, Dante, Shakespeare, Dostoïevski –, Ismaïl Kadaré fait preuve en même temps de la plus grande modestie et de la plus grande immodestie en refusant par exemple, après la chute du communisme en Albanie, d'en prendre la Présidence de la République. À ceux qui viennent lui proposer la fonction, Kadaré répond que s'il se sent inapte à occuper ce poste, c'est qu'il est écrivain « donc habitué à travailler seul, sans écouter ni consulter personne. » Bref, conclut-il avec cet humour acide dont il est coutumier, l'écrivain est nécessairement « d'une nature intolérante, donc peu compatible avec la démocratie » !

Rapportée par Helena (page 205) cette remarque en dit long sur la complexité de l'homme de sa vie. Pour mieux le cerner, une autre anecdote mérite d'être encore citée. Au cours d'un dîner, l'ambassadeur américain à Tirana (cela se passe, naturellement, après la fin du régime communiste) pose à Kadaré une de ces questions qui ont l'art de lui déplaire, du genre « qu'est-ce que vous écrivez en ce moment ? » « Ce que j'écris ? répond Ismaïl. Je fais plutôt le contraire : je suis en train de défaire une œuvre. » Avec ce goût du paradoxe qui le caractérise, il déclara, rapporte Helena (page 300) qu'en vérité « la destruction des œuvres qui ne méritent pas d'être écrites est peut-être même la mission principale de l'écrivain. »

Contenant ainsi de nombreux épisodes révélateurs – voire de nombreuses révélations –, ainsi que de nombreux inédits de son maître et mari, le livre de Helena Kadaré est non seulement un témoignage de première main sur la création d'une œuvre d'importance universelle mais aussi un bel hommage à de belles amitiés, telle que celle, hautement méritée, que porte le couple Kadaré à Claude Durand, qui fut pour Ismaïl bien plus qu'un simple éditeur : un confident, un complice, un interprète, un traducteur, un ami sincère, courageux et désintéressé.

Dans ce vaste ensemble, reste toutefois une petite part de mystère. Parmi les bizarreries de comportement de son génial époux, il en est une, par exemple, que Helena laisse inexpliquée : « pendant une courte période, Ismaïl s'était entiché de chevaux », écrit-elle (page 705) – sans proposer la moindre raison à ce soudain intérêt. Je suis heureux d'offrir ici, pour finir, une contribution personnelle à l'élucidation de l'énigme.

Outre Claude Durand, Ismaïl Kadaré a toujours pu compter sur l'indéfectible fidélité de quelques amis français – en particulier sur celle d'un poète d'origine russe, Anatole Bisk, plus connu sous le nom de Alain Bosquet (décédé en 1998). Également romancier, essayiste, critique, Bosquet était passionné par les courses hippiques. Plusieurs fois, il réussit à convaincre son ami albanais de l'accompagner sur un hippodrome (ce que Helena confirme dans son livre, page 574) – sans parvenir toutefois à déclencher chez Ismaïl une véritable passion.

Helena raconte aussi (page 408) qu'un autre de leurs grands amis, le comédien Michel Piccoli, les a invités souvent dans son manoir normand, où « les beaux et fiers chevaux étaient pansés et nourris avec égard dans les écuries ». Mais, là encore, le spectacle ne suscite guère d'enthousiasme chez Kadaré.

Non, le vrai responsable de sa fugitive hippomanie, c'est moi !

Un jour, en effet, Kadaré me raconte une histoire extraordinaire : au temps de la dictature d'Enver Hoxha, un opposant au régime fut arrêté et condamné aux travaux forcés. Pour que la mesure soit bien comprise, on déporta aussi le beau cheval qu'il possédait : l'animal fut relégué dans une ferme où on le soumit lui aussi aux travaux les plus durs. Cette histoire (vraie) m'enthousiasma au point que je ne cessai, depuis, de harceler Ismaïl Kadaré afin qu'il la raconte dans un texte que je publierais. Je finis par obtenir gain de cause. Ce texte figure dans mon livre « Le cheval, animal politique » (Favre, 2009).

Quelques années auparavant, j'avais obtenu de lui un autre petit texte * à la gloire du cheval dans lequel Kadaré fit preuve, une fois de plus, de son génie : au lieu de me livrer de banales considérations sur la beauté de cet animal, ou sur les immenses services qu'il a rendus à l'homme, Kadaré s'interrogea : que se passerait-il si, soudain, les chevaux – témoins silencieux de toutes les turpitudes humaines – se mettaient à parler ? « Ce serait assurément un très grand malheur pour l'humanité », énonça-t-il du ton à la fois épique et solennel qui caractérise une grande partie de son œuvre.

En écrivant « Le temps qui manque », Helena Kadaré a érigé à son mari une sorte de haute statue. Ce pourrait être une statue équestre.

[Paru dans LA REVUE n° 8 (décembre 2010/janvier 2011)
sous le titre « Déclaration d'amour à un écrivain ombrageux ».]

❏ KADHAFI Mouamar

Kadhafi, c'est vrai, est un personnage paradoxal. La moindre des contradictions n'est pas celle qui fait de lui un des hommes politiques les plus célèbres du monde, en même temps qu'un des plus mal connus, et surtout des plus mal compris.

Ce grand provocateur serait-il donc un piètre communicateur ?

Comment se fait-il, par exemple, qu'ici et là, on persiste à le considérer comme instable, alors qu'il bat des records de longévité au pouvoir (bientôt un quart de siècle) ? Comment se peut-il qu'on continue à le présenter comme versatile alors qu'il défend depuis toujours les mêmes principes, qu'il répète inlassablement le même évangile (son « Livre Vert ») ?

---

* Publié dans un recueil de nouvelles, « Première rencontre » (Phébus, 2001) contenant aussi des textes de Dominique Fernandez, Jérôme Garcin, François Nourissier, Jean-Loup Trassard, André Velter et quinze autres écrivains que j'avais réunis pour évoquer la « découverte » du cheval par l'homme (et réciproquement).

Comment expliquer que ce musulman révolutionnaire passe en Occident pour un islamiste réactionnaire, alors que chez lui, il bouscule les bigots, appelle les femmes à la révolte anti-machiste, et maintient, éventuellement à la chicotte, un îlot de modération religieuse dans cet océan intégriste qu'est devenue l'Afrique du Nord (Algérie, Égypte) ?

Comment comprendre qu'on ait pu le diaboliser au point d'en faire un véritable « père fouettard » planétaire, alors qu'il n'exerce son autorité que sur une poignée de Bédouins (entre 2 et 4 millions : difficile de savoir) éparpillés sur des immensités désertiques ? N'est-il pas étrange qu'on n'ait jamais formulé à son sujet la fameuse question que Staline avait posée à propos du Pape : « de combien de Divisions dispose-t-il ? » ?

C'est pour tenter d'apporter des éléments de réponse à toutes ces interrogations que j'ai publié, voici déjà bientôt dix ans (1984), un premier recueil d'entretiens avec Kadhafi.

L'éditeur, imaginatif et courageux (bien qu'helvétique) Pierre-Marcel Favre, avait cru bon de me confier le soin de créer et d'animer une collection dans laquelle la parole serait donnée à ceux qui en sont généralement privés. Une collection dans laquelle les interviews ne prendraient pas nécessairement des allures d'interrogatoire, voire de procès, comme ce fut à la mode dans les années soixante-dix, avec l'Italienne Oriana Fallaci (et la Française Christine Ockrent, qui se rendit célèbre en allant interroger dans sa cellule ce pauvre Hoveyda, Premier Ministre du Shah d'Iran, quelques heures ou quelques jours avant son exécution par les khomeynistes), mais ressembleraient plutôt à des conversations.

Je me flatte d'avoir ainsi recueilli dans cette collection (*les grands entretiens*) un ouvrage dans lequel, pour la première fois, un intellectuel soviétique et un intellectuel occidental osaient échanger librement des propos sur des sujets aussi épineux, à l'époque, que les goulags, le désarmement ou la démocratie (1). C'était bien avant les immenses bouleversements dus à l'effondrement du communisme.

Pour bien montrer que cette série de « grands entretiens » ne serait pas politiquement marquée, je décidai de consacrer les deux premiers titres à un Musulman d'extrême-gauche (le colonel Mouamar Kadhafi) et à un Juif d'extrême-droite (le rabin Meïer Kahane). Étrangement, nul ne songea à me reprocher le second, qui contenait pourtant

---

1. « Un dialogue Est/Ouest », conversations entre Jean Ziegler et Youri Popov (Coédition Pierre-Marcel Favre/ABC).

quelques appels au meutre (« les Arabes à la mer! »). Par contre, que n'ai-je pas entendu à propos du premier! Que j'étais vendu aux Libyens, complice du terrorisme, agent du KGB, et probable suppôt de Satan. J'appris à cette occasion que l'intelligentsia occidentale en général, française en particulier, n'avait guère évolué depuis l'Inquisition. Comme au temps de Jeanne d'Arc, prompte à excommunier et sourde aux cris des condamnés.

Bref! Malgré (ou à cause de) cela, le bouquin marcha plutôt bien. Il fut réédité au Canada, traduit en grec, publié en arabe, et finit même par devenir une référence obligée. Incontournable, en effet, pour qui s'intéresse à la politique libyenne, à la doctrine jamahyrienne ou à la pensée kadhafienne. Il faut dire qu'il était réellement bien fait. Le titre « Je suis un opposant à l'échelon mondial », puisé tout simplement dans les propos du colonel, sonnait juste; et les entretiens, menés avec un mélange de courtoisie et de fermeté par les trois excellents journalistes qui avaient bien voulu accepter mon offre, et que j'avais choisis tant pour leur professionnalisme que pour leur « représentativité » (2), étaient fort instructifs.

Dans ces années quatre-vingt, Kadhafi aimait répéter: « le monde bouge, mais ne change pas ». Cette phrase m'avait frappé, peut-être parce qu'elle correspond assez bien à ma vision personnelle de l'Histoire. Mais tout de même! L'écroulement du système soviétique, l'hégémonie désormais monopolistique des États-Unis, la « guerre du Golfe », la décomposition de l'Afrique, ça commençait à faire beaucoup: pouvait-on encore dire que « le monde ne change pas »?

Il me sembla qu'il ne serait pas inintéressant de poser cette question (et quelques autres) à l'inamovible « Guide de la Révolution libyenne », laquelle avait entre-temps fêté son 20e anniversaire, l'année même où les Français commémoraient le 200e anniversaire de la leur…

Je proposai à trois nouveaux interlocuteurs de mener les débats, en appuyant mon choix non plus sur des critères continentaux (Europe, Amérique, Afrique) mais cette fois plutôt sur des différences de sensibilité idéologique ou, mieux, culturelle. L'Ouest, l'Est et le Sud.

Pour « représenter » le Sud, je fis appel au très subtil journaliste et écrivain sénégalais Ibrahima Signaté, qui dirigea longtemps le service politique de l'hebdomadaire *Jeune Afrique* avant d'être appelé dans son

---

2. Un Européen (juif) : Marc Kravetz, un Américain (noir) : Mark Whitaker, et un Africain (arabe) : Hamid Barrada.

pays pour assurer la Direction de l'Information, puis de revenir en France pour diriger la rédaction du magazine *Afrique Asie*.

Le « représentant » de l'Est fut un jeune éditeur russe, Sergueï Popov, qui anima pendant plusieurs années la collection *Témoignages sur l'Union Soviétique* publiée par les Éditions du Progrès, premier groupe éditorial de l'ex-URSS.

À l'Ouest, enfin, je sollicitai la collaboration de Jean-Pierre Sereni, excellent spécialiste des affaires pétrolières et fin connaisseur des réalités maghrébines. Il se fit remplacer lors des dernières séances, par l'historien et philosophe français Bernard Lehembre.

Les entretiens, une demi-douzaine, se sont déroulés, entre fin 90 et début 93, dans les lieux les plus divers : un coin du désert près de Tripoli, un bord de plage près de Syrte, un campement près de Benghazi. Kadhafi nous recevait parfois entouré d'une cour nombreuse (des cousins, des ministres, des cousins-ministres, comme Ahmed Ibrahim, qui fut quelque temps en charge d'Enseignement Supérieur, etc), parfois seul.

Les « interrogateurs » étant francophones (y compris le Russe), les questions étaient posées en français. Les réponses, en arabe, étaient traduites en simultané par divers interprètes, le meilleur étant sans conteste le pétillant Salah Zarem. Un personnage ! Spécialiste reconnu de l'antiquité grecque, formé en France, ce professeur à l'université de Tripoli est aussi un inlassable militant kadhafiste, et une des principales figures (en tout cas la seule sympathique !) du trop célèbre « Mataba », une des innombrables officines libyennes exportatrice de révolution (entendez coups tordus et sacs d'embrouilles...).

Le seul point commun entre ces différentes séances d'entretiens est qu'elles ont toutes eu lieu le soir, à la nuit tombée. On aurait dit que Kadhafi y trouvait quelque détente, y prenait quelque repos.

Voilà encore un paradoxe typiquement kadhafien. Alors que la plupart des Princes qui nous gouvernent, las d'avoir passé leur journée à décider du sort du monde, prennent plaisir, le soir venu, à s'occuper de futilités, le Raïs libyen, lui, procède exactement à l'inverse.

Ses journées sont souvent constituées d'une harassante succession d'audiences accordées à des chefs de tribu au cours desquelles il faut régler des problèmes de vol de chameau ou d'adultère, d'un défilé ininterrompu d'enquiquineurs venus présenter leurs doléances, d'agents plus ou moins secrets venus rapporter potins et ragots, de fonctionnaires civils ou militaires venus dénoncer les malversations de leurs chefs ou les complots de leurs supérieurs hiérarchiques... Épuisé par ces insignifiances quotidiennes, ces broutilles du jour, Kadhafi aime, le soir venu, prendre de l'altitude, philosopher, brasser des idées générales, porter un regard hautain sur les affaires de la planète et le destin de l'humanité.

Pas question, au cours de ces soirées, de revenir à de basses considérations politiciennes. Qu'on s'y hasarde, et le Guide prend aussitôt un air de dégoût et de mépris, pour vous faire comprendre, Monsieur, qu'on n'est pas en train de faire une quelconque interview pour un vulgaire magazine : on est en train de faire un livre. Un livre, c'est sérieux, c'est important, c'est destiné à durer, à réfléchir, pas à émoustiller les paparazzi.

C'est ce qui explique qu'on ne trouvera pas, dans les pages qui suivent, la moindre allusion à des affaires aussi contingentes que l'instruction du juge Bruguière, l'attentat de Lockerbie ou l'embargo de l'ONU – qui sont pourtant les grands problèmes du moment pour la Libye et le régime de Kadhafi. Mais rien à faire : pour ce dernier, ce n'est qu'une péripétie, et il n'en parlera pas davantage.

Sur les notions d'État et de Nation, par contre, sur la chute des empires, sur le pouvoir des masses, il est intarissable, peut en parler des heures, souvent d'ailleurs avec éloquence, sans montrer le moindre signe de fatigue. Manifestement, cela lui plaît, cela le détend. C'est son hygiène.

Une autre de ses distractions favorites (et moins connues) consiste à écrire. Des poèmes, parfois même des chansons. Mais surtout des nouvelles. Ces textes sont, pour la plupart, inédits. Il en a laissé paraître un ou deux, dans la presse locale, mais soigneusement dissimulé derrière des pseudonymes. Manifestement, Kadhafi ne recherche pas la gloire littéraire. Il écrit par goût, par besoin, par plaisir.

J'ai pu me procurer, non sans mal, non sans ruse, deux de ces essais, et les ai fait traduire par des orfèvres de la langue arabe (3). Je les ai trouvés si intéressants, si révélateurs à la fois de l'individu privé et de l'homme politique, que j'en ai fait la seconde partie de ce livre. Ces textes, vous le verrez, en disent souvent beaucoup plus long sur Kadhafi que Kadhafi n'en dit lui-même au cours des entretiens qu'il nous a accordés, et qui constituent la première partie du présent ouvrage.

---

3. L'équipe de Naïm Boutanos (Arab Consultants).

En troisième partie, il m'a semblé que ce serait une bonne idée de reproduire, tout bonnement, le « Livre Vert », auquel on se réfère, la plupart du temps, sans même l'avoir lu (à décharge, il faut dire qu'il n'est pas facile à trouver et, une fois qu'on l'a trouvé, qu'il n'est pas facile à lire). Je le publie ici en version intégrale, et dans sa traduction officielle qui, mieux vaut être prévenu, n'est pas bien fameuse.

Ainsi se trouvent réunis en un seul volume trois ensembles de textes qui, réhaussés d'un cahier de photos rares ou insolites, permettront de mieux cerner, peut-être, la personnalité (et la pensée) d'un homme réputé insaisissable ; permettront de mieux juger, en tout cas, un leader politique dont le principal mystère est de provoquer, tant chez ses adversaires que chez ses partisans, des réactions presque toujours irrationnelles.

> [Ce texte a tenu lieu de préface, ou d'introduction,
> à un livre d'entretiens avec Mouamar Kadhafi, l'inamovible « guide »
> de la « révolution » libyenne, publié en 1993 par ABC (Afrique Biblio Club),
> petite maison d'édition spécialisée dans les affaires africaines,
> que j'avais créée quelques années auparavant, sous le titre « Kadhafi parle ».]

[Comme je le rappelle dans cette présentation, j'avais déjà réalisé avec Kadhafi près de dix ans plus tôt (1984) un premier livre d'entretiens : « Je suis un opposant à l'échelon mondial », édité chez Favre.

C'est chez Favre encore que je publiai deux ans après « Kadhafi parle » un recueil de textes écrits, cette fois, de la main même de Kadhafi. Intitulé « Escapade en enfer et autres nouvelles d'un écrivain nommé Mouamar Kadhafi », cet ouvrage (paru en 1996) était précédé d'une intelligente préface de Guy Georgy, laquelle était précédée d'un *Avertissement* de mon cru, dont voici le texte :

« On connaissait le Kadhafi provocateur, le Kadhafi imprécateur, le Kadhafi *prophète*. Voici un Kadhafi *poète*. Un Kadhafi inattendu, un Kadhafi écrivain, auteur d'une quinzaine d'étonnantes nouvelles, traduites ici pour la première fois, et présentées par un éminent spécialiste, Guy Georgy, qui connaît bien son Kadhafi pour avoir été le premier ambassadeur de France auprès de la Jamahirya libyenne. Écrivain lui-même, fin connaisseur de l'Afrique et de l'Islam, auteur d'un ouvrage récent sur le leader libyen (« Kadhafi, le berger des Syrtes », Flammarion, 1996), Guy Georgy sait de quoi il parle. Il avance que ces curieuses fables modernes, ces étranges contes moraux que sont les quinze nouvelles et essais réunis dans cet ouvrage en disent plus long sur leur auteur que tous les discours prononcés par lui, que tous les articles et tous les rapports écrits sur lui depuis plus d'un quart de siècle.

Ces petits textes ont été publiés en version originale dans deux recueils différents, l'un paru en 1993, l'autre en 1995.

Le premier, édité à Syrte par « la Maison Jamahiryenne de Publication, Distribution et Publicité » et agrémenté (si l'on peut dire) d'illustrations naïves, voire puériles, regroupe les douze nouvelles qui constituent la première partie du présent ouvrage. Ce sont des textes plutôt *littéraires*, en tout cas plus philosophiques que politiques.

Le second, 58 pages seulement, imprimé sans aucune illustration par « la Société Générale de Papier et d'Imprimerie » porte en couverture une accroche assez surprenante : PUBLICATION HORS LA LOI ! Kadhafi éternel provocateur ! Il réunit les quatre essais contenus dans la seconde partie du présent ouvrage. Ce sont des essais plus que des nouvelles, des *propos* franchement politiques, même si la forme utilisée relève parfois de la poésie.

Tous ces textes ont été très compliqués à traduire. Non pas tant à cause des habituelles difficultés de la langue qu'à cause de la culture profondément arabe, profondément bédouine et profondément musulmane qui les sous-tend. Au point d'être parfois absolument incompréhensibles, ou du moins inaccessibles, par un lecteur occidental.

Les traducteurs – une équipe d'interprètes et universitaires français et arabes coordonnés par Luc Gusinni – ont tenté, à l'aide d'un appareil de notes et références aussi léger que possible, d'atténuer les difficultés de lecture et de compréhension. Les éclaircissements de Guy Georgy faisant le reste. »

En septembre 2009, Kaddafi a célébré le 40e anniversaire de sa prise de pouvoir, ce qui a fait de lui un recordman mondial de longévité à la tête d'un État (après Castro, qui a plus ou moins passé la main). Début 2011, enfin, ce fut l'agonie lamentable d'un règne au bilan désastreux dans tous les domaines : politique, social, économique et moral. Quelle déception ! Quel gâchis !]

❏ KAHN Axel

Axel Kahn fait partie de ces quelques grands savants qui font honneur non seulement à leur patrie – à laquelle ils apportent prestige et puissance – mais à l'humanité tout entière ; ces quelques grands savants dont les travaux font progresser la connaissance – dans son cas, le sujet n'est pas négligeable : il s'agit, tout bonnement, de la Vie ! –, mais qui réfléchissent en même temps aux conséquences de ces progrès ; ces quelques grands savants qui parviennent, pour paraphraser Rabelais, à concilier science et conscience.

Docteur en médecine, docteur ès sciences, directeur de recherche à l'Institut National de la Santé et de la Recherche Médicale (INSERM), directeur de l'Institut Cochin et aujourd'hui président de l'Université René Descartes (qui coiffe, notamment, la faculté de médecine de Paris), Axel Kahn est un des plus célèbres généticiens du monde, mais aussi un des rares ayant osé s'interroger sur les limites – scientifiques et morales – de sa discipline. Il a été membre du Comité consultatif national d'éthique, présidé la Commission du génie biomoléculaire français, et européen. Il a consigné avec brio les réflexions que lui ont inspirées ses activités de recherche dans plusieurs livres époustouflants d'intelligence et de culture, maniant avec autant d'aisance les concepts philosophiques que les données scientifiques, passant avec élégance de Spinoza et Kant à Adam Smith et David Hume – sans pédanterie ni charabia, s'exprimant au contraire avec clarté et limpidité, faisant ainsi preuve d'un véritable génie pédagogique.

Tant de qualités en un seul homme, on en conviendra, ce n'est déjà pas si mal – mais je n'ai pas encore dit le plus beau : Axel Kahn aime les chevaux ! Il ne s'en cache pas, mais il ne s'en vante pas non plus. Peu de gens le savent et, derrière la frêle constitution de ce pur intellectuel à lunettes, il est difficile d'imaginer un intrépide cavalier.

Il me faut donc raconter comment j'ai découvert cette attirance discrète et inattendue. C'était en 2004, je crois. Axel Kahn et moi, nous nous faisions face dans une de ces foires aux écrivains qu'on appelle les Salons du livre, ou les Festivals littéraires, au cours desquels on aligne des dizaines, parfois des centaines d'auteurs, soigneusement rangés derrière des tables sur lesquelles sont empilées leurs œuvres les plus récentes, attendant, remplis d'angoisse et d'espoir, qu'un admirateur, un amateur, ou tout simplement un curieux veuille bien s'arrêter puis, après vous avoir dévisagé avec insistance, consulté la quatrième page de couverture de votre livre, l'avoir éventuellement feuilleté, finisse par se décider à en acheter un exemplaire, qu'il vous demandera de lui dédicacer. C'était, si j'ai bonne mémoire, à Cabourg.

Mon livre, reprenant une phrase piochée dans un roman de Céline s'intitulait, « C'est pas con un cheval, c'est pas con » (Le Rocher, 2003). En apercevant ce titre, Axel Kahn, installé en vis-à-vis, esquissa un sourire. Dès lors, je ne pus faire autrement, bien sûr, que de lui offrir un exemplaire du bouquin, en échange de quoi il m'offrit le sien, au titre nettement plus sérieux, de « Raisonnable et humain »? (NiL éditions, 2004), enrichi d'une dédicace aussi drôle que lumineuse : « les chevaux ne sont pas cons, les hommes pas toujours... ».

Naturellement, je me suis cru obligé de lire cet austère ouvrage de plus de 300 pages. Ce fut une révélation : un tel concentré de connaissances et d'entendement, de données objectives et de considérations sensibles me poussa à lire le suivant, paru trois ans plus tard, « L'homme, ce roseau pensant... » (NiL éditions, 2007), dans lequel Axel Kahn laisse entrapercevoir, avec la légèreté et la pudeur qui le caractérisent, sa passion pour l'équitation. Mais ce ne sont que de petites touches discrètes, de furtives confidences, qui donnent évidemment l'irrépressible envie d'en savoir davantage.

J'ai donc sollicité le grand homme, lui demandant de bien vouloir satisfaire notre curiosité en répondant aux mille questions qui assaillent tout amateur de chevaux en lisant ses ouvrages. Avec la spontanéité, la générosité qui le caractérisent, il a aussitôt répondu à cette sollicitation. Le moment, pourtant, n'était pas le plus propice. Le monde universitaire en pleine effervescence, Axel Kahn se retrouva vite dans l'œil du cyclone : n'ayant pas aveuglément rejeté l'idée du gouvernement de donner aux universités plus d'autonomie – et le président Sarkozy l'ayant alors montré en exemple – il fut placé, à son corps défendant, dans une position bien plus inconfortable que lorsqu'il eut à débourrer des poulains chatouilleux. L'homme, heureusement, a du doigté – du tact, comme disent les cavaliers –, et ne s'est pas laissé désarçonner.

[Ainsi commençait l'éditorial du n° 4 de la revue CHEVAL-CHEVAUX (juillet-décembre 2009). Désireux de marquer le bicentenaire de la naissance (en 1809) du naturaliste anglais Charles Darwin, père de l'évolutionnisme, cavalier impénitent, « précurseur de la protection équine » (*sic*, selon *Cheval magazine*, n° 447) et « éminent observateur du comportement équin » (re-*sic*, d'après *L'Éperon* n° 286), j'avais eu l'idée de solliciter un scientifique pour assurer la rédaction en chef du numéro de cette revue. Axel Kahn, gentiment, accepta de se prêter au jeu. Le samedi 28 mars, il nous reçut, Marion Scali, Jean-Pierre Digard et moi, en ses vastes bureaux de la place de l'Odéon, pour un long entretien dont la transcription constitua l'essentiel du *Théma* de ce numéro, intitulé « pur-sang et sang impur ».]

❑ KERSAUSON Olivier de

Impayables, ces Anglais ! À les entendre, ils auraient tout inventé. Le théâtre avec Shakespeare, la gravitation avec Newton, la marine avec Nelson, la sélection naturelle avec Darwin. Et, grâce à d'autres génies du même acabit, le pudding, le jumping, le football (et j'en passe), n'accordant – et encore, à regret – que l'invention de la poudre aux Chinois et celle du fil à couper le beurre aux Français.

Dans un même élan, ils se vantent souvent d'avoir créé la première Société de Géographie du monde. Or non seulement ce n'est pas exact, mais l'officine royale fondée à Londres en 1830, loin d'être la vénérable assemblée d'honorables savants qu'elle prétendait composer, était en réalité un véritable nid d'espion, une façade, une couverture à l'aspect rassurant derrière laquelle, sous prétexte de recherche scientifique, des soi-disant explorateurs avaient pour principale mission de faire la nique aux Russes en Asie Centrale (la lecture du livre de Jacques Piatigorsky, « Le grand jeu », Autrement, 2008, est à ce sujet édifiante) ainsi que, naturellement, aux Français en Afrique, en Amérique et partout où c'était possible.

Voilà la vérité. La vérité, c'est aussi que la première Société de Géographie au monde a été créée à Paris près de dix ans avant celles de Londres et de Berlin. Fondée le 15 décembre 1821 précisément, elle regroupait à l'origine plus de deux cents des plus grands savants (et écrivains) de l'époque : Champollion, Cuvier, Monge... ou Chateaubriand. Elle existe toujours, au 184 du boulevard Saint-Germain, à Paris, et rassemble aujourd'hui quelques milliers de sociétaires. Ils ne sont pas tous, loin de là, géographes, explorateurs, ou navigateurs. Dans la liste des nouveaux adhérents, publiée dans le dernier numéro du *Bulletin de liaison* que diffuse épisodiquement l'auguste société, je relève, parmi d'assez nombreux enseignants et étudiants, un directeur de banque, un assureur, un garçon de café, ainsi que (influence anglaise ?) un inspecteur de police et un agent de renseignement !

Au pinacle de cet édifice se trouve un Conseil d'Administration présidé par un éminent spécialiste de la géographie... gastronomique, Jean-Robert Pitte, professeur à la Sorbonne et par ailleurs membre de l'Académie des Sciences Morales et Politiques (l'intitulé de cette académie m'a toujours étonné : quel lien y a-t-il donc entre la Morale et la Politique !?) Ce haut conseil se compose d'une trentaine de membres d'où n'émergent que deux ou trois femmes – mais quelles femmes ! L'une d'elles est l'excellente Sylvie Brunel.

Même si elles donnent parfois l'impression de n'être que d'honnêtes occupations pour retraités n'ayant pas encore perdu toute curiosité, les nombreuses activités de la Société de Géographie (voyages, débats, conférences) ne peuvent être réduites à cela : il y a aussi l'attribution annuelle de quantité de prix plus ou moins littéraires.

La dernière cuvée (je sais que le mot plaira au président Pitte, œnologue distingué), millésimée 2009, se compose de crus fort contrastés. Parmi la dizaine de lauréats, on trouve en effet, aussi bien l'auteur d'une thèse sur les montagnes humides du Brésil que celui d'un traité de géomorphologie sous-marine et littorale (!). Plus insolite est la présence dans cet aréopage universitaire d'un personnage haut en couleur, connu non seulement pour ses performances sportives, mais aussi pour ses vacheries radiophoniques – en particulier dans l'émission culte de Philippe Bouvard (sur RTL), « Les grandes gueules ».

Grande gueule en effet, belle gueule de boucanier, Olivier de Kersauson cultive avec soin son côté aventurier des mers, pirate au grand cœur, grognon mais généreux, râleur mais courageux. On retrouve ce ton dans l'ouvrage que vient de récompenser la Société de Géographie, « Ocean's Songs » (Le Cherche-midi, 2009), dans lequel il évoque, avec un indiscutable bagout, ses innombrables traversées transatlantiques et transpacifiques en monocoque, multicoque, trimaran, ketch et autres embarcations. Ayant sillonné en tous sens les mers du monde entier, ce skipper surdoué a accumulé un palmarès impressionnant, battu tous les records, remporté tous les challenges, collectionné les coupes et les trophées. Il a tout fait, tout osé, tout gagné. S'il avait été écrivain, il aurait ramassé, c'est sûr, les Goncourt, Renaudot et Médicis à la pelle. Mais voilà : il n'est pas écrivain. Il est simplement bavard. Je m'imaginais, à tort, que les grands marins étaient de grands taiseux. Tabarly, on s'en souvient, faisait le désespoir des journalistes qui venaient l'interviewer : pas moyen de lui arracher autre chose que quelques onomatopées. Kersauson, c'est l'inverse : pas moyen de l'arrêter. Il parle, parle, parle – de lui, naturellement. Dans le long monologue de son livre, le mot qui revient le plus souvent – dix fois, vingt fois par page – est je. Je, je, je ! Même lorsqu'il cause de quelqu'un d'autre – Tabarly, par exemple, dont il fut le moussaillon – c'est pour mieux se comparer à lui, se hisser (hissez haut !) à sa hauteur, en faire son alter ego. *Ego* : voilà quel mot son éditeur aurait dû choisir pour intituler cet éloge de soi.

Lorsque dans les dernières pages de son ouvrage, Kersauson consent à évoquer enfin d'autres exploits que les siens – ceux de Bougainville, de La Pérouse ou de son ancêtre Robert –, il prétend s'être nourri, tout gamin, de la lecture des journaux de bord de ces grands navigateurs. « Jamais de bavardage dans ces récits qui m'ont marqué », écrit-t-il (page 228). Que ne s'est-il inspiré de ces exemples, lui qui se laisse aller à pérorer plus qu'à raconter.

Bien sûr, comme tous ceux qui parlent trop – on l'a dit des hommes politiques – Kersauson, finit inévitablement par se répéter ou par se contredire. Un coup, il nous dit qu'il n'aime personne (« mes semblables m'intéressent assez peu », page 92) ; un peu plus loin, au contraire, il déclare qu'il aime tout le monde. Un coup, il explique qu'il ne fait jamais de photos ; quelques pages plus loin (page 118), il reconnaît qu'il vend ses clichés aux magazines.

Lorsqu'il cherche à exprimer, parfois joliment d'ailleurs, les sentiments que lui inspirent les océans, il en va un peu de même. Un coup, il se lance dans une déclaration d'amour enflammée ; puis, changement brutal, il pique soudain une grosse colère. Le couple qu'il forme avec la mer est secoué par de nombreuses scènes de ménage, aussi violentes et imprévisibles que les tempêtes qu'il raconte avoir essuyées.

À un moment donné (page 240), il ose une comparaison : « J'ai eu suffisamment de rusticité en moi et de ressort (écrit-il) pour aller, pendant plus de quarante ans, faire l'écuyer sur le dos des océans ». Cette phrase ne prouve qu'une seule chose. C'est que ce grand navigateur ne connaît rien à l'équitation. Jamais un cavalier digne de ce nom ne parlerait de ses montures comme lui parle des siennes.

Il y a d'ailleurs, de façon plus générale, une sorte d'incompatibilité fondamentale entre les deux types d'hommes. Kersauson le proclame dès les premières pages de son livre : « La terre ne m'intéresse pas du tout » (page 24). Moi (tiens, je me mets à parler comme lui), c'est l'inverse. Bien que zodiacalement poisson, je me sens terriblement terrien. J'aime les planchers des vaches (et des chevaux), l'herbe, la forêt, les plaines et les montagnes – avec juste une tolérance aux cours d'eau, aux rivières, aux torrents. L'eau salée n'a pas bon goût. Son infinité, son insondabilité me font peur. Et puis, je préfère les hommes aux requins (quoique), les femmes aux baleines et les chevaux aux dauphins. Incompatibles, vous dis-je.

Sauf lorsque, à la toute fin de son ouvrage, Kersauson se lance dans un portrait à la fois juste et drôle, tendre et féroce, des Anglais. Alors là, je biche.

[Paru dans LA REVUE n° 2 (mai 2010)
sous le titre « Des bateaux et des chevaux ».]

❑ KOMI Philippe

Parce qu'il est Russe, mais d'origine africaine, on le surnomme Pouchkine. On ne s'en souvient pas toujours, mais il est bon, en ces temps de désarroi identitaire, de le rappeler : l'ancêtre du père de la littérature russe, Alexandre Pouchkine, avait un ancêtre africain, Hannibal. Probablement originaire des régions tchadiennes.

Komi Afantchavo, lui, est né à Moscou (en 1979) de mère russe et de père togolais. Il a vécu une première moitié de sa vie à Moscou, l'autre à Lomé. Enfin – pour être plus précis (ses parents ne roulant pas sur l'or) : dans les faubourgs moscovites, et dans la brousse loméenne. Grâce à quoi il est parfaitement bilingue, et à cause de quoi il a choisi de faire ses études supérieures (droit international) à Paris : à mi-distance entre la Russie et le Togo. Entre le plus grand et le plus petit pays du monde.

En France, Komi préfère se faire appeler du prénom que sa mère (orthodoxe) lui a donné : Philippe. Philo-hippos : l'ami du cheval. C'est le cas, en effet. Depuis sa plus tendre enfance, les chevaux exercent sur lui une véritable fascination. Inexplicable : l'ethnie à laquelle appartient son père (les Ewés) n'est pas cavalière, et sa mère n'a pas d'ascendance cosaque !

S'il se contentait, autrefois, de les contempler de loin, il a pu, en France, approcher les chevaux de près. Faire connaissance. En monter quelques-uns. Ayant découvert la photographie, les fixer en images.

Le regard que Komi porte sur les chevaux contient à la fois de la tendresse et du respect, comme le prouvent les photos qu'il a prises dans les allées du dernier Salon du Cheval de Paris (décembre 2005). D'autant plus méritoire que, comme chacun s'accorde à le dire (et à le regretter) si l'on est gavé, porte de Versailles, de selles, de vans et de saucisson-beurre, on n'y voit guère… de chevaux. Komi lui, en a vu. Et bien vu. Joliment vu. Son lointain et improbable ancêtre Pouchkine-le-Grand l'avait écrit, « le cheval est de flamme », et sa flamme éclaire nos cœurs et nos esprits.

[Ce petit texte devait inaugurer la rubrique « jeunes talents » d'une revue que les éditions Actes Sud se proposaient de lancer en 2006, et dont j'aurais assumé la partie « culture », la section « équitation » étant confiée à Patrice Franchet d'Espèrey. Le projet, hélas, n'aboutit pas.
Si elle avait vu le jour, cette revue se serait appelée ARTS EQUESTRES. C'est, du moins, le titre que j'avais proposé. Le projet de revue étant abandonné, je le récupérai donc lorsque Actes Sud me proposa de créer une collection nouvelle de littérature équestre.]

l

❑ LAURIOUX Alain

Il a un gros défaut.

Certes, il a aussi plein de qualités : il est sympa, serviable, efficace. D'accord, c'est un bon camarade, un bon organisateur, un mec dévoué à son boulot, qui ne comptabilise pas son temps et se dépense sans compter. Mais voilà, il a un gros défaut. Il est trop modeste.

Je parle de Alain Laurioux, le photographe « officiel » du Cadre Noir de Saumur, qu'il fréquente depuis si longtemps qu'on a l'impression qu'il est là depuis toujours. En vingt ans de bons et loyaux services, il y a accumulé des centaines, des milliers de clichés, parmi lesquels d'authentiques chefs-d'œuvre, dignes de figurer dans des anthologies, des musées, des collections (ce qui est d'ailleurs le cas !).

Voici trois ans, Ghislaine Bavoillot, qui s'occupe de l'édition des beaux-livres chez Flammarion, a eu la bonne idée de demander à notre gaillard de sélectionner dans ses fabuleuses archives une petite centaine de ses meilleures photos pour en faire un album « de prestige », sobrement intitulé « Écuyers du Cadre Noir de Saumur ». Comme les éditeurs hésitent encore à publier ce genre d'ouvrage sans textes (tout en sachant que personne ne les lit), Ghislaine Bavoillot demanda un petit habillage rédactionnel à un aréopage hétéroclite d'écrivains et d'écrivants (comme il y a des cavaliers et des équitants, ce qui n'est pas tout à fait la même chose). Parmi lesquels, s'il vous plaît, le président de la République de l'époque, des académiciens, des écrivains, des artistes et des comédiens. (Ainsi que, j'en suis très flatté, votre serviteur). Toutefois, quelle que soit la qualité de cet environnement textuel, il faut bien admettre que cet ouvrage, basé principalement sur la photographie, avait pour unique véritable auteur Alain Laurioux. Eh bien non, monsieur Laurioux n'a pas souhaité que son nom apparaisse en couverture. Sachant qu'à l'intérieur on trouverait la prose de Chirac, de Druon et de Guerlain, il refusa de paraître en première page. Craignant, peut-être, qu'on lui reproche de se pousser du col, de la ramener, de faire l'intéressant.

Trop modeste, vous dis-je !

Heureusement, il se soigne.

Les éditions Belin, devenues en quelques années seulement, grâce à cet autre grand modeste qu'est Guillaume Henry, numéro un de l'édition hippologique, équestre et chevaline, avec une bonne cinquantaine de titres au catalogue – les éditions Belin, donc, viennent de faire paraître leur premier beau- livre, en couverture duquel s'affichent fièrement, cette fois, les noms de Alain Laurioux pour les photos et de Guillaume Henry pour les textes. C'est un peu la revanche des humbles, des pudiques. Sortant tous deux de leur réserve habituelle, ils signent enfin, haut et fort, cet ouvrage magnifique consacré aux quatre académies d'art équestre que l'on a vues récemment (novembre 2007), réunies pour la première fois, sur la sciure du Palais Omnisports de Paris Bercy.

Je dis « les quatre académies », tout en sachant pertinemment qu'en vérité, elles sont cinq, comme les trois mousquetaires étaient quatre. La cinquième, on l'a deviné, c'est celle de Versailles, celle de Bartabas.

Seulement voilà : Bartabas, ce jeunôt, n'était pas invité à Bercy, où l'âge minimum requis était le quart de siècle. L'Académie du spectacle équestre, installée dans les Grandes Écuries du Château de Versailles n'a été créée qu'à l'aube du XXIᵉ siècle, alors que les deux Écoles ibériques – l'Andalouse et la Portugaise – ont déjà vingt-cinq ans d'âge, le Cadre Noir de Saumur près de deux siècles, et l'École Espagnole de Vienne, plus de quatre cents ans !

Le somptueux ouvrage réalisé par nos compères chez Belin est une vraie réussite. Grand format (24,5 x 31 cm), maquette discrètement argentée, photos splendides, textes documentés : bravo ! Il s'intitule « Les hauts lieux de l'art équestre ». Pas mal, bien que j'eusse préféré (c'est comme cela qu'il faut parler quand on évoque l'équitation classique) le titre que j'avais proposé : les hauts lieux de la haute-école. Il est vrai que ce genre de jeu de mots n'aurait sans doute pas plu à tout le monde.

Avec ce luxueux album, Alain Laurioux nous prouve qu'il n'est pas seulement un photographe « au long cours » capable de ne sortir de bonnes prises que s'il reste sur son sujet des semaines, des mois, voire des années : c'est aussi un excellent « reporter », capable de « rapporter » (justement) un matériel de qualité d'un bref séjour, d'un voyage, d'un événement.

Ce bel album à prix raisonnable (39 euros) constitue le cadeau idéal pour les prochaines étrennes. Il mériterait d'être couronné par un des prix que décerne chaque année l'Académie Pégase.

Hélas, le secrétaire perpétuel de cette auguste académie n'est autre que… Guillaume Henry !

[Paru sous le titre « Un ouvrage magnifique :
les Hauts-lieux de l'Art équestre »
dans EQU'IDÉE n° 65 (hiver 2008)
(trimestriel édité par les Haras Nationaux).]

❑ LECHERBONNIER Bernard

Il y a des gens comme ça, qui savent tout, qui peuvent parler savamment de tout, passer d'une idée à l'autre, d'un sujet à l'autre sans jamais dire de bêtises – alors que tant d'autres, à l'inverse, profèrent une ânerie dès qu'ils ouvrent la bouche ou prennent la plume (suivez mon regard…).

Bernard Lecherbonnier appartient à la première catégorie. Professeur agrégé des universités, éditeur, romancier, entrepreneur, essayiste, on pourrait lui appliquer la formule utilisée au XVIIIe siècle, je crois, pour désigner je ne sais plus quel encyclopédiste (Lecherbonnier, lui, le sait sûrement) : « un touche-à-tout de génie ».

Expert ès littérature africaine, ès télévision, ès à peu près tout, il se fait, selon les besoins, historien, linguiste ou politique, passant avec virtuosité non seulement d'une spécialité à l'autre, mais aussi d'un genre à l'autre, comme il vient de le prouver en publiant, coup sur coup, un roman et un pamphlet.

Le roman ? Une grandiose histoire d'amour(s) dans une France en pleine mutation industrielle, un Second Empire festif et libertin, un milieu où l'on croise de jolies femmes faciles et de beaux chevaux difficiles. « L'Alezan de Crimée » (éditions du Rocher), c'est son titre, propose tous les ingrédients nécessaires à la réalisation d'un grand film à costumes, d'un grand feuilleton, idéal pour à la fois émouvoir et cultiver, distraire et instruire. Bref : l'indispensable roman de vos prochaines vacances.

Le pamphlet ? Un plaidoyer, plutôt, écrit en collaboration avec Patrick Lozès, président du Conseil Représentatif des Associations Noires de France, pour une collection (à dire vrai, chez Larousse) dans laquelle on ne déteste pas la polémique. Ici, cela commence dès le titre : « Les Noirs sont-ils des Français à part entière ? » Contrairement à ce que son nom pourrait laisser supposer, Lecherbonnier n'est pas noir (!), mais cela ne l'empêche pas de défendre avec éloquence la cause de ces quatre ou cinq millions de Français d'origine africaine plus ou moins lointaine auxquels la République, qui prône pourtant l'égalité et la fraternité, tarde tant à donner une place. Non pas par charité, proclame-t-il : simplement par justice.

Dans ce libelle, on trouve (page 60) une phrase terrible d'un de ces touche-à-tout de génie du XVIIIe siècle dont je vantais tout à l'heure l'existence. Il s'agit ici de Buffon, qui aurait écrit quelque part que « le nègre est à l'homme ce que l'âne est au cheval ». Quelque peu troublé par cette assertion, j'ai demandé à Bernard Lecherbonnier d'où il sortait cette curieuse citation. Voici sa réponse :

« Vous avez raison de soulever le caractère ambigu (de cette phrase). Le texte authentique est plus nuancé. Buffon dit que le nègre *serait* à l'homme blanc ce que l'âne est au cheval si leur relation, en matière de reproduction, était de même nature. Quand on sait les rapports que peuvent avoir l'Âne et le Cheval, on est en droit de s'interroger sur le sens exact de son assertion.

De fait, Buffon a beaucoup varié au cours de sa vie au sujet de l'espèce humaine. Dans *La Nomenclature des singes*, il se range à la théorie du nègre comme maillon entre le singe et l'homme. Ensuite, il rejette cette conception au nom de l'Unité de l'espèce humaine. Cependant il considère que l'homme blanc de type méditerranéen est la souche unique des autres branches, dont celle des nègres. Comme il n'adhère pas à la théorie des climats, il voit plutôt dans la variation mélanique un effet de l'éducation et des mœurs. Et il suggère d'enfermer quelques nègres au Danemark pendant quelques générations : nul doute qu'ils "se laveraient" et blanchiraient. »

Je vous avais prévenu : Bernard Lecherbonnier sait à peu près tout sur tout. C'est un gars épatant. Et encore, je n'ai pas dit le plus beau : il est le père d'une fille magnifique, Maïna, qui fait preuve, comme son papa, d'un éclectisme époustouflant : après avoir conçu des ouvrages scolaires pour les élèves de Djibouti, importé du café d'Éthiopie, vendu des livres neufs à prix d'occasion, écrit quelques romans pornos et usé quelques montures, la voilà partie chercher du pétrole quelque part, je crois, dans les sables de la Mauritanie. Quelle famille !

[Paru sous le titre « L'éclectisme décoiffant
de Bernard Lecherbonnier »
dans LE CHEVAL n° 126 (19 juin 2009).]

❏ LURASCHI Mario

Mon cher Mario,

Tout le monde sait que tu es un homme formidable. Tout le monde sait que tu as un ascendant extraordinaire sur les chevaux. [Sur les femmes aussi, mais ce n'est pas le propos ici]. Que tu sais obtenir d'eux ce que peu d'hommes de cheval savent en obtenir. Que tu as l'art de gagner leur confiance, et même leur soumission sans rien leur faire perdre de leur personnalité, de leur gaîté, de leur brio. [Avec les femmes, c'est pareil, mais ce n'est pas le propos ici].

Quand je vois des chevaux au cinéma ou à la télé, je sais tout de suite si c'est toi – ou non – qui as assuré la partie équestre du film. Si les chevaux sont brillants, je sais que ce sont les tiens. S'ils semblent roupiller, c'est que ce ne sont pas les tiens.

Tout le monde sait aussi que tu es un grand travailleur, un gars entreprenant ; de ce qui n'était avant toi qu'un métier incertain et instable (ce n'était d'ailleurs pas un vrai métier : juste un bricolo pour loueur d'équidés et intermittents du spectacle), tu as fait une véritable entreprise, offrant un service complet et permanent, capable de fournir sans délai autant de chevaux « mis » que nécessaire, avec les cavaliers, les meneurs, les cascadeurs et tout l'attirail qui va avec : les selles, les harnachements, les attelages – chars romains ou diligences –, les costumes, les armures, les arcs, les épées : de quoi équiper des armées entières.

Tout le monde sait que tu es un type courageux. Que tu n'hésites pas à payer de ta personne, à réaliser toi-même les cascades équestres les plus compliquées, que tu as un physique d'athlète, une musculature de jeune homme, bien qu'ayant bientôt la soixantaine.

Si j'ose donner ainsi ton âge, c'est que tu ne t'en es jamais caché. Tu n'as d'ailleurs pas hésité à organiser toi-même ton jubilé ! Et comme tu ne fais jamais les choses de façon mesquine, comme tu ne joues jamais la fausse modestie, ce 50e anniversaire n'a échappé à personne : jumelé au 30e anniversaire de ta carrière cinématographique, il a eu lieu au Palais Omnisport de Paris Bercy, devant 15 000 personnes !!

Remplir les 15 000 places du POPB pour ton anniversaire prouve qu'au moins tu as beaucoup d'amis. Et je me flatte d'être – depuis longtemps – l'un d'eux.

Mais tu as fait mieux encore tout récemment, en remplissant les 50 000 places du Grand Stade de France, où la France entière est venue voir comment tu reconstituais « in vivo » la formidable course de chars de Ben Hur, ne laissant à personne d'autre le soin de tenir les guides du quadrige lors de la cascade la plus périlleuse : celle où le char fait un bond de deux mètres au-dessus du sol.

Voilà : tout le monde sait ça.

Mais ce que peu de gens savent, c'est que tu es aussi un amateur de jolies choses. [De jolies femmes aussi, mais ce n'est pas le propos ici]. Un des meilleurs spécialistes mondiaux de l'art des Indiens d'Amérique, par exemple. Je me souviens de ce jour où nous sommes allés ensemble à Saint-Pétersbourg, visiter les réserves – réputées inaccessibles – de la Kunstkamera, l'ancien cabinet de curiosité de Pierre le Grand, qui possède d'extraordinaires collections d'objets, parures et autres pièces ethnographiques indiens : tu en savais plus que la conservatrice qui nous les montrait !

Peu de gens connaissent le trésor que tu as accumulé chez toi. Peu de gens ont vu tes prodigieuses collections non seulement d'art indien, mais d'art tout court : des bronzes, des tableaux, des raretés. Sans compter une bibliothèque de livres anciens de toute première qualité.

Je me souviens, lorsque j'ai édité, en 1991 – voici 15 ans!! – la première version de ton livre « Mes secrets de dressage », tu avouais n'avoir ouvert pour la première fois de ta vie un traité d'équitation qu'à quarante ans passés, et après plus de vingt ans de dressage. Le moins qu'on puisse dire est que tu t'es soigné depuis, toi qui possèdes aujourd'hui – en édition originale – tous les grands classiques de la littérature équestre, dans lesquels je t'ai vu te plonger avec délectation.

De la même façon, tu n'as pas honte (et tu as bien raison de ne pas avoir honte) de reconnaître que tu n'es pas resté longtemps à l'école. Mais, curieux de tout, vif, intelligent, tu as beaucoup appris de la vie, et notamment du cinéma.

Une anecdote, pour illustrer mon propos, et pour finir. J'étais, un jour – je crois que c'était en 1996 ou 97 – chez toi. Nous bavardions lorsque le téléphone se mit à sonner. C'était Luc Besson, le fameux réalisateur du « Grand Bleu » et de « Nikita ». Il venait te proposer de t'occuper des séquences équestres de son prochain film.

– Ouais, et qu'est-ce qu'il raconte, ton film? lui demandes-tu.

Besson, qui a le goût maniaque du secret, tergiverse, mais finit par lancer

– C'est une vie de Jeanne d'Arc

– Ah bon! Alors t'en fais pas. Je connais l'histoire. Des « Jeanne d'Arc », j'en ai déjà tourné une demi-douzaine.

Voilà comment et voilà pourquoi on t'aime. Ce n'est pas de l'italien, mais presque: c'est du latin. Cela pourrait être ta devise: Mario, *mens sana in corpore sano*.

[Cet éloge a été prononcé le 18 novembre 2006,
en clôture du Vᵉ Festival du Film de Compiègne,
qui se terminait par un Hommage au célèbre cascadeur.]

[Le texte intégral de ce petit discours a été publié un an plus tard par LE CHEVAL n° 89 (30 novembre 2007) sous le titre « Mario Luraschi, un jeune homme de 60 ans » en dernière page de la gazette (une page considérée comme « noble »), avec, en guise d'introduction à « la une » (une page encore plus noble) l'appel suivant:
Quand on le voit passer sous le ventre de son cheval au galop, lancer droit sur un obstacle un quadrige roulant à fond la caisse, ou faire faire des pas d'école à un cheval en feu, on ne peut pas imaginer son âge. Mario Luraschi aura 60 ans ce 11 décembre. Bon anniversaire jeune homme!
La dernière fois que je l'ai vu faire ses pitreries, c'était à Saumur, lors du « Printemps des Écuyers » (avril 2007). Cette présence aux côtés du Cadre Noir en a étonné – voire agacé – plus d'un: quoi!? Un saltimbanque dans le temple de l'équitation!? Un autodidacte à l'université du cheval?! Quel scandale, quel mélange des genres!
Cette levée de boucliers donne envie non point de polémiquer, non point de venir à la res-

cousse (Mario n'a besoin de personne pour se défendre : c'est un grand garçon, et il a de la ressource), mais de réaffirmer qu'on peut être à la fois pétri de classicisme et amateur de cascades, admirateur de Beudant et ami de Luraschi.

J'avais eu, voici un an tout juste, l'occasion déjà de chanter les louanges de Mario, invité d'honneur du Festival du Cinéma de Compiègne, dont la thématique était le cheval. Je m'étais volontiers plié à l'exercice, en des termes qu'il m'est agréable de reprendre ici, à l'occasion du soixantième anniversaire de cet autre « écuyer mirobolant ».]

❑ LUZ

Personne n'est encore au courant. Mais moi, je le sais. Je le sais depuis longtemps : Ludyvine est un ange.

Personne ne s'est encore aperçu de rien. Pourtant, ce n'est pas très difficile à deviner : suffit de regarder ses photos. On comprend tout de suite : Ludyvine a bien connu le Paradis – dont nul n'ignore qu'il est peuplé de jolies femmes et de beaux chevaux. (C'est, du moins, ce que chantent les poètes arabes).

Et puis, comment expliquer autrement que ses créatures, humaines ou chevalines, portent si souvent des ailes ?

C'est un ange, bien sûr. Mais c'est un ange déchu.

En tombant du ciel, elle a perdu la moitié divine de son prénom : la voilà devenue Luz. Un diminutif, sans doute, de Lucifer.

Heureusement, son enfer est aussi peuplé de jolies femmes et de beaux chevaux. Qui, d'ailleurs, ressemblent étrangement à celles et ceux d'en haut. À s'y méprendre.

Tout le danger est là.

Prenons garde : sous leurs airs angéliques, les personnages de Luz sont des êtres pervers, des soleils trompeurs. Méfions-nous : leur innocence n'est qu'apparente. Ces filles qu'on croit soumises sont, en vérité, d'impitoyables dominatrices. Ses cavales sont infernales : ici, les montures célestes se transforment en chevaux d'apocalypse. La souffrance de Mazeppa ressemble sinon à une jouissance, au moins à une extase. Et la fougue de Pégase à une malédiction.

Rêves ou cauchemars ?

C'est cette incertitude, probablement, qui explique le trouble qu'on éprouve devant la vénéneuse beauté des photographies de Luz. Avec une habileté diabolique et un talent redoutable, cette dernière nous propose un univers tourmenté au charme duquel nul ne peut résister.

On est confronté là à un phénomène comparable à celui que subirent autrefois les navigateurs en entendant le chant des sirènes antiques, comparable aussi à l'inexplicable attirance des hommes pour les valkyries, ces cavalières (vierges, évidemment) messagères de mort.

Devant l'élégance barbare, la suave cruauté, la grâce ambiguë des jolies femmes et des beaux chevaux sortis de l'imaginaire tourmenté d'un ange, comment ne pas succomber à son tour, comment éviter l'ensorcellement, la damnation ?

[Écrit à la demande de la photographe,
ce commentaire a été inséré sous le titre « Un ange exterminateur »
dans un super album (27 x 38 cm) contenant une sélection du travail de Luz,
sobrement intitulé « Photographies » et publié
par les éditions Kamil (Monaco) en novembre 2006.]

m

❑ MAJ Émilie

Formidable ! Votre projet de voyage (d'expédition) à travers la Iakoutie est formidable.

Cela nous change, d'abord, de toutes ces « épopées sibériennes » exclusivement conçues pour épater le public, de toutes ces reconstitutions « sur les traces de… » (Marco Polo, Michel Strogoff, ou je ne sais quel évadé du goulag) qui, sous couvert pseudo-scientifique, pseudo-historique, ne sont en fait que des entreprises médiatiques.

Votre aventure – car c'en est une – me paraît plus intéressante, plus authentique, plus sincère parce que votre itinéraire correspond à des migrations dictées non point par goût de l'exploit pour l'exploit, mais par la nécessité. *

Le fait que ce voyage soit réalisé par une ethnologue (dont le regard sera appuyé, fixé, par celui d'un photographe) ajoute à l'intérêt, au sérieux de ce qui ne sera donc pas une simple chevauchée touristique ou sportive. BRAVO !

L'aspect « sportif », toutefois, n'est pas absent : mille kilomètres à cheval en terrains difficiles – ce ne sera pas une promenade. Mais je n'ai aucun doute : je connais votre courage, votre détermination. Ces qualités, ajoutées à d'autres, à la connaissance du milieu – humain et équestre – sont autant d'atouts : vous réussirez !

---

* L'idée d'Émilie consistait, en effet, à suivre l'itinéraire d'une ancienne route postale.

Je m'en réjouis d'avance : pour vous, qui aurez réalisé quelque chose d'extraordinaire (je disais pour commencer : de formidable !) ; et pour vos futurs lecteurs qui, grâce à vous, auront ainsi l'occasion de se plonger dans une réalité trop peu connue.

Bonne route !

[La destinataire de cette lettre ouverte, Émilie Maj, est une jeune et brillante ethnologue, ayant soutenu le 17 janvier 2007 à l'École Pratique des Hautes Études une thèse de doctorat (en anthropologie religieuse) sur les relations multiformes que les Iakoutes entretiennent avec le cheval.

Émilie aime raconter que c'est en voyant le film « Chamane », réalisé (en 1996) par Bartabas d'après un de mes romans (« Riboy »), qu'elle a eu la vocation, et décidé de s'intéresser à la Iakoutie, vaste républiquette de la Fédération de Russie située à l'extrême nord de la Sibérie, où la plupart des scènes du film avaient été tournées.

L'idée d'Émilie était d'entreprendre, sitôt sa thèse soutenue, une traversée de ce pays à cheval, projet pour lequel elle voulut bien solliciter mon appui (moral). Ce que je lui accordai bien volontiers en rédigeant cette lettre, datée du 21 décembre 2006. Appelée au lendemain de sa soutenance à d'importantes fonctions universitaires en Estonie, Émilie dut renoncer, hélas, à son projet.]

❏ MARCHAND Guy

Sincèrement, j'aurais beaucoup aimé dire du bien de son livre. Car son auteur, Guy Marchand, est plutôt sympathique. Sans être vraiment un fan du comédien, j'aime bien ses airs de mauvais garçon désinvolte, sa gouaille de faux dur, sa dégaine populaire mais non dépourvue d'une certaine classe. J'aime bien aussi ses manières de dilettante. Un peu de cinéma, un peu de télé, pas trop ; un peu de chanson, façon crooner : jusque-là, un parcours impeccable. Et puis patatras. Le voilà qui se met à tâter aussi de la littérature, à se prendre pour un romancier, et à publier un bouquin (minuscule) intitulé « Un rasoir dans les mains d'un singe ».

On connaît l'expression. Elle est attribuée à un écuyer célèbre redoutant l'utilisation de l'éperon par les cavaliers débutants. Guy Marchand, pris sur le tard d'amour pour les chevaux (ou, plus exactement, de passion pour le polo) paraît tout heureux d'utiliser cette formule pour en faire le titre de son petit livre. Comme tous les néophytes, les convertis de fraîche date, il en fait trop, en rajoute, tout fier de nous montrer sa science, nouvellement acquise. Hélas, il est souvent à côté de la plaque. Ainsi, sa citation du « proverbe arabe » qui met en exergue est-elle sinon fausse, du moins très approximative. Au lieu de retourner à la source (« Les chevaux du Sahara », du général Daumas, 1851), il se contente de citer le truc de mémoire, comme ça, vaguement. Ailleurs, il évoque un exploit bien connu des amateurs d'équitation classique : la traversée de la place d'armes du château de Versailles au petit galop, en une heure, le cheval ayant pour toute embouchure un fil de soie. Guy Marchand non seulement confond fil de soie et brins de laine, mais attribue (page 88) la chose à La Guérinière, alors qu'elle a pour véritable auteur le marquis de La Bigne (né en 1742). Et tout à l'avenant.

Il faut dire qu'il n'est guère aidé par son éditeur (Michel Lafon) qui, n'ayant sans doute pas lu le livre, a eu l'idée, complètement saugrenue, d'illustrer la couverture du livre de la silhouette d'un orang-outang. Dommage.

Dommage car, pour le reste, le petit roman de Guy Marchand ne manque pas de qualités. Certes, l'écriture est un peu relâchée – il écrit comme on cause –, mais l'idée générale est originale : il s'agit d'une sorte de conte loufoque, de polar onirique, de fable plus ou moins philosophique dans laquelle un étrange cavalier apparaît puis disparaît, aux côtés de Gengis Khan d'abord, puis à Azincourt et à Pavie (deux belles défaites de la cavalerie française), dont on finit par comprendre qu'il est une allégorie du diable, toujours accompagné d'un gnome monté sur un cheval « d'un noir profond, comme les chevaux de l'apocalypse », précise (page 93) Guy Marchand, qui ne semble pas savoir que lesdits chevaux bibliques étaient de quatre couleurs différentes.

Heureusement, il y a dans cette curieuse histoire beaucoup de scènes de polo – et là, on le sent bien, Guy Marchand sait de quoi il parle –, ainsi que la tendre présence de deux personnages féminins, qui d'ailleurs se ressemblent : une petite jument criolla appelée Estrella, et une aguichante gitane, Maria « dont les yeux étaient aussi moqueurs que ceux d'Estrella ; elle aussi était alezane » (page 80).

Ce qui a souvent sauvé Guy Marchand du ridicule, c'est sa capacité d'autodérision. Aussi ne m'en voudra-t-il pas si, pour définir son œuvrette, j'emprunte à son propre texte : évoquant une situation assez banale, il écrit (page 49) que sa description ressemblerait à « un cliché de mauvais roman ». Belle lucidité !

[Paru sous le titre « Un rasoir dans les mains
d'un singe, ou : un stylo dans les mains de Guy Marchand »
dans LE CHEVAL n° 120 (27 mars 2009).]

n

❑ NADAL François

Au moment où paraît en librairie l'œuvre posthume de Philippe Noiret, sous le titre de « Mémoire cavalière » (Robert Laffont), disparaît celui qui l'avait – comme on dit dans le jargon équestre – « mis à cheval » : François Nadal.

Ce dernier s'est éteint, le 14 mars 2007, à son domicile parisien, à l'âge de 83 ans.

François Nadal avait été, dans les années 1950-1980, le conseiller équestre à la fois le plus célèbre et le plus discret du cinéma français. Il avait initié à l'équitation, pour les besoins d'un rôle, des comédiens qui, tels Philippe Noiret ou Jean Rochefort, attraperaient à cette occasion « le virus ». Il avait réglé la plupart des grandes scènes d'action impliquant la participation de chevaux : les folles chevauchées de « Fanfan la Tulipe » (1951), c'est lui. Les furieuses charges de cavalerie dans l'« Austerlitz » (1959) d'Abel Gance, c'est encore lui. Le steeple délirant de « Dangereusement vôtre » (le James Bond de 1984), c'est toujours lui.

Que ce soit pour tourner une cavalcade débridée ou une figure de haute école, une attaque de diligence ou une mêlée de chevaliers, à peu près tous les metteurs en scènes français (Yves Allégret, Philippe de Broca, René Clair, Jean Delannoy, Gérard Oury, et tant d'autres) ont fait appel à ses compétences. Parfois même aussi des réalisateurs étrangers : en 1957-1958, François Nadal fut sollicité pour aider à la mise au point de la fameuse course de chars du « Ben Hur » de William Wyler.

Né rue de Rivoli (le 1er février 1924) à l'emplacement exact où se trouvait, avant les grands travaux haussmanniens, le Manège Royal du Louvre, François Nadal apprit à monter à cheval au Manège du Panthéon (aujourd'hui disparu) de la rue Lhomond. Il y croisa d'autres débutants, tels que le futur écrivain François Nourissier, ou Michel Marty, le père du futur écuyer Bartabas.

Des chevaux, comme des hommes, François Nadal savait tout obtenir par la douceur, la patience, la gentillesse. Éducateur plus que dompteur, il ne rechignait jamais à confier ses secrets de dressage et, conteur talentueux, à évoquer ses souvenirs de tournage.

En 1986, il a raconté cette double expérience, d'homme de cheval et d'homme de spectacle, dans un livre, « Ces chevaux qui font du ciné-ma » (Favre) écrit en collaboration avec une journaliste du *Monde*, Nicole Bernheim, et préfacé par Philippe Noiret.

Jusqu'à ses derniers jours, François Nadal, bien que gravement malade, a continué à fréquenter les écuries de ses amis cavaliers : l'o-deur du crottin lui était indispensable.

[Notice nécrologique parue,
dans une version légèrement raccourcie,
dans LE MONDE daté du 22 mars 2007,
puis, en intégralité, dans LE CHEVAL daté du 30 mars 2007
sous le titre « François Nadal était un homme
de cheval et un homme de cinéma ».]

O

❏ O'REILLY Basha et Cuchullaine

Basha et Cuchullaine O'Reilly savent ce qu'est un exploit équestre. D'abord parce qu'ils en ont réalisé un, chacun de son côté, avant de se rencontrer, de se connaître et de, finalement, se marier : Basha dans d'improbables contrées de la Russie postsoviétique ; Cuchullaine dans d'impossibles contrées de l'Afghanistan sous contrôle (?) soviétique.

Ils savent ce que c'est, aussi, parce que, en une décennie, ce couple de cavaliers qui ne pensent pas qu'avec leurs fesses a établi un inven-taire extraordinaire, une sorte d'encyclopédie : le répertoire de tous les grands voyages à cheval des cent cinquante dernières années.

Ils savent donc faire la différence. Entre une aventure, une jolie pro-menade et un véritable exploit. Ils savent distinguer la performance dont le véritable héros est le cheval, et la prouesse dans laquelle le che-val n'est qu'accessoire. Ils savent bien que les grandes aventures éques-tres sont souvent de belles aventures humaines.

C'est parce qu'ils savent tout cela qu'ils ont décidé de réaliser – ensemble, bien sûr – le voyage équestre le plus extraordinaire, peut-être, de tous les temps : une traversée de l'Europe, de l'Asie, de l'Amérique du nord – bref, un tour du monde. Dont le but n'est pas de figurer au « Livre des Records », mais de montrer la diversité de l'espè-ce chevaline, son omniprésence planétaire, et la richesse des pratiques humaines qui y sont liées.

Ce périple durera quatre ans. Ou cinq. Ou dix. Peu importe : ce n'est pas une course de vitesse. C'est un voyage. Et ce n'est pas seulement un déplacement dans l'espace, c'est aussi une pérégrination dans le temps : à cause de sa durée, au rythme du pas des chevaux, et surtout à cause des rencontres qu'ils feront en chemin de civilisations équestres parfois millénaires.

Bonne route, mes amis.

[Ce petit texte d'encouragement a été écrit,
à la demande de mes amis les O'Reilly, en février 2007,
à un moment où leur départ était « imminent ».
À l'heure où j'écris ces lignes (hiver 2010-2011), ils ne sont toujours pas partis...]

❏ ORSENNA Erik

C'était la première bonne nouvelle de l'année. Enfin, il reconnaissait ses torts. Enfin, il avouait ses crimes. Erik Orsenna, enfin touché par le remords, se confessait publiquement et publiait à la Une du *Monde*, ce 5 janvier 2002, un billet intitulé : « J'ai honte ».

Déception : dans son article, l'écrivain-membre-de-l'Académie-française affiche sa honte, en effet, mais pas celle qu'on croyait. Sa honte de la France et des Français qui, désormais, dit-il, se moquent de l'Afrique. Sa honte de Chirac, alors Président de la République, et de Jospin, alors Premier Ministre, qui ne sont pas allés, les bougres, à Dakar, saluer la dépouille mortelle de Léopold Sédar Senghor. *

Honte des autres, donc. De lui-même, non. Pas du tout. Erik Orsenna ne voit vraiment pas ce qu'il aurait à se reprocher. Il n'a pas honte du tout.

Il devrait pourtant. Et, plutôt que d'infliger à autrui ses prêchi-prêcha, il ferait bien de battre sa coulpe. De faire repentance, comme on dit aujourd'hui dans son milieu.

Il déplore que la France n'aime pas l'Afrique, et pense que ce n'est pas bien, qu'il faut l'aimer et l'aider encore et encore. Et que plus on est socialiste, plus on doit l'aimer. Lui, par exemple, regardez comme il l'aime. De son amour pour l'Afrique, il fait des articles (parfois aussi, hélas, des discours : on en reparlera). De son « Besoin d'Afrique », il a même fait un livre (Fayard, 1992).

---

* Croyez-vous qu'il s'y rendit, lui, le donneur-de-leçons, aux obsèques de son ami Senghor ? Nenni ! Il était indispensable que les autres y assistent, mais lui, non. Pas besoin. Exempté. Il fallait à tout prix qu'un Président assiste à l'enterrement d'un ancien Président, mais il n'était pas nécessaire qu'un Membre de l'Académie française assiste à celui d'un autre Membre de l'Académie française. C'est l'étrange morale personnelle d'un moraliste professionnel. Heureusement, en se rendant à Dakar, Madame Hélène Carrère d'Encausse, a sauvé l'honneur (menacé) de l'Académie française.

C'est vrai, ce qu'il dit là. Et en plus, c'est facile. Aimer l'Afrique, c'est vraiment à la portée de chacun. On n'a que l'embarras du choix : le soleil, les plages, les petites Négresses, la musique, le pétrole, les éléphants, que sais-je encore ? Tout le monde peut aimer l'Afrique. D'ailleurs, même Foccart aimait l'Afrique : ses chefs d'État francophiles, ses voix d'appoint aux Nations Unies. Giscard aussi en raffolait : un peu les diamants, beaucoup les safaris. Jean-Christophe Mitterrand *itou* : les boîtes de nuit de Côte d'Ivoire, les minerais du Gabon, les côtes poissonneuses de Mauritanie... Tous, ils ont tous « aimé » l'Afrique.

Un peu moins, me semble-t-il, et c'est là tout le problème, les Africains.

Erik Orsenna reproche à ceux-qui-gouvernent la France (si peu, et si mal) de n'avoir pas été assister aux obsèques de l'ancien Président du Sénégal. C'est dommage, en effet.

Mais lui-même, est-il allé une fois, une seule fois, à l'enterrement d'un seul de ces milliers de morts dont il est, sans le vouloir sans doute, et probablement même sans s'en rendre compte, sinon le coupable, du moins le responsable ?

Responsable, Erik Orsenna ? Serait-ce lui faire trop d'honneur, je veux dire lui donner trop d'importance ? N'exagérons rien, en effet. Mais s'il n'est pas directement responsable des tueries perpétrées par d'autres, il se sent, je suppose, entièrement responsable de ses écrits !?

Il en est un, en tout cas, dont il n'a pas honte, au contraire. Il se vante d'en être l'auteur : c'est le discours prononcé par François Mitterrand le 21 juin 1990 devant ses pairs africains réunis à La Baule. Un texte, un tout petit texte de rien du tout (Michel Tournier dirait : un texticule) écrit comme ça, à la va-vite, presque pour s'amuser, sur un coin de table à l'Élysée, à une époque où il y était employé.

Erik Orsenna, on le voit, ne pratique pas la repentance, mais l'inadvertance...

Dans ce fameux discours, le Président de la République française menaçait, en gros, ses collègues africains de leur couper les vivres s'ils ne se mettaient pas à faire de la démocratie.

Jusque-là, rien à dire. Sauf par Jacques Chirac, bien sûr, qui fait partie, lui aussi, de ces gens qui « aiment » l'Afrique, et protesta un peu en expliquant que les Africains n'étaient « pas mûrs » pour la démocratie ! Merci du compliment, et passons...

Les menaces mitterrandiennes, les foudres élyséennes surprirent davantage qu'elles ne choquèrent vraiment les rois Nègres auxquels elles étaient destinées. Quelques-uns d'entre eux, d'ailleurs, ne se sentirent même pas visés, persuadés, les naïfs, de faire chez eux de la démocratie depuis longtemps, un peu comme Monsieur Jourdain de la prose.

Prenons le cas, caricatural, j'en conviens, mais c'est précisément son intérêt, d'un Eyadema. Le prototype de l'ogre, du tyran, tel qu'en raffolent les écrivains (les Orsenna, les Kourouma). Lorsqu'il entend le discours du grand-chef-blanc, il est déjà aux affaires depuis plus de vingt ans. Plus de vingt ans qu'il tient d'une main (très) ferme les rênes du pouvoir. Ceux qui visitent son petit pays, le Togo – experts du FMI, ministres français, chanceliers bavarois, conseillers et profiteurs en tous genres – parlent d'un « havre de paix », d'un « îlot de prospérité », d'une sorte de « Suisse africaine ». On le félicite, on le complimente.

Aussi, lorsque le professeur Mitterrand fait, à La Baule, les gros yeux à ses mauvais élèves africains, Eyadema ne comprend pas qu'il s'adresse également à lui. Persuadé d'être un bon élément, il se flatte, d'ailleurs à juste titre, de faire œuvre « démocratique » en donnant quelques avantages aux populations de l'intérieur, pillées depuis des siècles par les populations côtières, en rééquilibrant les chances entre les différentes ethnies d'un pays certes minuscule mais composite : en répartissant entre elles, de façon aussi équitable que possible, les richesses, les positions, les portefeuilles ministériels.

Autre cas : celui de ce jeune chef d'État africain, qui, jusque-là, avait cru pouvoir trouver exemplaire l'œuvre d'un Ahidjo, au Cameroun, qui, après trente ans de lutte pour mieux distribuer les pouvoirs, économiques et politiques, entre le Nord, le Sud et l'Ouest, pour réunifier un pays composé non seulement de quatre-vingts « peuplades » différentes mais aussi – héritage de la colonisation – de deux pseudos États, l'un francophone, l'autre anglophone et vaguement fédérés l'un à l'autre, pour tenter, en bref, de forger une nation en éradiquant le tribalisme, au besoin de façon autoritaire, avait fini, lui, le musulman du Nord, par volontairement céder sa place à un chrétien du Sud.

Eh bien, à La Baule, Monsieur Orsenna leur expliqua, par la bouche de Monsieur Mitterrand, qu'ils se gouraient complètement. Qu'Eyadema, comme Ahidjo, n'étaient que d'épouvantables dictateurs, et que la démocratie, ce n'était pas ça du tout.

Stupeur dans les rangs. Oui patron. Bien patron. Merci patron. Mais alors, patron, en quoi ça consiste, la démocratie ? Eh bien…

Eh bien, c'est simple. Faut d'abord supprimer vos Partis Uniques, vos Partis Unifiés, vos Partis-État, vos Mouvements à-la-noix (de cola), vos Rassemblements-bidon. Allez ouste. Poubelle. Faut instaurer le multipartisme, autoriser la diversité, susciter le pluralisme, encourager les débats, favoriser l'alternance, bref, y'a qu'à nous regarder, et faire comme nous. Voyez comme on est beaux, riches et en bonne santé. Tout ça, c'est grâce à la démocratie.

Ce qu'il y a de désespérant avec les Africains, c'est leur inépuisable gentillesse, leur éternel désir de faire plaisir. Les Blancs veulent qu'on fasse des partis? On n'a pas de raison majeure de les contrarier. Faisons-leur des partis.

Et voilà l'Afrique (francophone) tout entière lancée dans la course au multipartisme. Ici, on réunit des « conférences nationales », qui s'autoproclament « représentatives » (*sic*) de toutes les « forces-vives de la Nation » (*re-sic*) et se décrètent « souveraines », « constitutives », et j'en passe, avant d'éclater en mille morceaux d'où naissent mille obédiences, mille partis. Et surtout mille désordres. Ailleurs, le chef de l'État, ne trouvant guère de candidats à la concurrence, mais craignant de passer aux yeux de Paris pour un affreux despote, suscite en sous-main la création d'une multitude de partis dits d'opposition. Ailleurs encore, on compte près d'un parti sinon par habitant, du moins par village. Ce n'est plus « un homme-une voix », c'est « une ethnie-un parti ». Au Gabon, par exemple, on dénombre aujourd'hui quarante partis pour un petit million de citoyens.

À l'Élysée, à Matignon, rue Monsieur (et quai Conti), cette pittoresque pagaille amuse plus qu'elle n'inquiète. Les Africains, ces grands enfants rigolards, sont incorrigibles. Il faut bien, n'est ce pas, que jeunesse se passe…

Hélas! La rigolade tourne au tragique. Le débat au pugilat. Le pugilat au massacre. La démocratie africaine, accommodée à la sauce parisienne, se révèle meurtrière, voire génocidaire. On dénombre, en quelques années de multipartisme, plus de morts politiques qu'en plusieurs décennies de dictatures.

Les Ahidjo, les Mobutu, tyrans impitoyables ou despotes éclairés, comme on voudra, avaient du sang sur les mains? Sans doute, mais leurs successeurs, apprentis démocrates, ont fait couler, eux, de véritables bains de sang. Le régime dictatorial d'Eyadema est coupable de crimes? C'est probable, mais le régime pluraliste qui a suivi est responsable de centaines, de milliers de morts, liquidations, épurations.

Bizarrement, ces morts-là, nés du pluralisme, ont moins ému les

« amis » de l'Afrique que l'assassinat, aux temps des Partis Uniques, de tel opposant politique, ou l'incarcération de tel journaliste irrévérencieux. Les crimes à l'unité, dirait-on, choquent davantage que les meurtres à la chaîne.

On retrouve un peu la même déformation chez les « amis » du Maghreb, qui préfèrent, semble-t-il, le spectacle d'une Algérie à feu et à sang à celui d'une Tunisie tranquille et prospère. C'est du moins l'impression qu'ils donnent lorsqu'ils continuent de chanter les louanges d'un Bouteflika incapable d'arrêter une guerre civile qui a déjà fait deux cent mille morts, tout en s'acharnant sur un Ben Ali coupable de regrettables erreurs politiques*

En fait, pour les « amis » de l'Afrique comme pour les « amis » du Maghreb, peu importent les conséquences de leurs croyances, l'essentiel est d'y convertir les incroyants. Peu importe qu'en Afrique on ait plus tendance à se définir, à se déterminer en fonction de ses origines qu'en fonction de ses idées, l'essentiel est qu'on fasse du multipartisme. Peu importe que le clivage gauche-droite y soit moins net que les clivages régionaux, que les partis, en Afrique, ne servent pas à départager les défenseurs de l'école libre des défenseurs de l'école laïque ou les partisans d'une économie libérale des partisans d'une économie dirigiste, mais tout simplement les ressortissants de tel groupe ethnique de tel autre groupe ethnique, l'essentiel est qu'on y élise un parlement pluraliste. Peu importe que, là-bas, les partis se superposant aux tribus, le multipartisme soit en fait une nouvelle forme de tribalisme ; peu importe que, s'il est en effet parfaitement démocratique de donner le pouvoir à un parti majoritaire, il est par contre absolument antidémocratique de le donner à la tribu dominante, à l'ethnie la plus nombreuse ; peu importe que la réalité ne corresponde pas à ses désirs, l'essentiel, n'est ce pas, est d'avoir bonne conscience – et de se dire qu'on a raison, raison, raison.

On a raison, en effet, quand on recommande aux Africains de respecter les Droits de l'Homme et la démocratie. On n'a jamais tort d'enseigner les Dix Commandements, de dire qu'il ne faut ni tuer, ni voler, ni prendre la femme de son prochain. Mais tenter de faire croire que le multipartisme est la seule voie possible vers la démocratie parce que c'est celle que nous avons choisie est beaucoup plus contestable

---

* La principale ayant été de laisser son entourage faire main basse sur les richesses du pays.
[Note de février 2011.]

Le moindre paradoxe n'est pas que ce prosélytisme politique vienne principalement de gauche, c'est-à-dire de ceux qui ont été, de tout temps, les plus vigilants dénonciateurs du prosélytisme religieux, du travail des missionnaires et, disent-ils, de l'acculturation qui s'en est suivie. Paradoxal, en effet, que ce néo-colonialisme intellectuel soit principalement le fait des plus ardents pourfendeurs de la colonisation. Mais bref...

Il y a des textes qui tuent. C'est le cas du « discours de La Baule », qui est à l'origine des pires malheurs qu'ait connu l'Afrique depuis les indépendances, et de la pire décennie de sa brève histoire. Ce discours, écrit à la légère, a semé des discordes, entraîné des désordres, provoqué des massacres d'une ampleur telle qu'il faudra bien, un jour, envisager d'en juger les auteurs directs et indirects.

Les instances de La Haye, le fameux Tribunal Pénal International, ne serait-il pas compétent en la matière, lui qui a été justement créé pour juger les crimes contre l'humanité, les génocides, les incitations à la haine raciale ou tribale ?

[Écrit au lendemain de la parution de la tribune de Erik Orsenna dans *Le Monde*, je proposai aussitôt la publication de ce texte au dit grand quotidien du soir – qui, naturellement, ne donna pas suite à ma proposition.]

p

❏ PEURIOT Françoise et PLOQUIN Philippe

Tout ça, c'est la faute aux chevaux. Pourtant, on ne peut pas dire qu'on n'avait pas été prévenus. Il paraît que Moïse, déjà, avait déconseillé aux Hébreux de s'approcher de ces animaux. Tenez-vous à l'écart des chevaux, leur avait-il dit (à peu près), car si vous commencez à les utiliser, vous verrez : vous serez pris par d'irrésistibles désirs de conquête.

C'est vrai : les chevaux, parfois – souvent ! – nous entraînent plus loin qu'on aurait voulu aller. Tenez : Philippe Ploquin, par exemple. Le voilà qui débarque pour la première fois au Maroc en avril 1987. Reporter-photographe animalier, il vient simplement « couvrir » un raid équestre qui doit se dérouler quelque part dans le sud, aux confins du désert. Il ne veut pas trop s'éterniser sur ce coup-là : dans quelques jours, il lui faut rentrer en France, pour fêter son anniversaire (le trente-septième). Raté : il ne quittera plus – ou presque – le Maroc. Il ne cessera d'y faire des allers-et-retours. Fasciné par ses couleurs, ses parfums, ses paysages, ses hommes. Et ses chevaux, bien sûr.

Eh oui, les chevaux, c'est comme cela. On commence par les admirer de loin, puis de plus près, puis dessus ou à côté – et nous voilà partis à la découverte d'un pays, d'un univers, d'une civilisation.

C'est un peu ce qui est arrivé au Maroc à Philippe Ploquin. Sauf que la réalité oblige à dire que le vrai responsable, en cette affaire, ce n'est pas un cheval. C'est un être aux pouvoirs de séduction plus grands encore : c'est une femme. C'est Françoise Peuriot (qui deviendra d'ailleurs, en effet, « sa » femme). C'est elle, en vérité, qui l'a entraîné ici.

Elle aussi est photographe animalière. Philippe et elle se sont rencontrés pour la première fois près de dix ans plus tôt (en 1976), à Paris, à l'occasion du Salon… du cheval, naturellement. L'année suivante, ils sont partis ensemble, faire leur premier reportage de couple : photographier les grandes fêtes équestres de Hongrie.

Françoise Peuriot, pour sa part, a « découvert » le Maroc en 1986, à l'occasion de la réunion d'une organisation internationale qui est un peu l'ONU du cheval arabe, la World Arabian Horse Organisation. Séduite, elle a saisi la première occasion d'y retourner, en y entraînant, cette fois, son compagnon au prénom prometteur : Philippe, l'ami des chevaux.

Les chevaux, très vite, prendront le relais. Il en photographiera cent, il en photographiera mille, il en photographiera dix mille. Cela débouchera, en 1990, sur un premier beau livre : « Les chevaux du royaume ».

En vingt ans, Philippe et Françoise, Françoise et Philippe accumuleront ainsi une fabuleuse collection de diapositives, la plus grande banque d'images, sans doute, du Maroc : 150 000 documents sur ce pays qui est, en effet, un des plus photogéniques du monde.

De cette photothèque géante, les deux « P » tireront d'autres albums magnifiques : sur la faune, les villes, les palais, les bijoux, les arts décoratifs marocains. Et même, honneur suprême accordé par son maître d'œuvre en personne : un beau livre sur la grande mosquée Hassan II.

Que le couple Peuriot-Ploquin soit passé de la photographie à l'édition, rien de plus naturel : l'un est l'inévitable prolongement de l'autre. Mais pourquoi diable se lancer aujourd'hui dans l'aventure périlleuse d'une exposition d'œuvres qui, de plus, ne sont pas les leurs, mais celles d'artistes rencontrés au gré de leurs déplacements incessants et réunis ici par la seule grâce de l'amitié ?

On ne se posera plus la question lorsque j'aurai dit l'essentiel : les Peuriot-Ploquin ne sont pas que des photographes imaginatifs et talentueux, que des éditeurs dynamiques et entreprenants : elle est aussi artiste peintre et lui chaudronnier d'art ! On comprend mieux, dès lors, la passion du couple pour l'art et l'artisanat. Ou, plus justement, pour les artistes et les artisans, dont la France est encore (pourvu que ça dure) un prodigieux vivier, un véritable bouillon de culture.

Grands voyageurs hexagonaux, les deux amoureux ont trouvé sur leur chemin nombre de créateurs qu'ils ont rallié à leur passion pour le Maroc. Ayant collecté ainsi quantité d'œuvres originales, constitué une sorte de caverne d'Ali Baba, ils ont souhaité montrer leur trésor, entièrement dédié au Maroc, ce pays qui, il est vrai, leur a tant apporté, ce pays qui les a, dans les deux sens du terme, illuminés. L'Institut du Monde Arabe leur a offert la vitrine qu'ils recherchaient.

Dans cette accumulation composite de peintures, sculptures, gravures, céramiques, pièces d'orfèvrerie ou de ferronnerie, on remarquera peut-être que, parmi elles, vingt-cinq glorifient, d'une façon ou d'une autre, le cheval. Moïse avait donc raison. Doté d'étranges pouvoirs, le cheval a la capacité de nous emporter, Dieu merci, bien au-delà de nos propres frontières, de nous aider à sortir de nos exiguïtés, de nous ouvrir au monde.

[Publié en guise d'introduction au catalogue
de l'exposition « Le Maroc en lumière » organisée par Philippe Ploquin
à l'Institut du Monde Arabe (Paris) du 9 février au 31 mars 2010.]

❏ PRÉ Jean-François

Beaucoup de gens croient qu'il n'y a que les imbéciles qui fréquentent les champs de course. En fait, les imbéciles, ce sont ceux qui disent ça. Imbéciles et, en plus, mal informés. Il n'est pas rare, au contraire, d'y croiser des gens très bien. Pas seulement des milliardaires, parfois aussi d'excellents écrivains, souvent, c'est vrai, fauchés comme les blés. Quelques exemples ? Il y en a des tas. Charles Bukowski, Alain Bosquet, Ismaïl Kadaré. Jamais entendu parler ?

Bukowski est un très grand poète, un peu provocateur (et très alcoolique), Américain, né en Allemagne (à Andernach) en 1920.

Bosquet, de son vrai nom Anatole Bisk, aussi un très grand poète. Roumain je crois, né à Odessa (Ukraine) en 1919. Kadaré, un des plus grands écrivains du siècle. Albanais né en Albanie, en 1936. C'est Bosquet, paraît-il, qui entraînait Kadaré aux courses. Et si ce dernier dispose aujourd'hui de quelques moyens, ce n'est pas grâce au jeu : c'est grâce à ses droits d'auteur.

Il ne faudrait pas croire, toutefois, qu'il n'y a que des Américains, des Roumains ou des Albanais sur les hippodromes français. Il y a aussi quelques Français, écrivains talentueux eux aussi, genre Christophe Donner. Jamais entendu parler non plus ? Un peu provocateur lui aussi…

Force est donc de le constater : les bons écrivains sont souvent des piliers d'hippodromes. Faut-il, dès lors, s'étonner du phénomène opposé ? Qu'un pilier d'hippodrome rêve, à son tour, de devenir écrivain ? Certes pas, mais cela paraît plus ardu. Le chemin qui sépare Saint-Germain-des-Prés de Maisons-Laffitte ou Auteuil est semble-t-il infiniment plus périlleux que le chemin inverse. Bizarre, mais c'est comme ça. J'en prends pour preuve le cas de Jean-François Pré.

Voilà un gentleman tout à fait bien sous tous rapports, bien marié, portant chevalière au doigt, toujours tiré à quatre épingles, détenteur de la chronique hippique sur la chaîne de télévision la plus regardée de France et dans le quotidien le plus lu de Paris, qui en est à son sixième roman (policier) sans que le Tout-Paris critique s'en émeuve, ou même s'en aperçoive. C'est bien dommage.

Car les romans de Jean-François, totalement dépourvus, il est vrai, d'ambition littéraire, mais écrits d'une plume alerte, sont toujours bien ficelés, et offrent de bons moments de vraie détente (le mot étant pris ici dans les deux acceptations du terme), tout en respectant scrupuleusement les lois du genre : cadavres exquis, sexe, champagne et chevaux. Dans le dernier de la série, « La mort fait un tabac » (Autres temps éditions, 2009), Jean-François Pré a considérablement augmenté la quantité d'ingrédients : golf, cigares et musique classique. Hélas, les cigares tuent, les pianos explosent et la musique n'adoucit pas les mœurs. On s'y balade, en Porsche ou en jet, de Marrakech à Cuba, avec escales à Deauville. Malgré les hécatombes, on s'y amuse follement, grâce à un flux ininterrompu de formules percutantes dont Jean-François Pré a incontestablement le sens. Une pute fait des œillades à son héros ? Celui-ci préfère décliner : « que voulez-vous, j'aime les femmes, pas les filles ». Un chirurgien opère à l'Hôpital Américain de Neuilly ? C'est,

« le Ritz des mourants », précise avec une visible délectation Jean-François Pré, dont l'allégresse est contagieuse, l'humour jamais vulgaire et dont les personnages sont, comme lui, élégants et cultivés. S'ils ne sont pas vraiment marqués politiquement, on peut tout de même observer que, comparés aux héros de Gérard de Villiers, ce seraient (presque) des gauchistes. Aussi à gauche, du moins, que l'autre de Villiers, par exemple, l'est par rapport à l'extrême-droite. C'est dire.

[Paru dans LE CHEVAL n° 127 (3 juillet 2009)]

r

❏ RACINET Jean-Claude

Jean-Claude Racinet a tenu promesse. Le 17 mai de l'année dernière [2008], il avait déclaré à Jean-Pierre Laborde, qui l'interviewait pour *France info*, à l'occasion de la parution de son dernier livre « Trente-cinq propositions insolentes pour comprendre l'équitation » (Favre, *caracole*, 2007) et dont les lecteurs de *cheval-chevaux* avaient eu la primeur : « Si je ne montais plus à cheval, je mourrais. »

Quatre mois après avoir fait cette déclaration solennelle, Racinet fut pris d'un malaise, alors qu'il montait un cheval appartenant à l'un de ses élèves. L'accident eut lieu en septembre 2008, quelque part en Allemagne – car c'est en Allemagne que ce grand pourfendeur de la manière « germanique » était le plus écouté, le plus demandé… et le plus lu. Ce qui n'est pas plus paradoxal, après tout, que le fait que les pratiques douces de l'équitation dite éthologique soient nées en Amérique par opposition, comme l'a si bien expliqué Monty Roberts, à la brutalité des cow-boys.

D'abord soigné dans un grand hôpital de Hambourg, ayant retrouvé une partie de ses fonctions, il fut autorisé à rentrer chez lui, aux États-Unis, où il s'était installé dans les années 1980. Hélas, sa situation ne cessa de se dégrader. Ayant sans doute compris que plus jamais il ne pourrait remonter, il s'est alors, je crois, laissé partir. Sans atteindre sa quatre-vingtième année. Pour cet anniversaire, le 2 juin, Racinet avait pourtant rêvé de montrer à ses amis les jolies pirouettes apprises à sa jument Chester, qui fut le dernier grand amour de sa vie.

En écrivant, un peu plus haut, « mon ami Racinet », je me suis mal exprimé. Pour moi, Racinet était beaucoup plus qu'un ami. C'était un frère, un père, un maître, un héros. Je l'ai fréquenté, de près, pendant un bon demi-siècle. Jamais je n'ai connu d'homme au monde qui sache (et m'en apprenne) autant de choses sur les chevaux – et sur leur mode d'emploi.

Peut-être était-il, comme certains l'ont dit (et comme beaucoup l'ont pensé) complètement « fou », incontrôlable, parano, tout ce qu'on voudra. C'est possible, mais qu'importe ? Pour moi, c'était un génie. Mon bon génie. On l'a parfois trouvé insupportable ? Je l'ai trouvé indispensable. Un contestataire, un imprécateur, un emmerdeur ? Plutôt un communicateur, un bienfaiteur, qui vous obligeait toujours à donner le meilleur.

En dehors de ses connaissances équestres, hippologiques et chevalines, Racinet avait bien d'autres richesses. C'était un musicien. Un musicien doué d'un sens de l'humour particulier, basé sur la musicalité des phrases, les jeux de mots, les contrepèteries, les chocs de vocabulaire [...]

Je prenais depuis toujours mon ami Racinet pour une sorte de mystique athée lorsque je découvris, au cours d'une conversation (en ma présence) avec Alfia Chafigoulina, qui venait de publier un recueil intitulé « Les cent plus belles prières du monde » (Calmann-Lévy, 1999), qu'il souhaitait lui aussi, s'adresser à Dieu. Il rédigea alors une prière, dont j'ai précieusement gardé le manuscrit, et dont je ferai la conclusion de cette misérable homélie.

> *Seigneur Dieu !*
> *Délivre-moi de l'angoisse et de la culpabilité,*
> *Aide-moi à réaliser mon destin, qui est aussi Ta volonté,*
> *Conserve-moi une âme de soldat,*
> *Épargne-moi la servitude matérielle*
> *Et donne-moi l'Exaltation.*
> *Amen.*

[Extrait de l'édito du n° 4 de la revue CHEVAL-CHEVAUX (juillet-décembre 2009).]

❑ RICHARDS Susan

Dix ans après le succès phénoménal de « L'Homme qui murmurait à l'oreille des chevaux », un nouveau best-seller s'annonce. Il vient lui aussi d'Amérique, mais son auteur, cette fois, est une femme. Elle s'appelle Susan Richards.

Paru aux États-Unis en 2006, sous le titre « Chosen by a Horse », salué dès sa sortie par une presse enthousiaste, son roman (mais est-ce vraiment un roman ?) y a fait une carrière foudroyante, demeurant plusieurs semaines de suite dans la liste des meilleures ventes des grandes chaînes de distribution, pour être enfin réédité en livre de poche dans la prestigieuse collection du *New-York Times Best-seller*.

Comme souvent, le succès d'un livre n'est pas le résultat du seul hasard. « Chosen by a Horse », ce n'est pas seulement une belle histoire : c'est une histoire bien racontée, par un véritable écrivain. Professeur de lettres et diplômée en sciences sociales, Susan Richards a été consacrée parmi les « meilleurs nouveaux talents littéraires » du célèbre groupement de libraires Barnes & Noble.

Susan Richards signe ici, c'est vrai, une autobiographie sincère et émouvante, une histoire pleine de courage et d'espoir dans laquelle l'amour – même celui des animaux – peut aider à panser les blessures les plus profondes.

Susan, en effet, porte le lourd fardeau d'une enfance malheureuse. Après une jeunesse tumultueuse et un échec conjugal, elle finit par vivre seule dans sa ferme avec ses trois chevaux. Quand la vie vous malmène à ce point, il est logique de vouloir éviter les dangers et de fuir la réalité en se refermant dans sa coquille.

Mais il arrive parfois qu'un événement imprévu vienne changer le cours d'une vie. Susan se porte volontaire pour héberger l'un des chevaux récemment récupérés par la SPA locale. Ironie du sort, la jument qui a choisi de monter dans le camion n'est pas celle que Susan devait héberger mais tant pis, elle la prend quand même. C'est une jument famélique, malade et au triste passé.

Merveilleuse et fortuite rencontre de deux êtres étonnants qui vont faire un bout de chemin ensemble.

Au fil des pages, Susan se dévoile avec sang-froid, élégance et charme, pudeur et tendresse. Pas de sensiblerie ni d'anthropomorphisme exagérés mais une description sobre et réaliste de la souffrance physique et morale des hommes et des animaux, des sentiments enfouis ou refoulés, de la quête du bonheur.

Les droits de publication en français de ce récit ont été acquis par les éditions du Rocher, dont la collection *cheval-chevaux* contient déjà quelques chefs-d'œuvre littéraires traduits de l'américain (Kay Boyle, Sherwood Anderson), de l'italien (Quarantotti-Gambini), du russe (Tolstoï, Kouprine), du roumain (Virgil Gheorghiu), ou de l'espagnol.

Confiée à Bernardine Cheviron, la traduction du livre de Susan Richards sera disponible en librairie (et chez *cavalivres*, naturellement) début septembre [2008]. Sur la ligne de départ de la course aux prix littéraires. Sous un titre d'une sobriété extrême : « Choisie ».

[Paru dans L'Éperon hors-série « Été et vacances » 2008, en *chapeau* aux « bonnes feuilles » (c'est-à-dire des extraits publiés en avant-première) du roman de Susan Richards, qui non seulement ne remporta, à mon grand désespoir, aucun des prix de l'automne, mais passa, hélas, presque inaperçu !]

❑ ROTHSCHILD Édouard de

Il paraît que ça fait rire à l'étranger. Il paraît que le fait d'avoir une équipe de France de football presque entièrement composée de garçons importés de fraîche date, d'Afrique ou d'ailleurs, et « nationalisés » à la va-vite, amuse beaucoup nos voisins, dont les équipes seraient composées, elles, d'une écrasante majorité de vrais nationaux – pure souche.

La France, incapable de produire des sportifs, des athlètes, des champions, serait donc obligée d'aller faire son shopping ailleurs. La honte ! Thème repris, en France même, par l'extrême droite et les humoristes (sans qu'on puisse déterminer clairement lesquels sont les plus comiques).

Voilà une nouvelle qui va mettre un terme, j'espère, à la risée dont la France est l'objet : elle va au contraire fournir à l'étranger une équipe sportive entière, clés en mains. Une équipe réduite, il est vrai, puisqu'elle ne se compose que de deux athlètes : un cavalier et... son cheval. Mais tous deux français cent pour cent. Surtout le cheval : un selle-français « pur-cent ».

On apprend en effet que Édouard de Rothschild, dont nul n'avait songé à douter de sa francitude, vient d'acheter à prix d'or (on parle de plus de cinq millions d'euros !) un des meilleurs étalons du marché, Lamm de Fetan, aux origines tout aussi indiscutablement françaises, dans le but d'utiliser ce crack comme monture lors des prochains Jeux Olympiques, prévus pour 2012 à Londres.

Enième rejeton d'une célèbre dynastie de banquiers d'origine allemande, ayant essaimé en Grande-Bretagne et en France, anoblis au XIXᵉ siècle par l'empereur d'Autriche (1816) et par la reine d'Angleterre (1885), Édouard est le fils du baron Guy, dont il a hérité – outre une belle fortune – la passion des chevaux. S'il a accepté, par fidélité sans doute à son père, de présider l'organisme qui gère l'ensemble des courses de galop en France, son goût personnel le porte davantage vers les sports équestres que vers les activités hippiques. Amateur de jumping, il aurait beaucoup aimé faire partie de la sélection française pour les J.O. de 2012. Son âge (cinquante-deux ans) n'aurait pas constitué – soit dit sans jeu de mots – un obstacle : l'équitation est la seule discipline olympique que l'on puisse pratiquer jusqu'à plus d'âge. Le doyen des Jeux de Pékin, par exemple, le japonais Hiroshi Hoketsu, était un cavalier de soixante-sept ans. Lorsqu'il remporta, au dernier jour des Olympiades de 1964, à Tokyo, la médaille d'or du saut d'obstacles, Pierre Jonquères d'Oriola avait quant à lui quarante-quatre ans : un âge canonique dans n'importe quel autre sport.

Malgré tout, la Fédération Française d'Équitation n'a pas cru bon de retenir sa candidature. Qu'à cela ne tienne ! Se souvenant de sa judaïcité, et du soutien constant de ses ancêtres au mouvement sioniste, Édouard de Rothschild a eu l'ingénieuse idée de se faire soudain Israélien, dans l'espoir d'être sélectionné par l'équipe nationale… israélienne. Problème : il n'y a pas de chevaux d'un niveau suffisant en Israël. Là encore, qu'à cela ne tienne : un bon cheval, ça s'achète.

Tant qu'à faire, il a acheté « le meilleur cheval du monde » (dixit le magazine *L'Éperon*, qui fait autorité en la matière).

Pour devenir instantanément Israélien, il a suffi à Édouard de Rothschild de faire jouer la fameuse « loi du retour », qui permet à n'importe quel Juif d'accéder à la nationalité israélienne s'il réalise son « alya » (terme qui désigne le « retour » en Terre Promise).

Pour Lamm de Fetan, ce sera encore plus simple : pour devenir israéliens, les chevaux, semble-t-il, ne sont soumis à aucune vérification de leurs origines ni de leur religion.

[Paru dans LA REVUE n° 6 (octobre 2010)
sous le titre « Au galop vers la Terre Promise ».]

S

❏ SAINT BRIS Gonzague

Souvent, il agace. Il agace parce qu'il est brillant : trop, peut-être ? Parce qu'il est éloquent (ses détracteurs disent : grandiloquent). Parce qu'il est doué pour plaire (ou déplaire). Il agace, il horripile aussi parce qu'il est toujours entouré d'une nuée d'admiratrices dévouées. Il horripile, il insupporte parce qu'il sait beaucoup de choses (il est cultivé) et qu'il connaît absolument tout le monde. De plus, il porte un nom superbe et un prénom magnifique : l'écrivain Gonzague Saint Bris accumule, on le voit, bien des raisons de se faire détester. Et encore, je n'ai pas tout dit. Il possède le plus beau rez-de-chaussée de Paris : un salon vaste comme une cathédrale. Dans sa Touraine natale, il possède le Clos Lucé – qui fut la demeure de, tenez-vous bien, Léonard de Vinci. Il y possède aussi le plus charmant, le plus délicieux pavillon de chasse de la région, à Chanceaux-près-Loches – et c'est là qu'il a la générosité (ou l'insolence ?) de faire venir chaque année, le dernier dimanche d'août, tous frais payés bien sûr, cent à deux cents auteurs (j'allais dire : écrivains, mais il ne faut pas exagérer) pour une espèce de rentrée littéraire sous forme d'une grande fête champêtre, joyeuse, conviviale, populaire (cinquante mille visiteurs dans la journée) qu'il a joliment baptisée « la Forêt des Livres » parce qu'elle se tient en plein air, à l'ombre des arbres centenaires qui bordent sa propriété. Une armée de bénévoles, recrutés dans les villages environnants, assure l'organisation, la circulation, l'accueil, bref le succès de l'entreprise. Preuve de ses bonnes relations avec le ciel, chaque année, il fait invariablement beau ce jour-là.

À chaque édition (on en est à la quinzième), Gonzague concocte une mayonnaise étrange, mais qui tient : avec la dose qu'il faut de *pipeules* pour garantir l'affluence, la pincée indispensable de vrais bons auteurs, et toujours une bonne quantité d'Académiciens français. Pas les moindres : les secrétaires perpétuels (Druon, Carrère d'Encausse), les plus célèbres, les plus télégéniques (d'Ormesson), avec naturellement leurs copains de la télé : les Poivre d'Arvor, de Carolis et j'en passe (il en passe tellement, dans ce métier). Il les invite, ces Immortels, tout en sachant parfaitement qu'ils ne voteront jamais pour lui, les ingrats. Mais cela ne le dérange pas : sous ses airs un peu naïfs, Gonzague a, je crois, un sens aigu de la dérision. S'il s'est porté plusieurs fois candidat à son admission sous la Coupole, il ne se gêne pas pour avouer que ses livres, il ne les écrit pas : il les dicte (dieu sait qu'il a du bagout). Du coup, c'est sûr, ça va plus vite. Dans sa bibliographie, je relève deux nouveautés en 2003, deux en 2004, trois en 2005, une seule en 2006 – mais quel succès : on en reparlera plus loin –, à nouveau trois en 2007 et deux en 2009. Qui dit mieux ?

Le pire – je veux dire : le plus agaçant – c'est qu'ils se vendent, ses livres. Comme des petits pains. Et s'ils se vendent, c'est notamment parce que Gonzague sait les vendre. Par exemple, lorsqu'il a publié sa biographie de La Fayette (en 2006, justement), il n'a pas hésité à demander le soutien des Galeries Lafayette. Fallait le faire. Fallait savoir et oser le faire. Ça a très bien marché.

Rien d'étonnant donc que, dans le petit milieu littéraire, Gonzague en indispose plus d'un, tout spécialement ceux qui ne peuvent pas le lui dire, parce qu'ils ont besoin de lui. C'est insupportable, en effet. Il insupporte aussi parce que rien ni personne ne semble avoir véritablement prise sur lui. Gonzague Saint-Bris est insaisissable. À la fois désinvolte et serviable, fidèle et oublieux, brouillon et méticuleux, aimable et indifférent, cérémonieux et impertinent, mondain et simple, il présente une personnalité infiniment plus riche et plus complexe que celle qu'il aimerait laisser paraître. C'est, en vérité, un homme sensible et généreux. C'est quelqu'un (on l'aura compris) que j'aime beaucoup.

Journaliste étincelant, excellent chroniqueur, excellent orateur, il a fait ses preuves aussi bien dans la presse écrite (*Le Figaro*, notamment) qu'à la radio. Mais c'est comme conteur qu'il déploie tout son brio. Narrateur surdoué, il est capable de rendre palpitant n'importe quel épisode de la vie de ceux dont il a entrepris d'écrire (ou de dicter) la biographie : François Ier ou Henri IV, aussi bien que, dans un genre bien différent, La Malibran ou, plus inattendu, Michaël Jackson – avec lequel Gonzague a fait un court voyage en Afrique (en 1992), brève expérience dont il a réussi à tirer 300 pages (Presse de la Cité, 2010) !

Gonzague est capable aussi d'écrire de beaux romans bouleversants, comme on a pu s'en apercevoir avec « Les Vieillards de Brighton » (chez Grasset), qui lui ont valu le Prix Interallié en 2002.

Gonzague s'est fait connaître, voici un demi-siècle, en lançant un mouvement qu'il a appelé les Nouveaux Romantiques. Un mouvement qui, pour lui, ne devait pas se cantonner à la seule littérature, mais à toute une manière d'être, de s'habiller, de se comporter. Et même de se coiffer : depuis cette époque, Gonzague porte toujours cette chevelure – moins abondante et plus grise aujourd'hui qu'autrefois – qui encadre son visage de façon, en effet, assez romantique. Il continue, de même, à se vêtir avec élégance et à s'exprimer avec recherche. On pourrait croire qu'avec ses belles manières et ses belles phrases, le personnage frise le ridicule. Il n'en est rien, car chez Gonzague il ne s'agit point d'une posture, mais d'un penchant naturel.

Ses efforts pour réhabiliter ou restaurer le romantisme sont méritoires. Il a multiplié les articles, les émissions, les ouvrages sur la question, consacré un essai au « Romantisme absolu » (Stock, 1978), portraituré « Les Égéries romantiques » (JC Lattès, 1996), « Les Princes du romantisme » (Laffont, 2003) et voilà que, loin de considérer en avoir fini, il donne pour thème à sa quinzième Forêt des Livres : « le romantisme et la beauté » ! Vaste sujet.

Jamais trop vaste pour Gonzague, qui m'a proposé de prendre la parole lors de la causerie qui se tient à Chanceaux à cette occasion, pour évoquer... qui ? Je vous le donne en mille !

Léon Tolstoï !

Il faut que, même si je n'ai pas le talent de Gonzague, je vous raconte cette histoire.

Gonzague a la gentillesse de m'inviter chaque année à sa Forêt des Livres, pour y dédicacer mes nouveautés. Comme je suis un peu au cheval ce que Gonzague est au romantisme, j'ai chaque année, en effet, une ou deux nouveautés à présenter. Chaque année, je lui répète la même chose : quel dommage qu'il n'y ait pas quelques attelages – ce serait très romantique – ou, au moins, quelques chevaux dans les vastes pâturages qui entourent son salon champêtre. Chaque année, je le harcèle, pour que, la fois suivante, on puisse sentir à Chanceaux la bonne odeur du crottin.

À défaut de chevaux véritables (dont, à mon avis, il se méfie un peu), Gonzague me fait venir, moi ! Non seulement il m'installe dans une espèce de box d'où je peux dédicacer mes propres livres, mais il me propose de parler cheval au cours d'un des nombreux colloques, débats ou « cafés littéraires » qui donnent à son salon annuel tant d'animation.

Cette année, lui dis-je, je pourrais évoquer la passion pour les chevaux qui habitait Léon Tolstoï. Il y a une double justification : on célèbre en 2010 le centième anniversaire de la mort du grand homme, et toute l'année a été sacrée par les autorités des deux pays « Année franco-russe ». Très bonne idée, s'exclame Gonzague. Fais-nous un petit laïus de quinze minutes sur Tolstoï... et le romantisme !

Cela me rappelle une blague (juive) que je ne peux résister au plaisir de rapporter ici. Un jour, trois naufragés – un Allemand, un Français et un Juif – se retrouvent sur une île déserte. Enfin, pas si déserte que ça, car elle grouille... d'éléphants (!). Après des mois et des mois d'ennui, l'Allemand dit : « Ah Freunden ! Ch'ai trouvé une occupazion. Che vais écrire une thèse sur la vie soziale des éléphants. » « Excellent ! enchaîne le Français. Je songe moi aussi à écrire une thèse : la vie amoureuse des éléphants. » Le Juif dit alors : « Chers amis, je n'osais pas vous le dire, mais j'ai également un projet : écrire une thèse sur les éléphants et la question juive. » !

Si Gonzague avait été présent, il aurait proposé les éléphants et le romantisme. Mais puisqu'il a devant lui non pas un éléphant, ni un cheval, mais quelqu'un qui lui parle de Tolstoï, alors va pour Tolstoï. Et le romantisme.

Sauf que Tolstoï, c'est exactement le contraire du romantisme, lui dis-je. Alors va pour Tolstoï l'anti-romantique, me répond-t-il sans se démonter.

En fait, le romantisme est très peu présent dans la littérature russe, même à ses tout débuts. Certains écrivains mineurs s'y sont parfois essayé, mais plus par imitation que par conviction. On peut certes trouver chez Lermontov, dans « Un héros de notre temps », en particulier, quelque chose qui ressemble à du romantisme – mais rien de tel chez Pouchkine, par exemple. Dans ses premières œuvres en prose, ce dernier, au contraire, cherche à « donner l'exemple de la clarté et de la concision », écrit un fin connaisseur, Gustave Aucouturier, dans son Introduction aux œuvres de Griboïedov, Pouchkine et Lermontov (La Pléiade, 1973). Et de préciser : « c'est la même conception d'un art d'écrire serein et contenu qu'il défend constamment, et les débauches verbales du romantisme français par exemple lui sont profondément antipathiques ».

En ce qui concerne Tolstoï, c'est encore plus net. De son expérience militaire au Caucase, il a rapporté plusieurs « Récits de guerre » et une espèce de grand reportage sur « Les cosaques », dans lesquels « visiblement, Tolstoï se détournait du Caucase romantique de Marlinski et même de Lermontov : il aurait plutôt cédé à la tendance ethnographique de son époque » observe un autre expert des Lettres russes, Pierre Pascal, dans sa Présentation des « Cosaques » (La Pléiade, 1996) avant de conclure : « en tout cas, il voulait être vrai. »

« Le romantisme ne s'intéresse guère aux réalités sociales, qui constituent au contraire le fonds de la littérature russe » confirme Roza Ildarovna Poliakova, professeur de russe à l'université de Moscou au cours d'un entretien qu'elle m'a accordé en janvier 2010. « On peut même dire que Tolstoï s'est lancé dans la rédaction de ses récits de guerre par opposition au romantisme, par opposition à la vision romantique de la guerre. »

Est-ce pour réagir contre la tendance naturelle des Russes à se laisser aller à leurs états d'âme (le fameuse et mystérieuse « âme russe ») ?

Toujours est-il que, très tôt, la littérature russe s'est plongée dans le réalisme, voire le naturalisme. « Le goût de la description minutieuse, voire interminable – comme chez votre Balzac –, me dit encore Roza, est une réaction contre la prédominance des sentiments, des impressions sur la réalité, qui caractérise le romantisme. »

Jusqu'à la fin de sa vie, même dans ses phases mystiques, Tolstoï s'est en quelque sorte opposé au romantisme. Dans sa « Sonate à Kreutzer », ne met-il pas en garde contre les dangers de la musique, qui exacerbe les sentiments ?

Voilà, mon cher Gonzague, ce que j'aurais pu dire si tu avais insisté pour qu'il soit question de Tolstoï au cours de ton colloque sur le romantisme, ce que, finalement, tu as bien voulu m'épargner (et t'épargner).

Mais, puisqu'il est question de la Russie, je ne puis oublier que c'est là-bas que j'ai fait ta connaissance.

C'était au début des années 1990. Gonzague avait été invité par l'Institut Français de Saint-Pétersbourg, dirigé alors par mon ami Olivier Guillaume (dont l'épouse Lyane est un excellent écrivain), afin d'y prononcer une série de conférences sur je ne sais plus quel sujet. Pur hasard, je me trouvais moi aussi à Saint-Pétersbourg, qui, d'ailleurs, s'appelait peut-être encore Léningrad. J'y étais venu, une fois de plus, sans doute pour tenter de faire avancer un chantier qui me tenait particulièrement à cœur : la restauration d'un cimetière pour chevaux, créé en 1826 par l'empereur Nicolas Ier, abandonné, moins d'un siècle plus tard – mais après avoir reçu cent vingt sépultures – par les révolutionnaires de 1917, et oublié depuis. Mon souci était alors justement, de le tirer de cet oubli.

Au cours d'une rencontre, organisée par mes amis, au restaurant du fameux Hôtel Europe, où Gonzague avait été logé, je racontai à ce dernier l'objet de mes préoccupations. Emmenez-moi voir ça, me dit-il aussitôt. Et aussitôt, je l'y emmenai.

Il faut pour cela quitter la ville, rouler une bonne vingtaine de kilomètres, avant d'arriver dans la très charmante bourgade de Tsarskoye Selo où Elisabeth, la fille de Pierre-le-Grand, s'était fait construire le château le plus délirant de luxe et de décors qu'on puisse imaginer : le Palais Catherine. À l'arrière de cet ensemble grandiose, ses successeurs avaient aménagé un magnifique jardin à l'anglaise, le Parc Alexandre, planté d'innombrables espèces, sillonné de canaux que franchissent des petits ponts de pierre comme à Venise, et agrémenté d'étangs dans lesquels des cygnes et des canards peuvent se frayer un chemin à travers des nénuphars. C'est là, au fond de ce vaste domaine que fut construite, sur ordre de Nicolas Ier, une étonnante « maison de retraite » pour vieux chevaux méritants, qu'on enterrait sur place lorsque la mort finissait par les emporter.

Je me souviens de ce que me dit alors Gonzague, manifestement saisi par le charme des lieux, d'une voix tremblante d'émotion : « mon dieu, que tout cela est romantique ! »

[Paru sous le titre
« Les éléphants sont-ils romantiques ? »
dans LA REVUE n° 6 (octobre 2010).]

[Cet article m'a valu quelques protestations. Non pas de Gonzague Saint Bris, qui s'en est au contraire déclaré enchanté, mais de lecteurs pour lesquels la littérature russe, contrairement à mes allégations, possède bel et bien des auteurs romantiques. À preuve, disent-ils : Pouchkine, dans une œuvre au moins, « Eugène Onéguine ».

Eugène Onéguine est un des personnages les plus antipathiques de la littérature, dont Pouchkine raconte les méfaits dans un long poème certes romanesque, mais (j'insiste) fort peu romantique. C'est l'histoire d'un citadin mondain qui accompagne un de ses amis, le poète Leskine, à la campagne, où vit la fiancée de ce dernier, Olga, et sa sœur, Tatiana. Cette dernière, elle, c'est vrai, est une grande romantique : elle tombe raide amoureuse de Onéguine, qui repousse, avec une morgue presque méprisante, les élans de la jeune Tatiana pour aller plutôt conter fleurette à Olga – au grand dam de Leskine qui, stupéfait du comportement de son « ami » le provoque en duel. Duel absurde, au cours duquel, hélas, Onéguine tue Leskine (Vision prémonitoire, soit dit en passant, Pouchkine lui-même allant perdre la vie dans des circonstances comparables quelques années plus tard) !

Les années passent… Onéguine, qui a dû se cacher après son crime, revient en ville, où il a la surprise de retrouver la belle Tatiana, mariée à un général fortuné et de haute aristocratie, devenue la coqueluche de la bonne société pétersbourgeoise. Onéguine cherche alors à « récupérer » Tatiana qui, bien que toujours amoureuse de ce personnage malfaisant, repousse ses avances – et (ouf !) reste fidèle à son époux.

Comme chacun sait, Tchaïkovski a tiré de cette triste histoire un opéra éponyme. C'est peut-être à cause de lui que « Eugène Onéguine » passe parfois pour une œuvre romantique, explique la musicologue Alfia Chafigulina : « D'une nature hypersensible, Tchaïkovski, en effet, a donné le rôle principal ou du moins la première place à Tatiana. Il en a fait son héroïne. Une héroïne animée de sentiments et de comportements certes très romantiques. Mais, à l'inverse, Onéguine lui-même n'a aucun des traits qui caractérisent le héros romantique, qui doit toujours posséder des qualités ou des vertus exceptionnelles. Onéguine, c'est le contraire. C'est un anti-héros, ou un héros anti-romantique : c'est un homme perdu, sur lequel Pouchkine porte un regard réaliste, et critique, saisissant l'occasion pour dépeindre de façon également critique, et réaliste, la société de l'époque. Ce serait un terrible contresens que d'interpréter le poème de Pouchkine comme une œuvre romantique car, au contraire, elle tourne le romantisme en dérision, elle met en évidence les impasses auxquelles mène le romantisme ».]

❑ SAUVAT Jean-Louis (1)

Chez les chevaux aussi, il y a, comme ça, des lignées gagnantes, des dynasties de cracks. Chez les artistes, c'est un peu pareil. Il y a des généalogies triomphantes. Pour s'en tenir aux seuls plasticiens intéressés par le cheval, on peut citer, par exemple, les Vernet : Joseph, Carle et Horace. Chez les Russes (si l'on peut dire), il y a les Lanceray qui, alliés par épousailles aux Benois, ont produit les Serebriakov : beau lignage !

Sans sombrer dans le déterminisme héréditaire, peut-on suggérer qu'il y a chez certains d'entre eux sinon de véritables prédestinations génétiques, au moins des ascendances favorables ? Chez Jean-Louis Sauvat c'est indubitable. D'où lui viendrait, sinon, cette double attirance pour le cheval et pour la sculpture, pour les beaux-arts et pour l'art équestre ?

Fouillons un peu ses origines. On y trouve, en vrac, un arrière-arrière grand-père maternel, Charles Saunier, artiste peintre, qui fut l'élève de Ingres et donna naissance, au milieu d'une abondante progéniture, à un autre artiste peintre, Noël Saunier, ainsi qu'à un autre Charles Saunier (il y a de quoi s'emmêler un peu les pinceaux), celui-là critique d'art qui devint l'ami de Bourdelle, de Seurat, de Rodin, de Toulouse-Lautrec. On y trouve aussi un cousin sculpteur, Léon Séverac, dans l'atelier duquel Jean-Louis Sauvat ressentit ses premières émotions – olfactives, d'abord : l'odeur de la glaise, du marbre en éclats, du granit taillé.

Son goût pour le parfum du crottin lui a été transmis peut-être un peu plus tard, par un homme qui avait la passion des chevaux, et qui épousa la fille du critique d'art Charles Saunier, sa (future) grand-mère maternelle.

Sa madeleine de Proust à lui se compose donc d'un savant mélange d'argile, de pierre et de litière.

Si j'évoque ici, entre parenthèses, la célèbre madeleine, c'est que Jean-Louis Sauvat habite aujourd'hui – et travaille – à Illiers-Combray, le village d'Eure-et-Loir décrit par Marcel Proust. Un auteur qu'il n'avait d'ailleurs jamais lu vraiment avant qu'un accident d'équitation, en

2005, ne le contraigne, pour de longs mois, à l'inactivité, et lui donne donc l'occasion d'ingurgiter l'intégrale d'« À la recherche du temps perdu ».

Bon sang ne saurait mentir. À seize ans, le jeune Sauvat décide de passer des intentions aux actes, des rêves aux réalisations : en 1963, Jean-Louis (il est né en 1947) s'inscrit simultanément dans un atelier d'artistes et dans un club hippique. L'année suivante, il est reçu au concours des Métiers d'art, rue de Thorigny (devenu le Musée Picasso). Diplômé de cette école en 1967, il intègre l'atelier du sculpteur Robert Couturier, aux Beaux-Arts de Paris, vénérable établissement où il deviendra, à l'âge de 21 ans, le plus jeune professeur d'arts plastiques, section architecture, dans l'atelier de Yves Jenkins. Pas mal. Joli parcours, dirait un cavalier de saut d'obstacles. Sauf que Jean-Louis ne pratique pas le saut d'obstacles. Son truc à lui, c'est le dressage.

À cheval tous les jours depuis 1969, sous la haute autorité d'un maître comme on n'en fait plus, le commandant de Padirac, éminent écuyer « de tradition classique » dont l'unique traité (publié chez Belin en 1993) est d'ailleurs illustré des croquis de Sauvat, ce dernier s'installe en 1972 dans une fermette où le box de son cheval jouxte son atelier de sculpture. À partir de 1975, devenu professeur titulaire à l'École Nationale Supérieure des Arts appliqués et Métiers d'art, rue Olivier de Serres, à Paris (où il enseigne toujours), Jean-Louis multiplie les réalisations monumentales et les expositions de ses dessins – dont un thème, peu à peu, domine tous les autres : le cheval.

En 1982, il rencontre l'illustre écuyer portugais Nuno Oliveira, avec lequel il se sent de nombreuses affinités (équestres) et dont il suit régulièrement l'enseignement, jusqu'à la mort du maître, en 1989. Élève studieux, Sauvat prend des notes. Ses notes à lui, ce sont des dessins, des croquis, des ébauches, des esquisses, pris sur-le-vif, saisissant la fugitivité d'un geste, d'un mouvement, d'une posture. Ces notes paraissent à Oliveira si parlantes, si justes, qu'il propose à son disciple d'en faire un livre, une sorte de traité d'équitation par l'image : des images auxquelles le maître se contenterait de superposer quelques phrases, quelques commentaires. Paru l'année même de la mort de Nuno Oliveira (aux éditions Belin), cet ouvrage peut être considéré comme une sorte de testament.

Ceux qui seraient tentés de penser à propos du présent album : ça y est, Sauvat recommence avec Bartabas ce qu'il a fait, voici tout juste vingt ans avec Oliveira, doivent réviser leur a priori. Ils se trompent.

L'exercice, ici, est exactement inverse.

Avec Oliveira, Sauvat s'était contenté, au fond, de reproduire au mieux le travail de son maître, et ce dernier d'appuyer – c'est le cas de le dire – les illustrations de son élève par quelques explications complémentaires. Dans l'ouvrage que voici, ce n'est plus un dessinateur qui contemple le travail d'un cavalier, c'est un cavalier qui contemple le travail d'un dessinateur. Ce qui inspire à ce dernier, ici ou là, quelques remarques, quelques réflexions relevant davantage, d'ailleurs, de la poésie que de la technique.

Bartabas et Jean-Louis Sauvat se connaissent depuis une dizaine d'années. En 1999, préparant son spectacle « Triptyk », le chamane d'Aubervilliers avait fait savoir dans le cercle de ses intimes qu'il envisageait d'« y incorporer un travail de sculpture ». Un de ses amis les plus fréquentables, à l'époque, était le vétérinaire-ostéopathe Dominique Giniaux (décédé, hélas, en 2004). Passionnée par la sculpture, les bronzes, les arts plastiques, l'épouse de ce dernier, Bénédicte, montre alors à Bartabas quelques photos du travail de Sauvat, qu'elle a connu je ne sais où et je ne sais comment. Bartabas comprend d'emblée. Il a trouvé ce qu'il cherchait, et confie aussitôt à Sauvat la réalisation de ces drôles de squelettes, ces étranges silhouettes de plâtre blanc qui, descendues du plafond du chapiteau, serviront de partenaires figés et macabres à un couple de danseurs.

L'entente entre les deux hommes se prolonge bien au-delà de cette première collaboration. Lorsqu'il récupérera le manège de la Grande Écurie du Château de Versailles pour y installer, début 2003, son Académie du Spectacle Équestre, Bartabas demandera à Sauvat, devenu son ami, non seulement de recouvrir les murs lépreux de l'auguste édifice de fresques au fusain, que l'artiste exécutera magistralement, à main levée, mais aussi de faire bénéficier les élèves de cette nouvelle « École des Pages » de son enseignement.

À propos de ces fresques, impossible de résister au plaisir de raconter l'épisode suivant. Avant d'entamer la construction des gradins qui accueilleront le public, une armée de fonctionnaires de la culture, d'architectes des Monuments Historiques, de contrôleurs en tous genres vient inspecter les lieux, afin de s'assurer que Bartabas n'y a procédé à aucune modification inopportune. Apercevant les chevaux tracés au charbon par Sauvat la semaine précédente sur les murs du manège, un de ces inspecteurs s'écrie : « Arrêtez tout ! Plus de travaux ici ! Ah, ces fresques magnifiques ! Du Géricault, certainement ! Géricault, c'est sûr :

il est venu souvent travailler ici, observer les chevaux au travail, et sans doute fixer ses esquisses sur les murs ! »

On imagine la mine du gaillard lorsque l'architecte chargé de la rénovation, Patrick Bouchain, lui glissa dans le creux de l'oreille que le Géricault en question n'était autre que Jean-Louis Sauvat !...

En tout cas, voilà ce dernier, quelques semaines plus tard, chargé d'enseignement à Versailles. Un double enseignement. Officiellement, les arts plastiques : les formes, les couleurs, les matériaux. Officieusement et en dehors des heures, l'équitation : quelques conseils amicaux aux jeunes écuyères de l'Académie. Lui-même cavalier raffiné, Jean-Louis Sauvat est un pédagogue subtil : on en a eu la démonstration publique, récemment, dans le documentaire consacré par Laurent Desprez à la descendance de Nuno Oliveira, au cours d'une séquence où l'on voit maître Sauvat expliquer avec douceur, patience, ténacité à son élève – très douée, il est vrai –, la belle Émilie Haillot, qu'il faut, à cheval, en faire moins, encore moins, toujours moins. Grandiose !

L'éditeur du présent ouvrage a demandé, bonne idée, à Sauvat de réunir une sélection de ses croquis équestres, un choix : une sorte d'anthologie personnelle, que Sauvat a présentée, autre bonne idée, à son ami Bartabas, lui demandant d'écrire alors ce que ces dessins lui inspireraient. Exercice intéressant. Il confronte deux artistes, deux arts, à égalité, car le plasticien Sauvat est par ailleurs un fin connaisseur des chevaux et de leur emploi, tandis que l'écuyer-chorégraphe Bartabas, par ailleurs créateur de spectacles, est doté d'un œil aiguisé. Leurs regards se croisent ici pour contempler, sous deux angles différents, la même sublime beauté du cheval en mouvement.

[Paru en « Postface » au bel album
« Les chevaux de Sauvat » (28 x 32 cm)
publié en 2009 par les éditions Ouest-France et contenant la reproduction d'une bonne
centaine d'œuvres de Jean-Louis Sauvat, commentées ici ou là par Bartabas.]

❏ SAUVAT Jean-Louis (2)

Quand on le voit – grand gaillard au visage épanoui, teint rubicond, regard pétillant, sourire éclatant, ample barbe blanche – il fait songer à un ogre jovial, un moine paillard, une force de la nature. Quelque chose ou quelqu'un entre Orson Welles (dans le rôle de Falstaff) et Auguste Rodin – un Rodin qui cesserait de faire la gueule. La même puissance, la même aura, la même présence.

Mais, en fait, Jean-Louis Sauvat est un colosse aux pieds d'argile. Au sens littéral du terme : il a connu ces dernières années deux accidents qui lui ont, en effet, brisé les os. Cassés, comme du verre : en mille morceaux.

Une première fois, en sautant d'un cheval fou, comme on saute (en parachute) d'un avion en feu. Sauf que là, il n'avait pas de parachute ! Les chevilles, les tibias, les péronés, les genoux, les hanches, tout : pulvérisés ! Plâtre, béquilles, douleurs atroces : six mois à s'en remettre ! La seconde fois, en farfouillant dans un tas de bois au milieu duquel il espérait trouver matière première à une future sculpture, il se prend les pieds dans une planche qui dépasse. Patatras. Rebelote. Le fragile édifice de son squelette vaguement ressoudé se démantibule à nouveau. Douleurs insupportables, alitement, prothèses : six nouveaux mois à s'en remettre !

Si j'évoque ici tout cela, ce n'est certainement pas pour donner un peu de piquant à cette exposition, encore moins pour larmoyer ou provoquer la compassion. Jean-Louis Sauvat fait tout sauf pitié. Jean-Louis Sauvat, même déglingué, reste une force tellurique ; même allongé, il dégage une énergie, une volonté, une vitalité qui n'inspirent pas l'apitoiement.

Si je les évoque pourtant, c'est pour dire que je vois en ces accidents, à ces petites ou grandes misères, une sorte d'allégorie de son travail d'artiste. Ainsi que, d'ailleurs, mais dans un genre fort différent, de sa pratique de l'équitation. La puissance dans la fragilité. La force dans la légèreté.

À propos d'équitation : difficile, quand on est cavalier, de ne pas faire le rapprochement avec la nature même du cheval, cet animal à la fois si fort et si fragile, dont la violence n'est jamais due qu'à l'émotivité.

Il y a dans les œuvres de Sauvat exposées ici (toutes réalisées – le détail ne manque pas d'intérêt – après ses deux cassures) ce curieux mélange. Il y a dans ses sculptures une solidité qui est le contraire de la brutalité, et en même temps une fragilité qui est le contraire de la mièvrerie. Il y a dans ses dessins ce même alliage paradoxal : sûreté du trait et hésitation du geste, qui expriment si bien la fugitivité de l'instant saisi, la réalité du mouvement ainsi restitué.

Ces paradoxes ne sont pas des contradictions. En équitation, cela s'appelle le tact. En art, la sensibilité. Et, dans la vie, l'élégance, la distinction, la délicatesse.

[Paru sous le titre « Sauvat en mille morceaux »,
en introduction au catalogue édité par
la galerie Lazoukine (Deauville) à l'occasion d'une exposition
de dessins et sculptures de Jean-Louis Sauvat (été 2008).]

t

❏ TESSON Sylvain (1)

Le principal inconvénient des livres, c'est qu'ils pèsent lourd. Les grands esprits qui nous gouvernent ont même fini par s'en préoccuper. C'est Sarkozy, je crois, qui a suggéré que les livres scolaires soient allégés, divisés en autant de volumes qu'il y a de trimestres, afin que nos chers enfants n'aient plus à trimbaler à longueur d'année ces kilos de papier inutiles dont leurs cartables sont surchargés. Sylvain Tesson, pour sa part, a trouvé une solution plus radicale encore.

Lorsqu'il partait pour de longs voyages en solitaire, il ne manquait jamais d'emporter un gros livre, qui lui tiendrait lieu de compagnon, le divertirait, lui permettrait de continuer à faire fonctionner ses neurones et, le cas échéant, lui remonterait le moral. Je me souviens qu'il avait ainsi réalisé un de ses tours du monde en compagnie d'une volumineuse anthologie de poésie, qu'il consommait à petites gorgées, d'étape en étape, de bivouac en bivouac.

Ayant probablement fini par s'apercevoir que le principal ennemi du randonneur au long cours, c'est le poids, et qu'il faut voyager aussi léger que possible, Sylvain a été saisi d'une soudaine illumination, d'une véritable idée de génie : au lieu d'emmener avec soi une bible, une encyclopédie, une bibliothèque, il n'emporterait qu'un crayon (et un peu de papier vierge) : l'anthologie, il l'écrirait lui-même, chemin faisant !

Voilà le résultat : un joli petit livre de poche aux Éditions des Équateurs sous le titre « Aphorismes sous la lune et autres pensées sauvages ». Il s'agit du recueil des idées, des phrases, des observations nées dans la tête bien faite de Sylvain le long des sentiers, cueillies au bord des routes. Une sorte d'herbier, rapporté de ses voyages autour du monde. Un bouquet de poésie, de drôlerie, d'ironie et d'intelligence. Nous en reproduisons ci-dessous quelques échantillons. Cent dix pages pour onze euros : à dix centimes la page, c'est donné !

Une pierre qui tombe dans l'eau ne rate jamais le centre de la cible.

Un paysan ignorant dans un champ cultivé.

Ce n'est pas en les coupant qu'on rendra meilleures les mauvaises herbes.

Les galets des rivières sont trop glissants pour que les ruisseaux s'y retiennent.

Un jour, les sentiers se vengeront d'avoir été battus.

J'ai connu une route coquette qui ne se parfumait qu'au crottin.

Mourir, c'est partir beaucoup.

Le baiser du vent s'appelle une bise.

Chaque année des millions de gens ont beau prendre la route, elle est toujours là.

Vin : le fruit est dans le verre.

Un cheval pur-sang, mort de septicémie.

Si Dieu n'existait pas, le dos du cheval n'épouserait pas si bien la forme de la selle.

Le cheval : un débardeur qui se prend pour une duchesse.

[Paru dans LE CHEVAL n° 101 (6 juin 2008).]

❑ TESSON Sylvain (2)

Lorsqu'il se mit à voyager au bout du monde, Arthur Rimbaud cessa d'écrire. Sylvain Tesson, c'est le contraire : plus il voyage, plus il écrit. Sylvain Tesson n'est donc pas Arthur Rimbaud, ce dont il faut, par certains côtés, se réjouir, car Rimbaud est mort à l'âge de 37 ans. Sylvain, qui vient de fêter, le 26 avril dernier [2009], son 37e anniversaire, lui, est en pleine forme. Physique et intellectuelle. Il vient de publier un recueil de nouvelles chez Gallimard, intitulé « Une vie à coucher dehors » : son quatorzième livre en huit ans. En pleine forme, vous dis-je.

Une des nouvelles de ce recueil raconte l'histoire d'un bonhomme appelé Lhotka, qui ressemble diablement au vrai (Marc, le patron du tourisme équestre en Ile-de-France), mais que Tesson transforme pour la circonstance en un docte membre de la Société hongroise de Géographie. Ayant fait naufrage, ce dernier parvient à sauver des eaux la caisse de livres qui l'accompagne dans tous ses déplacements. Tandis que ses compagnons d'infortune, ne voyant pas les secours arriver, commencent à sombrer dans le désespoir, Lhotka, puisant en secret son inspiration dans sa bibliothèque de voyage, entreprend de leur raconter chaque soir une belle histoire, les sauvant ainsi du pire des maux : l'ennui.

Ce Lhotka-là, c'est un peu Sylvain Tesson qui, dans la quinzaine de récits dont ce livre est composé, nous sauve de la routine de la vie citadine, de la banalité de nos existences sédentaires. Si ses histoires sont, comme celles de Lhotka, toujours belles, elles ne sont pas toujours gaies, mais toujours narrées avec allégresse. Sylvain Tesson est un pessimiste joyeux.

Pessimiste ? Il y a beaucoup de trésors engloutis, de bateaux coulés, d'épaves échouées dans ces nouvelles (« L'île », « La Fille », « Le Glen », « Le Naufrage »). Les aventures qu'il raconte si joliment, sont comme les histoires d'amour : souvent, elles finissent mal.

Joyeux ? C'est peut-être dû à l'alcool. Chez Sylvain Tesson, on boit beaucoup. Un peu de tout ; ce qui tombe sous la main : rhum, whisky, vodka – peu importe pourvu qu'on ait l'ivresse.

Quelque part, le nouvelliste affirme, à mon avis un peu imprudemment, que l'Histoire se répète. Où a-t-il vu ça ? Moi qui viens de lire ses quinze histoires, je me vois obligé de constater le contraire.

Un mot encore à propos de Sylvain, dont « Une vie à coucher dehors » est le troisième recueil de nouvelles, et dont on connaît le goût pour les textes brefs, les aphorismes, les formules percutantes, les bons mots, juste pour observer que ce voyageur au long cours excelle – en littérature – sur les courtes distances.

Ce n'est pas le moindre paradoxe de ce géographe qui aime tant l'histoire.

[Paru sous le titre « Le pessimisme joyeux de Sylvain Tesson » dans LE CHEVAL n° 126 (19 juin 2009).]

❑ THURAM Lilian

Il est vraiment bien, ce garçon. Il est même trop bien. Trop bien pour que les chasseurs de tête de la politique ne l'aient pas repéré. Il est du bois dont Sarkozy fait des ministres. Lilian Thuram a toutes les qualités, ou du moins tous les avantages. À la fois 100 % noir et 100 % français, populaire et sympathique, jeune et beau, pas bête et bien élevé. Et puis, s'il joue divinement bien au football, ce n'est pas une brute. Il a même un petit côté intello, qu'il cultive en portant de fines lunettes rectangulaires. Lorsqu'il parle, ce qu'il fait avec un plaisir évident, il s'exprime très correctement. Pour couronner le tout, le voilà qui écrit un livre. Enfin, « écrire », c'est peut-être beaucoup dire. Dicter, plutôt. Inspirer, superviser – et signer.

Intitulé « Mes étoiles noires », l'ouvrage en question brosse le portrait d'une petite cinquantaine de personnages extraordinaires dont le seul point commun est la couleur de leur peau : noire. Ou supposée telle. De Lucy, née voici plus de trois millions d'années (en Afrique il est vrai) à Obama, Lilian Thuram établit son panthéon personnel dans lequel on trouve pêle-mêle des reines, telles Anne Zingha d'Angola ou Dona Beatrice du Kongo (mais pas Yannega, l'héroïne mossi), des écrivains

(Alexandre Pouchkine et Alexandre Dumas, bien sûr), des soldats (Toussaint Louverture et Jean-Jacques Dessalines), des savants (l'inévitable Cheikh Modibo Diarra), des boxeurs, des chanteurs, des leaders en tous genres – sans bien comprendre, en vérité, ses critères de sélection.

Si l'on peut désapprouver la présence dans ce « Who's who » de la négritude de personnalités parfois assez contestables – mais je ne lui en conteste pas le droit –, on est par contre un peu étonné de l'absence de personnages aussi considérables que Samori, Chaka, Nkrumah ou Cabral en Afrique et, dans la diaspora, de héros aussi pittoresques que le duc Alexandre de Médicis (1510-1537), le petit « roi » d'Assinie Aniaba, devenu « prince » à Versailles (vers 1700) ou le révolutionnaire cubain Antonio Maceo (1848-1900).

Certes, Lilian Thuram n'a jamais prétendu à l'exhaustivité, mais au moins aurait-il pu se référer aux travaux de ses illustres prédécesseurs. Je pense au Guinéen Ibrahima Baba Kaké (décédé en 1994) qui a, pendant près de vingt ans, prêché la bonne parole sur RFI (Radio France Internationale), dans une émission dont le titre, « Mémoire d'un continent », est à lui seul tout un programme. Passant en revue les gloires du monde noir, Kaké a défriché le terrain encore broussailleux de l'histoire de l'Afrique et des Africains, prolongeant ses recherches d'innombrables ouvrages de vulgarisation, faciles d'accès : sa collection *Grandes Figures Africaines* (co-éditée par les NEA, à Dakar), composée de plusieurs dizaines de petites monographies au format de poche, a connu, dans les années soixante-quinze/quatre-vingt, un succès considérable. À la même époque, les éditions du groupe Jeune Afrique ont apporté leur pierre à l'édifice, avec une série intitulée *Les Africains*, regroupant cent vingt notices biographiques dans douze tomes luxueux.

Un des rares historiens africains auxquels se réfère le gentil Thuram est le Béninois Dieudonné Gnammankou, dont les travaux lui ont inspiré les chapitres consacrés à Pouchkine et à son ancêtre « camerounais » Abraham Petrovitch Hanibal.

Fort bien lancé par Philippe Rey, jeune éditeur fier de ses origines mauriciennes, « Mes étoiles noires » sont vite devenues un best-seller. Ne doutons pas du fait que Lilian le moraliste ne manquera pas de ristourner une partie de ses droits d'auteur aux quelques universitaires africains, souvent mal payés, dont il a utilisé les recherches. À moins qu'il n'ait dû en reverser déjà la plus grosse partie à Bernard Fillaire, son nègre (blanc) ?

[Paru dans LA REVUE n° 2 (mai 2010).]

❏ TOGO Issa et Svetlana

Ils sont complémentaires. Ils forment ce qu'on appelle un couple « bien équilibré ». Lui : non pas distant, mais réservé. Elle : non point exubérante, mais joviale. On aurait pu s'attendre à l'inverse, car l'un vient du chaud et l'autre vient du froid : lui est Africain et elle est Russe.

Issa Togo, Dogon de Mopti, est tout en sobriété, en retenue, tandis que son épouse Svetlana, native de Pskov, austère cité du nord de la Moscovie, est toute en amabilité, en cordialité : le mariage de la glace et du feu.

Ils se sont connus sur les bancs de la même université, dont ils sont sortis tous deux ingénieurs. On connaît la devinette : quand un ingénieur rencontre un ingénieur, que font-ils ? Apparemment, ces deux-là ne sont pas contentés de se raconter des histoires d'ingénieurs : ils ont fait un enfant – Philippe, aujourd'hui 20 ans – qui, il est vrai, se prépare à devenir lui aussi… ingénieur. Il s'est inscrit au même prestigieux établissement que celui dont sont issus ses parents – l'université Polytechnique de Saint-Pétersbourg – et où son père a été recruté récemment comme enseignant en génie civil. Quel chemin parcouru pour le gamin de Mopti !

C'est là, dans cette ville moyenne du Mali, alanguie au bord du fleuve Niger, que Issa Togo est né, le 10 septembre 1954. Il y a grandi, et passé son bac : si brillamment que les autorités de Bamako l'inscrivirent dans la liste des candidats à l'attribution d'une bourse d'études supérieures, telle qu'en proposait alors la Russie – ou plutôt l'URSS, car l'affaire se passe en 1978, et il faudra attendre encore une bonne dizaine d'années avant que le régime soviétique commence à se fissurer, puis à s'effondrer, pour laisser place à la Fédération russe, et à treize autres républiques indépendantes.

Admis, le jeune Issa qui, bien sûr, ne parle pas un mot de russe, se retrouve « parachuté » à Voronej, une ville située à quelques centaines de kilomètres au sud de Moscou, assez peu folichonne mais dotée d'un Institut Technologique réputé où sont automatiquement scolarisés les boursiers venus de tous les « pays amis » d'Afrique, d'Asie et d'ailleurs, afin de leur apprendre, en une année seulement, les rudiments de la langue dans laquelle l'enseignement leur sera désormais dispensé. Après quoi, le voilà admis à commencer des études d'ingénieur à Saint-Pétersbourg, dans un des plus célèbres établissements scientifiques de l'Union Soviétique.

Il y passe six ans, et en sort – major de sa promotion ! – en 1985, avec le diplôme d'ingénieur en génie civil, spécialisé dans « la construction de barrages hydroélectriques et ouvrages de rivières ». (C'est alors qu'il rencontre Svetlana, sa future femme, elle aussi ingénieure, elle aussi spécialisée dans les centrales hydroélectriques !).

Après avoir tenté – en vain ! – de mettre ses compétences au service de son pays, Issa revient en URSS en 1989, pour présenter, avec succès, un doctorat sur l'appréciation de la stabilité des ouvrages d'art en cas de séisme. Nouvelle tentative de retour au pays : le Mali, hélas, n'a toujours rien d'intéressant à lui proposer. « C'est alors, dit-il, que j'ai décidé de faire définitivement ma vie ici, à Saint-Pétersbourg. Mais il n'y a pas un seul jour que je ne pense à mon pays. »

Non seulement il y pense, mais il y consacre, de façon tout à fait bénévole, une grande partie de son temps, en présidant le Conseil des Maliens de la Fédération de Russie – une association d'entraide à ses compatriotes souvent un peu paumés dans un pays aussi radicalement différent du pays natal. En fait, une sorte de consulat-bis. « On compte environ 300 à 400 Maliens en Russie, précise Issa Togo. Ils résident en majorité à Moscou. La plupart sont étudiants. »

Et à Saint-Pétersbourg ? Toutes origines confondues (Angola, Bénin, Cameroun, Mali, Nigéria, etc.), il y a environ 800 Africains à Saint-Pétersbourg, en principe dûment enregistrés, et théoriquement membres d'une Association, l'Union Africaine, reconnue par la Municipalité. « Mieux vaut s'y inscrire, conseille Issa. Être en règle est le meilleur moyen d'éviter les ennuis. En trente ans de séjour ici, je n'ai été contrôlé – d'ailleurs avec courtoisie – que trois fois. J'étais en règle ; cela s'est donc très bien passé. »

Pas de racisme ? « Je ne dirai pas cela. Il y a eu, hélas, des poussées de racisme, des violences, et même des meurtres. Mais la sévérité des sanctions a beaucoup contribué à calmer le phénomène. Si vous restez discret, si vous respectez les coutumes du pays qui vous accueille, on vous laissera tranquille. Naturellement, ceux qui braillent dans les lieux publics, qui gesticulent, qui se font remarquer, s'exposent à des propos – voire à des gestes – désagréables. »

Issa Togo déclare ne souffrir, pour sa part, d'aucune discrimination dans l'exercice de ses activités : ni comme enseignant à l'université, ni comme businessman.

Il a créé (en 2003) une société de conseil en génie civil, Alfastroï Service, à laquelle la Municipalité de Saint-Pétersbourg a fait plusieurs fois appel – par exemple pour des ravalements compliqués de bâtiments publics. Son bureau d'études emploie une demi-douzaine d'ingénieurs (dont un Africain) et sa société représente en Russie une firme française proposant des produits (colles, enduits) technologiquement sophistiqués, très « haut de gamme ».

Comme si tout cela ne suffisait pas à remplir un emploi du temps pourtant déjà bien chargé, Issa est également très actif au sein du Rotary-Club (environ 1 000 membres en Russie), dont il a assuré la présidence (tournante) en 2001-2002.

Mais c'est à un autre club très fermé qu'il est plus fier d'appartenir: la Maison des Savants de Saint-Pétersbourg.

Difficile, lorsqu'on rencontre Issa Togo, de ne pas songer à un autre Africain, qui fit, lui aussi, une extraordinaire carrière ici – voici trois siècles. Je parle de Abraham Petrovitch Hanibal, l'ancêtre lointain de Alexandre Pouchkine, le prince des poètes russes. Son histoire, en deux mots: à l'aube du XVIIIe siècle, le fondateur de Saint-Pétersbourg s'entiche d'un jeune esclave noir racheté au sultan ottoman: il le fait baptiser (le 13 juillet 1705), et le place sous sa protection. En 1717, il l'envoie étudier en France, où se trouve la meilleure école d'ingénieurs d'Europe. À son retour en Russie, celui qu'on a surnommé « le Nègre de Pierre-le-Grand » enseigne quelque temps les mathématiques aux rejetons impériaux, avant d'aller renforcer les fortifications des grandes places militaires de Russie.

Indifférent aux querelles, complots, assassinats qui agitent la Cour, il se fait bien voir des empereurs et impératrices qui succèdent à Pierre. Il est nommé gouverneur, puis général. On l'anoblit et, mieux encore, on l'enrichit – au point de lui donner les moyens de se faire construire, à Saint-Pétersbourg même, comme toutes les grandes familles aristocratiques, un somptueux palais.

Agrandi, remanié, incendié, reconstruit, ce palais existe toujours. Il est situé au 29 de la rue Tchaïkovski. Petit « pèlerinage » indispensable: je demande à Issa Togo de m'y emmener. Lorsque nous arrivons sur place (fin avril 2010), le bâtiment, aujourd'hui propriété de la ville, est en travaux de rénovation. « Tiens, dit Issa, voilà un chantier que j'aurais bien aimé remporter. »

[Paru dans JEUNE AFRIQUE n° 2586
(1er au 7 août 2010) dans la rubrique *Parcours*.]

V

❏ VELTER André

Je ne sais pas bien comment je dois le prendre.

Il y a quelques années déjà, dans un de ses livres (« Cavalier seul », Gallimard, 2006), Jérôme Garcin m'avait qualifié de « prince des entremetteurs » (page 74) parce que je l'avais mis en relation avec Salvador-le-Magnifique. Je parle ici, bien sûr, du colonel Salvador, qui était, à l'époque, le grand patron de la cavalerie de la Garde Républicaine. Un officier brillant – on pourrait même dire : resplendissant – dont les belles moustaches en guidon de vélo ont fait la réputation, et dont la compétence à la tête du dernier régiment monté de l'Armée française a été unanimement célébrée.

Avant de quitter son commandement, pour aller, hélas, occuper d'obscures fonctions aux Réserves de la Gendarmerie (l'Armée adore mettre ainsi à l'ombre ceux de ses serviteurs qui ont été trop longtemps exposés à la lumière), Jean-Louis Salvador a rassemblé ses souvenirs et mis en ordre l'énorme documentation accumulée au cours de ses presque trente années de service à la Garde. De ce matériau, il a tiré un gros livre abondamment illustré : « La Cavalerie de la Garde Républicaine » (Belin, 2007). Un livre formidable – le meilleur, assurément, de tous ceux qui ont été consacrés au prestigieux régiment : à la fois riche et original, sérieux et drôle, abordant tous les aspects de l'histoire – la grande et la petite.

Dans cette dernière catégorie figure l'évocation de quelques rencontres avec « gens de télévision et hommes de plume » : page 266, Jean-Louis Salvador se souvient du jour où il fit la connaissance de Jérôme Garcin. Grâce à l'entremise de qui ? Devinez ! De celui qu'il qualifie, reprenant la formule dudit Garcin, de « prince des entremetteurs ». Encore une fois.

Or, lorsque je consulte mon vieux gros Larousse de 1966, je lis ceci : l'entremetteur est une « personne qui s'entremet dans une intrigue galante ». Fichtre ! Rien de tel, je le jure, entre le colonel et l'écrivain.

Je croyais en avoir fini une bonne fois pour toutes avec cette sulfureuse réputation lorsque, pas plus tard que la semaine dernière, je trouve à mon courrier un petit bouquin noir et bleu montrant un cavalier en ombre chinoise. Il a pour titre « Un verbe à cheval » et porte un sous-titre qui promet une de ces prises de tête (1) dont je raffole (cf. la revue *cheval-chevaux* n° 2, pages 197 et suivantes) : « La poésie équestre d'André Velter dans le sillage de Bartabas » (éditions l'Atelier des Brisants, 2008).

L'ombre chinoise est donc celle de Bartabas, monté sur Horizonte. Derrière cette jolie façade, de quoi va-t-il être question ? Pour ceux qui n'auraient pas encore deviné, les premières lignes du livre sont explicites : de la rencontre, bien sûr, entre Bartabas et Velter, Velter et Bartabas.

Et comment s'est-elle produite, cette rencontre ? Je vous le donne en mille. Par l'entremise, encore une fois,... d'un « entremetteur » (page 9). On a beau préciser que cet entremetteur-là est aussi un « célébrant à tous crins de la cause équine », je ne sais pas bien, à nouveau, comment je dois le prendre.

Finalement, je décide de le prendre bien. J'accepte. Mieux : je revendique. Pire : je m'en vante, je m'en enorgueillis, je m'en autosatisfais. Faciliter la rencontre entre deux individus, établir le contact entre deux êtres dont on sait qu'ils sont prédestinés à s'entendre, c'est un vrai plaisir, une joie, un bonheur : un enrichissement non pas à deux, mais à trois, puisqu'il inclut l'entremetteur.

Je me vante d'avoir de la sorte mis en relation des dizaines de gens – des centaines, peut-être – avec des dizaines – des centaines – d'autres, faisant naître ainsi des amitiés, jaillir des étincelles, surgir même, parfois, des chefs-d'œuvre.

Ce fut le cas avec Velter et Bartabas, entre le poète et l'écuyer, le metteur en phrases et le metteur en scène : de leur tête-à-tête est né au moins un très beau livre, un long poème superbe, « Zingaro suite équestre » (Gallimard, 1998), une sorte de chanson de la geste bartabassienne, à la fois épique et populaire (le populo, d'ailleurs, ne s'y est pas trompé, réservant à cet ouvrage le plus grand succès qu'ait remporté la poésie française depuis Jacques Prévert !).

Après avoir connu moult rééditions, complétées et augmentées,

---

1. À propos de prise de tête, impossible de ne pas signaler ici le thème du prochain colloque – XIIᵉ du nom – de l'École Nationale d'Équitation (le 14 juin prochain, à Saumur) : « Posture du cavalier et posture du cheval ». Il y sera question, annonce le programme concocté par Patrice Franchet d'Espèrey, d'homologie gestuelle, d'isopraxie, d'interaction biomécanique, de nappe de capteurs et autres paramètres accélérométriques (*sic*). Si Patrice avait bien voulu me consulter sur l'intitulé, comme cela lui est arrivé parfois, je lui aurais proposé plutôt « Postures – et impostures ». Mais bref. Revenons à la poésie.

revues et corrigées, en petit et grand formats, voilà que l'épopée velte-rienne fait aujourd'hui l'objet de commentaires, d'études, d'analyses : c'est le sort, le destin, des (futurs) Classiques.

L'auteur de cet essai s'appelle Sophie Nauleau. Une fort gracieuse personne, si l'on en juge par la photo reproduite sur le rabat de couverture, la tête non seulement bien chapeautée et bien faite mais aussi bien pleine, si l'on en juge, cette fois, par le contenu extrêmement brillant – le brio – de son petit livre : débauche de références littéraires servie par un style gavé de formules heureuses, et entraînée par un élan joyeux, un emportement, un enthousiasme communicatifs : une sorte de galop d'école (Sophie Nauleau est cavalière) agrémenté de changements de pied au temps, de pirouettes et autres cabrioles. Bravo l'artiste !

Bravo aussi, bien sûr, à André Velter, que Sophie Nauleau appelle parfois le « troubadour au long cours ». Poète d'altitude, parolier épous-touflant, écrivain à succès, éditeur heureux (il dirige la collection *Poésie/Gallimard*), rocker intermittent, voyageur à répétition, répéti-teur de poésie : à la radio ou sur scène, à la scène comme à la ville, envi-ronné d'amis, entouré d'admiratrices, sollicité de toutes parts, André Velter, toutefois, ne connaît pas de quiétude. Manifestement préoccupé – quoi qu'il en dise – par la postérité, ce boulimique sans héritier a com-mencé très tôt à réunir les matériaux qui permettront d'édifier un jour, peut-être, le monument qu'il est certainement en droit d'espérer. Pour cela, il a fait rééditer des œuvres de jeunesse, rendus publics des échan-ges de propos ou de correspondances avec des hommes illustres, offert à des bibliothèques ses archives, suscité la création d'un site internau-tique, et même « inauguré », à Charleville-Mézières, sa ville natale (celle, aussi, de Rimbaud) une sculpture à son effigie.

Ce n'est pas encore tout. Voilà qu'avec « son accompagnement cha-leureux et sa complicité », on organise à Carcassonne une exposition à sa gloire (Centre Joë Bousquet, du 25 avril au 21 juin 2008). Le joli catalogue édité à cette occasion contient une collection de témoignages d'affection, d'estime, d'admiration de célébrités des mondes de la litté-

---

2. Note de la page suivante.
Sophie Nauleau est également l'auteur d'une « Anthologie de la littérature équestre féminine » publiée en 2007 aux éditions du Rocher sous le titre « La plus noble conquête du cheval, c'est la femme » (collection *cheval-chevaux*). Et les éditions Actes Sud publieront prochainement l'ouvra-ge qu'elle a consacré à l'Académie du Spectacle Équestre de Versailles, dont Bartabas assure la direction artistique. Superbement illustré des photos de Alfons Alt, il aura pour titre « La voie de l'écuyer ». Un cadeau tout trouvé pour les fêtes de fin d'année.

rature, de la peinture, de la musique : Adonis, Zeno Bianu, Alain Borer, François Cheng, Jacques Dars, Jean-Luc Debattice, Jean Schwarz, Jean-Pierre Verheggen – et, bien sûr, la désormais inévitable Sophie Nauleau (2).

Bien que tout cela soit très joyeux, très vivant, l'ensemble sent un peu trop, à mon goût, l'hommage posthume, la nécrologie, l'épitaphe. Qu'André mérite un monument, je n'en doute point. Mais S.V.P. pas de mausolée. Plutôt une statue (équestre, de préférence).

Un de ses innombrables amis, Ernest Pignon-Ernest, en a d'ailleurs déjà dessiné le socle (prématurément fissuré) : c'est ce que l'on apprend – parmi d'autres découvertes – en feuilletant le catalogue en question.

Pour apaiser un peu ses ardeurs macabres, pour calmer sa frénésie à organiser avant l'heure ses propres funérailles, André Velter, mon ami, ferait bien de réécouter de temps à autre la chanson dans laquelle son homologue russe, Vladimir Vissotski, interpelle les coursiers qui, inexorablement, l'entraînent vers la mort : « un peu moins vite, mes chevaux, leur dit-il, un peu moins vite ! »

[Paru sous le titre « L'entremetteur » dans LE CHEVAL n° 100 (23 mai 2008).]

#

❑ WAGNER Marc-André

Diplomate, historien, haut fonctionnaire des affaires culturelles – et, par-dessus tout, homme de cheval –, Marc-André Wagner est mort le dimanche 21 novembre, à l'âge de tout juste cinquante ans. Son épouse Dominique, ses deux filles, sa famille, ses amis, trouveront un peu de consolation en se disant que, ce jour-là, Marc-André a enfin cessé de souffrir : il était atteint, en effet, d'une maladie dégénérative rare, mal connue, inexorable, et terriblement douloureuse, qui ne s'était déclarée que voici deux ans à peine. Deux ans d'un véritable calvaire que Marc-André a vécu avec ce mélange de stoïcisme et d'humour qui le caractérisait. J'allais dire : avec panache.

Le panache est ce qui apparaissait le plus immédiatement chez le personnage, de façon d'autant plus frappante que cette attitude se rencontre assez rarement dans le milieu de la haute administration auquel il appartenait.

Son nom, d'abord : Wagner, non point parce qu'il évoque irrésistiblement, bien sûr, des airs de chevauchée, mais parce que Marc-André, d'origine alsacienne et germaniste distingué, appréciait la musique héroïque de son homonyme allemand.

Sa chevelure, ensuite : flamboyante, rougeoyante, toujours en bataille, qui lui donnait en permanence des allures de guerrier au milieu de la mêlée.

Cavalier passionné et intrépide, grand amateur de belle équitation classique, mais tout autant de folles cavalcades en extérieur, Marc-André avait assumé déjà la responsabilité de la section Équitation de l'association sportive de l'École Nationale d'Administration, qu'il intégra au sortir de l'Institut d'Études Politiques de Paris. Il ne cessa de monter que lorsque la maladie finit par l'en empêcher.

Marc-André Wagner a goûté au cours de sa brillante carrière à la diplomatie, comme conseiller à l'ambassade de France en Inde (1993-1996), puis comme directeur de l'Institut Français de Varsovie (1999-2001), mais a exercé principalement au sein du Ministère de la Culture, à la Direction du patrimoine, à la Direction du théâtre, puis à la Direction du livre, avant d'y être affecté à l'Inspection générale des affaires culturelles.

Doté d'une exceptionnelle capacité de travail, Marc-André a mené simultanément des recherches savantes, qui ont abouti, en 2003, à une brillantissime soutenance de thèse de doctorat à la Sorbonne (à laquelle j'ai eu le bonheur d'assister) sur « Le cheval dans les croyances germaniques », titre abrégé, utilisé pour la version publique de cette œuvre monumentale, éditée par la vénérable maison Honoré Champion, et couronnée en 2006 par le Prix Cadre Noir, décerné chaque année par l'Académie Pégase, dont il devint dès lors un membre assidu.

L'ampleur de la documentation amassée pour l'obtention de son doctorat lui permit de réaliser en parallèle un remarquable « Dictionnaire mythologique et historique du cheval », que j'ai eu le plaisir et l'honneur de publier en 2006 dans ma collection *cheval-chevaux* (éditions du Rocher).

Dans cet outil de travail indispensable, Marc-André nous donne une indication sur ce qui vient probablement de lui arriver. Les Valkyries, rappelle-t-il, allaient « à cheval chercher les guerriers qui doivent mourir au combat pour rejoindre le corps de guerriers d'élite d'Odin », ce dieu-cheval de la mythologie scandinave (Wodan ou Wotan chez les Germains). Du Walhalla, où séjournent les dieux et les héros, et où il se trouve certainement, Marc-André nous contemple aujourd'hui, avec, j'en suis sûr, bienveillance.

[Paru sous le titre « Marc-André Wagner au Walhalla » dans LE CHEVAL n° 159 (17 décembre 2010) puis, dans une version raccourcie, dans L'ÉPERON n° 308 (février 2011). Marc-André a été inhumé le 27 novembre 2010 dans le petit cimetière d'un village de la Sarthe, où sa belle-famille possède une propriété. C'est là qu'avant de tomber malade, il venait souvent monter à cheval. Et c'est tiré par un cheval – un brave percheron noir – que, conformément à ses dernières volontés, son cercueil, posé sur une simple charrette paysanne, a été amené de la maison familiale au cimetière.]

❏ WAILLY Philippe de

Ceux qui ne connaissent pas le docteur Philippe de Wailly perdent quelque chose. Il faut l'avoir rencontré au moins une fois dans sa vie – ça vaut la peine. Volubile, truculent, familier (il vous tutoie d'emblée), irrésistiblement attiré par les (jolies) femmes, auxquelles il se croit obligé de conter fleurette – au moins pour la forme –, incapable de résister à faire un bon mot, une plaisanterie, un compliment, c'est un personnage qui mérite d'être connu. Non pas à cause de tout ce que je viens de raconter, mais parce que derrière le facétieux Philippe, il y a le très sérieux docteur de Wailly.

Après avoir publié quantité d'ouvrages savants – à commencer par sa thèse de doctorat (consacrée aux coleoptères de Madagascar, dans laquelle il décrit plus de deux cents variétés de ces bestioles jusque-là inconnues) –, s'être imposé comme un éminent ornithologue, s'être intéressé à l'application de l'homéopathie sur les animaux (eh oui, ça marche ! preuve que les fameuses petites granules ne contiennent pas que du sucre !), l'infatigable chercheur décide, dans les années cinquante, d'ouvrir boutique – je veux dire clinique – dans une banlieue chic de Paris. Succès immédiat. Très vite, il devient « le vétérinaire des stars et la star des vétérinaires ». Il cause à la radio, passe à la télé, soigne les chats de Jean Cocteau et le perroquet de Louis-Ferdinand Céline, plus tard le canari de Brigitte Bardot et le cacatoès (mais pas la calvitie) de Yul Brynner. Plus honorable encore : il devient membre de l'American Veterinary Historical Society, puis président de l'Académie vétérinaire de France.

Dans son tout nouveau livre, « Ces animaux qui nous guérissent » (Alphée, 2009), le bon docteur de Wailly (que, dans la préface, l'écrivain

Frédéric Vitoux, de l'Académie française, n'hésite pas à comparer à Saint-François d'Assise !), raconte toutes sortes d'histoires extraordinaires sur le pouvoir des bêtes et leur capacité à soigner les hommes. De ces asticots qui favorisent la cicatrisation d'une plaie purulente aux araignées dont la toile possède des propriétés anti-infectieuses, on n'en finit pas de s'extasier devant l'ingéniosité de la nature et la science de notre docteur.

Les abeilles, les poissons, les reptiles, les oiseaux, les huîtres même : tout le règne animal y passe, réhabilitant au passage des êtres de très mauvaise réputation, tel le requin, dont on apprend qu'étant la seule créature à échapper au cancer, une molécule extraite de son foie pourrait aider à lutter contre certaines tumeurs !

Que les âmes sensibles se rassurent : ce n'est pas parce qu'ils peuvent nous être utiles que le docteur de Wailly se croit autorisé à toutes les expérimentations sur les animaux : « chaque année, écrit-il, plus de 12 millions d'animaux sont sacrifiés dans les centres de recherche et certains laboratoires au nom de la santé des hommes ». Résolument contre ces pratiques monstrueuses, affirme-t-il, « je suis un partisan inconditionnel de l'adoption des méthodes alternatives » dont il donne, bien sûr, divers exemples.

Tout cela est déjà bien, mais j'ai gardé le meilleur pour la fin. Excellent cavalier (il a fait son service au 7e Régiment de Spahis, à Senlis, où il avait en charge la santé d'une bonne centaine de chevaux barbe, et continue, de nos jours encore, à monter un peu), Philippe de Wailly consacre un chapitre entier de son livre à « notre ami le cheval ». À le croire, la fréquentation de cet animal pourrait soigner une foule de misères, notamment des maladies cardiovasculaires, des lumbagos (ça alors !) et, il faudra que j'essaye, certains retards mentaux !

[Paru sous le titre « Le gai savoir de Philippe de Wailly »
dans LE CHEVAL n° 126 (19 juin 2009)
puis, sous le titre « Bestiaire thérapeutique »
dans LA REVUE POUR L'INTELLIGENCE DU MONDE
n° 24 (février-mars 2010).]

2
histoire(s)

Quand on aborde l'Histoire, la moindre des choses est de suivre la chronologie. C'est tant bien que mal ce que j'ai essayé de faire ici, où la Préhistoire précède l'Antiquité, et où Jeanne d'Arc vient avant la Révolution. Mais rien de plus. Parfois, ça s'emmêle un peu. Dans certains textes, en effet, il est question à la fois de Appelès (330 ans avant notre ère) et de Alfred De Dreux (seconde moitié du XIXe siècle) : où les insérer ? Pour l'époque contemporaine, j'ai tenté de respecter aussi une sorte de chronologie, classant les textes par ordre de parution – sauf exception. On me l'a toujours dit: l'Histoire n'est pas une science exacte.

« PREMIÈRE RENCONTRE »
ENTRE LE CHEVAL ET L'HOMME

L'homme et le cheval.

Difficile d'être plus différents, plus dissemblables.

D'un côté, un bipède. Malin, certes, mais hargneux, brutal, bruyant, agressif. De l'autre, un quadrupède hypersensible. « Grand nerveux » (Francis Ponge). Grand timide. Craintif, prompt à l'affolement.

D'un côté un chasseur, de l'autre un gibier.

Tout les sépare, les éloigne, les oppose : caractère, tempérament, comportement. Pour survivre, l'un doit tuer – l'autre s'enfuir.

S'ils vivent sur la même terre, l'homme et le cheval appartiennent en fait à deux mondes différents. Le premier est carnivore, le second herbivore.

Rien, je vous le dis : ils n'ont rien de commun. Ni rien en commun.

Yahvé, d'ailleurs, en sa grande sagesse, ne s'y est point trompé. Très peu de temps après l'avoir créé, raconte-t-on dans la Bible, Dieu a chassé l'homme du paradis. Je n'ai lu nulle part qu'il en avait aussi chassé le cheval. Lequel, normalement, devrait donc toujours s'y trouver. Ce qui ne me surprendrait guère. Si l'homme est, en effet, un être perfide et cruel, le cheval est, lui, un être naïf, un être pur. Un être innocent.

Comment voulez-vous que, dans ces conditions, se soit établi entre eux le moindre contact, instaurée la moindre affinité ?

Impossible.

Avec le chien, oui. L'homme et le chien se ressemblent. Dans le chien, l'homme se retrouve. L'amour qu'il lui porte est narcissique.

Tous deux aiment la chasse, le sang, la viande, la violence. Ce sont des guerriers, des fonceurs, des prédateurs. Ils tuent, bouffent, baisent. Et dorment.

Le cheval, lui, ne dort pas. Ou très peu. Il ne peut pas se permettre. Question de vie et de mort. Dès que son attention se relâche, il devient une proie facile. Il lui faut rester en éveil. Même assoupi, il lui faut garder ses sens en alerte. Sa survie, c'est l'inquiétude. Le stress est son salut. Émotif, peureux, toujours prêt à détaler, à se dérober, c'est un animal fuyant.

Le chien, au contraire, est démonstratif. Comme l'homme, il manifeste bruyamment ses sentiments. Il crie, il aboie, il gesticule, bondit, remue la queue. Il prouve à son maître qu'il le reconnaît, qu'il l'aime, qu'il lui est soumis. Il lui lèche les pieds, les mains, la figure.

Rien de tel chez le cheval, qui, en toutes circonstances, semble conserver ses distances, rester sur son quant-à-soi, répugner à témoigner à l'homme, par des attitudes ou des mimiques, sa soumission ou sa reconnaissance. Froideur ? Indifférence ? Méfiance ? Dignité ? Pour l'homme, le comportement du cheval à son égard est un grand mystère.

Cette réserve, il faut le reconnaître, a quelque chose d'aristocratique. Mais elle ne favorise guère le rapprochement entre ces deux êtres, on l'a vu, si fondamentalement contraires et si totalement antinomiques qu'on peut parler, à leur sujet, d'incompatibilité.

Incompatibilité ? La rencontre, pourtant, a eu lieu. Le miracle s'est produit. Les inconciliables se sont conciliés. Un jour, l'homme a cessé de pourchasser le cheval pour sa chair : il a cessé d'être chasseur pour devenir cavalier. Un jour, le cheval a cessé d'être la proie de l'homme pour en devenir la monture. Mieux, le compagnon. Et, bientôt, le « piédestal » (Jean-Pierre Digard).

Il y a là quelque chose de troublant, d'inattendu, d'imprévisible et donc d'incompréhensible. Quelque chose d'unique : ce genre d'acoquinement ne s'est jamais produit, à ma connaissance, entre un chat et une souris, un renard et une poule, un loup et un agneau, un lion et une gazelle… Cela n'aurait pas dû se produire non plus entre l'homme et le cheval. Or cela s'est produit.

Et non seulement cela s'est produit, mais ce fut un immense succès. En s'associant, l'homme et le cheval ne se sont pas contentés d'additionner leurs forces : ils les ont décuplées. À eux deux, ils ont fini par conquérir la planète. Ensemble, ils ont écrit l'épopée la plus extraordinaire de l'histoire du monde.

Jamais ces deux êtres n'auraient dû s'entendre. Ils ont fait mieux : ils ont fini par se comprendre.

Ils constituaient le couple le plus improbable de la création ? Eh bien, ils ont fini par former un couple presque parfait, un modèle, un idéal de complicité, d'unité. Leur union a donné naissance à un mythe (centaure), à un archétype.

Cette entente, cette intimité est sans exemple dans la nature. La nature, d'ailleurs, a horreur des relations trop intimes entre les espèces. Elle préfère les rapports de force. Les relations de chasseur à chassé, de prédateur à gibier. C'est tout juste si elle admet, entre de rares animaux, quelques cas de commensalité. De l'homme, son chouchou, elle tolère cette forme ambiguë de domination qu'est la d'« hommestication » (Jacques Lacan). Mais cela ne va jamais au-delà. La nature déteste les mariages mixtes. Elle s'arrange d'ailleurs pour rendre stériles les couples anormaux. Les hybrides, bricolages de l'homme, ne sont pas capables, heureusement, de se reproduire.

Comment une déesse aussi vigilante, aussi soucieuse du maintien de la bonne marche de l'univers a-t-elle pu laisser naître entre l'homme et le cheval cette connivence, comment a-t-elle pu autoriser que se forme ce couple étrange, comment a-t-elle pu permettre ce rapprochement contre nature ?

C'est la question que je me pose depuis que je regarde les chevaux, que je les observe, les contemple, les approche, les fréquente, les admire. C'est-à-dire depuis toujours.

Comment cela s'est-il passé ?

Personne n'en sait rien. J'ai potassé quantité d'ouvrages, travaux d'historiens, rapports d'archéologues. C'est tout juste s'ils savent *où* cela s'est passé : quelque part dans les immensités eurasiatiques. Tout juste s'ils savent *quand* cela s'est passé : entre moins 2000 et moins 5000. Il y a de la marge...

Tant mieux. Puisque personne ne sait rien, on est donc libre de tout imaginer. Bien des prophètes l'ont démontré : la seule manière de connaître la vérité consiste à l'inventer.

J'ai donc fait appel à ces prophètes que sont les poètes, les écrivains. J'ai sollicité leur imagination, appelé leur inventivité à la rescousse.

À trente-six d'entre eux, j'ai posé la même question, proposé le même jeu : racontez. Racontez cette première rencontre. La toute première fois. Ce jour où le cheval, après avoir été, pendant des siècles, des millénaires, la proie de l'homme, s'est mis à lui faire confiance, à le laisser s'approcher, grimper sur son dos, placer un frein dans sa bouche. Ce moment inouï, imprévisible, et d'ailleurs imprévu, où l'herbivore s'est laissé monter par le carnivore. Cet instant miraculeux où l'homme a eu l'idée étrange de ne plus tuer le gibier, mais de l'utiliser pour se grandir.

Racontez, leur ai-je demandé, comment l'impossible devint possible. Comment les deux créatures les moins préparées à vivre ensemble, les deux êtres les moins faits l'un pour l'autre, ont, un beau matin, décidé d'un commun accord de passer outre à leurs prédispositions naturelles pour former un couple. Pas une passade, une amourette, non : un couple solide. Quatre ou cinq mille ans d'expérience, de vie commune, le prouvent. C'est un couple qui tient. Et qui tiendra probablement encore longtemps.

Racontez, leur ai-je demandé, comment est née cette union – la plus incroyable, la plus invraisemblable de l'histoire des relations entre l'homme et le monde qui l'entoure.

Dix-neuf d'entre eux ont accepté et joué le jeu *. Le recueil de leurs textes constitue le présent volume [« Première rencontre. Le Cheval et l'Homme. Vingt écrivains rêvent… », paru chez Phébus, 2001].

Il y a parmi eux, on le verra, de « vrais écrivains ». Mais aussi des journalistes, un vétérinaire, un ethnologue, un saltimbanque, un ambassadeur, un général-à-la-retraite : un peu comme dans Prévert, qui est certainement, avec un nom pareil – et soit dit en passant – le poète préféré des chevaux…

Il m'a semblé intéressant, en effet, d'équilibrer les points de vue, tout en multipliant les éclairages et les perspectives (cavalières, bien sûr) : s'il y a dans le groupe de « vrais écrivains » qui sont aussi de « vrais cavaliers », beaucoup ne sont – ils en conviennent volontiers – que de simples « équitants ». J'ai cru pouvoir compenser ce léger déficit de compétence en faisant appel, à l'inverse, à quelques « vrais cavaliers » qui ne sont parfois, c'est vrai, que de simples « écrivants ».

Le résultat est contrasté. Mais tous ceux qui aiment les chevaux – tous les chevaux – s'en réjouiront. Ils se promèneront avec bonheur dans cette écurie où se côtoient chevaux lourds et chevaux légers, galopeurs et trotteurs, poulains fringants et vieux chevaux blasés.

Ils n'y trouveront guère, par contre, de présence féminine – exceptée celle de Karine Lou Matignon. Ce n'est certes pas la première fois que cette dernière se retrouve, dans un livre [voir « La plus belle histoire des animaux » (Le Seuil, 2000), avec Boris Cyrulnik, Pascal Picq et, déjà, Jean-Pierre Digard], seule parmi les hommes, mais je regrette, pour ma part, cette sous-représentation. Sur le conseil de François Nourissier, j'ai sollicité, à diverses reprises, Christine de Rivoyre – mais elle ne m'a pas répondu. J'ai sollicité Edmonde Charles-Roux –

---

* Voir, à la suite de la présente introduction, mon *Petit Dictionnaire des Auteurs*.

mais son emploi du temps est saturé. J'aurais beaucoup aimé « avoir » Françoise Sagan, dont une brève déclaration d'amour aux chevaux, reléguée à la fin de «… Et toute ma sympathie » (Julliard, 1993), un recueil de texticules (l'expression n'est pas de moi : elle est de Michel Tournier – qui l'a picorée chez Raymond Queneau), m'avait enchanté – mais je n'ai pas su où ni comment la trouver, lui parler, la convaincre.

J'ai cité Michel Tournier. Que cet éminent germaniste (dont le nom, traduit de l'allemand, signifie Concours Hippique) soit absent de ce recueil est un autre de mes grands regrets. J'ai pour lui, en effet, la plus vive admiration – en particulier parce qu'il est l'auteur, au détour d'une page d'un de ses romans (« Le roi des Aulnes », Gallimard, 1970), de la plus juste, la plus pénétrante, la plus lumineuse description du cheval que je connaisse.

Il a été un des premiers à subir mes assauts, un des premiers auquel j'ai demandé de participer au présent ouvrage. Il n'a pas dit non, pas dit oui : il m'a laissé espérer, tout en me faisant comprendre qu'il était très pris. Cela a duré plus d'un an. Jusqu'à ce qu'un jour, légèrement exaspéré, il finisse par me dire qu'il était désolé, vraiment, mais qu'il n'avait pas d'idée !

Pas d'idée, Michel Tournier ? La bonne blague ! Du tac au tac, je lui en retournai une : réécrivez donc un des épisodes des aventures de Robinson ! (« Vendredi ou les limbes du Pacifique », Gallimard, 1967, ou sa version *junior*, « Vendredi ou la vie sauvage », Flammarion, 1971.) Celui par exemple où vous racontez comment Vendredi s'y prend pour chevaucher un gros bouc. Que se serait-il passé s'il y avait eu un cheval sur Speranza ?

L'idée le fit rire, mais non point écrire.

Mêmes déboires avec Henri Troyat. Après diverses relances, l'illustre Académicien franco-russe se déclara, lui aussi, en panne d'inspiration. Je lui suggérai aussitôt de prendre modèle, peut-être, sur son vieux maître Léon Tolstoï qui, dans une superbe nouvelle, « Kholstomier », fait parler un cheval : « Pourquoi ne feriez-vous pas raconter à un cheval sa stupeur devant l'attitude maladroite du bipède qui, jusque-là le pourchassait, et qui soudain cherche à l'amadouer ? ». Pas de réponse.

Pas de réponse non plus de Andreï Makine.

Réponses amicales – mais négatives – de Amin Maalouf (« pas le temps »), de Louis Gardel (« pas d'idée »), d'une écrivaine, aussi (« pas d'argent »), dont je tairai le nom.

J'aurais aimé, on s'en doute, proposer de participer à ce grand jeu littéraire à Maurice Druon et Jean d'Ormesson, académiciens perpétuels, connus tous deux pour leurs amours chevalines. Hélas, retranchés l'un comme l'autre derrière des secrétariats-forteresse (Monsieur Personne pour le premier et Madame Charlot pour le second) je n'ai pas même pu leur en faire l'offre.

On l'a compris : il est plus difficile de rassembler dix-neuf écrivains dans un même recueil que dix-neuf mustangs dans un même corral. Et, je l'avoue, je sors de ce *round-up* heureux certes, mais épuisé.

Pourquoi diantre, demandera-t-on, s'être lancé dans cette aventure ?

C'est très simple. Je vais être très franc avec vous. C'est pour l'argent : j'ai terriblement besoin d'argent.

Oh, pas tellement pour moi, non. C'est pour une bonne œuvre.

Si vous avez ce livre entre les mains, c'est que vous aimez les chevaux. Si vous aimez les chevaux, vous allez comprendre.

En octobre 1988 (il y a plus de dix ans – c'est-à-dire, au train où vont les choses, un siècle), je « découvre », dans des circonstances qu'il serait trop long de raconter, un endroit extraordinaire.

Un cimetière de chevaux.

Pas une ou deux tombes, comme on peut en voir parfois dans les haras soucieux d'honorer un cheval d'exception, un crack ou un champion. Non : un vrai cimetière. Avec plus de cent vingt tombes ! La plus grande nécropole équine du monde.

Ce lieu, étonnant pour le profane, mais bouleversant pour ceux qui, comme vous, comme moi, ont la passion du cheval, se trouve quelque part en Russie.

Quelque part, mais pas n'importe où : à Tsarskoye Selo (le Bourg du Tsar), non loin de Saint-Pétersbourg, dans un des plus beaux sites de l'empire.

Pierre le Grand avait déjà repéré l'endroit : une simple métairie, à vingt kilomètres seulement de « sa » capitale, mais bénéficiant d'un micro-climat plus favorable. Moins humide, plus ensoleillé. Il en avait fait cadeau à sa femme, Catherine. Et leur fille Élisabeth y avait fait édifier un somptueux palais (le Palais Catherine), destiné à « éclipser Versailles ».

Les empereurs et impératrices qui leur succédèrent eurent tous à cœur d'embellir les lieux, d'y édifier d'autres palais, des ermitages, des pagodes, des observatoires ; d'y créer des parcs, à la française ou à l'anglaise, parsemés de sculptures de marbre, de kiosques à musique et traversés de canaux et ruisseaux qu'on franchit grâce à de délicates passerelles. Bref, un petit morceau de paradis.

Là, dans un coin de l'immense Parc Alexandre, un tsar, qui n'est pourtant pas réputé pour sa bonté, Nicolas Ier, a l'idée, saugrenue pour l'époque, de faire bâtir une maison de retraite... pour ses vieux chevaux ! En janvier 1826, il signe un oukaze ordonnant la construction d'un « hôtel impérial des chevaux invalides », pour reprendre l'expression utilisée (en 1860) par un magazine français – c'était un peu le *Géo* du moment – *Le Magasin pittoresque*.

Son souci ? Assurer une fin heureuse à des chevaux qui, en effet, l'ont bien mérité, tel l'Ami, hérité de son frère Alexandre Ier, et sur lequel ce dernier était entré dans Paris, le 31 mars 1814, à la tête des Coalisés, mettant fin (provisoirement) au règne de Napoléon.

Lorsque l'Ami meurt – de vieillesse – on demande à cet empereur qui préférait les quadrupèdes aux bipèdes ce qu'il fallait faire.

– Comment, ce qu'il faut faire ? s'indigne-t-il. Il faut l'enterrer, bien sûr.

C'est ainsi que naquit, aux abords de cette maison de retraite, un cimetière pour chevaux qui, au moment de la Grande Révolution (octobre 1917), se composait de cent vingt tombes : cent vingt pierres tombales, soigneusement alignées le long d'allées bien entretenues, cent vingt plaques de marbre dans lesquelles étaient gravés, en lettres cyrilliques dorées à l'or fin, le nom du cheval défunt, la date de sa mort, parfois la date de sa naissance, le nom de son illustre propriétaire (empereur, grand duc ou prince) et, le cas échéant, le nom de la bataille à laquelle il avait participé ou de l'exploit pour lequel il s'était distingué...

Lorsque je « découvre » ce site, abandonné depuis plus de soixante-dix ans, il offre un spectacle désolant. La maison de retraite, joli petit bâtiment de briques rouges, est très abîmée, mais pas vraiment délabrée : elle abrite d'ailleurs un atelier de réparation de la Direction des Beaux-Arts de Saint-Pétersbourg. Le cimetière, par contre, est dans un état pitoyable : des pierres tombales manquent, certaines sont brisées. Ce n'est plus une nécropole, c'est un dépotoir.

– On va d'ailleurs bientôt nettoyer tout ça au bulldozer, me dit alors la gardienne, comme pour me rassurer.

À ma place, vous auriez réagi comment ? Vous auriez crié au scandale, à la profanation ? Vous auriez appelé vos amis au secours ? C'est exactement ce que j'ai fait. Pour constater, très vite, que crier ne servait pas à grand-chose. Ce qu'il fallait, c'était trouver de l'argent. Aider les amis russes, pleins de bonne volonté mais fauchés à un point qu'on n'imagine pas, à lancer un programme sérieux de réhabilitation.

Trouver de l'argent ? Plus facile à dire qu'à faire. En dix ans, j'ai récolté beaucoup plus de conseils que de chèques. On m'a dit : y a qu'à taper des milliardaires connus pour leur amour du cheval, des gens comme l'Aga Khan ou Jean-Luc Lagardère ; y a qu'à solliciter le parrainage des grands sponsors des courses ou des sports équestres, genre Hermès ou Piaget ; y a qu'à organiser une grande vente aux enchères d'œuvres d'art offertes par des peintres, des antiquaires, des collectionneurs passionnés de cheval ; y a qu'à aller voir des célébrités, style Omar Sharif, Julien Clerc ou Philippe Noiret : qu'est-ce que c'est, pour eux, qu'un petit chèque de cent mille francs ; y a qu'à donner à Versailles ou au théâtre des Champs-Élysées une soirée de gala, animée par le grand orchestre de la Garde Républicaine ; y a qu'à, y a qu'à, y a qu'à…

J'ai tout essayé. Je ne suis sans doute pas très doué, mais je n'ai pas obtenu grand-chose. Des propos aimables, des paroles encourageantes, des sourires de commisération, oui. Mais des sous, niet ! Rien que des refus, accompagnés, parfois, d'arguments sordides. Exemples :

Le patron d'une des plus grandes firmes françaises de luxe : « Difficile d'associer notre nom à un cimetière – pas bon pour l'image ». Une éminente personnalité russe (le célèbre réalisateur Nikita Mikhalkov) : « Jamais un Russe ne mettra un franc dans cette affaire ; il serait immédiatement couvert d'insultes : Quoi ! Vous dépensez de l'argent pour des animaux et vous n'êtes même pas capables de payer leur pension à nos retraités ? ! Voyou, affameur du peuple, etc. ».

Du côté du petit peuple des cavaliers, pas plus de succès, malgré le soutien d'une partie de la presse spécialisée.

Il a bien fallu que je me rende à l'évidence : il était inutile de faire appel à la charité publique.

Alors, j'ai changé mon fusil d'épaule, et lancé, sous le label *Célébration du cheval*, toute une série de « produits » dont les profits sont allés à la restauration du cimetière de Tsarskoye Selo.

Ce fut d'abord un grand spectacle international, au théâtre du Rond-Point, sur les Champs-Élysées (juin 1994). Puis l'édition d'une anthologie des « plus beaux textes et poèmes » consacrés, de Homère à Saint-John Perse, de la Bible à Jacques Brel, à Sa Majesté le cheval (« Célébration du cheval », le cherche midi éditeur, 1995). Puis, à nouveau, un spectacle de poésie et musique, à la Maison des Cultures du

Monde (septembre 1998). Et enfin, une compilation, sur CD, de quatorze chants du monde qui montre comment les hommes, quelles que soient leurs origines, leurs traditions, leurs religions, partagent la même vénération du cheval (« Célébration du cheval », Maison des Cultures du Monde, collection *INÉDIT*, W260085, 1998).

Les recettes ainsi glanées ont finalement permis de restaurer une grande partie du site : le secteur cimetière sera, si tout se passe bien, entièrement remis en état (terrain drainé, sentiers praticables, pierres tombales restaurées et remises en place) lorsque ce livre paraîtra.

Ne restera plus alors à réhabiliter que la maisonnette qui servait d'écuries : « l'hôtel des chevaux invalides » proprement dit, pittoresque construction néo-gothique, due à l'architecte Adam Menelaws.

À l'origine, elle abritait au rez-de-chaussée sept ou huit boxes confortables, et deux ou trois pièces annexes (forge, graineterie, etc.). À l'étage : le logement du personnel et un petit musée, dans lequel étaient entassés les portraits de chevaux célèbres, des harnachements précieux, des cadeaux de visiteurs de marque.

Aujourd'hui, elle pourrait, une fois retapée, accueillir un véritable musée impérial du cheval (la direction des Beaux-Arts de Tsarskoye Selo dispose, dans ses réserves, de toutes les pièces nécessaires) qu'on viendrait visiter, en calèche bien sûr, depuis le Palais Catherine, qui, avec près d'un million de visiteurs par an, reste un des monuments les plus fréquentés de Russie.

Avec le cimetière qui le jouxte, cela constituerait un ensemble non seulement cohérent mais original. Un des hauts lieux du cheval les plus émouvants du monde.

Seul problème : le financement. Où trouver les trois ou quatre cent mille francs nécessaires ?

Après avoir retourné la question trois ou quatre cent mille fois dans ma tête, m'est venue l'idée de ce livre.

Un livre composé de textes d'écrivains célèbres – et généreux. D'auteurs connus, de préférence, pour leur amour du cheval, ou leur passion pour la Russie (ou les deux). Et qui accepteraient d'abandonner leurs droits pour aider l'achèvement des travaux de restauration.

Un livre composé de textes inédits, rédigés spécialement pour la circonstance, mais développant un thème unique, suffisamment universel pour intéresser un large public et dépasser le cercle étroit des hippolâtres. Un livre capable de séduire, aussi, un éditeur amateur de bonne littérature et de belles actions.

Un livre, enfin, qui constituerait – un peu comme le cimetière créé par Nicolas Iᵉʳ, mais avec d'autres moyens – un témoignage de gratitude à l'égard du cheval. Un hommage. Oui, c'est l'expression qui convient. Dans « hommage », il y a le mot homme.

[Ce texte a tenu lieu d'introduction au recueil des dix-neuf récits des dix-neuf écrivains (dont les noms suivent) réunis sous le titre « Première rencontre. Le Cheval et l'Homme » paru (chez Phébus) en 2001.
La coquette somme, courageusement versée par Jean-Pierre Sicre, qui dirigeait, à l'époque, les éditions Phébus, en avance sur les droits d'auteur, a été intégralement reversée à l'Établissement public des Palais et Parcs de Tsarskoye Selo, dont fait partie le cimetière équin. Ce petit magot a permis de refaire une partie de la toiture des écuries, mais pas plus. La situation, hélas, n'a guère évolué depuis. Malgré le fabuleux enrichissement de l'État russe, les crédits nécessaires à la restauration intégrale des lieux n'ont pas, à ce jour (hiver 2010-2011) été débloqués.]

Bartabas (1957)

André Velter n'y va pas de main morte : « Je tiens Bartabas, écrit-il, toutes catégories artistiques confondues, pour le plus grand créateur de ce temps ». Pas moins.

Bartabas, c'est vrai, a inventé une forme de spectacle entièrement nouvelle, qui ne ressemble à rien de tout ce qui se faisait avant. Ce n'est pas du cirque, pas du théâtre, pas du ballet, pas du manège : avec « Zingaro », il a réellement créé un genre nouveau, portant l'art équestre au-delà des limites dans lesquelles il était enfermé.

Écuyer surdoué, metteur en scène inspiré, Bartabas est également réalisateur de cinéma (« Mazeppa » en 1993 et « Chamane » en 1996). Il est aussi poète. La preuve.

Pascal Commère (1951)

Nul n'est parfait : il aime aussi les vaches. Pascal Commère a même consacré à ces bestiaux une anthologie (Favre, *le Bestiaire divin*, 1998).

Mais c'est surtout lorsqu'il parle des chevaux qu'il révèle ses talents de poète. Dans son premier roman (« Chevaux », Denoël, 1987), il raconte avec une délicatesse extrême et une justesse que seule une connaissance intime de l'animal a pu lui donner, la passion d'un enfant pour les chevaux.

Il récidive dans son dernier récit (« Le grand tournant », Le temps qu'il fait, 1998), où il explique que les chevaux « sont des guitares : ils sont pleins de musique ». Commère aussi.

Laurent Desprez (1942)

Peu de gens connaissent aussi bien que lui « le petit monde du cheval », qu'il observe – plus qu'il ne fréquente – depuis près de vingt ans.

Créateur de *Epona* (1989-1990) puis du *Magazine du cheval* (depuis 1995), dont il réalisa près de cent cinquante numéros (à raison de trois sujets par numéro : faites le calcul) et qui firent longtemps les très riches heures de FR3, il se consacre désormais à son élevage de connemaras, dans la Sarthe. Le patron de France-Télévision, en effet, a décidé, au beau milieu de l'an 2000, que le cheval n'avait plus sa place sur le Service Public. Il faut donner moins de place aux bêtes, sans doute, pour en laisser davantage à la bêtise.

Jean-Pierre Digard (1942)

Ethnologue spécialiste de l'Iran, directeur de recherche au CNRS, Jean-Pierre Digard est également le meilleur spécialiste français de l'anthropologie de la domestication animale. Les deux études qu'il a consacrées au sujet (« L'homme et les animaux domestiques » en 1990 et « Les Français et leurs animaux » en 1999, tous deux chez Fayard) ne sont pas seulement des ouvrages savants ou des mines de renseignements : ce sont aussi des livres d'écrivain.

S'il s'intéresse à tous les animaux, deux le passionnent particulièrement : l'homme, bien sûr, pour des raisons professionnelles. Et, pour des raisons plus personnelles, le cheval. Il est l'auteur du *Découvertes* paru chez Gallimard (en 1994) sous le titre « Le cheval, force de l'homme ».

Pierre DURAND (1931)

En trente-six ans de carrière, le général Durand a surtout vécu à cheval. Saint-Cyrien brillant et sportif de haut niveau, il a appartenu à l'équipe de France de Concours Complet et à celle de Concours de Saut d'Obstacles. Deux fois sélectionné olympique, il a remporté d'innombrables victoires hippiques.

Nommé, en 1975, trente-deuxième Écuyer en chef du Cadre Noir de Saumur, il est resté près de dix ans à la tête de cette prestigieuse formation, avant de prendre la direction de l'École Nationale d'Équitation (1984 à 1988). Depuis cette date, il ne se passe pas un jour sans que le sémillant général ne monte à cheval.

Dominique FERNANDEZ (1929)

Dominique Fernandez est un grand écrivain. C'est aussi un grand amoureux : le mot amour, d'ailleurs, est présent dans le titre de trois au moins de ses livres.

C'est son amour de l'Italie qui l'a amené à tomber amoureux de Saint-Pétersbourg, « la Venise du nord ». Et c'est son amour pour Saint-Pétersbourg qui l'a amené à accepter de participer au présent ouvrage (ainsi que son amitié pour Maren Sell, qui a beaucoup contribué à le convaincre, et que je remercie au passage).

Dans le superbe texte qu'il nous a donné, Dominique Fernandez, se souvenant de ses origines mexicaines, nous rappelle que ce sont ses ancêtres, les Conquistadors, qui ont réintroduit le cheval en Amérique.

Jérôme GARCIN (1956)

Je l'ai déjà dit (et écrit) : je tiens son livre, « La chute de cheval » (Gallimard, 1998) pour un des essais les plus importants – pour la connaissance du cheval et la compréhension de l'équitation – de la littérature contemporaine. Un authentique chef-d'œuvre, digne de figurer dans la bibliothèque idéale de l'honnête homme (de cheval) à côté de ceux de Xénophon et de Buffon.

Journaliste, producteur et animateur de l'émission « Le masque et la plume » (France Inter), directeur de la rédaction du *nouvel Observateur*, Jérôme Garcin pratique l'équitation et la littérature – activités entre lesquelles il a établi de nombreuses similitudes – avec un égal bonheur.

Son bonheur à lui quand il est à cheval. Notre bonheur à nous quand il écrit.

Guy GEORGY (1918)

Il y a quelques années, le Ministère des Affaires Étrangères eut la très bonne idée (une fois n'est pas coutume) d'exhumer de ses archives des textes – inédits, évidemment – de diplomates-écrivains, et d'en publier (à très peu d'exemplaires, hélas) un recueil. On put lire ainsi d'étonnants extraits de rapports diplomatiques et néanmoins littéraires de Victor Segalen, de Paul Claudel, de Saint-John Perse… Et de Guy Georgy.

Africaniste distingué, fin connaisseur du monde arabe, Ambassadeur de France et actuel directeur de la Maison de l'Amérique Latine à Paris, Guy Georgy a raconté son enfance périgourdine, ses débuts aux colonies, ses pérégrinations latino-américaines dans une série de livres (tous édités par Flammarion) émouvants et savoureux, dans lesquels on retrouve la même érudition, la même verve, le même humour – et le même accent que dans les merveilleuses conversations dont il gratifie ses amis.

Dominique GINIAUX (1944)

Ce n'est pas seulement une plaisanterie, ou un jeu de mots : Giniaux est le pluriel de génial.

Vétérinaire (Toulouse), Dominique Giniaux a eu l'idée d'appliquer au cheval les théories de l'ostéopathie humaine, et il en a inventé la pratique.

Acupuncteur et ostéopathe « équin », il exerce son art, avec un succès croissant, dans les plus célèbres écuries du monde, mais continue à consulter, chaque vendredi à Grosbois, les chevaux de particuliers.

Il est l'auteur de deux livres, « Soulagez votre cheval aux doigts (et à l'œil) » (Favre, *caracole*, 1986) et « Les chevaux m'ont dit » (1987), qui ont été traduits en anglais et en allemand (et réédités récemment en français chez Equilivres).

Depuis cette année, il enseigne l'ostéopathie aux vétérinaires à l'Université du Colorado.

HOMERIC (1954)

Apprenti jockey reconverti dans le journalisme, Homeric tient, plus ou moins régulièrement depuis 1982, la rubrique hippique de *Libération*.

Ses chroniques ont entièrement renouvelé un genre qui était jusque-là strictement réservé au cercle étroit (dans tous les sens du terme) des entraîneurs et des parieurs. À cette forme de journalisme insipide, Homeric a ajouté du sel (et une bonne dose de poivre). Récits, portraits, descriptions pittoresques et tendres puisés dans l'univers des courses, ses articles ont vite conquis un public qui, avant lui, ne s'intéressait guère aux chevaux. (Une sélection de ces petits chefs-d'œuvre a été publiée chez Grasset en 1992 sous le titre « Œdipe de cheval ».)

Auteur d'un magnifique portrait du plus grand trotteur de tous les temps (« Ourasi, le roi fainéant », récemment

réédité chez Favre), Homeric ne s'est réellement lancé en littérature qu'en 1998, en publiant une biographie imaginaire de Gengis Khan, « Le loup mongol » (Grasset), qui obtint le Prix Médicis et fut un immense succès de librairie.

Ismaïl KADARÉ (1936)

Ce n'est peut-être pas ici le lieu d'expliquer qu'Ismaïl Kadaré est un des plus grands écrivains du XXe siècle. Peut-être pas le lieu de s'indigner qu'on ne lui ait pas encore attribué le Prix Nobel de littérature. (Qu'importe, d'ailleurs ! Mieux vaut être noble que nobel.)

Mais il n'y a pas de mauvais lieu pour exprimer son admiration : Kadaré, c'est Homère. Kadaré, c'est Sophocle. Ne fréquentant que les dieux, il tire ses lecteurs vers le haut, il nous hisse vers les sommets. Il nous donne le vertige. Kadaré est un écrivain vertigineux.

Les chevaux dans tout ça ? Lisez donc (par exemple) « Les tambours de la pluie » (Fayard, 1985). Chapitre x. Vous comprendrez.

Karine LOU MATIGNON (1965)

Tant d'énergie dans si peu de volume ! C'est ce qui impressionne d'abord chez elle. Pour ce qui est du format, Karine Lou Matignon aurait pu être jockey. Mais pour ce qui est du tempérament, ce serait plutôt dresseuse de fauves, ou mangeuse de lion.

Pour pouvoir s'occuper de ses enfants, de ses chevaux (et de son mari), pour pouvoir écrire ses articles, ses scénarios (et ses livres) la petite KLM a dû adapter à sa façon la loi sur les 35 heures : c'est 35 heures par jour.

Après avoir publié (chez Anne Carrière, en 1998) un remarquable ouvrage sur « L'animal, objet d'expériences » et réalisé pour Le Seuil (2000) « La plus belle histoire des animaux » (entretiens avec Boris Cyrulnik, Jean-Pierre Digard et Pascal Picq), elle vient de faire paraître, chez Albin Michel, une extraordinaire galerie de portraits sous le beau titre de « Sans les animaux, le monde ne serait pas humain ».

François NOURISSIER (1927)

« Dans une vie dont j'ai aimé si peu d'épisodes, les années de cheval sont une embellie » écrit François Nourissier dans son livre-testament, « À défaut de génie » (Gallimard, 2000).

Je ne ferai pas l'injure de prétendre « présenter » ici un des écrivains préférés des Français. Juste un mot, pour rappeler qu'il est l'auteur – c'est même un de ses meilleurs romans – d'un livre dont le titre, « En avant, calme et droit » (Grasset, 1987), reprend, dans le désordre, le fameux précepte par lequel le général L'Hotte définit les conditions à réunir pour obtenir du cheval une utilisation optimale. Un livre-culte pour les amateurs de bonne littérature et de belle équitation.

Jean-Pierre PERRIN (1951)

Grand reporter, Jean-Pierre Perrin « couvre » pour son journal (*Libération*) l'actualité dans une des régions les plus turbulentes du monde : l'Irak, la Turquie, l'Iran (auquel il a consacré un livre, « L'Iran sous le voile », aux éditions de l'Aube, 1996), et tout une kyrielle de pays – Afghanistan, Ouzbékistan, Tadjikistan – dont les noms se terminent en « stan ».

Le spectacle que lui offre quotidiennement l'actualité n'ayant rien de très réjouissant, Jean-Pierre Perrin se divertit en inventant des histoires.

Paradoxalement, des histoires plus sombres, plus horribles encore que la réalité – mais bourrées de toutes les bonnes choses dont il est privé pendant ses reportages : le whisky, le jazz. Et la pluie : il pleut beaucoup dans les « polars » – très littéraires – de Jean-Pierre Perrin (« Chemin des loups », La Table Ronde, 1995 et « Chiens et louves », *Série Noire*, Gallimard, 1999).

Si les titres de ses romans indiquent une nette prédilection pour les loups, Jean-Pierre Perrin s'intéresse aussi beaucoup aux chevaux. Spécialement aux akhal-tékés. Et spécialement lorsqu'ils appartiennent aux filles des présidents de la République.

ROBIN DE LA MEUSE (1943)

Robin de la Meuse s'amuse. Il s'amuse à émailler de ses poèmes joyeux les anthologies les plus sérieuses (« Célébration du cheval », le cherche midi éditeur, 1995), voire les plus austères (« Les cent plus belles prières du monde », Calmann-Lévy, 1999). Il s'amuse à se présenter, dans l'une d'elles, comme « mondialement inconnu ». Il s'amuse à entretenir autour de sa personne un mystère qui finit par sentir le canular.

Et s'il était un cheval ?

Avec un nom pareil, c'est probable.

Il s'amuse ici à faire, avec ses alexandrins bancals, ses rimes douteuses et sa solennité de potache, un « à la manière de » qui n'aurait probablement pas déplu à maître Paul Reboux.

Jean-Loup TRASSARD (1933)

Écrivain de la terre, écrivain-paysan (comme il y a des soldats-laboureurs), Jean-Loup Trassard est né dans la campagne de Mayenne, où il continue à vivre une partie de l'année.

Il est l'intime des arbres fruitiers et des animaux fermiers. Il fréquente les chemins creux et collectionne les vieux outils. Quand il lui reste un peu de temps, il publie de beaux livres de littérature (chez Gallimard) ou de photographies en noir et blanc (chez Le temps qu'il fait).

Pour le texte qu'il nous donne ici, il s'excuse d'avance : « Évidemment, m'écrit-il, il a fallu traduire du solutréen cette sorte de poème par strophes où plusieurs temps s'emmêlent, et cela reste fort imparfait ».

Plus fort, à mon avis, qu'imparfait.

Marc TRILLARD (1955)

Mesdames et Messieurs, voici Marc Trillard, grand voyageur, grand navigateur et grand littérateur. Plus caboteur que cabotin, plus galopeur que galopin – et plus travailleur qu'il n'y paraît – il est déjà, avant d'avoir atteint la cinquantaine, à la tête d'une œuvre (entièrement publiée chez Phébus) : « Eldorado 51 » (Prix Interallié, 1994), « Cabotage » (1996), « Coup de lame » (1997), « Si j'avais quatre dromadaires » (2000), etc.

De toutes façons, ce Trillard, je sais depuis longtemps qu'il n'est pas entièrement mauvais puisqu'il aime les chevaux. Et les femmes. Et qu'il ne s'en cache pas (« Tête de cheval », 1995).

Pierre VAVASSEUR (1955)

Aux grands galops, il préfère les petits trots : poèmes, nouvelles, pièces en un acte, courts-métrages, aphorismes…

Pour lui, le cheval est – surtout – un souvenir d'enfance. Son père, fils d'un gendarme à cheval, en éprouvait une telle fierté qu'il s'en vantait à tout bout de champ. Sa mère, qui n'avait jamais mis les pieds dans un cinéma, affirmait pourtant qu'il n'y a pas de bons films sans chevaux.

Aujourd'hui, Pierre Vavasseur est grand reporter au service « culture loisirs » du *Parisien*.

André VELTER (1945)

Voyageur au long cours, André Velter co-dirige une revue qui, comme de bien entendu, s'appelle *Caravanes* (c'est la plus belle revue de littératures du monde).

Producteur de radio (« Poésie sur parole » à France Culture), éditeur chez Gallimard, auteur d'un « oratorio-rock » (« Ça cavale »), Prix Goncourt de poésie 1995, André Velter est accessible par plusieurs versants.

Sur la face nord, la plus difficile, il est le poète des extrêmes, des sommets impossibles – et l'auteur de bouleversants hommages à Chantal Mauduit.

Sur la face sud, plus ensoleillée, plus riante, il déboule à fond la caisse : c'est, principalement, une superbe galopade de mots, écrite à bride abattue à la gloire de Bartabas et de son cheval-fétiche, « Zingaro, suite équestre » (Gallimard, 1998).

PRZEWALSKI ET NÉANDERTAL

Przewalski par-ci, przewalski par-là : c'est presque tous les jours qu'on nous donne des nouvelles du petit cheval sauvage, devenu domestique, que toutes sortes de gens, sûrement bien intentionnés, veulent à tout prix ensauvager à nouveau.

Un coup, c'est pour nous annoncer d'heureuses naissances, comme celle qui eut lieu, le 7 janvier dernier [2009], au Jardin des Plantes, à Paris (et donc en captivité). Une autre fois, c'est pour nous informer que le zoo de Wildnispark, près de Zurich, allait relâcher un lot de ces pauvres bêtes quelque part, comme l'écrit le quotidien suisse *Le temps* du 29 janvier, « dans leur Mongolie natale ».

Pour commencer, une petite précision : la Mongolie n'est pas le berceau de ce sympathique animal, qui doit son nom imprononçable (je vais vous y aider quand même : dites vite « père-cheval-ski ») à un explorateur russe, qui après en avoir aperçu quelques-uns gambader au loin, réussit, grâce à un de ses accompagnateurs kirghize, à s'en procurer une dépouille, qu'il envoya pour étude à Saint-Pétersbourg : c'est en constatant qu'il appartenait à une espèce distincte du *caballus* domestique que le zoologue Poliakov le baptisa du nom de son découvreur, Nicolaï Mikhaïlovitch Przewalski. Or, comme ce dernier l'écrivit en 1883 dans son rapport, « ce cheval ne se rencontre que dans les parties les plus sauvages du désert de Dzoungarie ». Si la Dzoungarie était bien, à l'époque, une région où l'on parlait un dialecte mongol, ce territoire – aussi éloigné de la Mongolie actuelle que l'Allemagne de l'Italie – est de nos jours en territoire chinois. Les Chinois étant nettement moins coopératifs, on le sait, que les Mongols, va donc pour la Mongolie…

Mais dans quel but exactement ? Pourquoi vouloir absolument ré-introduire un animal dans « un milieu naturel » qui faillit lui être fatal ? Pourquoi ne pas, aussi, à ce compte, ré-introduire des hommes dans des cavernes ?

Dans un récent supplément hebdo du quotidien *Le Monde* (4 avril), des savants nous jurent qu'on pourra bientôt, « dans cinq ou dix ans », grâce à leur ADN récupéré dans les glaces de Sibérie, rendre possible, comme dans « Jurasick Park », le clonage des mammouths. Et pourquoi pas aussi de l'homme de Néandertal ? On n'arrête pas le progrès, même à reculons.

[Paru dans CHEVAL MAGAZINE n° 455 (octobre 2009)
dans la rubrique *Ruades*.]

FILS DE CRO-MAGNON ET DE NÉANDERTAL

Cela se passe en 2031 et 2032. Un Périgourdin, lointain descendant de Jacquou le Croquant, est propriétaire d'un site archéologique unique : il contient les squelettes d'un homme (ou d'une femme) de Cro-Magnon ET d'un homme (ou d'une femme) de Néandertal, accompagnés de squelettes d'enfants qui pourraient être le résultat du croisement des deux « races » de la préhistoire : Néandertal le rustaud et Cro-Magnon le finaud (autrement dit *Homo Sapiens*) !

C'est, du moins, la situation qu'imagine Gérard Fayolle dans son nouveau livre, « Le clan des Ferral » (éditions Sud-Ouest, 2009).

Devant une telle découverte, les administrations préfectorales, nationales, européennes ; les experts de toutes nationalités, universitaires, préhistoriens, et autres se disputent ces ossements pour analyses approfondies. Craignant qu'on ne les lui rende jamais, que ces témoignages authentiques (les seuls ou presque : tous les autres sites touristiques de la région sont des fac-similés) quittent la vallée de la Vézère, où ils ont vécu voici des milliers d'années, il organise une résistance qui tourne mal. Il cache les squelettes des enfants et se réfugie… en Sibérie !

Pour rendre plus crédible, peut-être, l'hypothèse d'une hybridation (fort improbable)* entre les deux branches d'hominidés, l'auteur de ce roman s'est amusé à marier deux genres littéraires réputés inconciliables – l'essai et le polar –, mêlant avec habilité fiction et réalité. On n'en attendait pas moins de Gérard Fayolle, ancien maire du Bugue (la ville la plus proche des fameuses grottes de Lascaux), ancien sénateur et actuel président de la Société historique et archéologique du Périgord.

[Paru dans La Revue n° 1 (avril 2010)
sous le titre « Du rififi à Lascaux ».]

LA D'HOMMESTICATION

Il a suffi de quelques lignes d'un langage hyper-technique, parues dans une publication savante américaine (*Science* du 6 mars 2009), laissant supposer que la domestication du cheval était peut-être plus ancienne qu'on le croyait, pour que les journaux du monde entier annoncent la bonne nouvelle avec un enthousiasme qui m'intrigue un peu.

Jusqu'ici, on datait les premiers signes de cette d'hommestication (la jolie formule est de Lacan) de deux à trois mille ans seulement avant notre ère, et l'on croyait que cela s'était passé du côté de l'Ukraine actuel. Voilà qu'une équipe anglaise, s'appuyant sur l'analyse d'ossements et de poteries exhumés au nord du Kazakstan affirme aujourd'hui que l'affaire remonte à 3 500 ans au moins ! L'examen des mâchoires de chevaux trouvées sur place prouve que ces animaux devaient mastiquer un mors, et celui des fragments de céramique semble indiquer une utilisation humaine du lait de jument.

---

* Pas si improbable que ça ! Depuis la rédaction de cette note de lecture, en effet, des analyses du génome humain ont permis d'établir que l'homme d'aujourd'hui possède bel et bien des traces de Cro-Magnon et de Néandertal.

L'excitation manifestée par la presse à l'annonce de ces nouvelles pourtant assez banales s'explique par une sorte de soulagement : finalement, les hommes – cette espèce à laquelle nous appartenons – ne sont pas si bêtes que ça. Nous avions un peu honte, jusqu'à présent, d'avoir mis tant de temps à apprivoiser le cheval. La domestication du chien remonte à quelque chose comme moins 10 000 ans, peut-être même moins 13 000. Celles du bœuf et du mouton, à moins 8 000. Celle du cheval – la honte ! – à moins deux ou trois mille seulement. La découverte anglaise nous fait gagner une petite centaine de siècles. Ouf !

Reste qu'on peut quand même s'interroger sur l'incroyable lenteur avec laquelle ont progressé nos relations avec cet animal. On savait le peindre (et le chasser, et le manger !), comme l'attestent les fresques de la grotte Chauvet, voici plus de trente mille ans. Pourquoi a-t-on mis près de trois cents siècles à s'apercevoir qu'on pouvait faire avec lui des tas de trucs plus intéressants ? Une fois qu'on l'eut compris, pourquoi a-t-il fallu tant de temps pour apprendre à le monter, puis pour inventer la ferrure, puis l'étrier ? Pour apprendre, enfin, à l'utiliser confortablement : il a fallu attendre le XIXᵉ siècle pour s'apercevoir que le trot enlevé est moins pénible que le trot assis, qu'on saute mieux un obstacle en suspension vers l'encolure qu'au creux de sa selle. Incroyable ! Et pourquoi certains cavaliers n'ont-ils toujours pas compris qu'on pouvait mieux obtenir du cheval par la patience et la douceur que par l'impatience et la brutalité ? Mystère !

[Paru dans CHEVAL MAGAZINE n° 453 (août 2009)
dans la rubrique *Ruades*.]

QUAND FRANCE RIME AVEC SCIENCE

On est maso, ou quoi ?

En France, pour qu'une info scientifique relative au cheval soit prise au sérieux, il faut nécessairement qu'elle provienne d'une équipe étrangère. Et si par hasard elle provient d'une équipe française, il faut alors qu'elle soit obligatoirement annoncée par une publication de langue anglaise. Sinon, silence total. Il suffit, par contre, qu'elle soit publiée par une revue (américaine, bien sûr) telle que *Science* pour qu'aussitôt l'AFP, *Le Figaro*, *Le Monde*, *L'Express* – bref : toute la presse généraliste, qui habituellement se désintéresse totalement des questions équestres, hippiques ou chevalines – se remplisse d'articles admiratifs pour ces savants venus d'ailleurs sans lesquels, c'est sûr, il n'y aurait pas de progrès scientifique.

Cela avait été déjà le cas, l'année dernière, lorsque la revue *Science* (du 6 mars 2009) avait annoncé qu'une équipe anglaise avait établi que la domestication du cheval pouvait remonter à plus de cinq mille ans, et être localisée quelque part au Kazakhstan. La belle affaire ! Il suffisait d'avoir lu les livres de notre Jean-Pierre Digard national, directeur de recherche au CNRS et spécialiste indiscuté de la domestication, pour savoir que, oui, bien sûr, des phénomènes domesticatoires ont pu se produire, voici cinq à six mille ans, en différents points du globe. Mais voilà, ces propos n'ayant été publiés qu'en français ne pouvaient pas attirer l'attention de la presse française.

Cela a recommencé avec la publication, dans un autre numéro de la même revue savante (*Science* du 6 novembre 2009) des résultats du séquençage du génome du cheval, obtenus par une équipe internationale, à laquelle appartenaient d'ailleurs plusieurs chercheurs français de l'INRA. Le fait que « sur les 32 chromosomes du cheval, 17 s'avèrent similaires aux chromosomes humains » (cf. l'édito de *Cheval magazine* de décembre 2009) a déclenché un véritable raz-de-marée dans nos quotidiens, hebdomadaires, radios et télés : rendez-vous compte, le cheval est proche de l'homme ! Quelle découverte !

Que n'avaient-ils lu le professeur Axel Kahn, qui – bien que Français – est un des plus célèbres généticiens du monde (et, ce qui ne gâche rien, un cavalier expérimenté) ? « Nous avons 80 % de génome en commun avec le cheval », écrivait-il en juillet 2009 dans une revue – banalement française, il est vrai (*cheval-chevaux* n° 4). Avant d'ajouter « ... mais le plus important est ce que nous n'avons pas en commun ».

On le sait depuis longtemps : hélas nul n'est prophète en son pays.

[Paru dans CHEVAL MAGAZINE n° 460 (mars 2010)
dans la rubrique *Ruades*.]

DÉRÈGLEMENTS CLIMATIQUES

Qui sont les véritables responsables du réchauffement climatique ? Les uns accusent les industriels, dont les usines polluent l'atmosphère ; les autres les paysans : on va même jusqu'à accuser les vaches qui, non contentes d'être folles (parfois), seraient de dangereuses émettrices de gaz à effet de serre !

Les pauvres accusent les riches, dont la boulimie serait la cause principale de leur appauvrissement... et de la catastrophe météorologique qui nous menace, tandis que les riches reprochent aux pauvres de dévaster les forêts – amazonienne, africaine ou sibérienne – qui fournissent l'oxygène dont les six milliards d'humains (sans compter les vaches) ont besoin.

Les scientifiques, les écologistes, les politiques se chamaillent, chacun a sa version, chacun montre l'autre du doigt. Seul vague point d'accord : les vrais responsables du désastre, c'est nous, les hommes. Cette théorie semble faire l'unanimité, à l'exception d'un ou deux originaux qui, tel Claude Allègre, physicien de renom reconverti dans la politique et la polémique, ricanent en rappelant que notre planète a subi, avant même l'apparition des hommes sur terre, bien d'autres bouleversements, d'une envergure bien plus considérable, et qu'elle s'en est pas trop mal sortie !

Je me rallierais volontiers, pour ma part, à la thèse proposée par les mythologies grecque et romaine, et si bien racontée par le poète latin Ovide (43 avant J.-C. – 17 après J.-C.). Je résume : le dieu Soleil avait un fils – un simple mortel, un peu foufou – nommé Phaéton qui le supplia un jour de le laisser conduire, ne serait-ce qu'une seule fois, le char solaire. Impossible, lui répondit alors le roi des astres : mon char est tiré par des chevaux trop fougueux, « ils soufflent le feu par la bouche et par les narines », tu ne pourras pas les maîtriser, et cela finira mal. Devant l'insistance de son fils, le dieu finit toutefois par accepter. Ses craintes, hélas, se vérifièrent. Ce fut une catastrophe d'une ampleur inouïe : « Il tomba alors des flammes du ciel qui consumèrent plusieurs pays », rapporte* le philosophe et savant grec Aristote (IVᵉ siècle avant notre ère).

Dans sa grande sagesse, Aristote en tira au moins une leçon. Devenu le précepteur d'un prince macédonien – le futur Alexandre le Grand –, il s'empressa d'enseigner à ce dernier l'art d'amadouer les chevaux les plus folâtres. On connaît la suite : le jeune homme sut faire son affaire d'un cheval réputé indomptable qui, en fait, avait tout simplement peur de son ombre. N'y a-t-il pas, chez ceux qui nous annoncent le pire, une petite ressemblance avec Bucéphale ?

[Paru dans CHEVAL MAGAZINE n° 468 (novembre 2010) dans la rubrique *Ruades*.]

---

* Cité dans une « Histoire des chevaux célèbres », charmant ouvrage anonyme édité à Paris en 1821.

VIVE LA CRISE ?

Épisodiquement, les cours du pétrole se mettent à flamber. La dernière fois (il y a bientôt trois ans) c'était dû à une pénurie de brut, consécutive à la guerre en Irak. On s'est mis alors à annoncer la faillite probable de compagnies aériennes, la récession dans le secteur du tourisme, l'inflation et mille autres petits ou grands désagréments.

Parmi les conséquences inattendues de cette crise, il en est une, à laquelle le quotidien parisien *Le Monde* consacra (les 6 et 7 juillet 2008) une page entière : le retour du dromadaire ! « En raison de la hausse des prix de l'essence, les agriculteurs du Rajasthan abandonnent leur tracteur pour le chameau [...] certes plus lent, mais bien plus économique », expliquait le journaliste. Même phénomène en Éthiopie, où le cours des animaux de bât ou de trait, ânes et bœufs, connut à la même époque une envolée spectaculaire.

J'ai connu une situation comparable en Mongolie, au lendemain de l'effondrement économique du grand voisin soviétique, dans les années 1990. Difficulté à se procurer des pièces de rechanges pour leurs Lada ou leurs motos de fabrication russe, pénurie de carburant : tout contribua alors au retour en force du cheval, que les bergers qui en avaient les moyens avaient volontiers abandonné au profit d'engins mécaniques.

Je m'étais alors bêtement réjoui de cette crise, qui redonnait au cheval la première place dans la vie quotidienne des Mongols. Facile de s'enthousiasmer d'un phénomène de ce genre quand on est douillettement installé dans le confort et l'opulence...

Si certaines crises économiques ont l'heureux effet de relancer l'élevage et l'usage des chevaux, il n'en va pas toujours ainsi.

Voici par exemple ce qu'a écrit, à la fin de l'année dernière, une gazette suisse spécialisée dans les questions financières : « Durant les années fastes en Irlande, des milliers de personnes ont acheté des chevaux pour afficher leur richesse. Mais, avec la crise économique qui sévit aujourd'hui dans le pays, plusieurs de ces propriétaires de chevaux n'ont plus les moyens de s'en occuper. Par conséquent, environ 20 000 chevaux abandonnés errent dans le pays et pourraient même mourir de faim cet hiver. »

Pas plus pour les chevaux que pour les hommes, il n'y a de « bonnes » crises.

[Paru dans CHEVAL MAGAZINE n° 471 (février 2011)
dans la rubrique *Ruades*.]

LESQUELS SONT LES PLUS BÊTES ?

Curieuse façon, j'en conviens, de commémorer le bicentenaire de la venue au monde d'un individu que d'évoquer les circonstances... de sa mort. Dans le cas présent, cela pourra toutefois se justifier : il suffira de dire qu'on célèbre non point le deux centième anniversaire de sa naissance, mais le cent cinquantième de son décès. Né le 23 mars 1810, Alfred De Dreux, en effet, s'est éteint, à cinquante ans tout juste, le 5 mars 1860.

Né Pierre Dedreux, ce peintre mondain préférait signer ses toiles Alfred De Dreux, avec trois majuscules s'il vous plaît. C'est plus chic, n'est-ce pas ? Surtout lorsqu'on doit, comme lui, fréquenter des gens riches – et nobles de préférence – pour exécuter, puis leur vendre, leur portrait. Fils d'un architecte célèbre mais ruiné, le jeune homme, en effet, doit très tôt gagner sa vie. Un de ses premiers clients est le duc d'Orléans, mécène et collectionneur, et surtout grand amateur de pur-sang. C'est donc sur un cheval fringant qu'il le représentera.

Voilà comment Alfred De Dreux a commencé à se spécialiser, pour devenir un des meilleurs peintres de chevaux d'un siècle qui pourtant n'en manque pas : Géricault, Delacroix, les Vernet et tant d'autres...

J'ai eu la chance de bien connaître Daniel Wildenstein, dans les années 1980-1990. Descendant d'une dynastie de marchands de tableaux richissimes – parmi les plus importants du monde –, par ailleurs éleveur passionné de chevaux de course, ce dernier me fit un jour une observation judicieuse : « Alfred De Dreux, me dit-il, a été beaucoup imité, beaucoup copié. On trouve sur le marché plus de faux que de vrais De Dreux. Mais, en fait, il est assez facile – quand on connaît soi-même les chevaux – de détecter les faux. Si, dans un tableau signé De Dreux, un détail anatomique cloche, un muscle est mal placé, une posture mal rendue, c'est que c'est un faux. De Dreux avait une parfaite connaissance de la morphologie des chevaux, et lorsqu'il représentait un cheval, il le représentait toujours juste. »

De Dreux appréciait tellement la belle plastique chevaline qu'il en mourut, le pauvre (j'arrive enfin, on le voit, à mon sujet). Voilà l'histoire.

Elle se passe au début de la seconde moitié du XIXe siècle, sous le règne de Napoléon III. Ce dernier, grand amateur de chevaux lui aussi, et appréciant la justesse du travail d'Alfred De Dreux, lui passe commande d'une toile. Une sorte de portrait officiel, géant, grandeur nature et, bien sûr, à cheval ! Seul problème : l'Empereur n'a pas de temps à perdre avec d'interminables séances de pose : que l'artiste se débrouille !

De Dreux se débrouille donc, et représente son impérial client juché sur un magnifique anglo-arabe. L'œil exorbité, l'animal est comme gonflé d'orgueil de porter une aussi noble paire de fesses. Le tableau, conservé aujourd'hui au Musée de l'Armée, à Paris, mesure trois mètres de haut sur plus de deux mètres de large ! Satisfait du résultat, Napoléon III demande quelle monture a servi de modèle au peintre. « C'est son propre cheval », lui répond son grand écuyer, le comte Émile-Félix Fleury, auquel l'Empereur confie aussitôt le soin d'acheter à De Dreux cette bête splendide. À n'importe quel prix. Fleury ne se le fait pas dire deux fois. Par contre, lorsqu'il vient rendre compte au souverain de ses négociations, il double, carrément, le montant que lui avait indiqué le peintre. L'Empereur remet la somme (exorbitante) à Fleury, qui en reverse une moitié à De Dreux – et empoche l'autre moitié !

Quelque temps plus tard, De Dreux est reçu, parmi une foule d'autres invités, au Palais. L'Empereur l'interpelle : « Dites donc, De Dreux, très bien, votre cheval, mais un peu cher ! » Apprenant le montant versé à Fleury, De Dreux, scandalisé, provoque ce dernier en duel. Le peintre, hélas moins habile au fleuret ou au pistolet qu'au pinceau, est grièvement blessé. Il serait mort, dit la légende, des suites de cette blessure.

Pas du tout, nous révèle Marie-Christine Renauld dans son monumental ouvrage consacré au peintre (Actes Sud, 2008). De Dreux n'a pas succombé des suites de ce duel qui, d'ailleurs, n'a sans doute jamais eu lieu. Il est mort, ce qui est évidemment beaucoup moins romantique, d'une hépatite, ou d'un « abcès au foie » !

Pour consoler ceux que la révélation des véritables causes, terriblement triviales, de ce décès aurait déçu, voici une autre histoire (vraie, cette fois – du moins je l'espère !) dont les principaux acteurs sont, là encore, un peintre et un empereur, mais qui s'est déroulée vingt-deux siècles auparavant : au temps d'Alexandre le Grand (356 à 323 avant notre ère).

Le peintre en vogue de l'époque s'appelle Appellès : un Grec venu exercer ses talents à la cour de Macédoine, où il devient le portraitiste attitré (et l'ami) du roi, dont l'habileté à cheval est déjà célèbre : tout gamin encore, ce dernier était parvenu – tout le monde connaît cette histoire – à amadouer un cheval réputé indomptable, Bucéphale.

Un jour, ayant achevé un nouveau portrait équestre de son maître, Appellès, pas mécontent, ma foi, du résultat, se hâte de le lui montrer. Alexandre le contemple un instant, mais s'en va sans exprimer le moindre avis. L'artiste est à la fois un peu vexé et un peu inquiet. Heureusement, Alexandre ne semble pas lui tenir rigueur d'avoir plus ou moins raté son portrait car, quelques jours plus tard, le voilà qui revient à l'atelier du peintre. À peine la monture sur laquelle il est venu a-t-elle aperçu le tableau, qu'elle se met à hennir, à piaffer, à renâcler. Appellès s'adresse alors à l'auguste cavalier ; et lui dit : « il me semble, Sire, que ce cheval s'y connaît mieux en peinture que votre Majesté ! »

Cette histoire prouve au moins deux choses. *Primo* que les artistes, dans l'Antiquité, pouvaient faire preuve d'une liberté de ton à l'égard des puissants que l'on ne trouve pas fréquemment de nos jours. *Secundo* que les chevaux ont soit un goût artistique très prononcé, soit une acuité visuelle plutôt médiocre. Mais ce n'est pas la seule hypothèse (et non, comme certains l'écrivent, hippothèse), ainsi qu'on va le découvrir un peu plus loin.

J'ai glané l'anecdote qui précède dans un délicieux petit bouquin paru en 1821, intitulé « Histoire des chevaux célèbres » et dû à un sympathique graphomane, Pierre-Jean-Baptiste Nougaret, auteur « d'une quantité prodigieuse d'ouvrages de toute nature dont quelques-uns licencieux », (précise le général Mennessier de la Lance dans son « Essai de Bibliographie Hippique »). Dans ce même recueil – véritable mine –, Nougaret raconte une autre histoire, qui laisse rêveur.

Il y avait à Olympie, rapporte-t-il, « un cheval de bronze qui, sans être de la dernière beauté, attirait chaque jour auprès de lui tous les chevaux des environs. » Et Nougaret de citer Pausanias (non pas le soldat, mais l'écrivain) d'autant plus digne de foi, nous dit notre auteur, qu'il fut témoin oculaire. « Les chevaux entiers, écrit Pausanias, sont tellement épris de cette statue que, rompant leurs licols, ils s'échappent de l'écurie, et viennent pour monter sur ce cheval, comme si c'était une belle cavale vivante ; leurs efforts sont vains, leurs pieds glissent sur le bronze ; mais ils ne se rebutent pas, ils redoublent d'ardeur, ils écument, ils hennissent, et pour les faire cesser, il faut les éloigner à grands coups de fouet. »

Pour essayer de justifier ce comportement, commente alors Nougaret, certains ont attribué aux chevaux un certain goût pour les chefs-d'œuvre de la sculpture (!). D'autres auteurs voient là la preuve absolue du fait que les chevaux sont complètement idiots. Ces deux attitudes sont, à mon avis, excessives.

De nos jours, cette capacité des chevaux à se laisser leurrer par une simple silhouette ou un mannequin n'évoquant que très grossièrement une congénère est mise à profit pour recueillir dans une espèce de poupée gonflable la semence de certains étalons, qui sera ensuite congelée, puis revendue au prix fort pour être inséminée enfin à des poulinières qui ne connaîtront ainsi jamais les joies (?) de la saillie naturelle.

À quoi attribuer cette étrange facilité qu'ont les chevaux à se laisser ainsi berner ? Certainement pas à leur mauvaise vue : ainsi que le rappelle Maria Franchini dans le formidable plaidoyer qu'elle vient de publier sous le titre « De l'intelligence des chevaux » (Zulma, 2009), ces animaux sont au contraire dotés d'un système visuel très perfectionné : vue panoramique, vision nocturne « très performante », etc. Faut-il alors se résoudre à l'autre version : une espèce de crétinerie congénitale ? Maria Franchini s'attache à tenter de démontrer le contraire.

Après nous avoir mis en garde, dès la page 14, contre la tentation, lorsqu'on parle de l'intelligence des animaux en général et du cheval en particulier, de faire de l'anthropocentrisme, la bonne dame passe son temps, sur les 250 pages que compte son livre, à comparer les chevaux aux hommes. Mais c'est pour la bonne cause, et après avoir heureusement précisé qu'avoir « des points communs n'est pas être identiques. » Ainsi fait-elle observer, pour expliquer l'étrange comportement amoureux des chevaux que « en situation d'abstinence, les mâles de nombreuses espèces, *sans exclure la nôtre* [c'est moi qui souligne], sont sensibles à des leurres sexuels » (page 104).

Tout au long de sa plaidoirie, destinée à prouver que les chevaux ne sont pas si bêtes qu'on le croit et qu'on le dit souvent, Maria Franchini adopte ainsi, en bonne avocate, une tactique de défense qui consiste à attaquer. Les hommes reprochent aux chevaux tel ou tel comportement. Mais les hommes se comportent-ils véritablement mieux que des chevaux ? Des animaux ou des hommes, lesquels font le plus de bêtises

À contempler l'attitude de certains hommes, de certains groupes humains, de certains peuples, on peut, en effet, se poser parfois la question : des humains ou des animaux, lesquels font preuve de la plus basse, la plus ignoble, la plus cruelle bestialité ?

[Paru dans LA REVUE n° 1 (avril 2010) dans la rubrique *La bride sur le cou*.]

ÉLOGE DES MONSTRES

À l'Opéra de Paris, on ne se refuse rien. Ni les plus belles voix, ni les meilleurs chefs, ni les mises-en-scène les plus extravagantes, ni les grèves les plus scandaleuses. Pourquoi d'ailleurs, s'en priverait-on ? À l'Opéra de Paris, on a les moyens.

Pour se faire une idée de l'ampleur de ces moyens, il n'y a rien de mieux que d'écouter – on fera ici une exception – Bernard Kouchner. Son ministère – les Affaires étrangères – ayant été épinglé, l'année dernière, par la Cour des comptes, il réagit aussitôt, comme à son habitude, avec indignation et véhémence, par une tribune publiée dans *Le Figaro* du 8 avril 2008. Après avoir rappelé les servitudes et la grandeur du métier de diplomate, il y écrit : « le fonctionnement de nos ambassades coûte 93 millions d'euros, soit moins que la subvention versée par l'État chaque année à l'Opéra de Paris. » La comparaison vaut ce qu'elle vaut, du moins offre-t-elle l'avantage d'être très parlante.

À l'Opéra de Paris, donc, on ne regarde pas trop à la dépense. Parmi les petites folies que s'offre la vénérable institution, il y a la publication d'une jolie gazette bien comme il faut – à la fois chic et branchouille – qui s'intitule *Ligne 8*. Pourquoi ce titre ? Parce que c'est le numéro de la ligne de métro qui dessert sans changement les deux salles dont elle dispose : le Palais Garnier et l'Opéra Bastille. Or le métro est le moyen de transport préféré, tout le monde le sait, des amateurs d'art lyrique et de ceux qui fréquentent ces lieux où le prix moyen d'un strapontin tourne autour de 80 euros.

Un des derniers numéros de ce luxueux périodique (n° 24, daté mars-avril 2009) rapporte les propos du jeune et prodigieux chef d'orchestre Teodor Currentzis venu de Novossibirsk (Sibérie) diriger l'opéra de Verdi inspiré du fameux drame shakespearien « Macbeth ». (Réjouissons-nous, au passage, de cette mondialisation positive où le chef est grec, le metteur en scène russe, la musique italienne, la tragédie anglaise et l'auditoire français). Dans cet article, le fougueux Currentzis tente d'expliquer ce qui constitue, à ses yeux, la véritable intention de

Verdi : « Conduire le spectateur jusqu'à aimer les personnages négatifs » de la pièce. Autrement dit « Jusqu'à aimer les monstres ».

Cela me rappelle soudain quelque chose. Un très lointain souvenir. Un événement ancien, enfoui au fond de ma mémoire. C'était en 1962. Je n'avais pas vingt ans. Rêvant de devenir journaliste, je m'étais débrouillé pour me faire engager à *Combat*, un quotidien issu de la Résistance, fondé clandestinement en 1941 par Albert Camus et racheté en 1953 par un homme d'affaire (et de presse) tunisien, Henry Smadja.

Profitant de la présence à Paris de Salvador Dali, venu faire la promo du premier grand livre qui lui était consacré (« Dali de Gala », par Robert Descharnes, à la Bibliothèque des Arts), je décidai de rapporter à « mon » journal mon premier scoop : une interview exclusive de l'illustre peintre aux moustaches en guidon de vélo. Malgré mon jeune âge et mon inexpérience manifeste, le maître accepta de me recevoir deux fois. Une première fois à la librairie « La Hune », place Saint-Germain-des-Prés, où il dédicaçait l'ouvrage ; une seconde fois à l'hôtel Meurice, où il me reçut... dans l'ascenseur !

Il est vrai que celui-ci, immobilisé pour la circonstance au rez-de-chaussée, présente un certain confort : une large banquette de velours rouge permet au maître d'y trôner. De sa longue canne à pommeau d'argent, il me fait signe de m'asseoir sur le tabouret du liftier, et développe alors pour le gamin éberlué que je suis certains des thèmes qu'il avait déjà abordés au cours de notre premier entretien.

Parue le 12 décembre 1962 dans *Combat*, l'interview est reprise le lendemain par l'ensemble de la presse parisienne. Il y a de quoi : fidèle à son goût pour le paradoxe et le scandale, Dali y tient en effet quelques propos provocateurs, sur lesquels je passe, pour n'en retenir ici que ceux-ci :

« Je suis un spécialiste des monstres. Je m'attache toujours à en créer de nouveaux, car j'aime beaucoup les monstres. Il y a en eux quelque chose d'angélique qui me plaît énormément, quelque chose dans lequel Dieu est responsable, n'est-ce pas ? Les monstres, il faut les choyer, les habiller de dentelles. Ce sont des êtres exceptionnels qui doivent être l'objet de toute notre attention, que l'on doit traiter avec beaucoup d'égard et de soins. Les rois d'Espagne, comme Vélasquez l'a parfaitement peint, aimaient s'entourer de monstres et de crétins – êtres uniques et bénits. »

Certes, il n'y a pas grand rapport entre les monstres que Verdi veut faire aimer et ceux dont Dali dit raffoler : la monstruosité des premiers est plus morale que physique, celle des seconds plus anatomique que cérébrale, mais ils ont tout de même, à en croire certains auteurs, quelque chose en commun.

Fasciné lui aussi par les personnages monstrueux – spécialement ceux, les pires, qui s'en prennent aux enfants – l'écrivain Michel Tournier, par exemple, partage l'avis de Salvador Dali : pour lui aussi, les monstres sont des anges !

On ne se méfiera jamais assez des philosophes : ancien professeur de philosophie, en effet, Michel Tournier est l'auteur d'un merveilleux petit livre, d'apparence anodine, « Le miroir des idées » (Mercure de France, 1999) dans lequel il s'amuse à souligner des contraires, opposer des concepts – et pas toujours de façon abstraite, comme lorsqu'il compare le taureau (ou le cerf) au cheval : « toute la force du cerf est dans ses épaules et dans son encolure », écrit-il, alors que celle du cheval est dans sa croupe. L'un est tiré vers l'avant, l'autre poussé de l'arrière. Pour se défendre, le cerf attaque, le cheval rue.

Mais le chapitre le plus original de cet essai est celui qu'il consacre… à Dieu. Savez-vous, demande-t-il, qui est le contraire de dieu ? Le diable ? Pas du tout, répond-il : c'est l'absence de dieu. Pas de diable sans dieu, pas de dieu sans diable : leur existence à tous deux est consubstantielle. De là à affirmer que ce ne sont que les deux faces d'une même réalité, il n'y a qu'un pas, que Michel Tournier, ce démon, franchit allégrement dans un autre petit livre, infiniment plus inquiétant, paru en 1983 chez Gallimard sous le titre « Gilles et Jeanne ».

Le Gilles en question, naturellement, c'est Gilles de Rais, un des personnages les plus épouvantables de l'histoire de France. Et la Jeanne, c'est sainte Jeanne d'Arc, dont Gilles fut, avec Xaintrailles, La Hire et quelques autres, un vaillant compagnon. Beau et richissime, pieux et courageux, le gaillard, nommé maréchal de France à l'âge de 25 ans, aurait eu tout pour plaire s'il n'était devenu, quelques années après la mort de Jeanne – à partir, disons, de 1435 – un criminel horrifiant, fou de sexe et de sang, un assassin d'enfants (par dizaines, probablement même plusieurs centaines !), bref, un monstre, un vrai, un grand.

L'ampleur exceptionnelle de ses méfaits lui valut une postérité littéraire tout aussi exceptionnelle. C'est à lui, sans aucun doute, que pensait Charles Perrault lorsqu'il écrivit, deux siècles plus tard, « Barbe Bleue ». C'est à lui que se réfère Joris-Karl Huysmans lorsque ce dernier entreprend, dans « Là-bas » (1891) une plongée soi-disant romanesque dans le satanisme, la diablerie, la démonologie – pour certains même, la démonolâtrie, insinuant que le Mal mène au Bien et que, comme l'écrit Yves Hersant, un des meilleurs exégètes de l'écrivain, « la patte crochue du Démon désigne le chemin de l'Église. » (!)

Dans le petit essai romanesque signalé plus haut, Michel Tournier défend une thèse voisine. Ressassant son leitmotiv sur la complémentarité du diable et de dieu, il fait dire à un de ses personnages : « Satan est l'image de Dieu, une image inversée. »

On a compris : pour Tournier, Gilles de Rais n'est que la face inversée de Jeanne d'Arc. D'ailleurs, avait-il averti dès les premières pages de son livre « Jeanne n'est ni une fille ni un garçon, c'est clair, n'est-ce pas, c'est qu'elle est un ange. » Et Gilles, un ange aussi, mais un ange déchu.

Plus de dix ans avant la parution de « Gilles et Jeanne », le monstre du XVe siècle avait fourni déjà à Michel Tournier la matière d'un roman qui lui avait d'ailleurs valu le prix Goncourt, l'élection à l'académie du même nom, et l'estime de François Mitterrand. Lequel, devenu président de la République, se démena beaucoup, mais en vain, pour que le Nobel de Littérature soit accordé à l'auteur du « Roi des Aulnes » (Gallimard, 1970). Dans ce roman, en effet magnifique, Tournier raconte l'histoire d'un Français fait prisonnier en 1940, puis acheminé vers la Prusse orientale où il devient une sorte d'ogre dévoreur d'enfants, chargé d'approvisionner en chair fraîche une espèce de haras humain dans lequel les nazis sélectionnent et dressent des jeunes gens destinés à constituer la future élite du IIIe Reich ! Les allusions au compagnon de Jeanne d'Arc sont transparentes, ne serait-ce que par le patronyme du héros, Tiffauges, auquel Tournier a donné le nom du repaire dans lequel Gilles de Rais a commis ses principaux méfaits. Et, loin d'aider le lecteur à clarifier l'ambiguïté malsaine de son chef-d'œuvre, Tournier le dédie à un personnage également peu recommandable : Raspoutine !

De nos jours encore, le monstre continue à fasciner. Le cadavre de Gilles de Rais bouge toujours, ressuscité récemment par Pierre Combescot dans un court récit à l'écriture superbe, dont le titre reprend mot à mot une phrase prononcée par Gilles devant ses juges qui le somment d'expliquer son comportement : « Pour mon plaisir et ma délectation charnelle » (Grasset, 2008).

À la différence de Tournier qui, dans « Gilles et Jeanne », semble parfois prendre autant de plaisir à décrire les tripotages sanglants de son héros que ce dernier en prenait à les pratiquer, Combescot s'en tient à des descriptions cliniques, impeccables et rigides. Combescot écrit comme d'autres font de la chirurgie : au scalpel. Ou, mieux, comme d'autres font de l'orfèvrerie : son livre est un bijou, dur et brillant comme un diamant. Styliste exigeant, il se fait aussi chroniqueur méticuleux, ne se contentant point de fignoler le portrait de ses personnages, mais décrivant, en de vastes fresques, une époque compliquée, mystique et violente.

En bon historien, Combescot se garde bien de porter le moindre jugement sur les faits et gestes des uns et des autres, mais on sent bien son attirance, sa fascination – son amour, peut-être – pour son héros.

Sans partager cet enthousiasme, il me faut avouer que, par certains aspects, Gilles de Rais avait de quoi séduire. C'était un chevalier, un écuyer. Mieux encore, un cavalier qui prenait soin de ses chevaux : il montait, en particulier, rapporte Combescot, « un étalon gris dont il fait laver les jambes avec du vin et du miel ». Un homme qui traite comme cela ses montures ne peut pas être entièrement mauvais. Peut-être y a-t-il donc bien quelque chose de saint chez ce démon ?

Peut-être, à l'inverse, y avait-il quelque chose de diabolique chez Jeanne ? En tout cas, il semble que l'Église se soit posée la question longtemps encore après avoir condamnée la Pucelle au bûcher. Il lui a fallu cinq siècles de réflexion, en effet, pour qu'elle se décide enfin à la béatifier (1909) puis à la sanctifier (1920).

Si cela n'avait tenu qu'à moi, il y aurait eu belle lurette qu'on en aurait décidé. Jeanne, bien sûr, est une sainte véritable : elle aimait les chevaux. Au cours de son procès, on lui reprocha même de les avoir trop aimés. Un livre entier a été consacré à cette pieuse passion, « Jeanne d'Arc écuyère ». Écrit par un officier de cavalerie, publié en 1901, il est encore disponible, grâce à une récente réédition (Favre, 1999). L'auteur nous y révèle, dans un style délicieusement démodé, mille détails aussi piquants que les éperons dont Jeanne était équipée. Il y calcule, en particulier, le nombre de kilomètres parcourus à cheval par elle, entre fin février 1429 et fin décembre 1430, pour arriver au chiffre fantastique de 5 329 kilomètres ! Soit près de 250 km par mois, tous les mois pendant vingt-deux mois ! Aucun cavalier dit d'endurance ne serait aujourd'hui capable d'un tel exploit.

Rien d'étonnant, donc, que la plupart des statues consacrées à la Pucelle la représente à cheval – de préférence sur un étalon aux attributs virils bien visibles. De tous les héros nationaux français, Jeanne d'Arc est sans doute la plus statufiée : un inventaire réalisé en 1979 comptabilise trois cent cinquante monuments à sa gloire réalisés entre 1850 et 1930. Sans parler des œuvres littéraires ou artistiques, des tragédies (Schiller, Péguy, Claudel, Anouilh), des opéras (Tchaïkovski, Honegger), ou des films (Dreyer, Preminger, Bresson, Rivette, Besson).

Le culte de la sainte cavalière dépasse même aujourd'hui les frontières hexagonales : au 85 rue Petit (75019 Paris), en effet, se trouve le siège d'une Association *Universelle* des Amis de Jeanne d'Arc.

[Paru dans LA REVUE POUR L'INTELLIGENCE DU MONDE n° 22 (octobre-novembre 2009).]

LA RÉVOLUTION DE LA RENAISSANCE

Même si le phénomène s'est bien produit, en effet, au cours de cette longue période – XVe- XVIe siècles – que les historiens des idées appellent la Renaissance, le mot de renaissance me paraît un peu faible pour rendre compte du profond bouleversement que connut alors, en Europe occidentale, la manière d'utiliser les chevaux. Si ce mot implique un retour, le réveil d'un long sommeil, la résurrection d'un passé qui avait provisoirement disparu, il ne s'agit de rien de tel en matière d'équitation. Dans ce domaine, on assiste au contraire à une rupture radicale, à la mort d'une pratique ancienne, totalement démodée, inadaptée, devenue définitivement caduque. Et à la naissance – pas la re-naissance ! – d'une façon entièrement nouvelle d'envisager l'usage du cheval.

Pour être clair, quitte à résumer et simplifier beaucoup (je ne dispose ici que d'un petit quart d'heure pour exposer un sujet qui a rempli des bibliothèques entières), dans cet intervalle qui sépare le Moyen Âge du Siècle des Lumières, on est passé – véritable révolution ! – de la cavalerie lourde, pour ne pas dire balourde, pesante, difficile à manœuvrer, à une cavalerie plus légère, plus mobile et, accessoirement, plus gracieuse.

Puissamment caparaçonné et surmonté, le pauvre, d'un cavalier lui-même engoncé dans une carapace de fer, le cheval de guerre, au Moyen Âge, devait aller combattre en portant une charge d'environ 160 kilos ! Seuls des chevaux non seulement robustes mais énergiques pouvaient assurer ce service, et encore, à condition d'être amenés encore frais sur le champ de bataille. (Puisque c'est la littérature qui nous réunit ici, une petite précision concernant le vocabulaire : pour lui épargner des fatigues inutiles avant la bagarre, ce genre de cheval était souvent mené nu, sans harnachement, jusqu'au lieu où il lui faudrait guerroyer. On le tenait de la main droite : il était conduit en dextre. Raison pour laquelle on l'appela destrier. C'est, du moins, une des versions de l'origine de ce mot).

Premier coup de semonce à ce type de cavalerie : le désastre de Crécy (le 26 août 1346), première grande bataille de la Guerre de Cent

Ans, au cours de laquelle les charges répétées de la cavalerie française furent brisées par le tir meurtrier des archers et arbalétriers anglais… mais aussi par le choc des canons, dont c'est la première apparition en Occident.

Il faudra beaucoup de temps à la chevalerie pour comprendre, puisque, près d'un siècle plus tard – soixante-neuf ans exactement –, n'ayant en rien modifié ses méthodes, elle fut anéantie à Azincourt (le 25 octobre 1415) par l'armée anglaise de Henri V, laissant à ce dernier champ libre pour conquérir une grande partie de notre pays.

Il nous fallut bien d'autres mésaventures et plus d'un siècle encore pour comprendre que, face à la généralisation de l'utilisation des armes à feu, le meilleur parti que l'on pouvait tirer du cheval était davantage dans sa mobilité, sa rapidité, sa capacité à esquiver, pirouetter, vire-volter, aller-venir à vive allure – que dans sa puissance, sa masse, sa force de frappe.

Comme le fait observer Jean-Pierre Digard dans son excellente « Histoire du cheval » (Actes Sud, 2004), « la transition d'une force militaire reposant presque exclusivement sur les gens d'armes à une autre, fondée sur la complémentarité entre artillerie, infanterie et cavalerie, fut lente. Commencée peu après la fin de la guerre de Cent Ans (victoire des Suisses soutenus par Louis XI sur la cavalerie de Charles le Téméraire en 1476), elle s'est poursuivie durant les guerres d'Italie […] pour ne s'achever que dans le courant de la guerre de Trente Ans. »

Et de citer les chiffres fournis par Bodinier dans l'article *cavalerie* du « Dictionnaire du Grand Siècle » de François Bluche (Fayard, 1990) : « En 1494, la cavalerie constitue encore les deux tiers de l'armée de Charles VIII ; trente ans plus tard, elle ne formait plus que le dixième de celle de François Ier. En Espagne, cette proportion passa de un cinquième à un douzième. »

On imagine facilement qu'un tel bouleversement entraîna de nombreux changements dans l'équipement du cavalier, le harnachement du cheval, et même dans le choix de la morphologie de ce dernier. Mais c'est dans l'art de le dresser, de le monter, d'obtenir de lui la plus grande maniabilité qu'eut lieu la plus formidable révolution. J'ai utilisé le mot « art » intentionnellement – car c'est bien à cela qu'on assista alors : au passage d'une équitation rudimentaire, pour ne pas dire primaire, celle des joutes et des tournois – radada ! –, à une équitation sophistiquée, savante. Bref, à la naissance de « l'art équestre », cette équitation qu'on appellera plus tard l'équitation classique.

Comme pour les autres arts, la lumière viendra d'Italie. Si Florence a été un des principaux foyers de la Renaissance des arts plastiques – peinture, sculpture, architecture –, le berceau de cet art nouveau qu'est l'équitation dite « de haute-école » est indiscutablement la ville de Naples. C'est là que sont nées les premières académies équestres, et qu'ont été écrits les premiers traités sur l'art et la manière de dresser les chevaux.

Sans entrer dans les détails techniques, quelques noms et quelques dates.

Une grande figure s'impose : celle du « gentil-homme napolitain » Federigo Grisone, dont l'ouvrage, paru en 1550, devint un peu partout en Europe une sorte de bible équestre, traduite enfin en français neuf ans plus tard sous le titre « L'Ecuirie (*sic*) en laquelle est monstré l'ordre et l'art de choysir, dompter, piquer, dresser et manier les chevaux tant pour l'usage de la guerre qu'autre commodité de l'homme » (!). Grisone y décrit non seulement « le ramener », mais « la mise en main », qui sont les conditions, tous les spécialistes vous le diront, du « rassembler » sans lequel il n'y a pas d'équilibre et donc de légèreté, autrement dit de belle équitation.

Voulant que le cheval soit « juste et léger », il s'efforce de le rendre, par divers exercices « à la bouche doux et bon appuy » ce qui est, précise-t-il lui-même, « le fondement de toute (sa) doctrine ». Il veut qu'entre le cavalier et sa monture règne « harmonie et concordance comme si c'estoit une musique. »

Certes, le sieur Grisone préconise encore, pour venir à bout de la mauvaise volonté d'un cheval à exécuter ce que lui demande son écuyer, des procédés que la morale réprouve (passer sous le ventre du cheval récalcitrant une petite balle de paille enflammée ou, mieux encore, un chat ficelé au bout d'une perche) mais, pour l'essentiel, le regard qu'il porte sur l'animal est résolument moderne, accordant au cheval intelligence et volonté, et recommandant douceur et patience dans la progression de son dressage.

Autre personnage majeur : Giambattista Pignatelli, lui aussi Napolitain, venu peu de temps après Grisone : il devait avoir une vingtaine d'années lorsque ce dernier fit paraître son fameux traité. De Pignatelli, par contre, on ne possède aucun texte, mais mieux que cela, on dispose du témoignage de ses élèves, parmi lesquels quelques Français qui devinrent de célèbres écuyers. J'en citerai deux.

Salomon de La Broue (1530-1610), venu voir travailler Pignatelli parce que ce dernier était capable, écrit-il, de rendre « les chevaux si obéissants » en les « maniant si justement ». Devenu écuyer à la Grande Écurie du Roi (sous Henri III) dont le premier écuyer, le chevalier de Saint-Antoine, avait été lui aussi l'élève de Pignatelli, Salomon de La Broue est l'auteur de deux traités magistraux : Les « Préceptes que les bons cavalerisses doivent exactement observer », en 1593 et, en 1602, « Le Cavalerice françois, contenant les préceptes principaux qu'il faut observer exactement pour bien dresser les chevaux. »

L'autre est l'illustre Antoine de Pluvinel (1555-1620), le maître d'équitation du (futur) roi Louis XIII. Avant d'occuper cette éminente fonction, il était allé à Naples s'instruire auprès de Pignatelli qui, rapporte Pluvinel, enseignait qu'avec les chevaux il faut « estre avare des coups et prodigue des caresses. »

Après un séjour de quatre ou cinq ans auprès du maître italien, Antoine de Pluvinel est nommé Premier écuyer du frère du roi de France, Charles IX. Lorsqu'il devint roi à son tour, sous le nom de Henri III, puis lorsque succéda à ce dernier son cousin Henri IV, Pluvinel fut maintenu dans ses fonctions, honneurs et charges. C'est donc tout naturellement qu'on lui confia l'éducation équestre de l'héritier du trône. Les leçons données par le vieux maître à son jeune élève se retrouvent, sous forme de dialogues, dans un de plus beaux textes de ce que Paul Morand appelle la littérature équestre, « L'Instruction du Roy en l'exercice de monter à cheval », sinon rédigé, du moins mis en forme, par un ami de Pluvinel, Menou de Charnizay et paru cinq ans après sa mort.

Salomon de La Broue et Antoine de Pluvinel sont deux des principaux précurseurs de cette belle équitation française qui, un siècle plus tard, sous la houlette de François Robichon de La Guérinière, atteindra une sorte d'idéal et sera universellement considérée comme le parangon, le paroxysme, l'apogée, l'apothéose de l'art équestre.

Si, en 1550, Grisone parlait encore d'un usage militaire du cheval, il n'en est plus guère question par la suite. Depuis l'accident ayant coûté la vie au roi Henri II (fils de François Ier), tué d'un coup de lance au cours d'un tournoi (en 1559), ce genre de distraction idiote est interdit en France. Divertissement moins violent, l'équitation de haute-école, faite de jolies galipettes et de gracieuses figures, s'impose peu à peu comme le complément indispensable à la vie aristocratique. Jean-Pierre Digard, dans un ouvrage dont j'ai déjà signalé l'intérêt, a cette formule heureuse : « Alors que se réduisait le rôle de la cavalerie en tant qu'arme dans les batailles, les milieux de cour des grandes monarchies d'Europe développèrent une équitation de dressage complexe et raffinée qui n'avait plus grand-chose à voir avec l'entraînement au combat, transformèrent les manèges en annexes des salons, et les académies équestres en lieux d'éducation des jeunes nobles. »

L'art de monter à cheval est dès lors considéré comme une bonne préparation à l'art de gouverner : le problème n'est-il pas, pour l'écuyer comme pour le prince, de même nature ? Il s'agit bien, dans les deux cas, de savoir imposer sa volonté à une force supérieure.

Un brillant cavalier anglais, William Cavendish, comte, puis marquis, puis duc de Newcastle, auteur d'un traité magistral, publié en 1657, à Anvers, mais en français, et doté d'un titre superbe : « La Méthode nouvelle et Invention extraordinaire de dresser les chevaux, les travailler selon la nature et parfaire la nature par la subtilité de l'art » (!), se fit très explicite à ce sujet : « Un roi, écrit-il, étant bon cavalier, saura mieux gouverner ses peuples ; quand il faudra les récompenser ou les châtier ; quand il faudra leur tenir la main serrée ou quand il faudra la relâcher ; quand il faudra les aider doucement, ou en quel temps il sera convenable de les éperonner. »

(Voilà pourquoi, peut-être, Nicolas Sarkozy s'est mis récemment, de passage en Camargue, à l'équitation.)

On s'est souvent demandé pourquoi les prémices de cette nouvelle façon de monter à cheval, les premiers balbutiements de ce qui deviendra l'équitation savante, l'équitation académique, avec ses figures et airs de basse et haute-école – pourquoi, donc, et comment, cet art nouveau a surgi soudain, aux XVe et XVIe siècles, en Italie du Sud, et pas ailleurs ?

Certains ont répondu : tout simplement parce qu'on disposait alors à Naples des chevaux aptes à ce genre de simagrées.

Résultat inattendu d'une histoire mouvementée, ayant subi de multiples influences, à la fois orientales et occidentales, le royaume de Naples, en effet, a développé un type de chevaux – je n'ose pas dire une race –, appelé tout simplement le napolitain, aujourd'hui totalement disparu (mais qu'un éleveur passionné, Giuseppe Maresca, s'efforce de reconstituer), dont on trouve trace, par exemple, dans le lipizzan, ce petit cheval gris spécialement doué pour les airs relevés (levade, croupade, cabriole) qui, de nos jours encore, assure l'exclusivité de la remonte de l'illustre École Espagnole de Vienne.

Pour certains, l'origine du cheval napolitain date du fameux épisode de la campagne menée par Hannibal en Italie (deux siècles avant notre ère), connu sous le nom des « délices de Capoue ». Si le chef carthaginois voulut s'arrêter dans cette ville charmante de Campanie (située un peu au nord de Naples), ce n'était pas seulement pour s'y reposer avant d'attaquer Rome, pas seulement pour y jouir de sa douceur et s'y abandonner aux plaisirs. C'était aussi pour assurer la remonte de sa cavalerie : Capoue, à l'époque, était déjà célèbre pour ses chevaux (d'origine étrusque). Qu'il y ait eu des croisements entre eux et les chevaux puniques (autrement dit : des barbes), importés par les Carthaginois, c'est plus que probable… Toujours est-il que, quatorze siècles plus tard, lorsque Charles d'Anjou, à l'instigation du pape, vint s'emparer de Naples (il en deviendra roi, sous le nom de Charles Ier), il fut sidéré par la prodigieuse beauté, très orientale, des chevaux qu'il y trouva.

Au tout début du XVe siècle, les Aragonais succèdent aux Angevins à Naples. Ils y amènent leurs propres chevaux – ibériques – qui, croisés aux chevaux locaux, donnent enfin cette « race » napolitaine dont Salomon de La Broue écrira qu'elle produit des chevaux « parfaits en beauté et bonté ».

Les Espagnols n'importent pas que leurs chevaux, mais aussi l'art de les utiliser. Deux types d'équitation cohabitent alors dans la péninsule. Une équitation dite *a la brida* (pour simplifier : on monte étriers longs, profondément assis dans sa selle – un peu comme au temps des chevaliers) et une autre, diamétralement opposée, dite *a la jineta* (étriers courts), manifestement inspirée de la façon de monter des Arabes – et surtout des Berbères – venus en conquérants au VIIIe siècle de notre ère. Fers de lance de la conquête : les Zénètes, une tribu berbère d'intrépides cavaliers, remontés en chevaux eux aussi berbères (des barbes). C'est le nom de cette tribu qui, après déformation, aurait donné non seulement l'expression *a la jineta* mais, pour désigner les belles créatures d'Andalousie nées du croisement entre chevaux barbes et chevaux autochtones, le nom de genet (d'Espagne).

Voilà pourquoi on peut sans trop hésiter se rallier au point de vue de feu le colonel Bogros, ancien écuyer au Cadre Noir de Saumur et auteur d'une merveilleuse « Petite histoire des équitations pour aider à comprendre l'Équitation » (Favre, *caracole*, 1989), lorsqu'il prétend que c'est l'ensemble de ces courants divers qui, en confluant à Naples, y ont engendré l'équitation de basse et haute-école.

On est assez loin, on le voit, des raisons des artistes plasticiens de la Renaissance, qui voulaient (et ont cru) renouer avec le grand art de l'Antiquité, lequel aurait subi une éclipse au long des siècles obscurs du Moyen Âge.

Ce qui n'empêche pas certains écuyers cultivés – espèce en voie de disparition – désireux de faire participer à tout prix l'art équestre au même mouvement que les autres arts, de déployer de louables efforts pour expliquer que si toute la finesse de la haute équitation réside dans la recherche de « l'équilibre du rassembler » – lequel « prend sa source dans l'attitude du ramener », l'idée même de cette recherche remonte aux temps les plus anciens.

Ainsi Patrice Franchet d'Espèrey, écuyer au Cadre Noir de Saumur, responsable du service documentation de l'École Nationale d'Équitation, président de l'Académie Pégase et auteur d'ouvrages savants, fit-il récemment, au cours d'un colloque organisé, à l'occasion du Salon du Cheval de Paris (en décembre 2007), par la Société d'Ethnozootechnie, la communication suivante : « Au Vᵉ siècle avant notre ère, Xénophon décrivait l'attitude que le cheval prend de lui-même quand il veut paraître beau, et précisait que si le cavalier savait l'amener à la reprendre à son indication, le cheval travaillerait avec plaisir. Il transcrivait ainsi dans le domaine de l'équitation les trois concepts de la philosophie de Socrate, dont il était un disciple, du beau, du bon et du vrai […]. La recherche du beau, l'esthétique, considérée comme moyen d'accéder au vrai, s'accompagne ici de la notion aristotélicienne de l'imitation de la nature, qui est belle et bonne. Le cheval qui travaille avec plaisir montre qu'il s'agit bien d'une maïeutique, c'est-à-dire d'une forme d'accouchement de soi-même, de l'accès à une vérité intérieure qui se manifeste par une conduite de joie tant de la part du cheval que de son cavalier. »

Merci à Patrice Franchet d'Espèrey de m'avoir ainsi fait prendre conscience qu'en ayant passé une bonne partie de ma vie à cheval, petit Monsieur Jourdain de l'équitation, j'ai ainsi pratiqué sans le savoir la philosophie !

Merci aussi à feu André Monteilhet, dont l'indispensable dictionnaire des plus grands auteurs de traités d'équitation (« Les Maîtres de l'œuvre équestre », Odège, 1979) m'a, une fois de plus, beaucoup servi dans la préparation de cette communication.

[Prononcée le 30 août 2008 lors du colloque « Renaissance et Nouvelle Renaissance » (*sic*) organisé par Gonzague Saint Bris à Chanceaux-près-Loches, dans le cadre de la treizième édition de *La Forêt des Livres*. J'avais intitulé ma communication « Cheval Renaissance, Renaissance du Cheval ».]

DE LA RENAISSANCE
À LA RÉVOLUTION(INDUSTRIELLE)

[Parmi les bonnes œuvres du Ministère de la Culture, qui accorde soutien et subventions à d'innombrables troupes, orchestres, cirques et compagnies, une des plus discrètes et en même temps des plus utiles est l'aide qu'il apporte à l'édition, à l'écriture, aux traductions, via un organe appelé le CNL: Centre National du Livre. À condition de ne pas être rebutés par l'inévitable paperasse administrative exigée des candidats à ces aides multiformes, nombre d'éditeurs en bénéficient, certains mêmes en vivent.

Grâce à ces subventions, beaucoup de livres à la rentabilité improbable peuvent ainsi voir le jour. Malgré sa très grande ouverture d'esprit, le CNL, toutefois, n'accorde pas son aide aveuglément. Il prend ses précautions, demande leur avis à des experts, consulte des spécialistes. C'est ainsi que mon ami Marc-André Wagner, à l'époque Secrétaire Général du CNL, voulut bien me solliciter, en février 2008, pour examiner un dossier de candidature déposé par les éditions Fayard, afin d'obtenir un éventuel concours pour l'édition d'un énorme manuscrit... de l'illustre Daniel Roche! Me consulter sur le travail d'un professeur au Collège de France, c'était un peu comme demander au détenteur d'un Galop 3 ou 4 de commenter une Reprise de l'École Espagnole de Vienne. Mais puisqu'on m'en priait, je fis mon travail aussi sérieusement que possible – comme on va, j'espère, s'en rendre compte en lisant le rapport ci-après.

L'histoire, qu'on se rassure, finit bien: la subvention demandée fut finalement accordée, et le livre de Daniel Roche parut courant 2008, sous le titre définitif (et interminable!) de « La culture équestre de l'Occident. XVIe-XIXe siècle. L'ombre du cheval. Tome premier: Le cheval moteur ». Ouf!]

Un auteur anglais, un certain Harold Bindoff, a dit un jour qu'il serait bon de rendre l'équitation obligatoire dans l'enseignement de l'histoire.

Derrière la drôlerie de la proposition se cache une vérité profonde: le cheval a participé de si près aux activités humaines, a contribué de façon si déterminante à ses conquêtes – pas seulement militaires, mais aussi économiques – qu'il ne serait pas sérieux, en effet, de ne pas prendre en compte sa place, son rôle, son influence dans l'histoire des hommes.

Il est certain qu'une meilleure connaissance des besoins et de l'utilisation de cet animal aurait évité à bien des historiens des erreurs d'interprétation, voire des contresens, comme celui (pour n'en citer qu'un) qui attribue l'abandon subit de terres récemment conquises par Gengis Khan, par exemple, à une simple lubie de barbare, alors qu'il répondait au contraire à une nécessité urgente et absolue : celle d'offrir à sa cavalerie des pâturages suffisants.

Négligée par les chercheurs patentés, les universitaires, les historiens réputés sérieux, l'étude de cette étroite collaboration entre l'homme et le cheval a été longtemps abandonnée à des officiers de cavalerie passionnés d'histoire, certes, mais ne disposant pas toujours de la formation nécessaire au maniement scientifique des données, des archives, des sources (des noms ? Lefebvre des Noëttes, Piètrement, Champion, et d'autres).

Sans qu'on sache très bien pourquoi, ces historiens d'occasion se sont souvent intéressés davantage aux temps anciens – Antiquité grecque et romaine, Moyen Âge – qu'aux temps modernes, ce que fait d'ailleurs observer dès son introduction Daniel Roche, l'auteur de l'ouvrage monumental dont nous allons tenter de dire ici l'importance, et qui, lui, concentre son propos, au contraire, sur la période moderne : c'est-à-dire, en gros, de la Renaissance à la révolution industrielle – une période relativement courte, reconnaît-il, « par rapport aux cinq mille ans » qui vont des débuts de la domestication (d'hommestication) du cheval jusqu'à nos jours.

Le premier mérite du travail de Daniel Roche est donc de défricher un sujet à peu près vierge de toute recherche scientifique contemporaine digne de ce nom, à l'exception de celle, plus généraliste, d'un Jean-Pierre Digard (« Une histoire du cheval », qualifiée ici, à juste titre, de « grande synthèse »), et de celles, plus spécialisées, de Nicole de Blomac, Yves Grange, Gérard Guillotel, Jean-Louis Libourel et quelques autres – auxquels Daniel Roche se réfère d'ailleurs très (trop ?) souvent. Au détriment, peut-être, de travaux d'amateurs éclairés (Denis Bogros, Philippe Deblaise, André Monteilhet, Georges Nabera-Sartoulet, Christian-Henry Tavard, par exemple) qui, bien que menés en dehors de tout cadre universitaire, n'en fournissent pas moins des points de vue souvent originaux et des pistes intéressantes.

Il faut donc, avant toute chose, rendre grâce à Daniel Roche pour son audace et pour sa témérité. Audace de s'aventurer ainsi avec si peu de munitions sur un terrain quasi inexploré. Témérité d'espérer pouvoir rattraper, en une seule vie, et à soi seul, le temps perdu par ses prédécesseurs.

Il faut ensuite, après avoir pris connaissance du résultat, s'extasier du travail accompli, de la somme de connaissances accumulées, de l'ampleur de l'érudition de son auteur et de l'amplitude du champ balayé par l'honorable (et honoraire) professeur au Collège de France, qui se propose de livrer enfin le compte rendu de ses recherches.

Il aura besoin, pour ce faire, de trois gros volumes.

Daniel Roche, qui ne déteste pas les provocations, se propose de donner à sa trilogie un titre emprunté à une œuvre de Ronsard : « L'ombre du cheval ». Il y a un certain paradoxe à donner ainsi un intitulé éminemment poétique à un travail essentiellement prosaïque – je veux dire : scientifique –, mais heureusement, un sous-titre éclairera le lecteur qui n'aurait pas bien compris. Ce sera, en parfaite conformité, cette fois, avec l'usage universitaire, « La culture équestre occidentale. XVIᵉ-XIXᵉ siècle ».

Le premier volume – le seul dont il sera question ici – porte pour titre « Le cheval moteur » et pour sous-titre « Essai sur l'utilité équestre ».

Si, en France, tout commence et tout s'achève (paraît-il) par des chansons, chez Daniel Roche, c'est par de la poésie. Son introduction, en effet, s'ouvre sur le poème-titre de Pierre Ronsard ; et sa conclusion se termine sur une pièce célèbre et délicieuse dans laquelle Jules Renard parle d'un brave cheval qui « pète, pète, pète. »

Ce seront les seules citations poétiques du volume : dans les (presque) 600 pages qui le composent, il ne sera plus guère question de littérature, à quelques rares exceptions près. Ici ou là, Daniel Roche citera les deux ou trois auteurs pour lesquels il paraît avoir une forte prédilection : Michel de Montaigne, Jean Giono et – plus bizarrement, car ses explorations ne débordent guère les frontières françaises – Ivan Tourgueniev, dont les « Récits d'un chasseur » ont manifestement séduit l'éminent historien.

Peu de littérature, donc, mais une prodigieuse quantité d'autres textes – études, décrets, rapports, témoignages, archives – dépouillés, décortiqués, parfois exhumés par Daniel Roche lui-même, parfois par ses collègues (auxquels il ne manque jamais d'adresser compliments et remerciements), venant étayer ses brillantes démonstrations : aussi brillantes à l'écrit que le furent, à l'oral, ses leçons magistrales au Collège de France.

Pour balayer son sujet, Daniel Roche a choisi un classement non point chronologique, mais thématique. Comme il l'explique lui-même, « ce premier livre est consacré aux relations quotidiennes et à l'utilité de l'œuvre dans une présence généralisée, de la ville à la campagne, des usages aux métiers induits : "Le cheval moteur" retrace l'histoire d'une conquête et de ses moyens. Un second livre, "La puissance et la gloire", s'attachera au rôle social et politique dans l'analyse des traditions, de l'économie et de l'éducation sociale [...] "Connaissances et passions", le troisième livre, sera consacré aux spectacles à travers les images, les livres et les représentations, ainsi qu'à la science des chevaux et à leurs mythologies. »

Les dix chapitres du premier volume permettent à Daniel Roche de brosser un vaste tableau de la place du cheval en France, de la fin du Moyen Âge à l'aube du XXe siècle, son économie, ses utilisations rurales et urbaines, son élevage, sa commercialisation, ainsi que les métiers et les outils liés à ces activités. Rien n'échappe à la curiosité savante du professeur Roche : alimentation, architecture, voitures, hippiatrie, remonte, foires, dénominations...

On est très vite ébloui par l'abondance des faits, des chiffres, des références qui permettent, par leur formidable accumulation, de rendre compte des « transformations multiples » dont les chevaux ont été, de la Renaissance à l'époque contemporaine, à la fois « acteurs et instruments » (page 573).

Quelles que soient ses éventuelles insuffisances, ses possibles faiblesses, ses inévitables défauts, ce travail monumental doit être publié. C'est une évidence, une nécessité, une obligation. Et si sa publication doit être aidée, aidons-la ! Si elle doit être soutenue, soutenons-la ! Il n'y a aucune interrogation, aucune hésitation, aucun doute à avoir à ce sujet. Le prodigieux travail fourni par l'éminent professeur, le dixhuitiemiste universellement reconnu, l'infatigable chercheur qu'est Daniel Roche doit voir le jour. La cause est entendue.

On peut seulement se demander pourquoi Fayard, filiale d'un groupe d'édition dont la fierté consiste à afficher, d'année en année, des résultats en croissance continue, et dont la spécialité consiste à mettre davantage en avant la progression de ses profits que la qualité de sa production, sollicite du CNL un soutien financier.

Si ce soutien est accordé, souhaitons qu'il soit utilisé à rétribuer une équipe de correcteurs qui traqueraient dans le manuscrit du professeur Roche coquilles et erreurs de ponctuation. Trop souvent, des guillemets s'ouvrent pour ne jamais se fermer. Parfois, des virgules parasites coupent inutilement la phrase. La « religion » des majuscules et des italiques ne semble pas définitivement arrêtée. Ce pauvre Houël, prénommé tantôt Hephraïm (pages 176, 237, 322), tantôt Émile (page 274) se prénommait en réalité (si je ne me trompe) Ephrem. Yves Grange, souvent correctement cité, devient subitement, dans la note 76 du chapitre V, Yves Granger, etc. Un index général, aussi, serait le bienvenu.

Il ne faudrait pas, en effet, que ces imperfections de détail, légèrement agaçantes, indisposent le lecteur d'une œuvre aussi remarquable à tous points de vue.

LES TROIS PASSIONS DE VITTORIO ALFIERI

Jamais un texte ne m'a fait souffrir à ce point. Jamais, dans ma vie d'éditeur hippolâtre (1), un poème ne m'a donné tant de mal. Son auteur, l'italien Vittorio Alfieri (1749-1803), après les avoir adorés – pour leurs idées révolutionnaires – s'était mis à détester les Français, qui l'avaient terriblement déçu. J'ai la pénible impression qu'il a voulu se venger de son amertume sur un seul d'entre eux et que, manque de chance, c'est tombé sur moi.

Parmi toutes les bonnes raisons qu'il a d'être agacé par les Français, il en est une qu'Alfieri ne mentionne nulle part, mais qui, personnellement, me paraît assez horripilante, en effet : c'est notre goût immodéré pour les commémorations, les célébrations, les anniversaires, les repentances. Un sommet du genre fut atteint (voilà bientôt vingt ans) avec les cérémonies du bicentenaire de la Révolution. À la radio, à la télé, au cinéma, dans la presse écrite, partout, il fallait impérativement commémorer la prise de la Bastille et tout ce qui s'ensuivit. Même la presse équestre, d'habitude pourtant assez imperméable à l'actualité, voulut être de la partie. Frédéric Chehu, qui dirigeait alors la rédaction de *Cheval magazine* me demanda si j'avais une idée sur la façon dont il pourrait s'y prendre sans sombrer dans l'évocation historique, nécessairement « gonflante ».

Les amis du cheval n'éprouvent que peu de sympathie pour les Révolutionnaires, dont une des premières mesures fut, le 29 janvier 1790, l'abolition du « régime prohibitif » des Haras – poussant le mauvais goût jusqu'à proclamer cette décision absurde dans l'enceinte du grand manège qui jouxtait encore le palais du Louvre (où le Roi avait été assigné à résidence), et d'où l'illustre François Robichon de La Guérinière avait, un demi-siècle auparavant, fait rayonner la belle équitation française.

---

1. Plus de cent titres en vingt ans : qui dit mieux ?

Ayant donc assez peu de raisons de glorifier les bouleversements révolutionnaires dans le domaine qui nous intéresse, mieux valait se tourner, peut-être, vers des récits de voyageurs, qui auraient fréquenté notre beau pays à cette époque et auraient ainsi pu rapporter de leurs pérégrinations des indications, précieuses et/ou pittoresques, sur la façon dont on utilisait le cheval en France à la veille, pendant et au lendemain de la Révolution.

Je connaissais le texte idéal : les notes prises par Arthur Young, un sympathique agronome anglais venu faire un voyage d'étude – il avait bien choisi son moment, le pauvre ! – au royaume de France. Il le sillonna en tous sens, une première fois de mai à novembre 1787, une deuxième d'août à mi-septembre 1788 et une troisième de juin 1789 à 1790. En tout 8 300 kilomètres – entièrement à cheval, bien sûr.

Ses observations sont passionnantes. La description qu'il fait du pays laisse deviner qu'une révolution, en effet, s'impose peut-être…

Il publie son volumineux rapport en 1792, sous le titre « Travels in France », aussitôt traduit en français. (2)

Pour *Cheval magazine*, j'en extrais tout ce qui se rapporte au cheval. Mais c'est beaucoup trop long pour une gazette où doit primer l'image. Elle n'en publie donc que des bribes. (3)

Toutefois, ce n'est pas du travail tout à fait perdu : ces recherches m'ont donné l'occasion de découvrir un autre texte, d'un autre éminent voyageur, qui lui aussi fréquenta la France au bon (c'est-à-dire au pire) moment.

Ce voyageur d'exception s'appelle Vittorio Alfieri. C'est un aristocrate piémontais dont on peut dire, par euphémisme, qu'il a les idées larges. Ennemi de toute forme de tyrannie, monarchie ou despotisme, éclairés ou non, il croit voir en France un terrain idéal à la mise en application de ses idées, à la réalisation de ses rêves.

La France, il la connaît bien. Il y a fait un premier voyage alors qu'il n'avait pas encore 20 ans. Il en pratique la langue, à l'écrit comme à l'oral, mieux même que la sienne. C'est d'ailleurs en français qu'il commence sa carrière d'écrivain, avant de se convertir, avec la fougue qui le caractérise, à l'italien, dans lequel il écrira ensuite plus de vingt pièces

2. « Voyages en France » : je recommande la traduction de Henri Sée, éditée en 1931, puis rééditée en 1976 par Armand Colin.
3. On en trouvera la version intégrale dans « C'est pas con un cheval. C'est pas con !... », paru dans la collection *cheval-chevaux* (Le Rocher, 2003).

de théâtre – tragédies et comédies –, sans compter d'innombrables essais, poèmes, correspondances. Et une autobiographie.

On a dit de lui qu'il était à la fois le Corneille, le Racine et le Molière italien. C'est caricatural – Alfieri ne peut être comparé à personne – mais cela donne bien une idée de la place gigantesque qu'il occupe dans les lettres italiennes du XVIIIᵉ siècle. Si l'on a, ici, quelque difficulté à bien prendre la mesure du personnage, et de son importance littéraire, c'est que ses œuvres sont (on va bientôt comprendre pourquoi) très peu traduites en français.

Parmi les rares qui le soient, il y a, heureusement son autobiographie. Sobrement intitulée « Ma vie », cette grande confession a été rédigée, pour la plus grande part, à Paris, en 1790 (il l'a achevée peu de temps avant de mourir, en 1803).

Bien qu'ayant applaudi à la prise de la Bastille (à laquelle il a assisté), Alfieri est extrêmement déçu par la tournure que prend la Révolution française – avant d'en devenir un violent détracteur : elle n'a fait, estime-t-il, que remplacer la tyrannie des rois par celle, pire encore, de la plèbe.

À la veille de la célébration du Bicentenaire, me voilà donc plongé dans cet ouvrage, qu'on vient fort opportunément de rééditer (4), espérant y trouver, outre quelques notations sur la vie équestre de l'époque, mille détails croustillants sur les événements révolutionnaires dont Alfieri a été le témoin oculaire. J'y trouve bien plus, et bien mieux. Un chef-d'œuvre. J'y découvre, surtout, un personnage qui, certes, ne cesse de gémir, de râler, de grogner, de vitupérer – un aigri, doublé d'un imprécateur –, mais dont on sent, à toutes les lignes, qu'il est animé par trois grandes passions : les femmes, la littérature – et les chevaux.

Un frère !

Parmi les moult épisodes hippiques qu'il y raconte – son amour du cheval lui inspire des pages magnifiques –, il en est une, page 252, qui retient particulièrement mon attention. Me voici de nouveau sur les grands chemins, écrit-il. « Pendant ce voyage, la veine poétique se rouvrit en moi plus abondante que jamais […] Souvent mon cœur tournait à la joie, et alors j'essayai aussi de la poésie badine. J'écrivis ainsi, chemin faisant, un *chapitre* à Gori, où je lui donnais les instructions nécessaires pour la garde de mes chevaux bien-aimés. »

---

4. Traduction de Antoine de Latour (1840) revue et annotée par Michel Orcel (éditions Gérard Lebovici, 1989).

Des consignes hippologiques en vers! Des propos d'écurie en chanson! Pégase à hippocrène! Je ne pouvais en rester là.

Je voulus me procurer ce *chapitre* à Gori, lire de quoi il y était question, voir comment Alfieri s'y était pris pour concilier poésie badine et soins aux chevaux. La seule chose que je savais – car Alfieri lui-même y revient à plusieurs reprises dans son autobiographie –, c'est que Gori est le nom, ou une partie du nom, de Francesco Gori Gandellini, son meilleur ami: un homme qui fut un peu pour lui ce que La Boétie fut pour Montaigne, cet autre écrivain-cavalier-philosophe.

Pas facile, croyez-moi, de retrouver ce *chapitre* dans le fatras des éditions italiennes de l'œuvre du maître. Avec l'aide d'amis romains, j'y parviens tout de même: il s'agit d'un long poème (178 vers), composé de cinquante-huit tercets et d'un quatrain final. Il s'intitule sobrement « capitolo », en effet, et porte la date d'août 1784. C'est tout ce que je peux en déchiffrer. Bien que mes études latines me facilitent une approche sommaire de l'italien, le texte me paraît incompréhensible. Il me faut en trouver la traduction française.

Je mets beaucoup de temps à comprendre qu'il n'y a pas de traduction française de ce texte, et plus de temps encore à en comprendre la raison: c'est que ce texte est intraduisible!

En quinze ans, pourtant je m'y suis essayé à plusieurs reprises. Je me suis d'abord adressé à un Français d'origine italienne, traducteur expérimenté, consultant en communication, recommandé par Chérif Khaznadar: Denis Franco.

D'abord enthousiaste, ce dernier déchante vite: le texte est difficile. Mais, consciencieux, il m'en fournit un premier dégrossissage. Les termes hippologiques, les tournures équestres lui posaient problème? Je m'adresse à une dame qui, elle au moins, connaît les chevaux: Maria Franchini a traduit d'innombrables traités d'équitation et d'hippologie – mais aussi des textes littérairement difficiles, comme les romans de Maria Orsini. Nouvelle mouture, qui ne me satisfait pas encore totalement: trop de passages obscurs, d'interprétations douteuses…

Me prenant sans doute en pitié, le dieu des chevaux met alors sur ma route Camilla Maria Cederna, maître de conférence en littérature italienne à l'Université Lille III et auteur de travaux savants sur le théâtre et la pensée au temps des Lumières. (5) Et, à ce titre, bonne connais-

---

5. « Imposture littéraire et stratégies politiques: *Le conseil d'Égypte*, des Lumières siciliennes à Leonardo Sciascia » (Champion, 1999).

seuse, évidemment, de l'œuvre de Vittorio Alfieri, auquel elle a consacré de nombreux articles. (6)

Avec l'aide de ses éminentes collègues Pérette-Cécile Buffaria (Université de Poitiers), Lucie Comparini (Université Paris IV) et Vincenza Perdichizzi (Université Lille III), elle a bien voulu retravailler le texte dont je donne plus loin [dans le n° 2 de la revue *cheval-chevaux*], après d'ultimes retouches dues à d'autres éminents spécialistes préférant conserver l'anonymat (non, je le jure, Mario Luraschi n'en fait pas partie), la version – « ma » version – définitive.

Ce fut, on l'a compris, un véritable chemin de croix, dont Alfieri, là où il se trouve, appréciera la valeur – lui qui raconte, dans sa magnifique autobiographie, avoir été, lui aussi, confronté aux difficultés de l'exercice : s'étant lancé dans une délicate adaptation de Salluste, il écrit en effet (page 274) : « je ne pensais pas devoir m'aventurer jamais dans ce désastreux et inextricable labyrinthe de la traduction. »

Un frère, vous dis-je !

Pour mieux situer cet extraordinaire *chapitre* dans son contexte, j'ai demandé à Camille Cederna deux articles : le premier, destiné à montrer l'importance de Vittorio Alfieri dans la littérature et dans l'histoire des idées italiennes ; le second, destiné à montrer la place primordiale que les chevaux ont occupé dans sa vie et dans son œuvre. La brillante universitaire a composé directement en français ces deux textes savants, écrits spécialement pour *cheval-chevaux*. Bravissimo !

[Paru dans le n° 2 de la revue CHEVAL-CHEVAUX (avril-septembre 2008), en introduction à la traduction française du fameux « mode d'emploi » adressé par Alfieri à son ami Gori, suivie des deux études annoncées de Camilla M. Cederna : « Vittorio Alfieri, théâtre et révolution », et « La passion du cheval ».]

---

6. En particulier « Vittorio Alfieri et Louis-Sébastien Mercier : l'homme de lettres entre déception et néologie » (*Revue des études italiennes*, n° 1-2, janvier-juin 2004) et « *Bruto secondo* : le combat de l'homme libre entre poétique et politique », dans « Vittorio Alfieri. Drammaturgia e autobiografia », sous la direction de Pérette-Cécile Buffaria et Paolo Grossi (Istituto Italiano di Cultura, Paris, 2005).

UN HÉROS EMBARRASSANT

C'est navrant. C'est honteux. C'est lamentable. Aucune manifestation, aucune cérémonie, aucune commémoration d'envergure ne marquera, cette année [2008], le bicentenaire de la naissance, en septembre 1808, de l'émir Abd el-Kader. Des projets, des idées, pourtant, il y en a eu. Mais ils se sont effondrés les uns après les autres. François Pouillon, directeur d'études à l'École des Hautes Études en Sciences Sociales, un des meilleurs spécialistes de l'éminent personnage, vient de renoncer à l'organisation d'un colloque qui devait réunir, à la rentrée, une superbe brochette d'universitaires français, algériens, danois et même américains pour, sinon chanter sa gloire, du moins honorer sa mémoire : le budget qui devait faciliter sa réalisation n'a finalement pas été débloqué.

Est-ce également pour une question d'argent ? Toujours est-il que le musée Condé, lui aussi, abandonne. Dommage ! On nous avait annoncé, promis, une belle exposition. La date de son inauguration avait même été arrêtée : 19 septembre. Aux dernières nouvelles, tout est annulé. C'est très regrettable, car ce musée, situé dans le château de Chantilly, possède de riches collections liées à l'émir, et à l'Algérie de son temps. C'est dans ce charmant castel, propriété du duc d'Aumale, en effet, que ce dernier avait entassé tous les « souvenirs » rapportés d'Algérie, où il vécut (de 1839 à 1848), où il eut à combattre le vaillant émir, et à s'illustrer en mettant la main, le 16 mai 1843, sur sa fameuse *smala*. Dans le butin rapporté par le duc, on trouve de nombreux objets ayant appartenu à Abd el-Kader, ainsi qu'une partie de sa bibliothèque. Hélas, ce n'est pas encore cette fois-ci qu'on pourra les contempler : pour de mystérieuses raisons, l'exposition n'aura pas lieu.

Ainsi donc, en France, la célébration de la naissance de l'extraordinaire personnage que fut Abd el-Kader, pourtant admiré, pour ne pas dire adulé, de son vivant, se réduira-t-elle, c'est consternant, à l'émission d'un simple timbre-poste mis en circulation, comble de malheur, juste avant les changements de taxation : sa valeur faciale n'est que de 54 centimes d'euros, alors que le tarif d'affranchissement est passé à 55. Autant dire que le timbre est pratiquement inutilisable.

Plus triste encore : l'écrivain algérien Yasmina Khadra, bombardé par le président Bouteflika – c'était une bonne idée – responsable du Centre Culturel Algérien en France, baisse lui aussi les bras. Il lui paraissait évident que le deux centième anniversaire de celui qui fut à la fois un grand patriote algérien et un stoïque ami de la France pouvait fournir une bonne occasion de montrer qu'entre les deux pays, il n'y a pas que des sujets de discorde : il peut y avoir des passerelles, des points communs, des fraternités. Doué d'une imagination fertile, il concocta, pour marquer l'événement, mille et un projets qu'il soumit à ses autorités de tutelle. Aucune réponse, aucune réaction. Silence total. Il n'y aura donc pas de célébration franco-algérienne du bicentenaire !

Encore une occasion ratée ! Décidément, l'histoire des relations entre l'Algérie et la France paraît n'être ainsi qu'une succession de ratages, de rendez-vous manqués.

Il aurait été à l'honneur des deux pays de se mettre d'accord – une fois n'est pas coutume – pour rendre un hommage commun à un des rares personnages, le seul sans doute, qui puisse être considéré comme un héros de part et d'autre de la Méditerranée.

En Algérie d'abord, bien sûr, parce qu'il fut le véritable initiateur du nationalisme algérien, donnant beaucoup de fil à retordre aux Français qui, après la prise d'Alger (1830), ont entrepris la conquête du pays tout entier. Dans l'Oranais, le jeune Abd el-Kader prend l'initiative, puis la tête, d'un mouvement de résistance. Il a tout juste 25 ans, mais il sait déjà beaucoup de choses. Son père Mohieddine est un chef religieux connu et respecté. D'autant plus respecté que, dans sa région (Mascara), tout le monde est persuadé qu'il descend en ligne directe du Prophète. Il a donné à son fils une éducation très complète, lui enseignant non seulement les fondements de l'islam, mais le respect d'autrui et de la parole donnée, la politesse, la loyauté, lui inculquant aussi le sens du devoir et le sens de l'honneur.

Abd el-Kader connaît le Coran par cœur lorsqu'il entreprend, à l'âge de 18 ans, le pèlerinage à La Mecque. Le jeune homme, toutefois, n'a rien d'un cul-bénit, confit en bigoterie : il adore les chevauchées (et les chevaux). Mais, en bon intellectuel, il s'intéresse aussi à l'hippologie, c'est-à-dire à la science et à l'art de ce que les Arabes appellent la *furusiya*, un mot intraduisible qui désigne l'ensemble des connaissances se rapportant à la nature et à l'usage du cheval.

On en a conservé la trace, et la preuve, grâce à l'abondante correspondance que l'émir entretiendra plus tard sur ces sujets avec un général français, un certain Eugène Daumas qui, après l'avoir longtemps combattu, devint un de ses plus fervents admirateurs (1).

La guerre sainte du jeune Algérien contre les Français l'oblige à mener de front de très nombreux combats, dont les plus difficiles ne sont pas ceux qu'il doit livrer à l'armée d'occupation, mais à ses propres compatriotes – pour mettre fin aux incessantes querelles tribales qui les divisent – et à l'administration ottomane qui, à l'époque, règne en Algérie et tient à conserver la haute main sur la politique locale.

L'autorité de l'émir grandit rapidement. Des milliers de combattants se rallient à lui. Il remporte victoire sur victoire. Stratège inspiré, diplomate habile, il se révèle également excellent organisateur: les régions qu'il contrôle sont administrées comme un État. Voilà, en résumé, les raisons pour lesquelles il peut être considéré comme le véritable fondateur de la Nation algérienne. Et voilà pourquoi, au lendemain de l'Indépendance (1962), les maquisards qui s'installèrent au pouvoir lui rendirent hommage, autorisant même l'édification d'une statue (équestre) de l'émir au cœur de la capitale, couvrant les murs d'un tout nouveau Musée Central de l'Armée de tableaux figurant ses exploits guerriers, et organisant même, en 1965, le retour de ses cendres à Alger.

Là où les choses se gâtent, aux yeux, du moins, de certains Algériens d'aujourd'hui, c'est lorsque Abd el-Kader prend l'engagement – les Français ayant obtenu, non sans mal, sa reddition (en 1847) – de ne plus chercher à reprendre les armes, et de consacrer le reste de sa vie à Dieu, aux études et à la réflexion.

En France, au contraire, c'est à partir de ce moment-là que sa popularité, pour ne pas dire sa glorification, prend un formidable essor. Après diverses péripéties et querelles franco-françaises, l'illustre prisonnier est installé sur les bords de la Loire, au château d'Amboise, où il tient carrément salon. Il impressionne ses visiteurs, de plus en plus nombreux – militaires, politiciens, hommes d'église –, par sa sagesse, son érudition, et devient la coqueluche d'une bonne partie de la société française de l'époque. Il n'a pas encore quarante ans. Il est dans une forme physique et intellectuelle éblouissante.

---

1. François Pouillon a réuni l'intégralité de cette correspondance, jusqu'ici éparpillée entre diverses publications. Cet ensemble, accompagné d'un formidable appareil critique et d'une fine analyse des textes, paraîtra au cours de l'automne sous le titre « Dialogues sur l'hippologie arabe » (Actes Sud, collection *Arts équestres*, 2008). Un outil indispensable.

En 1853, Abd el-Kader obtient enfin l'autorisation de partir, doté d'une confortable pension versée par la France, à Brousse (Bursa) en Turquie, puis à Damas, en Syrie, où le saint homme désirait pouvoir finir ses jours, pour l'unique raison que c'est là qu'a été enterré, six siècles auparavant (en 1241 très précisément), celui dont il se réclame, auquel il a consacré de longues études, et dont il a entrepris l'édition des œuvres complètes, Ibn Arabi, grand maître de la tradition soufie.

Or, dans l'enseignement de ce dernier, on peut discerner une tendance à admettre – sans attenter, bien sûr, à la loi coranique – l'équivalence de toutes les croyances religieuses. Son lointain disciple partage-t-il totalement ce point de vue ? On sait seulement qu'Abd el-Kader fit preuve d'une grande tolérance – ce que les islamistes fanatiques, évidemment, ne lui pardonnent pas – et, pire encore, d'une grande curiosité, qui l'amena à s'intéresser de très près, par exemple, à la franc-maçonnerie (2).

Mais, pour les Français, le plus grand exploit de l'émir, son plus haut fait d'armes, le geste qui lui valut la plus forte sympathie fut son intervention, à Damas, en juillet 1860, pour protéger les chrétiens du massacre par des musulmans fanatisés. C'est par cet acte – dont il ne faut d'ailleurs pas minimiser le mérite – qu'Abd el-Kader acquit définitivement cette réputation du bon-Arabe-fréquentable qui agace tant, aujourd'hui, quelques Algériens ombrageux, encore influents dans les sphères officielles.

Comme l'a écrit quelque part François Pouillon, si l'émir Abd el-Kader vivait de nos jours, sûr qu'il aurait reçu en remerciement de sa courageuse attitude, un Prix Nobel de la Paix. Il faudra qu'on se contente, hélas, d'un misérable timbre-poste à son effigie, périmé avant même d'avoir été utilisé.

[Paru sous le titre « Pas d'anniversaire pour Abd el-Kader » dans LA REVUE POUR L'INTELLIGENCE DU MONDE n° 16 (septembre-octobre 2008).]

---

2. Quelques auteurs algériens, voulant sans doute « blanchir » leur héros, ont contesté l'existence de liens entre Abd el-Kader et les sociétés secrètes, qualifiées de « sectes diaboliques ». Le récent ouvrage de Bruno Étienne (« Abd el-Kader et la franc-maçonnerie », Dervy, 2008) mettra fin, sans doute, à la polémique. S'appuyant sur des sources incontestables, l'anthropologue des religions y analyse la véritable nature des rapports que le grand mystique musulman entretint avec différentes loges maçonniques. Il y met également en évidence les ressemblances, et surtout les différences, entre soufisme et franc-maçonnerie, autrement dit entre voie et société initiatiques. Un essai remarquable.

AU TEMPS DE PICASSO

Dans son essai sur la tauromachie, « Mort dans l'après-midi », Ernest Hemingway évoque le cas d'un taureau gris, appelé Hechicero (le sorcier), « qui, à Cadix, en 1844, envoya à l'hôpital tous les picadors et tous les matadors de la corrida, au minimum sept hommes, et non sans avoir tué sept chevaux » !

Lorsque Pablo Picasso vint au monde, à la fin du XIXe siècle, en Andalousie, les courses de taureau n'étaient pas, on le voit, des parties de rigolade. Encore que... Pour l'écrivain américain, il y a quelque chose de presque amusant à voir des chevaux périr dans une arène : « la mort du cheval tend à être comique, écrit-il, tandis que celle du taureau est tragique. Dans la tragédie de la course de taureaux, le cheval est le personnage comique. Cela peut choquer, mais c'est vrai. »

Il s'en justifie en expliquant que, souvent, les chevaux de *picadores* (ces cavaliers, équipés d'une pique – d'où leur nom – placés sous les ordres du *matador* qui, lui, combat à pied), ne sont que de vieilles carnes dont on fait là un dernier usage. Hemingway dit que ce sont « des parodies de chevaux », et compare ces pauvres bêtes « à des oiseaux maladroits comme les argales ou autres échassiers à becs énormes. Quand le taureau les soulève de la puissante attaque musculaire de son cou et de ses épaules, alors, avec leurs jambes pendantes, leurs gros sabots ballants, leur nuque affaissée, leur corps usé soulevé sur la corne, ils ne sont pas comiques ; mais je jure qu'ils ne sont pas tragiques. […] Les toiles [dont on recouvre la carcasse d'un cheval tué, en attendant la fin de la corrida] les font ressembler à des oiseaux plus que jamais. Ils ont un peu l'aspect que prend un pélican mort. Un pélican vivant est un oiseau intéressant, amusant et sympathique […] mais un pélican mort a l'air très sot. »

Pour bien se faire comprendre, Hemingway précise : « Le comique de ces chevaux n'est pas dans le moment de leur mort ; la mort n'est pas comique […] Le comique réside dans les étranges et burlesques accidents viscéraux qui surviennent […] J'ai vu ces, appelons-les déboyautages, c'est le pire mot, à des moments où, en raison de leur à-propos, ils étaient très drôles. »

Hemingway dénotait là un sens de l'humour assez particulier, et l'on regrette pour lui qu'il se soit intéressé à la tauromachie si tard : dans les années 1930, le port d'un caparaçon était devenu obligatoire. Espèce de matelassure couvrant le poitrail et les flancs des chevaux des *picadores*, cette protection (appelée *peto*) rendait déjà les éventrations de chevaux plus rares. Un demi-siècle auparavant, elles étaient fréquentes, les entrailles chevalines dégoulinaient à foison : Hemingway aurait pu s'en donner à cœur joie.

À la naissance de Picasso, les premières sociétés protectrices des animaux espagnoles étaient en train d'éclore (d'après le « Diccionario de la Administración española » de 1886, une première fut fondée à Madrid en 1879, puis une autre, plus importante, en 1883). Elles ne tardèrent pas à s'emparer du sujet – non pas tant, d'ailleurs, pour s'émouvoir de l'éventuelle souffrance des chevaux que dans le but d'épargner au public un spectacle susceptible de le choquer.

Comme l'écrit très justement Araceli Guillaume-Alonso, qui a étudié de près l'histoire de l'utilisation du cheval dans les corridas (1), ces sociétés protectrices « restent bien plus sensibles à la mort ou à la blessure du cheval qu'à celle du *toro* […] Sans doute, la nature de cet animal, comparée à celle du *toro*, en fait davantage une victime "innocente" et gratuite à leurs yeux. »

En réalité, explique la spécialiste, « ces chevaux étripés aux yeux de tous blessent la sensibilité d'un nombre toujours grandissant de spectateurs. Il ne semble plus acceptable d'assister à un spectacle digne de ce nom, alors que les dépouilles de trois ou quatre chevaux, ou même davantage, *en gabardina*, c'est-à-dire couverts par une bâche, jonchent l'arène jusqu'à la mort du *toro* et l'enlèvement de l'ensemble. L'évolution de la société, ses goûts raffinés en matière artistique, ses nouveaux loisirs autour des sports élégants ne peuvent cohabiter avec des images aussi crues de la mort d'une bête dont les congénères sont admirés sur la pelouse des hippodromes. »

Des hippodromes à Malaga au temps de Picasso ? Oui, répond un historien du cheval, Juan Carlos Altamirano. Auteur d'une demi-douzaine d'ouvrages indispensables sur les origines et la morphologie du cheval hispanique, sur l'histoire des chevaux *cartujanos*, sur le vocabu-

---

1. *In* « D'un taureau l'autre », éditions Au diable Vauvert, 2009.

laire équestre espagnol, cet éminent hippologue vit, justement, à Malaga. Il a répondu à nos questions (2) : « Un hippodrome a été construit à Malaga dans un quartier connu aujourd'hui sous le nom de San Julian, près de l'aéroport qui porte, précisément, le nom de Picasso. Mais construit en bord de mer, dans une zone sableuse trop dure aux pieds des chevaux, cet hippodrome a dû être abandonné. Toutefois, des courses y ont été organisées chaque printemps, de 1875 à 1879. »

Les courses hippiques connurent à l'époque un tel engouement dans toute l'Espagne – et jusqu'en Andalousie – que nombre d'élevages se spécialisèrent alors dans la production de galopeurs. Bien que la région de Malaga n'ait jamais été, à cause de son relief, spécialement propice à l'élevage équin, elle a tout de même été le berceau de quelques bons chevaux de course. Dans la seconde moitié du XIXe siècle, deux élevages d'une certaine importance se mirent, en effet, à produire localement des pur-sang anglais.

« Il y eut celui du marquis de Guadiaro d'où sortit un des cracks les plus célèbres de l'époque, Solitario, que son naisseur offrit à l'industriel Tomas Heredia Grund, raconte notre expert. Éleveur passionné, le marquis de Guadiaro multipliait les expériences, les croisements, les mélanges les plus divers, mais ne vendait jamais ses produits : soit il les utilisait, soit il les offrait. Il fut un des premiers éleveurs de chevaux à utiliser un système de reproduction non pas en liberté, comme cela se faisait alors couramment, mais en salle, c'est-à-dire étalon et poulinière tenus en mains.

Il y eut aussi l'élevage appartenant au neveu du précédent, le marquis de Larios, comprenant quatre poulinières arabes, que lui avait offertes son oncle, ainsi qu'une trentaine d'autres, d'origines diverses. Parmi ces dernières se trouvaient quelques juments anglaises. Six étalons faisaient la monte : deux arabes, trois pur-sang anglais et un anglais à sept-huitième. Contrairement à l'élevage du marquis de Guadiaro, le sien était en pâturage, en liberté sur ses terres : plusieurs milliers d'hectares près des villages de Manilva, San Roque, etc. »

Le but de ces grands élevages était d'obtenir, outre des chevaux de course, de bons chevaux de selle et d'attelage léger. Le reste de la production locale était plutôt médiocre, assurée par des petits éleveurs, en général des agriculteurs soucieux seulement de satisfaire leurs propres besoins pour les travaux agricoles.

2. Propos recueillis le 1er septembre 2009 par Nathalie Sucarrat.

« Bien qu'étant de race espagnole, le cheval autochtone était alors d'assez mauvaise qualité, explique aujourd'hui Juan Carlos Altamirano: grande tête busquée, encolure épaisse, garrot décharné, jarrets courts. Aussi les paysans avaient-ils fréquemment recours à la production mulassière. »

Pour le jeune Pablo, le contraste fut sans doute saisissant lorsqu'il débarqua pour la première fois à Paris, en mai 1901, puis plus durablement à partir d'avril 1904.

Contrairement aux sombres prévisions d'un publiciste appelé Pierre Giffard qui, dans un ouvrage paru en 1899, avait annoncé un peu trop tôt « La fin du cheval » (Armand Colin éditeur), les attelages hippomobiles y tiennent encore, c'est le cas de le dire, le haut du pavé.

Non sans humour (et talent), Giffard non seulement annonçait la disparition prochaine du cheval des villes et des campagnes françaises, mais s'en réjouissait: « le moteur mécanique, écrivait-il, va remplacer devant ou derrière nos véhicules routiers le quadrupède à la crinière flottante […] La bicyclette, puis l'automobile ont apparu » et déjà prouvé leur supériorité par rapport au cheval, ne serait-ce que sur le plan de l'hygiène: le cheval, « enduit les rues de nos cités de déjections fétides, que sa présence à un nombre excessif d'exemplaires rend dangereuses pour la santé publique, écrit-il. Imaginez sa disparition des rues de Paris, pour commencer, et dites-vous bien que les voies publiques seront, alors seulement, de vraies rues destinées à la circulation humaine. Jusqu'ici, ce sont des fumiers. »

Mais un an après la parution de cette curieuse oraison funèbre, la situation décrite relève, comme il y invite ses lecteurs, de la pure imagination. En 1900, nombreux sont les particuliers à se déplacer à cheval ou en voiture. La plupart des grands magasins, en pleine expansion, disposent – et disposeront jusqu'au début des années 1920 – de vastes installations équestres pour assurer les livraisons. Deux exemples (3).

Les écuries du Bazar de l'Hôtel de Ville (BHV), construites dans l'île de la Cité à la toute fin du XIXe siècle, abritaient 120 chevaux en 1902. « Comme cela ne suffisait pas, la direction du magasin dut louer d'autres écuries, dès 1910, rue de l'Essai notamment » et, dans les années 1920 encore, du côté de Nogent.

---

3. Puisés dans l'étude de Jean-Damien Leveau parue dans « Le cheval à Paris », ouvrage collectif sous la direction de Béatrice de Andia (Action Artistique de la Ville de Paris, 2006).

Pour faire face à sa croissance, le Bon Marché, pour sa part, choisit une autre méthode. Après avoir tenté d'agrandir ses écuries de la rue Duroc, qui ne pouvaient en contenir que 150, le service livraison dut se résoudre à faire appel à des chevaux de l'extérieur. Dans les années vingt, le Bon Marché disposait encore de 130 chevaux en propre.

De nombreuses sociétés de louage offraient leurs services aux magasins dépourvus. Une des plus importantes, la Compagnie Générale des Voitures de Paris fut capable, à son point culminant, de mettre plus de dix mille chevaux sur le pavé ! Une autre société, la Compagnie des Petites Voitures, possédait encore quatre mille fiacres à la veille de la Première Guerre mondiale.

Mais le gros des embouteillages de véhicules hippomobiles était dû à la Compagnie Générale des Omnibus qui, exerçant un quasi-monopole des transports publics, assurait l'essentiel du trafic parisien.

L'année où Picasso découvre Paris est justement celle de son apogée. On dispose du chiffre exact : pour faire face aux besoins durant l'Exposition Universelle de 1900, la Compagnie utilisa 17 496 chevaux, répartis en une cinquantaine de dépôts.

« Le plus important est celui de la Bastille, avec ses écuries de 1 102 chevaux » précise la meilleure spécialiste de la question, Ghislaine Bouchet, Conservateur en chef du patrimoine (4). « Ternes, Mozart, Montmartre ou Clichy sont des dépôts de taille plus modeste avec des écuries de 600 à 800 chevaux. » Conséquence de la cherté croissante de l'immobilier : quelques-uns ont leurs écuries situées au premier étage. « On y accède par une rampe pavée de bois ou de brique, recouverte d'une épaisse couche de sable censée étouffer les bruits de pas et réduire les glissades. » D'autres, au contraire, sont souterraines.

Pour les chevaux, cet âge d'or de la traction hippomobile fut plutôt un âge dur. Bien qu'à la CGO, leur temps de travail soit limité à trois ou quatre heures par jour (le temps de parcourir une distance de 17 à 18 km), la vie de ces animaux n'était pas toujours rose. Et se terminait, la plupart du temps, aux abattoirs !

Paris, en effet, est une ville où l'on consomme volontiers la viande de cheval. L'habitude en est peut-être venue au cours du siège de la capitale, en 1870, au cours duquel, pour faire face à la famine, plus de trente mille chevaux furent abattus et mangés en quatre mois.

---

4. Dans « Le cheval à Paris » (*opus cit.*).

Il est vrai que l'opinion publique avait été préparée à ces pratiques hippophagiques dès le milieu du XIXᵉ siècle. Médecins, vétérinaires, économistes et cuisiniers en avaient vanté les mérites non seulement gustatifs, mais sociaux, voire moraux (!) : peu recherchée, la viande de cheval est peu coûteuse et permet donc « d'améliorer le régime alimentaire des pauvres ; d'autre part, un abattage rationnel épargnera aux chevaux une fin de vie misérable » (5), disaient les propagandistes de l'hippophagie. Un des plus célèbres d'entre eux, Émile Decroix (1821-1901) était un membre très actif de la Société Protectrice des Animaux – et c'est dans le but d'éviter aux chevaux des fins de vie indignes qu'il soutint la création d'abattoirs où ils pourraient trouver une mort « propre » et indolore.

Le plus « moderne » de ces lieux de mort, connu sous le nom des abattoirs de Vaugirard, a été construit au sud de la ville dans les années 1895, et a fonctionné pendant presque un siècle. Vers 1930, par exemple, on y procédait à l'abattage de 70 000 chevaux par an. Presqu'entièrement rasé dans les années 1970, pour faire place à un paisible jardin public, le parc Georges Brassens, on en a heureusement conservé les belles halles, sous lesquelles se tient de nos jours, chaque fin de semaine, un sympathique marché du livre ancien. Et, au 106 de la rue Brancion subsistent encore des bâtiments d'époque, le long desquels les badauds stupéfaits peuvent admirer, par exemple, une stèle « à François Barbaud, 1862-1938, l'industrie chevaline reconnaissante. » (*sic*)

S'il est vrai que le cheval est encore, au moment où Picasso s'installe en France, un animal de rapport, une bête de somme, un outil de travail, dont on use et abuse en ville, dans les campagnes et jusqu'au fond des mines, il est non moins exact qu'il fait aussi, par ailleurs, l'objet d'une véritable vénération, parfois même de folies : la Belle Époque n'est pas terminée, l'élan donné par le Second Empire n'en finit pas de se faire ressentir. « La loi du 2 juin 1891 instaurant le pari mutuel contribue à l'essor des courses, atteignant leur apogée à la veille de la Première Guerre mondiale », explique l'historien spécialisé Guy Thibault (6). Le début du nouveau siècle, en effet, voit « l'ouverture de deux nouveaux hippodromes (Saint-Cloud en 1901, le Tremblay en 1906) alors que brillent les couleurs d'Edmond Blanc, de W.-K.

---

5. Bernadette Lizet : « Le cheval dans la vie quotidienne » (Berger-Levrault, 1982).
6. « Un autre regard sur les courses » (éditions du Castelet, 2007).

Vanderbilt, des barons de Rothschild et de Jacques Olry. » Et les hippodromes de Paris ou de Deauville continuent à être des lieux où il faut se montrer, où il est de bon ton de se rendre, où les membres de la bonne (et de la mauvaise) société se retrouvent.

Aux hippodromes, toutefois, Picasso préfère les cirques. Dès 1904, il fréquente Medrano. Il s'y rend même trois ou quatre fois par semaine. Les origines espagnoles du fondateur y sont peut-être pour quelque chose, mais surtout Picasso est plus sensible à la beauté des écuyères qui voltigent debout sur la croupe puissante d'un cheval qu'à celle des pur-sang, des animaux haut perchés, élastiques et fragiles que Paul Valéry comparera (en 1937) à des ballerines. Il est d'ailleurs piquant de relever en passant que c'est le cas de la plupart des artistes de l'époque : Toulouse-Lautrec, Seurat, van Dongen ont été, comme Picasso, davantage inspirés par les acrobaties équestres que par les évolutions hippiques, par les écuyères et les saltimbanques que par les jockeys et les turfistes. Il faudra attendre Degas puis Dufy pour que l'ambiance des hippodromes trouve grâce aux yeux des peintres.

Cet engouement pour les pitreries circassiennes coïncide avec sinon la fin, du moins le déclin d'une autre forme de spectacle équestre, qui fut en vogue dans la seconde moitié du XIXᵉ siècle : 1904, c'est l'année de la mort du dernier rejeton d'une dynastie d'écuyers, Jules-Théodore Pellier, dont le père (Jules-Charles) fut un temps l'associé de François Baucher et Laurent Franconi, deux figures majeures du dressage, qui firent de Paris, dans les années 1840, la capitale mondiale de la haute-école.

Bien que portant souvent le nom de cirque – Cirque Olympique, Cirque des Champs-Élysées –, les manèges où ces écuyers en chapeau haut-de-forme faisaient faire de jolies grimaces à leurs chevaux, obtenant d'eux des prouesses devant lesquelles s'extasiaient les belles dames et les beaux messieurs, avaient peu de rapport avec des établissements populaires comme celui de Medrano, dont les attractions n'étaient pas toujours d'un raffinement extrême. Autre époque !

Mais le vrai grand changement d'époque, la vraie grande rupture, le grand chambardement, la fin du cheval, tant attendue par Pierre Giffard, ce sera, bien sûr, la guerre, qui coïncide avec le triomphe de la mécanisation.

À partir de 1905, la voiture « automobile » remplace petit à petit la voiture « hippomobile » dans les rues de Paris. La Compagnie Générale des Omnibus s'est peu à peu reconvertie et, en janvier 1913, elle procède à une cérémonie hautement allégorique : l'enterrement du dernier de ses véhicules à traction animale. Mais, dans les campagnes, le cheval demeure la principale force de traction et le principal mode de locomotion. Cette même année 1913, la France possède d'ailleurs le cheptel équin le plus élevé de son histoire : plus de trois millions de chevaux (7).

Les réquisitions massives opérées au début de la guerre contribueront, plus rapidement que la motorisation, à vider les campagnes des animaux d'attelage ou de trait : dès août 1914, elles touchent le cinquième des effectifs recensés, affirme Damien Baldin (8). Cette ponction n'est guère mieux acceptée dans le monde rural que la mobilisation des hommes, même si elle est parfois traitée avec humour. Damien Baldin donne l'exemple d'une carte postale, éditée à cette époque, montrant une paysanne et sa jument face à un officier de la remonte : « Gardez mon homme à la guerre tant que vous voudrez, lui dit-elle, mais laissez-moi au moins ma jument ! »

Le même auteur cite les chiffres établis par le Service Vétérinaire de l'armée. Ils sont effarants : entre le 1er et le 31 août, 730 000 chevaux sont réquisitionnés en France et 20 000 en Algérie. Une nouvelle levée de 775 000 animaux, importés pour la plupart, aura lieu entre le 1er janvier 1915 et le 31 décembre 1917. Au total, les armées françaises utiliseront, entre le 31 juillet 1914 et le 11 décembre 1918 presque deux millions de chevaux : 80% y perdront la vie !

« Dans l'imagerie spontanée, précise Damien Baldin, le cheval de guerre est celui de la cavalerie. Pourtant, du million de chevaux que compte l'armée française en août 1914, un dixième seulement est destiné à la cavalerie. » Ce sera encore trop !

La cavalerie, en effet, remontée en chevaux inadaptés – chevaux de sang et demi-sang – se révèle vite inutilisable dans les conditions de cette guerre d'un genre nouveau : une guerre de position, une guerre « immobile ».

« La cavalerie, explique un expert (9), agit par la manœuvre, elle est l'arme du mouvement. Pendant les quelques semaines où ce mouvement fut possible, le rapide épuisement des chevaux a fait perdre en grande partie à la cavalerie l'un de ses atouts majeurs : la vitesse. Après

---

7. Jean-Pierre Digard, « Une histoire du cheval » (Actes Sud, 2004 et 2007).
8. *In* « Le cheval et son image dans l'armée française durant la Première Guerre mondiale » étude parue dans le n° 249 de la *Revue Historique des Armées* (4e trimestre 2007).
9. Colonel Dugué Mac Carthy, dans « La cavalerie au temps des chevaux » (EPA éditions, 1989).

l'enlisement dans les tranchées, toute manœuvre est interdite, et la cavalerie est condamnée à l'immobilité face à une solide ligne de défense que nul – et surtout pas elle – n'a la possibilité de rompre pour lui permettre de retrouver sa liberté de mouvement. »

À ces considérations tactiques s'ajoutent d'autres facteurs, qui ont, dès 1914, contribué à discréditer l'usage de la cavalerie au combat. Dans l'analyse qui précède, son auteur, ancien officier de cavalerie et historien célèbre, évoque « le rapide épuisement » des chevaux dès les premières semaines du conflit. Dès août 1914, en effet, tous les cavaliers se plaignent de la même chose : leurs chevaux sont à bout de force. « On poussait dans les fossés de la route ceux qui ne pouvaient plus avancer, le dos et les garrots blessés par le harnachement répandaient une odeur insoutenable. »

La plupart du temps, les chevaux, pourtant, ont été acheminés par chemin de fer jusqu'à proximité des champs de bataille. « Comment se fait-il, s'interroge le colonel Dugué Mac Carthy, que moins d'un mois après la mobilisation, la plupart des chevaux soient exténués au point d'être incapables de fournir un effort soutenu » alors que ceux des campagnes napoléoniennes avaient su résister à des marches et des efforts d'une autre ampleur ? « Les chevaux des cavaliers de Napoléon, répond-il, avaient encore les qualités essentielles du cheval de guerre : rusticité, grande endurance à la fatigue et aux privations. À partir de 1815, on s'est employé à "améliorer" les races chevalines en augmentant la taille des chevaux, en embellissant leur aspect, en les sélectionnant en fonction de critères plus sportifs que militaires. »

Les champs de labour du XIXᵉ siècle offraient donc, semble-t-il, une meilleure préparation aux champs de bataille que les champs de course du XXᵉ siècle !

Une autre raison peut être avancée. Entre les guerres napoléoniennes et la guerre de 14, les chevaux n'étaient pas les seuls à avoir changé. Les hommes aussi : au temps de Napoléon, la moyenne d'âge des généraux de cavalerie tournait autour de la trentaine. En 1914, c'était le double : plus de 60 ans ! « Les généraux de cavalerie de Napoléon, rappelle notre historien, étaient eux-mêmes à cheval, en tête de leur brigade, de leur division ou de leur corps de cavalerie. Les généraux de cavalerie de 1914 se déplacent en automobile et ne montent à cheval que dans l'hypothèse de l'imminence d'un combat. Ils ont perdu la notion des efforts que l'on peut raisonnablement exiger des chevaux. » Et puis, dès l'automne 14, tout mouvement devient inutile. « Les adversaires s'enterrent face à face, un duel d'artillerie et d'infanterie commence, qui va durer quatre ans. Dans cette nouvelle sorte de guerre, le cheval n'a plus sa place. »

Pourtant, plus de vingt ans après, lors de la Seconde Guerre mondiale, on continuera à vouloir lui trouver un emploi, en lançant des charges de cavalerie contre des chars d'assaut. Le sabre contre les *panzers* ! Pour les chevaux, ce sera un nouveau carnage et, pour ceux qui les utilisent, une ultime leçon : le cheval, on l'a enfin compris, n'est décidément plus une arme, ni un véhicule, ni un outil. Il ne sera désormais qu'un compagnon pour nos loisirs.

Picasso ne paraît pas spécialement affecté – disons : touché personnellement – par ces deux guerres mondiales, auxquelles il assiste en simple témoin, tandis qu'en 1914, ses amis Apollinaire, Braque ou Derain, eux, sont mobilisés (et, dans le cas du premier, grièvement blessé), qu'en 1942 Eluard entre en clandestinité et qu'en 1944 Max Jacob, arrêté, décède dans le camp de Drancy. Ces événements, bien sûr, ne le laissent pas insensibles, mais n'influencent pas, semble-t-il, sa vitalité, sa créativité, sa productivité.

Ce ne sera pas le cas, par contre, d'un conflit intermédiaire, qui éclatera en juillet 1936 : la guerre d'Espagne, bien sûr. Une autre « sale guerre », à laquelle les chevaux sont massivement mêlés, ainsi qu'en témoignent, par exemple, les photos du Catalan Augusti Centelles (miraculeusement retrouvées en 1975), où l'on voit des cadavres empilés de chevaux servir de protection à des tireurs à Barcelone ; ou celles de Hans Namuth, photographe allemand antifasciste ayant « couvert » le siège de Tolède, où l'on voit une barricade composée d'un prodigieux entassement de selles – ce qui laisse deviner qu'elles ne peuvent plus avoir d'autre usage, tous les chevaux auxquels elles étaient destinées étant morts.

Et puis, le 26 avril 1937, ce sera le bombardement de Guernica. Les photos du massacre, publiées dans la presse française, inspirent à Picasso, bouleversé, on le sait, un de ses plus célèbres tableaux, dont la figure centrale est... un cheval.

[Lorsque je demandai, au milieu de l'année 2002, à Dominique Dupuis-Labbé (alors conservateur – ou conservatrice ? – au Musée Picasso de Paris) de m'aider à réaliser un album de la collection *Grande Écurie de Versailles* mettant en évidence l'omniprésence du cheval dans l'œuvre de Picasso, j'escomptais faire, avec ce livre, un tabac. Paru l'année suivante (Favre, 2003), il fit un flop !

La déception fut grande – et douloureuse! Six ans plus tard, Dominique Dupuis-Labbé me fournit une belle consolation en m'annonçant que le Musée Picasso de Malaga (la ville natale du maître) s'intéressait au sujet, et lui avait confié le soin d'organiser une exposition sur ce thème! Eurêka!

Chargée également de composer le catalogue de cette exposition (17 mai-5 septembre 2010), elle voulut bien me solliciter et me passer commande d'un texte sur « le cheval au temps de Picasso ». C'est ce texte qu'on vient de lire – inédit en français, le catalogue n'ayant eu que deux versions: l'une espagnole (« Picasso/Caballos »), l'autre anglaise (« Picasso/Horses »), toutes deux superbement éditées début 2010 par le Musée de Malaga.]

HISTOIRES DE CHEVAUX,
HISTOIRES D'AMOUR

Pas moyen d'y échapper. Les histoires de chevaux sont forcément toujours des histoires d'amour. Toujours, et partout. Aujourd'hui, c'est au Maroc, où je suis venu assister aux présentations des plus beaux chevaux du Royaume (Salon du Cheval de el Jadida : 19-24 octobre 2010). Un de mes amis, qui fut longtemps grand reporter au *Monde* et qui a fini par se poser ici, m'apporte sa production la plus récente : Jean-Pierre Péroncel-Hugoz, en effet, consacre ses loisirs à publier, ou faire publier, par des éditeurs marocains, des ouvrages en français de haute tenue littéraire. Cette fois, c'est un tout petit livre d'une centaine de pages contenant cinq nouvelles inédites d'un certain Jean-Pierre Koffel, un Français né au Maroc – « un des rares Européens d'Afrique du Nord méritant vraiment le titre d'écrivain maghrébin » dit Péroncel-Hugoz dans sa présentation. Titre du recueil : « La Cavale assassinée » (Marsam, Rabat, Maroc, 2010).

Dans la première de ces nouvelles, Koffel raconte une belle histoire triste, qu'il date de 1920, au temps du protectorat français. Quelque part dans une poussiéreuse bourgade du bled, un jeune officier aux allures aristocratiques, le capitaine de Léquier, intrigue les commères de la petite colonie européenne des environs : le garçon est célibataire et on ne lui connaît pas d'autre passion que celle qu'il porte à Zina. Précision : Zina est le nom de sa jument, « une bête splendide, affectueuse exclusivement envers son maître dont elle avait la hauteur un peu dédaigneuse ».

Au cours de ses tournées d'inspection, Gabriel de Léquier croise fréquemment un jeune Marocain aux allures tout aussi aristocratiques et, comme lui, amoureux fou des chevaux, tout spécialement d'une jument alezane appelée Nour.

Le capitaine finit par se lier d'une amitié « qui ne disait pas son nom, sans calcul, nourrie des différences, faite de respect et de pudeur » avec ce Mérad peu loquace, peu souriant, mais au comportement chevaleresque – et bon cavalier. Au point de voir en lui un futur officier indigène, qu'il envisage d'envoyer en formation à Saumur, où se tient la plus célèbre École de Cavalerie de France. Et puis, un jour, au détour d'un chemin, Gabriel de Léquier découvre Nour, la jument préférée de Mérad, tuée d'un coup de fusil dans la tête. L'horreur !

Pourtant, Mourad semble garder son calme. Il connaît – il devine – l'auteur du crime : son cousin Hassène probablement. Entre les deux cousins, il y a eu, en effet, de sombres histoires de femmes. Hassène a dû vouloir se venger d'un dépit amoureux en tuant la bien aimée (quadrupède) de Mérad. Ce dernier toutefois, ne se laisse pas emporter par la colère. Il temporise, il patiente, le temps d'acquérir la certitude que l'auteur du méfait est bel et bien celui qu'il soupçonnait.

Lorsque, quelques mois plus tard, « le cadavre de Hassène fut découvert – deux balles de mousqueton en plein cœur –, Mérad avait déjà embarqué pour Saumur », tandis que le capitaine de Léquier, auquel bien sûr rien n'avait échappé, « écoutait du Mozart sur son phonographe tout neuf. »

Cette belle tragédie confirme ce que les Rita Mitsouko nous ont seriné pendant des années, dans une chanson célèbre : « les histoires d'amour, ça finit mal, en général ».

Il n'y a pas que dans les romans que de telles aventures se produisent. En visitant, voici, quelques années, les vilains locaux qui abritent l'Institut (russe) du Cheval, construits aux temps soviétiques, au beau milieu d'un magnifique domaine – confisqué à la Révolution – situé à quelque 200 km au sud de Moscou, je fus intrigué par une étrange construction voisine : une sorte de haute cheminée en brique, surmontée d'une ferraille rouillée en forme, me semblait-il, de croissant de lune. D'autant plus intrigué qu'au pied de cette tour, une grosse pierre portait une mystérieuse inscription.

– C'est la pierre tombale d'un cheval, m'expliqua la zootechnicienne qui avait accepté de me faire visiter les lieux. Il s'appelait Voron (c'est-à-dire corbeau, à cause sans doute de sa couleur). Un cheval qui a donné sa vie pour sauver sa maîtresse !

Ou plutôt la maîtresse du propriétaire de ce vaste domaine, le comte Divoff, qui avait créé en ces lieux un haras réputé. L'affaire se passe à la toute fin du XIXe siècle. Tombé follement amoureux d'une jeune musulmane, peut-être d'origine tatare, ou turque, on ne sait pas très bien, il avait fait édifier pour elle cette haute tour, au sommet de laquelle elle pouvait accéder par un escalier en colimaçon – aujourd'hui un peu délabré, mais encore bien visible : un minaret ! Un minaret du haut duquel elle pourrait implorer chaque jour Allah et tenter d'imaginer, derrière l'horizon sans fin des mornes plaines de la Sainte Russie, la silhouette de La Mecque. Peut-être crut-elle l'apercevoir un jour, voulut-elle tenter de s'en rapprocher, de la toucher du doigt ? La trop pieuse jeune femme, en tout cas, bascula dans le vide. Afin de secourir la gisante, le comte Divoff fit seller son meilleur cheval, le plus rapide, le prince de ses écuries, Voron, pour aller chercher l'aide d'un médecin. Voron galopa jusqu'à la ville voisine, située à 25 verstes de là. Il en ramena, au galop toujours, le médecin. Mais, épuisé d'avoir couru ainsi sans retenue sur cinquante kilomètres, il s'effondra raide mort. Devoir accompli. Pour le remercier d'avoir contribué ainsi à sauver la femme de sa vie, le comte Divoff fit enterrer son héroïque cheval sur place et graver son nom dans le rocher qui lui tient lieu de pierre tombale.

On le voit : les histoires d'amour, lorsqu'elles impliquent un cheval, non seulement finissent mal – mais finissent souvent très très mal : par la mort, carrément !

Paul Morand, dans une de ses plus belles nouvelles, « Milady » (Gallimard, Paris, 1936), raconte celle – grandiose et pathétique – d'un écuyer, le commandant Gardefort, maladivement amoureux de sa jument, au point de ne pas supporter l'idée que quelqu'un d'autre que lui puisse la monter. J'allais dire : l'honorer. Obligé de s'en séparer, par manque de moyens, Gardefort préfère se suicider avec elle, en se jetant du haut d'un viaduc, plutôt que de la voir montée – j'allais dire : déshonorée – par un cavalier indigne d'elle.

En racontant cette histoire, Paul Morand n'avait pas fait seulement appel à son imagination (et à son talent).

C'est un fait qu'on n'aime guère rappeler dans le milieu équestre, où le général L'Hotte est une sorte d'idole, de messie, de divinité qu'il est sacrilège de critiquer. Et pourtant ! À la fin de 1902, vieillissant, maladif, ne pouvant plus monter ses chevaux, ce dernier rédigea un testament dans lequel il demanda que ses trois montures, Glorieux, Domfront et Insensé, ne lui survivent pas – et soient abattues après sa mort. Ses dernières volontés furent respectées.

À ces comportements évoquant irrésistiblement ceux des grands chefs barbares qui exigeaient que leurs chevaux, leurs serviteurs – et aussi leurs femmes – soient enterrés, morts ou vifs, avec eux, je préfère la noble attitude d'un autre grand écuyer, un certain Étienne Beudant.

Ce dernier fait également partie du panthéon de l'équitation classique. Dresseur surdoué, auteur d'exploits équestres, inouïs, il avait été surnommé par le général Decarpentry (autre haute figure de la haute-école) « l'écuyer mirobolant ». Comme Gardefort, le héros (si l'on peut dire) de Paul Morand, Beudant s'était retrouvé dans la nécessité de se séparer de sa très chère jument – non pas par impécuniosité, mais par incapacité physique : atteint de maladie, il ne pouvait continuer à monter celle qu'il considérait comme son chef-d'œuvre, comme le plus beau résultat d'une vie entière consacrée à la recherche de la légèreté, Vallerine.

Loin de piquer d'avance une sorte de crise de jalousie posthume, à la manière du général L'Hotte, Beudant se préoccupa au contraire d'assurer sa succession. En 1927, il offrit sa jument à un ami, qu'il avait jugé à sa mesure, en accompagnant le cadeau d'une longue lettre de 80 pages, une sorte de mode d'emploi du cheval, que j'ai eu la chance de retrouver – et de publier. *

N'y a-t-il pas là une réelle grandeur, que l'on pourrait comparer, peut-être, à l'attitude d'un vieux mari déclinant qui choisirait pour sa jeune épouse encore fringante un amant digne d'elle ?

Qui a dit : « il n'y a pas d'amour ; il n'y a que des preuves d'amour » ?

[Paru dans le « Spécial Hippisme » (Hiver 2010) de L'HEBDO, le principal hebdomadaire (comme son nom l'indique) de Suisse romande.

Dans une première version de ce texte, j'avais raconté aussi l'histoire – la légende – de la création par les Mongols de leur fameux instrument de musique à tête de cheval. Mon texte débordant alors des limites qu'on m'avait fixées, j'y renonçai finalement. Pour ceux que cette (triste) histoire intéresserait, la voici :

« Pour accompagner leurs chansons, les Mongols utilisent un instrument très rustique, le morin-khur – autrement dit : la vièle-cheval – composée de deux cordes seulement, en crin de cheval, sur lesquelles on frotte un archet constitué lui aussi de crins. Au bout du manche en bois de cette espèce de violon des steppes, on trouve toujours une petite tête de cheval sculptée. Lorsqu'on interroge les bardes sur les raisons de cette présence insolite, ils se lancent dans un récit qui peut durer entre cinq minutes et cinq heures, que je résumerai ici en quelques phrases.

---

* « Vallerine » par Étienne Beudant, avec une présentation de Patrice Franchet d'Espèrey (écuyer au Cadre Noir de Saumur), Favre, collection *caracole*, 2005.

Il était une fois, dans des temps très anciens, un jeune berger qui éprouvait pour son cheval une douce passion, et avec lequel il partait souvent pour de lointaines chevauchées. Sa fiancée, bien sûr, finit par en prendre ombrage. Espérant ramener à elle seule son promis, elle eut l'idée affreuse d'empoisonner l'animal. La potion avait-elle été mal dosée ? Toujours est-il que le cheval ne mourut pas sur le coup. Il se consuma au contraire à petit feu. Au cours de cette interminable agonie, son maître éploré ne le quitta pas un instant, se blottit contre lui, le câlina, lui dit des mots doux, flattant de la main son encolure, passant les doigts dans la crinière. Jusqu'à ce que, soudain, à force de caresser ainsi ses crins, de ceux-ci jaillisse une musique mélodieuse, au son de laquelle le cheval poussa son dernier soupir. Ainsi, naquit le morin-khur, avec lequel les Mongols d'aujourd'hui continuent à chanter de belles histoires de galopades et de tristes histoires d'amour. »]

HISTOIRES DRÔLES, DRÔLES D'HISTOIRES

Homère, Plutarque, Antar, Picasso, Petipa : ras-le-bol ? Certains lecteurs me font gentiment comprendre que mes « ruades » mensuelles, bourrés de références gréco-latines ou d'exemples savants, leur rappellent un peu trop les (mauvais) souvenirs que leur ont laissé leurs manuels scolaires fastidieux ou certains profs mortifères. Message bien reçu. Soyons, pour finir joyeusement l'année, un peu plus folichon.

Des cent bonnes blagues qu'on a pu me raconter cette année, j'en ai retenu trois, que je vais rapporter ici – en proposant à mes lecteurs de m'en envoyer d'autres (pour l'année prochaine !).

Première blague. C'est une petite annonce, lue dans un journal pour agriculteurs : « Jeune paysan célibataire épouserait jeune paysanne possédant un cheval. Envoyer photo du cheval à… »

Deuxième histoire drôle (si l'on peut dire) : un petit malin – appelons-le Tom – achète un vieux cheval à un vieux fermier pour 100 euros. Hélas, le pauvre animal, à peine « livré » à son nouveau propriétaire, meurt d'une crise cardiaque. Honnête, le paysan propose à Tom de le rembourser. « Vous z'en faites pas, lui répond ce dernier, j'ai une idée : je vais lancer une tombola et le vainqueur gagnera ce cheval ! » « Mais tu ne peux tout d'même pas refiler un cheval mort », s'étonne le paysan. « T'inquiète ! » lui rétorque le galopin. Quelques semaines plus tard, le paysan croise Tom : « Alors ? » « Alors j'ai vendu 500 billets à 3 euros le billet, soit une recette de 1 500 euros ! » Le vieux : « Et personne ne s'est plaint ? » « Si, répond Tom : le gagnant ! Mais je lui ai remboursé ses 3 euros. »

Avant de vous souhaiter bonnes fêtes de fin d'année, à vous et à vos chevaux, une dernière blague, en forme de devinette : pourquoi met-on une selle sur le dos du cheval ? Réponse : parce que si on la mettait en dessous, elle ne tiendrait pas.

[Paru dans le dernier numéro de l'année de CHEVAL MAGAZINE n° 469 (décembre 2010) dans la rubrique *Ruades*.]

DÉFENSE ET ILLUSTRATION DU PONEY

Voulant finir l'année dans la bonne humeur, j'ai consacré ma dernière chronique de 2010 [voir ci-contre] au récit de quelques bonnes blagues chevalement drôles. À la suite de quoi, croyant sans doute me faire plaisir, un lecteur m'a posté un article découpé dans un vieux numéro du quotidien *Libération* (29 juin 2010), dans lequel le journaliste affirme que, désormais, sur internet en particulier, la principale victime des vannes, ce ne sont plus les blondes – mais les poneys.

Avant les blondes, c'étaient, on s'en souvient peut-être, les Belges. Jusqu'à ce que quelqu'un pose la question : pourquoi les blagues belges font-elles rire les Français ? Réponse : parce qu'elles sont faciles à comprendre.

Voilà qu'on s'en prend aujourd'hui, paraît-il, aux poneys : « l'équidé nabot est devenu la coqueluche » des plaisantins et des internautes facétieux, écrit le journaliste de *Libération*. Cela ne me fait pas rire du tout. Au lieu de nos moqueries, le poney, en effet, mérite toute notre admiration.

Le poney est un cheval qui, à la différence de ses congénères de grande taille, ne doit rien aux hommes ; c'est un cheval qui a pu survivre en s'adaptant à des milieux peu propices au développement harmonieux des « vrais » chevaux : il y a des poneys en région tropicale, en région polaire, en très haute altitude, en zones humides, voire marécageuses, ou au contraire désertiques ; là où des grandes races créées et protégées par l'homme ne pourraient survivre.

Alors que les races de grands chevaux sont le résultat de sélections, de croisements, de modifications dus à des éleveurs, de soins attentifs et constants, les races de poneys, elles, ne doivent pas grand chose à l'ingéniosité humaine : elles sont le produit d'une adaptation et d'une évolution naturelles. Preuve supplémentaire : le cheval de la préhistoire, le cheval d'avant la domestication, n'était rien d'autre, en vérité, qu'un poney.

Le poney, c'est un cheval qui a su se débrouiller tout seul. C'est un cheval qui a réussi.

[Paru dans CHEVAL MAGAZINE n° 470 (janvier 2011) dans la rubrique *Ruades*.]

LE CHEVAL ET LES TYRANS

Après le décès, début juin, du président gabonais Omar Bongo, qui resta quarante-deux années consécutives à la tête de son pays, le doyen des chefs d'État africains – ou, du moins, le détenteur du record de longévité aux affaires – est désormais l'inénarrable Mouammar Kadhafi, qui célèbre ce 1er septembre [2009] le quarantième anniversaire de sa prise du pouvoir en Libye. Voilà qui risque de le conforter dans sa mégalomanie.

Élu en février dernier président de l'Union Africaine, sacré par une fumeuse assemblée de roitelets d'opérette « Roi des rois traditionnels d'Afrique », rêvant d'être un jour couronné Empereur du Maghreb, du Machrek, du Sahara et du Sahel réunis, Kadhafi n'a pas toujours eu que des mauvais côtés. J'aimais bien son côté empêcheur de tourner en rond. Mais force est de constater que, depuis quelque temps, c'est lui qui ne tourne plus très rond.

Ce qui me l'avait rendu, dans les années soixante-dix, plutôt sympathique, c'était l'amour qu'il manifestait alors pour le cheval, son goût pour l'équitation – une passion souvent partagée, hélas, par des personnages bien peu recommandables : Saddam Hussein adorait se faire représenter en chevalier, et Oussama Ben Laden, qui fut un assez bon cavalier, affirme que c'est en se déplaçant à cheval qu'il a pu échapper aux radars et satellites américains.

Terroristes ou non, les hommes politiques raffolent souvent du cheval, cet animal qui, croient-ils, les grandit. Les amis des chevaux se passeraient volontiers de ces affinités parfois un peu gênantes.

Pour s'en consoler, rappelons à ceux qui sont trop jeunes pour s'en souvenir que les deux plus épouvantables tyrans du XXe siècle, les deux plus grands massacreurs de l'histoire, Hitler et Staline, détestaient tous deux les chevaux !

Hitler en avait peur, et Staline craignait de ne pas bien tenir en selle. Peut-être avaient-ils raison de se méfier de ces êtres intuitifs que sont les chevaux. Comprenant à qui ils auraient eu à faire, ces derniers ne les auraient sans doute pas ménagés, et auraient pu, peut-être, en débarrasser l'humanité ! ?

[Paru dans CHEVAL MAGAZINE n° 454 (septembre 2009)
dans la rubrique *Ruades*.]

LE MONDE À L'ENVERS

En moins de vingt ans, il s'est produit sous nos yeux deux événements prodigieux – à peine croyables. Dans les années 1989-1990, la patrie du communisme (l'Union Soviétique) est devenue, en un clin d'œil, le pays du capitalisme le plus sauvage. Et voilà qu'à l'inverse, la patrie du libéralisme (les États-Unis) sont en train de se convertir à l'étatisme, nationalisant à tour de bras les plus grandes banques et compagnies d'assurance.

En France, c'est encore mieux. On a essayé de faire les deux en même temps : privatiser et nationaliser. Le malheur, c'est que l'expérimentation a été pratiquée sur les Haras Nationaux.

Il fut un temps, pas très lointain, où cette administration était la moins coûteuse de la fonction publique, étant presque entièrement financée par de l'argent privé : des sommes colossales jouées chaque jour par les parieurs sur les courses hippiques, on prélevait un peu moins de 1 %, qui alimentait directement ce qu'on appelle « la filière », c'est-à-dire, principalement, les Haras Nationaux, ses magnifiques installations, ses dizaines de dépôts et ses centaines d'étalons de toutes races.

Un jour, en 2001, l'État s'est avisé que cet argent serait mieux dans sa poche : hop, par ici le magot ! Privés de leurs ressources, les Haras Nationaux devinrent du même coup une charge, présentée comme insupportable en ces temps de restrictions générales, pour le pauvre contribuable. Pour mettre fin à cette situation intolérable, l'État a décidé de se débarrasser du fardeau, purement et simplement, de liquider les Haras : les fermer, les vendre ou les céder à qui en voudrait. C'est déjà chose faite à Strasbourg, à Annecy, à Blois, à la Roche-sur-Yon. Ce sera fait bientôt à Compiègne, puis à Tarbes, à Uzès – et même au Pin : « le Versailles du cheval », mesdames et messieurs, cherche repreneur.

Le concept, il faut bien le dire, est génial : nationaliser les recettes et privatiser les dépenses. En France, vraiment, on est trop fort.

Ainsi l'administration chevaline aura-t-elle été tuée deux fois. Une première fois en 1789, abolie par les révolutionnaires. Une seconde fois aujourd'hui, supprimée par les réactionnaires.

[Paru dans CHEVAL MAGAZINE n° 446 (janvier 2009)
dans la rubrique *Ruades*.]

PATRIMOINE MONDIAL DE LA CHEVALINITÉ

De toutes les grandes institutions internationales, de tous les organes spécialisés des Nations Unies (organisation que le général de Gaulle, autrefois, avait aimablement surnommée le Machin), le plus inoffensif est indiscutablement l'Unesco, qui ne s'occupe que d'éducation, de science et de culture – et dont la réalisation la plus concrète est la constitution d'une liste de ce qu'il appelle lui-même le Patrimoine Mondial de l'Humanité.

Cette liste, qui rappelle l'antique nomenclature des Sept Merveilles du Monde, est un peu la version mondialisée du système créé en France par André Malraux, qui avait pour ambition d'établir un inventaire des monuments historiques et autres lieux ou sites à protéger.

Après avoir ainsi admis quantité de chefs-d'œuvre – créés par l'homme ou par la nature –, l'Unesco s'est avisée qu'elle ne devait pas s'en tenir aux seuls bâtiments et paysages, mais s'intéresser aussi aux savoir-faire, aux traditions, bref au patrimoine immatériel. Du coup, les candidatures les plus diverses (et les plus farfelues) se sont mises à affluer place Fontenoy, à Paris, où siège l'organisation.

Rien d'étonnant à ce que le monde du cheval ait cherché, lui aussi, à s'engouffrer dans la brèche. Des écuyers de l'École Nationale d'Équitation, inquiets des dérives que leur tutelle leur impose, ont par exemple songé à faire inscrire au martyrologe le Cadre Noir de Saumur. Allant encore plus loin (mais aussi compliquant le problème), le nouveau directeur de l'ENE a déclaré vouloir même « aboutir à la reconnaissance de l'Art équestre européen au patrimoine immatériel mondial de l'Unesco » ! Et d'avancer pour argument qu'une telle inscription a été demandée, par exemple, par la haute joaillerie française. Ce qui est d'ailleurs exact. Elle a été sollicitée également pour la gastronomie, pour la fauconnerie : pourquoi pas pour l'équitation, en effet ?

Plus osé encore : la démarche que vient d'entreprendre le président d'une association de promotion du cheval auxois dans le but de faire classer l'ensemble des races françaises de trait (il y en a neuf). L'idée est sympathique, et son auteur, un professionnel de la communication, peut d'ores et déjà se vanter d'avoir réussi son coup, car son initiative a été reprise par à peu près toute la presse. Mais sauvera-t-on réellement ce magnifique cheptel par une simple inscription, une labellisation ? On peut en douter. Le sort des chevaux de labour n'a pas changé quand on a cessé de les appeler chevaux de trait pour les qualifier de chevaux lourds.

Le seul moyen de sauvegarder ce patrimoine génétique consiste non pas à y apposer une étiquette de plus mais à lui trouver de nouveaux usages : le seul moyen de sauver les chevaux, c'est de les utiliser.

[Paru dans CHEVAL MAGAZINE n° 448 (mars 2009)
dans la rubrique *Ruades*.]

GRANDS CORPS MALADES

Nicolas Sarkozy avait promis de faire bouger la société française. À défaut de pouvoir procéder à de profonds changements – « la crise » s'en chargera ! –, il mène tambour battant d'innombrables réformettes qui passent, la plupart du temps, inaperçues du grand public, mais constituent pour les intéressés de véritables révolutions.

Il en va ainsi, par exemple, de la fusion de ce que l'on appelle « les grands corps ». Autrement dit, les grandes écoles, dans lesquelles sont formés, souvent depuis Napoléon, les futurs dirigeants des grandes entreprises, le gratin de la haute administration, bref, l'élite de la nation.

C'est chose faite, depuis peu, entre le corps des Mines et celui des Télécom : après avoir réussi Polytechnique (« l'X »), les meilleurs pouvaient choisir de « faire » Mines ou, s'ils étaient un peu moins bien classés, Télécom. Terminé ! Désormais les vingt premiers sortis de l'X pourront faire indifféremment l'une ou l'autre des deux grandes écoles. Sur le même modèle, la fusion entre le corps des Ponts-et-chaussée et celui des Eaux-et-forêts ne devrait pas tarder.

On ne parle pas encore de marier l'École Normale Supérieure ou l'École Nationale d'Administration à d'autres établissements, mais cela pourrait venir aussi.

Cette frénésie de fusions n'affecte pas que « ceux de la haute ». Dans les étages inférieurs également, on s'agite. Sur instruction de l'Élysée, le ministre de la Jeunesse et des Sports (Roselyne Bachelot, par ailleurs ministre de la Santé) et le ministre de l'Agriculture (Michel Barnier) ont adressé une lettre de mission à deux institutions placées sous leur juridiction, en l'occurrence l'École Nationale d'Équitation et les Haras Nationaux, pour qu'elles se rapprochent – mieux, qu'elles fusionnent. Et au trot, s'il vous plaît : des propositions concrètes doivent être faites par les directions des deux établissements avant le 1er juillet de cette année [2009].

Si, dans le cas des grandes écoles, une certaine cohérence préside au rapprochement, ici, la fusion tourne à la confusion : bien qu'il s'agisse dans les deux cas de chevaux, cela ressemble, a dit quelqu'un, au mariage de la carpe et du lapin. Les Haras Nationaux, lointains successeurs des Haras Royaux, étaient jusque-là censés mettre à la disposition des éleveurs qui le désiraient des étalons de qualité : ils étaient devenus une sorte de conservatoire génétique, garants de la perpétuation de races devenus « inutiles », et en tout cas peu rentables, principalement les races dites « de trait », telles que l'ardennais, le breton, et le percheron. L'École Nationale d'Équitation, elle, était censée former des formateurs : enseigner les arts équestres à ceux qui, bientôt, enseigneraient l'équitation. Aucun rapport, comme on le voit. Pas plus, en tout cas, qu'entre, par exemple, un constructeur d'avions et une école de pilotage.

On se demande quel monstre va naître de l'accouplement contrenature entre les Haras Nationaux et l'École Nationale d'Équitation. D'autant que cette dernière n'est pas encore tout à fait remise du traumatisme né d'un autre mariage forcé, remontant pourtant à presque un quart de siècle. Dans les années 1970, déjà, l'établissement, situé à Saumur, héritier de l'École de Cavalerie, avait été plus ou moins démilitarisé. L'espèce d'académie équestre qu'il abritait, connue dans le monde entier pour la qualité et l'élégance de ses prestations, et jusque-là strictement réservée à des soldats de carrière, officiers ou sous-officiers, dut s'ouvrir à des civils et même, tenez-vous bien, à des femmes ! Pire : les écuyers du Cadre Noir (c'est le nom de ce corps d'élite) furent priés de se convertir en instructeurs, pour ne plus constituer que le corps enseignant d'une école désormais aux mains du ministère des Sports. Une comparaison peut aider à saisir l'ampleur de la transformation : imaginez les maîtres de ballet de l'Opéra de Paris priés de se transformer illico en entraîneurs de l'équipe de France d'athlétisme. Il y aurait des pleurs et des grincements de dents.

C'est exactement ce qui est en train de se produire dans le petit monde du cheval, bientôt victime de bouleversements imaginés, on le devine, par d'indécrottables piétons. Toutefois, derrière ces décisions apparemment absurdes, beaucoup entrevoient un objectif parfaitement « pensé » : la disparition pure et simple des deux institutions. Après tout, argumentent les réformateurs, l'Allemagne produit de très bons chevaux sans posséder de Haras Nationaux, la Suède, la Suisse ou la Hollande ont de très bons cavaliers sans avoir besoin d'une École Nationale d'Équitation…

Avec ce genre de raisonnement, on ne tardera pas à faire remarquer que le CNRS, autre exception française, mérite lui aussi de disparaître, puisque les États-Unis se maintiennent au top niveau de la recherche scientifique sans avoir besoin d'entretenir ce genre d'institution ruineuse.

L'opinion publique française, plutôt indifférente à la probable disparition des Haras Nationaux, n'a pas encore bien pris conscience que l'affaire n'était pas une simple histoire de petits chevaux.

[Paru (amputé de quelques coupes malencontreuses) dans LA REVUE POUR L'INTELLIGENCE DU MONDE n° 19 (mars-avril 2009).]

LA CARPE ET LE LAPIN

Deux siècles après la naissance de Charles Darwin, les hommes continuent à vouloir peser, influencer, modifier les lois de l'Évolution.

Je croyais pourtant qu'ils avaient renoncé depuis longtemps à leurs folles tentatives d'hybridation, telles qu'on en voit, par exemple, dans l'ouvrage (superbe) de George-Simon Winter de Adlersflügel, un hippiatre et écuyer allemand du XVIIe siècle, publié en français en l'an 1672 sous le titre de « Traité nouveau pour faire race de chevaux » – où une planche montre de beaux messieurs, joliment cravatés d'un jabot, s'évertuer à accoupler un taureau et une jument !

Je ne parle pas ici du zorse, cette bête moitié zèbre, moitié cheval, qui fut longtemps l'attraction du haras de La Cense. Non, je parle du mariage de la carpe et du lapin que nos grands chefs, nos grands penseurs sont en train de nous concocter en voulant fusionner l'École Nationale d'Équitation et les Haras Nationaux. Sur ordre, paraît-il, de la Présidence de la République, une lettre de mission a été envoyée par leurs ministres de tutelle (Sports et Agriculture) aux directeurs de ces deux institutions, afin qu'ils proposent, au plus tard le 1er juillet [2009], les modalités de leur intégration au sein d'un nouvel Établissement.

Les concepteurs de ce rapprochement ne paraissent guère émus par le fait que les deux structures qu'ils cherchent à accoupler n'ont à peu près rien de commun, si ce n'est d'appartenir toutes deux au monde du cheval. Mais, à ce compte, pourquoi ne pas fusionner aussi l'hippodrome de Vincennes et la Garde Républicaine (qui possède, justement, des écuries à Vincennes) ? Parce que ce serait n'importe quoi ? On est d'accord.

S'ils voient tant de synergies à développer entre École et Haras, entre éducation sportive et production animale, que ne fusionnent-ils, carrément, leurs ministères ? D'ailleurs, l'exemple vient d'en haut. Ce genre de concentration a déjà été opéré à la tête de l'État : l'Élysée n'a-t-il pas – au moins en cette affaire – purement et simplement absorbé Matignon ?

[Paru dans CHEVAL MAGAZINE n° 451 (juin 2009) dans la rubrique *Ruades*.]

[Ces protestations, on s'en doute, ne serviront à rien. Quelques mois plus tard, « le regroupement des Haras Nationaux et de l'École nationale d'équitation est chose faite », écrit Éliane Feuillerac dans CHEVAL PRATIQUE n° 240 (mars 2010). En bonne journaliste qu'elle est, Éliane recueille (par téléphone) l'avis de quelques professionnels (tel Pierre Durand, champion olympique et ex-président de la Fédération) et de quelques amateurs, parmi lesquels je me trouve. De notre entretien, Éliane tire le texte suivant :

« Faire une réforme oui, mais pas celle-là. Il fallait qu'il se passe quelque chose pour qu'on explique la raison d'être de ces exceptions françaises, leur utilité, leur finalité, la réalité du service rendu. Aucun autre pays n'a ça et pourtant ils sortent de bons chevaux et de bons cavaliers. Pourquoi la France avec ces deux institutions uniques au monde ne fait-elle pas pareil ? À quoi servent-elles ? Le fait qu'elles se soient campées dans leurs privilèges, la non-communication, est aussi largement responsable de ce qui leur arrive. Je ne critique pas l'idée d'une réforme, d'une réorganisation, mais celle qui vient d'être faite est cala-miteuse, c'est une embrouille à l'image de ceux qui l'ont conçue. C'est comme si on avait voulu fusiller l'ensemble de ces deux institutions en créant une espè-ce de monstre incompréhensible dont on ne voit pas bien les avantages et qui présente l'inconvénient d'avoir désarçonné toute la filière. L'idée est de sup-primer ces "maisons" qui n'ont pas prouvé leur utilité et de délester la fonction publique de centaines de fonctionnaires. Aujourd'hui, on fait dans la précipita-tion, l'intrigue, le secret, la non-consultation pour monter un bazar incompré-hensible qui ne peut qu'inquiéter le milieu. On ne peut pas porter de jugement de fond tant le projet est obscur. Qui va diriger quoi ? Comment vont se répar-tir les tâches ? Que va devenir l'énorme patrimoine des voitures hippomobiles (une des plus belles collections du monde) réparti dans plusieurs dépôts des Haras ? On ne sait pas ! C'est une réforme très mal fichue. Le mécontentement général est un indice inquiétant pour la suite. »]

DES CHIFFRES INDÉCHIFFRABLES

Des milliards d'euros volatilisés, des billions de dollars disparus, des millions de yens évaporés ! Voilà plusieurs centaines et bientôt des milliers de jours qu'on nous abreuve ainsi de chiffres extravagants : les milliards envolés de « la crise », les autres milliards injectés pour « la relance », sans compter (c'est le cas de le dire) les milliers de millions escroqués par Bernard Madoff, les centaines de millions perdus par Jérôme Kerviel, les dizaines de millions versés en bonus à des cadres qui ont fait perdre des milliards à leurs boîtes… Tous ces chiffres, qui font un peu penser aux « mille millions de mille sabords » du capitaine Haddock, laissent rêveur. Ce sont des sommes incompréhensibles, des chiffres indéchiffrables. Comme ceux de l'astronomie, ils ne sont pas à notre échelle.

Pour se mettre, peut-être, au goût du jour, la Fédération Française d'Équitation s'est lancée, à son tour, dans la valse des chiffres. Au cours d'une conférence de presse (le 6 avril dernier), ses dirigeants ont annoncé que sur les quelque quarante millions d'euros du budget annuel de la FFE, sept environ seraient consacrés au « haut-niveau ». Lorsque quelqu'un fit observer que ce n'était pas grand'chose si l'ambition était de transformer le fer (à cheval) en bronze, le bronze en argent et l'argent en or (olympique), les responsables de la Fédé sont montés sur leurs grands chevaux : un peu de décence, ont-ils demandé. N'oubliez pas d'où vient l'argent : des cotisations payées par les gamins qui fréquentent les poneys-clubs, et des licences payées par les cohortes d'équitants occasionnels, bref, par « la base ». Consacrer un cinquième des sommes ainsi collectées à moins de 1% des cavaliers, c'est déjà beaucoup, ont-ils argumenté.

On n'est plus là dans l'astronomie mais dans la philosophie : est-il juste, normal, ou même moral, qu'une majorité paye pour une minorité ? Ce système paraissait jusque-là admis par tout le monde : cela s'appelle la solidarité. Les travailleurs cotisent pour les chômeurs, les bien-portants pour les malades, les actifs pour les inactifs, les adultes pour les enfants et les jeunes pour les vieux. Faut-il remettre le principe en cause ? Il semble que la Fédé se soit engagée là sur un terrain dangereux, mais il faut dire, à sa décharge, qu'elle n'est pas la première.

Un an plus tôt, en avril 2008, *Le Figaro* publiait en effet une tribune de notre ministre des Affaires Étrangères, Bernard Kouchner, qui osait une curieuse comparaison : « le fonctionnement de nos ambassades, écrivait-il, coûte 93 millions d'euros, soit moins que la subvention versée par l'État chaque année à l'Opéra de Paris. » Insinuait-il ainsi qu'il n'est pas acceptable que les marottes de quelques mélomanes soient financées par la collectivité, au même titre que les services publics, l'éducation, la santé, la défense ou la diplomatie ?

Il n'est pas illégitime de poser la question. Le débat, au contraire, mérite d'être ouvert. Y compris pour s'interroger : si les places au Palais Garnier ou à l'Opéra-Bastille sont vendues en dessous de leur vrai prix à quelques milliers de privilégiés amateurs de ballets et de bel canto habitant la région parisienne, pourquoi ne pas instaurer la gratuité pour le million de Français répartis sur tout le territoire désireux de s'adonner à de sains loisirs en pratiquant l'équitation ?

[Paru dans CHEVAL MAGAZINE n° 452 (juillet 2009) dans la rubrique *Ruades*.]

AVEC OU SANS CHEVAUX

Longtemps considérée comme la plus grande manifestation du genre, le Salon du Cheval de Paris est en crise : déficit chronique, baisse de fréquentation, exode des exposants, concurrence de plus en plus vive de la province (*Equita* à Lyon, *Cheval passion* à Avignon), etc.

Aussi ses organisateurs ont-ils décidé de frapper cette année un grand coup : espérons que ce ne sera pas le coup fatal. Ils abandonnent la Porte de Versailles, où se tenait le Salon depuis sa création, pour le Diable Vauvert – je veux dire Villepinte, quelque part entre le Grand Stade de France et l'aéroport Charles de Gaulle.

Ce ne sera pas la place qui manquera : l'endroit est gigantesque, mais l'éloignement risque de poser problème. Plutôt réservé jusque-là aux Foires et Salons professionnels, saura-t-il attirer les amateurs, les badauds, les promeneurs, les curieux, les familles – bref, ce qu'on appelle « le grand public » ? Tout dépend, probablement, du nombre de chevaux qu'on y présentera.

Car le grand paradoxe (et sans doute la cause principale de son déclin) de ce Salon est qu'on y voyait de moins en moins de chevaux. Un Salon du Cheval sans chevaux ? Cela rappelle les inventions farfelues * cherchant à enseigner l'équitation… sans avoir recours aux chevaux ! L'irremplaçable Pierre Dac avait inséré dans son journal *L'os à moelle* la petite annonce suivante : « Apprenez l'équitation par correspondance. Pour le galop, se référer à la brochure concernant le trot, mais en la lisant trois fois plus vite »…

L'équitation sans cheval ? Certes, cela simplifierait la vie de bien des cavaliers, en effet, tant il est vrai, comme l'a dit un Maître voulant stigmatiser ceux qui espèrent apprendre l'art équestre dans les livres (ou par correspondance !), que « en équitation, les vraies difficultés commencent à cheval ! »

---

* Cf. par exemple « L'équitation en chambre » d'un certain Jacques du Peuty ; ou, plus récemment, « L'équimotion » de André Slavkov.

C'est certain : supprimez le cheval, vous supprimerez les difficultés. Et, à l'inverse, ramenez des chevaux au Salon du Cheval, vous ramènerez le public !

[Paru dans CHEVAL MAGAZINE n° 457 (décembre 2009)
dans la rubrique *Ruades*.

Depuis la parution de cette chronique, deux éditions du Salon du Cheval se sont tenues à Villepinte ; et l'on a pu voir, en effet, davantage de chevaux et davantage d'animations équestres – malgré la trop discrète présence des grandes institutions (Haras Nationaux, Cadre Noir, Garde Républicaine), venues sans leurs chevaux.]

VŒUX PIEUX (ET IMPIES)

S'il est certes préférable de présenter ses vœux pour la nouvelle année avant la mi-janvier, la bienséance permet de le faire jusqu'à la mi-février. Cette tolérance remonte sans doute à l'époque où le courrier, étant acheminé à cheval ou en diligence, pouvait subir quelques retards. Si elle est restée en vigueur aujourd'hui, c'est que ni les fourgonnettes jaunes ni le TGV, hélas, n'ont vraiment accéléré la distribution postale.

Du moins ce délai de grâce m'autorise-t-il à formuler, un peu tardivement, mes bons vœux pour 2010. Une année qui, soit dit en passant, a bien mal commencé, avec la démantibulation (pardon : la réorganisation) de deux de nos principales institutions, les Haras Nationaux et l'École Nationale d'Équitation.

Pour compenser (un peu) cette déconstruction, je propose la construction – ou au moins l'ouverture – d'une véritable Maison du Cheval à Paris. On me fera observer, à juste titre, que cela fait une bonne dizaine d'années que je forme le même vœu, sans jamais parvenir à mes fins. C'est exact, mais cette année, la conjoncture me paraît favorable.

Puisque le maire de Paris s'obstine à refuser son installation à l'emplacement – hautement symbolique – des anciens abattoirs de Vaugirard, je me tourne en effet vers deux autres personnalités éminentes, qui ne cachent pas leur amour du cheval.

Monsieur Gérard Larcher! Ancien vétérinaire de la Fédération Française d'Équitation, vous voilà aujourd'hui Président du Sénat, et à ce titre grand maître du jardin et des palais du Luxembourg, parmi lesquels un joli petit musée dont la gestion, rapporte la presse, vous poserait de graves problèmes. Cédez-le nous! Nous le transformerons en Maison Européenne du Cheval, et saurons en faire un lieu attractif que le monde entier nous enviera!

Monsieur Bertrand-Pierre Galey! Certes énarque, mais néanmoins fin cavalier (obédience Henriquet), vous dirigez de main de maître le Muséum National d'Histoire Naturelle, vénérable institution possédant, parmi d'autres, le Jardin des Plantes, le Zoo de Vincennes et la moitié du Palais de Chaillot. Vous avez su trouver, en cette période de crise, les sommes nécessaires – on parle de 50 millions d'euros – à la rénovation du Musée de l'Homme (qui en avait certes bien besoin), 120 à 130 autres millions à la rénovation du parc zoologique de Vincennes (qui en avait encore plus besoin) : bravo ! Ne vous resterait-il pas quelques miettes à consacrer à un établissement installé, par exemple, au milieu ou dans un coin du Jardin des Plantes, qui pourrait devenir une sorte de Maison de la Culture équestre – française, européenne, voire méditerranéenne – comme il n'en existe nulle part ailleurs ?

Bonne année à tous.

[Paru sous le titre « Meilleurs vœux ! » dans CHEVAL MAGAZINE n° 459 (février 2010) dans la rubrique *Ruades*.]

UNE MAISON EUROPÉENNE DU CHEVAL

Le cheval n'est plus le symbole d'une aristocratie (cheval – chevalerie), d'une classe privilégiée, d'un petit monde riche et snob. Le cheval est devenu un animal « populaire ». Des études récentes le prouvent : le cheval est, après le chien et le chat, « le troisième animal préféré des Français ».

Le phénomène n'est pas limité à la France : partout en Europe, le statut du cheval a (*grosso modo* depuis la fin de la dernière guerre mondiale) radicalement évolué. D'animal de travail, de rapport, il est devenu animal de compagnie.

Cette évolution a entraîné, en France, de profonds bouleversements, tels que, par exemple, un effondrement de l'hippophagie et, à l'inverse, une augmentation considérable du nombre d'équitants – principalement des femmes et des enfants : le succès des poneys-clubs est véritablement phénoménal.

Il en va de même partout en Europe occidentale – et l'on observe déjà une tendance du même genre en Europe orientale.

Ce changement de statut du cheval a considérablement amélioré, aussi, son image. Loin de ne voir chez le cheval qu'un simple animal utilitaire, on voit en lui, désormais, un peu partout en Europe, un élément du patrimoine, un élément constitutif d'un terroir et, à ce titre, une richesse qu'il faut protéger (voire reconstituer).

Ce nouveau regard, cette nouvelle approche a entraîné la multiplication, en français, en espagnol, en italien, en allemand, en anglais, en polonais de magazines spécialisées, d'ouvrages pratiques sur l'art et la manière d'approcher, soigner, utiliser le cheval, de beaux ouvrages sur « le monde merveilleux des poneys », de spectacles dont le cheval est le centre (Zingaro est le plus célèbre), etc.

Afin de suivre cette évolution, et d'en rendre compte, afin de satisfaire une demande croissante, un besoin manifeste, s'impose l'idée d'une Maison Européenne du Cheval pouvant servir à la fois de vitrine, de lieu de réunion, d'information, de documentation et de divertissement autour du cheval, des activités équestres, des métiers liés à cet animal, etc.

En simplifiant beaucoup, on peut dire que l'Europe du cheval se compose de deux grands groupes, qui correspondent à deux cultures équestres, à deux types de chevaux. En gros (et schématiquement) : les chevaux du nord, grands, puissants (allemands, hollandais, etc.), fournissant des chevaux d'attelage, des chevaux d'obstacle, des chevaux de sport – et les chevaux du sud, plus petits, plus brillants (espagnols, lusitaniens), fournissant des chevaux de dressage, des chevaux de spectacle.

La France occupe, entre ces deux pôles, une position intermédiaire. Une position centrale, qui fait que si une Maison Européenne du Cheval devait voir le jour, il serait logique (et admis par l'ensemble des Européens) qu'elle se trouve en France. Et même au cœur de la France, c'est-à-dire à Paris.

Cette Maison, abritée dans un local prestigieux (et facile d'accès) permettrait, notamment :

• de découvrir la fabuleuse diversité des races régionales de l'Europe entière : chevaux de trait, de course, de sports, de loisirs, poneys, etc., en fournissant sur chacune d'elles une documentation non seulement sur ses caractéristiques mais sur la façon de les approcher, les utiliser, les acheter.

• de s'informer sur les mille métiers, et mille loisirs (sports, tourisme) qu'offre le cheval, mais aussi sur les mille services qu'il peut rendre (insertion sociale, thérapie, entretien écologique des espaces, etc.).

• d'offrir, par le jeu d'expositions, de spectacles, de conférences, de colloques, par la mise à disposition d'une riche bibliothèque et médiathèque, spécialisées mais multilingues, une sorte de Maison de la Culture Équestre.

[Ceux qui ont lu mon livre « C'est pas con un cheval. C'est pas con !.... » (Le Rocher, 2003) savent que je milite, depuis de longues années, pour la création à Paris d'une Maison du Cheval. Soutenue par une pléiade de personnalités des mondes artistique, littéraire et sportif (les écrivains Jérôme Garcin, Homeric, Amin Maalouf, François Nourissier, Michel Tournier, Jean-Loup Trassard ; les écuyers Bartabas, François de Beauregard, etc.), ma proposition de l'installer dans un lieu hautement symbolique – les derniers bâtiments des anciens abattoirs de Vaugirard, 106 rue Brancion – a été soumise aux maires de Paris successifs. Jean Tiberi m'a reçu une première fois à ce sujet le 2 juillet 1999 et, en vain, une seconde fois le 18 novembre de la même année. Son successeur, Bertrand Delanoë a fait la sourde oreille, y compris après le spectaculaire dépôt d'une Supplique à l'Hôtel de Ville, le 23 avril 2006 (reproduite dans un de mes ouvrages, « Pour la gloire (du cheval) », pages 440 à 442).

Conseillé par des amis initiés aux arcanes de l'administration et familiers des couloirs ministériels, j'ai fait évoluer mon projet pour lui donner une dimension européenne. La note qu'on vient de lire, datée de septembre 2006, a été transmise, sans résultat pour le moment, au Cabinet du Maire, au Cabinet du Ministre de l'Agriculture, au Cabinet du Premier Ministre – où elle a dû finir, hélas… aux cabinets.]

L'ODEUR DES ÉCURIES

Je ne veux pas faire de politique ici, mais je ne peux m'empêcher de le dire : franchement, Sarkozy a bien fait de se débarrasser, au lendemain des élections régionales de mars dernier, d'un monsieur qui osait déclarer en public « je n'aime pas l'odeur des écuries ! » Je ne sais pas dans quelles circonstances précises le gaillard a fait cette déclaration mais elle a été citée dans une revue sérieuse (1). Avouez que de tels propos sont inadmissibles ! Son auteur, Martin Hirsch, pourtant, est d'un abord plutôt sympathique. C'est lui qui a succédé à l'abbé Pierre à la tête d'Emmaüs, organisation charitable s'il en est. De cette espèce de curé laïc, Sarkozy avait fait un « Haut-Commissaire aux solidarités actives contre la pauvreté » (je mets des guillemets, sinon on pourrait croire que j'invente, ou que je galèje). Et boum ! Viré après une défaite électorale dont il ne fut d'ailleurs, le pauvre, nullement responsable, ayant au contraire assez bien réussi à son poste. Sarko l'a remplacé par un homme du nord (et de droite), Marc-Philippe Daubresse dont on espère qu'il saura, lui, supporter l'odeur ambiante.

Au lendemain de son remplacement, un journaliste du *Monde* (2) a posé la question à Martin Hisch : « N'êtes-vous pas proche de Martine Aubry et de Dominique Strauss-Kahn ? » Réponse de l'intéressé : « Je les connais, mais je ne suis dans l'écurie de personne. » Décidément ! C'est une véritable phobie !

Si le président Sarkozy cherche quelqu'un aux narines moins sensibles, j'ai quelqu'un à lui proposer : le monsieur (je préfère ne pas dire son nom : services secrets obligent !) qui, ayant gagné ses galons de préfet, s'auto-proclamait il y a peu « conseiller cheval » (*sic*) à l'Élysée – haute fonction qu'il mit d'ailleurs à profit pour créer le plus grand désordre dans la filière, en imposant une fusion (en fait : une confusion) entre les Haras Nationaux et l'École Nationale d'Équitation.

---

1. *La revue pour l'intelligence du monde*, n° 24, février, mars 2010.
2. *Le Monde* daté du 24 mars 2010.

Avant de fréquenter le milieu du cheval, ledit monsieur a beaucoup fréquenté des lieux dans lesquels il vaut mieux, souvent, se boucher le nez. Bien qu'ayant dépassé l'âge de la retraite, il chercherait, dit la rumeur, un job à sa mesure. J'ai une idée : gardien des écuries d'Augias.

[Paru dans LE CHEVAL n° 143 (2 avril 2010).]

QUOI DE NOUVEAU DEPUIS VINGT ANS ?

[Début 2010, la joyeuse équipe (Stéphane Litas, Frédérick Halm, Éliane Feuillerac, Marion Scali) d'une des plus sympathiques gazettes de la spécialité, *Cheval pratique* m'annonce son intention de célébrer en mai le 20e anniversaire de la naissance de leur magazine – et me demande quels thèmes, à mon avis, devraient figurer dans le numéro spécial qu'elle se propose de consacrer à l'événement. Je lui adresse aussitôt la petite note que voici.]

Vous m'avez demandé (merci de m'avoir fait cet honneur !) de vous indiquer quels thèmes devraient (ou pourraient) être développés dans un numéro célébrant votre 20e anniversaire.

Plusieurs phénomènes sont nés ou se sont développés au cours de ces deux décennies.

À commencer par votre naissance, qui n'est pas due au hasard, mais à la nécessité : à la diversification des pratiques équestres. La même période a vu aussi l'émergence d'une chaîne de télé spécialisée (*Equidia*), la segmentation à l'infini des médias spécialisés : par activité (randonnée, attelage, polo), par tranches d'âge (*Cheval junior*, *Galopin*, etc.) et même par sexe (*Cavalière*) ! Sans parler de la prolifération des sites et blogs internet – phénomène de grande ampleur.

Dans le même registre, on peut constater, au cours de ces mêmes vingt dernières années la soudaine multiplication des ouvrages techniques, vétérinaires ou de simple divertissement. Les éditeurs traditionnels (Berger-Levrault, Lavauzelle, Chiron, Crépin-Leblond) ont été ensevelis sous le déferlement des vagues de Belin, Favre, Le Rocher, Actes Sud, Zulma, etc. On a vu ainsi l'apparition d'une génération d'écrivains-cavaliers dont l'archétype est Jérôme Garcin (mais on peut mentionner aussi Homeric, Christophe Donner, et quelques autres : Adeline Wirth, etc.).

Autres phénomènes majeurs nés au cours de votre vie de twentys.

• Dans le domaine vétérinaire : l'apparition de l'ostéopathie (le premier manuel d'ostéopathie équine, dû au Dr Giniaux date de 1987);

• Dans le domaine du dressage : l'énorme succès des chuchoteurs, la naissance de l'équitation « éthologique », le ralliement quasi général aux pratiques de La Cense.

S'il fallait établir un Top 20 des hommes (et femmes) de cheval de ces vingt dernières années, il faudrait naturellement y faire figurer Dominique Giniaux et William Kriegel !

Autre drôle de zèbre à y faire figurer : Bartabas, qui vient de fêter le 25e anniversaire de la création de Zingaro. Dans le domaine du spectacle équestre, il a indiscutablement fait une véritable révolution. Il y a un *avant* et un *après* Zingaro.

Autre fait majeur de ces dernières années : l'extinction (naturelle) des grands maîtres : Oliveira, d'Orgeix, Racinet. Question : y a-t-il une relève ?

À l'inverse, on peut constater que, dans le domaine de la cascade, de l'acrobatie équestre, la relève d'un Mario Luraschi (62 ans le 11 décembre dernier) est assurée, avec ces doux magiciens que sont Lorenzo, les Pignon, etc.

En vrac, quelques autres constatations :

– l'archéologie a permis de mieux connaître (ou deviner) les prémices de la domestication, et de suivre d'un peu plus près les évolutions techniques (selle, étrier, ferrure).

– une nouvelle discipline, quasiment inconnue voici 20 ans, est apparue : l'endurance.

– le tourisme équestre s'est considérablement développé, spécialement vers des destinations lointaines et « exotiques » : Mongolie, Kirghizie, etc. Les agences spécialisées se sont multipliées : *Cheval d'Aventure* n'est plus seul à proposer des jolies randos au bout du monde ; il y a désormais *Cavaliers du Monde* (Christophe Lesourd), etc.

– un cran au-dessus : les grands raids. L'exploit récent de cette folle (sympathique, courageuse et intelligente) de Laurence Bougault : 6 000 km en 6 mois (avec un seul cheval) dans des pays à la réputation sulfureuse (Iran, Turquie, etc.). À citer au Top 20 suggéré plus haut !

– j'ai évoqué plus haut également les livres de quelques écrivains. À côté de leurs best sellers, ne pas oublier de mentionner quelques films devenus culte (« L'homme qui murmurait à l'oreille des chevaux », « Chamane », « Danse avec lui », « Serko », etc.).

On peut reprocher à cet inventaire à la Prévert de n'évoquer que des phénomènes de surface, anecdotiques, marginaux. Ok, prenons de la hauteur : deux grands mouvements ont marqué ces deux dernières décennies.

1 – L'inexorable changement de statut du cheval, son hyperprotection (qui n'est pas sans danger), glissement vers le statut d'animal de compagnie – ce qui ne favorisera probablement pas ses débouchés.

2 – Or la création de débouchés pour les chevaux est le problème principal face à l'irrésistible appauvrissement de la biodiversité équine : c'est sous nos yeux que, chaque année, disparaissent des pans entiers de la variété des races. Races de trait chez nous (dont la suppression des Haras Nationaux et la virulence des campagnes antihippophagiques vont accélérer la disparition). Races utilitaires ailleurs (chevaux du Don, de l'Altaï, de Sibérie, d'Asie Centrale, pour ne parler que des régions que je connais).

Quelques lueurs d'espoir : le travail d'une Jacqueline Ripart (encore une à inscrire à mon Top 20) en faveur du cheval kirghize. La création de races de loisirs (henson). Mais l'heure n'est pas à l'optimisme !

À propos de nouveaux débouchés : la Fédération de Russie s'est dotée récemment d'un régiment monté : la Garde Présidentielle, calquée sur notre Garde Républicaine. Deux cents chevaux bien entretenus, aux dires des officiers français qui ont pu visiter les installations récemment !

[Un mois après avoir reçu cette note, les joyeux drilles de *Cheval pratique* m'annoncent qu'ils ont finalement décidé de confier la rédaction-en-chef de leur numéro anniversaire à deux de leurs amis : le sympathique Thierry Lhermitte… et moi ! Et que l'essentiel de notre boulot consistera à dresser une liste de vingt personnalités ayant marqué le monde du cheval au cours des deux décennies précédentes. Et que, bien sûr, c'est urgent : le bouclage est pour hier. Ni une ni deux, je leur envoie la liste des héros qui peuplent mon panthéon équestre.

Partageant la lourde responsabilité de ce choix avec Thierry Lhermitte, je m'en suis tenu à dix personnages seulement. Pour compliquer encore la tâche, j'ai voulu respecter – puisque c'est à la mode – la parité : cinq hommes et cinq femmes. Voici le résultat (classé par ordre alphabétique).]

Je propose… BARTABAS parce que…

Qu'on l'aime ou qu'on ne l'aime pas, tout le monde s'accorde pour convenir qu'il y a un AVANT et un APRÈS Bartabas (pas tout à fait comme il y a un AVANT et un APRÈS Jésus-Christ mais presque !) : Bartabas, c'est vrai, a carrément bouleversé sinon l'art, au moins le spectacle équestre.

Avec « Zingaro », il a créé une nouvelle forme de spectacle, il a inventé quelque chose d'entièrement nouveau, qui ne ressemble à rien de tout ce qu'on avait vu jusque-là : ni au cirque, ni au théâtre, ni au ballet, ni au manège.

En changeant radicalement de ton d'un *opus* à l'autre (une douzaine de fois en 25 ans d'existence), il a, de plus, prouvé son extraordinaire fécondité, sa prodigieuse capacité à se renouveler – confirmée par la création d'une Académie fort peu académique à Versailles, un spectacle au Châtelet, des levers de soleil pour affidés en des lieux improbables ou, à l'inverse, des mises en scène de plein air pour un large public populaire.

Ajoutons qu'il a ainsi « amené » au cheval des milliers (des millions ?) de gens qui, sans lui, n'en auraient peut-être jamais vu de leur vie.

Je propose GABRIELLE BOISELLE parce que…

Cette Allemande lumineuse, à la flamboyante crinière blonde, fascinée depuis l'enfance par la troublante anatomie du cheval, cherche à en saisir toutes les facettes en sillonnant, depuis vingt ans (peut-être même plus ?), harnachée de ses appareils-photo, la planète entière : les Afrique (du nord et du sud), les Amérique (du sud et du nord), les Europe (de l'est et de l'ouest), les Asie (du centre et de la périphérie), sans oublier, bien sûr, l'Australie.

Gabrielle Boiselle a ainsi photographié des milliers de chevaux – de préférence en liberté et en mouvement, – car la vraie beauté du cheval est davantage dans son geste, sa chorégraphie, que dans l'immobilité – réalisant des centaines de milliers de clichés reproduits à des millions d'exemplaires : il n'est pas de petit garçon ou de petite fille qui n'ait du moins une fois accroché au mur de sa chambre un poster ou, mieux, un calendrier signé Boiselle, montrant la noire splendeur d'un frison, la blondeur enjouée d'un haflinger ou l'élégante nervosité d'un arabe. Quatre cents des plus belles de ces photos ont été réunies récemment par les éditions La Martinière dans un beau livre (« Chevaux au jour le jour ») qu'on ne se lasse pas de feuilleter.

Je propose… LAURENCE BOUGAULT parce que…

Elle a réalisé en 2009 le plus grand exploit (à ma connaissance), le plus long raid équestre de ces dix, vingt, voire trente dernières années. Partie du centre de l'Iran, en compagnie d'une jolie jument autochtone (de type akhal-téké), appelée Almila, Laurence Bougault est arrivée, six mille kilomètres plus loin et six mois plus tard… à Fontainebleau. Après avoir traversé, en solitaire et sans jamais changer de monture, l'Iran, la Turquie, la Grèce, l'Italie et la France. Qui dit mieux ?

Quelques années auparavant, Laurence Bougault s'était « entrainée » en parcourant en quelques mois trois mille kilomètres à travers le Lesotho, le Mozambique et le Malawi, remontée en poneys indigènes.

Lorsqu'elle ne se promène pas à cheval quelque part au bout du monde, Laurence Bougault enseigne la stylistique à l'Université de Rennes, et écrit des poèmes ou des livres (cf. « Chevaux entiers et étalons », Le Rocher, 2009).

Je propose… MARIE-CLAUDE BROSSOLLET parce que…

Confortablement installée à la tête d'une entreprise familiale prospère (et pépère), les éditions Belin, spécialisées dans la « littérature » scolaire, universitaire et scientifique, Marie-Claude Brossollet, elle-même cavalière, a eu le culot de créer, en l'an 2000, un secteur entièrement et exclusivement consacré à l'Équitation, s'attaquant ainsi à un bastion tenu jusque-là par des éditeurs sûrs de leur monopole : Lavauzelle, Crépin-Leblond et quelques autres.

En dix ans, avec l'aide de Guillaume Henry, auquel elle a confié la direction de ce catalogue, Belin a publié plus de cent ouvrages, manuels et traités d'équitation et d'art équestre, devenant ainsi l'incontestable leader de la spécialité. Parmi ces ouvrages : l'excellente collection de Marion Scali (*Les grands Maîtres expliqués*), les cinq volumes de ma *petite géographie amoureuse du cheval* et, en apothéose, les œuvres complètes de Nuno Oliveira.

Je propose… JEAN-PIERRE DIGARD parce que…

Il a ouvert les sciences humaines à l'Équitation, considérée avant lui comme une non-science, un non-sujet, une simple façon de se déplacer. Ethnologue, spécialiste de l'Iran, chercheur (puis directeur de recherche) au CNRS, Jean-Pierre Digard a « découvert » l'équitation en étudiant, sur le terrain, une tribu (il faut dire aujourd'hui une ethnie) cavalière. Pour s'apercevoir que le cheval, loin de n'être qu'un banal véhicule, est un élément essentiel de la culture, voire de la civilisation.

Ses travaux, dès lors, ont souvent porté sur la relation homme/cheval, sujet dont Digard est, en vingt ans, devenu le spécialiste indiscuté.

Un ouvrage monumental, « Une histoire du cheval » (Actes Sud, 2004) marque l'apothéose de son travail sur la question.

Ses mises en garde contre les dérives « animalitaires », nées d'un phénomène qu'il a été un des premiers à observer (le changement de statut du cheval, animal « de rente » devenu animal « de compagnie »), ses coups de gueule contre l'hyper-protection du cheval – à ses yeux plus dangereuse que bénéfique pour l'animal lui-même – en font un imprécateur précieux dans l'univers équestre contemporain, où les sentiments l'emportent souvent sur la raison.

Je propose… JÉRÔME GARCIN parce que…

Il y a eu Xénophon, il y a eu Montaigne, il y a eu Buffon, il y a eu Tolstoï… et voilà, il y a maintenant Jérôme Garcin ! Journaliste, essayiste et romancier, Jérôme Garcin occupe aujourd'hui une fonction qu'ont occupée avant lui des auteurs comme Paul Morand (« Milady ») ou François Nourissier (« En avant, calme et droit ») : l'archétype de l'écrivain-cavalier.

Jérôme, lui, est venu au cheval de la façon la plus paradoxale qui soit : c'est un cheval qui a tué son père. La méfiance, la rancune, voire le désir de vengeance se sont transformés, avec le temps, en une sorte de fascination pour l'assassin. L'histoire de ce lent retournement lui a fourni la matière de son premier chef-d'œuvre, « La chute de cheval » (Gallimard, 1998).

Depuis, d'autres essais, d'autres romans, d'autres portraits et auto-portraits (« Bartabas, roman » en 2004, « Cavalier seul, journal équestre » en 2006, « L'écuyer mirobolant », enfin, en 2010) ont installé Jérôme Garcin au pinacle de ce que son illustre prédécesseur Paul Morand a appelé « la littérature équestre ».

Je propose… DOMINIQUE GINIAUX parce que…

C'est un pionnier, un inventeur, un vétérinaire génial (giniaux est d'ailleurs le pluriel de génial). Il est le premier à avoir eu l'idée d'appliquer aux animaux, et aux chevaux en particulier, une médecine jusque-là réservée aux hommes, l'ostéopathie. Il en a jeté les bases, dans un livre que je suis fier d'avoir édité (« Les Chevaux m'ont dit », 1987), et mis au point la pratique, avec une efficacité reconnue aussi bien dans le monde des courses que dans l'univers des sports équestres. Ce bienfaiteur de la chevalinité s'est éteint début mai 2004, sans avoir même atteint, hélas, la soixantaine.

Je propose… MARC LHOTKA parce que…

C'est grâce à lui, à son énergie, à sa compétence que le tourisme équestre, vague distraction alors plus ou moins monopolisée par des « loueurs d'équidés » (sic), est devenu une véritable discipline, digne de siéger, au sein de la Fédération, sur le même pied que les disciplines nobles des sports équestres.

En inventant le Concours du Cheval et du Cavalier de Randonnée (devenu le TREC), Marc Lhotka a introduit dans l'apprentissage de l'équitation, outre les cours théoriques d'hippologie, des « matières » pratiques, telles que la maréchalerie, la bourrellerie, la topographie, le secourisme (et même le droit), etc.

Véritable homme de cheval, Marc Lhotka a su pratiquer à la fois, tel Étienne Beudant, « Extérieur et Haute-École », alternant galopades en Inde ou en Mongolie, et stages chez son maître et ami Nuno Oliveira.

Je propose… ANNE MARIAGE parce que…

Elle a rendu accessible à tous un monde jusque-là inaccessible, elle a aidé des milliers de cavaliers à satisfaire leurs fantasmes les plus fous : galoper dans les steppes infinies de Mongolie, patrouiller sur les crêtes de la cordillère des Andes, chevaucher en Argentine ou en Australie, se prendre pour un cow-boy au Wyoming, pour un maharadja au Rajasthan ou pour un cosaque en Russie. Avec son agence de voyages équestres (mieux vaudrait dire son club, sa communauté, sa confrérie), « Cheval d'Aventure », Anne Mariage a fait beaucoup plus que réaliser des rêves : imposant à sa clientèle une éthique infiniment respectueuse des civilisations visitées, des gens, des paysages (et, bien sûr, des chevaux), elle a créé un véritable art de voyager à cheval – que cherchent à perpétuer ses successeurs, maintenant que Anne, devenue sédentaire, s'est retirée sous sa yourte.

Je propose… JACQUELINE RIPART parce que…

Elle s'était déjà fait remarquer, en 1994, en révélant au monde éberlué l'existence de chevaux dans une région réputée fatale à toute vie animale : le désert de Namibie. Jacqueline Ripart a, depuis, sillonné la planète, à la rencontre des « Chevaux du monde » (c'est le titre d'un de ses livres) pour se fixer finalement en Asie Centrale où, depuis dix ans, elle mène courageusement une action destinée à sauver le cheval kirghize de la disparition. Elle a, pour ce faire, pris le problème par le bon bout : loin de pleurnicher sur leur triste sort, elle leur a trouvé de nouveaux emplois, remettant à l'honneur les jeux équestres tombés dans l'oubli, des joutes régionales, et plaçant ainsi le cheval à nouveau au cœur de la société humaine.

[À peine avais-je livré cette liste que j'ai été envahi par des regrets, pire : des remords. J'aurais aimé pouvoir y inclure d'autres écrivains (Homeric, Christophe Donner, Adeline Wirth), d'autres photographes (Yann Arthus-Bertrand, bien sûr), d'autres artistes (Jean-Louis Sauvat, Marine Oussedik), d'autres créateurs : Yves Bienaimé, le fondateur du Musée Vivant du Cheval, à Chantilly ; William Kriegel, le bâtisseur du Haras de La Cense, devenu la Mecque de l'équitation dite éthologique ; Claude Esclatine, le véritable inventeur de la chaîne *Equidia*. D'autres encore. Des voyageurs au long cours : les trois B : Ballereau, Bigo, Brager (auteur de la bible de la spécialité, « Techniques du voyage à cheval », paru chez Nathan en 1995). Des magiciens du spectacle équestre : l'ancêtre Mario (Luraschi) et ses descendants : Imbert, Lorenzo et les Pignon. Des magiciens du débourrage (Nicolas Blondeau) et du dressage (Jean-Claude Racinet). Des éthologues (j'ai dit éthologues : pas éthologistes), telle Claudia Feh ; des archéologues, des cavaliers, des écuyers. Mais, là encore, la règle du jeu imposée par *Cheval pratique* était contraignante : puisqu'il s'agit de célébrer le 20ᵉ anniversaire du magazine, il fallait s'en tenir aux seules personnes ayant connu l'apogée de leur carrière au cours de ces vingt dernières années. S'il avait été possible de remonter plus loin dans le temps, j'aurais pu citer, bien sûr, des gens comme d'Orgeix, ou Oliveira, comme les deux Pierre Durand (le médaillé et le général) ou les deux sœurs Coquet – et cent autres ayant su, par leur art, honorer, glorifier, exalter notre ami à tous, le cheval.

Entremêlés aux propos de Thierry Lhermitte sur les personnages de son choix, et aux commentaires divers de la rédaction, ces textes, éparpillés un peu partout dans le magazine (et parfois légèrement raccourcis) sont parus dans le numéro anniversaire de Cheval Pratique n° 242 (mai 2010) intitulé « Vingt ans de passion ». On aurait pu ajouter : « et de rigolades ».]

AU PARADIS DES CHEVAUX

C'est une hécatombe.

Le mois de février a été d'une extrême cruauté pour le monde du cheval et le monde des arts.

• Décès de Philippe Barbié de Préaudeau, contrôleur général des Haras Nationaux (au temps de leur splendeur), spécialiste reconnu des races orientales, et auteur de deux ouvrages qui, aujourd'hui encore, font référence : « Chevaux d'Europe » (du Perron, 1991) et « Le cheval arabe » (Jaguar, réédition 2002).

• Disparition, au terme d'une longue maladie, d'une longue souffrance, de Alec Wildenstein – fils de Daniel, petit-fils et arrière-petit-fils de grands marchands de tableaux et de grands amateurs de chevaux.

• Mort, enfin, d'un des écrivains français les plus connus à l'étranger, pape de ce qu'il a appelé lui-même le Nouveau Roman, et vrai-faux membre de l'Académie française, Alain Robbe-Grillet.

Je me sentais lié à ces trois personnages éminents par des amitiés, réciproques ou non, ou des affinités profondes, dues à notre passion commune pour le cheval.

La moins connue, la plus secrète est celle de l'écrivain, qui, pourtant, ne faisait guère mystère de ses (autres) fantasmes : les (très) jeunes filles, en particulier. Une fois, dans un de ses films, il se débrouilla pour associer les deux, ligotant une donzelle (nue, évidemment) sur le dos d'un cheval, féminisant ainsi le mythe Mazeppa.

Pour mesurer l'attirance esthétique qu'exerçait sur Robbe-Grillet les chevaux, il faut lire un magnifique passage des « Derniers jours de Corinthe » (Minuit, 1994), dans lequel il décrit des animaux tout droit sortis des albums de Michèle Le Braz : d'énormes chevaux bretons, des bêtes « quasi géantes, dont j'avais pris d'abord les solides reins et garrots pour de la pierre parmi les pierres. »

Lorsque, voulant réparer une injustice, je me lançai dans l'édition d'un beau livre consacré – pour la première fois en français – au peintre « très-anglais » du cheval George Stubbs (Favre, 2002), c'est tout naturellement Alec Wildenstein que je sollicitai pour en rédiger une présentation. « En me demandant une préface, écrivit-il alors, l'éditeur pressentait à coup sûr qu'il comblerait les goûts, et du marchand d'art, et du propriétaire de chevaux. »

Exact, mais nous avions en partage bien d'autres attirances, bien d'autres sentiments : l'amour de l'Afrique (de ses différentes résidences, c'est celle du Kenya qu'il préférait), l'amour de la Russie (que lui fit découvrir sa jeune épouse) et, par-dessus tout, l'amitié que nous portions tous deux à Dominique Giniaux.

Je m'en souviens comme si c'était hier. Mai 2004. Nous assistions tous deux à l'enterrement du génial vétérinaire et du merveilleux ami qu'avait été Dominique. Alec, les yeux embués de larmes, s'était penché vers mon oreille : « pour moi, la vie ne sera plus comme avant » avait-il chuchoté.

Sa vie « après » aura duré moins de quatre ans, hélas. Les deux amis se sont retrouvés, n'en doutons pas, dans un paradis peuplé de joyeuses et fringantes cavales, que contemplent aussi, avec un œil (expert) Philippe Barbié de Préaudeau, et d'un œil (égrillard) Alain Robbe-Grillet.

[Parue « à la Une » du n° 94 (29 février 2008) de LE CHEVAL, cette notice nécrologique était censée jouxter la note de lecture suivante, publiée finalement en page 23, sous le titre « La bible des courses ».]

Sur la saga de la dynastie des Wildenstein, on saura tout en lisant le magnifique ouvrage que Guy Thibault, historien reconnu et respecté de l'hippisme, vient de publier (éditions du Castelet, 780 avenue Saint-Roman, 06500 Menton).

Intitulé sobrement « Un autre regard sur les courses », il s'agit en fait d'une véritable somme, d'une encyclopédie, d'une « bible » sur l'histoire des courses de plat, d'obstacle et de trot « en France de Louis XIV à nos jours » comme le précise justement le sous-titre.

Soutenue par une iconographie d'une richesse incomparable, cette énorme documentation se lit comme un roman. Sans jamais se départir du sérieux qui sied à une entreprise d'une telle ampleur, impliquant l'accumulation et le maniement de milliers de données historiques, statistiques, zootechniques (et autres), Guy Thibault, heureusement, n'en renonce pas pour autant à utiliser un ton personnel, et à exprimer, au passage, son avis.

Témoin, par exemple, cet extrait, consacré à Daniel (le père de Alec) Wildenstein : « Dans le vocabulaire hippique, les termes les plus utilisés abusivement sont *crack* et *champion*. En réalité, un champion est celui qui domine sa catégorie (du sprint au grand fond) au cours de la saison. Le crack ou le grand cheval surpasse les champions, toutes catégories incluses. Il est très rare. Quant à établir une hiérarchie entre ces champions, il n'en est pas question ici, seules les rencontres directes permettent d'établir une classification. Par contre [on peut établir des palmarès de propriétaires]. Un dénominateur commun à ces palmarès, un seul: la présence de Daniel Wildenstein au premier rang des propriétaires dans les trois disciplines. En plat, neuf fois entre 1969 et 2001; en obstacle, quatorze fois entre 1969 et 2000; au trot, sept fois entre 1994 et 2000. Ainsi avec un total de trente titres de champion, Daniel Wildenstein est le seul propriétaire gagnant sur tous les tableaux dans l'histoire des courses françaises. »

Assorti de palmarès, enrichi de notes, augmenté d'encadrés innombrables et d'un index bien pratique, cet ouvrage monumental est une mine de renseignements pour l'amateur, et un outil (indispensable) pour le professionnel.

À NOS CHERS DISPARUS

Certes, la tendance, de nos jours, consisterait plutôt à critiquer le pape, à tourner en dérision ses prises de position, à se moquer de tout ce qui vient du Vatican. Il faut pourtant reconnaître que l'Église catholique a parfois de bonnes idées. Comme celle qui consiste à célébrer, chaque 1er novembre, tous les saints ; et à honorer, en même temps, tous ces chers disparus qu'on a un peu oubliés le reste de l'année.

Profitons, nous aussi, de cette Toussaint pour rendre hommage à tous les grands hommes (et femmes) de cheval qui nous ont quittés au cours des douze mois précédents, ainsi qu'à tous ceux dont on a omis, hélas, de commémorer la disparition. Avoir la religion du cheval, quelle que soit la chapelle à laquelle on appartient (Dressage, Obstacle, attelage, loisir ou autre), cela crée quelques obligations !

Or personne, ou à peu près, ne s'est cru spécialement obligé, en 2007, de marquer, d'une manière ou d'une autre, le bicentenaire de la naissance de Gabriel-Ephrem Houël ; ni, en 2008, celui de la naissance de l'émir Abd el-Kader : tous deux, pourtant, parmi les plus éminents hippologues du XIXe siècle.

Ne faisons pas preuve, cette année, de la même amnésie, de la même ingratitude, et souvenons-nous que 2009 marque le vingtième anniversaire de la mort du maître portugais Nuno Oliveira (décédé dans la nuit du 1er au 2 février 1989, quelque part en Australie, à l'âge de 64 ans), ainsi que le cinquantième anniversaire de la mort d'un grand écrivain, La Varende (dont Actes Sud a fort opportunément réédité récemment toute l'œuvre équestre, sous le titre « Le Cheval roi »). D'autres encore…

Pour s'en tenir à quelques-unes seulement des grandes pertes de cette triste année 2009, évoquons au moins la disparition de l'écuyer Jean-Claude Racinet (décédé dans la nuit du 24 au 25 avril 2009, quelque part aux États-Unis, à la veille de son 80e anniversaire), celle du « chuchoteur » Ray Hunt, celle de Sally Swift (l'inventeuse de l'équitation « centrée »), celle, enfin de notre ancien champion et entraîneur national Jack Le Goff.

On pourra aussi, bien sûr, se souvenir à cette occasion, de tous ces chevaux qu'on a aimés, et qui nous ont précédés au paradis où, n'en doutons pas, nous les retrouverons.

[Paru dans CHEVAL MAGAZINE n° 456 (novembre 2009)
dans la rubrique *Ruades*.]

LE JOUR OÙ LES CHEVAUX PARLERONT

Faire parler les chevaux est un vieux rêve d'écrivain.

Quelques-uns ont cru pouvoir pénétrer l'âme de ces bêtes mystérieuses, ont cru savoir exprimer les pensées de ces animaux si radicalement différents de nous.

Pas des moindres : Homère, Swift, Kipling, Queneau… Les tentatives sont si nombreuses qu'elles ont (presque) fini par constituer un genre à part entière, qu'on pourrait appeler « la littérature hippophone ». Nous en avons dressé une sorte d'inventaire en introduction au premier volume de la présente collection. Réunissant des textes de Carl Sternheim, de Alexandre Kouprine et, surtout, de Léon Tolstoï – auteur d'une nouvelle dans laquelle l'écrivain rapporte les confidences d'un cheval particulièrement inspiré, Kholstomier –, nous l'avions intitulé « Quand les chevaux parlent aux hommes » (*cheval-chevaux*, 2003), un peu par opposition, ou par contraste avec ce qui se passe en Amérique, où c'est l'inverse : là-bas, ce sont, encore et toujours, les hommes qui murmurent à l'oreille des chevaux. (Difficile de croire, pourtant, qu'aux États-Unis les animaux soient moins bavards que chez nous : serait-ce, alors, que les hommes ne savent pas les écouter ?)

Le propos, ici, est différent. Ce n'est plus une simple supposition, ce n'est plus un joli rêve, c'est une véritable menace : « le jour où les chevaux parleront » réellement, prédit Ismaïl Kadaré, ce sera pour les hommes « une catastrophe sans précédent ».

Cette prophétie est une des plus terrifiantes de toute l'œuvre du grand écrivain albanais, qui nous a pourtant accoutumés aux visions apocalyptiques, aux destinées tragiques, aux malédictions inexorables. Elle est contenue dans un petit texte paru dans un recueil d'apparence anodine : « Première rencontre » (Phébus, 2001). J'avais demandé à une vingtaine d'écrivains de raconter comment s'était passé, à leur avis, ce moment miraculeux où, pour la toute première fois, un cheval s'était laissé approcher, domestiquer (d'hommestiquer, disait Lacan), utiliser. Dominique Fernandez, François Nourissier et d'autres avaient bien voulu se soumettre à l'exercice, imaginant des circonstances d'une variété infinie.

Sous la plume de Kadaré, ce rapprochement soudain entre deux espèces ennemies – l'homme chasseur, le cheval gibier – devint « un événement extraordinaire » aux conséquences incalculables, dont l'issue n'est toujours pas connue : « Sous toutes les latitudes, écrit-il, on constate que l'homme exprime à l'égard du cheval un respect qu'il n'a pour personne. Il lui voue à jamais une reconnaissance secrète. Souvent accompagnée d'un sentiment de culpabilité. Cela vient peut-être du fait que le cheval a été témoin des crimes de l'homme.* Son silence semble alors une circonstance inexplicable et passagère. Parfois, en observant le cheval, on finit par se persuader que quelque chose adviendra, que l'obstacle sera franchi et que le cheval se mettra à témoigner de ce qu'il a vu. À n'en pas douter, ce serait pour l'homme une catastrophe sans précédent. »

Ce jour-là est peut-être arrivé.

On peut le craindre, du moins, en lisant la nouvelle qui ouvre le présent ouvrage, dans laquelle un cheval, appelé Cinq-à-sept, vide son sac, déballe ses griefs, et ose dire enfin aux hommes leurs quatre vérités. Aux hommes, mais aussi à ses propres congénères : il n'est pas plus tendre, comme on le constatera, avec les quadrupèdes qu'avec les bipèdes.

On pourrait croire que ce cheval n'aime personne – ce n'est pas ma conviction personnelle. Il récrimine, il rétive, il prend des airs mauvais, mais il n'est pas réellement méchant — un peu, il faut bien le dire, comme son interprète, Marion Scali, qui en intellectuelle entêtée et cavalière intrépide qu'elle est, s'obstine depuis quelques années (je le sais de source sûre) à vouloir, matinée après matinée, transformer un pur-sang rescapé des hippodromes en un cheval de basse et éventuellement de haute-école…

Avant elle, plus d'un écuyer, ayant rencontré – et surmonté ou non –

---

* Le cheval, « témoin des crimes de l'homme » ! Cette formule de Ismaïl Kadaré est à rapprocher de ce que dit l'écrivaine américaine Kay Boyle dans « Le cheval aveugle » (paru dans la collection *cheval-chevaux* début 2008) lorsqu'elle interpelle le cheval : « toi, espion aux yeux vides épiant les secrets de l'éternité ».
Difficile de ne pas songer, également, à Virgil Gheorghiu qui, dans « La Maison de Petrodava » (Plon, 1961 et réédité dans la collection *cheval-chevaux* en 2008 sous le titre « Les noirs chevaux des Carpates ») observe que si « les chevaux ne peuvent pas parler, ce sont des témoins muets ». Dans leurs yeux, précise-t-il, « est gravée l'image de ce qu'ils ont vu ». Un jour, dit une des héroïnes de ce beau roman, les chevaux finissent par divulguer ce qu'ils savent ! Les chevaux dénoncent. Les chevaux accusent.
Terrible perspective !

les mille difficultés qu'occasionne inévitablement la pratique de l'art équestre, a tenu une sorte de carnet de bord. Certains ont même eu l'immodestie de croire qu'il serait utile, intéressant, de le publier. Le plus célèbre est l'anglo-franco-russe James Fillis, qui fit paraître (en 1903), son « Journal de dressage ».

Mais jusqu'à présent, aucun cheval ne s'était livré à cet exercice. Aucune monture n'avait exprimé ses doutes, ses joies, ses brefs instants de bonheur et ses longues périodes de désespoir dans le difficile apprivoisement de son cavalier. Grâce au texte retrouvé par Marion Scali, c'est chose faite – et c'est une grande première mondiale.

Pour ajouter un peu de piquant à cette affaire, je préciserai que certains éléments dans le témoignage de Cinq-à-sept pourraient être authentiques : des faits rapportés pourraient avoir eu lieu, et certains des personnages qu'il évoque pourraient ne pas être fictifs – le reste appartenant à son imaginaire de cheval… à moins qu'il ne s'agisse de celui de Marion.

Dans la nouvelle suivante, à l'inverse, Jacques Papin a choisi la fiction pure. Et même une double fiction, puisque son héros (dont, hélas, on ne connaîtra jamais le nom) est un cheval qui non seulement sait parfaitement s'exprimer en langage humain, mais est capable de se dédoubler. Témoin de sa propre naissance, il évoque des souvenirs qui remontent au temps où il baignait encore dans le ventre douillet de sa mère. Et, de plus en plus fort, même après sa mort, il continue à se voir, et à raconter. Il y avait longtemps qu'on n'avait connu pareille merveille. Il faut remonter, je crois, aux frères Grimm pour trouver, dans un conte intitulé « La gardeuse d'oies », un cheval, dénommé Falada, capable de tenir des propos posthumes.

À la différence de Cinq-à-sept, toujours récalcitrant, le cheval-papin est toujours partant : il y en a un qui ne veut rien faire, et un autre qui veut tout essayer. La méfiance systématique de l'un est bien restituée par le ton acidulé de Marion Scali. L'innocence de l'autre s'exprime à travers le ton volontairement naïf de Jacques Papin.

Plus que naïveté, toutefois, il faut parler chez Papin d'écoute, de respect du cheval : ces vertus cardinales qu'il a acquises, sans aucun doute, au cours de sa longue fréquentation du grand maître portugais, feu Nuno Oliveira.

L'éternelle bienveillance de son personnage, en tout cas, est une bonne préparation à l'arrivée du troisième héros de notre trilogie : un cheval particulièrement émotif, un grand sentimental, timide, peureux, ne supportant ni la solitude, ni la foule ! Il s'appelle César-du-Semnoz, et a été confessé par une experte, Adeline Wirth.

Je dis « experte » parce que Adeline Wirth est une cavalière de haut niveau (elle a été championne de France en 1986), mais aussi – et surtout – parce qu'elle a déjà prouvé, dans ses deux ouvrages précédents (« Cavalière », chez Stock, en 2001, et « Cheval de cœur », dans la présente collection *cheval-chevaux*, en 2004), sa capacité à explorer l'âme humaine, tout autant que l'âme chevaline.

Quelqu'un a dit un jour que le cheval était « une espèce de divan à quatre pattes, sur lequel toutes sortes de cinglés viendraient se faire soigner, ou chercheraient, en s'y adonnant et s'y abandonnant, à résoudre leurs problèmes » (« Un petit cheval dans la tête », Maison des Cultures du Monde, 1991). À ce petit jeu, Adeline Wirth pourrait tenir le rôle du bon docteur Sigmund, farfouillant avec talent et sensibilité dans les tréfonds de nos conscients, inconscients et subconscients.

Malgré son nom de conquérant, César-du-Semnoz est un être fragile, hypersensible, craintif, prompt à l'affolement. Un « grand nerveux », comme l'a si bien dit Francis Ponge à propos de tous les chevaux.

Tout l'art de Adeline Wirth consiste à savoir exprimer avec sympathie, à savoir restituer avec justesse ces fortes doses de sentiments – affinités ou inimitiés – qui caractérisent les relations des chevaux entre eux (comme celles des hommes entre eux), auxquels s'ajoutent, se superposent, s'entremêlent ceux qu'éprouvent, l'une à l'égard de l'autre, les deux espèces.

Beaucoup d'amour, certes, mais aussi beaucoup de rancœurs, nées souvent, comme dans n'importe quelle relation amoureuse, d'incompréhension mutuelle, d'inattention à l'autre, d'égoïsme.

Il faut espérer que ces trois nouvelles contribueront à dissiper les malentendus, et à rétablir l'harmonie dans le couple homme/cheval : un couple qui, malgré les aléas, « tient » tout de même depuis cinq ou six mille ans.

[Paru sous le titre « Avertissement (et menaces) », ce texte tient lieu d'introduction au recueil de nouvelles de Marion Scali, Jacques Papin et Adeline Wirth paru dans la collection *cheval-chevaux* (éditions du Rocher) en 2007.
Pour intituler ce recueil, j'ai emprunté sans vergogne à Ismaïl Kadaré cette phrase désormais célèbre : « Le jour où les chevaux parleront (… ce sera pour les hommes une catastrophe sans précédent) ». Résultat : le livre a remporté un indiscutable succès – une des meilleures ventes de la collection !]

3
évasion

Il sera beaucoup question ici de littérature et de voyages, deux de mes principaux modes d'évasion, mais aussi de peinture. Un moment, j'ai d'ailleurs été tenté d'intituler cette section « Peinture Photo Poésie », en hommage à Paul Valéry, esprit universel et auteur d'un opuscule intitulé « Degas Danse Dessin » (1938). En dehors de la sonorité à rebonds de ces intitulés, il y a entre les trois éléments qui les composent des liens souvent indissociables. On ne sera pas surpris d'y trouver aussi beaucoup de cinéma. Ce qui, par contre, pourra surprendre, c'est l'ordre / désordre dans lequel les textes ici se suivent et se ressemblent / ne se ressemblent pas. Tout cela pourra paraître un peu brouillon ? J'accepte la remarque. De la même manière que dans écrivain, *il y a le mot vain, dans* littérature, *il y a le mot rature.*

VOYAGER, OUI! MAIS POURQUOI À CHEVAL?

On peut faire comme Arthur Rimbaud (oui, je parle bien du poète, l'auteur génial du *Bateau ivre*) : tout plaquer, et partir, un jour, comme ça, sur un coup de tête.

Rimbaud a quitté depuis pas mal de temps déjà l'Europe lorsqu'il poste, depuis Harar, en Éthiopie, une lettre à ses « chers amis » restés en France : le 4 mai 1881, il leur annonce : « je vais acheter un cheval et m'en aller. »

Acheter un cheval et s'en aller! Qui n'a eu, un jour ou un autre, cette idée, ce désir, ce fantasme? L'aventure! l'espace! la liberté!

Beaucoup en ont rêvé, certains l'ont fait. C'est le cas, par exemple, de Stéphane Bigo. Voilà un monsieur bien sous tous rapports. Il est ingénieur en aéronautique, il dirige l'office notarial que lui a laissé son père, il est marié, il a des enfants. Et puis soudain, la quarantaine venue, il pète les plombs. Il laisse tout tomber et décide de partir. À cheval!

En 1976-1977, il réalise son premier grand voyage équestre : la traversée de la Turquie, de l'Irak, de l'Iran et de l'Afghanistan. Une épopée, qu'il aura été un des derniers à pouvoir vivre, la plupart de ces pays étant devenus aujourd'hui assez peu, c'est un euphémisme, propices au tourisme équestre.

Il faut, à ce sujet, ouvrir une parenthèse, pour observer que si la mondialisation a fait, en un quart de siècle, d'indiscutables progrès, si – grâce aux avions et à internet – la planète s'est considérablement rétrécie, la montée simultanée de la violence l'a rendue aussi, pour les cavaliers, beaucoup plus exiguë, parce que beaucoup moins sûre. Moyen-Orient, Afrique centrale, Chine du nord : là où Stéphane pouvait encore tranquillement (ou presque) déambuler, voici dix ou vingt ans, il n'est plus guère possible de baguenauder à cheval aujourd'hui. Pas seulement pour des raisons de sécurité, mais tout simplement parce que ce n'est plus autorisé.

Ces restrictions, pourtant, ne parviennent pas toujours à décourager les plus entreprenants. Bravant les interdictions ou n'hésitant pas à affronter des administrations absurdes, tatillonnes et bornées, ils réussissent à passer des frontières réputées infranchissables et à atteindre tout de même leur but.

Mais du coup, le voyageur d'aujourd'hui ne peut plus se contenter de courage et patience : il lui faut posséder aussi un certain don (et un certain goût) pour la palabre, le marchandage, la négociation, voire la diplomatie – sans compter une connaissance au moins rudimentaire des langues locales.

Deux magnifiques exploits récents prouvent en tout cas qu'il est encore possible, malgré ces difficultés, de voyager de nos jours à cheval au bout du monde.

Il y a la traversée, sur plus de trois mille kilomètres, des montagnes d'Asie centrale, par le jeune et sympathique Nicolas Ducret, dont il faut lire le récit détaillé, dans un livre plein de charme, qui vient de paraître (chez Transboréal) : « Cavalier des steppes ». Parti du nord du Kazakstan pour gagner l'Afghanistan, à travers la Kirghizie et le Tadjikistan, il explique qu'il est parfois plus difficile de franchir un poste de douane qu'un col de haute altitude fermé par la neige ou un torrent en crue.

Plus incroyable encore : la chevauchée fantastique de Laurence Bougault. Laurence, c'est un cas. Dans la vie normale, elle enseigne (la stylistique !) à l'Université de Rennes. Mais, plus que la littérature, ce qu'elle aime, c'est l'aventure, et plus que les livres, les chevaux. En 2001-2002 déjà, elle avait parcouru quelques milliers de kilomètres grâce à deux petites montures basothos, à travers l'Afrique du sud et de l'est : Lesotho, Mozambique et Malawi.

Et puis, l'année dernière, madame la professeure de stylistique a fait encore plus fort : le double, ou presque, avec un seul et même cheval – en l'occurrence une jument, une gracieuse akhal-téké appelée Almila, qui l'a portée de son pays natal, l'Iran, au pays de sa cavalière, la France. Six mille kilomètres en six mois, de Ispahan à Fontainebleau : une fille seule (deux, si l'on compte Almila) à travers l'Iran des ayatollahs, la Turquie des surmâles, la Grèce des machos, l'Italie des dragueurs et la France des zozos : fallait le faire !

Eh bien, ils sont nombreux à s'y essayer. Ce ne sont pas toujours des exploits extraordinaires, mais tout de même. Rien qu'en France, ils sont chaque année des dizaines à sauter le pas. À vouloir réaliser leur rêve. À faire comme Arthur Rimbaud : prendre un cheval et partir. Partir, oui, mais pourquoi ? On peut partir pour toutes sortes de raisons – des bonnes et des moins bonnes. On peut partir, par exemple, pour fuir. Si je ne me trompe, c'est un peu ce qui a motivé, au départ, mon ami Stéphane Bigo : fuir la routine, fuir la paperasse, fuir les emmerdements. Pour d'autres, c'est encore plus urgent : fuir un chagrin d'amour, un échec professionnel, un contrôle fiscal. Il y a ceux, aussi, auxquels partir donne l'illusion de fuir le dépérissement, la vieillesse, peut-être la mort : ceux qui espèrent, les naïfs, courir plus vite que le temps qui passe...

Un célèbre psychologue américain, Abraham Maslow (1908-1970), a établi que les motivations d'une personne résultaient de l'insatisfaction de certains de ses besoins. Ces besoins, il les a classés en cinq niveaux, par ordre d'importance : les besoins physiologiques (manger, dormir), les besoins de sécurité (famille, emploi, santé), les besoins sociaux (appartenance à un groupe, une région, une patrie), les besoins d'estime – et enfin les besoins d'accomplissement : créer, inventer, se réaliser. Bref, donner un sens à sa vie. Très souvent, le voyage, l'aventure permettent sinon d'atteindre, du moins de se rapprocher de la satisfaction de ce dernier besoin, le plus difficile, sans doute, à concrétiser.

Partir, donc, d'accord. Mais pourquoi à cheval ? On peut, là encore, rechercher des causes psychologiques. Quelqu'un a dit un jour que le cheval était une sorte de canapé vivant, sur le dos duquel beaucoup recherchent la solution à leurs problèmes enfouis. Il faudrait interroger à ce sujet Thierry Posty. Je ne connais pas ce monsieur, mais son ami Stéphane Bigo m'affirme qu'il est probablement le Français qui a parcouru dans sa vie le plus grand nombre de kilomètres à cheval : plus de cinquante mille ! Qui dit mieux, en effet ? Avant d'aller chevaucher aux quatre coins du monde (drôle d'expression : moi qui l'ai aussi parcouru un peu en tous sens, je n'ai jamais remarqué que le monde avait quatre « coins »), Thierry Posty était psychothérapeute. Il devrait donc pouvoir répondre.

En attendant, une réponse souvent entendue est que lorsqu'on décide de partir à cheval, c'est en fait pour mieux fuir ses semblables. Possible, à condition, dans ce cas, de partir en solitaire. Et encore ! Il n'y a pas de cavalier réellement solitaire : en selle, on n'est jamais vraiment seul puisqu'on est avec son cheval.

En vérité, je ne connais aucun cavalier au long cours motivé par une quelconque misanthropie. C'est même exactement l'inverse. Le cheval, explique Nicolas Ducret, est le meilleur moyen d'aller à la rencontre des autres. Bien obligé, en effet, quand on voyage avec un ou plusieurs chevaux, d'avoir constamment recours aux humains: pour demander son chemin, pour trouver un gîte, pour assurer pitance au bipède et picotin au quadrupède qui voyagent ensemble.

Alors, quelle motivation? Stéphane Bigo, en prologue au récit de son prodigieux voyage à travers le Xinjiang (l'ancien Turkestan), qui l'a mené, en 1999, de la Chine au Pakistan, « Crinières de Jade » (aux éditions Belin), avance une raison *a contrario*: je voyage à cheval, explique-t-il, parce que « j'éprouve une réelle frustration lorsque je voyage autrement. Comme si la voiture, le bus ou le train me volaient l'âme des régions que je traverse ».

Les raisons qu'avance Laurence Bougault dans son livre « Sous l'œil des chevaux d'Afrique » (également chez Belin) sont d'une nature voisine: je pars, écrit-elle, « parce que je ne vois rien d'autre à faire ici-bas que cela précisément: voir, apprendre et rencontrer ». Le paradoxe, chez elle, c'est que, du coup, elle décide de planter là son jules (qui, en l'occurrence, s'appelle Julien) et de partir « seule ». Explication de l'intéressée: « moi qui ai toujours cherché la présence de l'autre, la fusion avec l'autre, la force sauvage d'un amour absolu, je pars seule pour éprouver en moi un mode d'être au monde: m'autosuffire ».

Toutes ces belles raisons doivent tout de même paraître parfois un peu fumeuses à ceux qui les énoncent, car on les entend souvent vouloir justifier leur entreprise avec d'autres arguments plus « objectifs », plus présentables, enrichis d'un but plus ou moins culturel, ou humanitaire. Je ne m'explique pas autrement le fait que Laurence Bougault, pour parler encore d'elle, se soit crue obligée de s'autoproclamer, en allant de Ispahan à Fontainebleau, « Amazone de la Paix ». Pour certains, il s'agit de contribuer, sans qu'on puisse bien comprendre comment, à la lutte contre la pollution, à la protection de la biodiversité, au développement durable. Ce sont des thèmes à la mode. Autrefois, on évoquait plutôt l'idée du pèlerinage religieux (Saint-Jacques-de-Compostelle) ou laïc: sur les traces de d'Artagnan, ou dans les pas de Guillaume de Rubrouck, au choix. La reconstitution de voyages déjà réalisés dans le passé par d'illustres voyageurs, Ibn Battuta, Marco Polo ou Napoléon, a été ainsi très en vogue.

Pour moi, je l'avoue, rien de tout cela. Mon histoire est un peu celle du fou qui se tape sur la tête parce que ça fait du bien quand ça s'arrête. Pour moi (chacun son truc), partir c'est surtout le plaisir de s'éloigner. Être loin ou, du moins, me sentir loin. Loin du bruit de la vie parisienne, loin de l'agitation de la vie quotidienne, loin de la confusion du monde moderne. Dans mes voyages lointains, la joie, la jouissance même, que j'éprouve à me sentir injoignable compense le léger désagrément qu'il peut y avoir, parfois, à ne pouvoir joindre personne. Je crains que les nouvelles générations ne connaissent ce bonheur-là, cette sensation d'être « loin » dans l'espace, et même dans le temps. Les progrès, si utiles par ailleurs, des communications satellitaires – téléphone cellulaire, GPS et autre – rendent désormais cet isolement inconcevable. Mais je tiens bon (pour combien de temps ?). En voyage, pour moi, le portable est… importable, et même insupportable. Comment supporter, en effet, qu'au milieu de la steppe mongole, subitement votre concierge vous appelle pour vous signaler une fuite d'eau dans votre salle de bain, ou que votre banquier vous téléphone pour vous expliquer que les cours de la Bourse se sont effondrés alors que, même s'ils se sont envolés, là où je me trouve, je m'en fous complètement ! ?

Reste à expliquer le choix du véhicule. Le choix du compagnon. Pour moi, c'est clair : juste pour vivre une histoire avec un cheval. Chaque fois, une belle histoire d'amour.

[Paru (légèrement tronqué) dans Cheval Magazine Hors série n° 22 (avril-mai 2010) « spécial vacances ».]

ÉCRIVAINS VOYAGEURS
ET ÉCRIVAINS IMMOBILES

Il faut lire le merveilleux petit livre de Gilles Lapouge, « L'encre du voyageur » (Albin Michel, 2007) pour des tas de raisons – c'est un véritable bijou, un diamant, brillant de mille feux –, l'une d'elles étant la façon irrésistiblement drôle dont il raconte comment il a été enrôlé, « à l'insu de son plein gré », comme il ne le dit heureusement pas (car lui, au moins, il sait manier la langue) dans la catégorie de ce qu'on appelle les « écrivains-voyageurs ». Une variété nouvelle, inventée par Michel Le Bris, le fondateur du plus sympathique salon littéraire de France et de Navarre (sa Navarre à lui va jusqu'à Sarajevo, jusqu'à Bamako, et même jusqu'à Missoula, au Montana !) – qui fut moins heureux, hélas, lorsqu'il voulut lancer un nouveau « concept » (tu parles...) destiné à remplacer le terme de francophonie par celui, plus barbare encore, de « littérature-monde ». Mais bref.

Revenons au récit de Lapouge : « Depuis quelques années, écrit-il, nous disposons, grâce au festival de Saint-Malo, d'une nouvelle espèce littéraire, celle des écrivains-voyageurs. C'est une peuplade en plein boom, car elle est favorisée à la fois par l'esprit du temps et par la mise au point d'aéroplanes excellents. » Le ton est donné. Plus loin, il précise : « Un jour, ils m'ont mis dans les écrivains-voyageurs. Je n'avais pas vu venir le coup, mais j'ai conservé mon sang-froid. [...] Une fois accueilli dans la compagnie, j'ai fait amitié avec des tas de voyageurs. [...] Leur commerce m'a enrichi. Ces gens-là prennent tout le temps le bateau ou l'avion. Ils ont des sacs d'anecdotes. Ils parlent bien. Il suffit de les secouer et dix histoires tombent de leurs têtes. Pour moi, j'avais beau me secouer, je n'avais rien à raconter, faute d'expérience. »

Comme on le devine, il ne s'agit là, bien sûr, que d'une coquetterie d'auteur. Car Gilles Lapouge, au contraire, a mille choses à raconter – il les raconte d'ailleurs très bien – et a beaucoup voyagé : en Algérie, où il a grandi ; au Brésil, où il a vécu ; en Islande, en Inde, ailleurs encore... Sans compter les voyages autour de sa chambre, sans parler des pérégrinations circumplanétaire auxquelles il s'est livré, des années durant, sur *France-Culture*, en animant une émission dont le titre, « En étrange pays », s'inspire de celui d'un recueil de poèmes de Louis Aragon, dans laquelle il invita quantité de ses collègues partageant leur énergie entre écriture et déplacements. Car, comme il le reconnaît lui-même, « aujourd'hui, les écrivains voyageurs pullulent. On ne sait plus où les mettre. »

Au point que l'écrivain non voyageur est devenu une rareté. Presque une bizarrerie. J'ai la chance d'en connaître au moins un : Jean-Loup Trassard. Voilà un vrai grand écrivain qui, pour une fois, ne bouge pas, déteste l'avion et considère comme une véritable corvée le fait de quitter son village de la Mayenne (Saint-Hilaire du Maine), ne fût-ce que pour se rendre à Paris ou à Cognac, où se trouvent ses deux éditeurs, Gallimard et Le-temps-qu'il-fait.

Une fois, tout de même, Trassard a voulu essayer. C'était dans les années quatre-vingt. Il a pris le train jusqu'à Moscou, puis s'est baladé ainsi, pendant quelques semaines, dans la Russie profonde – on était encore aux temps soviétiques – de kolkhoses en sovkhoses.

De ce paisible voyage, il a tiré un très joli livre, plein de tendresse pour les gens (et les bêtes) rencontrés au détour des chemins – généralement défoncés – sur lesquels l'avait entraîné son inénarrable interprète, le dénommé Sergueï Popov. À ce livre, il donna un titre – « Campagnes de Russie » – à double sens, dont un des deux évoque ce qui fut certainement pour lui une grande aventure. Presque une épopée.

Une épopée : Jean-Loup Trassard en raconte une autre, dans un de ses romans, « La déménagerie » (Gallimard, 2004). Il y fait le récit – épique, en effet – du déménagement d'une famille de cultivateurs sous l'occupation allemande : un paysan, sa femme, leurs sept enfants et leurs bestiaux quittent un beau jour leur petite ferme de la Mayenne pour s'installer à une centaine de kilomètres de là, autant dire au bout du monde : dans la Sarthe. De ce simple changement de lieu de travail et d'habitation, Trassard parvient à faire une sorte d'odyssée.

Pour Trassard, le moindre déplacement, on l'a compris, est une véritable épreuve. Parfois, pourtant, il se dit que ce n'est pas normal, qu'il faut essayer encore. Récemment, il a tenté le coup. Il est parti en Sicile, espérant y voir ce que tous les guides touristiques prétendent être « les plus belles ruines grecques de la Méditerranée ». Il en est revenu exaspéré. Au dos d'une carte postale, représentant le temple de Junon, à Agrigente, il m'écrit « les théâtres grecs que je voulais photographier sont recouverts de planches pour des spectacles ; j'enrage mais en vain, et il ne fait même pas très beau, souvent gris. Vraiment je ne suis pas fait pour voyager ! Heureusement retour au potager de la Mayenne [dans 5 jours] après errances dans Palerme. »

S'il y a des écrivains-voyageurs, genre Lapouge, il faut admettre qu'il puisse y avoir des écrivains non-voyageurs, des anti écrivains-voyageurs, des écrivains anti-voyages. Prototype : Jean-Loup Trassard. Et, contrairement à ce qu'insinue Michel Le Bris, il n'est pas nécessaire d'être un voyageur pour savoir écrire, ni d'être un aventurier pour avoir des choses à raconter. On peut être un piètre voyageur et un excellent écrivain. La preuve : Jean-Loup Trassard encore.

Cette preuve, Trassard nous la donne en tout cas, pour la énième fois (une quinzaine d'ouvrages au Temps-qu'il-fait, une dizaine chez Gallimard), avec « Sanzaki » (Le-temps-qu'il-fait, 2008), une sorte de « policier rural », comme il le définit lui-même, avec l'omniprésence rassurante de belles et bonnes juments de trait. Illustré de quelques photos (Trassard est aussi un très bon photographe, utilisant de préférence le noir et blanc), il s'agit du récit, en une vingtaine de micro-chapitres, des roublardises d'un paysan qui distille et transporte l'alcool en secret, afin d'échapper à la vindicte de la gendarmerie et aux taxes des services fiscaux.

En ces temps où, comme l'écrit Lapouge, il faut cataloguer les écrivains, les diviser en catégories, comment qualifier Trassard ? D'écrivain-paysan ? De laboureur-écrivant ? D'auteur-rustique ? Je proposerais plutôt, pour l'opposer à tous les agités du petit monde des lettres, une expression poétique telle que pérégrin-immobile ; rassurante, style aventurier-du-bocage ; ou paradoxale, genre nomade-sédentaire. On comprend, à ces hésitations, la difficulté qu'il y aurait à classer un homme qui, comme tous les vrais grands écrivains, est inclassable.

[Paru dans LE CHEVAL n° 127 (3 juillet 2009).]

DES AMIS FORMIDABLES

J'ai des amis épatants. Des gens formidables : intelligents, doués, beaux (parfois). Parmi eux, beaucoup d'écrivains. Non, je ne m'en plains pas, mais cela présente de temps en temps quelques inconvénients. Lorsqu'ils se mettent tous à publier en même temps, c'est alors un peu comme dans ces dîners en ville insupportables, où se mènent simultanément trente-six conversations : on ne sait plus où donner des oreilles. Avec leurs livres, c'est pareil. On ne sait pas par lequel commencer. À défaut d'une meilleure idée, j'ai suivi cette fois l'ordre alphabétique.

JEAN-LOUIS ANDRÉANI (ET HONORÉ DE BALZAC)

Après avoir collaboré pendant vingt ans au *Monde*, l'illustre quotidien du soir, au sein duquel il a réussi à maintenir, vaille qui vaille, et contre une rédaction-en-chef qui jugeait la chose trop frivole, un vague suivi de l'actualité équestre, Jean-Louis Andréani s'est lancé, l'innocent, dans l'édition de livres. Comme si le pari n'était pas encore assez risqué, il a décidé de s'y cantonner à la seule littérature régionale. Et encore ! Pas de toutes les régions, non, d'une seule – d'ailleurs menacée de disparition par le « Rapport Balladur » : la Picardie.

Pour rendre l'opération plus audacieuse encore, il a donné à sa petite maison un nom à coucher dehors, mais qui ne manque pas de charme, et indique bien où vont les sympathies : cela s'appelle les éditions du Trotteur ailé (*sic*). Dans une collection intitulée *Lettres de Picardie*, il y publie à un rythme effréné (deux titres tous les deux mois) des chefs-d'œuvre oubliés, des textes anciens, des romans d'autrefois ayant tous pour décor l'Aisne, l'Oise ou la Somme. Après nous avoir ainsi fait découvrir un Alexandre Dumas enfoui dans l'amnésie générale, voici qu'il nous propose un Balzac inconnu. Une œuvre de jeunesse, « Wann-Chlore ». « C'est l'œuvre d'un déjà très grand romancier », insiste Andréani, qui adore les métaphores hippiques : « comme si Balzac, âgé d'à peine 26 ans, avait essayé, dans ce galop d'essai déjà magnifique, toutes les nuances de sa future palette ».

« Wann-Chlore » raconte l'histoire d'un homme partagé entre deux femmes sublimes, deux « anges » (ailés eux aussi). Pour ajouter au bonheur de son nouvel éditeur, le héros du roman est cavalier et les chevaux y caracolent en tous sens.

SYLVIE BRUNEL

Cela a fait et va faire grincer quelques dents, mais c'est ainsi : le roman de Sylvie Brunel « Cavalcades et dérobades », paru voici peu chez Lattès, vient d'obtenir le Prix Pégase, le Renaudot du cheval ou, pour répéter un gag dont je ne suis pas peu fier, le Goncourt hippique (ah ! ah !). Décerné en coopération avec l'École Nationale d'Équitation et le Cadre Noir de Saumur, ce prix devrait être réservé, proclament certains puristes (tu parles !) aux traités d'équitation savante, aux spécialistes de l'épaule en dedans, aux arrières petits-neveux du général L'Hotte. Pas à une femme libre pratiquant une équitation joyeuse, même si celle-ci montre à toutes les pages, avec modestie (et talent), qu'elle est à la recherche permanente de la vérité équestre. Pardon, mais je préfère voir honorée une de ces « nouvelles cavalières » (l'expression est de Jean-Pierre Digard) pratiquant une « équitation sentimentale » (l'expression est de Antoinette Delylle) au culte idolâtre d'un écuyer qui ordonna que ses chevaux soient abattus après sa mort, afin que nul ne puisse les monter après lui.

Le choix de récompenser Sylvie Brunel est d'autant plus judicieux que cette dernière, tout en étant très représentative de la population cavalière d'aujourd'hui, en offre un excellent contre-exemple, en ne sombrant pas dans les dérives chevalitaires de la plupart de ses semblables.

C'est grâce à des femmes comme elle que le cheval ne sera pas plus cantonné aux rectangles de dressage ou aux hippodromes qu'aux parcs zoologiques ou aux réserves soi-disant naturelles.

La Nature, la vraie, Sylvie Brunel connaît. C'est son truc. Professeur de géographie (à la Sorbonne), spécialiste du développement durable (sujet auquel elle a consacré un *Que sais-je* et, tout récemment, chez Larousse, un formidable petit essai pétulant, « À qui profite le développement durable »), elle vient de publier, chez Larousse encore, un gros livre savant mais accessible à tous (on aimerait que les gros livres savants d'équitation, dont semblent raffoler ceux qui critiquent le choix du jury Pégase cette année, le soient autant) sur un sujet qui concerne, cette fois, non pas le petit million de privilégiés qui, en France, montent à cheval, mais près d'un milliard d'affamés dans le monde. Intitulé

« Nourrir le monde » (et sous-titré *vaincre la faim*), ce bouquin aux allures de livre scolaire pose les bonnes questions – et tente d'y apporter les bonnes réponses : la planète va-t-elle cesser de pouvoir alimenter tous ceux qui l'habitent ?

Philippe Deblaise

En voilà encore un dont l'hyperactivité laisse pantois. Un de ces personnages multiples à propos desquels on s'interroge : mais comment fait-il donc ?

Comment s'y prend-il pour mener ainsi de front trois ou quatre métiers ? Où en trouve-t-il le temps, l'énergie, l'enthousiasme ? Philippe Deblaise produit du cognac. Philippe Deblaise élève des chevaux (arabes). Philippe Deblaise fait pousser des bonsaïs (japonais). Philippe Deblaise a créé la plus grande librairie au monde de livres rares ou anciens consacrés au cheval, à l'équitation, à l'hippologie (« Philippica », qui n'a pas vraiment pignon sur rue, mais édite régulièrement un catalogue dans lequel on a envie de tout acheter. On peut aussi aller y voir sur internet : www.philippica.net). Philippe Deblaise est consulté par des collectionneurs ; il réalise des expertises pour des commissaires-priseurs ; on le voit dans les salons du livre, les brocantes, les foires aux chevaux, les déballages de vieux papiers. Et tout cela ne suffit pas à remplir ses journées, dont chacune, de toute évidence, dépasse largement les 35 heures ! Car en plus, il écrit des livres ! Des petits essais pointus, comme celui qu'il a consacré, en 2002, à l'« Itinéraire du livre équestre dans l'Europe de la Renaissance » (de Rusius à La Broue) ou comme sa toute récente biographie de « Charles Perrier, libraire parisien au XVIe siècle ». Et aussi des romans.

Des romans qui sont parfois des chefs-d'œuvre, comme « Gaspard des chevaux », publié aux éditions du Rocher (collection *cheval-chevaux*) qui obtint, lui aussi, un Prix Pégase (2005) sans que, cette fois-là, personne ne trouve à y redire.

Un deuxième puis un troisième roman ont suivi de peu, et voici que, tirant une nouvelle salve, Philippe Deblaise en publie deux autres, presque coup sur coup. Le premier est un récit d'aventure : « Le manuscrit de Pignatelli », édité également au Rocher (mais hors collection) raconte les tribulations à travers l'Europe du XVIe siècle d'un ouvrage inédit dont l'auteur n'est autre que l'illustre écuyer napolitain. Deblaise y décrit, en particulier, de façon saisissante, la fameuse tuerie de la Saint-Barthélemy, au cours de laquelle, à Paris, furent massacrés près de trois mille protestants… et pillée l'imprimerie qui s'apprêtait à publier le précieux manuscrit, dont on ne connaîtra donc jamais le contenu.

Philippe Deblaise a l'art de mêler ainsi la grande et les petites histoires, d'entrelacer des épisodes tirés de son imagination fertile à des faits ou des décors réels. Il le prouve une fois encore dans l'étrange petit roman qu'il vient de publier chez Le Croît vif (un nom d'éditeur presque aussi farfelu que Le Trotteur ailé de Jean-Louis Andréani). Dans cette espèce de « polar » un peu intello (mais pas trop) dans lequel les femmes ont des prénoms masculins, Deblaise raconte comment un écrivain, se glissant dans la peau de son homonyme, met le doigt dans un engrenage qui finira par le broyer. Le titre : « Au sommet des grands pins ».

CHRISTOPHE DONNER

À une époque où la politique n'est plus qu'une sorte de pantalonnade, où présidents, premiers (et derniers) ministres ressemblent de plus en plus à leurs marionnettes des Guignols de l'info, il était temps que quelqu'un nous explique enfin qu'il faut, au contraire, prendre tout cela très au sérieux. Au moins autant, en tout cas, qu'une course de chevaux. C'est dire.

Voilà d'ailleurs pourquoi Christophe Donner, assistant au dernier congrès du Parti Socialiste, prend des paris, comme il le fait habituellement à Vincennes, Auteuil, Longchamp ou Chantilly. Après avoir étudié de près le comportement de chacun des candidats en lice, suivi au jour le jour leur entraînement, réfléchi aux diverses combinaisons possibles, il mise, le bougre, « 20 000 euros sur Sego ».

C'est une catastrophe, mais en même temps ça fait un bon titre : celui du dernier petit livre (formidable) de Christophe Donner (chez Grasset).

Une catastrophe, parce que c'est Martine Aubry qui rafle la mise. « Trucage ! » s'écrie alors Donner, dans l'indifférence générale – preuve qu'on n'est pas vraiment ici sur un hippodrome, mais bel et bien dans un politodrome. « S'il y avait eu des paris officiels sur cette course, déclare-t-il, un vrai pari mutuel à la française, ça ne se serait pas terminé comme ça, les associations de parieurs se seraient révoltées contre le déroulement de l'épreuve, ils auraient fait appel de la décision des commissaires, on aurait au moins annulé la course. »

Oui mais voilà, non seulement on n'est pas sur un hippodrome, mais on n'est pas non plus dans la réalité : on est dans la littérature.

Dans cette petite fable moderne, cette « sotie » comme il dit,

Donner nous prouve une fois encore – ce qu'on savait déjà depuis « L'influence de l'argent sur les histoires d'amour », paru chez Grasset en 2004 – qu'il est aussi bon sur les courtes distances que sur les longues. C'est un bon, un très bon cheval. Juste une récrimination : quelque part, il écrit (ou fait dire à son narrateur) « trêve de grands mots, je n'ai jamais réussi à décrire bien » une course. Trêve de modestie plutôt, mon cher Christophe ! Ton chapitre six est un morceau d'anthologie : il fait le meilleur récit qu'on ait jamais écrit d'une course, elle aussi d'anthologie, il est vrai, l'Arc de Triomphe, qui vit l'époustouflante victoire de Zarkava. Meilleure pouliche, c'est sûr, que Ségolène…

JÉRÔME GARCIN

Il y a bien longtemps qu'il en est persuadé. Jérôme Garcin pense que la meilleure façon de bien connaître un écrivain n'est pas de lire son œuvre, en tout cas pas seulement, mais de le rencontrer, d'aller chez lui, de le voir dans son intimité, « dans son jus ». C'est ainsi que, d'une pierre deux coups, Jérôme Garcin a fait du pays, découvrant la Suisse pour rendre visite à Jacques Chessex ou la Bourgogne pour bavarder avec Jules Roy ou Claude Lévi-Strauss. Ces pérégrinations géographiques et littéraires, ces déambulations qui, toutefois, ne doivent rien au hasard, avaient déjà donné naissance, en 1995, à un très bon livre, « Littérature vagabonde » (Flammarion) dans lequel on trouve les portraits sensibles – ô combien ! – d'une pléiade très œcuménique, incluant Julien Gracq et Michel Tournier, René Char et Françoise Sagan, Patrick Modiano et François Nourissier, et, comme à l'Académie française, une quarantaine d'autres immortels, parmi lesquels François-Régis Bastide, auquel Garcin consacrera plus tard (2008) un livre-hommage entier, « Son Excellence, monsieur mon ami » (Gallimard).

Quinze ou vingt ans plus tard, Jérôme Garcin récidive avec une galerie de portraits, un panthéon au fronton duquel il est dit que « Les livres ont un visage » (Mercure de France). Avec son élégance habituelle, son talent de narrateur, sa finesse de psychologue, sa culture – immense – de grand lecteur, Garcin y fait vivre sous nos yeux, dans leur décor, une trentaine d'écrivains dont, à nouveau Gracq, Chessex, Nourissier, mais surtout beaucoup de nouvelles têtes, pas toujours célèbres – du moins, pas encore.

Jérôme Garcin en profite pour voir et nous faire voir du pays : l'Angleterre (de Julian Barnes), l'Allemagne (de Gabrielle Wittkop). Et ce voyage, comme il le dit, « par mots et par vaux », se termine, selon ma formule chérie, « par monts et par chevaux » : les trois derniers portraits du livre, en effet, sont consacrés à trois écrivains cavaliers : Homeric, Christine de Rivoyre et Patrice Franchet d'Espèrey.

JEAN GREGOR

Ceci est un message personnel. Il s'adresse à Jean Gregor, « jeune » écrivain, auteur déjà d'une bonne demi-douzaine de romans, qui me pose un gros problème. Voici ce message.

Mon cher Jean. Tu sais toute l'amitié et toute l'estime que je te porte. Je te l'ai dit, je l'ai écrit : on va finir un jour, c'est sûr, par s'apercevoir que tu es un écrivain, un vrai, un grand. Un jour, tu auras le Goncourt, le Nobel, la Légion d'Honneur, l'Académie française, je ne sais pas, quelque chose qui prouvera qu'on a enfin compris que tu es un auteur important, c'est-à-dire un créateur d'univers, un univers qui n'appartient qu'à toi mais que tu offres à tous. Tes contes « philéens », tes romans fantastiques (« Turbulences », « Frigo », « Jeunes cadres sans tête »), dans lesquels les hommes ressemblent à des machines et les machines à des hommes, n'ont pas été appréciés à leur juste valeur par la critique. Il semble que, cette fois, elle ait honoré ton nouveau roman, « Zénith » (Mercure de France) de sa bienveillante attention. Tant mieux. Bravo. Content pour toi.

Toutefois, je te demanderai, à l'avenir, de faire un petit effort. J'ai lu, bien sûr, « Zénith ». J'y ai admiré ton art de raconter de façon extraordinaire des histoires ordinaires, qui se mêlent et s'entremêlent sans jamais nous embrouiller la tête. Mais comment veux-tu que je parle de ce roman dans la presse équestre, seule dans laquelle paraissent mes chroniques ? « Zénith » est le roman d'une montre, d'accord, mais tu aurais pu, pour m'aider, utiliser cette montre, par exemple, pour chronométrer une course, ou pour voir si c'est l'heure de donner le picotin aux chevaux. Mais non, rien ! Le mot cheval n'apparaît qu'une seule fois. Pour dire que la maison du mec dont tu supposes qu'il fut le propriétaire de ta foutue montre a été remplacée « par une petite clinique vétérinaire pour les chevaux » (page 78). Je suis sûr que tu as écrit ça pour me faire plaisir, mais c'est n'importe quoi ! Pourquoi veux-tu qu'il y ait une clinique pour chevaux en plein cœur d'une ville industrielle ? Et si tel était le cas, la clinique ne pourrait pas être petite : les chevaux, mon cher Grego, sont des grosses bêtes ! Amitié. Jean-Louis Gouraud

[Paru dans LE CHEVAL n° 121 (10 avril 2009)

LE CHEVAL, ANIMAL POÉTIQUE

De tous les animaux, le cheval est certainement celui qui a exercé sur l'homme la plus grande fascination.

Cela est dû à sa beauté, certes, mais aussi, et sans doute davantage encore, à son mystère.

Il y a, en effet, dans cet animal quelque chose de distant, de fuyant, « d'imprévisible » qui contribue à son charme, à son mystère. Quelque chose de sauvage et noble à la fois, de fort et de faible, de masculin et de féminin en même temps qui déconcerte.

Mystérieuse aussi, cette relation trouble qu'entretiennent l'homme – chasseur, carnivore, démonstratif, bruyant – et le cheval – gibier, herbivore, hyperémotif : « grand nerveux », comme l'a si bien dit Francis Ponge.

Il y a quelque chose de miraculeux dans leur entente. Quelque chose d'exceptionnel dans ce rapprochement entre un herbivore et un carnivore, cette entente mutuelle, cette acceptation du prédateur par sa proie, et cet amour du chasseur pour son gibier.

Car tel fut, comme chacun sait, pendant des siècles, voire des millénaires, la relation entre l'homme et le cheval : alimentaire, bouchère. Une relation de chasseur à gibier. De consommateur à produit consommable.

Mais, en ces temps-là déjà, l'homme était fasciné par le cheval, ainsi qu'en témoignent les débuts de l'art, les premières formes d'expression de *Homo Sapiens Sapiens*. Parmi les espèces peintes ou gravées par les premiers hommes sur les parois de leurs cavernes, le cheval – affirment les spécialistes – occupe à lui tout seul plus du tiers de la totalité des représentations connues.

Et c'est en France, ce qui n'est pas un mince motif de fierté, que se trouve la plus ancienne de ces représentations : à la grotte Chauvet, en Ardèche, datée de trente mille ans avant notre ère.

Ce qui est surprenant, c'est que l'homme, fasciné depuis toujours par le cheval, ait mis tant de temps à avoir l'idée de l'utiliser, de le soumettre, de s'approprier sa vitesse, sa fougue, et éventuellement sa beauté.

Il a fallu attendre des temps relativement récents : on estime en effet les premières tentatives de domestication à moins trois mille, moins quatre mille ans (quelque part dans l'Ukraine actuelle). Alors que celle du chien remonte à moins dix mille, celle de la chèvre, du mouton et de la vache à moins six mille ou moins sept mille !

Et il a fallu attendre encore mille ou deux mille ans pour que l'homme se mette enfin à écrire sur le cheval. Le premier texte connu a été rédigé – gravé en caractères cunéiformes sur des tablettes d'argile – voici trente-cinq siècles seulement. Il s'agit d'une sorte de mode d'emploi, très technique, rédigé en langue hittite par un maître mitannien appelé Kikkuli : un programme d'entraînement des chevaux (attelés) pour en tirer le meilleur rendement. Méthode sans doute efficace puisqu'elle a permis, deux ou trois siècles après la rédaction de ce manuel, au cours de la fameuse bataille de Qadesh (1294 avant notre ère) à la charrerie hittite de faire vaciller le pharaon égyptien Ramsès II.

[Je profite de me trouver devant un auditoire allemand pour lancer ici un appel : un ami du CNRS m'affirme que des chercheurs allemands auraient mis à jour un traité d'hippologie encore plus ancien d'un siècle ou deux, dû aux Kassites, un des peuples ayant régné sur Babylone… Toute précision sur ce texte m'intéresse au plus haut point. Merci.]

S'il est très précis et très pratique, le texte de Kikkuli, par contre, manque totalement de poésie.

Il en est à peu près autant dépourvu qu'une anti-sèche de physique-chimie, ou une notice d'utilisation d'une machine à laver.

Il faudra attendre Xénophon (430 à 355 avant notre ère), c'est-à-dire dix siècles après Kikkuli (!) pour qu'un peu de poésie se glisse enfin dans les textes consacrés aux chevaux.

Bien que le thème de cette causerie soit la poésie française, je ne résiste pas au plaisir de citer ici un petit passage de « l'Art équestre », écrit vers moins 380 : Xénophon n'est plus un gamin ; il a déjà la cinquantaine : « il faut savoir, écrit-il, que la nervosité est au cheval exactement ce que la colère est à l'homme. De même qu'on n'irrite pas un homme si on ne lui cause, en parole ou en acte, rien de désagréable, de même on n'irrite pas du tout un cheval nerveux si on évite de l'agacer ».

À défaut de vraie poésie, on sent ici une vraie sensibilité, une vraie compréhension du cheval, ce « grand nerveux », comme l'a répété vingt-quatre siècles plus tard Francis Ponge. À défaut d'être un véritable poète, Xénophon est un authentique philosophe. Rien d'étonnant, si l'on rappelle qu'il fut, comme Platon, l'élève de Socrate.

Ce n'est pas être hors sujet, ni faire étalage inutile de connaissances que de rappeler que Platon eut, à son tour, pour élève Aristote, auteur d'une fameuse « Histoire des Animaux » (dans laquelle le cheval occupe sa place, comme on le verra à la fin de ce rapide survol littéraire), et précepteur du futur Alexandre-le-Grand, dont le premier exploit, la première preuve d'intelligence consista à comprendre qu'un cheval, en l'occurrence Bucéphale, peut avoir peur de son ombre.

Aux temps de Xénophon, de Aristote, de Alexandre (IVe siècle avant notre ère), on est déjà très loin de Homère (IXe siècle avant notre ère), de la mythologie, des Amazones, des Centaures, des juments de Diomède mangeuses d'hommes (la suppression de Diomède est, avec le nettoyage des écuries d'Augias, un des douze fameux travaux d'Hercule-Héraclès), des chevaux qui parlent et des chevaux qui pleurent, tels ceux d'Achille (chantés par Homère dans « l'Iliade » puis, quelques siècles plus tard, par un autre poète grec, Constantin Cavafy).

[À noter : le précepteur d'Achille était un bon centaure, Chiron, à la fois médecin, astrologue et musicien – qui fut blessé, accidentellement, d'une flèche empoisonnée lancée par Hercule. Zeus alors le plaça parmi les astres pour former la constellation du Sagittaire, qui montre le centaure Chiron bandant son arc et dirigeant sa flèche vers les étoiles – ce que certains interprètent comme une représentation de la victoire de la connaissance sur l'animalité, de la spiritualité sur l'instinct.]

Si je m'attarde ainsi dans les méandres de la mythologie grecque, puis latine, ce n'est pas seulement parce qu'elle est fondatrice de la civilisation dont est issue la poésie française, pas seulement parce que les fabuleuses histoires qu'elle raconte ne manquent pas, en elles-mêmes, de poésie. C'est aussi parce qu'elle donne une version de la création qui nous intéresse au premier chef.

Et d'abord la création de Pégase, ce magnifique cheval ailé, transformé lui aussi par Zeus en constellation. Né des amours de Poséidon et de la Gorgone, Pégase – raconte Hésiode (VIIIe siècle av. J.-C.) — fit surgir d'un coup de sabot une source, non loin du bois des Muses, connue sous le nom de Hippocrène, c'est-à-dire fontaine du cheval. Cette fontaine magique est considérée depuis toujours comme le symbole de l'inspiration poétique.

Nous y voilà enfin ! Le cheval et la poésie ! Leurs liens, on le voit, sont anciens. On peut même dire que le cheval est à la base, à la source de toute poésie.

« De nombreux écrivains, avancent Franck Évrard et Éric Tenet *, ont fait de l'animal une métaphore de la création littéraire ». Et de citer un quatrain de Guillaume Apollinaire intitulé « le cheval » :

> « Mes durs rêves formels sauront te chevaucher
> Mon destin au char d'or sera ton beau cocher
> Qui pour rênes tiendra tendus à frénésie
> Mes vers, les parangons de toute poésie »

À tout le moins peut-on affirmer, en tout cas, que si le cheval a été, de tous les animaux, le plus représenté sur les parois des cavernes, le plus représenté dans la peinture, dans les arts, il est aussi certainement celui qui a le plus inspiré les poètes du monde entier, et de tous les temps.

On s'en tiendra, puisque c'est le thème imposé de cette causerie, à la France.

Plutôt que de suivre, de façon un peu trop académique, la chronologie, je proposerai plutôt un balayage thématique, un tour d'horizon des grands leit-motiv (mot allemand !) inspirés par le cheval.

En France, – peut-être est-ce aussi le cas ailleurs ? – la meilleure poésie n'a pas toujours été produite par les poètes. J'en prendrai pour première preuve le texte suivant, écrit par un homme d'action, un homme de cheval, un peu oublié aujourd'hui, hélas, bien qu'il soit l'inventeur du spectacle hippique le plus populaire en France aujourd'hui : les courses de trot. Il s'appelait Ephrem-Gabriel Houël, vécut au XIXᵉ siècle (1807-1885) et écrivit une monumentale « Histoire du cheval chez tous les peuples de la terre depuis les temps les plus reculés jusqu'à nos jours. » À la page 145 du premier volume de cette gigantesque histoire, il écrit : « Nous avons déjà pu remarquer que le goût du cheval s'alliait merveilleusement avec la poésie. Il est peu de poètes qui n'aient le sentiment du cheval, et peu d'hommes de cheval qui n'aient à un haut degré le sentiment de poésie ».

Inutile de préciser que je partage cette opinion.

Voici comment Houël raconte la création du cheval. Extraits (avec les fautes d'orthographe ou d'imprimerie de l'époque : 1848) : « Après avoir créé, par sa parole, le ciel et la terre, les poissons des eaux et les oiseaux des airs, Dieu trouva bon de donner à l'homme une suprême marque de sa faveur : il créa le cheval.

---

* Dans un petit livre fort bien fait sur le cheval dans la littérature : « Le cheval, mythes et textes », Bertrand Lacoste éditions, Paris, 1993.

Dans la magnifique succession d'êtres où sa toute-puissance voulut, pour ainsi dire, s'essayer, la dernière place, celle de la perfection, était réservée à cette belle créature.

Si le cheval eût été un de ces grossiers animaux qui rampaient dans la fange des premiers jours, avec les grands serpens, les monstres amphibies et les dragons volans, on retrouverait ses ossements parmi ceux de ces animaux que la science a recomposés. Hippopotames, ours, éléphants, chameaux, se retrouvent dans les terrains de formations plus ou moins anciennes ; mais le fossile du cheval, comme celui de l'homme, ne se trouve nulle part. Ouvrages des derniers jours, fins de la création, dont la femme devait être le mot suprême, le cheval et l'homme entrèrent les derniers dans la vie, après les séries de merveilles, après les soleils et les mondes.

Les intelligences prirent dans leurs mains les moules des créations ; ils choisirent les plus charmans contours, les proportions les plus parfaites, l'ensemble le plus merveilleux ; ils demandèrent au lion sa fierté, au tigre sa souplesse, au cerf sa légèreté ; ils prirent l'œil de la gazelle, la fidélité du chien, la mémoire de l'éléphant ; le cigne donna son cou d'argent, et l'onagre son pied de fer. [...]

Dieu avait accordé un don de sa main à chacun des animaux qu'il avait créés : au cerf, la rosée des feuilles du taillis ; au lion, le sable chaud pour y faire son nid ; il donna au cheval l'espace pour s'y jouer, comme à l'aigle le chemin des airs, comme à léviathan la route des mers. Le cheval fut le roi de la vitesse : c'est le plus rapide des quadrupèdes : il devance le cerf, bondit comme le chevreuil et fatigue le loup. Plus prompt que le vent, plus impétueux que le torrent des montagnes, il ne le cède qu'à l'ouragan. L'homme entouré d'éléments qui conjuraient sa ruine, d'animaux dont la vitesse et la force dépassaient les siennes, l'homme eût été esclave sur la terre ; le cheval l'en a fait roi. »

Cette très belle version de la création du cheval est à rapprocher de celle qu'en donna, en 1753, donc un siècle avant Houël, le grand, l'immense encyclopédiste Georges-Louis Leclerc, connu sous le nom de Buffon, et auteur d'une « Histoire naturelle » qui est un monument à la fois de science et de littérature. Et même de poésie – qu'on en juge : « Le cheval est de tous les animaux celui qui, avec une grande taille, a le plus de proportion et d'élégance dans les parties de son corps ; car, en lui comparant les animaux qui sont immédiatement au-dessous, on verra que l'âne est mal fait, que le lion a la tête trop grosse, que le bœuf a les jambes trop minces et trop courtes pour la grosseur de son corps, que le chameau est difforme, et que les plus gros animaux, le rhinocéros et l'éléphant, ne sont pour ainsi dire que des masses informes. Le grand allongement des mâchoires est la principale cause de la différence entre la tête des quadrupèdes et celle de l'homme ; c'est aussi le caractère le plus ignoble de tous ; cependant, quoique les mâchoires du cheval soient fort allongées, il n'a pas, comme l'âne, un air d'imbécillité, ou de stupidité comme le bœuf ; la régularité des proportions de sa tête lui donne, au contraire, un air de légèreté qui est bien soutenu par la beauté de son encolure. Le cheval semble vouloir se mettre au-dessus de son état de quadrupède en élevant sa tête ; dans cette noble attitude, il regarde l'homme face à face. »

L'enthousiasme des poètes va parfois très loin. Leur admiration pour le cheval n'a pas de limites. Elle en a amené quelques-uns jusqu'à faire l'éloge... de ses excréments ! J'ai évoqué tout à l'heure le très beau poème consacré par Francis Ponge (1899-1988) au cheval, ce « grand nerveux ». Reprenons-le, pour en lire les dernières strophes :

« Haute volaille aux œufs d'or […]
Ah ! c'est l'odeur de l'or qui me saute à la face !
Cuir et crottin mêlés.
L'omelette, à la forte odeur, de la poule aux œufs d'or.
L'omelette à la paille, à la terre : au rhum de ton urine […]
Comme, sortant du four, sur le plateau du pâtissier, les
brioches, les mille-pailles-au-rhum de l'écurie... »

Dans un de ses recueils de petits poèmes en prose (« Pièces », disponible dans la collection *Poésie*/Gallimard), Francis Ponge revient sur la question, avec un texte sobrement intitulé « Le crottin ».

D'autres poètes, d'autres écrivains ont célébré – tel le distingué germaniste Michel Tournier – « la perfection dans l'acte défécatoire » du cheval. Dans son chef-d'œuvre, « Le Roi des Aulnes », Tournier, en effet, s'extasie ainsi : « Un soir qu'il s'attardait dans l'ombre dorée de l'écurie où flottait l'odeur sucrée du purin, en regardant les croupes luisantes onduler de stalle en stalle, il vit la queue [du cheval] se dresser légèrement de biais, en sa racine, découvrant l'anus, bien marronné, petit, saillant, dur, hermétiquement fermé et plissé en son centre, comme une bourse à coulants. Et aussitôt la bourse s'extériorisa […] de laquelle il vit éclore des balles de crottin toutes neuves, admirablement moulées et vernissées, qui roulèrent une à une dans la paille sans se briser »...

On pourrait citer d'autres textes sur le même sujet, mais le crottin n'est pas le thème principal de la poésie française, on s'en doute.

En dehors de l'animal lui-même, le miracle de sa domestication, la magie sinon de sa soumission, du moins de son acceptation de l'homme (sujet évoqué au début de cet exposé) a beaucoup intrigué les poètes. Dans une de ses plus jolies Fables, « Le cheval s'étant voulu venger du cerf », La Fontaine rappelle bien que rien, à l'origine, ne rapprochait ces deux êtres, que rien ne pouvait laisser espérer qu'un jour ils se rapprochent, et coopèrent – avec le succès que l'on sait :

> « De tout temps les chevaux ne sont nés pour les hommes ;
> Lorsque le genre humain de gland se contentait,
> Âne, cheval, et mule aux forêts habitait :
> Et l'on ne voyait point, comme au siècle où nous sommes,
> Tant de selles et tant de bâts
> Tant de harnais pour les combats,
> Tant de chaises, tant de carrosses. »

Un beau jour, en tout cas, le rapprochement eut lieu. Ce fut, dit Buffon, « la plus noble conquête que l'homme ait jamais faite ».

La façon dont cela s'est produit a inspiré à un très grand écuyer d'aujourd'hui, le créateur du théâtre équestre *Zingaro* – un dénommé Bartabas – un très court et très beau poème :

> « Après s'être longtemps observés à distance
> ils se retrouvèrent un matin face à face.
> ce fut le cheval qui fit le premier pas ».

Le plus extraordinaire est que cette vision poétique est peut-être celle qui se rapproche le plus de la vérité historique. Tous ceux qui connaissent les chevaux savent qu'ils sont d'une incorrigible curiosité. En tout cas, si les choses se sont réellement passées ainsi, il ne faut plus parler de conquête du cheval par l'homme, mais de conquête de l'homme par le cheval.

Hélas, quand on sait ce que l'homme fit subir ensuite au cheval, on voit bien qui fut l'esclave de qui – et l'on peut se demander si le cheval fit bien de faire le premier pas.

L'utilisation du cheval par l'homme, la façon dont ce dernier en a usé et abusé, sur les champs de bataille comme sur les champs de labour, a fourni aux écrivains, aux poètes un thème inépuisable. Il faudrait une anthologie entière pour faire non point un inventaire, mais un simple survol de tout ce qui a été écrit à ce sujet.

Je n'en proposerai ici que deux ou trois exemples – des classiques appris à l'école, des œuvres archiconnues :

VICTOR HUGO
    « Le pesant chariot porte une énorme pierre ;
    Le limonier, suant du mors à la croupière,
    Tire, et le roulier fouette, et le pavé glissant
    Monte, et le cheval triste a le poitrail en sang » (etc.)

JACQUES PRÉVERT
    « Place du Carrousel
    vers la fin d'un beau jour d'été
    le sang d'un cheval
    accidenté et dételé
    ruisselait
    sur le pavé
    Et le cheval était là
    debout
    immobile
    sur trois pieds
    Et l'autre pied blessé
    blessé et arraché
    pendait
    […]
    le cheval ne se plaignait pas
    le cheval ne hennissait pas
    il était là
    il attendait
    et il était si beau si triste si simple
    et si raisonnable
    qu'il n'était pas possible de retenir ses larmes. »

PAUL FORT, enfin,
dont le texte a été mis en musique et chanté par Georges Brassens :
    « Le petit cheval dans le mauvais temps,
    qu'il avait donc du courage !
    C'était un petit cheval blanc,
    tous derrière et lui devant.
    […]
    Mais un jour, dans le mauvais temps,
    un jour qu'il était si sage,
    Il est mort par un éclair blanc,
    tous derrière et lui devant.
    Il est mort sans voir le beau temps,

qu'il avait donc du courage !
Il est mort sans voir le printemps
ni derrière ni devant. »

Comme on l'a constaté dans les trois échantillons qui précèdent, la souffrance des chevaux préoccupe les poètes ; mais il est un thème qui, carrément, les obsède : c'est la mort.

Pas seulement la mort du cheval, mais le cheval lui-même – représentation, symbole, allégorie de la Mort. Le cheval annonciateur de la mort, le cheval présage, le cheval macabre, le cheval véhicule vers l'au-delà. De « l'Apocalypse » à Pierre-Jean Jouve (1887-1976) s'adressant au cheval, « ô piétineur de tombes blanches », les exemples sont innombrables.

Nous ne nous y attarderons pas, préférant développer une thématique plus réjouissante : si le cheval est souvent une allégorie de la Mort, il est plus souvent encore une représentation de l'Amour.

C'est Aristote [vous vous souvenez : l'élève de Platon et le précepteur d'Alexandre] qui affirmait, dans son « Histoire des animaux » : « le plus disposé des mâles et des femelles à l'amour, après l'homme, c'est le cheval ».

Les Arabes ont souvent célébré l'amour qu'un homme porte à son cheval. Mais c'était souvent une façon discrète, une façon pudique de dire l'amour qu'il portait… à une femme.

Nous voici d'ailleurs au cœur – c'est le cas de le dire – d'un sujet à la fois très intéressant et, pour certaines peut-être, très choquant : la superposition fréquente, dans l'esprit des poètes, voire même la fusion, jusqu'à la confusion, entre la femme et le cheval.

C'est un des grands paradoxes de cet animal que d'être doublement connoté. Tantôt symbole de virilité, de fougue amoureuse (le centaure lubrique, l'étalon « aux cinq jambes »…) ; tantôt, au contraire, représentation de la féminité. Sur le plan physique, d'abord : une certaine ressemblance. La crinière : une véritable chevelure. Les rondeurs. La grâce. Le caractère aussi, que les messieurs aiment bien qualifier de fantasque, d'extravagant, de futile, d'imprévisible…

Il me faut citer ici une fois de plus le poème de Ponge, que décidément j'aime beaucoup et que j'utilise à toutes les sauces, dans lequel il s'exclame.

« Grand saint ! Grand horse ! Beau de derrière à l'écurie [...]
Quel est ce splendide derrière de courtisane qui m'accueille ?
monté sur des jambes fines, de hauts talons »…

Il faut citer, dans le même registre, Paul Valéry qui, dans un opuscule consacré à Edgar Degas (lequel peignait et sculptait, en effet, aussi bien des ballerines que des galopeurs) écrit « le cheval marche sur les pointes. Quatre ongles le portent. Nul animal ne tient de la première danseuse, de l'étoile du corps de ballet, comme un pur-sang en parfait équilibre [...] tout nerveusement nu dans sa robe de soie. »

Il faut citer, bien sûr, Guillaume Apollinaire, qui, souvent, dans ses « Poèmes à Lou » confond la femme qu'il aime avec une belle alezane :

 « Les écuries sentaient bon la luzerne
 Les croupes des chevaux évoquaient ta force et ta grâce
 D'alezane dorée ô ma belle jument de race. »

Ces comparaisons ne sont pas nées des seuls fantasmes masculins. Bien des femmes ont écrit, loué, chanté cette similitude. Telle la poétesse au joli nom de Catherine Paysan, faisant l'éloge des chevaux de trait :

 « Je suis d'un village où j'entends
 Les chevaux noirs, les chevaux blancs,
 Avec leurs yeux arabisants,
 Leurs nez peuhls, leurs croupes latines,
 Traîner tout le jour des racines
 Et des surcharges de froment.
 Rien n'est plus beau qu'une jument,
 Plongeant son masque d'Orient,
 Sa belle face métissée
 Dans les rivières tempérées.
 Et que j'aime cet Occident,
 Puisard d'amour pour un prophète,
 Quand il fait couler sur les bêtes
 La tendresse aqueuse du vent.
 Femme je suis, devineresse.
 Dans les comices des cantons
 M'émerveillent les étalons.»

À propos de fantasmes, je dois d'ailleurs m'empresser de préciser que si le cheval a été, pour beaucoup d'écrivains, une représentation de la féminité, il a été, pour beaucoup d'écrivaines, une représentation de la virilité. Lorsque certaines décrivent leur étalon, on a du mal à savoir s'il est bipède ou quadrupède. Je pense à la poétesse Muriel Estrade, lorsqu'elle écrit « Enfourche-moi comme tu montes tes chevaux ». Je pense à la poétesse Laurence Bougault, lorsqu'elle écrit « Je veux toucher ton corps cheval puissant ». Je pense à la poétesse Danielle

Rosadoni, lorsqu'elle s'adresse à son cheval, « toi mon violeur d'aurore, mon amant, mon semblable, mon centaure ». Je pense à la poétesse Lucie Delarue-Mardrus, lorsqu'elle dit à son étalon « ton sang bout comme le mien, beau mâle [...] Je fais ce qui te plaît et toi ce que je veux [...] Ma volonté mate ta bouche, et ta force est prise entre mes genoux ».

[À propos de prise entre les genoux, difficile de résister au plaisir de rapporter une anecdote – pas très poétique, mais authentique : c'était dans les années 1900, la duchesse d'Uzès, Anne de Rochechouart, était non seulement l'héritière des champagnes Clicquot (La Veuve Clicquot, c'est elle), mais une féministe et veneuse acharnée. Montant en amazone, elle menait ses équipages à fond de train, et usait sous elle plusieurs chevaux dans la même journée. Un jour, au retour d'une chasse, un petit monsieur qui n'y avait pas participé, eut la mauvaise idée de demander à la duchesse pourquoi son cheval était couvert de sueur. La duchesse lui rétorqua « Si vous aviez passé sept heures entre mes cuisses, vous verriez dans quel état vous seriez ! »]

On pourrait ainsi passer la nuit à citer des poèmes vantant l'amour. L'amour que l'homme ou la femme porte aux chevaux ; l'amour (supposé, espéré) que les chevaux portent aux humains ; l'amour que les chevaux se portent entre eux ; l'amour, enfin, que des êtres humains ont pu se découvrir grâce aux chevaux. Un simple survol nous entraînerait trop loin.

Pour finir, et pour me faire plaisir, un de mes textes préférés, écrit par une très grande dame, Lucienne Desnoues, décédée récemment. Dans un de ses derniers recueils de poèmes, édité par l'excellent Gérard Oberlé, « Un paradis obscur », on trouve un petit chef-d'œuvre intitulé « La jument contrebasse ». Le voici :

« C'est la jument-contrebasse.
Pour jouer de cet instrument
L'on fait glisser gravement
Sur l'échine d'une jument
Un archet en crin d'étalon flamand
Et l'on obtient de très nobles gammes très basses.
Afin qu'elle rende un son
De musicalité certaine,
Ne la gavez point de son,
Ne la choisissez ni châtaine,
Ni feu, mais alezane comme sont

Les Stradivarius qu'on entend sur antenne.
[...]
L'archet extraordinaire,
Dans ses adagios épais
Hale les guerres, la paix,
Canons, froments, soleils, tonnerres,
Tout le fourbi que les chevaux traînèrent
À travers tant de bourbe et tant de millénaires.
Énorme instrument vivant,
Lourde musique d'écurie,
Séduis la foule ahurie,
Et que l'on programme souvent,
Partout ton concerto fauve et savant
Âcrement soutenu par une odeur qui crie.

[Le style parlé de ce texte s'explique par le fait qu'il s'agit de la transcription d'une conférence. Le Centre Culturel franco-allemand de la ville de Essen (capitale de la Ruhr), en effet, m'avait convié à venir parler « cheval et poésie » dans le cadre des festivités du Printemps des Poètes 2005. Cette initiative avait pour véritable auteur une jeune universitaire, Karin Wolff, que j'avais un peu aidée à préparer son Mémoire de fin d'études, présenté en 2000 à l'université de Wuppertal, sur « Das Pferd in der französischen Poesie », et qui me proposa de venir à Essen prononcer une conférence sur un thème voisin. Ce qui fut fait le 11 mars 2005.]

POÉSIE NOIRE, DE ÉSOPE À ANTAR

Même lorsqu'on ne se passionne pas pour le football (c'est mon cas), impossible d'échapper au matraquage médiatique ayant accompagné, au début de cette année, la sortie d'un livre signé par le footballeur Lilian Thuram. Un footballeur qui écrit des livres, il est vrai que ce n'est pas courant, mais ce n'est pas cette seule bizarrerie qui explique l'énorme succès de l'ouvrage en question, intitulé « Mes étoiles noires » (éditions Philippe Rey). La cause principale est que le très populaire et fort sympathique Thuram, saisissant l'occasion de l'énorme enthousiasme déclenché un peu partout dans le monde, et spécialement en France, par l'élection, aux États-Unis, d'un premier Président noir, a voulu rappeler que Obama n'était pas le premier « black » extraordinaire de l'histoire du monde. De ses héros noirs, Thuram dresse une liste fort intéressante, qui en surprendra (c'était le but) plus d'un. Ainsi, apprend-on, par exemple, que Ésope, le célèbre auteur grec, dont La Fontaine s'est inspiré pour composer ses fables, était noir. Comme, plus tard, Alexandre Pouchkine, le père de la littérature russe. Et Alexandre Dumas. Et d'autres encore…

Il en est un, pourtant, que Lilian Thuram semble avoir oublié, ce que je regrette, car c'était un grand cavalier. Il s'appelait Antar, et était contemporain de Mohamed, le prophète de l'islam. Peut-être même se sont-ils rencontrés, car Antar appartenait à une tribu qui nomadisait en Arabie.

Fils d'un riche bédouin et d'une esclave noire, Antar était certes doué d'une intelligence supérieure, mais affligé, rapporte un de ses biographes (L'historien guinéen Ibrahima Baba Kaké, dans « La diaspora noire », ABC/NEA 1976), d'une laideur repoussante. Aussi dut-il utiliser, pour s'imposer, d'autres armes : la force devant l'ennemi, et la poésie devant les femmes. Guerrier énergique et poète raffiné, Antar aimait par-dessus tout les chevaux, comme en témoignent ces strophes, utilisées d'ailleurs par Louis Mercier en exergue de sa monumentale traduction d'un des chefs-d'œuvre de la littérature arabo-andalouse (« La parure du cavalier et l'insigne des preux », de Ibn Hodeil, traduction de 1924) :

« N'était Celui dont les planètes redoutent la toute puissance,
J'aurais fait du dos de mon cheval la coupole de l'Univers. »

[Paru dans CHEVAL MAGAZINE n° 462 (mai 2010)
dans la rubrique *Ruades*.]

LE FRANÇAIS EN AUMÔNE

L'attribution de trois des principaux prix littéraires de l'année à des écrivains francophones mais non français (le *Goncourt* à un Afghan, le prix *France-Télévisions* à un Algérien et le *Renaudot* à un Guinéen) me paraît être un signe des temps. Non point, comme l'a suggéré un peu bêtement la presse parisienne, une sorte d'« effet Obama » (comprenez : la mode du métissage), mais une véritable tendance de l'intelligentsia française à n'avoir plus pour sa propre langue qu'une espèce de condescendance, de tendre apitoiement, au point de se convaincre que cette vieille langue devenue un peu ringarde – après avoir, certes, beaucoup servi – et très minoritaire dans le monde d'aujourd'hui, est bonne à laisser aux miséreux.

Comme une chemise usagée, mais pouvant encore être portée, qu'on donne aux pauvres, la langue française est abandonnée par ses premiers propriétaires à ces mendiants culturels, ces doux nigauds que sont les écrivains d'outre-hexagone. Lesquels, bons bougres se contentant de peu, s'y sentent encore bien, à l'aise, au chaud : ah les braves gens !

Je suis persuadé qu'au fond, le rêve, le désir inconscient, le fantasme des écrivains franco-français consiste à écrire… en anglais : la seule langue qui vaille, le seul vrai jargon universel. Par un paradoxe masochiste qu'il serait intéressant d'analyser (psychanalyser), les Français éprouvent en vérité pour la francophonie quelque chose qui ressemble à du mépris. Cela a commencé, bien sûr, par des mots : on a voulu désigner autrement la petite planète composite des écrivains de langue française, remplacer l'expression déjà désuète de « littérature francophone » par celle, plus branchouille, de « littérature monde ». Lui-même auteur d'un livre récent (« La beauté du monde ») l'inventeur de ce concept plutôt flou, pour ne pas dire fumeux, l'écrivain-voyageur Michel Le Bris, était candidat à tous les prix littéraires de 2008. Ils lui sont tous passés sous le nez, raflés par les ressortissants de ce monde dont il espérait devenir roi. Raté ! Il a connu le sort du bon docteur

Frankenstein, dont la créature finit par lui échapper. Le sort, aussi, du vicomte de Sanderval, dont Tierno Monénembo raconte l'histoire dans le beau roman qui lui a valu le prix *Renaudot* 2008 (« Le roi de Kahel ») : parti en Afrique pour essayer de s'y tailler un petit royaume personnel, l'ambitieux en revint bredouille !

Toutes les fables ont une morale.

[Paru sous la rubrique *Humeur* dans JEUNE AFRIQUE n° 2501 (14 au 20 décembre 2008).]

MORAND ET MONTAIGNE :
MAUVAISE MÉMOIRE !

Jérôme Garcin est un garçon bien élevé. Dans la belle présentation qu'il fait de « L'Anthologie de la littérature équestre », dont Actes Sud a eu le courage de publier récemment une réédition, notre écrivain mirobolant s'autorise, certes, à égratigner ici ou là l'auteur de cette œuvre monumentale, l'illustre Paul Morand, mais il évite d'en dire le pire. Pour mieux camper le personnage, il se réfère à diverses reprises au « Journal inutile » que Morand entreprit de tenir à partir de 1968 – c'est-à-dire à quatre-vingts ans passés –, et dont la parution (chez Gallimard) en 2000 puis 2001 a fait scandale, tant il contient de considérations oiseuses. Jérôme Garcin, bien sûr, en convient : « à chaque page, écrit-il, Paul Morand saccage ainsi sa légende [...] À la misogynie, il ajoute l'homophobie, le racisme, le franquisme, l'antisémitisme [...] et, péchés véniels au regard des précédents, le cynisme et la vanité ». Mais les passages qu'il en retient sont ceux dans lesquels Morand exprime son amour pour les chevaux, son admiration pour le travail de haute-école d'un fils Knie (19 octobre 1970), son émotion au spectacle des lippizans de Vienne (1ᵉʳ janvier 1973). En revanche, il se garde bien (et c'est là qu'on voit sa bonne éducation) de citer les notes gribouillées le 23 septembre 1973, qui prouvent que Morand, hélas, était alors légèrement gâteux.

En ce mois de septembre 1973, Paul Morand s'est mis à relire Montaigne. Il le cite souvent : le 13, le 17, le 18, le 19, le 22. Et voilà que le 23, il note « Dans mon *Encyclopédie équestre* j'aurais dû placer *Les Destrées*, très bon chapitre de Montaigne sur des singularités à cheval ». Morand, ici, mélange tout. La magnifique compilation qu'il a réalisée et publiée en 1966 – il y a seulement sept ans – n'est pas une Encyclopédie, mais une Anthologie. Ce n'est pas encore le plus grave. Le pire est qu'il ne s'en souvient plus, le pauvre, mais il y a bel et bien publié l'intégralité du chapitre en question – le quarante-huitième du Livre I des « Essais » ! Intitulé *Des destriers* (et non *Les Destrées*), il s'étale même sur sept pleines pages du grand format de son ouvrage.

Sans doute un peu gâteux moi-même – bien que beaucoup plus jeune – j'ai mis à profit cette triste découverte (que je dois, en vérité, à Sylvain Tesson) – pour me replonger, à mon tour, dans Montaigne que j'avais, je l'avoue, un peu oublié (!).

Cruelle déception ! Dans le fameux chapitre *Des destriers*, Montaigne se contente d'enfiler des perles, d'aligner des anecdotes glanées au gré de ses lectures, de recopier des auteurs anciens. Ah ça, il les a tous lus : Lucain, Plutarque, Suétone, Tite-Live, Virgile – et, bien sûr, Xénophon. Il a lu aussi des auteurs « modernes », dont il prend souvent de douteux témoignages pour vérités d'évangile. Tout y passe : des chevaux attaquant à pleines dents les ennemis de leur maître, Jules César possédant un cheval dont les antérieurs étaient des pieds d'homme, les Scythes s'abreuvant du sang de leurs montures, les cavaliers de l'armée ottomane, partis en campagne en Moscovie, s'avisant « de tuer et éventrer leurs chevaux pour se jeter dedans, et jouir de cette chaleur vitale », etc.

Même lorsqu'il évoque des faits dont il a été (ou aurait pu être) le témoin, Montaigne n'est pas vraiment crédible. Ainsi, après avoir raconté les « singeries » (c'est le terme qu'il emploie) de cavaliers intrépides, et auxquelles il aurait plus ou moins assisté, il prétend qu'« en mon enfance, le prince de Sulmone, à Naples, maniant un rude cheval, tenait sous ses genoux et sous les orteils des réales [pièces de monnaie] : comme si elles y eussent été clouées, pour montrer la fermeté de son assiette. » Hélas, Montaigne se trompe encore. Il confond ! Le prince de Sulmone, alias Charles de Lannoy, vice-roi de Naples et grand écuyer de Charles Quint était mort (en 1527) six ans avant la naissance de Montaigne (1533).

Là où l'on peut commencer à le croire, c'est lorsqu'enfin Montaigne aborde son sujet préféré, c'est-à-dire lui-même. Lorsque, au beau milieu de toutes ses anecdotes foireuses, il déclare tout à trac : « Je ne démonte pas volontiers quand je suis à cheval : car c'est l'assiette, en laquelle je me trouve le mieux et sain et malade ».

Partant de cette déclaration, et de quelques autres, éparpillées dans ses « Essais » (« Je n'ai aimé d'aller qu'à cheval […] Si les destins me laissaient conduire ma vie à ma guise, je choisirais à la passer le cul sur la selle […] Si toutefois j'avais à choisir [ma mort] ce serait, ce crois-je, plutôt à cheval que dans un lit », etc.) de nombreux exégètes ont conclu que Montaigne avait été un grand cavalier.

Un grand voyageur à cheval, certainement. Un véritable homme de cheval, c'est moins sûr. Qu'on en juge.

Évoquant la jeunesse de Montaigne, Jean Lacouture raconte, dans la biographie qu'il lui a consacrée*, que l'adolescent cheminait « de clocher en auberge, au pas d'une monture sellée chaque matin, non par lui – il y est inapte, nous confiera-t-il – mais par le valet qui ensuite chemine à son côté en contrebas du sentier caillouteux, tenant la bride au passage des gués, amassant le foin le soir quand il faut coucher dans une grange ». (page 29)

Devenu adulte, Montaigne lui-même avouera son ignorance en matière de soins aux chevaux : « [Je] ne sais la différence, écrit-il, de l'un grain à l'autre, ni en la terre, ni au grenier [...] ni à peine celle d'entre les choux et les laitues de mon jardin [...] Je n'entends [...] ni les plus grossiers principes de l'agriculture, et que les enfants savent [...] ni à dresser un oiseau, ni à médiciner un cheval ou un chien. »

Loin de moi le désir de vouloir briser ici une idole, ou seulement amoindrir les mérites de ce très grand et très sympathique auteur, mais devant tant d'incompétence – avouée –, peut-on continuer à faire de Michel de Montaigne une référence en matière équestre ? Il n'y a qu'un piéton comme Lacouture pour le croire. Mais, à l'inverse, comment expliquer ce goût déclaré de Montaigne pour la pratique équestre ? Quitte à choquer, déplaire, scandaliser, j'avancerai une explication, moins poétique, hélas, que la version officielle, mais plus proche, sans doute, de la vérité. Comme Montaigne lui-même le dit à plusieurs reprises, la position en selle le soulageait, semble-t-il, des horribles souffrances que lui infligeait sa maladie, la gravelle, ou maladie de la pierre, connue aujourd'hui sous le nom de colique néphrétique.

Ce que Montaigne pratiquait, c'était bien plus que de l'équitation : de l'équithérapie.

[Paru dans le n° 5 de la revue CHEVAL-CHEVAUX (printemps-été 2010).]

---

* « Montaigne à cheval » (Le Seuil, 1996).

DES DICTIONNAIRES PLEINS DE TROUS

Chaque année à même époque, dans une période astucieusement choisie – entre rentrée scolaire et étrennes –, les éditeurs de manuels, encyclopédies et autres usuels proposent une nouvelle version de leurs dictionnaires.

Chaque année, je m'y précipite, épluche, décortique ces rééditions « actualisées », dans le fol espoir d'y trouver enfin quelques lignes, ou du moins quelques mots, sur les grands hommes de l'histoire de l'équitation, ceux que André Monteilhet appelait « les Maîtres de l'œuvre équestre ».

Et chaque année, c'est la même déception : comme l'édition 2008 et, avant elle, l'édition 2007 et, hélas, toutes les précédentes, l'édition 2009 du « Petit Larousse Illustré » ne fait pas la moindre allusion à Pluvinel, à La Guérinière, à Baucher ou à Danloux. Dans l'autre dictionnaire, pourtant plus spécialisé, qu'est le « Robert encyclopédique des noms propres », ce n'est pas mieux : on n'y trouve trace d'aucun de ces personnages qui, de l'Antiquité à nos jours, de Kikkuli (quinze siècles avant notre ère) à Nuno Oliveira (dont on va célébrer, en 2009, le vingtième anniversaire de la disparition), ont marqué l'histoire des relations entre l'homme et le cheval.

Que diraient les amateurs de musique s'ils ne trouvaient dans ces ouvrages de référence ni le nom de Mozart ni celui de Rachmaninov ? Les amateurs de littérature sans un mot sur Shakespeare ou Cervantes ? Faut-il interpréter l'absence de tout grand écuyer de ces inventaires comme une marque de mépris à l'égard de l'art équestre qui ne serait pas vraiment un art ?

Les amateurs d'équitation en sont donc réduits, pour s'instruire, se documenter, se cultiver, à aller fouiller dans la grande poubelle d'internet, dans laquelle on trouve, à côté du pire, le meilleur. Sur *Wikipédia*, par exemple, on trouvera d'assez bonnes notices sur Pluvinel, Baucher ou même Fillis…

Que les vénérables institutions concernées prennent garde : elles risquent bien, à ce compte, d'être rapidement détrônées. Cela est déjà arrivé à l'un de leurs excellents confrères, le « Quid » qui, balayé par la tourmente électronique, a cessé de paraître.

[Paru dans CHEVAL MAGAZINE n° 445 (décembre 2008)
dans la rubrique *Ruades*.]

SI J'ÉTAIS UNE PETITE FILLE...

Je regrette. C'est vraiment vrai, je regrette de ne pas être une petite fille. Parce que si j'étais une petite fille, on me ferait plein de cadeaux. On m'offrirait pour Noël, par exemple, « Les plus belles aventures de Danseur » et, pour le nouvel an, « Le Dico d'une jeune cavalière ». Même que j'aurais l'impression qu'on me l'a déjà donné l'année dernière. Parce que l'année dernière, on m'a offert un bouquin qui lui ressemble drôlement, « L'Encyclo de la cavalière », de Antoinette Delylle, une fille qui s'y connaît : journaliste à *Cheval magazine*, à *Cheval star*, à *Trente millions d'amis*, elle monte à cheval depuis un paquet d'années ; elle a tout essayé : le dressage, le saut d'obstacles ; bref elle est super-compétente. Et en plus, super-gentille, ça se sent quand on la lit. Son « Encyclo » mérite bien son nom : on y trouve tout, absolument tout ce qu'une petite cavalière peut espérer savoir. Qu'est-ce qu'un chuchoteur ? C'est pas obligatoirement un copain de classe qui n'arrête pas de bavarder. Qu'est-ce qu'un hackamore ? Quand j'ai posé la colle à mon prof de français, j'ai bien rigolé : il a confondu avec matamore. Qu'est-ce que l'impulsion ? Rien à voir avec quelqu'un d'impulsif.

On y trouve même un article sur Alexandra Ledermann. C'est sans doute ça qui lui a donné l'idée, à Alexandra. L'idée de réaliser elle-même son propre bouquin : « Le Dico d'une jeune cavalière », en effet, est signé Alexandra Ledermann. Mais j'ai bien l'impression qu'il a été écrit plutôt par sa copine Virginie Bruneau (qui est aussi ma copine). Alexandra s'est contentée d'y jeter quelques coups d'œil, de faire ici ou là quelques remarques, bref de mettre un peu son grain de sel. C'est très bien fait aussi, très joyeux, très bien illustré, et très solidement relié, mais c'est un euro plus cher que le « Dico » : 19,50 au lieu de 18,50. Même nombre de pages : 256 ! Sur chaque page, un article explicatif, de A, comme « anglo-arabe », à V, comme « vétérinaire ». (Rien à la lettre Z : dommage, j'aurais bien aimé un petit article sur Zingaro – simplement mentionné à l'article « frison »). Des tas de petits encadrés sympas, genre « Bon à savoir » ou « Hippo conseil ». Bref : on voit bien que Virginie Bruneau, qui a été rédactrice en chef de *Cheval magazine*, puis de *Cheval junior*, est une pro.

Autre bouquin chevalement instructif : le recueil de toutes les belles histoires de son cheval Danseur que Anne-Marie Philipe a déjà plus ou moins racontées dans des albums illustrés, mais qu'elle a réunies ici en un seul volume dans lequel il y a plus de texte à lire et moins de dessins à regarder. C'est moins pour les bébés. C'est plus pour les grandes, qui commencent à savoir vraiment monter à cheval. La preuve, c'est qu'après avoir raconté la douzaine d'aventures de son cheval, que j'ai relues avec plaisir, sourires, soupirs (de satisfaction), Anne-Marie fournit, elle aussi, une sorte de petit dico-encyclo sur l'anatomie, le pansage, le harnachement et tous ces trucs que les monos appellent l'hippologie, ainsi que sur tous ces machins que les grands appellent l'art équestre.

En lisant ce joli petit bouquin pas cher (12 euros), je me dis qu'il y en a qui ont de la chance ! Le papa de Anne-Marie était un comédien génial (et beau comme un dieu) qui s'appelait Gérard Philipe. Sa maman, qui se prénommait Anne, était un écrivain génial. Son mari, Jérôme Garcin, est un garçon génial. Et son cheval, Danseur, est un cheval génial (et beau comme un dieu). Il y en a qui ont trop de chance.

Comme moi, par exemple, parce que – c'est génial – Anne-Marie est mon amie.

[Paru dans Cheval-Attitude n° 17 (janvier-mars 2009).]

L'ART CHEVALIER

D'abord, dire sa joie. Hennir de plaisir. Piaffer d'enthousiasme. Un livre – enfin ! – sur le cheval dans l'art. Un livre – enfin ! – pour mettre en évidence ce qu'on subodorait depuis longtemps sans jamais oser l'affirmer. À savoir que le cheval est non seulement l'animal qui a le plus inspiré les artistes, de Cro-Magnon à Picasso, mais, plus extraordinaire encore, l'être vivant, sans doute, le plus représenté (après l'homme) dans les arts. Et ce, depuis des temps très anciens puisque, d'après les savants calculs de spécialistes, le cheval occuperait à lui tout seul plus du tiers de l'ensemble de l'iconographie préhistorique. Étrange phénomène qui, plus étrange encore, se prolonge de nos jours où, pourtant, le cheval a disparu de notre environnement immédiat. Il suffit de citer les noms de Maurizio Cattelan, Patrick Van Caeckenbergh, Berlinde de Bruyckere ou Jessica Johnson Papaspyridi pour mesurer combien, même absent, le cheval continue à occuper l'esprit des artistes.

De l'homme des cavernes, pour lequel le cheval n'était qu'un gibier, aux créateurs d'installations contemporaines, pour lesquels le cheval n'est qu'un fantasme, il y a une continuité, un *continuum* historique dont les contributions au présent ouvrage donnent un solide aperçu : une perspective cavalière – terme qu'on réservera toutefois pour qualifier la vue d'ensemble qu'offrent ces contributions non pas sur l'intemporalité, mais sur l'universalité du sujet : sur le *continuum* géographique. Car le cheval – on le prouve ici – n'est pas un « sujet » étroitement occidental. Il est omniprésent dans les arts de l'Orient (ou, pour mieux dire, dans l'art des Orients : Proche, Moyen et Extrême), dans les arts asiatiques – et même dans l'art africain. Avec la même permanence, il faut le souligner, qu'en Occident : de la préhistoire à nos jours !

Juxtaposer les preuves, multiplier les exemples, transcender les genres, les lieux, les époques : on n'est pas loin de l'entreprise menée, dans les années 1950, par André Malraux, avec « Le Musée imaginaire ». Appliquée au seul thème du cheval, la méthode permet, au moins, d'aboutir à une sorte de musée idéal, tel qu'on en rêvait depuis longtemps.

S'il existe bien, de par le monde (en France, en Suisse, en Irlande, aux États-Unis, au Japon, en Russie) d'assez nombreux « Musée du cheval », il faut observer qu'ils ne présentent en général que des selles, des mors, des étriers, des éperons, des cravaches – bref : les mille outils que l'homme, émerveillé de sa propre inventivité, paraît si fier d'avoir conçus pour soumettre sa « plus noble conquête ».

Fierté, soit dit en passant, plutôt mal placée. En effet, s'il était déjà capable, trente mille ans avant notre ère – comme on peut le constater sur les parois de la grotte Chauvet – de représenter des chevaux, il lui a par contre fallu un temps fou pour avoir enfin l'idée (deux cent cinquante siècles plus tard au moins) de les domestiquer. Et encore, cette domestication est-elle bien imparfaite, comme le fait remarquer avec humour Tristan Bernard lorsqu'il raconte ses mésaventures au contact du « noble solipède, dont Buffon a eu tort de considérer la conquête comme définitive » (« Souvenirs épars d'un ancien cavalier », 1917).

En n'exposant que la panoplie des instruments que notre industrieuse habilité a su fabriquer pour maîtriser la bête, cette très grosse bête capricieuse, fantasque, imprévisible pour l'asservir – et s'en servir –, ces musées « du cheval » ne sont en fait que des petits musées de l'homme, dans lesquels le bipède montre qu'il admire moins, au fond, le quadrupède que le fait d'avoir su le soumettre (au figuré comme au propre, c'est-à-dire mettre sous soi).

C'est une démarche inverse qui a présidé à la conception du présent ouvrage, et c'est la raison pour laquelle nous nous en réjouissons si bruyamment. Ce qu'il y a lieu d'admirer ici, plus encore que le talent de ceux qui l'ont représenté, c'est le sujet, le modèle lui-même : le cheval.

Il y avait bien longtemps qu'une telle entreprise n'avait été tentée. En France, la dernière en date, à notre connaissance, remonte aux années vingt du siècle dernier. Mais le travail de Lucien Guillot (« Le cheval dans l'art », Paris, Le Goupy, 1927), certes remarquable par sa richesse, son sérieux, et même sa nouveauté, est encore très narratif : plus que d'un essai sur la représentation du cheval, il relève d'une sorte d'Histoire du cheval par l'iconographie, assez proche, dans son esprit, de la fameuse « contribution à l'Histoire de l'esclavage » du commandant Lefebvre des Noëttes (« L'attelage, le cheval de selle à travers les âges », Paris, Picard, 1931). Et il faudra attendre un bon demi-siècle avant qu'apparaisse, et paraisse, un ouvrage qui s'apparente un peu au nôtre. Avec, tout de même, quelques différences notables. La première est qu'il a un auteur unique, un certain John Baskett. La deuxième est qu'il adopte un point de vue résolument britannique (on ne peut pas vraiment lui en vouloir : John Baskett est anglais). La troisième, plus importante, est qu'il privilégie encore la chronologie. Publié simultanément à Londres et à Paris (sous le titre « Le cheval dans l'art », Seghers, 1980), ce bel album aux proportions impressionnantes (36 x 27 cm, à l'italienne) vaut surtout par l'abondance et la qualité de ses reproductions.

Pour préfacer son travail, John Baskett a fait appel à un célèbre collectionneur (et cavalier), Paul Mellon qui, désignant la matière dont il sera question, parle de « peinture sportive », d'« art sportif ». Le préfacier du livre de Lucien Guillot – un plasticien tombé dans un relatif oubli, J. Froment-Meurice – parle, lui, d'« artistes animaliers ».

Peut-on demander à nos littérateurs, à nos poètes, à nos Académiciens français de se remuer un peu les méninges pour trouver une formule plus gracieuse, et plus juste, capable d'englober l'ensemble des œuvres dont le sujet principal est le cheval ? Car si l'expression de « peinture sportive » peut convenir, à la rigueur, pour des scènes de chasse, voire des scènes de turf, elle convient beaucoup moins bien, par exemple, pour des scènes de bataille. Quant à celle d'art « animalier », elle est à la fois trop générale, puisqu'elle peut s'appliquer à la représentation de n'importe quelle espèce, et trop réductrice, spécialement lorsque l'artiste, bien que plaçant le cheval au centre de son œuvre, cherche à faire plutôt le portrait d'un prince, voire à dépeindre une société, une époque, ou à raconter un événement.

Alors ? Faut-il parler d'art hippique ? D'art chevalin (quelqu'un a proposé – c'est déjà mieux – l'art caballin) ? D'art chevalier ? La question n'est pas si futile qu'il y paraît. Comment réunir sous un terme commun une production certes diverse mais qui présente, en même temps, une telle unité d'inspiration ?

Le terme qui vient tout de suite à l'esprit, naturellement, est celui d'art équestre. Mais il est déjà pris, et ne peut être étendu à notre objet, dont il est même antinomique. L'art équestre, en effet, c'est-à-dire l'art de monter à cheval, l'art de mettre les gestes naturels de l'animal en valeur est, comme la chorégraphie, un art qui consiste à créer le mouvement – alors que les arts plastiques, au contraire, consistent à le fixer. Ce dilemme, mille fois souligné, a été source de conflits, certes, mais aussi source d'inspiration. Pour donner la sensation du mouvement, il a souvent fallu aux créateurs tricher avec la réalité, fausser des allures, inventer même, parfois, des inexactitudes anatomiques destinées à faire plus vrai. Plus vrai que nature.

On s'est ainsi gaussé du fait qu'il ait fallu attendre l'invention de la photo et la réalisation, par l'Américain Eadweard Muybridge, de ses fameuses chronophotographies (« The Horse in Motion » en 1878, puis « Animal locomotion » en 1887) pour visualiser enfin la décomposition exacte des différentes allures du cheval. Dans un de ces petits essais pointus et savants qu'il affectionnait (« La représentation du galop dans l'art ancien et moderne », Paris, Leroux, 1925), Salomon Reinach s'est « amusé » à faire l'inventaire des diverses attitudes du cheval au galop, comme il l'écrit lui-même, « mille et mille fois figurées par l'art, depuis deux mille ans ». Pour constater qu'à une très rare exception près (qu'il appelle le *canter*), toutes ces représentations sont fausses. À quoi le bon Gustave Le Bon avait rétorqué par avance : « si le peintre veut donner l'illusion de la réalité, il doit reproduire les choses telles que l'œil les voit, et non telles qu'elles sont pour un instrument scientifique. Si les photographies instantanées devaient servir de guide exclusif au peintre, ce dernier serait alors obligé de représenter parfaitement nets les rayons des roues d'une voiture en mouvement » (« L'Équitation actuelle et ses principes », Paris, Firmin-Didot, 1892). L'argument vaut ce qu'il vaut – mais il est certain que, chez les plus grands peintres du cheval, Stubbs, Svertchkov, Géricault, Delacroix, l'effet du mouvement et l'illusion de la vie sont obtenus souvent au prix de distorsions corporelles, voire d'impossibilités morphologiques. « Leurs faux chevaux galopèrent mieux que les vrais », note Jean de La Varende dans un texte magnifique peu connu (parce qu'édité à cinq cent soixante-seize exemplaires seulement), avant d'ajouter : « si leurs chevaux s'éloignent de la vérité, est-on sûr qu'ils n'accèdent pas à un autre ordre d'expression supérieure ? » (« Le cheval et l'image », Paris, Le Fleuve étincelant, 1947).

La question mérite d'être posée.

À contempler la peinture chinoise, dans laquelle cet animal occupe une place primordiale, la réponse est indiscutablement oui. « La peinture chinoise, écrit Yolaine Escande, n'est ni pleinement réaliste ou figurative, ni totalement abstraite. Elle suggère et ne montre pas. Le coursier représente la liberté de l'esprit qui n'est pas contraint par les formes : si les formes et apparences ont une limite, l'esprit lui est sans fin. Le cheval incarne précisément cette faculté infinie et insaisissable de l'esprit » (« Un animal métaphorique » *in* « Castiglione, jésuite italien et peintre chinois », Lausanne, Favre, 2004).

Toutefois, il ne faut pas pousser trop loin le paradoxe. Si, comme l'écrit encore La Varende « le vérisme n'est pas le but de la recherche esthétique », à l'inverse, la difformité n'est pas une condition de la réussite artistique, ni une garantie de qualité dans le « rendu » d'un geste, d'une allure, d'une chorégraphie. C'est ce que prouve, par exemple, le travail d'un Degas, d'une exactitude sourcilleuse. Et, de façon plus nette encore, celui des photographes, pour lesquels la réalité n'est évidemment pas un obstacle à l'expression artistique.

Il faut dire que la beauté naturelle du sujet leur facilite singulièrement la tâche. La plastique avantageuse du cheval, l'élégance de sa démarche (Francis Ponge le voit « monté sur de hauts talons », Paul Valéry marchant « sur les pointes », telle une ballerine), la grâce – et le mystère – qui se dégagent de cet être à la fois fort et fragile, docile et incontrôlable, courageux et craintif, masculin (la vitesse, la fougue) et féminin (la chevelure, la croupe) en font, en effet, un modèle idéal, dont la double nature permet de multiples interprétations, autorise tous les regards. Comme cela a été dit souvent, le cheval est, en lui-même, une œuvre d'art.

Il n'est pas sûr, toutefois, que ce point de vue ait toujours prédominé. À feuilleter cet ouvrage, à survoler ainsi les siècles et les continents, on a la sensation que le cheval a été plutôt considéré comme un simple véhicule, un accessoire, au mieux un ornement. Un moyen, pour l'homme, de se grandir, de se hisser au-dessus des autres : le cheval piédestal de l'homme, selon une formule utilisée par de mauvais esprits pour tenter de disqualifier une statue équestre de Louis XV (réalisée par Bouchardon). Le cheval représentation du pouvoir, symbole d'autorité, attribut de puissance, ustensile, au même titre que le sceptre, de majesté.

Dans un brillant essai (« La Majesté des Centaures », Arles, Actes Sud, 2006), Nicolas Chaudun cherche à prouver que si, dans la peinture occidentale, le cheval n'a longtemps été guère mieux considéré que comme une monture, dont la beauté était principalement destinée à mettre en valeur celui qui l'utilisait, on a assisté à un lent glissement du centre d'intérêt : petit à petit, les rois et empereurs ont mis pied à terre et, peu à peu, les artistes les ont carrément retirés du champ, pour ne plus voir, ne plus s'intéresser, ne plus portraiturer que l'animal lui-même. Accompagné parfois d'un bipède – grande bourgeoise, grande cocotte, nouveau riche, jockey ou simple palefrenier – devenu, par une facétieuse inversion, un banal accessoire, un faire-valoir du sujet principal : le cheval.

Plus qu'un vulgaire retournement de l'histoire, une telle évolution serait un véritable retour aux origines. Aux temps préhistoriques, où le cheval, gravé ou peint, galope sur les parois des cavernes en compagnie, parfois, d'autres gibiers, mais en l'absence, presque toujours, de leur principal prédateur : l'homme. Une sorte de paradis ?

C'est en tout cas la vision qu'en a Francis Jammes qui, dans un émouvant poème (« Le paradis des bêtes » *in* « Le roman du lièvre », Paris, Mercure de France, 1927), raconte l'arrivée d'un vieux cheval au ciel, dont les portes lui sont grandes ouvertes par un bon dieu débonnaire. Dans les célestes pâturages, le cheval ne rencontre que des animaux heureux : des chiens, des chats, des poissons qui « nageaient sans craindre le pêcheur », des oiseaux volant « sans redouter le chasseur ». Explication : « il n'y avait pas d'homme dans ce paradis ».

[Début 2007 déboule dans mon bureau, à Paris, une dame très charmante et très volubile, portant un nom flamboyant, Roselyne de Ayala, venue me raconter qu'elle a été chargée par les éditions Citadelles et Mazenod de réaliser un beau-livre – un vrai beau-livre, vraiment beau – sur « Le cheval dans l'art ». Je crois défaillir. Voilà une éternité, en effet, que j'appelle une telle entreprise de mes vœux, tout en la sachant probablement irréalisable. Secundo, Mazenod, pour moi, c'est le modèle absolu, l'archétype de l'éditeur-comme-on-n'en-fait-plus, dont chaque volume est soigné, chaque détail vérifié, chaque ouvrage si parfait qu'il décourage de revenir sur le même sujet pour au moins vingt ans. Roselyne de Ayala m'explique sa méthode : elle a fait appel aux meilleurs spécialistes, aux plus grands experts, aux meilleurs iconographes – et au meilleur des meilleurs maquettistes : Marc Walter. Je connais bien ce dernier, avec lequel j'ai déjà eu le plaisir de travailler : c'est lui qui a mis en page, pour les éditions du Chêne, le grand livre « Chevaux » du photographe Yann Arthus-Bertrand dont j'avais eu à faire les textes, « ces masses grises entre les photos », comme aiment le dire certains graphistes. Honneur suprême : Mme de Ayala me propose d'écrire l'introduction générale de cette grande œuvre.

Je fais le modeste, bien sûr, le timide, déclarant que je ne suis peut-être pas le plus compétent – ce que Roselyne balaye d'un grand geste en m'affirmant que mon nom a été unanimement avancé par tous les contributeurs, et qu'il n'est donc pas question que je refuse. Je m'incline donc, tout en demandant un peu de temps de réflexion. Un peu, mais pas trop : je dois livrer mon introduction (et, comme on le verra plus loin, une conclusion) fin septembre dernier carat. L'ouvrage paraîtra l'année suivante, en avril 2008. Il est géant (28 x 33,5 cm) et pèse des tonnes. Inséré dans un emboîtage de fort grammage, il a certes fière allure mais je ne suis pas tout à fait sûr que son ramage vaille son plumage.]

LA RELIGION DU CHEVAL

La démonstration en est donc faite : le cheval est bien, comme on s'en doutait mais comme il fallait encore le prouver, l'animal le plus représenté dans les arts – toutes catégories confondues, et ce, pour reprendre l'ambitieuse formule de l'hippologue Ephrem Houël (auteur d'une « Histoire du cheval » en deux volumes, parus en 1848 et 1852) « chez tous les peuples de la terre, depuis les temps les plus anciens jusqu'à nos jours » (*sic*).

Les pièces à conviction apportées par la douzaine d'éminents spécialistes réunis ici sont probantes : aucun autre quadrupède n'a – à ce point – inspiré, fasciné, envoûté même les hommes.

Ne reste plus qu'à essayer de comprendre pourquoi.

Quelques explications ont été avancées, dont on ne peut se satisfaire totalement. La beauté du cheval, son élégance naturelle, sa « perfection » morphologique ? D'autres animaux – les félins, en particulier – bénéficient d'une anatomie tout aussi avantageuse, d'une grâce tout aussi troublante. Le fait qu'il ait permis à l'homme de se grandir, de décupler ses forces, d'augmenter sa vitesse, d'abolir les distances ? On a trouvé mieux depuis – autos, tracteurs, chars, avions, fusées – sans que cela déclenche à l'égard de ces véhicules une vénération comparable à celle dont le cheval est l'objet.

Vénération : c'est le mot. Et le début, peut-être, d'une explication.

Le fait qu'il ait été un thème majeur de l'iconographie universelle n'est pas l'unique indice du fait que le cheval n'est décidément pas un animal comme les autres. Il en est un second, plus étrange peut-être, plus mystérieux, qui le différencie radicalement : il est le seul qu'on enterre, le seul mammifère – autre que lui-même – auquel l'homme s'attache à donner une sépulture, le seul à « bénéficier » d'un cérémonial funéraire. Il ne s'agit pas d'une pittoresque coutume locale, observée ici ou là au cours des siècles, mais d'un phénomène universel et constant. On enterrait des chevaux en Asie Centrale bien avant le début de notre ère. Les Scythes puis, plus tard, les autres peuples de la steppe en ont laissé de nombreuses preuves : le site de Pazyryk (Altaï) contient des ossements de chevaux harnachés datant du IVe siècle av. J.-C. Les Grecs aussi enterraient souvent leurs montures. L'exemple le plus célèbre est celui de Bucéphale, tué à la bataille de l'Hydaspe (326 av. J.-C.) : « après sa mort, raconte Pline l'Ancien, le roi [Alexandre] lui mena ses funérailles, et bâtit autour de son tombeau une ville [Bucéphalie] à laquelle il donna son nom ». Plus près de nous encore, en Gaule, l'enfouissement de chevaux était courant, comme de nombreuses et récentes découvertes de l'INRAP (Institut National de Recherches Archéologiques Préventives) ne cessent d'en apporter la confirmation.

Certes, la signification de ces inhumations est sujette à des interprétations fort diverses. D'abord parce qu'elles revêtent des formes multiples, dont le sens peut en effet varier selon que ces animaux sont enterrés en groupe ou « à l'unité », entiers ou « en pièces détachées », nus ou harnachés (voire attelés), seuls ou accompagnés d'un ou plusieurs humains. Historiens, ethnologues, anthropologues de toutes spécialités se perdent en hypothèses et en conjectures. Animal sacrificiel, offrande funéraire, véhicule psychopompe, accompagnateur d'âme, compagnon pour l'au-delà ? Peu nous importe ici, où il nous suffit de constater que ces rituels ont, dans tous les cas, un caractère sacré et que, dans tous les cas, le cheval est doté d'un statut qui le place au-dessus de tous les autres animaux. Peut-être même au-dessus de l'homme ?

Cela n'a rien de choquant. Il faut bien le reconnaître : par bien des aspects, le cheval, c'est vrai, est supérieur à l'homme. Il a toutes les qualités que l'homme n'a pas et, surtout, il n'en a pas les défauts. Il ne porte pas la tache originelle, il ne commet pas de péchés. Comme tous les animaux, c'est un être pur, innocent – mais, à la différence de tous les autres, il semble avoir une proximité particulière avec les dieux. L'homme, en tout cas, paraît avoir besoin de lui pour accéder au divin. En lui, l'homme peut contempler son idéal. Sur lui, l'homme peut se projeter. Il est son double sublime, son reflet amélioré : un demi-dieu et un modèle.

Ce qui explique l'obstination de ce dernier à essayer de lui ressembler, à vouloir en accaparer les vertus, en acquérir la vitesse, en domestiquer (d'hommestiquer) la force. Il a voulu s'y associer – peut-être même s'y accoupler – imaginant un hybride des deux espèces : Centaure. N'y parvenant pas, il inventa l'équitation.

Dans son ébouriffante « Histoire du cheval » (évoquée plus haut), Ephrem Houël a cette jolie formule : « entouré d'éléments qui conjuraient sa ruine, d'animaux dont la vitesse et la force dépassaient les siennes, l'homme eut été esclave sur terre ; le cheval l'en a fait roi ». Et, plus loin : « dès lors, l'orgueil [des hommes] ne connut plus de bornes : *nous monterons au ciel*, disaient-ils, *nous placerons nos trônes au-dessus des étoiles ; nous serons semblables au Très-Haut !* »

Ainsi, avec l'aide du cheval, grâce à cet animal prodigieux, l'homme parviendrait-il à concurrencer les dieux ? Une observation de même nature a été souvent faite, mais elle s'appliquait moins aux cavaliers qu'aux artistes. Pour Malraux par exemple (« La Métamorphose des dieux », 1957), l'art permet à l'homme de s'affirmer face au divin, l'art est une façon de recréer le monde, de se confronter à la mort, d'accéder à une sorte d'éternité.

L'Orient a eu conscience de cette rivalité avec Dieu qu'implique l'activité artistique. Ce n'est pas seulement pour écarter les risques d'idolâtrie que l'église byzantine a proscrit la sculpture, jugée trop réaliste, et limité les représentations à des images plus allégoriques que figuratives – les icônes – dont l'exécution n'est d'ailleurs pas confiée à des artistes, mais à des hommes pieux. Plus radical encore, l'islam orthodoxe interdit carrément toute représentation de la vie : comment l'homme pourrait-il avoir la prétention de faire aussi bien que le Créateur ?

En Occident, au contraire, la religion a été longtemps l'unique sujet imposé, tout autre thème d'inspiration aurait paru déplacé. Mais rien n'a jamais interdit d'y incorporer, même de façon parfois un peu saugrenue… le cheval. L'exemple le plus spectaculaire (le plus artistiquement réussi, également) est celui de « La Conversion de Saint-Paul » du Caravage. Un chef-d'œuvre, exposé depuis 1605 dans l'église Santa Maria del Popolo, à Rome, où l'on voit le futur apôtre terrassé par sa révélation sur le chemin de Damas. On sait bien que Paul (qui, à l'époque, s'appelait encore Saül) voyageait à pied. La vérité historique ne parut pas assez héroïque, sans doute, au peintre : imaginant une chute, il représente le converti gisant entre les jambes d'un magnifique cheval pie. Que fait ici cet animal, si ce n'est représenter, de façon allégorique, l'esprit saint ?

Plus fort, plus touchant encore : le fait que le Christ n'ait probablement jamais vu un cheval de sa vie a paru intolérable aux iconographes chrétiens. L'un d'eux n'a pas hésité à corriger cette insupportable réalité. Il existe en effet une représentation – une seule, à ma connaissance, – de Jésus à cheval : elle se trouve au plafond de la crypte de la Cathédrale Saint-Étienne d'Auxerre. Cette fresque magnifique, toujours visible de nos jours, daterait du XIᵉ siècle.

Sans aller jusqu'à dire, comme certains historiens d'art, que toute entreprise artistique a quelque chose à voir avec la métaphysique, on peut au moins avancer que l'art et la religion sont si intimement liés qu'il est presqu'impossible de démêler l'un de l'autre.

Pour moi, l'affaire est entendue, la messe est dite : animalier, hippique ou équestre, l'art chevalier est un art religieux. La représentation constante et universelle du cheval, relève plus du mystique que de l'anecdotique. « Dans la religion, l'image nous rapproche des dieux en même temps qu'elle nous tient en respect » a écrit quelque part Michel Melot, Conservateur général des bibliothèques (*In Situ* n° 1, Paris, 2001). La remarque est juste, et comme le démontrent abondamment textes et reproductions du présent ouvrage, s'applique parfaitement au cheval, ce demi-dieu.

[Comme je l'ai raconté en annexe du texte précédent, j'ai été chargé par les éditions Citadelles et Mazenod d'encadrer la douzaine de contributions savantes avec lesquelles elles ont confectionné leur ouvrage sur « Le cheval dans l'art » (paru en avril 2008) d'une introduction générale et d'une conclusion – c'est le texte qu'on vient de lire – tout aussi générale.

D'autant plus générales, en effet, que je n'avais pas pu prendre connaissance des contributions de mes éminents collègues avant de rédiger les miennes, ni même du choix des œuvres retenues pour les illustrer ! Mes deux textes – introduction et conclusion – ont donc été écrits sinon vraiment à l'aveuglette du moins, il faut l'avouer, « en aveugle ».]

PETIT MAÎTRE, GRAND PEINTRE

Le petit (tout petit) monde des cavaliers cultivés, des sportsmen, des amateurs à la fois d'art équestre et d'art tout court, se divise en deux parties à peu près égales. Une moitié adore, l'autre moitié déteste le peintre Alfred De Dreux (1810-1860). Moi, c'est les deux : je l'adore et je le déteste. Du moins, autant j'adore sa façon de représenter les chevaux, autant je déteste sa manière – trop maniérée, justement – de portraiturer les hommes (et les femmes).

Indiscutablement, De Dreux connaissait bien les chevaux. Un jour, c'était dans les années 1980-1990 (je ne sais plus très bien), Daniel Wildenstein, le grand marchand de tableaux (et propriétaire de chevaux de course) me fit une observation très judicieuse : « Alfred De Dreux, me dit-il, a été beaucoup imité, beaucoup copié. On trouve sur le marché plus de faux que de vrais De Dreux. Mais en fait, il est assez facile, quand on connaît soi-même les chevaux, de détecter les faux. Si, dans un tableau signé De Dreux, un détail anatomique cloche, un muscle est mal placé, c'est que c'est un faux. De Dreux avait une parfaite connaissance de la morphologie des chevaux, et lorsqu'il peignait un cheval, il le peignait toujours juste. »

De Dreux appréciait tellement la plastique caballine qu'il en mourut, le pauvre. On connaît l'histoire, racontée mille fois, avec quelques variantes, mais dont voici, en gros, la version la plus répandue. L'affaire se passe dans les années 1850. L'empereur Napoléon III ayant remarqué la qualité du travail de De Dreux exprime le désir de lui passer commande d'un portrait. Un portrait géant, en pied. Ou, mieux encore : à cheval ! Seulement voilà, son altesse impériale n'a pas le temps de poser : que l'artiste se débrouille ! De Dreux se débrouille en effet, et représente l'Empereur juché sur un superbe animal aux aguets, comme flatté de porter une si noble paire de fesses. Napoléon III demande quelle monture a servi de modèle au peintre. La sienne propre, répond-on à l'Empereur, qui ordonne aussitôt au commandant de sa garde, le colonel Fleury, grand amateur de chevaux lui aussi, d'acheter la bête à

De Dreux. À n'importe quel prix. Fleury ne se le fait pas dire deux fois. Par contre, lorsqu'il vient rendre compte au souverain de ses négociations, il double le montant que lui avait indiqué le peintre. L'Empereur remet la somme (exorbitante) à Fleury, qui en empoche donc la moitié.

Quelque temps plus tard, De Dreux est reçu au palais impérial. « Dites donc, De Dreux, l'interpelle Napoléon III, très bien votre cheval. Mais un peu cher! » Apprenant le montant versé à Fleury, De Dreux, scandalisé, provoque ce dernier en duel. De Dreux, moins habile au fleuret ou au pistolet qu'au pinceau, est grièvement blessé. Il serait mort, dit la légende, des suites de sa blessure.

Pas du tout! De Dreux n'a pas succombé des suites de ce duel qui n'a d'ailleurs probablement jamais eu lieu. Il est mort d'une hépatite ou d'un « abcès au foie ». Voilà ce que nous révèle, quitte à nous faire perdre nos belles illusions, Marie-Christine Renauld dans l'ouvrage monumental qu'elle vient de consacrer à Alfred De Dreux. Monumental, en effet: près de quatre cents pages de monographies illustrées de somptueuses reproductions en couleurs, suivies d'un catalogue raisonné de cent trente pages, dressant un premier inventaire de l'œuvre immense de l'artiste, accompagné de plus de cinq cents documents en noir et blanc. Un livre magnifique (22 x 28 cm) de deux ou trois kilos – pour la pas très modique somme de 79 euros (éditions Actes Sud).

Marie-Christine Renauld a mis plus de vingt ans pour venir à bout de cette folle entreprise. Je m'en souviens comme si c'était hier: passionné, à l'époque (au début des années 1980) par le double phénomène de l'anglomanie et de l'orientalisme qui avait frappé la France au XIXe siècle, j'étais inévitablement tombé à moult reprises, au cours de mes recherches, sur un certain Dedreux, prénommé tantôt Pierre tantôt Alfred, et dont on orthographiait parfois le nom avec une particule. La documentation le concernant était alors à peu près inexistante: aucun livre, aucun catalogue, pas même une carte postale! La seule chose que les prétendus spécialistes que j'avais pu consulter étaient parvenus à me dire, c'est que ce De Dreux en un seul ou deux mots était l'auteur du fameux petit dessin dont le sellier Hermès avait fait son logo, son emblème, sa marque de fabrique: un petit bonhomme botté et coiffé d'un haut-de-forme faisant face à un cheval attelé à un tilbury, tête relevée et encastrée entre d'énormes œillères. Ce n'était pas grand-chose.

Jusqu'au jour où un employé d'une galerie, Brame et Laurenceau, spécialisée dans la peinture du XIXe siècle, m'apprit qu'une certaine Marie-Christine Renauld-Beaupère s'agitait depuis plusieurs années déjà dans le petit landerneau des collectionneurs, proclamant partout qu'elle préparait un catalogue raisonné de l'œuvre de cet artiste à la fois célèbre et peu ou mal connu.

Non sans peine, je finis par rencontrer cette jeune femme, aussitôt séduit par sa culture, son charme, son enthousiasme. Un peu agitée, en effet, mais dont le côté brouillon dénotait plus de passion que de désordre. Éditeur débutant (je venais de créer, aux éditions Favre, la collection *caracole*), je lui proposai de marquer une pause dans sa collecte et de réaliser, avec les matériaux déjà réunis, un premier ouvrage sur son cher De Dreux. Elle hésita beaucoup, me fit courir beaucoup, avant de céder à mes avances (purement professionnelles, je le jure) : ce fut enfin, en 1988, un beau livre de près de cent trente pages, contenant une centaine de reproductions en couleurs : « Alfred De Dreux, le peintre du cheval » – le premier ouvrage consacré à cet artiste qui, après avoir été la coqueluche de son époque, avait sombré dans un oubli, voire un mépris, quasi total.

Depuis, la situation a beaucoup changé. Comme Marie-Christine Renauld (qui a abandonné, entre-temps, son second patronyme) le raconte elle-même dans un des chapitres de son nouvel ouvrage, « depuis vingt ans, son œuvre réapparaît et sa cote bondit. » Bondit est un euphémisme : mieux vaudrait dire explose. Du coup, ceux qui conservaient sans trop y prêter attention une litho jaunie héritée d'un arrière-grand-père cavalier, ou une croûte poussiéreuse représentant une scène de chasse se sont mis à les regarder de plus près, à les descendre du grenier pour les proposer à la vente, espérant avoir dégoté un De Dreux et en tirer une petite fortune.

Pour l'anthologiste, ce fut un peu le tonneau des Danaïdes à l'envers : plus elle trouvait de nouvelles pièces, plus on lui en présentait d'autres. Il lui a fallu, pour séparer le bon grain de l'ivraie, trier les vrais des faux, distinguer les originaux des copies, se lever de bonne heure tous les matins et continuer, ce n'est pas cela qui l'a le plus dérangé, à s'agiter énormément.

Le résultat – ce livre magnifique – est une formidable réussite, qui bouleverse certaines de nos certitudes, pas seulement sur les circonstances de la mort de l'artiste, mais sur l'importance et la qualité de son œuvre. On découvre, en parcourant ce gros volume, quantité d'œuvres jamais vues, jamais reproduites, qui éclairent De Dreux sous un nouveau jour. Impossible dès lors de ne pas se poser la question : et si celui qu'on ne prenait que pour un petit maître était un grand peintre ? ! On savait bien qu'il avait été l'élève de Géricault (1791-1824), et que celui-ci l'avait fortement influencé, mais il faut désormais se demander si, à l'inverse, il n'a pas exercé lui aussi quelqu'influence, s'il n'a pas aidé Delacroix (1798-1863), par exemple, à trouver ses fameux rouges. C'est en tout cas la conviction de Marie-Christine Renauld. À regarder attentivement la couleur du gilet et couvre-chef du « Jeune cavalier montant un shetland » (page 105), on est tenté de la croire. (On en profitera pour faire une autre constatation : ce qu'on appelait à l'époque un shetland a peu de rapport avec les poneys ébouriffés connus aujourd'hui sous cette appellation.)

L'avantage de ce livre est qu'il nous oblige à une totale relecture d'Alfred De Dreux, nous force à reconnaître chez lui un talent dont jusque-là on pouvait parfois douter, nous contraint à réviser des jugements qu'on découvre insuffisants. Autant vous avez été agacé dans le passé par ses amazones trop mièvres, ou trop mondaines, autant vous adorerez, par exemple, la justesse de son « Lad les bras croisés » (page 201). Autant vous avez été souvent déçu de la platitude de ses paysages, autant vous serez surpris par la profondeur de son « Allée cavalière à Saint-Germain-en-Laye » (page 195). Autant vous avez fait la moue devant ses scènes d'hippodromes, autant vous serez emballés par ses intérieurs d'écurie (pages 15, 49, 51, etc.). Autant vous avez peu apprécié ce mélange de romantisme et de dandysme que l'on croyait constituer son seul registre, autant vous vous extasierez de la force de certaines de ses évocations.

On l'a compris : même si cela peut paraître paradoxal, plus vous avez détesté De Dreux, plus vous aimerez feuilleter ce livre. Et vous éprouverez alors, allez savoir pourquoi, comme une sorte de soulagement, de bonheur.

[Paru sous le titre « Alfred De Dreux : quand un grand peintre se cache derrière un petit maître » dans EQU'IDÉE (trimestriel édité par les Haras Nationaux) n° 65 (hiver 2008).]

LES CHEVAUX DE PICASSO

Contrairement à ce qu'on a cru longtemps, l'animal fétiche de Pablo Picasso (1881-1973) n'est pas le taureau et ses avatars – tel le Minotaure –, mais bel et bien le cheval.

La preuve en avait été apportée, en 2003 déjà, par Dominique Dupuis-Labbé, professeur à l'École du Louvre, Conservateur en chef des Musées Nationaux, une des meilleurs spécialistes de l'œuvre de celui qui fut l'artiste le plus prodigieux et le plus prolifique du siècle, dans un bel ouvrage (1) dont l'abondante iconographie s'ouvre sur un des premiers tableaux du jeune Pablo, peint à l'âge de 8 ans, représentant un homme à cheval, et s'achève sur un de ses derniers dessins, réalisé peu avant sa mort, à l'âge de 92 ans, figurant une sorte de Pégase, de cheval ailé tenu par un enfant.

Dominique Dupuis-Labbé récidive aujourd'hui en présentant au Musée Picasso de Malaga (la ville natale du maître) une extraordinaire exposition de soixante de ses œuvres – peintures, céramiques, dessins – entièrement dédiées au cheval.

Inaugurée en grande pompe le 17 mai 2010, cette exposition reste ouverte jusqu'au début du mois de septembre : avis à ceux qui n'ont pas encore décidé du lieu de leurs prochaines vacances. Direction : le sud de l'Espagne !

Cette rétrospective met en lumière combien le cheval revient, de façon récurrente, tout au long de la vie de Picasso – traumatisé, sans doute, dès son enfance, par l'horrible spectacle de chevaux littéralement étripés par les cornes des taureaux – comme une représentation quasi obsessionnelle de la souffrance, voire de la mort. Les amateurs de corrida jurent que, de nos jours, ce genre d'éventration publique n'a plus cours, les chevaux des picadors étant protégés par d'épaisses matelassures...

1.« Picasso et le cheval » (Favre, collection *Grande Écurie de Versailles*).

Outre la fantastique accumulation de chefs-d'œuvre réunis à Malaga, l'intérêt de cette exposition (2) est de montrer – par la photographie – la place que le cheval occupait dans la vie quotidienne, au temps de Picasso : la première place, à la ville comme à la campagne, où l'automobile ne régnait pas encore en maître. Mais là aussi, les temps ont bien changé ! Au point que Picasso est devenu le nom d'une gamme de voitures avec, il est vrai, entre 5 et 6 chevaux (fiscaux) et 90 à 150 chevaux (vapeur) dans le moteur.

[Paru dans CHEVAL MAGAZINE n° 463 (juin 2010)
dans la rubrique *Ruades*.]

---

2. Lire, p. 200 le texte publié dans le catalogue de cette exposition : « le cheval au temps de Picasso ».

LE CHEVAL À L'HONNEUR

Comment désigner les œuvres – des dessins, des tableaux, des sculptures – dont le sujet principal est le cheval ? Les Anglais parlent de peinture « sportive », ce qui peut convenir, à la rigueur, pour des scènes de chasse, voire des scènes de turf, mais beaucoup moins, on en conviendra, pour des scènes de bataille. Certains ont essayé l'expression d'art « animalier », ce qui est un peu réducteur, spécialement lorsque l'artiste, bien que plaçant le cheval au centre de son œuvre, cherche à faire plutôt le portrait d'un prince, voire à dépeindre une société, une époque, ou à raconter un événement.

Alors ? Faut-il parler d'art hippique ? d'art chevalin (quelqu'un a proposé – c'est déjà mieux – d'art caballin) ?

Il serait peut-être temps de trouver enfin le terme qui convient. Il serait peut-être temps qu'on sache sous quel vocable englober ce qui constitue un des thèmes principaux de l'art universel !

Le problème s'aggrave, si l'on peut dire, lorsqu'on élargit le champ d'investigation, comme c'est le cas ici. Dans les dizaines de lots que proposent Xavier de La Peraudière et Guy de Labretoigne à la vente, il n'y a pas que des « œuvres d'art ». Il y a aussi des bibelots, des bijoux, voire même des outils. Des pièces offrant, bien sûr, de réelles qualités esthétiques, issues de l'atelier non point toujours d'artistes patentés, mais parfois de simples artisans.

On aborde là, du coup, une autre problématique, qui a déjà fait couler beaucoup d'encre, au moment, par exemple, de l'ouverture du Musée du Quai Branly, à Paris : peut-on mettre sur le même plan (ou dans le même sac !) des objets produits avec une intention artistique clairement affichée, et ceux qui l'ont été avec une tout autre intention (religieuse, magique – ou tout simplement utilitaire) ? Autrement dit, comment faire le tri entre ce qui ne relève que de l'ethnographie et ce qui appartient déjà au monde de l'art ?

Dans le cas présent, la principale justification à cet apparent mélange des genres, c'est l'unité de leur inspiration ou de leur destination : le cheval. L'animal, mais aussi son entretien, sa mise en valeur et ses mille utilisations.

Comment désigner cet ensemble, hétéroclite dans son expression, mais cohérent dans sa finalité ?

Les organisateurs de cette vente proposent le terme audacieux de « arts équestres », au pluriel. Bonne idée !

De la même manière qu'on a su réunir sous la bannière unique des « sciences humaines » des disciplines aussi variées et aussi différentes que l'archéologie, l'histoire, l'ethnologie, la psychologie ou la sociologie, il doit bien être possible de désigner sous le terme générique d'« arts équestres » l'ensemble des contributions humaines à la glorification du cheval. En n'oubliant pas, naturellement, que le premier de ces arts reste l'équitation : la belle équitation n'est-elle pas, en effet, le moyen le plus noble de mettre le cheval en valeur, le cheval à l'honneur ?

[Présentation d'une « vente de prestige » organisée à l'Hôtel des ventes de Saumur le 19 mai 2007 par le commissaire-priseur Xavier de La Peraudière et l'expert Guy de Labretoigne. Ce texte préface le beau catalogue édité à cette occasion.]

L'ART ÉQUESTRE EST-IL UN ART ?

Vénérable institution fondée par Richelieu, l'Académie française est la plus célèbre assemblée de notables autorisée à se réunir sous la célèbre Coupole du quai de Conti, à Paris, située en face du Louvre, de l'autre côté de la Seine. La plus célèbre, mais pas la seule : l'Institut de France, propriétaire des lieux, y héberge quatre autres prestigieux aréopages, parmi lesquels l'Académie des Sciences, l'Académie des Inscriptions et Belles-Lettres, l'Académie des Sciences Morales et Politiques (comme s'il y avait un rapport quelconque entre morale et politique !) – et enfin l'Académie des Beaux-Arts, qui comprend plusieurs sections. L'une réservée aux peintres, une autre aux sculpteurs, d'autres aux compositeurs, aux architectes, etc.

Dans le but de montrer leur souci de vivre avec leur temps, les Académiciens des Beaux-Arts se sont serrés un petit peu pour faire place à des arts nouveaux : le cinéma, et tout récemment la photo (bientôt la BD ?). En tout, huit sections – alors que les Muses de la mythologie grecque, elles, étaient neuf.

Sans doute les filles de Zeus avaient-elles l'esprit plus large que les Académiciens du quai de Conti, admettant dans leur groupe le théâtre et la danse ; ce que l'on appelle aujourd'hui les arts vivants. On peut s'étonner qu'elles n'aient pas eu l'idée d'y inclure aussi l'art équestre, elles qui pourtant allaient souvent chercher l'inspiration en s'abreuvant à la fontaine du cheval (hippocrène), que Pégase avait fait jaillir d'un simple coup de sabot.

Souhaitons que les Académiciens, mieux inspirés cette fois que les Muses, accordent un jour un siège à un grand écuyer. Cela viendra peut-être. Signe encourageant, la récente admission de Yann Arthus-Bertrand, le photographe de la terre vue du ciel et des chevaux vus du cœur à l'Académie des Beaux-Arts : grâce à lui, le monde du cheval dispose désormais à l'Institut sinon d'un fauteuil, au moins d'un strapontin.

[Paru dans Cheval Magazine n° 447 (février 2009) dans la rubrique *Ruades*.]

NOS SEMBLABLES ET LES AUTRES

Séchez vos cours si vous êtes étudiant, faites-vous porter pâle si vous êtes militaire, demandez à un médecin complaisant un arrêt de travail si vous êtes employé, faites comme vous voulez, mais débrouillez-vous pour vous rendre libre, et précipitez-vous sous la verrière du Grand Palais, à Paris, impérativement avant le 12 février [2009], date à laquelle se terminera l'extraordinaire exposition qu'y proposent Yann Arthus-Bertrand, Sibylle d'Orgeval et Baptiste Rouget-Luchaire, sous le titre « 6 milliards d'Autres ».

Jamais vu un truc comme ça !

Depuis le temps que Yann Arthus-Bertrand photographie « la Terre vue du ciel », il s'était trouvé des âmes chagrines pour dire à l'artiste : c'est bien votre machin, mais c'est trop abstrait, c'est purement esthétique, c'est donc un peu gratuit ; la terre, ce ne sont pas que des paysages, des taches de couleur : il y a des hommes, en bas ; ça grouille de vie, et cela, vos photos ne le montre pas.

Ce qu'il y a de bien avec Yann, c'est qu'il comprend vite, qu'on n'a pas besoin de lui dire trente-six fois la même chose : ce genre de remarques a tout de suite fait tilt dans sa tête. Elles lui ont donné l'idée de faire l'inverse de ce qu'il avait fait jusque-là : au lieu de faire des images fixes, il fera des images qui bougent, au lieu de la photo, ce sera de la vidéo ; et au lieu de prendre du recul, de la hauteur, de l'altitude, il s'est avancé, s'est rapproché, jusqu'au tête à tête, jusqu'au nez-à-nez. Comme avec Yann, on fait toujours les choses en grand (son côté mégalo !), il a cadré, comme cela, non pas les six milliards d'humains qui peuplent la planète, mais presque : près de six mille d'entre eux, ce n'est déjà pas mal ! Cinq ou six mille portraits vidéo, réalisés dans 75 pays : toutes races, toutes religions, toutes classes sociales, des jeunes, des vieux, des hommes, des femmes filmés plein cadre et priés de s'exprimer sur les grands sujets universels. La vie, la mort, l'amour, le bonheur, la guerre, l'avenir, Dieu – que sais-je encore !?

Ce sont ces cinq mille portraits que Yann Arthus-Bertrand « expose » au Grand Palais, dans la grande nef, du 10 janvier au 12 février [2009], dans une astucieuse scénographie : une vingtaine de petites salles de projection, genre yourte mongole, chacune étant consacrée à un thème dominant. Et, au milieu de cet étrange campement, une sorte d'énorme cercle bavard, une tour de Babel, dans laquelle on cause toutes les langues. Cela aurait pu n'être qu'une gigantesque et insupportable cacophonie : y règne au contraire une merveilleuse harmonie. De yourte en yourte, une douce sensation s'installe peu à peu, une sympathie, une empathie, bien mieux qu'une simple prise de conscience de l'unité du genre humain, de l'universalité des pensées, des espoirs, des frayeurs humaines : un véritable sentiment de fraternité. À la différence de celle de la Bible, cette tour de Babel est un lieu dans lequel on se comprend, dans lequel tout le monde saisit de quoi parlent les autres, les 6 milliards d'Autres (avec majuscule SVP).

Impossible de ne pas songer, en visitant cet endroit extraordinaire, à la petite fable tibétaine rapportée voici vingt ans par Françoise Gründ et Chérif Khaznadar, les fondateurs de la Maison des Cultures du Monde. Je cite : « un jour, j'aperçus au loin une forme qui bougeait, et j'ai cru que c'était un animal. Je me suis rapproché, et j'ai vu que c'était un homme. En me rapprochant encore, j'ai vu que c'était mon frère. »

Pour réaliser cette belle symphonie planétaire, Yann Arthus-Bertrand a eu la bonne idée de confier la direction des opérations à la belle globe-trotteuse Sibylle d'Orgeval, qui avait été son efficace assistante lors de la réalisation de son livre sur les chevaux. Ici, Sibylle a eu, à son tour, la bonne idée de se faire aider d'une autre intrépide pérégrine, Isabelle Vayron, vidéaste et photographe surdouée. À la fin des années 1990, Isabelle, encore gamine, avait entrepris (à vélo) un vaste périple planétaire, avec l'idée d'enregistrer au passage les chants et les musiques traditionnelles du monde. Elle en revint avec, en effet, des kilomètres de bandes magnétiques. Et quelques centaines de photos magnifiques de gens, de paysages – et de chevaux.

Après une décennie de déambulations sur les quatre (ou cinq) continents, Isabelle a réuni une centaine (un peu moins) de ses meilleures prises de vue dans un petit livre carré (21 x 21 cm) à la maquette, dieu merci, très sobre, et au texte, dieu merci, laconique (je dis *dieu merci* parce que, trop souvent, les livres de photos sont gâchés par l'intervention intempestive d'un maquettiste envahissant et/ou les bavardages d'un rédacteur qui, en vérité, n'a pas grand-chose de plus à dire que ce que montrent les images).

En une phrase seulement Isabelle explique son entreprise et justifie le titre de son livre : « Semblables »*. Pendant dix ans, explique-t-elle (en d'autres termes), j'ai passé l'essentiel de mon temps à sillonner le monde, à rechercher les différences, pour conclure que, au-delà des apparences, nous sommes tous « semblables ». Joli, non ?

Il se dégage en tout cas des photos d'Isabelle Vayron un véritable amour non seulement pour les formes et les couleurs, mais pour l'humanité tout entière. Toutefois, à ses beaux portraits de vieillard afghan, de paysanne éthiopienne, de gamines mongoles, ou de cow-boys virils, je préfère sa façon de regarder les chevaux, qu'elle photographie admirablement parce qu'elle sait les voir. Parce qu'elle les aime.

Le cheval, c'est aussi la passion de Émilie Haillot. Comme son maître et ami Jean-Louis Sauvat, Émilie pratique à la fois l'art équestre et les arts plastiques. Graphiste et illustratrice (souvent inspirée par la grâce et le mouvement du cheval), elle est la fille d'un photographe célèbre, qui fut longtemps rédacteur-en-chef-photo de *L'Express*, Jacques Haillot (1941-1998).

Jacques Haillot est, en particulier, l'auteur d'une des plus fameuses photos des années soixante : celle où l'on voit, en noir et blanc, Daniel Cohn-Bendit provoquer un CRS casqué d'un sourire et d'un regard qui expriment formidablement l'insolence joyeuse des émeutiers de mai 1968.

À feuilleter le petit album (19 x 19 cm) que la fille vient de consacrer à son père (aux éditions Sequoia), on survole toute une époque, marquée par la révolution iranienne, la guerre du Kippour, le Tchad, la Révolution des œillets, la Marche verte vers le Sahara ex-espagnol et, naturellement, les barricades sur le Boul'Mich'. On y croise, à l'occasion, Nixon, Ceausescu, de Gaulle, bien sûr, mais aussi Brassens, Ionesco, Paul VI et Marguerite Duras…

Il faut remercier (et féliciter) Émilie de cet hommage à son père, grand photographe, grand témoin de la folie des hommes, ces « Autres » qui sont aussi nos « Semblables ».

[Paru dans LE CHEVAL n° 116 (30 janvier 2009).]

---

* Pour se procurer « Semblables », contacter < isabelle.vayron@gmail.com >.

DES CHEVAUX PARMI LES HOMMES

Les chevaux, il faut s'en méfier.

C'est (en gros) ce que Moïse a dit aux Hébreux. C'est, du moins, l'interprétation qu'on peut donner à ses propos, rapportés dans le Deutéronome (XVII, 14-20). Méfiez-vous, leur dit-il (à peu près), car si vous approchez le cheval, si vous l'utilisez, vous serez pris – inévitablement – par des désirs de conquête.

Magnifique compliment, même s'il a ici la forme d'une mise en garde. Le cheval, c'est vrai, a donné à l'homme le goût – et les moyens – de franchir les frontières, de traverser les grands espaces, d'aller voir « ailleurs ».

Il ne lui a pas seulement donné des envies d'aventures, de voyages, de croisades. Il l'a aussi fait rêver, et lui a inspiré bien d'autres sentiments, apporté bien d'autres richesses. Peut-être même lui a-t-il donné le sens du beau, l'idée de l'art ? Des spécialistes ont calculé que le cheval représente à lui tout seul plus du tiers de l'iconographie préhistorique.

Au point qu'on peut sérieusement se demander (d'autres l'ont fait avant moi) : de l'homme ou du cheval, lequel est la plus noble conquête de l'autre ?

Depuis les temps les plus anciens (et peut-être même avant sa domestication, relativement récente : cinq à six mille ans, guère plus) jusqu'à nos jours, le cheval a envahi l'imaginaire de l'homme, a carrément pris possession de son esprit. Omniprésent dans la mythologie (un tout récent dictionnaire mythologique du cheval, établi par Marc-André Wagner, ne fait pas moins de 200 pages !), son image de liberté, de force, de grâce, de vitesse, de vitalité est encore abondamment utilisée aujourd'hui, y compris pour promouvoir celle qui est pourtant censée le remplacer, l'automobile (Ferrari, par exemple).

Mais là où l'envahissement est le plus visible – et audible – c'est dans la langue. Vocabulaire d'inspiration équestre, proverbes de provenance hippique, expressions populaires évoquant le cheval, l'étalon, la jument, le poulain sont entrés dans notre façon de parler – puis d'écrire –, à un degré tel qu'on est tenté de poser la question : comment l'homme aurait-

il pu s'exprimer si le cheval n'avait pas existé ? ! Il n'y a que Dieu, probablement, pour avoir à ce point contaminé le mental, et donc le langage
des hommes.

Voilà ce que montre, de façon très convaincante, Pascal Polisset dans
les pages qui suivent. Ce Pascal-là est du genre foisonnant, proliférant,
arborescent. Il faut entrer dans son texte touffu comme on pénètre dans
une forêt enchantée. On s'y promène hors des sentiers battus, on s'y laisse surprendre par les mille merveilles entrevues. Comme sur un célèbre
tableau de Magritte, on y aperçoit des chevaux parmi les arbres.

Les arbres, c'est Polisset. Les chevaux, c'est le couple Peuriot-Ploquin.

Paradoxe : si l'écrivain me fait penser ici à un peintre, les photographes, eux, me font plutôt penser à un poète. À Francis Jammes qui, dans
un petit texte émouvant, décrit « le paradis des bêtes » : un coin de ciel où
tous les chevaux « paissaient éternellement dans la grande plaine de la
divinité tranquille », un lieu où « les autres animaux étaient heureux
aussi ». Pourquoi ce calme, pourquoi cette sérénité, pourquoi cette paix ?
Francis Jammes répond : « il n'y avait pas d'homme dans ce paradis ».

Il n'y a pas beaucoup d'hommes dans les photos – si poétiques – de
Françoise Peuriot et Philippe Ploquin, alors que les chevaux pullulent
dans l'univers des hommes que décrit si bien Pascal Polisset. C'est ce qui
fait l'originalité de cet album, construit en deux temps, en deux mouvements, qui se complètent et s'équilibrent. Une première partie, où dominent les textes, les idées, les hommes. Une seconde partie, où dominent les
images, les émotions, les chevaux.

Bien qu'apparemment dépareillés, les auteurs qui se sont attelés (*sic*)
à cette difficile entreprise, consistant à dire et montrer quelque chose de
nouveau sur les chevaux, étaient faits pour s'entendre. Je suis heureux (et
fier) de les avoir aidés à se rencontrer. Le résultat de leur association est
un ouvrage tel qu'on n'en a encore jamais vu.

En vingt ans d'édition spécialisée, j'ai publié une bonne centaine de
livres sur le cheval, l'équitation, l'hippologie. J'en ai lu bien davantage :
mille, peut-être. Je n'en ai jamais trouvé de plus original, de plus « différent » que celui-ci.

Le cheval n'est pas un animal comme les autres ? L'ouvrage que lui
consacrent mes amis n'est pas un livre comme les autres.

[Paru en préface à l'album de Pascal Polisset (textes), Françoise Peuriot et
Philippe Ploquin (photos) : « Des chevaux parmi les hommes » publié en 2006
par les éditions Sud-Ouest.]

EVA (SCHAKMUNDÈS) ET MARIA (GARCIA)

Eva Maria !

Eva, comme Eva Schakmundès.

Maria, comme Maria Garcia.

Eva Schakmundès : plus précisément Eva Shoshana Schakmundès. Danseuse-écuyère aux origines multiples (l'Indochine et l'Alsace par sa mère, la Lituanie, la Pologne, le Tatarstan par son père). Née à Tours le 15 février 1964. À son répertoire : Zingaro, Mazeppa, Penthésilée, entre autres.

Maria Garcia : plus précisément Maria Felicia Garcia, épouse Malibran (puis de Bériot), dite La Malibran. Cantatrice mezzo-soprano, actrice, compositrice. Fille d'une comédienne et d'un ténor espagnols. Née à Paris le 24 mars 1808. Mariée, très jeune, à un homme d'affaires franco-américain, puis à un violoniste belge. Décédée à Manchester, enterrée à Bruxelles. La plus grande diva internationale de son temps. À son répertoire : Rossini, Donizetti, Bellini, entre autres.

Passionnée d'équitation, Maria avait tenu, au cours d'une tournée en Grande-Bretagne, à essayer un de ces fameux pur-sang qui font la réputation de l'élevage anglais.

Le 5 juillet 1836, on lui confie une monture d'habitude plutôt tranquille, qu'elle lance, cavalière (trop) intrépide au grand galop sur la piste circulaire (*inner circle*) du Regent's Park, un des plus beaux « espaces verts » de Londres. Hélas, c'est l'accident. Maria tombe de son cheval. Gravement contusionnée, notamment à la tempe, elle décide de tenir pourtant ses engagements, et de se produire, malgré tout, le soir même.

Animée d'une force de caractère inouïe, elle « tiendra » ainsi près de trois mois encore. Son calvaire prendra fin le 23 septembre, peu avant minuit, au mi-temps de sa vingt-huitième année.

Le médecin chargé de certifier le décès constatera que Maria était enceinte.

Un siècle et demi plus tard…

Septembre encore.

Le 19 septembre 1999, très exactement. À quelques jours d'accoucher, Eva éprouve soudainement l'irrépressible besoin de conserver l'image, le souvenir, la silhouette de sa grossesse, et demande à Stéphane Laisné, le futur père, de prendre quelques photos. L'amazone (trop?) intrépide tient absolument à ce que les prises de vue soient faites en présence et avec la participation de Raspoutine. Un étalon percheron de 980 kilos, âgé d'une quinzaine d'années. C'est le meilleur ami de Eva, son compagnon, son piédestal : c'est sur lui qu'elle danse, avec lui qu'elle fait ses tours de piste et qu'elle a fait le tour du monde.

Une semaine plus tard, le 26 septembre, Eva donne naissance à un garçon, qu'elle prénomme – vaste programme – Noé Ulysse Salomon.

Raspoutine s'éteint le 27 octobre de l'année suivante.

Les documents de Stéphane Laisné, confiés à l'artiste photographe Gilles Tondini lui ont inspiré une création graphique en vingt-trois planches.

La vie de Maria avait inspiré à Alfred de Musset un poème en vingt-sept strophes de six vers, les « Stances à La Malibran », publiées dans *La Revue des Deux Mondes* le 15 octobre 1836, moins d'un mois après la mort de la diva.

Viva Maria ! Ave Maria !

Eva Maria !

[Ce texte vient en introduction à un recueil de vingt-trois planches photographiques, accompagnées d'un livret contenant le texte intégral des « Stances à La Malibran », l'ensemble, mis sous emboîtage, ayant pour titre EVA MARIA. Ce coffret, achevé le 24 mars 2008, jour anniversaire de la naissance de La Malibran, est le second volume de la collection *pur-cent*. (Plus de détails sur cet ouvrage à tirage limité dans la Bibliographie générale en fin du présent volume.)]

PUBLIER L'IMPUBLIABLE

Peut-on dire l'innommable ? A-t-on le droit de montrer l'insoutenable ?

Ces questions, nous nous les sommes posées, bien sûr, à propos du travail réalisé à la fin des années 1970 par le reporter-photographe Michel Maïofiss aux abattoirs de Vaugirard.

L'endroit, à l'époque, était étroitement surveillé, strictement interdit aux journalistes. Il est aujourd'hui fermé : on l'a rasé. Comme pour mieux oublier, on l'a vite transformé en jardin. On l'a joliment paysagé, on y a construit un théâtre, planté des arbres. C'est de nos jours un lieu idyllique, où l'on vient se promener, où les enfants aiment jouer. Les halles, sous lesquelles on alignait autrefois les chevaux promis à la boucherie, abritent maintenant, chaque samedi-dimanche, un sympathique marché aux livres anciens.

Pourquoi donc exhumer, trente ans après, le reportage que Michel Maïofiss, bravant les interdits, réussit à y faire ? Pourquoi montrer ces images que les plus grands magazines ont tous renoncé, après avoir beaucoup hésité, à publier ?

Nous aussi, nous avons beaucoup hésité – pour prendre finalement la décision inverse : montrer, publier, exhiber, dire, proclamer, crier. Si les images de Michel Maïofiss sont, en effet, souvent insoutenables, il nous est apparu comme tout aussi insupportable qu'elles ne soient jamais vues. Il nous est apparu comme inadmissible qu'elles restent cachées, censurées, interdites. Au nom de quoi ? Pour ne pas choquer les sensibilités ? C'est l'argument des gazettes qui ont renoncé à leur publication. Paradoxal ! Ces mêmes gazettes, en effet, raffolent des photos de charniers, des scènes génocidaires, du spectacle des massacres auxquels se livrent les hommes entre eux.

Aurions-nous conscience du fait que ce que nous faisons aux animaux est pire encore que ce que nous nous faisons entre nous ? Pire, c'est-à-dire plus grave, plus immoral – parce que les animaux, eux, sont des êtres innocents. Jean-Pierre Digard l'a très bien expliqué dans un de ses livres (« L'homme et les animaux domestiques », Fayard, 1990) : l'amour, souvent excessif, que l'on porte à nos animaux de compagnie – chiens, chats, canaris – peut être analysé comme une sorte de compensation, inconsciente bien sûr, une façon de se faire pardonner des horreurs que nous infligeons aux bêtes de rapport – poules, vaches, cochons.

Si nous avons décidé, quitte à choquer, de publier l'extraordinaire reportage de Michel Maïofiss, ce n'est pas pour le plaisir malsain d'ajouter du réalisme à la réalité, de l'émotivité à l'émotion, de la sensiblerie à la sensibilité. Ce n'est pas pour faire, façon Brigitte Bardot, du chantage aux sentiments, pour faire campagne pour ou contre l'hippophagie, ni pour accuser, ni pour dénoncer. C'est juste à cause du questionnement auquel ces images, leur crudité, leur violence nous contraignent.

Mais c'est aussi à cause de l'exceptionnelle qualité artistique des images rapportées ainsi de l'enfer. On ne peut pas ne pas songer ici à Goya, voire à Picasso, dont le « Guernica » a pour figure centrale un cheval supplicié.

L'abattage des chevaux est si choquant, si bouleversant qu'il a « interpellé », comme on dit, de nombreux artistes : peintres, écrivains, mais aussi, plus proches du travail de Michel Maïofiss, cinéastes. Il y a le court-métrage choc de Gaspar Noé, « Carne », primé à Cannes en 1998. Il y a, surtout, le chef-d'œuvre de Georges Franju, « Le Sang des bêtes » (1949), à propos duquel Jean Cocteau fit des remarques qui pourraient fort bien s'appliquer au reportage de Michel Maïofiss : « Pas une prise de vue qui n'émeuve, presque sans motif, par la seule beauté du style, de la grande écriture visuelle. Certes, le film est pénible. Sans doute l'accusera-t-on de sadisme parce qu'il empoigne le drame à pleines mains et ne l'élude jamais. Il nous montre les tueurs sans haine dont parle Baudelaire. Il arrive parfois à rejoindre la tragédie par la terrible surprise de gestes et d'attitudes que nous ignorions et en face desquels il nous pousse brutalement […] Bref, un monde noble et ignoble qui roule sa dernière vague de sang sur une nappe blanche où le gastronome ne doit plus songer au calvaire des victimes dans la chair desquelles il plante sa fourchette. » (*Cahiers du cinéma*, n° 149, septembre 1963).

Pour rédiger le commentaire qui accompagnerait ses images, Franju fit appel à Jean Painlevé. Alors qu'on lui demandait un jour de commenter ses commentaires, ce dernier raconta qu'il avait lu, en 1940, le texte d'une affiche placardée (en Bretagne) par les nazis. « Elle édictait, dit Jean Painlevé, de sévères sanctions contre qui porterait les poules pendues par les pattes. Braves nazis ! La plupart de ceux qui font profession *d'adorer les animaux* haïssent l'homme. »

Cette anecdote nous offre la meilleure transition possible pour expliquer la troisième raison qui nous a déterminé à publier aujourd'hui le terrible reportage de Michel Maïofiss. Comme il l'explique avec à la fois tant de force et tant de délicatesse dans son texte, une partie de sa famille ayant été décimée par les nazis, il ne put s'empêcher, à Vaugirard, de se croire à Auschwitz, au moins d'y penser, le temps d'un flash, d'un songe, d'un cauchemar.

La comparaison n'est ni scandaleuse ni vraiment nouvelle. Comme le rappelle Élisabeth de Fontenay dans son dernier ouvrage (« Sans offenser le genre humain », Albin Michel, 2008), nombreux sont les auteurs juifs – Vassili Grossman, Isaac Singer, Primo Levi, Romain Gary, etc. – ayant « osé laisser entendre que le sort des animaux pouvait parfois ressembler à celui des juifs, à moins que ce ne soit l'inverse. On a le droit sans doute de discuter une telle analogie, mais on ne saurait la répudier comme blasphématoire, car elle vient d'hommes qui ont souffert dans leur chair, dans leur histoire, et qui savent ce qu'ils disent quand ils évoquent la méchanceté humaine. »

Ce troublant parallélisme donne en tout cas au travail de Michel Maïofiss que nous nous risquons à publier ici une dimension qui justifie pleinement le titre que nous avons choisi de lui donner. Comme le rappellent Alain Rey et Sophie Chantreau dans la toute dernière édition de leur « Dictionnaire d'expressions et locutions » (Le Robert, 2007), le seul usage correct de la formule « la mort du petit cheval » (dont Hervé Bazin a fait, en 1950, le titre d'un de ses romans) consiste à désigner l'irrémédiable, « le pire qui puisse arriver ».

[Ce texte de novembre 2008 devait servir de préface, d'introduction (et surtout d'avertissement) à un album qui, finalement, n'a jamais vu le jour, son auteur, le photographe Michel Maïofiss s'étant opposé *in extremis* à sa publication, ainsi que je le raconte, avec dépit, dans la chronique ci-après (« La mort du petit cheval »).]

LA MORT DU PETIT CHEVAL

De nos jours, n'est-ce pas, on peut tout dire, tout montrer et (presque) tout faire. C'est la démocratie, c'est l'émancipation, c'est la fin des tabous. On peut insulter le Président de la République, avouer ses turpitudes sexuelles, exhiber les pires horreurs. Vive la liberté!

Tout dire, tout montrer, oui. Sauf une chose. Il est totalement impossible, il est absolument interdit de parler de la mort. Non pas la mort des hommes, qui constitue au contraire un très bon thème. Pour la presse, d'ailleurs, plus grand est le nombre de morts, meilleur est le sujet. Montagnes de cadavres, charniers géants, massacres collectifs, génocides anciens ou récents : excellent !

La mort des animaux, elle, fait moins vendre. Quand les Anglais ont « éliminé » quelques milliers (centaines de milliers?) de leurs vaches devenues folles, aucune photo n'a été publiée de cette immolation généralisée, à peine mentionnée par les journaux – excepté en Inde, bien sûr, où l'on a posé la question (judicieuse): des vaches ou des Anglais, lesquels sont les plus fous? Quelques années plus tard, lorsqu'une épidémie de grippe aviaire a menacé, c'est dans la plus stricte intimité aussi qu'on a incinéré des centaines de milliers (des millions?) de poussins, poulets et autres volatiles : aucune photo, aucun article.

Par contre, lorsqu'en juillet 2009, un cheval, entraîné, le pauvre, par son cavalier (vétérinaire : un comble !) sur une plage des Côtes-d'Armor envahie par les algues vertes, dans lesquelles il s'enlise, se débat et meurt asphyxié en moins d'une minute, cela devient une affaire d'État. La presse déploie les grands moyens. Pas seulement la presse équestre, non : la presse du monde entier, les grands médias, les radios, la télé. Le gouvernement ordonne une enquête, et le Premier Ministre débarque sur place moins d'un mois plus tard, escorté des ministres de l'Agriculture, de la Santé et de l'Écologie (*Le Monde* du 22 août 2009).

La mort d'un cheval : il y a là, c'est vrai, quelque chose d'émouvant, d'intolérable – de beaucoup plus émouvant, d'intolérable, semble-t-il, que la mort d'un homme. Lorsqu'au cours ou à l'issue d'une course, un cheval s'effondre, victime d'une fracture, ou foudroyé par une crise cardiaque, les responsables de l'hippodrome, prudents, s'empressent de l'enlever de la vue du public. Cachez ce cadavre que je ne saurais voir. Ils savent bien que ce genre de spectacle menace, bien plus que celui de la chute et de la mort d'un jockey, l'existence même des courses sur hippodrome. Des pressions de plus en plus… pressantes, en effet, s'exercent pour l'interdiction de ce genre de distraction honteuse, comme elles s'exercent depuis longtemps contre la chasse à courre, la corrida, et même contre l'utilisation de chevaux dans les cirques !

La corrida ? Parlons-en. Il fut un temps où les courses de taureaux donnaient lieu à un véritable carnage – dont les victimes n'étaient pas tant les taureaux eux-mêmes, que les toréadors… et leurs chevaux ! Dans son essai sur la tauromachie, « Mort dans l'après-midi » (Gallimard, 1938), Hemingway évoque le cas d'un taureau gris, appelé Hechicero (le sorcier) qui, à Cadix, en 1844, encorna à mort les sept chevaux présents dans l'arène. Il n'était pas rare alors que les montures des picadores soient ainsi éventrées – et continuent, entrailles pendantes, tous boyaux dehors, leur travail de protection des matadores. C'est pour épargner au public le choc que pouvait provoquer ce genre de scène, bien plus que pour mettre fin aux souffrances infligées aux animaux que le port d'un caparaçon sur les flancs des chevaux est devenu petit à petit obligatoire.

Que s'est-il donc passé depuis l'époque où, décrivant ces scènes d'éventration, Hemingway pouvait écrire que, dans de telles circonstances, « la mort du cheval tend à être comique » ? Et, insistant encore deux lignes plus loin, que « dans la tragédie de la course de taureaux, le cheval est le personnage comique » ! ? Que s'est-il donc produit, en un siècle à peine, pour qu'aujourd'hui, le seul fait d'évoquer la mort d'un cheval soit devenu scabreux, et disons-le insupportable ? Pour que le seul fait de mentionner l'hippophagie déclenche des cris indignés. Que le seul fait d'énoncer, comme l'a osé récemment, sans doute par inadvertance, l'organe officiel de l'Institut Français du Cheval et de l'Équitation (*Equ'idée*, printemps 2010) que « plus de 80% des 16 200 poulains de trait qui naissent chaque année en France sont destinés à la filière bouchère » soit limite-intolérable ?

Fragilisation émotionnelle ? Accentuation ou aggravation compassionnelle ?

Le phénomène ne touche pas que l'écrit. Il est plus net encore dans l'image. Picasso, vivement impressionné dans sa jeunesse par les scènes de tauromachie évoquées plus haut, n'a cessé, toute sa vie, de représenter des chevaux éventrés, des chevaux tordus de douleur, des chevaux agonisants. Quel artiste, de nos jours, aurait le culot de montrer de telles horreurs ? Il n'y a guère que Bartabas pour y faire, parfois, de discrètes allusions, par l'apparition de squelettes de chevaux – réels ou allégoriques – dans ses spectacles. Ou, dans un genre différent, le sculpteur « contemporain » Maurizio Cattelan, dont les installations de chevaux empaillés suspendus à un plafond, ou plantés dans un mur, ont fait la célébrité. Mais, dans son cas, la démarche artistique n'est-elle pas suspecte de n'être qu'une provocation facile, à effet garanti dans une époque où le spectacle de la mort d'un cheval est devenu insoutenable ?

Une illustration (c'est le cas de le dire) de ce phénomène m'en a été fournie, à mes dépens, lorsque j'ai voulu éditer l'extraordinaire reportage-photo réalisé à la fin des années 1970, par un maître du genre, Michel Maïofiss, dans les abattoirs de Vaugirard. L'endroit, à l'époque, était étroitement surveillé, strictement interdit aux journalistes, l'industrie hippophagique craignant – déjà – les campagnes contre la consommation de viande de cheval. Profitant d'un certain relâchement de la surveillance, à la veille de la fermeture définitive de ces abattoirs, Maïofiss réussit à y pénétrer, et à y réaliser, à la sauvette, quelques dizaines de clichés fantastiques, à la fois effrayants et grandioses. Aucun magazine ne voulut les publier. C'était pourtant un scoop. Mais il ne fallait pas, lui disait-on, choquer la sensibilité des lecteurs. Soit.

Atterré qu'un tel document, d'une telle force émotive et, surtout, d'une telle qualité artistique, reste inédit, je décidai, trente ans après les faits, et alors que les fameux abattoirs ont été rasés depuis longtemps, remplacés par un joli jardin public, d'en faire un livre. Autrement dit, de publier l'impubliable.

Tout était prêt à l'impression lorsque, pris soudain de je ne sais quelle terreur, l'auteur de ces images, Michel Maïofiss lui-même, s'opposa à leur publication. On mesure bien là jusqu'où peut aller la censure sociale : jusqu'à l'autocensure.

Je suis sorti de cette aventure quelque peu abasourdi. Avec des regrets d'autant plus violents que j'étais assez content du titre que j'allais donner à ce recueil de photos : « La mort du petit cheval ». Je sais bien que Hervé Bazin l'avait déjà utilisé, en 1950, pour un de ses romans, mais de façon à mon avis impropre. Car, comme le soulignent

Alain Rey et Sophie Chantreau dans leur « Dictionnaire d'expressions et locutions » (Le Robert, 2007), le seul usage correct de la formule consiste à désigner l'irrémédiable ou, comme ils l'écrivent eux-mêmes, « le pire qui puisse arriver ».

[Paru dans LA REVUE n° 7 (novembre 2010), cet article m'a valu un abondant courrier. De la lecture de toutes ces lettres, une idée émerge : si le spectacle d'un cheval mort est insoutenable, c'est que le cheval est une représentation de la vie. Le cheval, c'est la vitalité, l'énergie vitale. La vue d'un cheval inerte contredit nos archétypes. Le spectacle a quelque chose de choquant, d'inadmissible, d'insupportable.]

LES NOCES MAGNIFICENTES
DU CHEVAL ET DE LA PHOTO

Qu'un artiste tombe amoureux de son modèle, ce n'est pas vraiment une rareté, une exception. C'est même plutôt une règle. Presque une nécessité, ont affirmé bien des peintres, bien des sculpteurs. Mais jamais le phénomène n'a eu autant d'ampleur qu'entre les photographes... et les chevaux. C'est ce qui ressort, en tout cas, du simple survol de l'album que nous propose aujourd'hui Robert Delpire.

Il y a là, pourtant, un formidable paradoxe. Ou, pour mieux dire, comme un miracle. Car la rencontre a failli ne jamais avoir lieu. La naissance de la photographie, en effet, coïncide à peu près avec sinon la mort, du moins le déclin de l'équitation, de l'attelage, de la cavalerie. L'extraordinaire élan de la photo est quasiment symétrique à la lente disparition du cheval de nos villes et de nos campagnes, des fermes et des casernes.

Leurs destins se croisent, en gros, à l'intersection des XIXe et XXe siècles. Ils auraient pu se télescoper, s'opposer, ou tout simplement se croiser sans se voir. C'est le contraire qui s'est produit. Leur rencontre a donné vie à une belle et grande histoire d'amour.

À la toute fin du XIXe siècle, en 1899 précisément, les éditions Armand Colin publient un superbe ouvrage, grand format (22 x 31,5 cm), 238 pages d'un beau papier, à l'impression soignée, qui porte un titre provocateur : « La fin du cheval ». C'est un livre étrange. Son auteur, un certain Pierre Giffard, s'y livre, avec talent, à un exercice périlleux : tout en lui rendant hommage, tout en rappelant la place primordiale qu'il occupe, depuis les temps les plus anciens, dans la vie des hommes, il fait ses adieux au noble quadrupède. « Nous voici au seuil d'un siècle qui verra l'homme se séparer du cheval. Ce sera la fin d'une collaboration vieille de plusieurs milliers d'années », écrit-il en introduction, avant de poursuivre : « des faits positifs sont là pour nous édifier sur l'inutilité prochaine du plus vieux compagnon de l'homme ». Et d'évoquer, à l'appui de sa théorie, l'invention de... la bicyclette (et de l'automobile) !

Il est amusant de relever que ce moderniste à tous crins n'utilise, pour enjoliver son propos, que des dessins (d'ailleurs très réussis, de Albert Robida, qui s'était rendu célèbre, déjà, en illustrant les œuvres de Rabelais)! Il aurait pu, en bon observateur du progrès, en chaud partisan des avancées technologiques, utiliser plutôt la photographie: inventée soixante-dix ans auparavant, elle était à la fin du siècle parfaitement maîtrisée.

C'est la belle, la grande époque, en effet, du grand Nadar – lequel avait appris à photographier les chevaux (et leurs utilisateurs), dans les années 1860, chez Louis-Jean Delton. Un personnage, ce Delton! Commis banquier devenu cavalier mondain, il avait eu l'idée – géniale – d'ouvrir dans les beaux quartiers, Porte Dauphine, un atelier spécialisé dans la « photographie hippique »: une sorte de gigantesque studio dans lequel les grands de ce monde pourraient se faire portraiturer sous leur meilleur jour, c'est-à-dire à cheval ou en voiture: ses dimensions étaient telles qu'il pouvait accueillir des attelages à quatre.

Toute la bonne (et la mauvaise) société y défila pendant un demi-siècle: généraux, empereurs, ecclésiastiques, savants, industriels, dames de grande célébrité ou de petite vertu (parfois les deux) – disposant toujours, il faut le souligner, de superbes montures ou de magnifiques équipages.

L'atelier ayant été détruit pendant la guerre de soixante-dix et ses suites, Louis-Jean Delton, aidé de son second fils puis de son petit-fils (qui portent tous trois le même prénom, d'où de nombreuses confusions, aujourd'hui, dans l'attribution de leurs œuvres) fit construire un nouveau studio géant, cette fois au Bois de Boulogne. Perfectionnant sans cesse les techniques apprises de leur père, Louis-Jean junior et son frère Georges furent parmi les premiers à savoir photographier des chevaux en mouvement. Mieux: ils réalisèrent, en 1884, la première « photo-finish » de l'histoire des courses.

Parce que leur principal centre d'intérêt n'était, après tout, qu'un bestiau, les Delton subirent de la postérité à peu près le même sort que tous ces « petits maîtres » qu'on méprisa longtemps, en qualifiant leur travail de « peinture de genre », par opposition à la grande peinture des vrais grands maîtres. Jusqu'à ce qu'on s'aperçoive qu'un peintre de genre, ou même un modeste peintre animalier, pouvait être aussi un grand artiste. L'anglais Stubbs connut cet ostracisme, relégué au rang de simple peintre « sportif ». En Russie, Svertchkov subit le même sort. En France, on peut citer Alfred De Dreux. Ou, plus injuste encore,

Princeteau, à propos duquel on entendit longtemps une remarque – « ce n'est tout de même pas Toulouse-Lautrec » – d'autant plus idiote que le premier fut le maître du second.

Il en va de même avec les Delton, injustement oubliés par les historiens de la photographie – raison pour laquelle j'ai demandé à deux érudits, chercheurs et collectionneurs, Catherine Rommelaere et Lieven De Zitter, de rappeler ici l'importance de ces trois grands artistes. On pourra lire l'hommage qui leur est ainsi rendu, et voir, parmi les documents choisis par Robert Delpire, plusieurs de leurs chefs-d'œuvre.

Représenter le cheval en mouvement, ou plutôt saisir les mouvements du cheval lorsqu'il se déplace fut, dès les débuts de la photographie, un souci obsessionnel non point tant, d'ailleurs, de la part des artistes que de la part des scientifiques.

Dans ce domaine, deux d'entre eux obtinrent presque simultanément, dans les années 1880, des résultats spectaculaires. Un physiologiste français, Etienne-Jules Marey, et un chercheur britannique émigré aux États-Unis, Eadweard Muybridge, mirent au point des procédés chronophotographiques permettant de visualiser de façon nette les différentes phases des allures du cheval. Le premier en fixant ces mouvements sur la même plaque sensible, le second en les découpant en séquences. Détail troublant : outre la similitude de leurs recherches et la simultanéité de leurs découvertes, les deux savants ont eu d'autres points communs. Nés tous deux en 1830, ils décédèrent aussi la même année, 1904 !

On a du mal à mesurer aujourd'hui l'effet que produisirent les travaux des deux chercheurs, non point tant, cette fois, dans les milieux scientifiques que dans le petit landerneau artistique. « Les clichés de Muybridge rendaient manifestes les erreurs que tous les sculpteurs et les peintres avaient commises quand ils avaient représenté les diverses allures du cheval », écrit Paul Valéry dans un essai consacré à son ami le peintre Edgar Degas (« Degas Danse Dessin », Gallimard, 1938). Et de disserter : « On vit alors combien l'œil est inventif. [...] On imaginait donc l'animal en action comme on croyait le voir [...] On attribuait à ces mobiles rapides [les chevaux] des figures *probables*, et il ne serait pas sans intérêt de chercher par comparaison de documents cette sorte de *création*, par laquelle l'entendement comble les lacunes de l'enregistrement par les sens. »

À en croire Valéry, Degas « fut l'un des premiers à étudier les vraies figures du noble animal en mouvement au moyen des photographies instantanées du major Muybridge ». D'ailleurs, précise-t-il, Degas « aimait et appréciait la photographie, à une époque où les artistes la dédaignaient ou n'osaient avouer qu'ils s'en servaient ». Parmi ceux qui ne s'en sont point cachés, on peut citer au moins Ernest Meissonier qui, au contraire, invita Muybridge à exposer ses travaux dans son propre atelier – ou René Princeteau, qui ne dissimula pas s'être également inspiré des portraits de chevaux (et de jockeys) réalisées par les Delton (on se reportera, pour plus de détails, aux catalogues des expositions consacrées au « petit maître » par le Musée des beaux-arts de Libourne, éditions Le Festin, 2007).

Cette influence de la photo sur la peinture et la sculpture ne mit pas fin, bien sûr, au vieux débat opposant exactitude et vérité. Pour Gustave Le Bon, l'affaire était entendue : « si le peintre veut donner l'illusion de la réalité, il doit reproduire les choses telles que l'œil les voit, et non telles qu'elles sont pour un instrument scientifique. Si les photographies instantanées devaient servir de guide exclusif au peintre, ce dernier serait alors obligé de représenter parfaitement nets les rayons des roues d'une voiture en mouvement » (« L'Équitation actuelle et ses principes », Firmin-Didot, 1892).

Il n'avait pas tout à fait tort ; il suffit pour s'en convaincre de feuilleter n'importe quelle anthologie (je recommande ici, tant qu'à faire, celle à laquelle j'ai contribué : « Le cheval dans l'art », de Citadelles & Mazenod, 2008) : les œuvres les plus convaincantes, les plus vivaces, ne sont pas toujours les plus anatomiquement correctes. Chez Géricault, Delacroix, et beaucoup d'autres, l'effet du mouvement et l'illusion de la vie sont souvent obtenus au prix de distorsions corporelles, voire d'impossibilités morphologiques. « Leurs faux chevaux galopèrent mieux que les vrais », note Jean de La Varende dans un texte magnifique et peu connu (parce qu'édité à cinq cent soixante-seize exemplaires, mais fort opportunément réédité dans un recueil intitulé « Le cheval roi », Actes Sud, 2009), avant d'ajouter : « si leurs chevaux s'éloignent de la vérité, est-on sûr qu'ils [les artistes] n'accèdent pas à un autre ordre d'expression supérieur ? »

La question reste posée, et je ne puis m'empêcher, pour alimenter la réflexion, de donner l'exemple inverse, d'un plasticien s'aidant de la photographie pour s'éloigner, au contraire, de l'exactitude, de la justesse, de la ressemblance.

En visitant la rétrospective que la Tate Britain de Londres a consacrée récemment à Francis Bacon, le critique d'art Philippe Dagen relève que, parmi le fatras de documents entassés par l'artiste et exposés – « pages arrachées à des magazines, photographies déchirées, portraits et nus de ses amies et amis, vagues esquisses à l'encre et à l'aquarelle » –, on trouve aussi « des planches de Muybridge, qui ont inspiré à Bacon plusieurs corps en mouvement » (*Le Monde*, 14 et 15 septembre 2008).

Dieu merci, diront ceux qui aiment les chevaux et n'aiment pas Bacon, il s'agissait de corps humains : par chance, le plus célèbre peintre anglais du XXᵉ siècle détestait les chevaux (!). On le sait par les confidences qu'il fit, dans les années 1990 à… un photographe français, Francis Giacobetti : « Mon père ne m'aimait pas, c'est sûr […] C'était un homme difficile ; il s'emportait contre tout le monde, il n'avait pas d'amis. Il était agressif. C'était un vieux salaud. Il était entraîneur de chevaux de course, un entraîneur raté. C'est en définitive la raison pour laquelle je n'ai jamais peint de chevaux. » (« The Last Interview », *The Independant*, 14 juin 2003).

Si les inventions de Marey et Muybridge eurent quelqu'influence, on vient de le voir, sur le travail des plasticiens, elles connurent une extrapolation d'une toute autre importance, d'une ampleur inouïe, en donnant naissance à une technique nouvelle, un art nouveau : le cinéma !

« On ne sait pas toujours que le cinéma nous vient du cheval » écrit le metteur en scène Joël Farges dans une note présentant un projet de ciné-club à la chaîne thématique *Equidia*. « Et pourtant, c'est vrai. Dans la seconde moitié du XIXᵉ siècle, on disputait aux peintres la manière dont ils représentaient le cheval au galop. Posait-il en même temps les antérieurs sur le sol dans sa course, ou les diagonaux, ou les quatre pieds l'un après l'autre ? On se mélangeait les sabots. La querelle prit une telle ampleur qu'un richissime Californien lança un concours : celui qui démontrerait de manière irréfutable comment galopait le cheval recevrait une récompense digne de sa démonstration. » Muybridge releva le défi. Après quoi, raconte Farges, « Edison eut l'idée de coller chaque photo sur une bande souple pour en reconstituer le mouvement. Lumière améliora la technique en s'inspirant des machines à coudre : il fabriqua une caméra capable d'enregistrer sur une seule bande seize photos à la seconde. Le cinéma était né ! »

Lui-même réalisateur d'un joli film dont le héros est un cheval (« Serko », 2006), Joël Farges appelle à la rescousse de son plaidoyer un des metteurs en scène les plus mystérieux et les plus importants du cinéma américain, Terrence Malick, auteur de quatre longs-métrages seulement – mais quatre chefs-d'œuvre – en trente ans (« La balade sauvage » en 1973, « Les moissons du ciel » en 1978, « La ligne rouge » en 1998 et « Le nouveau monde » en 2005), qu'il a entendu déclarer, au cours d'une de ses rares apparitions publiques, que « tout cinéaste digne de ce nom doit un jour ou l'autre dans sa carrière filmer un cheval au galop pour retrouver la quintessence du cinéma. » Voilà qui explique, conclut Joël Farges que « depuis plus de cent ans, le cinéma n'a jamais abandonné le cheval. Depuis l'invention du cinéma, le cheval y est un thème de prédilection. Et pas seulement dans les westerns. »

C'est ce que rappelle fort opportunément ici Robert Delpire, en parsemant son choix d'images photographiques d'un bon échantillon d'extraits de films : des westerns, bien sûr, mais aussi « Zorro », mais aussi « les Misfits », mais aussi, bien sûr, « Ben Hur », dont la fameuse course de chars est un morceau d'anthologie.

J'ai bien connu le dresseur (français) qui eut la chance, tout jeune encore, d'assister Glen Randall, le cascadeur (américain) chargé du réglage de cette scène extrêmement compliquée. Il s'appelait François Nadal. C'est lui qui a initié à l'équitation, pour les besoins d'un rôle, des comédiens qui, tels Philippe Noiret ou Jean Rochefort, attraperont à cette occasion « le virus ». Sa filmographie est impressionnante : plus de cent cinquante tournages ! Que ce soit pour filmer une cavalcade débridée ou une figure de haute-école, une attaque de diligence ou une mêlée de chevaliers, à peu près tous les grands metteurs en scène français (Yves Allégret, Philippe de Broca, René Clair, Jean Delannoy, Gérard Oury – et tant d'autres) firent appel à sa science du cheval. Les folles chevauchées de « Fanfan la Tulipe » (1951), c'est lui. Les furieuses charges de cavalerie dans l'« Austerlitz » (1959) d'Abel Gance, c'est encore lui. Le steeple-chase délirant de « Dangereusement vôtre » (le James Bond de 1984), c'est toujours lui. Il a raconté tout cela dans un petit livre charmant, « Ces chevaux qui font du cinéma » (Favre, 1986), que j'ai eu le plaisir d'éditer.

Ayant pris, octogénaire, un peu de recul, il se mit à rédiger, en une quarantaine de pages, une petite histoire du cheval au cinéma, restée malheureusement inédite – à l'exception du dernier chapitre, dans lequel il raconte, par le menu, justement, la manière dont fut préparée, et réalisée la fameuse course de chars de « Ben Hur » (cf. *cheval-chevaux* n° 1, éditions du Rocher, 2007).

Dès les premières pages de son manuscrit (dont sa fille, Marion, a bien voulu nous donner copie), François Nadal nous révèle le nom du premier cheval de l'histoire du cinéma : « En 1894 [écrit-il], avec une technique dérivée de celle de Muybridge, Thomas Edison parvint à photographier 643 fois de suite – ce qui faisait plus d'une demi-minute de projection – un cheval » qui s'appelait Sunfisch, et était monté par un certain Lee Martin. Titre de ce très court-métrage: « Bucking Bronco ». Deux ans plus tard, nous apprend encore Nadal, Edison tourna « The Burning Stable » dans lequel « quatre chevaux blancs sortent au galop d'une écurie d'où s'échappe également de la fumée. »

Incollable, Nadal raconte aussi que « les premières prises de vue d'actualité avec chevaux » datent de 1896. Elles montrent un défilé de la cavalerie espagnole, filmé par un certain A. Promio, un des opérateurs des frères Lumière. Grâce à lui, enfin, on sait que le premier « Jeanne d'Arc » de l'histoire de la cinématographie (il y en aura beaucoup d'autres par la suite) a été tourné en 1900 par Georges Méliès. La monture de Jeanne, dont Nadal pense, au vu de sa morphologie, que c'était « une brave jument de fiacre », s'appelait Pistole.

Ces détails sur la préhistoire du cinéma ne manquent pas de saveur, mais tout aussi savoureuse est la préhistoire de la photographie, dans laquelle le cheval est également omniprésent.

Qu'appelle-t-on, que peut-on appeler, la préhistoire de la photographie ? On a souvent la fâcheuse tendance à prendre pour année zéro de l'évolution de la photo la date de l'invention de l'instantané, et à considérer un peu Marey-Muybridge comme une espèce de Jésus-Christ de la spécialité, avec un *avant* et un *après*. Dans les lignes qui précèdent, j'ai peut-être contribué, *mea culpa*, à renforcer cette idée. Idée fausse, car une longue période a précédé le nouveau testament de l'instantané, qu'on pourrait oser appeler l'ancien testament de la photo posée, et dont les Abraham et les Moïse ont pour noms Niepce (1765-1833) et Daguerre (1787-1851).

Le document considéré aujourd'hui, dans l'état actuel de nos connaissances, comme le plus ancien à pouvoir être réellement appelé photographie est une sorte d'incunable, réalisé par Nicéphore Niepce en… 1825. « La plus vieille photo du monde », comme la qualifièrent les journalistes lorsqu'elle fut mise en vente aux enchères par Sotheby's, le 21 mars 2002, a été heureusement préemptée par l'État. Achetée à un prix légèrement supérieur à un demi-million d'euros, elle est désormais conservée à la Bibliothèque Nationale de France. Elle représente… un cheval! Un cheval tenu en main par un palefrenier coiffé d'un drôle de chapeau. On en trouvera, naturellement, une reproduction dans le présent ouvrage.

Outre son indiscutable intérêt historique, cette image présente un double paradoxe. *Primo*, il ne s'agit pas de la captation d'une scène vivante, du portrait d'un vrai cheval – mais de la reproduction… d'une gravure ancienne, et donc d'une sorte de photocopie avant la lettre. *Secundo*, le cheval représenté est dans une position fausse, morphologiquement improbable.

Que la première œuvre d'un art censé avoir apporté enfin la vérité, spécialement dans la posture et les allures du cheval, soit anatomiquement incorrecte ne peut que réjouir ceux qui, comme moi, se méfient des affirmations péremptoires, des sentences et des généralisations.

Ainsi en va-t-il dans l'histoire de la photographie – et du cinéma – comme dans l'histoire tout court : le cheval est à la base, à l'origine de l'inspiration des hommes.

On s'est souvent demandé pourquoi le cheval est, de tous les animaux, celui qui a, de la préhistoire à nos jours, le plus intrigué, attiré, fasciné les plasticiens. La grâce de son anatomie ? Son élégance naturelle ? Sa « perfection » morphologique ? D'autres animaux – les félins en particulier – bénéficient d'avantages comparables sans faire l'objet d'un culte aussi durable et universel. Ne serait-ce pas plutôt son étrangeté, ce mélange de force et de fragilité, de fougue et de fuite, de virilité et de féminité ?

Il semble bien que, tandis que les hommes ordinaires cherchaient à se concilier les bonnes grâces de cet animal fantasque, à transformer ce gibier craintif en collaborateur dévoué, bref à le domestiquer (d'hommestiquer, disait Lacan), les artistes, eux, cherchaient à capter sa beauté, à capturer sa puissance et à percer ainsi, peut-être, son mystère.

Entreprise d'autant plus aléatoire que, comme beaucoup l'ont fait remarquer, la beauté du cheval est principalement dans le mouvement, dans le geste, alors que peinture et sculpture sont des arts qui immobilisent, qui rigidifient. On retrouve ici la problématique – et les polémiques – ayant suscité les travaux de Marey et Muybridge. Pour mieux restituer la chorégraphie du cheval, peintres et sculpteurs ont parfois dû tricher. Le paradoxe (et décidément, l'histoire des relations entre le cheval et la photographie est une longue suite de contradictions surmontées, de conciliation des contraires) est que lorsqu'enfin on sut, grâce à la photo, et mieux encore le cinéma, fixer la réalité, représenter la vie, la fascination pour le cheval ne diminua point : son charme s'exerça sur les créateurs de ces arts nouveaux avec la même intensité que sur les créateurs des arts anciens.

Si le cheval est le mammifère le plus représenté (après l'homme) dans la peinture, le dessin, la gravure, il est peut-être aussi le plus photographié (après la femme). C'est, du moins, l'impression que l'on conserve après avoir feuilleté le présent ouvrage.

Et encore! Il ne s'agit là que d'un bref échantillon, d'un tri sélectif – et même hypersélectif – dans une masse documentaire considérable! Fidèle à sa manière et au titre de sa collection (*essentiellement*), Robert Delpire n'a retenu ici que ses coups de cœur – qui sont chez lui surtout des coups d'œil – nés de rencontres plus ou moins fortuites. Cela ne signifie pas que sa sélection soit due au seul hasard, mais qu'elle est le résultat d'un choix à la fois très personnel... et très professionnel.

Pour mieux me faire comprendre, j'évoquerai ici, même si cela n'a apparemment rien à voir, un écuyer contemporain, Bartabas, créateur du théâtre équestre « Zingaro » (1985) et de l'Académie du spectacle équestre (2003) installée dans les Grandes Écuries du Château de Versailles. Metteur en scène surdoué, ce prodigieux producteur d'images a attiré à lui de très nombreux photographes, comme on le constatera d'ailleurs au fil des pages du présent ouvrage. L'un d'eux, Antoine Poupel, après avoir suivi le travail du cavalier-chorégraphe pendant une quinzaine d'années, a réuni ses meilleures prises de vue dans un album géant, intitulé sobrement « Zingaro » (Le Chêne, 2007) qui s'ouvre sur une courte préface de Bartabas, dans lequel ce dernier exprime une idée amusante: « Antoine Poupel me connaît bien, et ce n'est pas un inconvénient [écrit-il]; il ne connaît rien aux chevaux, et c'est un gros avantage: en effet, il n'est pas tenté de faire des photos *hippologiquement correctes*, et cela lui a permis de prendre avec son sujet la distance nécessaire pour s'exprimer pleinement. »

De même (je reprends le fil de mon discours), Robert Delpire connaît bien – c'est un euphémisme – la photo, et ce n'est pas un inconvénient; mais il ne connaît pas grand-chose aux chevaux, et c'est plutôt un avantage! S'il avait été, en effet, un connaisseur, un hippologue, un hippolâtre, on aurait eu un ouvrage ennuyeux de plus, un de ces « beaux-livres », comme on dit, du genre de ceux que la plupart des éditeurs se croient obligés de proposer chaque année au moment des étrennes, sur « le monde-merveilleux-des-poneys » ou « l'univers-fascinant-des-chevaux », et destinés à une clientèle qui, heureusement, se renouvelle indéfiniment, composée de ces cohortes de jeunes garçons et (surtout) de petites filles pour lesquelles les chevaux, grosses poupées barbie vivantes, sont des animaux que l'on ne se lasse pas de contempler.

Rien de tel ici. On ne trouvera pas dans ces pages l'inventaire exhaustif des origines, des races, des robes, des utilisations, des fonctions, des allures, des postures chevalines. Ni la liste des avantages ou des inconvénients du cheval – dont quelqu'un a dit que c'était un animal « dangereux à l'avant (il mord), dangereux à l'arrière (il rue) et inconfortable au milieu ! ». L'ambition de Delpire n'est pas de proposer une encyclopédie, mais peut-être une sorte d'anthologie amoureuse, un survol de ce que l'art photographique a produit de meilleur dans sa relation avec « la plus noble conquête de l'homme. »

Bien que ce ne soit manifestement pas son but, cette sélection prouve au moins une chose : il n'est pas nécessaire d'être un spécialiste de la chose équine, un accro de l'équitation ou un fondu de chevalerie pour réussir la photo d'un cheval. L'exemple d'Antoine Poupel photographiant « Zingaro » est éloquent, mais on pourrait en citer bien d'autres. Les pages qui suivant en regorgent. Je n'ai jamais entendu dire que Édouard Boubat, Henri Cartier-Bresson, Marc Riboud ou Sarah Moon, très présents dans cet ouvrage, aient développé au cours de leur carrière un quelconque tropisme chevalin. Et pourtant, quel art, quelle science, quel savoir-faire !

Le cas le plus flagrant est celui de Yann Arthus-Bertrand, dont on retrouvera ici de nombreux documents. Je peux en parler savamment, ayant eu la chance de travailler avec lui à la réalisation d'un beau grand livre, laconiquement intitulé « Chevaux » (Le Chêne, 2003) dont le succès a dépassé, et de loin, tous les autres ouvrages consacrés au même sujet : plus de cent mille exemplaires vendus, les textes traduits dans une douzaine de langues, et des rééditions de tous formats. Même si certains prétendent l'avoir vu quelquefois en selle, Yann Arthus-Bertrand ne connaît pas spécialement bien les chevaux. Je crois même qu'il a, le bougre, une petite préférence pour les ânes (mais bref). Comment s'y est-il donc pris pour réussir ses photos de chevaux ?

C'est une longue histoire.

Après s'être taillé déjà une bonne réputation comme photographe animalier (son reportage sur la vie privée des lions est resté dans les annales), et avant de connaître la gloire en photographiant, à bonne hauteur, « la terre vue du ciel », Yann avait eu, dans les années 1990, une très bonne idée, un coup de génie : traiter les animaux de la ferme comme font les photographes de mode avec les mannequins – en studio, sur fond uni, en réglant les éclairages, en soignant les ombres et les lumières, en étudiant les poses, avec l'idée, bien sûr, de mettre ses sujets en valeur. Cela avait donné un livre extraordinairement nouveau et sympathique, « Bestiaux » (Le Chêne, 1991).

Dès cette époque, Yann comprit que photographier des vaches, des moutons et des cochons, c'est une chose; photographier des chevaux, une autre chose. La beauté d'un taureau est dans sa force tranquille, la beauté d'une vache ou d'un mouton dans leur placidité. Et donc dans l'immobilité, les quatre pieds solidement plantés au sol. Le cheval, c'est l'inverse. Le cheval est beau lorsqu'il bouge. Ce qu'on aime chez lui, c'est son inquiétude, son « imprévisibilité », sa folie, sa capacité à surprendre, à changer d'humeur, à détaler soudain. Comme le disait avec humour Tristan Bernard dans ses « Souvenirs épars d'un ancien cavalier » (Georges Crès, 1917), le cheval est un animal dont il ne faut jamais « considérer la conquête comme définitive ».

Comment rendre compte de tout cela par la photo, cet art désespérément fixe ? Yann Arthus-Bertrand y est parvenu parce qu'il a eu l'audace de transgresser les sacro-saintes conventions du portrait équestre académique. Il y a, en effet, une façon traditionnelle, « officielle » de photographier les chevaux : de profil, bien campés sur leurs quatre membres, la tête haute et, pour mieux voir l'encolure, la crinière rejetée du côté opposé au côté photographié. Cela rappelle un peu la façon dont la police photographie les criminels, de face et de profil, ou comme les haras nationaux conçoivent leurs fiches signalétiques.

Il y a, en fait, mille manières de photographier les chevaux. Je veux dire, mille manières de réussir la photo d'un cheval, sans compter les cent mille manières de la rater. J'ai demandé à Frédéric Chehu, un spécialiste, d'en faire, au grand-angle, un rapide inventaire. On trouvera son exposé plus loin, résultat d'une longue expérience sur le terrain – en l'occurrence : des manèges, des hippodromes, des rectangles de dressage, et des carrières de saut d'obstacle.

Médecin de formation, Frédéric Chehu a préféré se consacrer à la technique photographique, qu'il a appliquée prioritairement (mais pas exclusivement) aux chevaux. Longtemps rédacteur en chef et photographe-vedette de *Cheval magazine*, la principale gazette de la spécialité, il a été le premier photographe « officiel » de l'Académie équestre de Versailles.

Les quelques documents dont il est l'auteur retenus ici rendent peu compte de la richesse et de la variété de sa production. Outre quelques ouvrages pratiques et traités savants pour photographes débutants ou avertis, Frédéric Chehu a signé plusieurs albums consacrés à l'univers équestre, parmi lesquels « Les plus beaux haras de France » (Actes Sud, 2002) et « Cheval spectacle » (Proxima, 2002).

À le lire, on comprend bien que s'il n'est pas absolument nécessaire de s'y connaître « en chevaux » pour savoir les photographier – comme l'ont prouvé Yann Arthus-Bertrand et beaucoup d'autres –, il est indiscutable qu'à l'inverse, cela ne nuit pas. Et comme l'univers équestre s'est, depuis un demi-siècle, considérablement féminisé, il ne faut pas être surpris de trouver, parmi les artistes photographes hippiques d'aujourd'hui une grande quantité, peut-être même une majorité, de femmes.

Le tournant se situe, schématiquement, au lendemain de la Seconde Guerre Mondiale : la mécanisation des armées, de l'agriculture, des transports a relégué le cheval aux seules activités de loisirs. Cessant d'être un signe extérieur de richesse, un symbole de pouvoir, un piédestal, le voilà soudain abandonné aux femmes, qui avaient été jusquelà soigneusement tenues à l'écart du milieu équestre, résolument masculin. Les conséquences de ce bouleversement sont innombrables, comme l'ont observé d'éminents anthropologues (Jean-Pierre Digard, Catherine Tourre-Malen, etc.). À commencer par un changement radical de statut : d'animal de rapport, le cheval est devenu, en une ou deux générations à peine, animal de compagnie – ou presque. L'hippophagie a considérablement reculé, et l'image de l'animal dans l'opinion s'est beaucoup « améliorée » : il n'y a pas si longtemps, le cheval dégageait encore, sans doute à cause du comportement « cavalier » de ses utilisateurs (des soldats, des charretiers, des bouseux), un fort relent de grossièreté, aggravé de machisme. À l'opposé, on lui trouvait souvent de grands airs. Parce qu'il donne de la hauteur, on le trouvait hautain. Confondant encore une fois sa nature avec celle de ses propriétaires, on lui trouvait un insupportable côté aristocratique : lointaine réminiscence, peut-être, du temps de la chevalerie ? La féminisation du monde du cheval a balayé tout cela. Le regard qu'on porte sur lui est désormais plus tendre. Aimer le cheval, ce n'est plus snob, c'est chic.

En France aujourd'hui, quatre-vingts pour cent des équitants sont de sexe féminin. Et, pour s'en tenir à notre seul sujet, nombre d'artistes attirés par la beauté caballine sont des femmes. On en trouvera quelques-unes dans la présente, mais il ne serait pas juste d'oublier de mentionner – au moins – ces quelques photographes talentueuses que sont (dans l'ordre alphabétique) Virginie Ardouin (« Les Gladiateurs de Vincennes », à paraître chez Actes Sud), Agnès Bonnot

(« Chevaux », Hazan, 1985), Shelli Breidenbach (révélée en France par la revue *Equestrio*, avril-mai 2008), Ludyvine Crépeau (« Luz », Kamil, 2006), Sophie Hatier (« Chevaux soleil », Belin, 2004), Jeanne Marty (Grand Prix Artcheval, Saumur, 2007) ou Audrey Le Mault, intrépide cavalière-photographe ayant inventé le concept de la « photo-à-cheval », qu'elle a testé déjà en participant, en Afghanistan, à un bouzkatchi et, au Maroc, à des fantasias !

Il faut faire mention, aussi, de la grande photographe allemande Gabriele Boiselle qui, depuis des décennies, sillonne la planète entière pour y filmer – magnifiquement – des chevaux. Ses calendriers géants se sont vendus à des milliers (des millions ?) d'exemplaires, et décorent les chambres à coucher de milliers (de millions ?) de petites filles amoureuses des arabes au chanfrein effilé, des halfingers au toupet rebelle, des frisons aux paturons abondants. Son dernier ouvrage, « Chevaux » (White Star, 2006) offre un éventail complet de sa prodigieuse production.

Il faut mentionner aussi, dans un genre très différent, le travail très poétique de Michèle Le Braz (« Chevaux du bout du monde », Rue des Scribes, 1998, et Le Chêne, 2006), qui ne travaille qu'en noir et blanc et a réalisé un parallèle très audacieux mais admirablement réussi, entre formes chevalines et formes féminines (« La Robe abandonnée », Rue des Scribes, 2002).

On citera aussi, seulement pour mémoire, l'ancienne icône rock des années 1970-1980, Patti Smith, dont on a essayé de nous faire croire qu'elle n'était pas que « chanteuse, guitariste, écrivain, vidéaste, dessinatrice, performeuse » (*Le Monde* du 29 mars 2008), mais également photographe (*sic*) en organisant à la Fondation Cartier pour l'art contemporain une exposition consacrée à son œuvre (*sic*) photographique (28 mars- 22 juin 2008). L'affiche annonçant cet événement culturel de toute première importance, placardée dans toutes les rues de Paris, montrait un innocent petit cheval de Namibie, photographié, rendez vous compte, par Patti Smith en personne. La photo en noir et blanc était floue et, hélas, plutôt ratée, la ligne du dos de l'animal se confondant plus ou moins avec la ligne d'horizon. Comment expliquer, dès lors, le succès (relatif) de l'expo ? Le souvenir, sans doute, du plus grand hit de la star de la « contre-culture », sorti en 1976 sous le titre ambigu de « Horses ». Ambigu, parce qu'en argot new-yorkais, *horse* désigne aussi la drogue. Dans sa chanson phare, Patti Smith avait beau hurler « quand soudain Johnny sentit qu'il était entouré par des chevaux, chevaux, chevaux, chevaux [quatre fois]… il vit des chevaux, chevaux, chevaux, chevaux, chevaux, chevaux, chevaux, chevaux [huit fois] », cela ne suffit pas à nous convaincre tout à fait.

Autre dérive, due elle aussi (pensent certains) à la féminisation de l'univers équestre : la tendance « mode », qui peut prendre diverses formes, mais réduit toujours le cheval à un simple rôle d'accessoire. Le meilleur, c'est lorsque Oliveiro Toscani, le concepteur provocateur des campagnes « United Colors of Benetton » des années quatre-vingt-dix, montre l'accouplement d'un étalon noir et d'une jument blanche, ou lorsque, amoureux de ses propres chevaux « de couleur » (c'est-à-dire cremolos, palominos ou appoloosas), il publie dans *Elle* (1er juillet 1996) un sujet associant mannequins à deux et à quatre jambes. Le pire, c'est lorsque Tim Walker, présenté comme « l'un des plus grands photographes de mode contemporains » (rien que ça), s'amuse à peindre un cheval en rose avant de le faire poser, le malheureux, devant un massif de rhododendrons (cette photo a fait la une du magazine *Senso* à l'automne 2008).

Le cheval, c'est certain, attire un nombre croissant de photographes spécialisés jusque-là dans les prises de vue de stars ou de top-models. On peut citer, dans l'abondante production de ces dernières années, les albums de Michael Eastman (« Horses » paru en 2003 chez Knopf Publishing, N.Y.), de Christopher Makos (« Equipose » paru en 2005 chez Glitterati, N.Y.) ou de Tim Flach (« Equus », dont la version française est parue chez La Martinière fin 2008).

Cette tendance esthétisante, qui n'est pas sans rappeler, pour certains, mais appliqués ici à des quadrupèdes, les travaux de Leni Riefenstahl sur les athlètes olympiques ou les apollons et vénus noubas, trouve sa confirmation dans une sorte d'anthologie photographique (« Horse », paru en 2008 chez Rizzoli, N.Y.) concoctée par Kelly Klein.

Aucun rapport, m'assure-t-on, entre cette Klein-là et William – lequel, pourtant, a prouvé son intérêt tardif pour le cheval en assistant à des championnats d'Europe de dressage en 2007, à Turin, et en exposant l'année suivante son « reportage » à la Maison Européenne de la Photo à Paris. Kelly Klein serait, me dit-on, l'épouse de Calvin Klein, célèbre pour avoir habillé, et surtout déshabillé quantité de jolies filles et de beaux messieurs (parfois devant la caméra de Christopher Makos, dont j'ai évoqué plus haut la passion chevaline !).

Dans le survol photographique de Kelly Klein, on trouve les noms de Helmut Newton, Annie Leibowitz, Robert Mapplethorpe (qui a portraituré, entre autres, Patti Smith au temps de sa splendeur), Richard

Prince, Bob Richardson, et beaucoup d'autres vedettes de la photographie contemporaine.

Le choix de Robert Delpire est radicalement différent. Ses préférences sont ailleurs. Carrément sur une autre planète. Elles vont à Cartier-Bresson, à Koudelka, à Vanden Eeckhoudt. Auraient pu figurer aussi dans sa sélection – mais la place a manqué – Robert Vavra, qu'on a parfois appelé « le David Hamilton du cheval », Pierre Keller, dont les polaroïds de croupes font penser à Géricault, Alain Laurioux, le « photographe officiel » du Cadre Noir de Saumur, ou encore l'Argentin Pedro Luis Raota, l'Italien Fulvio Cinquini, l'Allemand Alfons Alt. On aurait pu y trouver aussi Robert Doisneau, dont les photos prises sur hippodrome ont été détournées *post mortem*, de charmante façon, par le poète Thomas Fersen (« Bucéphale », éditions du Rouergue, 1998), car il est bon de mêler la poésie à tout cela.

C'est ce que disait le dernier grand écuyer du XXe siècle, le Portugais Nuno Oliveira, à propos de l'art équestre.

Pour légender, commenter, la centaine de documents qu'il a sélectionnés, Robert Delpire a fait appel à son ami Alain Sayag, un « ancien » du Centre Pompidou, qui présente le double avantage d'être à la fois un connaisseur de l'art photographique (sa spécialité à Beaubourg, de 1972 à 2007), et un fin cavalier de saut d'obstacles. À cheval chaque jour sur sa jument selle-français, il pratique une des disciplines équestres les plus élégantes, le hunter, dans laquelle sont notés aussi bien la monture (équilibre, régularité) que le passager (position, justesse et discrétion des aides). L'esthétique de l'ensemble est primordiale, et l'harmonie du couple indispensable. Tout comme dans la photographie.

[Ce texte a tenu lieu de présentation au beau-livre conçu et réalisé par Robert Delpire mais édité (en 2010) par Actes Sud – sous le titre terriblement banal de « Le cheval ». J'avais proposé qu'il s'intitule plutôt « Le cheval essentiellement », puisque ce volume était censé s'insérer dans une collection créée par Robert Delpire, dans laquelle il y avait eu déjà un ouvrage consacré au chat (essentiellement), un autre à l'oiseau (essentiellement), etc. L'éditeur fut d'un autre avis.

De même, ce dernier me suggéra-t-il amicalement de changer le petit poème que j'avais prévu en exergue de mon texte. Il s'agissait pourtant d'un charmant petit quatrain de Robin de la Meuse, un poète, il est vrai « mondialement inconnu » :

Un cheval !
Mon royaume pour un cheval !
Un cheval pour un empire !
Le cheval chez Delpire !

Je le remplaçai donc par une citation d'un autre auteur, pas mal non plus: Xénophon !

Enfin, dernière misère que me fit l'éditeur de ce bel album: il me demanda de supprimer un paragraphe dans lequel je m'en prenais méchamment à une de ses auteurs, la chanteuse Patti Smith, à laquelle il arrive de se prendre pour une photographe. Ne voulant pas poser de problème à mon éditeur, j'acceptai de supprimer le passage incriminé... mais me vengerai quelques mois plus tard, en sortant mes vacheries contre Patti Smith dans une des *Ruades* que publie chaque mois CHEVAL MAGAZINE : « No foot no horse » (voir page 431).]

CONQUÉRIR LE MONDE

Il y a trente mille ans – au moins – que ça dure. Trente mille ans que l'homme est fasciné par le cheval, qu'il admire son anatomie, envie sa rapidité, cherche à s'accaparer sa fougue, sa force, sa vitalité. Trente mille ans : c'est de cette époque, que datent les premières représentations connues du cheval (grotte Chauvet, Ardèche). Sa domestication – d'hommestication écrivait Lacan – est venue plus tard, beaucoup plus tard : voici quatre ou cinq mille ans seulement.

Bien avant, donc, d'avoir eu l'idée de l'utiliser autrement que comme gibier, d'en faire une monture, un compagnon, un complice, l'homme a témoigné au cheval son émerveillement. Des spécialistes ont calculé que cet animal, décidément pas comme les autres, représentait à lui tout seul plus du tiers de l'iconographie préhistorique. Son irréprochable plastique, son élégance, son impétuosité ont inspiré, plus qu'aucune autre bête, les plasticiens – mais aussi les poètes – de tous les temps et de tous les pays. Le septième art, né pourtant avec la mécanisation (dont des prophètes de malheur avaient dit qu'elle entraînerait la mort du cheval), lui manifeste le même intérêt. C'est ce que démontre de façon spectaculaire ce 5e Festival du Film de Compiègne, qui lui est entièrement consacré.

Ce que prouve également cette prodigieuse anthologie cinématographique – cinquante films programmés sur une semaine ! –, c'est que le cheval est indissociable de la vie des hommes, et de leurs travaux, leurs aventures, leurs découvertes, leurs croisades, au point qu'on ne peut pas raconter l'Histoire sans évoquer son rôle, montrer sa puissance, constater son omniprésence.

On a dit, à juste titre, que le cheval grandissait l'homme. Il l'a grandi, en effet, dans tous les sens du terme. Il lui a donné de la taille. Il lui a permis de prendre non seulement de la force, de la vitesse, mais de la hauteur. En l'aidant à abolir les distances, il lui a permis d'agrandir son territoire, de conquérir le monde, et de devenir, bientôt, le maître de l'univers.

Sans lui, écrivit un célèbre hippologue au XIXe siècle, Ephrem-Gabriel Houël, « l'homme eut été esclave sur la terre ; le cheval l'en a fait roi ».

Et peut-être mieux (ou pire) encore : demi-dieu.

Une demi-divinité dont le cheval est l'autre moitié.

[Écrit à la demande des organisateurs du Festival du Film de Compiègne (« Témoin de l'histoire »), ce texte a été publié en introduction au programme de sa cinquième édition (10 au 18 novembre 2006), entièrement dédiée au cheval. Intitulé « Chevaux de toujours », ce festival s'ouvrait par un Hommage à Jean Tulard, l'éminent historien du Premier Empire, grand amateur de cinéma ; et se clôturait par un Hommage à Mario Luraschi, le célèbre cascadeur équestre – à l'occasion duquel je dus prononcer un bref éloge, dont on trouvera le texte intégral dans le Dictionnaire qui précède, à l'article Luraschi. Parmi les cinquante œuvres programmées, il faut mentionner le film réalisé par Joël Farges d'après mon roman éponyme, « Serko » (projeté le 14 novembre).]

ÉLOGE DE L'AVENTURE VÉCUE

No life! C'est ainsi que se désignent entre eux les internautes devenus accros, incapables de quitter leur écran, plongés dans la virtualité et vivant – ou croyant vivre – par ordinateur interposé. Autrement dit, ayant renoncé à la vraie vie : *no life*!

Il y a une autre façon de ne pas vivre vraiment, pas complètement. C'est de renoncer à l'aventure, d'éviter les rencontres, de fuir l'inconnu, de craindre l'imprévu. C'est préférer une espèce de vie, quasi végétale : morne, sans histoires à raconter, sans souvenirs (rien que des regrets). Autrement dit, une demi-vie, une non-vie : *no life*!

L'aventure, par contre, il y a mille façons de pouvoir la vivre. Il y a les voyages, bien sûr. Depuis Xavier de Maistre, on sait qu'il n'est même pas nécessaire pour cela de faire beaucoup de kilomètres. Mais voyager autour de sa chambre nécessite une imagination fertile. Et l'imagination n'est-elle pas qu'un produit de remplacement, un ersatz de ce qu'ici, à Dijon, on aime glorifier : l'aventure vécue ? N'est-elle pas l'ancêtre, en quelque sorte, des jeux vidéos : une manière de se plonger soi-même dans un monde virtuel ?

Préférons, comme nous y invite la Guilde du Raid, les aventures, les vraies : celles qui produisent sur l'instant des émotions fortes – ce qu'on appelle la sensation de vivre – et, se prolongent après coup, comme je l'ai déjà souligné, par des souvenirs, qui non seulement multiplient le plaisir mais permettent, quand on les raconte, de le partager.

Ces récits de voyages, ces aventures vécues ont donné lieu à toute une littérature, et toute une cinématographie, dont l'abondance et la richesse ont amplement justifié la création d'un Festival international qui, à sa énième édition, est loin de marquer des signes d'essoufflement.

Au contraire : plus notre monde se mondialise, plus la planète étouffe, plus les contraintes, les balises, les règles, les interdits, les précautions se multiplient, plus sont nombreux ceux qui éprouvent le besoin, la nécessité, l'urgence de l'aventure. Le besoin, la nécessité, l'urgence de desserrer l'étau, de briser le carcan, de sortir la tête hors de l'eau des routines, des conventions, et des obligations.

Seul problème : dans l'exiguïté de cette terre, où il n'y a plus grand-chose à explorer, peut-on encore, de nos jours, espérer vivre une grande aventure ?

Ma réponse (personnelle) est oui. J'ai pour cela une recette infaillible. Un truc qui marche à tous les coups. Quels que soient le lieu, l'époque, le climat, la quantité de kilomètres parcourus : il suffit d'avoir un cheval.

Avec un cheval, l'aventure est garantie. Ce n'est pas le lieu ici d'exposer les mille raisons qui font de la fréquentation de cet animal une aventure en soi. Je n'en évoquerai qu'un aspect. Un souvenir lointain. C'était il y a vingt ans : presque la préhistoire !

Le 1er mai 1990, j'entrepris un voyage qui était censé m'emmener des environs de Paris, où se trouvent mes écuries, à Moscou, en compagnie de deux trotteurs français, Prince de la Meuse et Robin. Je dus traverser deux Allemagnes (le Mur de Berlin venait d'être renversé, mais l'Allemagne était toujours coupée en deux), franchir le rideau de fer (la préhistoire, vous dis-je !), pénétrer dans un pays – l'Union Soviétique – aujourd'hui disparu, ou plutôt remplacé par seize républiques distinctes. Lorsque j'arrivai enfin, 75 jours plus tard à Moscou, ayant couvert 3 333 km grâce à ces deux chevaux qu'avant de partir je connaissais à peine, j'eus la sensation que l'aventure la plus extraordinaire que je venais de vivre était celle de l'évolution, la transformation, l'épanouissement de ma relation avec ces compagnons innocents, placides, bienveillants et coopératifs. J'étais parti avec deux quasi inconnus, j'arrivai avec deux amis.

Y a-t-il plus belle aventure à vivre qu'une histoire d'amour ?

[Au beau milieu de l'année 2009, Chantal et Patrick Edel, fondateurs de la Guilde Européenne du Raid, me proposent la présidence du jury qui doit remettre, en octobre, un prix littéraire décerné à Dijon à l'occasion du Festival (international) du film « Les écrans de l'aventure ». J'accepte, bien sûr, d'autant plus volontiers qu'une récompense m'attend à l'issue de la cérémonie : je serai fait Chevalier du Tastevin, le 24 octobre 2009, au cours d'une sympathique séance d'intronisation au célèbre château du Clos de Vougeot !
Seule obligation (en dehors de celle de lire consciencieusement les sept ouvrages en compétition) : écrire l'éditorial du numéro spécial du magazine édité à cette occasion. C'est le texte ci-dessus qui en a tenu lieu, dans le n° 121 (septembre-octobre 2009) de ce magazine qui porte un titre sobre et beau : AVENTURE.]

CHEVAUX DE CINÉMA

Certes, ce n'est pas du Kurosawa – mais les amateurs de belles galopades cinématographiques verront tout de même avec plaisir le dernier film de Sergueï Bodrov, « Mongol ». On n'y trouve ni le souffle ni la splendeur des mémorables chevauchées mises en scène par le Japonais (dans « Ran » et « Kagemusha » en particulier), mais le Russe, malgré tout, a su organiser devant sa caméra quelques belles cavalcades à travers des paysages grandioses. Rien que pour elles, son film vaut le déplacement.

Ceux qui pourtant ne voudraient se déplacer pourront se rabattre sur le DVD qu'un distributeur astucieux a mis en vente le jour même de la sortie en salle de « Mongol ». Il s'agit d'un film au titre voisin, « Nomad », tourné dans les mêmes lieux, par le même réalisateur, avec peut-être les mêmes chevaux, et qui raconte à peu près les mêmes histoires.

« Mongol » se passe à la fin du XIIᵉ et au début du XIIIᵉ siècle et montre, hectolitres d'hémoglobine à l'appui, comment Temudjin est devenu Gengis Khan. Costumes somptueux et décors (naturels) de rêve.

« Nomad » se passe cinq siècles plus tard et raconte comment les Kazakhs (d'appartenance turque), se réclamant de l'héritage de Gengis Khan (d'appartenance mongole), chassent de leur territoire les Dzoungars (d'appartenance mongole). Dit comme cela, c'est un peu compliqué, mais rassurez-vous : sous la caméra de Bodrov, tout devient simple. Les bons tapent sur les méchants et finissent par remporter la victoire.

Ce film de près de deux heures et d'un coût, dit fièrement le texte de présentation, de 40 millions de dollars (!) est, en fait, un film de propagande patriotique, financé par le satrape Nazarbaïev (le Président du Kazakhstan), soucieux de doter sa jeune république pétrolière (née de l'effondrement soviétique) d'un passé héroïque, d'une histoire nationale.

Bodrov s'en sort très honorablement, même si ses comédiens, choisis à Hollywood, ont l'air aussi peu kazakhs que les chevaux de « Mongol » n'ont l'air... mongol ! Ce qui n'a rien de très surprenant quand on apprend que les deux films ont été tournés au Kazakhstan où les chevaux, en effet, soumis durant un demi-siècle aux bricolages génétiques de zootechniciens formés à Moscou, ont plus de taille et, il faut l'espérer, plus de vitesse que les gnomes à quatre pattes (« ces gros rats à roulettes », disait Saint-John Perse) que sont les authentiques petits chevaux mongols.

Ceux qui, tout en ne détestant pas la gent équine, ne goûtent guère les charges furieuses, les galopades effrénées, les cavalcades guerrières, pourront se tourner vers un autre DVD, sorti simultanément en magasin, et offrant une sorte d'antidote aux épopées sanguinolentes de Bodrov : le dernier film de Éric Rohmer.

Metteur en scène « historique » (il est né en 1920 et a tourné son premier film en 1950 !), Rohmer éprouve une véritable passion pour les œuvres anciennes, qu'il adapte avec bonheur en utilisant un langage d'aujourd'hui : le cinéma. Dernière transposition (réussie) : celle du fameux roman de Honoré d'Urfé, « L'Astrée » (début XVIIe siècle).

Sorti en septembre dernier sur les écrans, son film, intitulé « Les Amours d'Astrée et Céladon » a été unanimement louangé par la critique : « une ode à l'art et la vie » s'est exclamé *Le Monde* ; « une adaptation éblouissante de grâce et de fraîcheur » a surenchéri *Le Figaro* ; « un coup de génie » a conclu *Libération*.

L'action (si l'on peut dire) se situe dans une France d'avant la France, où paganisme et christianisme s'entremêlent, et raconte les amours tendres et compliqués de deux éphèbes beaux comme des statues grecques, filmés avec une délicatesse extrême par maître Rohmer.

On est donc ici aux antipodes des façons brutales des Mongols ou des Kazakhs : nul enlèvement, nul viol, nulle décapitation. Pas de flèches qui transpercent le cou du guerrier, de pieu sur lequel on empale l'ennemi, de chevaux qui se renversent sur leur cavalier.

Je me demande même si Rohmer sait vraiment que les chevaux existent. Ou, du moins, s'il sait en distinguer l'avant de l'arrière. Il lui avait bien fallu en utiliser quelques-uns, lors du tournage d'un de ses chefs-d'œuvre, « Perceval le Gallois » (1979), mais il s'en était alors totalement remis à feu notre ami François Nadal. Ce dernier, expert en l'art de dresser les chevaux et d'amadouer les piétons, avait réussi à convaincre Éric Rohmer de se hisser – entre deux prises – sur une des montures du preux chevalier. Une photo a immortalisé cet événement.

[Photo que nous ne pouvons, hélas, reproduire ici – ce livre ne pouvant en contenir aucune –, mais qui accompagnait heureusement cet article, paru dans LE CHEVAL n° 98 (25 avril 2008) sous le titre « Chevaux et chevauchées sur grand écran ».]

MON CHEVAL, MON FRÈRE

Au moment où fleurissaient, du côté de la Sorbonne, des slogans plus poétiques que politiques (genre « il est interdit d'interdire » ou « sous les pavés, la plage »), une agence de voyages, contaminée par l'esprit de mai 1968, avait lancé une campagne sur le thème « ne bronzez pas idiot ».

Près d'un demi-siècle plus tard, je paraphraserais volontiers cette jolie formule en disant ici « ne voyagez pas idiot » : voyagez à cheval !

Ce n'est pas que le seul fait de se trouver sur un cheval rende plus intelligent (encore que...), c'est tout simplement que cela permet la meilleure approche possible d'un peuple, d'une culture, d'une civilisation.

Sans vouloir jouer au cuistre rescapé de la Sorbonne, j'aimerais citer ici une phrase piochée dans l'« Anthologie de la littérature équestre » composée par Paul Morand. Dans sa préface, ce dernier attribue à Georges Cuvier (1769-1832) la remarque suivante : « Dites-moi le cheval d'un peuple, je vous en dirai les mœurs et les institutions ». (1)

Dans un formidable essai consacré à Gustave Flaubert, qui avait la passion à la fois de l'écriture et de l'équitation, Pierre-Marc de Biasi, de son côté, fait observer que « le cheval a derrière lui quatre mille ans d'histoire [...] Supprimez le cheval, et la légende des siècles devient tout à fait impraticable ». (2)

Voilà deux manières de dire, de rappeler que la vie des hommes et la vie des chevaux sont intimement mêlées, que la fréquentation des uns facilite la connaissance des autres, que le voyage à cheval n'est pas seulement une expérience physique, mais aussi une aventure culturelle.

---

1. « Anthologie de la littérature équestre » composée par Paul Morand. Réédition par Actes Sud (2010), avec une présentation de Jérôme Garcin. Citation de Cuvier page 7.
2. « Gustave Flaubert, une manière spéciale de vivre », par Pierre-Marc de Biasi. Éditions Grasset (2009). Citations pages 23 et 24.

Il n'y a pas, en effet, de meilleur moyen de contacts. Choisir une monture, demander son chemin, trouver son picotin : tout cela oblige à se faire comprendre, et à essayer de comprendre l'autre. Connaissance, compréhension, sympathie : trilogie dont la présence du cheval facilite la réalisation heureuse.

Fondateur de la Maison des Cultures du Monde, à Paris, Chérif Khaznadar a fait plusieurs fois le tour de notre planète, pénétrant dans leur intimité les mœurs et coutumes des centaines de peuples qui l'habitent. D'un de ses voyages (au Tibet), il a rapporté une petite fable avec laquelle j'aimerais terminer cette brève introduction au catalogue des merveilleux voyages que proposent, cette année encore, mes amis de *Cheval d'Aventure*. Elle n'a peut-être pas de lien direct avec notre sujet, mais elle offre la parabole de ce qui attend tout voyageur à cheval. La voici : « Un jour, j'ai aperçu au loin une forme qui bougeait, et j'ai cru que c'était un cheval. Je me suis rapproché, et j'ai vu que c'était un homme. En me rapprochant encore, j'ai constaté que c'était mon frère ».

[Paru en guise d'introduction au « Guide (2011) du Voyage à Cheval » édité par CHEVAL D'AVENTURE, agence spécialisée dans le tourisme équestre. Maladroitement remanié par l'éditrice de cet ouvrage – par ailleurs fort bien fait et attrayant –, ce texte est paru amputé de ses trois premiers paragraphes, ce qui a évidemment rendu, un peu plus loin, l'allusion à la Sorbonne un peu étrange.]

POUR VIVRE UNE HISTOIRE D'AMOUR

On peut faire comme Arthur Rimbaud : partir sur un coup de tête.
« Je vais acheter un cheval et m'en aller », écrit-il le 4 mai 1881 à ses
« chers amis » depuis Harar, en Éthiopie, où le génial poète est devenu
un médiocre trafiquant.

On peut faire comme Stéphane Bigo, un siècle plus tard : tout plaquer et partir, un beau jour, à l'autre bout du monde. À l'orée de la quarantaine, cet ingénieur en aéronautique reconverti de force dans le
notariat s'ennuie ferme. Il pète les plombs et décide de traverser, à cheval, la Turquie, l'Irak, l'Iran, l'Afghanistan. Puis, plus tard, les États-
Unis, le Mexique, le Brésil, l'Argentine, le Chili et le Pérou. Puis
l'Afrique. Puis la Chine (qui dit mieux ?)…

Prendre un cheval et s'en aller ! Qui n'a eu, un jour ou un autre,
cette idée, ce désir, ce fantasme ? L'aventure ! L'espace ! La nature !
La liberté !

On peut avoir envie de partir pour toutes sortes de raisons – des
bonnes et des moins bonnes. Pour fuir la routine, la ville, les emmerdements. Fuir un chagrin d'amour, un échec professionnel, un contrôle fiscal, que sais-je encore ? On peut aussi avoir envie de partir pour des raisons plus positives : découvrir le monde, fréquenter d'autres gens, d'autres chevaux, d'autres cultures. Respirer un autre air, s'initier à d'autres
équitations, parler à d'autres cavaliers.

Il y a mille prétextes possibles, comme il y a mille façons de réaliser
son rêve. Mes amis vous en proposent ici – c'est un bon début – une
petite centaine, aux quatre coins du monde (une expression qui m'a
toujours étonné : comme si le monde avait des coins ! ?).

J'ai eu le plaisir, voici une bonne vingtaine d'années, d'ouvrir la
Mongolie à *Cheval d'Aventure*, de « créer » le tout premier circuit
équestre dans ce pays qui reste, pour tout amateur de chevaux, un lieu
de pèlerinage : le seul sur notre terre où les chevaux sont plus nombreux
que les hommes !

Cette antériorité me donnera, j'espère, une certaine crédibilité lorsque je vous dirai : n'hésitez pas ! Partez ! Quelle que soit la destination choisie, soyez sûr que vous y vivrez une grande histoire d'amour. Pour le cheval qui vous aura porté et supporté.

[Paru en préface du « Guide (2011) du Voyage à Cheval » édité par CHEVAL D'AVENTURE, la principale agence touristique française spécialisée dans les voyages équestres en Afrique, en Asie, en Amérique, en Europe – et même en France !]

LA MONGOLIE AU BORD DU TROU

Naturellement, il faut s'en réjouir : un des pays les plus pauvres de la planète – la Mongolie – va devenir riche. Très riche, même ! On s'apprête à y mettre en exploitation, en effet, des réserves minérales fabuleuses. Un consortium anglo-australien (Rio Tinto) allié a un groupe canadien vient de lancer la mise en service, en plein désert de Gobi, de ce qui sera la plus grande mine de cuivre au monde. Non loin de là, une incroyable quantité de charbon a été découverte : de quoi fournir du minerai, paraît-il pendant plusieurs siècles ! Les deux puissants voisins de la Mongolie, la Chine et la Russie, s'en disputent la concession.

Le sous-sol mongol cache d'autres trésors encore. De l'or, du pétrole et, surtout de grosses réserves d'uranium, auxquelles les Français s'intéressent tout particulièrement. Pour veiller au grain, sur lequel louchent aussi les Russes, les Canadiens (et d'autres), la firme Areva a d'ores et déjà installé sur place une équipe d'une centaine de personnes qui y mènent simultanément explorations et négociations.

En quelques années, la Mongolie va ainsi tripler, décupler, centupler peut-être son PIB. Nul ne songerait, bien sûr, à le déplorer. Mais faut-il pour autant passer sous silence les dégâts collatéraux qu'entraîneront ces monstrueuses excavations ? Des dégâts immenses, même s'ils ne sont que d'ordre spirituel.

Depuis des siècles, en effet, les bergers semi-nomades qui sillonnent la steppe et le désert de cet immense pays (grand comme trois fois la France), y vivent – y survivent, plutôt – des seuls produits de leurs élevages. En Mongolie, seul pays au monde où les chevaux sont plus nombreux que les hommes (entre deux et trois millions), on ne vit que pour et par le bétail. Avec le lait des chamelles, on fait du fromage. Avec les poils de chèvre, du cachemire. Avec les crins de chevaux, des cordages. Avec la laine du mouton, du feutre – indispensable pour confectionner les tentes sous lesquelles on vit, été (où le thermomètre a grimpé cette année jusqu'à + 40°) comme hiver (où il est tombé à - 40°). Viande et laitages sont ici les seuls moyens de subsistance. D'agriculture, point.

Dans ce domaine, toute tentative serait non seulement vouée à l'é-chec, le manteau d'humus dont la steppe est couverte étant trop mince, mais – à supposer même qu'on puisse surmonter ce problème – elle serait très mal vue. Vieille opposition entre nomades-bergers et séden-taires-agriculteurs ? Pas seulement. On est là devant un phénomène assez classique, où l'interdit religieux rejoint, et renforce, des considé-rations pratiques : labourer cette fine couche arable, remuer la terre serait la rendre immédiatement et définitivement stérile. Du coup, ces hommes connus pour leur capacité à communiquer avec l'au-delà, qu'on appelle les chamanes, en ont conclu qu'il ne fallait pas blesser les esprits de la terre, que toute atteinte à la nature telle qu'elle est ris-quait de déchaîner leur colère, et de porter malheur aux hommes. Au point qu'ici, de peur d'indisposer les esprits, on n'enterre pas ses morts. Pas d'inhumation, pas de sépulture. Au contraire, on élève la dépouille du défunt aussi haut, aussi près du ciel que possible. De même, si le costume traditionnel mongol se compose de bottes dont l'extrémité est recourbée, c'est – dit-on – pour ne pas prendre le risque de buter, d'égratigner le sol et de déranger ainsi les forces obs-cures qui l'habitent.

Au temps du communisme, déjà, certains vieillards – chamanistes rétrogrades mais écologistes d'avant-garde – s'inquiétaient des dom-mages provoqués par la mécanisation des transports. Camions, automo-biles, motocyclettes roulant hors pistes à travers la steppe y causaient des meurtrissures irrémédiables. Là où passe un engin, en effet, l'herbe ne repousse pas : pire que les pieds des chevaux d'Attila, leur très loin-tain ancêtre ! Or sans pâturage, plus de bétail, et sans bétail, plus de sur-vie possible.

Il est facile d'imaginer la consternation que provoquera dans une population soumise à de telles croyances la mise en service de mines géantes, à ciel ouvert, creusant des excavations qui, dit-on, pourront aller jusqu'à mille mètres de profondeur. Sacrilège ! Profanation !

Ce n'est pas sûr, modère une spécialiste, Roberte Hamayon, qui a consacré toute sa vie d'ethnologue à la Mongolie. Devant des promes-ses d'enrichissement, des perspectives de profits, bien des tabous peu-vent tomber. Au cours de ces vingt dernières années, les mentalités ont beaucoup évolué : là où le communisme avait échoué, le capitalisme est peut-être en train de réussir.

[Paru dans LA REVUE n° 7 (novembre 2010).]

CHEVAUX EN CHINE

Bien que la Chine ne soit pas un grand pays d'élevage (elle a toujours eu besoin d'importer ses chevaux), ce n'est pas à l'occasion des épreuves d'équitation des J.O. qu'elle découvrira l'art et la manière d'utiliser ces animaux. L'usage du cheval en Chine, au contraire, est une tradition millénaire, ainsi que le rappelle le professeur Cartier.

Sinologue éminent et cavalier amateur, Michel Cartier est directeur d'études à l'École des Hautes Études en Sciences Sociales. Il a assuré la direction scientifique d'un magnifique album consacré au frère Castiglione, ce jésuite d'origine italienne devenu, à la fin du XVIIIᵉ siècle, le peintre préféré des empereurs de Chine.

D'origine mandchoue, ces derniers étaient restés d'intrépides cavaliers, amateurs de grandes chasses et de beaux chevaux. Les plus beaux d'entre eux ont été immortalisés par les délicates peintures sur soie du frère jésuite – auquel les éditions Favre ont consacré, en 2004, un ouvrage somptueux, illustré des principales œuvres équestres de Castiglione : en particulier, un extraordinaire rouleau dit des « Cent Coursiers », reproduit sur un dépliant de 2 mètres 50 de long !

Composé de diverses contributions savantes, en particulier celle de Michel Cartier, cet ouvrage est paru dans une collection, *Grande Écurie de Versailles* parrainée par... Bartabas qui, détail piquant, vient de remporter un triomphe de deux mois (mi-février à mi-avril) à Hong-Kong : sur les lieux mêmes où se dérouleront les épreuves d'équitation des Jeux dits « de Pékin », sauvant ainsi d'avance l'honneur équestre de la patrie !

[Paru à la veille de l'ouverture des Jeux Olympiques de Pékin, ce texte devait servir de *chapeau* au vaste survol historique que j'avais commandé à Michel Cartier pour L'ÉPERON qui le publia, légèrement tronqué, dans son hors-série « Été et vacances » 2008.]

LE SPHINX DU MAROC

Le phénomène a pris, paraît-il, une certaine ampleur : nombreux sont aujourd'hui les Français qui, disposant d'une pension modeste mais convenable, décident d'aller couler une retraite paisible au Maroc, où la température est en effet plus clémente et la vie moins chère qu'en France. Ce ne sont pas ces (bonnes) raisons, toutefois, qui ont poussé Jean-Pierre Péroncel-Hugoz à fuir Paris, dès qu'il eut quitté *Le Monde*, le « grand quotidien du soir » où il occupa longtemps d'éminentes fonctions, pour aller s'installer quelque part au royaume chérifien.

Ce que Péroncel-Hugoz est allé chercher si loin de son pays natal, ce n'est pas tant la beauté des paysages – la France en est dotée aussi –, la douceur du climat ou la serviabilité des autochtones, que la satisfaction de vivre enfin dans une société conforme à ses vœux, à ses désirs, à sa vision du monde.

Les journalistes français, on le sait, mettent une certaine coquetterie à critiquer les régimes nord-africains. Ils adorent titiller le Président tunisien, pas assez démocrate à leurs yeux ; égratigner le Président algérien, trop ou pas assez libéral ; et reprocher au roi du Maroc d'être un roi. Péroncel-Hugoz, c'est l'inverse. Ce qu'il aime au Maroc, justement, c'est la monarchie !

Non point pour ses fastes ou ses privilèges : Péroncel-Hugoz n'a rien d'un courtisan. Ce fin connaisseur de l'islam est réputé, au contraire, pour son franc-parler. Son livre le plus fameux, « Le radeau de Mahomet » (lieu-commun, 1983 – souvent réédité depuis) a fait grincer les dents dans bien des mosquées. Mais s'il ne mâche pas ses mots, Péroncel-Hugoz est respecté en terre musulmane pour sa franchise et son honnêteté.

Fuyant les mondanités, les intrigues de palais, les simagrées de cour, il ne s'est pas installé à Rabat. Redoutant la folle et vaine agitation des grandes villes *, il n'a pas voulu non plus vivre à Casablanca. Il a choisi

---

* Auxquelles il a consacré un de ses meilleurs ouvrages : « Villes du sud » (Balland, 1990 ; réédition Payot, 2001).

pour retraite une charmante agglomération située entre les deux : l'ancienne Fédala, rebaptisée Mohamedia. L'endroit est idéal, en effet. Parfois surnommé « la cité aux dix mille palmiers », ce petit port aux larges avenues ombragées a réussi à concilier tous les contraires. L'orient et l'occident, le passé et le présent, l'architecture mauresque et le style colonial – la tranquillité, certes, mais aussi l'animation. Car Mohamedia n'est pas un trou – un bled – paumé : il y règne une activité à la fois « résidentielle, universitaire, vacancière, sportive et économique », affirme Péroncel-Hugoz dès les premières pages d'un livre qu'il vient de publier chez un petit éditeur d'Eure et Loire.

En prenant sa retraite ici, Péroncel-Hugoz ne pouvait pas se contenter de simples flâneries en bord de mer, de vagues méditations d'un promeneur solitaire. Journaliste dans l'âme, il n'eut de cesse d'arpenter la ville, d'en découvrir les moindres coins et recoins, d'en déceler tous les secrets d'aujourd'hui et, plus encore, d'hier (au temps du Protectorat) ou même d'avant-hier. Pour ce faire, il compulsa les archives, fréquenta les bibliothèques, dévalisa toutes les *joutas* (brocantes) de Mohamedia et des environs. Cette recherche patiente amena ce reporter passionné d'histoire à s'intéresser, de proche en proche, à la région, la Chaouïa, puis au royaume tout entier. Partant ainsi d'un point minuscule, Fédala, Péroncel-Hugoz embrasse, par cercles concentriques l'ensemble du territoire marocain, de Tanger à el Ayoun et de l'Atlantique au Sahara. D'où le titre du livre tiré de cette longue enquête dans le temps et dans l'espace : « Le Maroc par le petit bout de la lorgnette » (éditions Atelier Fol'fer, 2010).

Sous cet intitulé trop modeste se cache en fait un trésor : une mine de renseignements, d'anecdotes, de portraits dont l'accumulation finit par former un panorama vivant. Une fresque, dans laquelle sont reconstitués les grands événements que connurent ces rivages, depuis la capture des éléphants qui firent plus tard la gloire de Hannibal, jusqu'au débarquement des Américains en 1942, en passant par la période du Protectorat, dominée par la haute figure de Lyautey, et naturellement la saga des Alaouites, dont la dynastie est au pouvoir depuis plusieurs siècles.

Il ne faudrait pourtant pas croire qu'on est ici dans une fastidieuse narration universitaire. Toujours irréprochablement documenté, Péroncel-Hugoz ne manque pas d'humour, de fantaisie, voire, lorsqu'il le faut, de frivolité, comme lorsqu'il évoque les très riches heures du « Sphinx », le plus célèbre bordel d'Afrique du nord, fréquenté en son temps par des gens très bien, tels que Edgar Faure ou Jacques Brel. Ces qualités sont servies, de plus, par une très belle écriture : pratiquant l'arabe courant, Péroncel-Hugoz est un amoureux pointilleux et exigeant de la langue française.

On sort de la lecture de ce gros livre (300 pages) abasourdi par tant de richesse, gavé de tant de délicatesses, mais séduit surtout par l'éloge d'un pays, d'une culture, d'un art de vivre. Les Marocains, constate Péroncel-Hugoz, sont patriotes, croyants, pudiques et – raffinement suprême – royalistes. Exactement ce que, regrette-il, les Français ne sont plus.

[Paru dans JEUNE AFRIQUE n° 2574 (du 9 au 15 mai 2010)
sous le titre « Le Maroc de Péroncel-Hugoz ».]

LA MOSAÏQUE TURQUE

Ceux qui ont pour ambition d'entrer dans l'Histoire feraient bien, parfois, de s'intéresser davantage à la géographie. La remarque vaut tout autant pour les hommes de droite que pour les hommes de gauche – ainsi que, comme on le verra, pour les hommes de gauche menant une politique de droite (et réciproquement).

La première fois que je me suis fait cette observation, c'est au tout début des années 1980. Connaissant l'intérêt que je porte aux affaires africaines (et autres), un ami très introduit me propose d'organiser un dîner avec une de ses relations, le premier Président de la République des Seychelles, James R. Mancham. Celui-ci, m'explique mon ami, vit aujourd'hui à Londres, où il a ouvert un cabinet d'avocats, après avoir été renversé (le 5 juin 1977) par son propre Premier Ministre, Albert René. Il vient de faire paraître un livre « Paradise raped » (Methuen Ldt, 1983) dans lequel il raconte ses malheurs, et serait heureux de trouver un éditeur à Paris qui en publie une traduction française. J'accepte, bien sûr, la proposition mais quelle n'est pas ma stupeur lorsque, arrivé au dîner, je me retrouve nez à nez avec… Jean-Marie Le Pen qui, à l'époque déjà, ne cachait pas ses ambitions nationales. Coupe de champagne à la main, Mancham et lui sont en grande discussion. Mancham, jovial et volubile, raconte ses derniers voyages : sur le yacht de son ami Adnan Kashogi, ou dans un des palais de son ami le sultan de Bruneï… À ce nom, le regard de Le Pen se trouble : Bruneï ! Bruneï ? Un des émirats pétroliers du Golfe, n'est-ce pas ? Pétrolier, oui ; du Golfe, non. Monsieur Le Pen, révisez votre géographie !

Je sais bien que le président américain Ronald Reagan était (paraît-il) persuadé que Israël et la Libye avaient une frontière commune, mais quand même : lorsqu'on a des ambitions nationales, mieux vaut être bon à l'international.

L'autre anecdote – l'autre exemple – est beaucoup plus récent : juillet dernier. Le Sinkiang (qu'il faut orthographier aujourd'hui

Xinjiang) est à feu et à sang. Les autorités chinoises y remettent bon ordre à leur façon. On compte déjà près de deux cents morts lorsqu'on sollicite l'avis du ministre français des Affaires Étrangères, Bernard Kouchner. Au micro de *France-info*, ce dernier se trompe à deux reprises lorsqu'il évoque le nom de l'ethnie victime de la répression. Le Xinjiang, explique-t-il, est « une province chinoise, certes, mais les Yoghourts (*sic*) ont toujours pensé que c'était chez eux ». Sans se rendre compte que sa langue a fourché, il insiste : « ce sont des musulmans, les Yoghourts. »

Confondre les yoghourts et les Ouïghours : ce serait comique si l'auteur de ce télescopage verbal était un des écoliers de « La Foire aux cancres » (1) – mais ce n'est pas le cas : il s'agit ici du chef de la diplomatie d'un pays qui se flatte de posséder encore des départements et territoires sur les cinq continents.

On peut, naturellement, prendre l'affaire au tragique. On savait que les Français – ils le reconnaissent eux-mêmes – sont nuls en langue et nuls en géographie. Mais on ignorait à quel point. On peut aussi essayer de s'en consoler, en se disant par exemple – ce qui est d'ailleurs la vérité – que c'est encore pire ailleurs (en particulier aux États-Unis). On peut, enfin, en plaisanter. Faire remonter les causes du lapsus de l'étrange ministre français à son enfance. C'est la mode : la récente entreprise de démolition de Freud par Michel Onfray n'a-t-elle pas eu pour effet de remettre la psychanalyse à l'honneur ? La maman de Bernard Kouchner, dont il était forcément amoureux, a dû nourrir son rejeton au yoghourt. Probablement « goût bulgare » – ce qui expliquerait sa bévue d'aujourd'hui : les Ouïghours et les Bulgares, en effet, ont quelque chose en commun. Ces deux peuples utilisent une langue du même groupe : le turc ! Je m'empresse de préciser que les Bulgares dont il est question ici sont ceux qui, entre le Xe et le XIIIe siècles occupaient les rives de la Volga – et non pas ceux d'aujourd'hui, installées dans les Balkans et qui sont, eux, des Slaves pratiquant une langue slave. Bonne occasion de souligner au passage l'incroyable complexité du sujet, où le vocabulaire, loin de clarifier les situations, ajoute au contraire à leur confusion, et où les aléas de l'histoire ont rendu les réalités mouvantes.

---

1. Best-seller des années 1980, cet ouvrage de Jean-Charles est à la fois un recueil de perles glanées dans les salles de classe, et une charge contre l'Éducation Nationale, à laquelle on reprochait – déjà – de n'être qu'une fabrique d'analphabètes.

C'est tous les jours, ou presque, que les Turcs, ou du moins les turcophones, font parler d'eux. Avant-hier les Ouïghours, qui se révoltent
dans le nord-ouest de la Chine ; hier les Kirghizes, dont les ressortissants
du nord et ceux du sud se chamaillent le pouvoir. Hier, aujourd'hui et
demain, les Turcs de Turquie, qui cherchent à prouver leur européanité
tout en garantissant leurs arrières orientaux.

Normal : des Turcs, on en trouve en Asie Centrale, en Asie Mineure,
en Sibérie, au Caucase, en Russie, en Chine et même en Europe. Ils
seraient donc « partout » ? Un peu comme les Juifs, peut-être – avec lesquels les Turcs, d'ailleurs, ont toujours eu des relations convenables ?

Et oui, et non. Le judaïsme peut se définir par la religion – au moins
par une culture, une tradition. Ce n'est pas le cas du « turcisme », car il
y a des Turcs musulmans, des Turcs chrétiens et même des Turcs animistes, des Turcs bouddhistes, et probablement des Turcs athées !

Le Turc ne peut pas être défini non plus par son origine ethnique : il
y a des Turcs « jaunes » (les Kazakhs, les Iakoutes) et des Turcs
« blancs » (les Azéris, les Tatars) – sans parler des Turcs mi-jaunes mi-
blancs, ce qui est justement le cas des Ouïghours. On ne peut le définir
non plus par son mode de vie : il y en a des sédentaires, il en est des
nomades. Ils vivent ou ont vécu sous tous les régimes politiques imagi-
nables, du féodalisme au communisme.

En réalité, le seul ciment qui relie entre eux les éléments de cette
mosaïque humaine est la langue (2). Pour tenter d'être clair, disons –
quitte à simplifier beaucoup – que le turc est une des trois langues, dites
« altaïques », parce qu'elles auraient toutes trois pour origine géographique supposée l'Altaï, cette chaîne de montagne située, en gros, à l'intersection de la Mongolie, de la Chine et de la Russie. C'est de là, affirment les linguistes, qu'auraient surgi les trois grands groupes de langue.
Il y a le mongol, qui se décline en d'innombrables dialectes (le khalkha,
l'oïrat, le bouriate, le kalmouk, etc.). Il y a le toungouse (groupe auquel
appartient le mandchou). Et il y a, enfin, le turc, pratiqué sous des formes différentes par une myriade de peuples composites, appartenant,
on l'a vu, à des ethnies et des cultures différentes. On serait tenté de
comparer au latin, dont sont issus, outre l'italien, le français, l'espagnol,
le portugais et le roumain, mais ce serait réducteur : même si elles ont
émigré outre Atlantique pour former l'Amérique « latine », ces langues

---

2. Un autre trait commun n'a pas échappé à l'amateur que je suis : tous les peuples turcs – Tatars,
Iakoutes, Kazakhs et autres – boivent du lait de jument et mangent du cheval !

ont conservé une plus grande homogénéité que le turc, aux composantes multiples.

Certains régimes, ou plutôt certains leaders ont, à diverses époques, tenté de donner plus d'homogénéité à cet univers composite, et de l'utiliser, en inventant le panturquisme, qui n'eut guère plus de succès, pour des raisons d'ailleurs voisines, que le panarabisme ou le panafricanisme.

Échec le plus patent – et le plus récent : les violences inter-ethniques ayant déchiré, en juin 2010, le sud de la Kirghizie. Opposant deux communautés pourtant « cousines », les Kirghizes et les Ouzbeks, ces « nettoyages » ont fait chez ces derniers plus de deux mille morts en cinq jours. Craignant qu'une trop grande homogénéité des républiques soviétiques d'Asie Centrale leur donne des velléités d'indépendance, Staline avait pris grand soin d'en dessiner les frontières de telle sorte que chacune d'elles se compose d'ethnies concurrentes, dont les forces s'annuleraient. C'est ainsi, par exemple, qu'à la Kirghizie furent annexées des régions traditionnellement ouzbèkes (la vallée du Ferghana), tandis que l'Ouzbékistan héritait de Samarcande, ville à majorité tadjik. Or les Tadjiks sont persophones, tandis que les Ouzbeks sont turcophones. Ces découpages débouchent aujourd'hui sur d'insolubles conflits, hélas parfois sanglants.

Certes, au lendemain de l'effondrement de l'Union Soviétique, à laquelle appartenaient quatre républiques « turques » devenues soudain indépendantes (Turkménistan, Ouzbékistan, Kirghizie et Kazakhstan), la République d'Ankara a essayé de saisir l'aubaine pour y accroître son influence, arrosant par satellite ces régions sœurs de programmes de télévision turcophones, multipliant les fréquences aériennes entre leurs capitales, etc. Mais la réussite de ces grandes manœuvres ayant été plus commerciale que politique, Ankara a semble-t-il réorienté ses efforts en direction de l'Occident, tout en cherchant à tenir un rôle important en Orient – comme on l'a vu récemment, lors de la conclusion d'un accord nucléaire « historique » avec l'Iran, pourtant longtemps considéré comme son principal concurrent régional.

Il aurait été illusoire de chercher à rendre compte de la complexité de cette mosaïque turque dans l'espace étriqué d'une revue : des bibliothèques entières y sont consacrées (3). Mais il m'a paru utile d'en

---

3. Parmi les bons ouvrages d'accès facile, je recommande tout particulièrement « L'Atlas des peuples d'Orient » par Jean et André Sellier, paru en 1993 aux éditions La Découverte.

donner au moins un aperçu par des éclairages – limités, certes, mais habilités. Je n'ai fait appel, en effet, qu'à des auteurs qui ne se sont pas contentés de fréquenter les bibliothèques, mais sont allés longuement, et récemment, sur le terrain – sachant donc de quoi ils parlent. Heureux hasard : les contributeurs choisis pour poser ici chacun une pièce du puzzle turc sont tous les six de gracieuses jeunes femmes. Je jure que je ne l'ai pas fait exprès. C'est juste que le hasard, là encore, a bien fait les choses.

[Paru sous le titre « La mosaïque turcophone »
dans LA REVUE n° 7 (novembre 2010).]

4
furusiya

Je suis infiniment reconnaissant aux Arabes d'avoir inventé un mot qui me permet de donner un titre à cette section au contenu composite. La furusiya désigne à la fois la connaissance du cheval et ses diverses utilisations, l'hippologie et l'équitation, la médecine vétérinaire et les croyances ou superstitions se rapportant à cet animal. Exactement ce dont il est question ici. Il y a mille variétés de chevaux, mille façons de les aborder et mille manières de les employer. J'en évoque quelques-unes dans les pages qui suivent. L'amour et la mort, sexualité et religion, politique et philosophie : le bel animal nous accompagne partout. Comme avec le cochon, dans le cheval, tout est bon.

LE CHEVAL ET L'AMOUR

Le cheval et l'amour : sur la question, tout a déjà été dit. Ou presque…

Sans renvoyer, ou remonter, aux calendes grecques, on se souvient d'une au moins de ces rocambolesques histoires d'amour auxquelles les dieux s'obstinaient à mêler des chevaux. Lorsque Poséidon, par exemple, tomba amoureux de Déméter, celle-ci, pour tromper son soupirant et échapper à ses ardeurs, se métamorphosa en jument. Finaud, Poséidon subodora l'embrouille, et se transforma à son tour : en étalon !

N'est-ce pas Aristote, le précepteur d'Alexandre le Grand (heureux propriétaire de Bucéphale) qui affirma : « le plus disposé des mâles et des femelles à l'amour, après l'homme, c'est le cheval » ?

En l'occurrence, les Grecs n'avaient pas inventé grand-chose. Lorsqu'on remonte plus loin encore, à l'aube de l'humanité, on constate que le cheval représente à lui tout seul un bon tiers des espèces peintes ou gravées par les hommes préhistoriques sur les parois de leurs cavernes. Pourquoi ? Tout simplement pour symboliser l'amour, affirment les spécialistes. Qui, soit dit en passant, parfois se contredisent. Pour Annette Laming-Emperaire, illustre préhistorienne des années 1950, le cheval, en effet, est une métaphore de la féminité. Pour un autre éminent professeur, André Leroi-Gourhan (par ailleurs grand amateur de chevaux), il est au contraire une représentation de la virilité. Mais au fond, peu importe ! Symbole de virilité ou de féminité, le cheval, en tout cas, est par excellence, l'animal de l'amour. Ceux que le sujet intéresse pourront se reporter à deux compilations qui, je crois, font à peu près le tour de la question : une anthologie, « Le cheval est une femme comme une autre » (Pauvert, Fayard, 2001) et une imagerie, « Femmes de cheval » (Favre, 2004).

On s'en doute, tout cela a donné lieu, au cours des siècles, à une abondante littérature. L'amour des hommes pour les chevaux, l'amour des chevaux pour les hommes, l'amour des chevaux entre eux, l'amour des hommes entre eux (et elles) : tout a déjà été dit. Ou presque...

Sur le premier thème, les librairies, de nos jours, en regorgent. Les adolescents – et, plus encore, les adolescentes –, paraît-il, en raffolent. Je parle de ces petits romans roses racontant le coup de foudre d'un garçonnet, ou d'une fillette, pour un poulain, forcément adorable, et généralement promis à un destin tragique (l'abattoir), mais qui va devenir, grâce aux bons soins de son nouveau maître, un crack, un champion, une vedette. De Flicka à Crin Blanc, on n'en finit pas de rabâcher ces histoires d'amour puéril et charmant. Des collections entières s'y consacrent exclusivement, souvent d'origine anglo-américaine. Les anglophones, c'est vrai, semblent plus doués que nous, les francophones, pour imaginer ces amourettes animalières.

Question de culture, sans doute : les Anglo-saxons ont une relation plus sentimentale aux animaux que ces hippophages de Latins. On en a eu encore la preuve récemment. Tandis que les Français et les Italiens (et d'autres) continuent à vanter les vertus (d'ailleurs réelles) de la viande de cheval, les Anglais, eux, ont inauguré fin 2004, au cœur de Londres, le long de Park Lane, un Mémorial en l'honneur des animaux – chiens, éléphants, pigeons, ânes et, naturellement, chevaux – utilisés (et tués) pendant les guerres. « Ils n'avaient pas le choix », commente joliment une dédicace gravée dans la pierre.

Ce n'est pas, on le voit, la même sensibilité. [À quand un monument par lequel les Britanniques feront repentance d'avoir rendu les vaches folles, puis de les avoir trucidées par milliers ? Massacre qui avait renforcé chez les Indiens hindous, leurs anciens colonisés, l'idée que, malgré leurs grands airs, les sujets de Sa gracieuse Majesté sont bel et bien des barbares.]

Nous, les Français, sommes, à quelques exceptions près, moins portés à raconter les amours adolescentes pour le plus bel animal de la création, que les passions séniles qu'éprouvent pour lui des vieillards monstrueux. Telle que celle que décrit Paul Morand dans « Milady ». Avec talent, certes, voire avec génie, mais qui n'en demeure pas moins épouvantable : un vieil écuyer préfère entraîner sa jument dans la mort plutôt que de la laisser monter par quelqu'un d'autre après lui.

À ce stade, peut-on encore parler d'amour ? D'amour de soi, oui, d'égoïsme, de jalousie morbide, comparable aux sentiments qu'éprouve un homme en pensant qu'après sa mort, sa femme en aimera un autre : atroce, n'est-ce pas ? Insupportable !

L'histoire de Milady, publiée en 1936, n'était peut-être pas complètement imaginaire, comme on le verra plus loin. Elle n'était pas, du moins, invraisemblable, puisqu'un drame du même genre s'est réellement déroulé quarante ans plus tard... en Angleterre. Le fait divers a été raconté par un spécialiste du genre, Pierre Bellemare, sous le titre de « La rivale aux cheveux blancs » [*in* « L'Empreinte de la bête », cinquante histoires où l'animal a le premier rôle (Albin Michel, 2000). Livre de Poche n° 15229]: en janvier 1978, un riche agent de change londonien, Reginald Buster, sur le point d'être arrêté par Scotland Yard pour malversations, choisit de se suicider en se jetant, monté sur sa jument Victoria – qu'il adorait, bien sûr – du haut d'une falaise !

Paul Morand, disais-je, s'est peut-être inspiré, pour écrire « Milady », d'un fait réel. Certes différent, mais comparable; d'un épisode authentique, que l'on n'aime guère, dans le milieu équestre, évoquer, parce qu'il n'est pas vraiment à l'honneur de son auteur – et que son auteur est une sorte de vache sacrée, d'idole intouchable, de sainte icône: le général Alexis L'Hotte (1825-1904). Ce monsieur eut la chance d'avoir pour maîtres d'équitation deux des principaux écuyers du XIXe siècle, d'Aure et Baucher, dont les conceptions étaient diamétralement opposées, mais dont l'élève se vanta de pouvoir et savoir faire la synthèse. Cavalier doué, il sut éblouir cet amateur éclairé de belle équitation qu'était Napoléon III. Il fut nommé Écuyer en chef du Cadre Noir de Saumur, puis Inspecteur général de la Cavalerie, avant de prendre sa retraite, en 1890. Encore solide, il continua de monter à cheval tous les jours, tout en rédigeant ses souvenirs, qui furent publiés après sa mort [« Un officier de cavalerie » en 1905, puis « Questions équestres » en 1906], et sont considérés aujourd'hui comme de véritables évangiles. À la fin de 1902, atteint de maladie, le général dut cesser de monter les trois derniers chevaux qui lui restaient, Glorieux, Domfront et Insensé. Il rédigea alors un testament, dans lequel il demandait que ses chevaux ne lui survivent pas, et soient abattus à sa mort.

Ses dernières volontés furent respectées.

L'histoire est véridique. Je le dis carrément: je trouve l'attitude de ce L'Hotte, aussi grand homme de cheval qu'il ait été, parfaitement odieuse, infecte, pathétique, affligeante, et lamentable.

... Même s'il faut bien reconnaître qu'elle s'inscrit dans le droit fil d'une tradition fort ancienne et fort répandue, de la Chine à l'Afrique, en passant par l'Empire des Steppes, le Proche et le Moyen-Orient, qui voulait qu'un empereur défunt emportât avec lui dans la tombe – belle preuve d'amour (!) – ses chevaux... et ses femmes. Afin que les uns et les autres leur tiennent compagnie dans l'au-delà ? Ou afin que les uns ne soient pas montés, et les autres honorées (ou déshonorées ?) par autrui ?

Le cheval et l'amour, l'amour, parfois vache, que les hommes portent au cheval : le sujet, on vient de le voir, a déjà été beaucoup traité.

Moins nombreux sont les récits racontant l'inverse, ou plutôt la réciproque : l'amour (éventuel) que les chevaux peuvent porter aux hommes. C'est plus délicat, en effet. Plus difficile, moins évident. Cet amour-là est moins visible, moins démonstratif, moins probant.

Toutefois, s'il est exact, comme l'a dit je ne sais plus quel bon auteur (Cocteau ?) qu'« il n'y a pas d'amour : il n'y a que des preuves d'amour », alors le sujet est vaste. Car s'il est un animal qui a bien prouvé, au-delà même du raisonnable, son dévouement à l'homme, sa placide obéissance, son imperturbable bonne volonté, et son désir obstiné de lui faire plaisir, d'essayer de comprendre ce qu'il veut, et de faire ce qu'il demande – c'est bien le cheval.

On trouve ici ou là, dans des récits de guerre surtout, des anecdotes, plus ou moins imaginaires, racontant comment un cheval a quitté les lignes ennemies, où il avait été entraîné de force, pour rejoindre les lignes amies ; comment un cheval réussit à sauver son maître de la noyade, en le hissant sur la rive ; comment un cheval s'est laissé mourir (de chagrin ?) près de la dépouille de son cavalier, etc.

Un des modèles du genre est un charmant petit livre publié en 1887 sous le titre « Les animaux intelligents ». « Si l'ingratitude est parfois le vice de la race humaine, la reconnaissance est habituellement la vertu des animaux », avertit d'emblée son auteur, le baron A. du Casse, avant de raconter l'histoire de « Monsieur » Coco, un vieux cheval qui se sacrifia pour sa bienfaitrice en se jetant sur l'aspic qui la menaçait.

Dans la même veine, la plus belle histoire que je connaisse est celle que m'a racontée un jour de septembre 1998 mon ami Dominique Giniaux, et qu'il tenait lui-même, je crois, de Claudia Feh – vous savez, cette sympathique Suissesse qui s'évertue à vouloir à tout prix « réintroduire » des chevaux de prjewalski en Mongolie alors que – si je ne me trompe – ce n'est pas en Mongolie que Prjewalski a aperçu les derniers spécimens de cette espèce, mais en Djoungarie, à quelques milliers de kilomètres de là (mais bref).

Voilà l'histoire : au cours d'un long parcours en plein soleil dans le désert de Gobi, où elle était partie – seule, mais à cheval – observer le comportement d'un groupe d'hémiones, l'éthologiste suisse fut frappée d'insolation. Elle s'évanouit, et s'écroula. Au lieu de s'enfuir au galop ou d'aller baguenauder de touffe en touffe, sa jument s'arrêta, se rapprocha de la cavalière étourdie, s'arrangeant pour lui faire de l'ombre. Lorsqu'en fin de journée, Claudia revint à elle, et retrouva ses esprits, elle constata, d'après les traces laissées au sol, que la brave jument avait tourné autour d'elle, en suivant le soleil, pour l'en protéger. Les poulinières « sauvages » agissent ainsi, paraît-il, avec leurs poulains endormis.

C'est pas de l'amour, ça ?

L'amour, les chevaux en font preuve également entre eux. Cela aussi a fait l'objet d'une abondante littérature. Je n'en donnerai que deux exemples.

Il y a l'histoire, merveilleusement racontée par Eugène Sue (en 1846), puis par Maurice Druon (en 1957) de Godolphin. Superbe romance : Godolphin était un extraordinaire cheval, injustement relégué au rôle (frustrant) de souffleur – on disait à l'époque : agaceur – qui, un jour, tomba raide amoureux de Roxana, une belle alezane qui passait par là. Rompant ses liens, le boute-en-train parvint à prouver la vigueur de ses sentiments à la jument qui, onze mois plus tard, mit au monde un magnifique poulain. Celui-ci devint un grand champion, qui compte parmi les fondateurs d'une race qu'on a coutume d'appeler le pur-sang-anglais – bien que son sang ne fût ni pur ni anglais, Godolphin ayant des origines tunisiennes…

L'autre belle histoire est celle que raconte si bien Françoise Sagan dans «… et toute ma sympathie » (Julliard, 1993) : la passion qu'éprouva soudain Gladiateur, un champion couvert de gloire mais, hélas, impuissant, pour une vieille, très vieille jument rencontrée au détour d'une allée cavalière. Imaginez, écrit Sagan, « un Marlon Brando de trente ans, fou d'amour pour Pauline Carton ! »

La comparaison est audacieuse, mais intéressante. Très révélatrice : elle permet de constater que, pour les écrivains, les amours chevalines sont, au fond, assez semblables aux amours humaines – qui, elles, constituent, c'est indiscutable, le thème principal de toutes les littératures.

C'est le moment de le répéter une fois encore : sur le sujet, tout a déjà été dit. Et pourtant, je persiste à émettre une petite réserve : tout… ou presque.

Il y a en effet, dans cet entrelacs compliqué de sentiments entre les hommes et les chevaux, un champ qui a été moins exploré que les autres : les relations amoureuses que les humains établissent parfois entre eux… à cause des chevaux, ou grâce à eux.

Cette évidence m'est apparue en moult circonstances, au cours de mes rencontres, mes lectures, mes pérégrinations. Deux exemples.

30 juin 1995. Le poète et éditeur Jean Orizet, qui vient de publier ma première anthologie de beaux textes consacrés aux chevaux, « Célébration du cheval » (le Cherche midi éditeur) me demande de l'emmener à Chantilly visiter le Musée Vivant du Cheval. « Venez donc déjeuner ! » propose Yves Bienaimé, le maître des lieux, toujours accueillant. Je me retrouve, à table, assis à côté d'une amie des Bienaimé, une charmante dame s'occupant de protection des « équidés martyrs », prénommée Catherine, et portant le joli nom (prédestiné) de Graindorge. Nous sympathisons, nous nous trouvons toutes sortes de centres d'intérêt commun et, lorsque je lui dis mon attirance pour la Russie – et pour les Russes –, elle me raconte l'histoire suivante.

Catherine a longtemps vécu dans un village du Gard, Bouillargues, où la plus belle propriété du pays, le Mas de la Castille, situé au milieu des vignobles, a été, à la fin du XIXe siècle, le cadre de curieuses aventures.

Construit en 1784 par de lointains descendants de Blanche de Castille (d'où son nom), le Mas était encore la propriété de cette illustre famille lorsque débarqua dans la région, venant on ne sait d'où, une belle aventurière russe. Elle se prénommait Nina, et se disait princesse. Elle était bonne cavalière, et possédait un magnifique étalon noir.

Comment réussit-elle à persuader les héritiers de Castille de lui vendre leur bien ? On raconte toutes sortes de choses à ce sujet. Toujours est-il que Nina parvint à ses fins, en se faisant offrir la propriété par… son amant, un vieil et riche Américain, un certain Canfield, qui eut le bon goût de décéder peu après, non sans avoir pris des dispositions pour léguer sa fortune à sa dulcinée.

La jeune veuve avait l'habitude, racontent aujourd'hui encore les vieux du coin – que l'affaire a manifestement marqué – de se promener au petit matin, entièrement nue sur son cheval noir, sellé et bridé par un palefrenier cacochyme, et de battre ainsi la campagne. On songe moins ici à Lady Godiva, qu'à une héroïne de Colette, Julie de Corneilhan (dont le personnage a été interprété au cinéma par Edwige Feuillère) : « d'une enfance dénuée mais pleine de morgue, il lui restait la profonde impudeur qui compte pour rien la présence d'un domestique ».

Ces hygiéniques promenades matinales ne suffirent bientôt plus à tromper l'ennui de l'intrépide cavalière, qui fit venir des profondeurs de la Russie sept… cosaques ! Sept amants. Un par jour de la semaine, probablement – sans une seule journée de repos, sans un seul jour pour le Seigneur.

Elle exhiba ainsi sa vie scandaleuse quelques années – avant de revendre la propriété et de s'en retourner, un beau matin, en Russie. Avec son cheval et ses sept étalons…

Cette histoire me parut si extraordinaire que je tentai d'obtenir des occupants actuels du Mas des informations complémentaires, des précisions. Je me rendis même sur place, en novembre 2001. En vain. Échec total. Bouche cousue.

Puisque je ne pouvais donc en faire le récit détaillé et authentique, je me suis mis alors à songer qu'elle pourrait peut-être inspirer un romancier, un écrivain ?

Autre histoire. Cinq ans plus tard, le 15 juillet 2000 : je visite, pour la première fois de ma vie, le Danemark. Les amis qui m'accueillent vivent dans une superbe ferme au toit de chaume, meublée avec un goût parfait. Les murs sont couverts de bibliothèques remplies de livres qui, de toute évidence, ne sont pas là pour le décor, mais ont été lus, et relus, de génération en génération. La maîtresse de maison, simple mais cultivée, sachant que je m'intéresse aux chevaux – et aux cimetières de chevaux – me raconte qu'un cheval est enterré non loin de chez elle, non loin d'ici, dans la région de Herning.

Elle entreprend alors de me faire le récit des tribulations d'un jeune aristocrate danois, incorporé dans la Grande Armée de Napoléon. Officier, il doit fournir lui-même ses armes, son uniforme – et son cheval. Son père, vénérable hobereau, l'exhorte à prendre le meilleur, dans les prestigieuses écuries du domaine familial.

La division danoise ne participe pas à la campagne de 1812, mais elle est envoyée, en 1813, combattre en Allemagne. Un jour, le jeune homme est chargé de porter un message urgent. En France. Pour son malheur, car il y rencontre… une Française ! Dont il tombe, le pauvre, éperdument amoureux. Et réciproquement. Les tourtereaux ne veulent plus se quitter. Mais la vie de couple n'est pas prévue par le règlement. Il faut donc inventer un stratagème. La fille se coupera les cheveux, collera sur sa lèvre supérieure une belle moustache en crin de cheval, et se fera ainsi passer pour une jeune recrue qui, ayant perdu sa monture, se fait ramener au régiment par un officier compatissant. Et ça marche !

Le cheval, puissant étalon danois – un frederiksborg, vraisemblablement –, n'éprouve aucune difficulté à remonter le couple jusqu'au Danemark, où notre héros s'empresse de présenter la fiancée à sa famille. Qui prend ça très mal. « Si tu t'obstines à vouloir épouser cette Française, je te déshérite », lui lance son père.

C'est la rupture. Non pas du couple, mais entre le père et le fils qui, démobilisé, utilise le maigre pécule qu'il a reçu du régiment pour acheter une friche, sur laquelle il s'installe, avec sa Française et son frederiksborg.

Bien que cela lui rendrait grand service, il n'inflige pas à un cheval aussi noble des tâches aussi vulgaires que tirer la charrette ou la charrue. On n'impose pas à une monture, à laquelle on doit tant, des travaux aussi pénibles. Cela ne se fait pas : on n'utilise pas un cheval de selle comme cheval de trait. Question de respect, de dignité.

À force de travail, le lopin du couple franco-danois s'agrandit d'année en année. Des enfants naissent. Tandis que ses maîtres triment, le cheval coule une retraite paisible. Lorsqu'il meurt enfin, de sa belle mort, on l'enterre. Sa tombe est toujours visible, là-bas, du côté de Herning…

En écoutant cette histoire, je me mets à nouveau à songer qu'il y a là une formidable matière romanesque, une pâte littéraire qui devrait intéresser, bon sang, les écrivains !

Un déclic se produit alors. Eurêka ! Depuis quelque temps, je cherchais une idée. En voilà une. J'ai trouvé !

Explications.

Voilà des années que je m'échine, je m'éreinte, je m'esquinte à tenter de faire aboutir deux projets (parmi d'autres).

Primo. On en a déjà beaucoup parlé – depuis le temps que l'affaire traîne. Elle traîne tellement que c'est devenu un sujet de plaisanterie chez mes amis : quoi !? encore !? toujours pas terminé ?! Eh bien non, la restauration du cimetière des chevaux n'est toujours pas terminée !

Bref rappel des faits : le tsar russe Alexandre Ier, « le vainqueur de Napoléon », meurt – de mort naturelle : c'est assez rare en Russie pour qu'on le souligne – en 1825, cédant son trône à son frère Nicolas, qu'on surnommera « l'empereur de fer ». C'est par le fer et le feu, en effet, qu'il réprimera les rébellions auxquelles il sera confronté dès le début de son règne. Le jour même de sa prise de fonctions, en décembre 1825, des mutins – qu'on appellera les Décembristes – tentent un coup d'État. Nicolas règle le problème au canon. Il n'aime pas être dérangé dans les activités qu'il juge les plus importantes. Or ce qui le préoccupe, pour le moment, c'est que les chevaux que lui a laissés son frère (tel l'Ami, sur lequel Alexandre était entré dans Paris, le 31 mars 1814, à la tête des Coalisés) soient mieux logés. Voilà un homme ayant le sens des priorités : son premier oukaze, en janvier 1826, ordonne la construction d'une maison de retraite pour les vieux chevaux impériaux – à Tsarskoye Selo, non loin de la capitale, Saint-Pétersbourg. Ce sera la première maison de retraite pour chevaux de l'histoire.

Lorsque l'Ami s'éteint, quelques années plus tard (1831), Nicolas Ier exige qu'on l'enterre sur place : ce sera le début d'une coutume, d'un usage, qui sera respecté jusqu'à la chute de la dynastie des Romanov.

À la révolution, en 1917, il y avait là cent vingt sépultures : cent vingt pierres tombales, rigoureusement alignées les unes à côté des autres, le nom du quadrupède défunt gravé dans le marbre.

Les bolcheviques ayant, on s'en doute, d'autres chevaux à fouetter, abandonnèrent les lieux – sans trop d'ailleurs les piller. Lorsque je « découvris », à la fin des années 1980, cet endroit extraordinairement émouvant, cette nécropole unique au monde, dans un état de total délabrement, je me jurai de tout essayer pour le faire nettoyer, restaurer, réhabiliter.

« Pas de problème ! » me firent savoir (je résume) les autorités compétentes : « Apportez le financement, on fera le travail. »

En dix ans, j'ai pu réunir, de bric et de broc, quelque quarante mille dollars, que j'ai remis au fur et à mesure à la direction de l'Établissement Public propriétaire des lieux. Les lieux ont été déblayés, quatre-vingt-dix pierres tombales sauvegardées, une partie de la toiture de la maison de retraite refaite à neuf... Mais on est encore loin du but.

Un moment, j'ai eu l'espoir que des milliards investis dans les cérémonies marquant le tricentenaire de la création de Saint-Pétersbourg (2003) tomberaient quelques miettes pour achever les travaux de réhabilitation du cimetière. Hélas, il n'en fut rien. De même, la promesse faite par le président du Tatarstan (républiquette pétrolière de la Fédération de Russie), soi-disant amateur de chevaux, d'apporter une aide financière n'a pas été tenue. Je n'ai donc pas d'autre choix aujourd'hui que de repartir en campagne. Qu'on se le dise : j'ai besoin d'argent !

Secundo. Si j'ai applaudi si fort, on s'en souvient, à la création par les Britanniques d'un Mémorial en l'honneur des animaux tués pendant les guerres, ce n'est pas par anglophilie aveugle. C'est parce que je caresse depuis fort longtemps un projet similaire. Un projet voisin, dont l'idée m'était venue en lisant un très beau texte, mi-épique mi-comique, d'un poète polonais, Jan Kasprowicz, « la ballade du cheval héroïque », se terminant par un appel au peuple en vue de l'édification d'un monument à un cheval mort au champ d'honneur.

Comment ne pas être saisi par l'évidence, par la nécessité : bien sûr ! Il faut, naturellement, trouver un moyen de rendre hommage, d'exprimer notre reconnaissance, de témoigner notre respect non pas seulement à un cheval en particulier, mais à tous les chevaux en général. Ériger une stèle, un cénotaphe : une sorte de Monument « au cheval inconnu » !

L'homme, a observé Ismaïl Kadaré, avec sa hauteur de vue habituelle (dans « Première rencontre, vingt écrivains rêvent », Phébus, 2001), voue au cheval « une reconnaissance secrète. Souvent accompagnée d'un sentiment de culpabilité. Cela vient peut-être du fait que le cheval a été le témoin des crimes de l'homme. » Et d'ajouter : si un jour le cheval se mettait à témoigner, « à n'en pas douter, ce serait pour l'homme une catastrophe sans précédent ».

Ce silence vaut bien un Monument, sans doute ? !

Il ne s'agit pas, bien sûr, de sombrer dans un anthropomorphisme (ou anthropocentrisme) de mauvais aloi (et de mauvais goût), ni de commettre un grave anachronisme en jugeant avec une mentalité d'aujourd'hui des comportements d'autrefois, en condamnant les excès de nos ancêtres, par exemple, pour l'utilisation massive, et parfois abusive, dans leurs guerres, leurs aventures ou leurs travaux, de ces auxiliaires innocents, de ces serviteurs dévoués.

Il ne s'agit pas non plus de sombrer bêtement (c'est le cas de le dire) dans la sensiblerie, ni de s'apitoyer sur le sort d'animaux dont il est bon de rappeler que, s'ils ont été souvent les victimes de la méchanceté ou de la folie des hommes, ils leur doivent aussi, à l'inverse, leur survie : sans les soins que les humains leur apportent, depuis quatre ou cinq mille ans, les équidés, en effet, auraient probablement disparu de la surface de la terre depuis longtemps.

Non, il s'agit seulement d'honorer ses amis. De se souvenir des services innombrables qu'ils nous ont rendus. De les remercier de leur peine. Et, puisqu'aucun édifice, nulle part, n'y pourvoit (à quelques exceptions près), eh bien, d'y pourvoir nous-même.

Lorsque j'exprimai cette idée, formulai ce projet en France, je déclenchai chaque fois l'hilarité. Mes compatriotes, c'est indiscutable, sont très forts pour la rigolade, l'ironie, la moquerie, la dérision : « un monument aux canassons, ah ah ! ».

Ah ah quoi? S'il y a dans cette affaire quelque chose de comique, c'est que les sarcasmes proviennent du pays qui détient, je crois, le record mondial du nombre de monuments aux morts, le pays champion du monde de l'autocélébration, de la plaque commémorative, de la stèle héroïsant le moindre fait d'armes, surapplaudissant au moindre acte de bravoure – à condition d'avoir été accompli par un bipède. Mâle de préférence...

Jugé ridicule en France, le projet a été, heureusement, bien accueilli ailleurs. En Suisse, en particulier, où j'ai trouvé soutien et encouragements. Mais c'est en Russie – encore la Russie, je n'y peux rien – que j'ai trouvé le plus de compréhension et l'espoir de concrétiser mon rêve.

Les Russes, voyez-vous, sont peut-être des brutes, mais ce sont des brutes sentimentales. Des êtres peut-être un peu grossiers, mais ces grossiers personnages ont du cœur. En France, on se moque; en Russie, on compatit. Quand quelqu'un tombe dans la rue, à Paris, on se marre, à Moscou, on se porte à son secours.

En Russie, les prêtres bénissent les chevaux (en France, on bénit plutôt les cavaliers): rien d'étonnant, donc, à ce que l'idée de les honorer y ait suscité l'enthousiasme.

On m'a désigné un emplacement: ce sera au beau milieu d'un site historique de toute première importance, un lieu hautement symbolique, sur le champ de bataille de Semienovskoye, là où des affrontements de cavalerie ont pris des allures d'immense boucherie (chevaline) de plein air, le 7 septembre 1812.

Conçu par un Français (tout de même!), l'excellent sculpteur (et fin cavalier) Jean-Louis Sauvat, ce Monument de béton et d'acier, d'une hauteur de six mètres, montrant des carcasses de chevaux surgissant de terre, dans une sorte d'élan pathétique, sera, je crois, de nature à faire réfléchir. Il devra être érigé avant 2012, l'année du tricentenaire de la fameuse bataille, que les Français appellent « de la Moscova » et les Russes « de Borodino ».

Ne manque plus que le financement. On l'a compris: j'ai donc besoin d'argent!

Difficile, pour des projets pareils, je le reconnais, de faire appel à la charité publique, déjà très sollicitée. Par la recherche médicale, par l'aide aux victimes des raz-de-marée, par la voracité du fisc...

Aussi me suis-je plutôt tourné, une fois de plus, vers des hommes et femmes de cheval, prodigues de leur temps et généreux de leur talent.

À une quarantaine d'entre eux, j'ai demandé d'écrire un texte, pour composer un ouvrage dont la totalité des droits irait aux bonnes causes que je viens d'exposer.

Tous ceux que j'ai approchés m'ont donné leur accord de principe. [On en trouvera la liste dans le *Petit Dictionnaire des Auteurs* qui suit la présente introduction.] Restait à leur trouver un bon sujet, un thème sur lequel les faire plancher, à la fois assez vaste pour laisser à la personnalité de chacun la possibilité de s'extérioriser, assez précis pour ne pas risquer de se retrouver devant un bric-à-brac de textes hétéroclites sans aucun lien entre eux, et assez nouveau pour exciter l'intérêt, tant des auteurs que des futurs lecteurs.

C'est alors que se produisit (j'y reviens enfin) le déclic dont j'ai parlé : le cheval et l'amour – voilà l'idée que je cherchais !

L'exercice promettait d'être excitant : « Pouvez-vous raconter, de la façon que vous voudrez, et sur un nombre libre de pages, une belle histoire d'amour ? demandai-je aux auteurs pressentis. Seules conditions à remplir : il faut que le cheval ait joué dans cette histoire un rôle essentiel. Il ne suffit pas qu'il ait simplement transporté le fiancé jusqu'à sa promise. Il faut une implication beaucoup plus profonde, une responsabilité beaucoup plus grande. Il faut que le cheval ait été, réellement, un intercesseur ».

« Pour ajouter à la difficulté, il faut que cette histoire soit, de préférence, une histoire vraie. Ou, à défaut, puisée à des sources littéraires authentiques et vérifiables », ajoutai-je à l'adresse de mes quarante écrivains, en ayant conscience de moins ressembler dans ce rôle au héros de Paul Guth (« Le naïf aux quarante enfants », Albin Michel, 1955) qu'à Ali Baba face aux quarante voleurs.

Car, je vous le dis, Mesdames et Messieurs, les écrivains sont de redoutables individus !

Si les consignes ont été, dans l'ensemble, plutôt respectées, j'ai repéré dans les rangs, en effet, d'assez nombreux chahuteurs. Parmi les galopeurs se cachent quelques galopins. Je ne donnerai pas les noms : à vous de les trouver...

Tricheries ou pas, le résultat est réjouissant. Par son incroyable diversité. Diversité de ton, d'inspiration, de style, de lieu, d'époque... et de situations amoureuses.

On aurait pu s'attendre à une succession d'histoires assez conventionnelles : la débutante qui tombe amoureuse de son moniteur (fréquent), ou l'inverse (plus rare). La riche propriétaire qui s'entiche de son palefrenier (n'a-t-on pas rapporté récemment de semblables ragots à la Cour d'Angleterre ?), la cavalière fortunée séduite par son entraîneur, ou entraînée par son séducteur (consulter à ce sujet la presse *people*) : heureusement, aucun de nos contributeurs n'a cédé à la facilité de raconter ce genre d'amours nées autour du cheval – sans que le cheval y soit vraiment pour quelque chose.

Ils ont fait preuve de beaucoup plus d'originalité. Loin de se contenter d'histoires banales de flirts archi-classiques entre un garçon/une fille nés grâce ou à cause des chevaux, il en est un (une, en l'occurrence : Nur Dolay), par exemple, qui évoque une situation inverse, que je trouve beaucoup plus intéressante : une jeune femme qui se met à aimer les chevaux, grâce ou à cause de l'amour qu'elle porte à un homme.

Je regrette que mon ami Tanneguy de Sainte-Marie, un des derniers dirigeants de nos Haras Nationaux (Hennebont) à connaître vraiment les chevaux, n'ait pas eu le temps de développer pour le présent recueil une autre situation originale qu'il m'a brièvement racontée : celle de la reine de Hollande, Wilhelmine, qu'on exhortait, au tout début du siècle dernier, à convoler en justes noces – ne fût-ce que pour assurer un héritier au trône. Y consentant enfin, la reine ne posa qu'une seule condition : qu'on lui trouve pour époux un véritable homme de cheval (on le lui trouva : ce fut le prince Henri de Mecklembourg, qu'elle épousa en janvier 1901).

Parmi nos auteurs, nombreux ont été ceux qui se sont ainsi inspirés de faits historiques (Michel Henriquet, Pierre Pradier). Beaucoup ont préféré, pour faire encore plus vrai, raconter leur propre histoire (Laurence Bougault, Nur Dolay, Claire Pradier, Patricia Reinig) : aux hommes la grande Histoire, aux femmes la petite ?

À propos de parité, si celle-ci n'est pas parfaitement respectée (sur les trente-cinq nouvelles réunies ici, vingt et une ont un auteur mâle, et quatorze femelle), les dames n'ont qu'à s'en prendre à elles-mêmes. [N'est-ce pas Françoise Aubin, Catherine Bastide, Jeanne Boisseau, Virginie Bruneau, Monique Chabot, Bernardine Cheviron, Karine Devilder, Isabelle Dillmann, Muriel Estrade, Carole Franco, Agnès Galletier, Myriam Gaume, Danièle Guyot, Emmanuelle Lathion, Anne Mariage, Katia Renard, Jacqueline Ripart, Catherine Tourre-Malen, Monique Vérité (et j'en oublie) ?]

En passant d'une nouvelle à une autre, d'une histoire vraie à une histoire pas vraie (il y en a, bien sûr), de la réalité à la fiction, de la tristesse à la joie, on sera plus d'une fois surpris.

Surpris de certaines ressemblances, de coïncidences troublantes, d'affinités inattendues. La présence d'une maîtresse secrète, ou cachée (Christian Delâge, Laurent Desprez). Un séjour à l'hôpital (Jean-François Pré, Danièle Rosadoni, Patricia Reinig). Une certaine différence d'âge entre partenaires (Danièle et Patricia, encore elles).

Mais pour moi, la plus grande surprise aura été de constater que les passions que nos auteurs ont choisi de raconter ne sont pas seulement celles qui attirent et rapprochent deux êtres étrangers : il y est aussi question d'amour maternel (Michel Henriquet), d'amour filial (Catherine Paysan), et même d'amour fraternel (Anne-Marie Le Mut).

Impossible, on s'en doute, de tirer d'un ensemble aussi divers des conclusions générales. On pourra, toutefois, en tirer, j'espère, quelques leçons.

Laurence Bougault, dans son texte, croit pouvoir affirmer que « si toutes les histoires d'amour n'impliquent pas des chevaux, presque tous les chevaux sont mêlés à nos histoires d'amour ». J'adhère à cette vision volontairement optimiste. Ces trente-cinq (trente-huit si on compte celles de la conclusion, quarante avec celles de mon introduction) histoires d'amour prouvent au moins quelque chose. C'est que, pour compléter un refrain connu, s'il est vrai que « les histoires d'amour, ça finit mal en général », ça commence souvent avec un cheval (et ça rime). Et, pour paraphraser un dicton épicurien (là où il y a de la gêne, il n'y a pas de plaisir), là où il y a des chevaux, il y a (toujours) de l'amour.

[Ce texte a tenu lieu d'introduction au recueil des quarante récits des (presque) quarante écrivains (dont les noms suivent) réunis sous le titre « Histoires d'amour (et de chevaux) » paru (aux éditions du Rocher, collection *cheval-chevaux*) en 2004.

Les fonds ainsi recueillis ont été intégralement reversés à l'Établissement Public des Palais et Parcs de Tsarskoye Selo, qui a juré qu'il en ferait, bien sûr, bon usage. Sur le terrain, hélas, la situation des travaux de restauration du cimetière n'ont pas repris et le projet d'édification du Monument paraît remis en cause par un changement à la direction du musée de Borodino.]

Stéphane BIGO (1937)

est un des deux ou trois « cavaliers au long cours » qui ont réinventé, au XXe siècle, l'art de voyager à cheval. Principale différence avec les autres: il sait merveilleusement raconter ses aventures.

À l'âge de trente-neuf ans, cet ingénieur civil de l'aéronautique, diplômé en droit et notariat, décide de changer de vie. Il plaque tout et entreprend une sorte de tour du monde équestre.

En 1976-1977, il traverse – à cheval – la Turquie, l'Irak, l'Iran et l'Afghanistan (périple peu recommandable de nos jours). En 1979-1980, il traverse – à cheval – l'ouest des États-Unis, le Mexique et le Guatemala. Il poursuit son voyage en Amérique latine (Brésil, Paraguay, Argentine, Chili, Pérou et Bolivie) en 1984-1985. Dix ans plus tard, c'est l'Afrique (le Cameroun, puis l'Éthiopie et le Kenya). En 1999, enfin, la Route de la Soie, de la Chine au Pakistan. Qui dit mieux? Personne.

Personne ne le dit mieux, en tout cas, que Stéphane Bigo, dans ses cinq livres – tous édités ou réédités chez Belin: « Crinières au vent d'Asie », « Crinières au vent indien », « Crinières sans frontières », « Crinières d'ébène » et « Crinières de jade ».

Steen Steensen BLICHER (1782)

n'a pas écrit la nouvelle qui suit – on s'en serait douté! – spécialement pour le présent recueil. Mais son texte, écrit dans un danois qui restitue fidèlement le pur dialecte du Jutland, a été ultérieurement adapté en anglais: c'est de cette langue qu'il a été traduit – spécialement pour ce recueil, cette fois – par un homme tout à fait extraordinaire, aux connaissances équestres, hippologiques et chevalines encyclopédiques, Jean-Claude Racinet, qui se révèle ici excellent adaptateur, ayant su conserver le style volontairement rustique de l'original.

Auteur de nombreux ouvrages, S.S. Blicher est considéré comme un des fondateurs de la prose danoise. En 1842, il a rassemblé, dans un recueil intitulé « E Bindstouw » (ce qu'on pourrait traduire par « la pièce où l'on papote »), treize histoires, racontées par treize narrateurs différents. Dans la nouvelle qui suit, intitulée *Brass-Jens* (le nom d'un cheval), c'est un certain Rasmus Owstrup qui parle…

Laurence BOUGAULT (1970)

est maître de conférences à l'université de Rennes. Elle y enseigne la stylistique. Une discipline à laquelle elle s'adonne et s'abandonne, parfois, pour son plaisir: en écrivant et publiant des poèmes (« Le grand jouir » en 1998, « Éclats » en 2003). Depuis 2003, elle est mère de famille. Toutes les apparences, donc, d'une jeune femme rangée. Et pourtant!

Laurence est, en vérité, une diablesse, une aventurière: une cavalière (galop 7, obtenu chez François Lucas, ancien champion de France de Complet)!

Pour ses trente ans, elle a voulu s'offrir une bonne rasade d'exotisme, un vrai dépaysement. Plantant là son université, son jules, ses livres et ses chevaux, elle est partie à l'autre bout du monde. Entre septembre 2001 et avril 2002, elle a parcouru, montée sur deux petits chevaux basothos, un gris et un bai, 3 300 kilomètres, à travers une Afrique du sud et de l'est (Lesotho, Mozambique, Malawi) pas toujours très accueillante. Après avoir subi, au cours de cette folle expédition, les pires mésaventures, elle en est revenue indemne, intacte, toute guillerette, et débordante d'amour pour ces pays, ces gens, ces chevaux. Ainsi qu'elle le raconte avec intelligence, drôlerie et allégresse dans un livre (« Sous l'œil des chevaux d'Afrique ») paru en 2003 chez Belin.

André BOURLET-SLAVKOV (1951)

présente de nombreuses particularités. La première est qu'il ne se prénomme pas André, et que Slavkov n'est pas son vrai nom. C'est le pseudonyme sous lequel cet homme d'affaires atypique (et avisé) s'est fait connaître dans les milieux hippiques : comme théoricien de *l'équimotion* et inventeur du *mime équestre*.

Amateur d'opéra et ancien interprète lyrique, il a produit récemment (2002) aux États-Unis un disque intitulé « Concert for a Mustang », dont le sous-titre *a repertoire of primitive vocal sounds to speak to a horse*, éclaire le contenu de la nouvelle qu'on va lire.

Ultime révélation : dans cette nouvelle est cité un double proverbe : « Qui trouble domine, qui domine trouble. » Méfiez-vous ! Chacun d'eux est l'anagramme exacte de Dominique Bourlet – la véritable identité de son auteur !

Harald BREDLOW (1949)

enseigne la littérature comparée à l'université de Fribourg, en Suisse. Mais il pourrait aussi bien enseigner la civilisation maya à l'université de Bombay, ou l'histoire de l'empire mongol à l'université de Buenos Aires.

Harald est un véritable citoyen du monde, un globe-trotter impénitent, un amoureux des peuples, des langues, des cultures. Et des chevaux.

Germanophone, anglophone et (comme on va le constater) parfaitement francophone, il a étudié les lettres et la philosophie à la Sorbonne, à Hambourg, et autres hauts lieux, poursuivant ses universités en voyageant sur les cinq continents.

Auteur d'ouvrages savants (une grammaire d'allemand, une étude sur les traductions françaises de Shakespeare !), le professeur Bredlow est également un homme de cheval : éleveur, cavalier de CSO, juge international, il collabore régulièrement à *Kavallo*, la principale revue équestre de la Suisse alémanique.

Bruno DE CESSOLE (1950)

ne correspond pas, mais alors pas du tout, à l'image que l'on se fait habituellement d'un journaliste : frivole, superficiel, inculte et versatile. Il fait preuve, au contraire, d'une immense culture – capable de disserter (sans dire de bêtises) aussi bien sur les jésuites en Chine que sur la littérature russe ou l'art aztèque.

Il ne correspond pas non plus, mais alors pas du tout, à l'image que l'on se fait généralement de l'intellectuel, confit dans la lumière tamisée d'une bibliothèque. Bruno de Cessole monte à cheval. Bruno de Cessole chasse à courre, Bruno de Cessole voyage, crapahute.

Responsable des pages culturelles de l'hebdomadaire *Valeurs Actuelles,* rédacteur en chef du trimestriel *Jours de chasse,* il trouve encore le temps de publier : « Les livres de leur vie » (quatre volumes, Centre Pompidou), « Le sottisier de Flaubert » (ML), « Les trésors retrouvés de la *Revue des Deux Mondes* » (Flammarion), « Propos intempestifs » (La Différence), etc.

Dominique CORDIER (1965)

a, comme son nom l'indique, plusieurs cordes à son arc. Il a été enseignant, puis journaliste. Il aurait pu faire du théâtre, ou de la politique (auxquels il a d'ailleurs goûté), mais a finalement choisi l'écriture. Amoureux des chevaux, il a tenu la rubrique équitation d'un hebdomadaire sportif avant de devenir, pendant dix ans, chroniqueur hippique au *Parisien libéré*.

Il a aussi « fait de la télé » (TF1, France 2) avant de « faire de la radio » (RTL), dans la même spécialité : les courses. Élu président de l'Union Professionnelle des Journalistes de Sport Hippique (2002 à 2004), il dirige aujourd'hui une Agence de « Documentation, Conception, Information » entièrement vouée à la promotion des activités équestres. Cette nouvelle est son premier texte de fiction.

Olivier COURTHIADE (1953)

est l'homme qui a sauvé le cheval de Merens d'une probable disparition, l'homme qui a tiré le cheval de Castillon d'un désintérêt grandissant, l'homme grâce auquel la France tient encore son rang en matière de production mulassière.

Bien qu'il aime les livres et la littérature, les connaissances de cet Ariégeois d'adoption ne sont pas purement livresques : voilà plus de trente ans qu'il élève, dans sa ferme-école de Nescus (09240), toutes sortes d'animaux : des mules, des ânes et des chevaux, bien sûr, mais aussi des vaches et des chiens.

Régulièrement consulté par les Haras Nationaux, il a rédigé (en 1998) le nouveau standard du percheron, ainsi que ceux de l'âne des Pyrénées et autres équidés sortis de l'oubli.

Adepte de la traction animale, dresseur surdoué, éleveur passionné, cuisinier hors pair et pianiste amateur, Olivier Courthiade marie avec bonheur culture et agriculture.

Christian DELÂGE (1946)

a de la chance. Enfant, il assiste à un concours hippique auquel participe Pierre Jonquères d'Oriola. Devenu adulte, il rencontre Marcel Rozier, qui le recrute : il fréquente alors Nelson Pessoa, Gilles de Balanda – et le vieux père Parot, éminent homme de cheval.

Christian Delâge n'a pas que de la chance. C'est un travailleur, un perfectionniste. Après la fac (de lettres), il passe le concours d'entrée au Haras du Pin, comme élève officier libre. Après le service militaire, il crée un club hippique, pratique le dressage, monte en concours, multiplie les expériences et accumule les connaissances.

Christian Delâge n'a pas de chance : un jour, un cheval l'écrase sur un obstacle. Lombaires foutues. Le voilà piéton. Il s'installe comme entraîneur de chevaux de course – mais ses plus gros clients sont des escrocs (et se retrouvent en prison) et son associé est un mystique (et se réfugie dans un monastère).

Christian Delâge met à profit chances et malchances pour écrire et parler de ce qu'il connaît le mieux – les chevaux. Il est aujourd'hui le commentateur attitré des plus grandes manifestations équestres. Et publie ces jours-ci son premier roman, « Fou du Roi », aux éditions du Rocher (collection *cheval-chevaux)*.

Antoinette DELYLLE (1958)

partage le temps que lui laisse sa famille entre l'écriture et l'équitation. Journaliste, elle collabore régulièrement à *30 millions d'amis*, à *Cheval star*, à *Cheval magazine*. Cavalière, elle a tout essayé : le concours hippique, le dressage, la randonnée, l'équitation « éthologique ». Journaliste et cavalière, elle a rencontré tous les maîtres : les anciens (Michel Henriquet) comme les nouveaux (Pat Parelli).

De ces expériences et de ces fréquentations, elle a tiré un livre qui, sous l'aspect d'un modeste récit, est en fait un véritable manuel de savoir-vivre avec les chevaux : « L'Équitation sentimentale » (aux éditions du Rocher, 2003). En y racontant avec simplicité et tendresse ses mésaventures et ses joies de débutante, son apprentissage de palefrenière, ses déboires et ses succès de propriétaire, elle a écrit là une sorte de traité sur l'art d'approcher les chevaux, de les choisir, de les soigner, de jouer et travailler avec eux. Et, surtout, de les rendre heureux.

Laurent DESPREZ (1942)

est certainement, avec un nom pareil, le réalisateur préféré des chevaux.

Créateur de *Epona* (1989-1990), puis du *Magazine du cheval* (1995-2000), qui fit longtemps les très riches heures de FR3, il a dû, au beau milieu de l'an 2000, changer sa caméra d'épaule, le patron de France Télévision ayant subitement décidé que le cheval n'avait plus place, en ce troisième millénaire, sur le service public.

Si, à la télé, on donne moins de place aux bêtes, pour en laisser davantage à la bêtise, Laurent Desprez, lui, fait l'inverse. Lorsqu'il ne se consacre pas à son élevage de connemaras (dans la Sarthe), il réalise des longs-métrages qui lui permettent de monter ses autres chevaux (de bataille) : le théâtre, la danse, la peinture (Robert Tatin) ou la littérature (François Rabelais... et Catherine Paysan).

Nur DOLAY (1957)

est Oubikh – c'est-à-dire Tcherkesse. Autrement dit : Circassienne. Et aussi un peu Géorgienne. Bref, une pure Caucasienne... Études de sciences politiques aux États-Unis, de journalisme en France, parlant couramment, outre l'anglais et le français, le turc, le russe et l'espagnol (sans compter quelques dialectes caucasiens) : Nur est le prototype de la parfaite journaliste internationale, à l'aise partout, mais jamais en place.

Elle collabore depuis plus de sept ans à *Thalassa*, l'émission phare de FR3 (documentaires sur la Mer Noire, la Caspienne, le Bosphore, Chypre, la Crimée). On trouve aussi sa signature dans différents journaux français (*Courrier International*) et turcs (*Cumhuriyet*).

En 2002, elle a créé, avec quelques amis (dont le comédien Pierre Richard), le Cercle Caucasien, une association (loi de 1901) qui se propose de mieux faire connaître en Europe les cultures du Caucase et de militer pour la sauvegarde du patrimoine de cette région du monde. À commencer par les races locales de chevaux : les kabardines, les karatchaïs et les karabaghs, menacés de disparition.

Christophe DONNER (1956)

est le spécialiste incontesté des histoires d'amour. Et aussi des histoires de haine – ou plutôt de révolte. Toute son œuvre, déjà abondante (une vingtaine de romans, principalement chez Fayard et chez Grasset), le prouve. Christophe Donner est aussi, mais cela se sait moins, un spécialiste du cheval, un habitué des hippodromes, un turfiste invétéré. Cette double spécialité a donné naissance à un petit chef-d'œuvre, « L'influence de l'argent sur les histoires d'amour », paru il y a peu (Grasset, 2004).

Auteur de récits pour la jeunesse (je recommande particulièrement « Le cheval qui sourit », à l'École des loisirs), fondateur du beau magazine *Of Course*, il raconte ici une jolie petite histoire qui a pour seul défaut de n'avoir aucun rapport avec le sujet proposé, quoi qu'il en dise (« mais si mais si, argumente-t-il, c'est un texte d'amour et de cheval ! »). En tout parieur sommeillerait donc un tricheur ? Peut-être. En tout écrivain, sûrement.

Pierre DURAND (1931)

a passé sa vie à cheval. Hier, sa vie professionnelle (trente-six ans de carrière) comme aujourd'hui sa vie privée : pas un jour qu'il ne se mette en selle.

Saint-Cyrien brillant et cavalier de haut niveau, il a appartenu à l'équipe de France de Concours Complet et à celle de Concours de Saut d'Obstacles. Deux fois sélectionné olympique, il a remporté d'innombrables victoires sportives.

Nommé, en 1975, trente-deuxième Écuyer en chef du Cadre Noir de Saumur, il est resté près de dix ans à la tête de cette prestigieuse formation, avant de prendre la direction (de 1984 à 1988) de l'École Nationale d'Équitation et d'être promu général.

Retraité actif et influent, il continue à « gratter » les chevaux. Et parfois (pas assez souvent) le papier. Fin 2004, il a contribué à l'édition d'un texte inédit d'un de ses maîtres, et prédécesseur, l'illustre général Decarpentry (*caracole*, Favre).

Yolaine ESCANDE (1962)

est née en France, mais a grandi au Cambodge, en Malaisie, en Chine. Elle a appris la calligraphie sous la direction du professeur Hsiung Ping-ming, puis sous l'autorité du maître Yeh Tsuipai, bien connu pour ses peintures de chevaux.

Les chevaux occupent une place primordiale dans la vie de Yolaine. Ils constituent non seulement la principale source d'inspiration de son œuvre graphique, régulièrement exposée – et appréciée – en Chine et ailleurs, mais sont aussi pour elle source d'évasion.

Cavalière, peintre, calligraphe, Yolaine Escande est l'auteur de remarquables travaux universitaires, tels un ouvrage sur « L'art en Chine » (Hermann, 2001), qui fait référence, ou l'édition savante de « Traités chinois de peinture et calligraphie » (Klincksieck, 2003).

Directrice de recherche au CNRS, directrice du séminaire *Esthétique et mondialisation des arts* à l'EHESS, Yolaine trouve encore le temps de collaborer à des entreprises où se mêlent l'art et le cheval : elle a réalisé les décors du spectacle donné par Bartabas au Châtelet en septembre 2004, et contribué à l'édition du premier ouvrage consacré à un génial artiste hippophile, « Castiglione, jésuite italien et peintre chinois » (Favre, 2004).

Gonzague D'ÉTÉ (1929)

agriculteur dans la Nièvre, cet éleveur de chevaux connemaras manie depuis toujours le stylo davantage que la fourche. Plume d'or 1960 de l'Association des Journalistes Agricoles, auteur d'une pièce de théâtre, « Les bêtes », en français et morvandiau (Dicolor, Dijon, 2000), traducteur du merveilleux « Morvan » de Henri de Grignelle (un ouvrage paru à Londres en 1851), Gonzague d'Été collabore épisodiquement à de prestigieuses revues, telles *Equus-les-Chevaux* ou *Internationale de l'Imaginaire*. Dans le numéro (très) spécial consacré par cette dernière à *Éros & Hippos* (Babel, Maison des Cultures du Monde, 2001), il apporta une contribution remarquée, sous le titre « Équitation féminine et progrès social ».

Maria FRANCHINI (1950)

est une femme passionnée. Un pléonasme, quand on sait qu'elle est Napolitaine. Et même hypernapolitaine. Ambassadrice bénévole de Naples en France, elle s'efforce d'y faire aimer la littérature napolitaine, le théâtre napolitain, la chanson napolitaine, la cuisine napolitaine. Et les chevaux napolitains.

Napolitains ou pas, les chevaux sont – après sa ville – la seconde passion de Maria, polyglotte volubile, et polygraphe hyperactive et curieuse de tout.

C'est elle qui a fait connaître en France (même si elle le regrette un peu aujourd'hui) un de ces « nouveaux maîtres » qui sont la nouvelle coqueluche des « nouveaux cavaliers », l'Italien Bino Jacopo Gentili.

C'est elle qui a fait connaître en France la grande éthologue équine anglaise Marthe Kiley-Worthington, dont elle est devenue la traductrice attitrée.

C'est elle qui a fait connaître en France la culture équestre des Indiens d'Amérique, en compilant tout ce qui a pu être écrit (de sérieux) aux États-Unis ou ailleurs sur ce sujet.

Tous ses livres sont publiés chez Zulma, sauf un – le dernier, un délicieux et malicieux pamphlet intitulé « Les recettes des chuchoteurs : foutaise ou panacée ? » (caracole, Favre, 2004).

Michel HENRIQUET (1924)

est une des grandes figures de l'équitation dite « de tradition française ».

Élève (et ami) de l'écuyer portugais Nuno Oliveira, qu'il contribua à faire connaître, il a mis son énergie, sa vitalité, et sa culture équestre, qui sont grandes, au service de cette belle équitation de légèreté dont l'âge d'or se situe au XVIIIᵉ siècle : à l'époque où Monsieur de La Guérinière dirigeait le Manège des Tuileries (1730-1751).

Considérant que c'est à Versailles que la Haute-École connut son apogée, il milita longtemps pour la création d'une Académie équestre, une sorte de Conservatoire qui aurait mérité son nom,

à la Grande Écurie, transformée en vulgaire entrepôt après la Révolution.

Auteur d'ouvrages indispensables tels que son journal de dressage « À la recherche de l'équitation » (Crépin-Leblond, 1968), tels que son dictionnaire « L'équitation, un art, une passion » (avec Alain Prévost, Le Seuil, 1972), Michel Henriquet ne se contente pas de théorie. Il dirige, avec son épouse Catherine, cavalière de haut niveau, dans leur fief de La Panetière (78 770 Autouillet), une écurie d'équitation savante de réputation mondiale.

Guilhèm JOUANJÒRDI (1955)

a plusieurs vies – peut-être même plusieurs identités. Il y a l'universitaire : docteur ès lettres, professeur d'occitan. Il y a le troubadour : auteur de nombreuses nouvelles dans les revues littéraires occitanes (*Oc*, *Reclams*), parolier pour le groupe Avinens (*Cants de Trobadors*, 2004). Il y a le cavalier : amateur de belle équitation, et de beaux textes équestres (occitans, de préférence) des XVIᵉ et XVIIᵉ siècles, dont il prépare une édition.

Ce n'est pas tout. Il y a aussi, sous un autre nom, le familier des collègues de l'École Nationale d'Équitation, à Saumur. Sous un autre pseudonyme encore, Amanç d'Albespi, il y a, enfin, l'écrivain, auteur de poèmes de facture classique en occitan médiéval. Dans la nouvelle que voici, il y a peut-être un autre Guilhèm Jouanjòrdi encore ?

Alexandre KARINE (1952)

a participé dans son pays, la Russie, au tournage d'une centaine de films. Comme comédien, comme cavalier, comme cascadeur.

En 1989, il est invité au Festival International de la Cascade, qui se tient à Toulouse. C'est l'accident. Alexandre est paralysé. Définitivement. Condamné à vivre sur une chaise à roulettes…

Il choisit de rester en France. Et de consacrer son temps, désormais, à l'écriture de scénarios, de pièces, de nouvelles, dont un premier recueil en langue russe paraît en 1998 chez Kniga-Prosvetchenié-Miloserdie (Moscou) sous le titre « Gospoda Kaskaderi » (« Messieurs les cascadeurs »). En couverture: une photo – non truquée – où l'on voit Alexandre Karine se jetant dans le vide, à cheval, du haut d'une falaise.

Dans ce livre, comme dans la nouvelle qu'on va lire (traduite du russe par Henri Abril), Alexandre Karine apporte la preuve qu'on peut être à la fois très physique et très sentimental, très courageux et très tendre. Autrement dit: très russe.

Bernard LECHERBONNIER (1942)

est agrégé des lettres, docteur ès lettres, et professeur d'université. Mais ce n'est là qu'une toute petite partie d'une biographie dont l'abondance, la richesse et la diversité donnent le tournis. Directeur éditorial de Nathan, devenu directeur du développement du groupe Hachette, puis conseiller du président du groupe Havas, il a participé à la création de La Cinquième chaîne, a fondé l'École Supérieure de Création Littéraire, et s'efforce aujourd'hui de créer un nouveau lycée français au Caire!

Ce n'est pas encore tout: il est l'auteur d'une trentaine d'ouvrages (essais, romans, histoire, critique littéraire), a dirigé d'innombrables collections (*Francopoche*, *Manuel +*, etc.) et prépare la publication chez Albin Michel d'un pamphlet: « Pourquoi veulent-ils tuer le français? » Il y a encore autre chose: ayant acquis un château dans la Creuse, il s'est empressé de secouer la torpeur locale en créant le Festival d'Aubusson.

Je n'ai pas encore dit le plus important: Bernard Lecherbonnier connaît bien les chevaux, qu'il a approchés alors que, encore étudiant, il avait été recruté comme précepteur du fils du principal propriétaire de trotteurs de l'époque!

Anne-Marie LE MUT (1939)

est une Bretonne, une vraie de vraie, avec un père marin, une crêperie familiale – et un attachement viscéral au pays.

Sa carrière équestre avait mal commencé: toute petite, elle avait peur des chevaux (bretons). Mais, têtue (comme une Bretonne), Anne-Marie résolut de surmonter ses frayeurs… en apprenant l'équitation! Objectif atteint au-delà de toute espérance: Anne-Marie est devenue une accro, a beaucoup randonné (avec Louis Chardon), pérégriné, pèleriné (jusqu'à Compostelle), et a fini par vivre avec une jolie jument aux yeux doux, Fantasia.

Biologiste reconvertie dans l'enseignement du français, Anne-Marie Le Mut a goûté un peu au journalisme équestre (*Cheval magazine*), et publié (en Bretagne) trois recueils de nouvelles dont un, « La jument lumière » (Coop-Breizh, 1999) est entièrement consacré aux chevaux.

Émilie MAJ (1978)

coulait des jours paisibles, entre son Alsace natale et sa Camargue d'adoption, se demandant sans trop d'angoisse dans quel cursus universitaire elle s'engagerait, lorsqu'elle vit « Chamane », le film de Bartabas. Pour elle, ce fut une révélation: c'est là qu'elle irait et c'est là qu'elle étudierait. En Yakoutie, au nord de la Sibérie, une des régions les plus froides du monde… Depuis, Émilie y a fait plus de cinq séjours, y passant deux ans, à vivre parmi les éleveurs, à observer leurs coutumes et traditions, à apprendre leur langue – et même à jouer de la guimbarde, l'instrument de musique préféré des Yakoutes.

Diplômée de russe, étudiante en ethnologie, elle prépare, sous l'autorité de Roberte Hamayon, la papesse des études mongoles et sibériennes (École Pratique des Hautes Études), un doctorat sur la figure du cheval chez les Yakoutes.

Lorsqu'elle revient en France, Émilie ne manque jamais d'aller monter Lavande, sa jument camargue, en pension quelque part en Alsace, du côté de Hagenau…

Jean-Noël MARIE (1941)

est la dernière trouvaille de la NRF, qui possède déjà dans ses écuries quelques nobles écrivains-cavaliers de pur sang, tels que, en remontant la chronologie, Jérôme Garcin, François Nourissier, Paul Morand ou Saint-John Perse.

Paru en 2004, son livre « Le cavalier à la charrette » (Gallimard) est inspiré – dans les deux sens du terme – de la querelle, quasi idéologique, qui opposa deux des plus célèbres écuyers du XIXe siècle, le comte d'Aure et François Baucher. De cet épisode historique, aussi marquant que la fameuse bataille d'« Hernani », Jean-Noël Marie a tiré un grand (et gros) roman d'amour (et de chevaux).

Prof de lettres, critique littéraire (plus exactement : poéticien), cavalier de dressage (chez Michel Henriquet), il partage son temps entre l'écriture et l'équitation, deux activités qui, comme l'ont déjà fait remarquer d'illustres auteurs, ne sont pas sans ressemblance.

ROBIN DE LA MEUSE (1943)

revendique pour lui-même le surnom, que Nicolas Leskov a donné à l'un de ses personnages, de « Vagabond enchanté ».

Cette référence à la Russie s'impose : elle est (avec l'Afrique, l'Inde, la Chine et l'Asie centrale !) sa terre de prédilection.

Parti un jour pérégriner du côté de Starojilov, « le village ou l'on peut vivre vieux », et où se trouve un des plus beaux haras de toutes les Russies (à 250 km environ au sud-est de Moscou), il fit étape à Riazan. C'est alors qu'il se souvint que (laissons-le raconter) « dans les années 1960, Khrouchtchev avait exilé non loin de là, dans une localité appelée Ribnoye – autant dire : au diable Vauvert – l'organisme chargé d'orienter et de contrôler l'élevage du cheval sur l'ensemble de l'immense territoire soviétique. Cette administration, appelée Institut du Cheval, avait été installée au beau milieu d'un vaste domaine, qui avait appartenu, avant la Révolution, à un nobliau, grand amateur de chevaux, le comte Divov. On voulut bien me le faire visiter. Là comme ailleurs, les Soviétiques n'avaient pas trop abîmé ce qu'ils avaient trouvé, se contentant de ne plus rien entretenir, de laisser les bâtiments se délabrer, les installations se déglinguer – et de construire, fierté du socialisme, un immeuble de bureaux, aussi laid que possible, à côté des vieilles écuries abandonnées, envahies d'herbes folles. Au milieu desquelles je découvris une étrange pierre tombale ».

[Dont il raconte l'histoire dans le recueil en question.]

Marine OUSSEDIK (1967)

est sans doute la plus célèbre illustratrice du cheval de France et de Navarre. Qui n'a vu, au moins une fois, ses dessins dans un magazine, une galerie ou, mieux encore, au Musée Vivant du Cheval (Chantilly), où une salle entière lui est réservée ? Qui ne connaît ses gracieuses cavales, œil exorbité, naseau dilaté, gambettes délicates, encadrées d'arabesques décoratives – ou ses puissants étalons portugais, empanachés, décochant une cabriole impeccable sur un fond bleuté d'*azulejo* ?

Propriétaire d'un lusitanien et d'un selle-français, qu'elle nourrit, panse, dorlote et monte chaque jour, Marine passe une moitié de son temps au chevalet, une autre à cheval. On serait tenté de croire qu'il lui reste encore une troisième moitié – tant sa vitalité et son énergie sont grandes –, qu'elle consacre à étudier les cultures équestres du monde : orientale, ibérique, amérindienne. Pour le plaisir, et pour mieux les représenter, dans les beaux livres qu'elle publie épisodiquement (« Les chevaux d'encre » en 1993, « Les chevaux du Sahara » en 1998, « Les chevaux du vent » en 2002, « Les chevaux de rois » en 2004 – les deux derniers aux éditions Martelle).

D'origine (paternelle) berbère, Marine aime se souvenir des légendes kabyles que lui racontait son père, qui lui-même les tenait de ses ancêtres, en lui assurant que ces histoires, bien sûr, étaient vraies.

Catherine PAYSAN (1926)

est une romancière célèbre, dont les œuvres, constamment rééditées en poche, ont été souvent adaptées au cinéma. Moins connue est son œuvre poétique, dont des « morceaux choisis » ont été heureusement publiés il y a peu, sous le joli titre d'« Écrit pour l'âme des cavaliers » (*caracole*, Favre, 2002).

Née dans un petit village de la Sarthe, fille d'une institutrice et d'un gendarme, la petite Annie Roulette, qui choisira plus tard le magnifique pseudonyme de Catherine Paysan, a grandi au temps des chevaux – auxquels elle a d'ailleurs consacré un de ses plus beaux poèmes : « Je suis d'un village où j'entends / Les chevaux noirs, les chevaux blancs, / Avec

leurs yeux arabisants, / Leurs nez peuhls, leurs croupes latines, / Traîner tout le jour des racines / Et des surcharges de froment. »…

Elle récidive ici, dans une belle déclaration d'amour.

Colette PIAT (1947)

a longtemps exercé le métier d'avocat(e). Jusqu'au jour où elle fit paraître (en 1976) un violent pamphlet, « Une robe noire accuse » (Presses de la Cité) : mettant ses actes en conformité avec ses pensées, elle abandonna le Barreau, et réinvestit sa prodigieuse énergie dans l'écriture.

Colette Piat est l'auteur(e) d'une bonne trentaine d'ouvrages : des essais, des romans, des récits, et même, sous le pseudonyme de Patricia Lumb, des polars (la série des *Lady Blood*, chez Denoël). Si elle excelle dans tous les genres, y compris les dramatiques pour la radio (plus de quarante pièces, jouées sur France Inter et Radio Bleue), c'est dans le mélange de la fiction et de l'histoire qu'elle donne toute sa mesure, comme elle le prouve encore dans son dernier livre, « Waterloo-Texas » (éditions du Rocher, 2005).

L'histoire « vraie » qu'elle raconte ici n'est pas complètement fausse : juste un peu romancée.

Claire PRADIER (1936)

est monitrice d'équitation et pharmacienne : trente-cinq ans d'officine et de laboratoire, et quarante-cinq ans de fréquentation des chevaux. Quarante-cinq ans, aussi, de mariage. Avec le bon docteur Pradier (dont on lira la contribution après celle de Claire)…

L'âge de la retraite venu, Claire s'est souvenue de ce que lui racontait son grand-père paternel lorsqu'elle était petite fille : du sang indien coulerait dans les veines de la famille, du sang aztèque, du sang royal ! Elle s'est alors plongée dans la bibliothèque grand-paternelle, dans les archives laissées par l'ancêtre.

De là sont nés deux livres, deux romans historiques, publiés sous le pseudonyme de Kay Pradier aux éditions Favre (Lausanne) : « Malinali, princesse aztèque » (2000) et « Gloire et infortune de Cortès » (2003). Deux histoires flamboyantes, servies par cette écriture chaleureuse et limpide dont on trouvera ici un bref échantillon.

Pierre PRADIER (1933)

est le prototype de ce qu'on appelait autrefois un homme de cheval : cavalier de haut niveau et vétérinaire de haut vol, il cumule – fait rarissime – compétence équestre (il est instructeur d'équitation) et connaissances médicales (il a été vétérinaire officiel de la Fédération Française d'Équitation de 1968 à 1973).

Pierre Pradier est l'auteur d'ouvrages savants sur la « Mécanique équestre » (Maloine, 1995, 1999), et d'un magnifique roman, « L'École des centaures » (Le Rocher, 2004), qui raconte la transmission, quasi-initiatique, d'un savoir entre trois générations d'écuyers, et dont le style n'est pas sans rappeler celui de La Varende.

Il lui arrive souvent de quitter « le plancher des vaches » (et des chevaux) pour naviguer sur son voilier de dix-sept mètres, Atlantis II, avec lequel il a déjà fait, en compagnie de Claire, un tour du monde, deux traversées atlantiques et d'innombrables périples en Méditerranée.

Jean-François PRÉ (1951)

a été parfaitement décrit, ou « résumé », d'une phrase, par *Le Monde* en novembre 1999 : « Chroniqueur hippique de TF1, délicieux dandy et parfait cavalier » !

Tout est dit, ou presque. Il faut juste ajouter que cet éternel jeune homme, dont l'élégante silhouette hante les hippodromes depuis plus de vingt ans, est, malgré une apparente nonchalance, en fait un grand travailleur. Ses trois collaborations quotidiennes (à la télé, au *Parisien* et à *Tiercé magazine*) ne suffisent pas à satisfaire sa boulimie : Jean-François Pré écrit aussi des livres. Des romans, qui se lisent au galop. Avec intrigues, suspens, rebondissements et tous les ingrédients qui font les bons polars. Signe particulier : tous ces romans (« Le cheval du président » au Fleuve Noir, « Qatar six » chez Osmonde, « Une fièvre de cheval » chez Favre, et « Sang pour sang gentleman », chez Autres Temps) ont pour décor le monde du turf, et pour héros des personnages qui ressemblent étrangement – la méchanceté en plus – à leur auteur.

Patricia REINIG (1956)

ce n'est pas le pseudonyme d'une toquée d'équitation western ; c'est le vrai nom d'une vraie professionnelle du tourisme équestre, aujourd'hui reconvertie dans l'écriture de livres pour enfants : « L'imagerie des poneys », « L'essentiel des chevaux », « La grande imagerie des animaux familiers », etc. (le tout chez Fleurus).

Polyglotte, amoureuse des chevaux, passionnée d'équitation d'extérieur, curieuse des gens, ouverte aux autres, intriguée, voire attirée, par les cultures du monde, Patricia a lancé en France la principale agence de voyage spécialisée dans la randonnée équestre (Equitour) et goûté au journalisme (*Cheval magazine*) avant de se consacrer à sa famille… et à la littérature.

Elle est l'auteur, en particulier, d'un beau roman, « Le buveur de liberté », paru chez Equilivres en 1999 ; et d'un salutaire coup de gueule, « Vacheries », toujours accessible sur <manuscrit.com>

Danièle ROSADONI (1942)

est la seule agrégée de grammaire à monter « en amazone », et la seule amazone, sans doute, à être passée à *Apostrophes*, au temps de Bernard Pivot. Danièle, qu'on surnomme parfois Rosa, parfois Lila, n'est pas, on l'a bien compris, quelqu'un de facile à cataloguer.

Après avoir appris – simultanément – les langues scandinaves et le théâtre, après avoir vécu dix ans au Danemark, enseigné la stylistique, écrit des poèmes, joué des comédies, Lila-Rosa est revenue en France, a succédé à Colette Audry à la tête de la prestigieuse collection *Femmes* (chez Denoël), traduit des romans du danois, publié les siens (« Belle fiole », chez JC Lattès, et « L'Amour par correspondances », chez Denoël)… et surtout – surtout –, elle a découvert l'équitation : « découverte majuscule », dit-elle.

Cette nouvelle activité devient vite une passion envahissante. Rosa monte en selle de dame, rencontre Nuno Oliveira, obtient ses diplômes de monitrice à Saumur (où elle deviendra formatrice).

Cela ne lui laisse plus guère de temps, hélas, pour l'écriture. Sauf quand on le lui demande gentiment.

Sylvain TESSON (1972)

a probablement de gros biscotos, des mollets en acier et des abdominaux en plaque de chocolat. Car, persuadé qu'on apprend mieux la géographie en faisant le tour du monde qu'en feuilletant les atlas, ce jeune géographe ne cesse, depuis l'adolescence, d'explorer la planète.

Grimpeur infatigable, il escalade aussi bien les sommets himalayens que, lorsqu'il revient en France, les flèches des cathédrales gothiques (la nuit, c'est encore mieux !). Cavalier intrépide, il a vécu mille aventures aux quatre points cardinaux, refaisant, par exemple, le long voyage (6 000 km) qu'effectuaient naguère les évadés du goulag, de la Yakoutie au Bengale !

Mais ce grand voyageur, ce grand marcheur est aussi un grand lecteur. Athlète cultivé, globe-trotter intelligent (et drôle), Sylvain Tesson a prouvé qu'il était aussi un véritable écrivain. À travers le récit de ses pérégrinations (chez Robert Laffont) et, mieux encore, dans deux recueils de brèves fictions (chez Phébus) : « Nouvelles de l'Est », puis « Les jardins d'Allah ».

THANH-VÂN TÔN-THÂT (1969)

normalienne, agrégée des lettres, est maître de conférences à l'université d'Orléans. Spécialiste reconnue de Proust, auquel elle a consacré plusieurs ouvrages, elle a bien d'autres centres d'intérêt : la poésie (qu'elle pratique), la Russie (qu'elle fréquente, et dont elle parle la langue), les chevaux (qu'elle a découverts, enfant, au cours d'une « classe de nature », et qu'elle monte, depuis, aussi souvent que possible), et, bien sûr, le Vietnam, qui n'est pas son pays natal (elle est née en France), mais son pays d'origine, et où elle retourne fréquemment.

C'est au cours d'un de ses derniers voyages là-bas que TVTT (comme la surnomment ses collègues) a entendu la belle histoire triste qu'elle raconte ici.

LE MINARET DE CASTELNAUD

[L'histoire racontée par Robin de la Meuse dans le recueil de nouvelles évoqué dans les pages précédentes est une histoire vraie. Celle d'un nobliau de l'aristocratie terrienne russe, le comte Divov, propriétaire d'un beau haras dans la région de Ribnoye (à quelque 250 km au sud-est de Moscou), qui, dans les années 1860, avait fait édifier au beau milieu de son vaste domaine… un minaret. Il avait épousé, en effet, une musulmane qui avait souhaité disposer d'un lieu où elle puisse se recueillir et, se tournant vers La Mecque, prier Allah. Un jour, hélas, la pieuse épouse – on ne sait pas très bien dans quelles circonstances – fit une chute du haut de l'édifice. Le comte s'empressa d'aller chercher du secours à la ville voisine, Riazan, située à vingt-cinq verstes de là en utilisant son meilleur cheval, un bel étalon noir, appelé Voron (Corbeau). Vingt-cinq verstes aller, vingt-cinq verstes retour : cinquante kilomètres au galop ! Le cheval, époumoné, s'effondre. Foudroyé ! Pour honorer ce cheval héroïque, le comte Divov le fit enterrer sur place, au pied du minaret. De nos jours encore, la tour et la tombe sont toujours visibles.

– Cette belle histoire d'amour ne ferait-elle pas un film formidable ? demandé-je un jour de septembre 2006 à mon ami le réalisateur Joël Farges.

Peut-être échaudé par les difficultés d'un tournage en Russie (il venait d'y achever le tournage – dans des conditions épiques – du film « Serko »), Joël me demanda s'il n'y avait pas moyen d'adapter cette aventure, de la transposer ailleurs – et pourquoi pas en France ?

J'imaginai alors le scénario suivant.]

1830 : le roi Charles X confie au comte de Bourmont le commandement d'un corps expéditionnaire censé « punir » le Dey d'Alger.

Une flotte de près de mille bâtiments débarque les troupes françaises à Sidi Feruch le 14 juin (Alger est prise le 4 juillet).

L'armée se compose principalement de fantassins : sur les trente-sept mille hommes débarqués, on ne compte que cinq cents cavaliers, placés sous les ordres du colonel Bontemps-Dubarry : un escadron du

13e Chasseurs-à-cheval et deux escadrons (dont un de lanciers) du 17e.

Cette maigre cavalerie sera d'autant plus inopérante qu'elle est remontée en grands chevaux français qui s'adaptent mal au terrain et au climat nord-africains.

Au cours de brefs accrochages avec la résistance indigène, un jeune et fringant officier (notre héros) a été surpris – et séduit – par la vivacité et l'énergie des petits chevaux de l'adversaire.

Les chevaux, il connaît. Dans ses propriétés (du Périgord?), il a créé un élevage expérimental. Il tente de donner naissance, par croisement entre poulinières locales et un étalon descendant en ligne directe d'un des plus beaux chevaux orientaux (probablement turc, ou turcoman) issu des écuries de Napoléon, une nouvelle race. Un superbe poulain né de ce croisement est d'ailleurs venu au monde quelques jours seulement avant son départ en campagne.

Ayant vite compris la supériorité des chevaux locaux sur les nôtres, il ne tarde pas à préconiser à sa hiérarchie de remplacer les grandes bringues débarquées de leurs verts pâturages normands ou limousins, grandes consommatrices de fourrage et d'eau (denrées rares ici), par des chevaux du pays, plus sobres, plus vifs, et à la fois plus résistants et plus endurants: les chevaux barbaresques. Les « barbe ».

[Il parviendra à ses fins: l'armée française finira, en effet, par adopter le barbe pour assurer la remonte de ses troupes coloniales – à commencer par les premières troupes indigènes: les Spahis.]

Après d'âpres discussions, notre héros obtient gain de cause. Il est envoyé en mission d'étude, d'information, d'exploration dans le bled, sur les hauts plateaux, où se trouvent, apprend-il, les plus beaux spécimens de la race.

Arrivé dans la région de Tiaret, il tombe en arrêt devant la qualité des chevaux que lui présente un éleveur local. Un vieillard majestueux, au visage buriné, duquel se dégage une élégance, une aristocratie naturelles (genre Abd el-Kader).

Très vite, une estime mutuelle s'installe entre les deux hommes: entre connaisseurs, entre « hommes de cheval ».

Un soir, notre héros, invité à boire le thé sous la tente du noble bédouin, aperçoit une jeune fille dont les voiles ne dissimulent pas la bouleversante beauté.

Dès lors, notre héros n'aura de cesse de la revoir.

Il s'avère que la jeune Algérienne est la fille benjamine du vieil éleveur. Notre héros obtient, non sans mal, l'accord de ce dernier pour lui

« enlever » sa fille, à condition qu'il lui promette qu'elle pourra, toujours et partout, pratiquer sa religion.

On retrouve ici le fil de l'histoire racontée par Robin de la Meuse dans « Histoires d'amour (et de chevaux) », à savoir le retour du héros dans sa propriété, avec sa belle compagne, la construction du minaret, l'accident, la mort de la jeune femme… et la mort du cheval.

À noter qu'en cas de tournage en Périgord, l'idée de la construction du minaret peut être remplacée par celle de la transformation du donjon du château familial – Castelnaud, par exemple – en minaret !

[À défaut de devenir un film, cette adaptation dans un contexte historique et géographique « français » d'une histoire « russe » va devenir… un livre ! Séduit par l'idée, en effet, l'excellent historien du Second Empire qu'est mon ami Alain Gouttman s'est attelé à la tâche. Il en sortira un – merveilleux, j'en suis certain – roman historique, dont il y aura peut-être un jour une adaptation… cinématographique ? !]

LA GAUCHE DU CHEVAL
ET LA DROITE DE L'HOMME

Ils me font rire. Pourtant, ce ne sont pas des comiques. Ce sont souvent, au contraire, des gens extrêmement sérieux. Je parle des scientifiques, des chercheurs, des universitaires. J'ai pour eux le plus grand respect, mais parfois, je n'y peux rien, ils me font rire. Quand, par exemple, ils s'échinent à poser des problèmes qui n'existent pas, ou quand ils proposent des solutions compliquées aux problèmes les plus simples : bref, quand ils s'acharnent à utiliser le fil à couper le beurre pour couper les cheveux en quatre.

Je n'évoque pas ici leur charmante façon de décortiquer à l'infini les sujets microscopiques, qui est la méthode, sinon le but, de toute recherche digne de ce nom.

Comme tout récemment (16 juin 2007), à l'École Nationale d'Équitation, à l'occasion d'un colloque très savant sur « La mobilité et la décontraction de mâchoire en équitation : leur influence sur la locomotion du cheval, son bien-être et son emploi ».

Son organisateur, Patrice Franchet d'Espèrey, a réussi à réunir sur cette seule question – fondamentale, j'en conviens, mais tout de même assez particulière – une brochette de médecins, d'experts, de docteurs en diverses disciplines qui ont, de neuf heures du matin à sept heures du soir, glosé sans interruption sur ces problèmes de mandibules.

Lorsque Patrice m'avait demandé de trouver un intitulé attrayant à ce colloque d'aspect rébarbatif, je lui en avais proposé – histoire de mettre un peu de gaîté dans tout ça – trois versions : « Réflexions sur la flexion », ou bien « Décontraction de mâchoire et prise de tête », ou encore (c'est le titre qu'il a finalement retenu) : « La vérité sortirait-elle de la bouche des chevaux ? ».

Il faut bien rire un peu.

J'ai beaucoup ri aussi en lisant l'autre jour, dans une revue très respectable, *Études Mongoles, Sibériennes, Centre-Asiatiques et Tibétaines* (n° 36-37, 2005-2006), un article d'une jeune femme pour laquelle j'éprouve la plus vive admiration, Carole Ferret. Cette dernière a soutenu, en 2006, une thèse de doctorat qui lui a valu les félicitations unanimes du jury : travail remarquable, en effet, sur ce qu'on pourrait appeler la civilisation du cheval chez les peuples de Sibérie (Iakoutes) et d'Asie Centrale (Kazakhs), et qui sera un jour, il faut l'espérer, publié. [Il a été publié, en effet, fin 2009, par Belin, sous le titre « Une civilisation du cheval ».]

Dans l'article évoqué ici, et consacré à je ne sais plus bien quel micro-sujet (du genre : comment les nomades de Sibérie et d'Asie Centrale se repèrent dans l'espace), l'auteur – par ailleurs cavalière pratiquante – aborde en passant la question du montoir : « la règle voulant qu'on monte les chevaux par la gauche ne souffre pas d'exception dans le monde altaïque », écrit-elle (page 151). En bonne scientifique qu'elle est, n'affirmant jamais quoi que ce soit sans s'appuyer sur des sources multiples, Carole s'empresse d'appeler à la rescousse le témoignage d'un certain Radlov qui écrivit (en 1893 !) que cette règle du montoir par la gauche était d'ailleurs parfaitement intégrée par l'animal lui-même puisque « le cheval altaïen ne se laisse pas aborder par la droite » !

Cette citation, bien sûr, est dûment référencée en fin d'article, dans une bibliographie contenant plus de cinquante sources en français, anglais, russe, kazakh et autres langues ou dialectes.

Toutefois, cela ne suffit pas à notre jeune chercheuse. Prise de scrupules (ce qui l'honore), rongée de remords, elle se dit qu'elle n'a pas suffisamment détaillé le sujet, et décide d'ajouter une petite note additive en bas de page. En voici le texte intégral :

« La quasi-universalité de la monte par la gauche est une énigme à résoudre. Plusieurs hypothèses ont été avancées, qui ne sont pas pleinement satisfaisantes, telle l'inflexion naturelle du cheval à gauche, qui serait liée à la position du fœtus dans le ventre de sa mère. Cette croyance est partagée par les Français et les Mongols [à cet endroit, Carole Ferret en appelle à Françoise Aubin, grande prêtresse des études mongoles, dont un article, paru en 1986 dans une revue ultra-confidentielle, *Production pastorale et société* (*sic*), aborde le sujet]. Ceux-ci proposent une explication alternative, selon laquelle les chevaux verraient moins bien à gauche, vision altérée qui limiterait leurs défenses [ici, Carole Ferret se réfère à une « communication personnelle » que lui aurait faite une de ses collègues, Gaëlle Lacaze, elle aussi docteur en ethnologie] ».

Au lieu de convoquer ainsi le ban et l'arrière-ban de la recherche universitaire, Carole aurait peut-être été mieux inspirée d'aller voir ce que les Anciens racontaient à ce sujet.

Dans un des fameux dialogues qui constituent « L'Instruction du Roy en l'exercice de monter à cheval » (1625), Monsieur de Pluvinel fait à son illustre élève, qui l'interroge sur la raison pour laquelle les chevaux semblent « portés à tourner plus volontiers à main gauche » la réponse suivante [dans l'orthographe de l'époque] :

« Sire, il y a quelques uns qui en ont voulu chercher la cause avant la naissance du cheval, & asseurent que le poullain estant dans le ventre de sa mère est tout plié du costé gauche : d'autre ont dit que ordinairement les chevaux se couchent le plus souvent sur le costé droit, qui les oblige de plier le col & la teste à main gauche. Mais moy qui ne recherche point toute cette philisophie inuisible, & qui m'arreste à ce que ie voy apparemment, ie ne croy ny aux uns aux autres : & puis asseurer à V. M. que la seule coustume leur produit ceste mauvaise habitude, laquelle ils prennent dés qu'il sont hors d'aupres de leur mere, & attachez dans l'Escurie. Premierement le licol, le filet, la bride, la selle, & les sangles se mettent du costé gauche. Iamais, ou rarement le Palfrenier ne commence à penser son cheval, ny ne luy donne à manger que de mesme costé. Et toutes sortes de valets, soit Palfreniers ou autres (s'ils ne sont gauchers) conduisent tousiours un cheval de la main droicte, & par ce moyen luy tirent la teste à main gauche. »

Malgré la difficulté de sa lecture, la réponse est lumineuse. Elle situe parfaitement le problème. Et rappelle fort opportunément pourquoi l'homme aborde généralement le cheval par la gauche – la gauche du quadrupède, et donc la droite du bipède : c'est qu'il se trouve, tout simplement, que les hommes sont, dans leur immense majorité, droitiers.

J'ai lu récemment quelque part (c'était, je crois, dans *Le Monde*) qu'un scientifique – un de ces chers chercheurs auxquels cette chronique est dédiée – avait constaté, à l'issue de longues observations, qu'il en allait de même chez les singes.

Chez les singes, comme chez les humains, il y a, certes, des contre-exemples. On dit même que le fait d'appartenir à la minorité utilisant la gauche de préférence à la droite serait une preuve d'intelligence (!?). Ce que j'aurais tendance à croire en consultant la liste de quelques gauchers célèbres fournie par les drolatiques « Miscellanées » de M. Schott (éditions Allia, 2006), dans laquelle on trouve, pêle-mêle, et par ordre alphabétique : Jean-Sébastien Bach, Jules César, Charlie Chaplin,

Albert Einstein, Bill Gates, Johann Wolfgang von Goethe, Napoléon Bonaparte, Friedrich Nietzsche et Léonard de Vinci !

Mais l'écrasante majorité des humains est droitière. Et les droitiers ayant plus de force du bras droit que du bras gauche, qu'y a-t-il de vraiment étonnant à ce qu'ils tiennent un animal susceptible de leur résister de leur main la plus habile et la plus solide ?

Voilà tout simplement pourquoi on aborde le cheval par sa gauche : pour pouvoir le tenir de la main droite !

Pourquoi aller chercher mille autres explications farfelues ? Si les scientifiques du cheval veulent absolument se creuser les méninges, qu'ils s'interrogent plutôt sur les (rares) exceptions à la règle. Il en existe au moins une : en Bretagne ! Comme l'a fait judicieusement remarquer Tanneguy de Sainte-Marie (le sympathique patron du Haras de Hennebont), « la Bretagne est la seule contrée à travers le monde où l'on mène les chevaux à droite. Aujourd'hui, seuls les Finistériens ont conservé cette pratique » (*in Ouest France* du 22 novembre 2003). Voilà, n'est-ce pas, un beau sujet de thèse en perspective !

[Autre idée de thèse, sur un sujet qui, certes, n'a rien à voir avec le précédent, tout en n'étant pas sans rapport : comment se fait-il que toutes les représentations de Epona montrent la déesse montant à cheval perpendiculairement à sa monture, les deux jambes pendantes du côté droit de l'animal – alors que dans la monte « en amazone », les deux jambes de la cavalière restent côté montoir, c'est-à-dire le côté gauche du cheval ! ?]

Le plus surprenant, dans cette incapacité de chercheurs pourtant très observateurs à constater une évidence, c'est que d'aussi simples considérations sont, au contraire, à la base de certaines de leurs démonstrations « scientifiques ».

Reprenons, pour illustrer mon propos, la petite note de bas de page ajoutée par Carole Ferret à son étude : « Le glaive, le sabre ou l'épée se portaient naturellement à gauche, explique-t-elle, afin d'être saisis aisément par un cavalier souvent droitier ». On peut se demander ici pourquoi l'argument est utilisé lorsqu'il s'agit d'expliquer le maniement d'une arme, mais ne l'est plus lorsqu'il s'agit du maniement d'un cheval – mais bref. Continuons : « Le montoir devait alors se faire par la gauche pour n'être pas gêné par l'arme. Il est plausible que les armes *portées* à la ceinture aient favorisé la monte par la gauche, tandis que les lances ou les bâtons *tenus* dans la main droite aient incité à monter par la droite, d'où le montoir à droite des Grecs anciens, jusqu'à la diffusion de l'épée. Ces pratiques se seraient ensuite fixées et auraient survécu aux instruments qui les avaient suscités. »

Bel exemple du genre de prise de tête dont je raffole. Parce que, comme je le disais au début, elles me font rire. Du coup, je les collectionne.

En voici une autre, piochée dans deux ouvrages différents mais concordants : « Pourquoi », de Philippe Vandel (éditions JC Lattès, 1996) et « Le guide du millionnaire », de Massimo Gargia (Favre, 2007). Deux livres peut-être pas très sérieux – je veux dire : pas vraiment scientifiques –, d'accord, mais ici, la concomitance peut tenir lieu de vérité ou, du moins, établir une certitude.

Autrefois, au temps des chevaliers, ou même dans des temps plus anciens encore, les hommes portant l'épée à gauche (pour pouvoir, en effet, dégainer de la main droite), avaient pris l'habitude, lorsqu'ils croisaient un autre cavalier, de lui laisser le passage plutôt à leur droite qu'à leur gauche, de telle sorte que si le cavalier en question s'avérait agressif, on puisse aisément dégainer et se défendre.

De là, affirment mes deux auteurs, serait née l'habitude de chevaucher sur le côté gauche des allées. Coutume qu'auraient conservé les Anglais en adoptant la conduite automobile à gauche ! [Bon sujet de thèse : pourquoi les Français et la plupart des autres peuples ont-ils choisi, au contraire, de rouler à droite ?

Parmi les explications « historiques » pittoresques qu'il m'a été donné d'entendre, il y a encore celle-ci, qui vaut la peine d'être rapportée. Le montoir se faisant toujours par la gauche de sa monture, les armées ont conservé cette pratique lorsqu'elles se sont mécanisées. Et même aéroportées : c'est ce qui expliquerait que, aujourd'hui encore, l'embarquement d'un avion se fait toujours par la porte gauche de l'appareil !

À propos d'aviation : c'est dans le modeste bulletin de liaison d'un aéro-club suisse, (*Aéro-contacts*, n° 93, juillet-août 2003) que j'ai trouvé (preuve de l'éclectisme de mes lectures !) le texte suivant, rapporté par une Association pour le Maintien du Patrimoine Aéronautique (si si, je le jure). Je ne résiste pas au plaisir de le reproduire ici, *in extenso* et en conclusion de cette longue chronique :

« Aux États-Unis, l'écartement des rails de chemin de fer est 4 pieds 8,5 pouces, valeur plutôt bizarre.

Pourquoi un tel écartement a-t-il été choisi ?

Parce que c'était l'écartement utilisé en Angleterre et que les premiers trains construits aux USA l'ont été par des émigrés anglais.

Pourquoi les Anglais l'avaient-ils choisi ?

Parce que les lignes de chemin de fer anglaises sont l'œuvre des mêmes personnes qui avaient auparavant construit les premières lignes de tramway avec ce même écartement.

Mais pourquoi diable 4 pieds 8,5 pouces ?

Parce que les premiers tramways étaient tractés par des chevaux et que les constructeurs utilisaient les mêmes gabarits et outillages que pour fabriquer les chars.

Mais pourquoi donc les chars étaient-ils dotés de cet écartement étrange ?

Simplement parce qu'avec un autre écartement, les roues de char étaient incompatibles avec les ornières espacées de 4 pieds 8,5 pouces des vieilles routes empierrées.

Et qui avait construit ces routes ?

Les premières routes dignes de ce nom en Europe (et en Angleterre) ont été construites sous l'Empire romain pour les déplacements des légions. Puis elles continuèrent à être utilisées en l'état avec leurs ornières.

Pourquoi encore les ornières sur les routes ?

Ces ornières dont il fallait tenir compte pour que ne se brisent pas les roues ont été peu à peu creusées par les chars de guerre et de transport romains.

La norme US de 4 pieds 8,5 pouces provient donc d'une spécification technique de la Rome Impériale concernant les chars de guerre. Cette spécification, comme la bureaucratie, a survécu.

Pour la dernière fois, pourquoi 4 pieds 8,5 pouces ?

C'est la logique même. La largeur du char, donc l'écartement des roues, était déterminée par la largeur de la croupe des deux chevaux qui lui étaient attelés.

Maintenant que nous avons la réponse à la question, examinons une implication intéressante liée à ces 4 pieds 8,5 pouces.

Si vous observez une navette spatiale sur son pas de lancement vous pouvez observer deux moteurs fusée fixés de part et d'autre de l'énorme réservoir principal de combustible. Ce sont les SRB's (Solid Rocket Boosters). Les SRB's sont fabriqués à Thiokol, dans l'Utah. Les ingénieurs qui ont développé les SRB's auraient souhaité les faire un peu plus gros, mais ils devaient être transportés par le train depuis l'usine jusqu'au site de lancement.

Or la ligne de chemin de fer emprunte des tunnels.

Et les tunnels sont à peine plus larges que les wagons et la largeur de ces derniers dépend de l'écartement de 4 pieds 8,5 pouces.

C'est ainsi qu'une caractéristique de ce qui peut être considéré comme le moyen de transport le plus sophistiqué jamais construit a été déterminée, il y a deux mille ans, par les culs de deux chevaux. »

[Paru dans le n° 2 de la revue CHEVAL-CHEVAUX (avril-septembre 2008), ce texte était précédé d'un « chapeau » dans lequel j'enrichissais mon petit essai d'éléments recueillis depuis sa rédaction, quelques mois plus tôt.

M'étant replongé dans l'œuvre hippologique de l'émir Abd el-Kader (dont on célébrait alors – en 2008 – le bicentenaire de la naissance) et en particulier dans les commentaires qu'il fit au général Daumas après la parution (en 1851) de la première édition de son fameux ouvrage « Les chevaux du Sahara », je « tombai » en effet sur une lettre que le général Marey Monge, comte de Péluze et ancien Gouverneur général de l'Algérie, avait adressée de Metz le 1er novembre 1852 à son ami Daumas (et que ce dernier avait décidé de publier en annexe dans une des nombreuses rééditions de son livre). Un paragraphe de cette lettre me parut contredire l'affirmation, que j'avais formulée de façon peut-être un peu trop péremptoire, selon laquelle la mise en selle des cavaliers se serait toujours et partout faite par la gauche du cheval.

Patatras ! Je découvre, en lisant le général Marey Monge, que pas du tout ! Que les Arabes, eux, montent par la droite ! Ce que confirme le général Daumas au cœur même de son livre « Les chevaux du Sahara » (page 165 de l'édition de 1862) : « on sait que les Arabes, écrit-il, montent à droite et descendent pour la plupart à gauche » !

Non, je ne le savais pas ! Je croyais même savoir le contraire ! Si l'on se réfère à une source plus ancienne, sinon plus crédible, on acquiert en effet la certitude inverse. Dans un des plus fameux traités arabes de la spécialité, « La parure des cavaliers et l'insigne des preux » *, on peut ainsi lire (page 143) « celui qui veut s'accoutumer à l'équitation sans selle doit revêtir des vêtements légers […] Se tenir ensuite du côté gauche du cheval, près de l'épaule et prendre les rênes dans la main gauche. Il n'est pas mauvais d'empoigner les crins en même temps que les rênes. Sauter à cheval rapidement et légèrement ». Avec un cheval sellé, mêmes instructions : « se placer à la gauche du cheval, près et un peu en arrière de l'étrier » (page 152).

---

* Texte arabe du XIVe siècle de notre ère, rédigé par un certain Aly ben Abderrahman ben Hodeïl el Andalusy à la demande du sultan de Grenade, traduit par Louis Mercier dans les années 1912-1923, et édité à Paris en 1924 par la librairie orientaliste Paul Geuthner.

Pour justifier le montoir par la droite, le général Marey Monge se lance dans une longue explication, typique des prises de tête dont je fais mes choux gras dans mon petit essai. Mais la plus belle, la plus flamboyante de ces remarques délirantes nous est fournie par le grand orientaliste, arabisant et islamologue français, feu Jacques Berque (1910-1995) qui, persuadé, comme Daumas, que les Arabes montent à cheval par la droite (et en descendent par la gauche ?), dit un jour : « Observez que c'est également de droite à gauche que va l'écriture arabe, comme par hasard » ! (*in* Jacques Berque, « Il reste un avenir », entretiens avec Jean Sur, Arlea, 1993, page 129. Vifs remerciements à François Pouillon auquel je dois cette superbe référence.)

Dans un registre différent, plus scientifique (à défaut d'être plus sûr), voici ce qu'on a pu lire en avril 2010 dans le n° 460 de *Cheval magazine* : « Saviez-vous que, contrairement à la tradition et à une idée couramment répandue, les chevaux ne préféraient pas forcément être abordés du côté gauche ? En travaillant sur 39 jeunes chevaux âgés de un et deux ans, les chercheurs de l'université de Rennes ont montré que les approches par la droite suscitaient des réactions positives, avec des chevaux restant immobiles, ou tournant la tête vers l'homme, tandis que les approches par la gauche engendraient des réactions négatives, voire des menaces. Ces résultats – qui pourraient s'expliquer par la mobilisation, lors d'un abord à gauche de l'hémisphère droit du cerveau, celui responsable des émotions négatives, de la peur et de la fuite – ont été présentés lors de la journée de la recherche équine, qui a réuni une quinzaine d'équipes scientifiques, le 4 mars dernier (2010). »

Décidément, on n'arrête pas le progrès !

Devant de telles avancées « scientifiques », n'est-il pas bon de revenir aux sources, de relire les grands classiques, de se replonger dans Xénophon qui, dans son traité « De l'équitation » (traduit ici par Paul-Louis Courier) écrivait, dix siècles environ avant notre ère : « Pour bien brider le cheval, le palefrenier premièrement l'approchera par la gauche ; ensuite, passant les rênes par-dessus la tête, il les posera sur le garot ; puis il prendra la têtière avec la main droite, et de la gauche présentera le mors à la bouche du cheval ; bien entendu que s'il le reçoit sans difficulté, il faudra le coiffer : mais s'il n'entr'ouvre pas la bouche, il faut, en même-temps qu'on applique le mors contre les dents, introduire à l'endroit des barres le grand doigt de la main gauche ; la plupart cèdent à cela et ouvrent la bouche : mais s'il résistoit encore, on pressera la lèvre contre le crochet ; il en est bien peu que ce moyen n'oblige à desserrer les dents. »

Et, quelques pages plus loin : « Sur le point de monter à cheval, le cavalier se trouvant placé et disposé convenablement, voici ce qu'il faut observer, pour le bien de l'homme et du cheval. Le cavalier doit d'abord avoir prête, dans la main gauche, la longe qui tient à la gourmette ou à la muserolle, ayant soin de tenir cette longe assez lâche pour ne point tirer, soit qu'il s'enlève en prenant une poignée de crins près des oreilles, soit qu'il saute au moyen de la pique : de la droite il saisira près du garot les rênes et la crinière ensemble, de sorte que le mors n'agisse en aucune façon sur la bouche ; après quoi, prenant l'élan pour se mettre en selle, il s'enlevera de la main gauche et s'aidera de l'autre, fortement tendue (ainsi on évitera toute posture indécente) ; puis, la jambe pliée, qu'il ne pose pas le genou sur le dos du cheval, mais qu'il passe la jambe sur les côtes droites, et quand son pied sera placé, qu'il pose alors les fesses sur le cheval.

Mais s'il arrive que le cavalier mène son cheval de la main gauche, ayant la pique dans la main droite, alors nous croyons qu'*il convient de s'être habitué à monter du côté droit.* Ce qu'il faut savoir pour cela se réduit à faire de la droite ce qu'on faisait de la gauche, et de la gauche ce que nous avons dit de la droite. Cette pratique est utile, et nous la recommandons, parcequ'ainsi le cavalier se trouve tout d'un coup en selle et prêt à combattre en cas de surprise. »]

QUAND L'HOMME SE DÉSIRE CHEVAL

Les Saintes Écritures nous enseignent que Dieu, dans sa grande générosité, aurait eu l'intention de créer l'Homme « à son image ». Il n'est pas sacrilège de faire observer que ce ne fut pas une très grande réussite. Certes légèrement déçu du résultat, l'Homme, toutefois, n'oublia jamais l'intention divine. Il rechercha (et cherche encore) à améliorer la ressemblance, à se rapprocher du modèle original – peut-être même, allez savoir, à prendre un jour sa place !

En regardant le monde que Dieu avait mis à sa disposition, l'Homme ne tarda pas à remarquer une autre créature, manifestement plus réussie que lui, ou en tout cas plus conforme à l'idée qu'on peut se faire de la vie céleste : le Cheval. Il mit beaucoup de temps – des milliers d'années – à trouver le moyen d'accaparer sa force, sa fougue, sa vitesse, mais, d'emblée, il fut séduit par sa grâce, sa beauté, sa magie. Des préhistoriens ont fait le calcul : plus du tiers des animaux peints ou gravés par les hommes des cavernes sont des chevaux. Une des plus anciennes et des plus belles de ces représentations rupestres se trouve dans la fameuse grotte Chauvet. Elle date de trente-cinq mille ans environ !

Ce n'est que trois cents siècles plus tard que l'Homme eut – enfin ! – l'idée de coopérer avec cet animal pour tenter, en s'y mettant à deux, de se rapprocher des dieux. Les plus anciennes traces de la domestication du cheval, en effet, indiquent que l'événement n'est pas très ancien : trois mille, trois mille cinq cents ans, environ, avant notre ère (alors que pour le chien, le bœuf, le mouton, c'est cinq mille, huit mille, voire dix mille ans !).

Une découverte récente, par une équipe anglaise, a permis de localiser ce qui peut être considéré aujourd'hui (en attendant d'autres découvertes) comme le lieu où cela s'est passé, pour la toute première fois : au nord du Kazakhstan actuel. L'examen des mâchoires de chevaux trouvées sur place prouve que ces animaux avaient dû mastiquer un mors, et celui des fragments de céramiques indique que ces poteries avaient contenu du lait de jument. Cette dernière constatation n'a pas déclenché dans les milieux spécialisés, me semble-t-il, une émotion particulière, alors que j'y vois, pour ma part, une révélation cruciale, fondamentale, qui bouleverse tout ce qu'on avait imaginé jusqu'alors : l'indice, si ce n'est la preuve, du fait que le premier Homme à avoir eu l'idée de domestiquer le Cheval était (probablement)… une femme ! Car, c'est un constat que l'on peut faire, aujourd'hui encore, chez tous les peuples consommateurs de lait de jument (les Mongols, les Bachkirs, les Kirghizes, etc.), la traite est toujours l'affaire des femmes. Les hommes, eux, s'occupant des autres usages de l'animal. C'est-à-dire, principalement, l'équitation.

Utiliser le cheval comme monture n'était pas, semble-t-il, une idée évidente. Il a fallu des siècles – des millénaires, on l'a vu –, pour qu'elle se concrétise, et c'est seulement de ce jour-là que l'homme est réellement devenu le maître de l'univers. Comme l'a écrit, dans un bel élan poétique, un hippologue du XIXe siècle, Ephrem Houël, « entouré d'éléments qui conjuraient sa ruine, d'animaux dont la vitesse et la force dépassaient les siennes, l'homme eut été esclave sur la terre ; le cheval l'en a fait roi ».

Le cheval, c'est vrai, grandit l'homme. À cheval, l'homme se sent plus proche des dieux : il est déjà un demi-dieu. Pour accéder à la divinité absolue, il lui faudrait pouvoir fusionner avec lui, ne former qu'un seul individu. Ainsi naquit sans doute le mythe du centaure, cet être hybride au buste d'homme et à la croupe de cheval : l'alliance de l'intelligence et de la puissance, de l'habileté et de la vigueur.

Il n'y a pas que dans les mythologies grecque ou romaine que de telles chimères existent : on trouve dans la mythologie hindoue des êtres de ce type, à ceci près qu'à l'inverse du centaure, ils possèdent un corps humain surmonté d'une tête de cheval. Les Parisiens peuvent en contempler un bel échantillon en se rendant, tout simplement, au Musée Guimet. A peine franchis les contrôles, on s'y retrouve nez à nez, si l'on peut dire, avec un prodigieux colosse de grès, sculpté en Inde au Xe siècle, représentant un avatar du dieu Vishnou ayant pris cette fois une figure chevaline.

C'est sous cette apparence aussi que se montre le dieu Bartabas, dans sa dernière création, « Le Centaure et l'animal », étrange et bouleversante chorégraphie associant le célèbre danseur de buto japonais Ko Murobushi aux chevaux Horizonte, Soutine, Pollock et Le Tintoret montés par un écuyer fantomatique. Dans une des scènes les plus fantastiques de ce magnifique spectacle, Bartabas, torse nu, blotti contre le poitrail de son cheval, apparaît soudain, tel Vishnou, surmonté d'une belle tête animale *.

À défaut de pouvoir réellement fusionner avec le Cheval, se fondre en lui, se confondre en une seule entité, l'Homme a-t-il, du moins, souvent essayé de l'imiter – comme s'il suffisait d'en prendre la silhouette pour en acquérir du même coup les capacités. Les exemples abondent : ici, on se ceint la taille d'une sorte de jupon de formes chevalines ; ailleurs, on porte un masque à tête de cheval. Il ne s'agit pas de quelques tentatives isolées, de quelques amusements carnavalesques – mais d'un phénomène universel et intemporel. Un certain Jean Baumel y a consacré un ouvrage savant (« Le Masque-Cheval », Institut d'Études Occitanes, 1954) dans lequel il décrit ce genre de danse, de cérémonie, répandu non seulement dans toutes les régions de France, mais dans tous les pays du monde : « On l'appelle *cheval-malet* dans la Loire Inférieure ; *cheval-fol* à Lyon ; *cheval godon* à Orléans ; *zamolzain* dans le Pays basque ; *chivaou frus*, *frux* ou *frés* en Provence ; *chivalet* en Languedoc ; *cheval fug* en Bourbonnais ; etc. » Et on le retrouve, sous des appellations, des fonctions et des aspects différents dans tout le reste de l'Europe (Angleterre, Suisse, Allemagne, Espagne, Russie) et même le reste du monde (Java, l'Inde, la Chine…).

Certes, ces danses traditionnelles, ces rituels ont aujourd'hui dégénéré, pour n'être souvent plus qu'un divertissement plus ou moins folklorique dont les acteurs eux-mêmes ont perdu le sens, oublié la signification – mais il n'empêche : à l'inverse, quelques individus ont encore recours à ce genre de déguisement, pour des raisons parfois un peu bizarres, parfois aussi extrêmement touchantes. C'est le cas, par exemple, de François Timmerman.

Comédien retraité, ce dernier « découvre » tardivement les joies de l'équitation en parcourant avec un vieux cheval, appelé Jekyll, les chemins et sentiers de Bretagne. Un beau jour de printemps 2008, il propose à son cheval d'entreprendre un vrai grand voyage : un périple de 2 000 km. Las ! Au bout de 1 200 km, le pauvre Jekyll, épuisé, demande à son cavalier de poursuivre la route sans lui. C'est alors qu'on vit sur les routes de France François Timmerman, fringant vieillard de 72 ans, juché sur un monocycle et portant un masque de cheval, couvrir les

---

* On a pu voir ce spectacle à Paris (Théâtre National de Chaillot) du 7 au 23 décembre 2010, puis à La Rochelle, du 7 au 13 janvier 2011. Il sera présenté dans les mois qui viennent à Londres (mars), Montpellier (juin), Barcelone (juillet), puis Annecy, Grenoble, etc.

800 km restants: « je l'avais promis à mon cheval » expliqua-t-il à un journaliste du *Télégramme* de Quimper (samedi 18 juillet 2009) alors qu'il traversait cette ville.

De même, un ou plusieurs individus masqués en cheval ont été repérés sur internet. L'un d'eux, se faisant appeler Horse-boy, hanterait les rues du GoogleStreetView, tandis qu'un autre, du nom de TheHumanHorse, serait à la recherche d'amis sur YouTube.

Dans un genre très différent, trois jeunes Français (d'origine libanaise), Matthieu (Mateo), Julien (Julo) et Guillaume (Gilo) Nassif, ont créé, à la fin des années 1990, une joyeuse bande, les Horse Men, qui se sont mis en tête de ressembler au cheval non point en se déguisant, mais en faisant aussi bien que lui – au moins sur le plan sportif.

Cavaliers accomplis et athlètes intrépides, ces sympathiques gais lurons ont eu un jour l'idée de franchir les obstacles d'un parcours de jumping… mais sans leurs chevaux ! Le public présent leur fit alors une telle ovation que les frères Nassif ont décidé de continuer et de perfectionner leur prestation (sans pour autant abandonner leurs études universitaires : de marketing pour Mateo, de droit pour les deux autres).

Ce qui n'était au début qu'une plaisanterie est devenu une attraction très demandée pour animer les terrains de concours hippique entre deux épreuves avec vrais chevaux. On les a vus, tout récemment, à Genève, à Oslo, à Helsinki (etc.) lors des grandes manifestations de la spécialité. Ayant fait de nombreux émules, « de la Suisse au Brésil », lit-on dans le magazine *L'Éperon* (décembre 2010-janvier 2011), « un Mondial des Horse Men » a été créé. C'est un jeune franco-brésilien, Evan Leuret, juriste dans une société maritime basée à Marseille, qui détient aujourd'hui le record, ayant franchi sans faute une barre située à 1 m 78 de hauteur.

[Paru dans LA REVUE n° 9 (février 2011)
dans la rubrique *La bride sur le cou*.]

LE TRIOMPHE DE L'IGNORANCE

C'est le coup de la bouteille à moitié pleine – ou à moitié vide. Sur toute chose, tout phénomène, toute personne, on peut porter un regard optimiste ou un regard pessimiste. Avant l'effondrement du Mur de Berlin, on racontait l'histoire suivante : deux fabriques de chaussures, une ouest-allemande, l'autre est-allemande, se livrent à une concurrence féroce. Elles décident simultanément de partir à la conquête de nouveaux marchés, spécialement dans le Tiers Monde. Le hasard fait que des représentants des deux firmes se retrouvent un jour, au même endroit, afin d'estimer les possibilités du développement local. À peine arrivés sur place (disons, par exemple, à Lomé, au Togo), les envoyés spéciaux se précipitent à leur hôtel pour câbler à leurs directions générales leurs premières impressions. « Formidable ! Ils marchent tous pieds nus », s'enthousiasme l'Allemand de l'ouest. « Rien à faire ! Ils marchent tous pieds nus », constate l'Allemand de l'est.

Ainsi, d'une même réalité, on peut tirer des conclusions radicalement opposées. Prenons par exemple le prodigieux développement, en France (et dans tout le monde occidental) des activités équestres, l'expansion continue de l'univers hippique, la passion grandissante pour le cheval.

Version optimiste : après un long purgatoire, où l'équitation était considérée comme un sport de riches, une distraction un peu snob, celle-ci connaît aujourd'hui un succès presque « populaire ». Jamais, en tout cas, le nombre de cavaliers n'a été aussi élevé : les licenciés inscrits à la Fédération sont plus d'un demi-million. Et, affirme-t-on dans la dernière édition de l'Annuaire Statistique des Haras Nationaux, « le nombre total d'équitants habituels ou occasionnels est estimé à plus de un million » ! Mieux encore : après avoir failli disparaître presque totalement, sous le double effet de la mécanisation et de l'urbanisation, le gracieux animal peuple à nouveau nos campagnes et la périphérie de nos villes.

Une enquête récente, réalisée à la demande des Haras Nationaux, révèle que 29% (soit près d'un tiers) de nos compatriotes rêvent de posséder un équidé, de pratiquer l'équitation, de fréquenter, d'une façon ou d'une autre le cheval, devenu en quelques années, « l'animal préféré des Français », juste derrière le chien et le chat.

Du coup, on assiste – et c'est tant mieux – à la multiplication des fêtes du cheval (Equi-Days, Pégasiades, Equestriales), des salons, des foires, des festivals (Epona, Cheval-Passion), des festicheval, des festichevaux. À une prolifération de spectacles équestres : le succès de *Zingaro* ne cesse de s'amplifier, au-dedans comme au-delà de nos frontières – et de susciter quantité de vocations (et d'imitations). De nouvelles publications spécialisées surgissent presque chaque trimestre. On trouve aujourd'hui dans les kiosques à journaux une invraisemblable quantité de gazettes plus ou moins équestres, de plus en plus segmentées : un ou deux magazines pour les amateurs de Dressage et de Saut d'Obstacles ; un ou deux autres pour les amateurs de randonnée et d'équitation « verte ». D'autres encore : par discipline, par tranche d'âge, par race, voire par sexe ! Pour les livres, même chose : feuilleter le catalogue de *cavalivres* (la librairie du cheval) donne le tournis. Chaque année, une demi-douzaine d'éditeurs proposent un nouvel album sur « le monde merveilleux du poney », ou « le monde fascinant du cheval ». Sans compter les manuels pratiques, les romans, les traités, les récits, les dictionnaires, les encyclopédies…

Bref, tout va bien.

Version pessimiste : tout va mal.

Ce que dénote, en fait, cette abondance, cette apparente richesse, c'est une progression dramatique… de l'ignorance ! Autrefois (disons : avant la Guerre), ceux qui fréquentaient les chevaux, à la ville comme à la campagne, savaient, depuis l'enfance, de façon instinctive, presque atavique, comment se comporter avec eux, comment réagir, comment se débrouiller. La plupart de ceux qui utilisaient le cheval vivaient avec lui, s'occupaient de lui quotidiennement. Ce n'est plus le cas aujourd'hui, où les cavaliers, les équitants, sont presque tous des citadins, habitant des villes d'où le cheval a disparu. Lorsque, par exemple, un animal emballé, échappant au contrôle d'un cocher, déboulait au galop au milieu de la chaussée, nombreux étaient les piétons qui, au lieu de s'écarter, savaient s'interposer, calmer la bête, la reprendre en main. Sans avoir eu besoin pour cela d'avoir fait un stage chez un chuchoteur.

D'ailleurs, comment expliquer l'extraordinaire succès de ces derniers, sinon par le trouble, l'inquiétude, l'incertitude dans lesquels se trouvent aujourd'hui la plupart de ceux qui, vaguement attirés par le cheval, en ont toutefois une trouille bleue, ne savent par quel bout le prendre, osent à peine l'approcher ? Proposant à cette clientèle intimidée des solutions toutes faites, des recettes magiques, des stages « pour les nuls » à l'issue desquels – c'est garanti – vous aurez tout compris au cheval et à l'art de vous en servir, ces gourous occupent une fonction régulatrice, apaisante, rassurante, qui explique leur popularité – et leur prolifération.

Difficile de ne pas faire la comparaison avec un autre phénomène, survenu après l'effondrement du Mur de Berlin évoqué plus haut : l'ensemble du monde communiste, qu'on avait, pendant soixante-dix ans, cherché à déchristianiser pour mieux lui faire adopter la nouvelle religion marxiste, s'est retrouvé dans un désarroi profond. Les populations, devenues spirituellement orphelines, se sont alors jetées dans les bras que leur tendaient fort opportunément les sectes en tous genres, surgies soudain en multitude.

Le monde du cheval a connu – connaît encore – lui aussi cet élan vers de nouveaux prophètes, de « nouveaux maîtres », auxquels l'incompétence ambiante laisse, en effet, le champ libre. Ils peuvent bien dire (ou faire) n'importe quoi : qui viendra les contredire ? Certainement pas ceux qui sont venus les écouter, boire leurs paroles, acquérir à leur contact la grâce.

Mais, en la matière, la grâce ne remplace pas l'expérience. Les cavaliers habitant la ville et les chevaux la campagne, leurs contacts étant dès lors forcément rares, épisodiques, voire intempestifs, on assiste ainsi, par manque de pratique, par manque d'expérience (j'insiste !) à une montée des incompréhensions, au triomphe de l'ignorance, à la perte de ce qu'on appelait autrefois (qui aujourd'hui en comprend encore le sens ?) « la culture équestre », obtenue grâce à un mélange de milliers d'heures passées auprès du cheval et de milliers d'heures passées auprès des livres.

Il est évident que cela ne peut s'acquérir en concentré, en résumé, en accéléré sous forme de « clinics », ni sous forme d'articles de magazines. Faire croire l'inverse est un mensonge, une escroquerie et parfois même, lorsque cela débouche sur des accidents (pour le cavalier ou pour le cheval), un crime.

Devenu, paraît-il, « animal de compagnie », le cheval se retrouve ainsi entre les mains d'amateurs incapables et donc dangereux. Il en va d'ailleurs parfois de même avec les chiens qui, par défaut d'un minimum de savoir-faire de leur maître, peuvent devenir des animaux à la fois « méchants » et malheureux. Combien de chevaux achetés sur un coup de cœur, au lendemain, éventuellement, d'un stage d'initiation (tu parles…) chez un marchand d'éthologie (tu parles…), se retrouvent ainsi rejetés à vie au fond d'un pré, transformés en « cheval-potager » par un (ou une) propriétaire n'osant plus l'approcher ?

Cette situation est également à la fois la cause et le résultat de la médiocrité de la presse (et de la « littérature ») équestre contemporaine. Les revues savantes ont disparu (adieu *Plaisirs Équestres*, adieu *L'Information Hippique*, adieu *La Revue de l'Équitation*), cédant la place à des magazines frivoles où le poster, la BD, l'autocollant ont remplacé l'étude approfondie d'un sujet, où l'art de tresser a plus d'importance que l'art de dresser, et où le summum de l'hippologie paraît atteint lorsqu'on propose, dessins à l'appui, plusieurs types de cure-pieds, de bombes ou de cravaches (encore que cet instrument soit de plus en plus mal vu des lecteurs/lectrices des gazettes en question).

Voilà pourquoi je me réjouis de l'arrivée sur le marché du bimen-suel *Cheval-Attitude*, courageuse et sympathique entreprise de la famille Bertrand-Nel. Voilà pourquoi je me réjouis d'apprendre la paru-tion prochaine d'un trimestriel appelé *Arts équestres*, dirigé par Patrice Franchet d'Espèrey et édité par Actes Sud.* Voilà pourquoi j'exprime toute ma reconnaissance aux éditions du Rocher qui m'autorisent à publier, deux fois l'an, un numéro d'une revue équestre cent pour cent littéraire (du texte, rien que du texte) et qui portera le même nom que la collection que j'y dirige depuis bientôt cinq ans : *cheval-chevaux*.

Le début, peut-être, d'une reconquête ?

[Ce texte, un peu polémique, je le reconnais, a été publié dans le numéro 11 (novembre-décembre 2007) d'un magazine extraordinairement sympathique, CHEVAL-ATTITUDE.

Leurs fondateurs, Noël Nel et sa fille Sandrine Bertrand-Nel, m'avaient pro-posé d'y tenir une chronique régulière. Celle-ci fut la première, créant quel-qu'embarras, comme on le comprendra en lisant le petit « encadré » intitulé « le débat est ouvert » que Sandrine fit paraître en face de mon texte. Le voici :

Pour être honnête, Jean-Louis Gouraud est un personnage qui m'épate et m'im-pressionne. Charmant, érudit, drôle, les yeux et les oreilles ouverts, il déborde

---

* Projet qui, hélas, n'aboutit pas : voir note page 91.

d'enthousiasme sur notre ami commun : le cheval. Lui donner la parole est instructif et passionnant à bien des égards mais je tenais à vous informer, vous chers lecteurs, de mon point de vue. Car en effet, je ne suis pas tout à fait d'accord sur une petite part de ce qu'il vous dit ci-après. Vous comprendrez en prenant connaissance de son intervention ; j'entends par là qu'il n'y a pas à mes yeux que des « imposteurs » chez les « chuchoteurs » (terme que je n'apprécie d'ailleurs pas), loin de là. Certes, il y en a, mais tout autant que dans le monde de l'équitation traditionnelle, il y a une flopée de brutes qui ignorent tout ou presque du cheval et ne se rabattent que derrière la technique, de bas comme de haut niveau ! Prudence donc. L'équitation « éthologique » a ceci de génial qu'elle a ouvert les portes d'un autre monde de compréhension et de connaissance, qu'il était temps d'apporter au plus grand nombre. Mais au final, sur l'argument principal de Jean-Louis Gouraud, je suis tout à fait du même avis : l'avènement des « chuchoteurs » provient bien de l'ignorance triomphale véhiculée depuis fort longtemps dans une part du milieu équestre traditionnel…

Ma collaboration avec CHEVAL-ATTITUDE commençait mal, on le voit. Elle prit fin bientôt, non point par désaccord entre nous, mais parce que la jolie gazette, ne parvenant pas à équilibrer ses comptes, cessa – hélas ! – de paraître. Au moins dans une version « papier ».]

ÉTHOLOGIE ET HIPPOLOGIE

C'est une blague qu'on racontait, avant 14, dans les quartiers de cavalerie. Une jeune recrue, venue du fond de sa cambrouse, déchiffre au tableau le programme d'instruction suivant : « tous les matins, cours d'hippologie ; tous les après-midi, exercices d'équitation ». Le mot hippologie le plonge dans une profonde perplexité. Il ose demander à un voisin de chambrée, un Parisien, qui dit avoir été à l'école : c'est quoi, l'hippologie ? Prenant un air supérieur, le bidasse des villes répond au bidasse des champs : c'est pourtant facile à deviner. Hippo-, c'est la science, comme dans hypothèse. Et -logie, c'est le cheval, comme dans maréchal-des-logis. L'hippologie, c'est la science du cheval.

On assiste aujourd'hui à quelque chose d'assez comparable, avec l'éthologie. C'est quoi l'éthologie ? Ben, c'est l'équitation facile, avec des chevaux gentils. C'est naturel, ça a été inventé par des Américains portant des chapeaux de cow-boy et c'est enseigné par des Européens portant des casquettes de base-ball.

Ben non.

L'éthologie n'est pas une équitation. C'est une science. Pas une science de l'équitation, non : la science qui consiste, en gros, à étudier le comportement du cheval, seul ou en groupe, à l'état naturel (resterait à définir ce qu'on entend par « état naturel » – à ne pas confondre avec « état sauvage » : puisqu'il n'y a plus de chevaux sauvages –, mais cela nous entraînerait trop loin…).

Que l'on tienne compte des observations des éthologues (et non des éthologistes * pour mieux approcher le cheval, créer un meilleur contact entre bipèdes et quadrupèdes, et un plus grand confort pour les deux espèces, on ne peut que s'en réjouir, s'en féliciter. Mais prétendre qu'il y a une manière éthologique d'utiliser le cheval, c'est une autre affaire.

---

* On dit anthropologue, pas anthropologiste ; philologue, pas philologiste ; paléontologue, pas paléontologiste ; ethnologue, pas ethnolologiste. La terminaison en – giste, comme dans écologiste, implique un certain militantisme, incompatible avec l'esprit scientifique.

Et créer, comme l'a fait la Fédération Française d'Équitation, une nouvelle discipline appelée « équitation éthologique » est une aberration.

Dans une lettre, fort bien tournée, adressée le 24 septembre [2007] par Nicolas Blondeau au président de ladite Fédération, l'excellent dresseur propose fort opportunément qu'au lieu de créer une discipline qui serait éthologique (ce qui impliquerait que les autres – dressage, obstacle, cross, polo, attelage, endurance, rando et j'en passe – ne le sont pas), on intègre tout bonnement les « Savoirs éthologiques » aux « Galops d'équitation ». Proposition de bon sens, qui consisterait à remettre enfin un peu d'hippologie dans l'enseignement de l'équitation. Il serait temps !

De même que des apprentis sorciers de la pédagogie ont cru pouvoir, autour des années soixante-huit, supprimer toute notion de chronologie dans l'enseignement de l'histoire ou toute notion de grammaire dans l'enseignement du français, on avait petit à petit réduit l'hippologie à presque rien dans l'enseignement équestre, sous prétexte que les angulations scapulo-humérales ou coxo-fémorales, c'est rasant, et qu'il ne fallait pas décourager nos chers petits en leur bourrant le crâne avec des notions inutiles. Que ce soit en histoire, en langue ou en équitation, on a vu le résultat !

S'il suffit de rebaptiser l'hippologie pour la rendre plus attrayante, va pour éthologie. Ce n'est pas le fait de dire que les aveugles sont des mal voyants qui leur a rendu la vue, mais si le seul obstacle à la réintroduction de l'hippologie dans l'enseignement de l'équitation est un simple problème de vocabulaire, alors tous les mots sont bons. Même s'ils sont légèrement impropres.

L'hippologie d'autrefois se limitait à quelques bribes d'anatomie, à quelques notions de médecine vétérinaire (« soins aux chevaux »). Si, enrichie des intéressantes observations des éthologues (les vrais), elle devient soudain séduisante, tant mieux ! Si, du coup, éthologie devient synonyme d'hippologie, tant pis. L'essentiel est que celui qui approche, soigne, utilise le cheval améliore sa connaissance de l'animal. Car le cheval, en matière équestre, a tout de même, on avait un peu tendance à l'oublier, une certaine importance. En effet, comme l'a dit si justement un écuyer célèbre : en équitation, les vraies difficultés commencent à cheval !

[Paru dans LE CHEVAL n° 90 (21 décembre 2007)
sous le titre « Pour une équitation… hippologique (*sic*) ».]

ÉQUITATION ET CHORÉGRAPHIE

Bicentenaire de la naissance d'Alfred De Dreux, le célèbre peintre de chevaux ; centenaire de la mort de Léon Tolstoï, l'écrivain qui savait faire parler les chevaux… Parmi les nombreux anniversaires que tout amateur de culture équestre devra célébrer courant 2010, il en est un que je propose d'inclure au programme : le centenaire de la mort du chorégraphe Marius Petipa, décédé à Saint-Pétersbourg le 14 juillet 1910.

Un chorégraphe ? Pourquoi pas ! Mais quel rapport avec le cheval ?

Il y a d'abord le fait qu'à un certain niveau, l'équitation est bel et bien une chorégraphie. Et le cheval un danseur : Paul Valéry n'a pas hésité à faire la comparaison. « Le cheval marche sur les pointes, a-t-il écrit (en 1936). Nul animal ne tient de la première danseuse, de l'étoile du corps de ballet, comme un pur-sang en parfait équilibre. » Il y a le fait aussi que l'équitation est, comme la danse, un art qui se pratique en couple : « entre le tango et le dressage, il y a beaucoup de similitudes, dit Sophie Hatier*. Dans les deux cas, il y a la recherche d'un accord, d'une entente, d'une connivence entre deux êtres. »

Toutefois, c'est pour une toute autre raison que je recommande d'avoir, en ce mois de juillet, une pensée pour Marius Petipa.

Né à Marseille (comme son prénom l'indique) en 1818, il est déjà un danseur et chorégraphe célèbre lorsqu'il est invité à se rendre à Saint-Pétersbourg, la capitale russe. Il y arrive en 1847, y devient maître de ballet au Théâtre impérial, où il impose la tradition de l'école française tout en l'adaptant au tempérament slave – ce qui donnera naissance à la fameuse école russe de danse, que Diaghilev, plus tard, fera triompher à Paris.

Comment ne pas faire le rapprochement avec un scénario identique, ou presque, mais cette fois avec un maître d'équitation, James Fillis ?

---

* Dans « Femmes de cheval » (Favre, 2004), page 217.

Un demi-siècle après Petipa, Fillis est invité lui aussi à venir enseigner son art à Saint-Pétersbourg. Formé par François Caron, lui-même ancien élève de François Baucher, Fillis est, malgré ses origines anglaises, considéré comme Français.

Nommé (en 1898) écuyer-en-chef de l'École impériale de cavalerie, il facilite, comme son prédécesseur chorégraphe, l'éclosion d'un style, d'une manière russe – dans l'art du dressage – qui connut son apothéose aux temps soviétiques, avec des champions olympiques tels que Filatov et Petouchkova.

J'aime ce rapprochement entre un grand maître de ballet et un grand maître de manège, venus tous deux apporter leur savoir-faire loin de leur patrie. Comme je me réjouis du rapprochement voulu par la Russie et par la France, qui ont convenu de célébrer leur amitié – leur couple ! – tout au long de l'année 2010. Cent ans exactement après la fin du séjour de James Fillis à Saint-Pétersbourg et, ce n'est peut-être pas un hasard, cent ans exactement après la mort de Marius Petipa.

[Paru dans CHEVAL MAGAZINE n° 464 (juillet 2010)
dans *Ruades*, ma petite chronique mensuelle.]

L'ÉCUYER MIROBOLANT

C'est un peu la bible. Pour les amateurs de Dressage, en tout cas, un livre de référence. Son auteur : celui que le général Decarpentry – lui-même assez bon cavalier – a appelé un jour « l'écuyer mirobolant », Étienne Beudant (1863-1949).

Certes, Beudant est l'auteur de plusieurs traités d'équitation, mais c'est dans « Extérieur et Haute-École » qu'il exprime le mieux sa doctrine : le dressage d'un cheval doit aboutir à son utilisation optimale aussi bien, comme l'indique le titre, en extérieur qu'en haute-école.

Disciple surdoué de l'illustre Faverot de Kerbrech (lui-même élève de Baucher, « cet écuyer incomparable »), Beudant n'est pas un simple théoricien, un cavalier en chambre. Ses exploits équestres – trot et galop arrière obtenus sur de simples chevaux de la remonte, saut d'obstacles prodigieux, cross et patrouilles menés à train d'enfer sur des chevaux de dressage – appartiennent à la légende dorée de la belle équitation de tradition française.

Aussi son ouvrage, paru une première fois en 1923 (chez Charles Amat, éditeur à Paris), a-t-il été souvent reproduit, republié, reprinté. Aujourd'hui introuvable, il est nécessaire, bien sûr, de le rendre à nouveau disponible – mais ce que nous proposons ici n'est pas une banale réédition. C'est une édition-événement.

Pour comprendre, il faut remonter aux années 1947-1948. Beudant est un vieux monsieur à demi paralysé. Mais, même au fond de son fauteuil d'invalide, il continue, dans sa tête, à monter à cheval. Lui qui a eu, à l'époque où il pouvait faire la démonstration de ses extraordinaires talents, de si nombreux admirateurs (nous avons cité Decarpentry ; il faudrait mentionner aussi Lyautey, et beaucoup d'autres) fait encore bon accueil à un inconnu désireux de venir lui parler de dressage. Un certain René Bacharach.

Écuyer amateur (de métier, il était parfumeur), et cavalier cultivé, René Bacharach est reçu par Beudant en septembre 1947. Le vieux maître a plus de 80 ans. Le disciple lui parle avec enthousiasme de ses livres, qu'il a lus et relus, de ses chevaux : la jument Hamia, l'anglo-barbe Robersart : « une joie certaine, raconte Bacharach, éclairait ce visage à l'évocation de ses chevaux et de leurs prouesses, ses yeux d'un gris-bleu intense y brillaient de simplicité et d'humour. »

Beudant dit alors à son jeune visiteur son désir de rééditer « Extérieur et Haute-École », à la fois enrichi et amendé à la lumière des expériences acquises depuis sa première publication – un quart de siècle auparavant. Journaliste et éditeur à ses heures, René Bacharach propose son aide. On ne sait pas exactement en quoi elle consista, toujours est-il que le projet étant tombé à l'eau, à la mort du maître (1949), le manuscrit demeura dans les archives personnelles de René Bacharach.

Lorsque ce dernier s'éteint à son tour, le précieux document se retrouva entre les mains de celui auquel Bacharach décida de léguer sa riche bibliothèque, ses cartons de correspondance, ses collections d'autographes : son héritier spirituel. Un tout jeune homme au patronyme prestigieux, Patrice Franchet d'Espèrey.

Devenu écuyer au Cadre Noir de Saumur (et responsable du service documentation de l'École Nationale d'Équitation), ce dernier a proposé non seulement d'exhumer, mais de décrypter le grimoire. Un travail de bénédictin : le « tapuscrit » laissé par Beudant et Bacharach, en effet, est d'une lecture rebutante. Constellé de ratures, d'ajouts manuscrits plus ou moins lisiblcs, d'apostilles en marge, d'additifs tantôt écrits à la main (celle de Bacharach ? celle de Beudant ? difficile à savoir), tantôt dactylographiés sur une grosse machine genre Underwood, il est difficilement déchiffrable.

Il fallait toute la minutie, toute la passion, toute la compétence équestre, aussi, d'un Franchet d'Espèrey pour sortir de ce fatras un texte présentable. Mais quel texte !

Il reprend, naturellement, des pans entiers de l'édition originale – mais il en supprime aussi beaucoup. Il résume, simplifie, bouleverse le plan, en reconstruit un autre. La confrontation entre les deux versions est passionnante. Elle permet de mesurer, de visualiser l'évolution de la pensée, à vingt-cinq ans de distance (et quelque quarante chevaux dressés plus tard), de « l'écuyer mirobolant ». Raison pour laquelle nous les publions toutes deux ici, afin de faciliter la comparaison.

Afin d'en faciliter aussi la compréhension, nous publions :
– *en annexe* un texte inédit de Beudant sur Faverot de Kerbrech, écrit alors que ce dernier n'était encore que colonel, commandant le

23ᵉ Dragons dans lequel Beudant s'était lui-même engagé volontaire en avril 1883 (il n'avait alors que vingt ans). Les renseignements qu'il contient sont d'une importance primordiale pour comprendre la personnalité et l'équitation à la fois du maître et de l'élève.

– *en introduction* les commentaires de Patrice Franchet d'Espèrey, et l'analyse qu'il tire de la lecture des deux versions de « Extérieur et Haute-École » : celle, bien connue, de 1923 et celle, inédite, de 1948.

Cette dernière devant être considérée comme la version « définitive », nous la publions en premier. Suivie de l'édition de 1923 que nous reproduisons à l'identique (c'est-à-dire en « reprint »), photos comprises…

Dans les archives laissées par René Bacharach, Patrice Franchet d'Espèrey a retrouvé aussi des documents photographiques qui n'avaient pas été publiés dans l'édition originale mais que Beudant souhaitait utiliser pour illustrer une éventuelle réédition : nous les avons donc insérés dans la version de 1948.

Ainsi le présent ouvrage constitue-t-il une sorte de « somme » en hommage à l'un des plus grands « maîtres de l'œuvre équestre » du XXᵉ siècle.

[Paru sous le titre « En hommage à l'écuyer mirobolant » en « avant-propos » à la réédition de l'édition originale (1923), enrichie d'une version inédite (1948) revue par l'auteur de « Extérieur et Haute-École », de Étienne Beudant. Cet ouvrage, paru en 2008, est le premier d'une nouvelle collection, *Arts équestres*, dont les éditions Actes Sud m'ont confié la direction.]

L'ÉCRIVAIN MIROBOLANT

On s'est longtemps demandé si, en peinture ou en sculpture, l'exactitude était vraiment souhaitable. Si, parfois, une infidélité, une imperfection, voire une distorsion ne donnaient pas, en fait, plus de vérité au sujet qu'une reproduction en tous points conforme au modèle. Gustave Le Bon avait là-dessus un avis tranché : « si le peintre, écrivait-il (en 1892), veut donner l'illusion de la réalité, il doit reproduire les choses telles que l'œil les voit, et non telles qu'elles sont. » Évoquant les chevaux de Géricault ou de Delacroix, dont les allures et les postures sont souvent improbables, La Varende confirmait (en 1947) « leurs faux chevaux galopèrent mieux que les vrais ».

Transposons ce vieux débat au monde littéraire. Quand un écrivain ne dit pas la vérité, peut-on affirmer pour autant qu'il ment ? En littérature, ne vaut-il pas mieux un mensonge qui sonne juste qu'une vérité qui sonne faux ? Questions quasi métaphysiques posant l'éternel problème de l'être et du paraître où m'a entraîné la lecture du nouveau roman de Jérôme Garcin.

Voilà, en effet, un auteur qui présente un cas un peu particulier : sinon équivoque, du moins ambigu. Journaliste (il dirige les pages culturelles du *nouvel Observateur* et anime une des émissions les plus écoutées du service public, *Le masque et la plume*), il a naturellement le culte de la vérité et le souci de l'exactitude mais, romancier, il a bien sûr le droit – et même le devoir – à l'invention, à l'imagination. Auteur de nombreux essais, récits et journaux plus ou moins intimes, il lui arrive souvent de jouer sur les deux tableaux, mêlant le vrai et le faux, réalité et fiction, véracité tatillonne et – carrément – gros mensonge.

Le plus flagrant est celui qu'il a proféré à la fin d'un de ses plus récents ouvrages, « Cavalier seul » (Gallimard, 2006), lorsqu'il prit l'engagement solennel de ne plus rien dire de ce qui avait été jusque-là son sujet de prédilection, de ne plus jamais écrire quoi que ce soit sur les chevaux, les cavaliers ou l'équitation.

Cette déclaration provoqua, à l'époque, la consternation chez ses lecteurs, ses partisans, ses admirateurs, qui ne se recrutent pas seulement chez ceux qui montent à cheval, mais surtout chez ceux qui le désirent ou le fantasment. Or en France, ces gens-là sont légion !

C'est dans ce vivier que Jérôme Garcin a recruté le gros de ses troupes, pour lesquelles il est devenu une référence puis, de livre en livre, une idole, un dieu. Jusqu'à ce que, voilà, il leur annonce soudain que c'est fini, terminé, que sa chère monture, un trotteur bai dénommé Eaubac, souffrant d'arthrose, il lui fallait la laisser désormais au pré et que lui, du coup, allait aussi se mettre au vert. Abandonner le genre dans lequel il avait excellé : « je veux désormais écrire sur ce que j'ignore encore », déclama-t-il dans son *journal équestre*, en date du 29 août 2005.

Il nous a bien fait peur. Mais, ouf ! On est soulagé, ce n'était pas vrai : son nouveau roman, « L'écuyer mirobolant » (Gallimard, 2010) est bien l'histoire, comme son titre l'indique, d'un cavalier et, évidemment, de la relation – forcément amoureuse – de ce dernier avec sa monture.

Lorsqu'il fit semblant de prendre l'engagement de ne plus écrire sur « l'exploration de ma sauvage intimité avec l'animal », était-il sincère ? N'en doutons pas. À l'instant où il écrivait ces lignes suicidaires, il est probable qu'il y croyait lui-même. Heureusement, la passion équestre, la pulsion cavalière, l'attirance charnelle pour cet animal est plus forte que tout. Jamais on ne peut abandonner les chevaux, renoncer à leur contact, oublier leur odeur, leurs frayeurs, leur force et leur fragilité. Jamais on ne peut cesser de les contempler, de les écouter, de leur parler, et de parler d'eux. Impossible de faire comme s'ils n'existaient pas, comme s'ils n'avaient jamais existé.

Jérôme Garcin est venu au cheval de la façon la plus paradoxale qui soit. C'est un cheval qui a tué son père. La rancune, voire le désir de vengeance se sont transformés, avec le temps, en une sorte de fascination pour l'assassin. L'histoire de ce lent retournement a fourni la matière de son premier chef-d'œuvre, « La chute de cheval » (Gallimard, 1998).

Je m'empresse de le préciser : si le cheval inspire une abondante, une foisonnante, une proliférante « littérature », les chefs-d'œuvre y sont rarissimes. De mémoire, comme cela, je ne pourrais en citer guère plus d'un ou deux par siècle. Au XIXe, je citerais « Michel Kohlhaas », de Heinrich von Kleist, qui raconte comment un homme a renoncé à tout pour réparer l'offense faite à ses chevaux. Je mentionnerais aussi la nouvelle de Léon Tolstoï, dans laquelle le vieil imprécateur russe fait parler un cheval, « Kholstomier », sidéré du comportement des hommes. Au XXe, je placerais au-dessus de tout « La Maison de Petrodava » (réédité récemment aux éditions du Rocher sous le titre, beaucoup plus explicite, de « Les noirs chevaux des Carpates »), de l'écrivain roumain Virgil Gheorghiu et, naturellement, la nouvelle de Paul Morand, « Milady », avec laquelle le nouveau livre de Jérôme Garcin n'est d'ailleurs pas sans ressemblances.

Présenté comme un roman, ce dernier raconte une histoire vraie, celle de Étienne Beudant, un des cavaliers les plus doués d'une époque qui pourtant ne manquait pas de gens – officiers supérieurs pour la plupart – habiles à cheval.

Étienne Beudant (1863-1949), lui, ne fit point de carrière militaire très brillante : il ne dépassera pas le grade de capitaine.

Engagé volontaire à vingt ans dans les Dragons, il commence par gravir les échelons un à un : brigadier, puis fourrier, puis maréchal-des-logis. Sa chance, c'est que le 23e Dragons, dans lequel il est incorporé, a pour chef de corps un colonel passionné d'équitation, dénommé Faverot de Kerbrech – pardon : baron François-Nicolas-Guy-Napoléon Faverot de Kerbrech. Une figure, ce Faverot. Ancien élève de l'écuyer le plus talentueux et le plus célèbre de son temps, François Baucher, il est nommé, après avoir brillamment participé à la campagne d'Italie (1859), officier d'ordonnance du général Fleury, grand écuyer de France et aide de camp de Napoléon III. Faverot a tout juste trente ans. On lui confie les douze chevaux personnels de l'Empereur – lui-même excellent cavalier, mais trop pris et trop âgé pour pouvoir s'occuper quotidiennement de ses (splendides) montures.

Lorsque, quinze ans plus tard, Faverot se trouve à la tête du 23e Dragons, basé à Meaux, il donne en personne des leçons de dressage à ses officiers, selon la méthode que lui a apprise, autrefois, l'illustre Baucher. Parmi ces élèves se trouve le lieutenant Wagner, chef du peloton auquel le jeune Beudant a été affecté, qui répercute à la troupe les bases de l'enseignement de Faverot. Il en va fréquemment ainsi dans l'histoire de l'équitation : souvent une affaire de transmission de maître à disciple, quasi initiatique.

Étienne Beudant sait saisir cette aubaine, et devient, en très peu de temps un des plus brillants éléments de son peloton, ce qui lui permet de partir bientôt à Saumur, comme élève officier.

Sous-lieutenant, le voilà affecté au 24e Dragons, puis lieutenant au 11e Cuirassiers, et enfin, après un détour de quelques années dans la vie civile (au cours duquel il se rendra en Amérique), capitaine au 5e puis au 3e puis à nouveau 5e Chasseurs d'Afrique : en Algérie d'abord, au Maroc ensuite, où il découvre cet animal extraordinaire qu'est le cheval barbe.

C'est sur un barbe, sans doute croisé d'anglo, mais né en Algérie, Robersart II, un cheval bai cerise de 1,63 m, que Beudant réalisera ses plus grands exploits, utilisant cet animal (puis beaucoup d'autres) aussi bien « en extérieur qu'en haute-école », pour reprendre le titre d'un des traités d'équitation (paru en 1923) dont il est l'auteur.

Ce que Beudant parvient à obtenir des chevaux qu'il dresse – toujours dans la plus grande douceur – relève souvent du prodige. Sous la selle de son écuyer, Robersart II, par exemple, était capable de trotter et galoper… en marche arrière ! Mais le même cheval était capable également de participer à une succession d'épreuves, telle que celle-ci, racontée par un de ses biographes, André Monteilhet (*in* « Les maîtres de l'œuvre équestre », réédition Actes Sud, 2009) : Robersart « sautait remarquablement les obstacles en concours hippique, où il est applaudi, le 9 novembre 1913, par deux connaisseurs de marque : Lyautey et l'ambassadeur de Saint-Aulaire, Ministre de France à Rabat. Le même 9 novembre 1913, il prend part à un cross-country de 4 500 m couru à un train de plat avec passage de plusieurs dunes de sable. Malgré une erreur de parcours, commise par lui seul, il arrive au poteau avec soixante longueurs (172 m) d'avance sur les onze concurrents, tous montés par des officiers bon gentlemen-riders. »

Ce n'est pas tout : au Maroc, « en plein été 1914, Beudant, montant Robersart II, conduit une reconnaissance chez les Beni-Hassen et les Zemmour, de cinq heures du matin à une heure de l'après-midi sous une chaleur de canicule, presque constamment au galop ! » Quel homme ! Quel cheval !

Ses prouesses équestres, son génie du dressage, sa prodigieuse facilité à obtenir des chevaux les plus ordinaires les figures les plus brillantes, son talent à ramener au calme les chevaux les plus rétifs, les plus irascibles, les plus dangereux finissent par valoir au petit capitaine une gloire qui va en s'amplifiant.

Parlant de lui, le général Decarpentry – autre grande figure de l'équitation, autre disciple de François Baucher – aura cette formule, que Jérôme Garcin reprendra (il aurait eu bien tort de s'en priver) pour intituler son livre : « L'écuyer mirobolant ».

Comme il avait su si bien le faire dans un de ses romans précédents

(« C'était tous les jours tempêtes », Gallimard, 2001), prétextant le récit de la vie d'un personnage historique, Marie-Jean Hérault de Séchelles, aristocrate révolutionnaire qui participa à la prise de La Bastille, collabora à la rédaction de la Déclaration des Droits de l'Homme et de la Constitution de l'An I (… et fut guillotiné avec Danton !) pour brosser un saisissant tableau d'une époque spécialement colorée – c'est le moins qu'on puisse dire –, l'écrivain mirobolant qu'il est s'empare ici de la modeste personne du capitaine pour nous faire vivre en Amérique au temps de Calamity Jane, au Maroc au temps de Lyautey, et en France au temps de la débâcle – dont la description nous vaut, c'est un paradoxe, un extraordinaire morceau de bravoure.

Ce soi-disant roman, toutefois, n'est pas qu'une reconstitution historique. C'est aussi (surtout) une magnifique histoire d'amour entre un homme et sa monture, un écuyer et sa jument, Beudant et Vallerine.

Vallerine, c'est la dernière jument de sa vie. Pour la dresser, la mettre au piaffer, au passage, aux changements-de-pied-au-temps, Beudant a employé tout son art, utilisé toute sa science, réuni tout son savoir-faire, acquis dans la fréquentation de dizaines, de centaines de chevaux ; Vallerine, c'est son chef-d'œuvre. Mais, brisé par la maladie, condamné à ne plus jamais monter à cheval, à vivre assis ou couché, Beudant, le 12 mai 1927, confie sa belle compagne, sa gracieuse monture, son élégante chérie à un ami, le capitaine Bernard – le seul, à son avis, digne de continuer à la monter. Sans pousser trop loin la comparaison, on songe ici au geste d'un vieux mari défaillant qui fournirait à sa femme un amant de substitution. C'est avec une extrême délicatesse, en tout cas, que Jérôme Garcin exprime la subtilité des sentiments qui unissent cette espèce de ménage à trois et c'est dans cette délicatesse-là que réside la plus grande beauté du livre.

En le lisant, on ne peut s'empêcher de penser, je l'ai dit d'emblée, à Paul Morand, à l'histoire que ce dernier raconte dans sa nouvelle culte, « Milady » : une extraordinaire histoire d'amour, là aussi, entre un vieil écuyer et sa jument – sauf que Gardefort, le personnage de Morand, se comporte exactement à l'inverse de Beudant. Ne pouvant se résoudre à l'idée que Milady puisse être montée par un autre cavalier que lui, il préfère se suicider avec elle, en se jetant à cheval dans le vide du haut d'un viaduc.

Ce genre de jalousie pathologique ne relève pas de l'imagination d'un écrivain tourmenté. Pour ne citer qu'un seul cas – réel – j'évoquerai celui du fameux général L'Hotte.

Alexis L'Hotte (1825-1904) est considéré comme le (saint) père de l'équitation française classique. Il est le dieu tutélaire du Cadre Noir de Saumur, le maître absolu des cavaliers respectueux de la tradition. Ce qui me retient de sombrer, moi aussi, dans cette idolâtrie, c'est l'initiative qu'il prit, à la fin de l'année 1902. Atteint de maladie et ne pouvant plus monter ses chevaux, il rédigea alors un testament dans lequel il demanda que ses trois dernières montures, Glorieux, Domfront et Insensé ne lui survivent pas – et soient abattues après sa mort. Curieuse façon d'exprimer son amour, qui rappelle un peu ces temps barbares où le prince désirait être enterré avec ses chevaux… et ses femmes !

[Paru dans La revue pour l'intelligence du monde
n° 24 (février-mars 2010)]

LE CHASSEUR ET LE CHASSÉ

L'intérêt que les veneurs portent aux chevaux ne relève pas de l'amour platonique ou de l'admiration transie. C'est une passion active, une franche camaraderie forgée dans l'effort commun, un compagnonnage entre deux êtres – l'un en dessous, l'autre au dessus – qui coopèrent à la même entreprise, poursuivent le même but.

Deux êtres ? Sans doute faudrait-il dire trois, car, à la chasse, le chien, bien sûr, demeure l'indispensable double de l'homme, son frère d'arme, son alter ego.

Ce qui retient le regard du veneur (le fameux « œil du chasseur » peut-être) dans la foisonnante production du sculpteur franco-russe Lanceray, c'est cela : chez lui non plus, le cheval n'est pas un simple bibelot, une belle anatomie, un mammifère gracieux, un objet d'art – c'est un être qui déploie toute sa vraie beauté dans l'action, dans sa fonction, dans son utilisation par l'homme, dans sa collaboration avec lui : l'agriculture, la guerre, le transport, la course. Et la chasse.

Paradoxalement, en effet, c'est dans la chasse que le cheval exprime le mieux ce mélange de force et de grâce qui le caractérise, cet alliage de puissance et de vitesse, de fougue et de précision. Je dis « paradoxalement » car, il ne faut jamais l'oublier, avant de devenir chasseur, le cheval fut chassé : avant d'accepter, voici cinq ou six mille ans seulement, de coopérer avec l'homme-chasseur, il en fut, tout au long de la préhistoire, le gibier. Cette inversion des rôles est sans autre exemple dans l'histoire et dans la nature.

Lanceray ne l'ignorait pas et, en bon connaisseur des chevaux, il savait que, toutefois, la domestication du cheval n'est jamais définitivement acquise, qu'il faut la répéter avec chaque individu : les spécialistes appellent cela le débourrage. Un des bronzes les plus époustouflants du Russe (*Capture d'un cheval sauvage*) en fournit la spectaculaire illustration.

De la même façon, ses (nombreuses) représentations de scènes de chasse : chasse à courre à la russe (avec chiens barzoï) ou à l'anglaise, basse et haute volerie (fauconniers russes et arabes ou aigliers kirghizes), chasse au loup ou chasse au lion sont pour l'artiste autant de circonstances, autant d'occasions d'exalter les qualités d'élégance dans l'intrépidité et de beauté dans l'effort du cheval.

On est loin de la vision réductrice de la plupart des autres sculpteurs animaliers, qui considèrent le cheval comme un simple piédestal de l'homme, un accessoire. On est loin aussi de la vision purement esthétisante de ceux qui n'ont voulu montrer du cheval que sa gracieuse plastique: je pense ici à Edgar Degas qui, comme l'a justement fait remarquer Paul Valéry, comparait le pur-sang à une ballerine.

L'exploit de Evgueni Lanceray est d'avoir, dans un art par définition immobile, figé, pétrifié, montré que la vraie beauté du cheval est dans le mouvement, dans l'action.

[Paru sous forme de marque-page dans l'album consacré au sculpteur russe E. Lanceray (2006), ce texte est signé du nom d'un des généreux donateurs grâce auxquels l'ouvrage en question a pu voir le jour: Guy de Laporte, président de la Société des Amis du Musée de la Vénerie et gestionnaire de la Fondation Lefort-Beaumont de l'Institut de France, qui a soutenu l'édition dudit album.]

LE CHEVAL : ANIMAL DE LUXE ?

En cette période de crises financière, monétaire, économique (et autres), voilà un petit livre qui pourra passer pour une provocation : le « Luxionnaire ». Un mot qui sonne, certes, comme dictionnaire, mais aussi comme millionnaire. Il tient d'ailleurs un peu des deux et se présente lui-même comme une collection de « 101 mots pour découvrir le luxe ».

Première découverte : le mot luxe n'a étymologiquement rien à voir avec la luxure, même s'il n'y a entre les deux aucune incompatibilité (au contraire ?). Le mot ne vient pas non plus du latin *lux*, la lumière ; mais de *luxus*, l'excès, la splendeur (*dixit* Larousse). En vérité, c'est un mot, une notion plutôt, assez difficile à définir. Le préfacier du petit dictionnaire dont il est question ici, Jean Castarède, bien que « spécialiste » (il est l'auteur d'un *Que sais-je* sur le sujet) a bien du mal à être plus précis : « C'est une attitude, une manière d'être, un comportement », écrit-il.

Aussi les deux auteures de ce « Luxionnaire » n'auront-elles pas trop de la centaine de mots qu'elles ont choisis pour tenter d'approcher cette réalité d'autant plus mouvante que chacun peut s'en faire une idée différente. Florence Lebaudy (qui travaille pour une luxueuse marque d'armagnac) et Stéphanie Le Bail (diplômée de Sciences Po, major d'un MBA de marketing du luxe) évoqueront l'argent, bien sûr, mais aussi la religion. Les diamants mais aussi les bonsaïs. Marrakech mais aussi New York. La gastronomie, mais aussi – quand même ! – la luxure. Et enfin, naturellement, le cheval, qui réunit à la fois le luxe et la luxure (?).

Éprises de beau langage, amoureuses des mots, Florence et Stéphanie, en filles modernes, n'hésitent pas à aborder des sujets (et des objets) un peu chauds, tels les sex-toys – mais c'est pour expliquer, en filles cultivées, que le mot godemiché vient d'une expression latine signifiant « réjouis-moi ».

On va ainsi de découvertes réjouissantes en découvertes instructives. Encore un exemple : peu de gens savent que le mot snobisme vient du latin *sine nobilitate*, autrement dit « sans noblesse ». Moralité : le vrai luxe n'est pas snob. Il n'est pas non plus nécessairement cher, comme l'éditeur de ce « Luxionnaire » (France-Empire) le prouve : ses 101 mots, définis sur 220 pages, sont vendus à 10 euros (seulement).

[Paru dans LA REVUE n° 5 (septembre 2010).]

NO FOOT NO HORSE

Tout le monde connaît l'adage : *no foot, no horse*. Traduction : pas de pied, pas de cheval. Autrement dit : un cheval qui souffre des pieds ne peut plus rendre les services qu'on attend de lui. C'est une interprétation. Je voudrais en proposer une autre, beaucoup plus actuelle.

No foot ! Depuis mi-juillet (2010), nous voilà soulagés. Libérés ! Débarrassés ! La Coupe du Monde de football s'étant achevée, avec le triomphe de l'Espagne (et l'horrible déroute française) que l'on sait, on va peut-être enfin pouvoir voir autre chose à la télé que du foot, du foot, du foot.

De grâce, *no foot !*

No horse ! L'ancienne icône rock des années 1970-1980, Patti Smith, cherche épisodiquement à refaire surface. Tantôt comme photographe : on se souvient de l'exposition consacrée au printemps 2008 par la Fondation-Cartier-pour-l'Art-Contemporain à son œuvre (*sic*), dont le document-phare, retenu pour faire l'affiche, représentait un innocent petit cheval de Namibie. La photo, en noir et blanc, était floue et, hélas, plutôt ratée, la ligne de dos de l'animal se confondant plus ou moins avec la ligne d'horizon. Tantôt – au secours ! – comme interprète d'une chanson nouvelle, ce qui rappelle de trop mauvais souvenirs. Le souvenir, par exemple, du plus grand *hit* de celle qui est parfois considérée comme la plus grande star de la « contre-culture » *made in USA*, sorti en 1976 sous le titre ambigu de « Horses ». Ambigu, parce que en argot new-yorkais, *horse* désigne non pas notre animal préféré, mais… la drogue ! Dans cette chanson, Patti Smith avait beau hurler « quand soudain

Johnny sentit qu'il était entouré des chevaux, chevaux, chevaux, chevaux [quatre fois]… il vit des chevaux, chevaux, chevaux, chevaux, chevaux, chevaux, chevaux, chevaux [huit fois] », cela ne parvint pas à nous convaincre vraiment d'essayer ce genre de *horse*.

De grâce, *no horse* !

[Paru dans CHEVAL MAGAZINE n° 465 (août 2010)
dans la rubrique *Ruades*.]

MANGER DU FOIN

Dans un ouvrage paru début février (« Femme debout », entretiens avec Françoise Degois, Denoël, 2009), l'ex-candidate à la présidence de la République, Ségolène Royal, règle ses comptes avec quelques-uns de ses amis du Parti Socialiste, auxquels elle reproche, en premier lieu, de l'avoir toujours prise pour une imbécile, « une nulle de chez nulle », une fille « bête à manger du foin ».

En dehors de toute considération politique, cette dernière expression appelle plusieurs remarques.

Interrogeons-nous, d'abord, sur la raison pour laquelle on s'obstine à s'en prendre ainsi aux animaux, qui nous prouvent pourtant fréquemment qu'ils ne sont pas plus idiots que nous. La bêtise n'est pas l'apanage des bêtes. Pas plus que la bestialité, synonyme d'un comportement barbare qu'on rencontre d'ailleurs plus souvent chez les hommes que chez les animaux.

Une des manifestations les plus épouvantables de cette barbarie humaine est celle dont ont fait preuve les Soviétiques dans leurs goulags. Pour en avoir une idée, il faut lire, ou relire, le chef-d'œuvre d'Alexandre Soljenitsyne, « Une journée d'Ivan Denissovitch », dans lequel il raconte la vie quotidienne d'un bagnard au temps de Staline. Ce qu'on lui sert à manger est si pauvre et si infect qu'on le voit se réjouir un beau matin d'avoir au menu une bouillie d'avoine ! « Quand il était jeune, écrit Soljenitsyne, qui sait les brassées d'avoine qu'il a portées aux chevaux ! Jamais il ne se serait figuré qu'un jour, ça lui donnerait à rêver, une poignée d'avoine ! » (pages 93-94 de l'édition poche 10/18, n° 488).

Si manger du foin est une preuve de bêtise, manger de l'avoine serait-il une preuve d'intelligence ? C'est encore chez un Soviétique – un poète, cette fois – qu'il faut aller chercher la réponse. Dans un de ses merveilleux petits contes hélas inédit en français, Michael Zotchenko (1895-1958) écrit à peu près ceci : les enfants qui mangent à leur petit-déjeuner des flocons d'avoine deviennent forts, courageux, costauds. Les chevaux également mangent de l'avoine : mais oui, je vous le dis, ils sont intelligents les chevaux, puisqu'ils mangent eux aussi ce qui fait tant de bien aux enfants !

[Paru dans CHEVAL MAGAZINE n° 450 (mai 2009)
dans la rubrique *Ruades*.]

LA MODE, ÇA CRIN

Le rapprochement n'est pas évident, mais pour celui qui s'intéresse au langage, à l'étymologie, à l'origine des mots, l'intitulé d'une exposition proposée actuellement par le Musée de la Mode, à Paris, évoque irrésistiblement le cheval.

L'exposition en question (Musée Galliera, jusqu'au 26 avril 2009) a pour titre « Sous l'empire des crinolines ». Rien à voir, à première vue, avec notre sujet : on n'y montre que des robes à taille étranglée, s'évasant en des jupes encombrantes de moire, de taffetas, de dentelles – tenues dont raffolaient les mondaines du Second Empire, idéales en effet pour briller en société mais totalement inadaptées à l'équitation.

Et pourtant ! Le cheval est là, tout près, sous leurs étoffes, qui ne peuvent garder leurs formes généreuses que grâce à la rigidité de tissus appelés crinolines pour l'unique raison qu'ils sont confectionnés à base… de crins de cheval !

Il n'y a pas si longtemps, les vestes pour hommes, aussi, étaient renforcées de doublures en crins. Fibre naturelle, imputrescible, ne retenant pas la poussière (ni les mites!), le crin de cheval a connu mille usages. Les bourreliers l'utilisaient pour remplir les colliers d'attelage, et les cordonniers recommandent à ceux qui ne veulent pas abîmer le cuir de leurs chaussures de n'employer qu'une brosse en vrais crins. On s'en est servi aussi pour bourrer les sommiers (sommier: encore un mot issu de l'univers du cheval, utilisé parfois comme bête-de-somme), et l'on s'en sert encore pour confectionner de beaux tissus d'ameublement.* Utilisation plus noble encore: le crin de cheval est irremplaçable dans la fabrication des archets des instruments à corde. C'est par la queue d'un cheval que Rostropovitch, par exemple, obtient son extraordinaire vibrato. À l'inverse, on dit d'un mauvais violon que c'est un crincrin.

Lors de la prochaine séance de pansage de votre cheval ou de votre poney, pensez-y. Le crin que vous peignez est une fibre précieuse. Et remerciez votre animal de l'infinie diversité des services qu'il nous rend, des bonheurs si extraordinairement variés qu'il nous procure.

[Paru dans CHEVAL MAGAZINE n° 449 (avril 2009)
dans la rubrique *Ruades*.]

---

* Le réalisateur Joël Farges a consacré au sujet un joli documentaire, qui a été diffusé sur *Equidia* au cours de l'été 2008.

À TOUS CRINS

Si le mot crin a donné le mot crinoline, c'est que « la chevelure du cheval », en effet, était utilisée autrefois pour fabriquer un tissu dont la souplesse et la raideur relative permettaient de maintenir de larges jupes évasées. Cette étoffe en crins était utilisée également dans les doublures des vêtements masculins, afin de leur donner une certaine rigidité… Si, de nos jours, ce textile d'origine animale n'est plus utilisé, le crin de cheval est toujours employé à mille usages, du plus noble (les cordes des archets de violon), au plus vulgaire (les bonnes brosses à chaussures – Weston vous le confirmera – sont obligatoirement en crin, seul matériau qui lustre le cuir sans l'égratigner).*

On continue également à l'utiliser pour la fabrication de tissus… d'ameublement, très recherchés pour à la fois leur beauté, leur brillance, leur délicatesse soyeuse au toucher et leurs innombrables qualités pratiques : imputrescibles, d'entretien facile (eau et savon), peu salissants, ne retenant ni la poussière ni les insectes. Et quasiment inusables : sur un siège recouvert d'un tissu en crin, on use son pantalon, pas le revêtement du siège !

Il n'y a plus guère, en Europe, qu'un ou deux ateliers pour fabriquer, de façon forcément artisanale, ce genre de tissu, qui implique une manipulation brin à brin. Un de ces ateliers est en France. Dans un petit village de la Sarthe. Il a du mal, bien qu'employant une vingtaine d'ouvriers, à satisfaire la demande des palais et musées de France, d'Espagne, d'Angleterre – et même des États-Unis.

Autrefois, cette petite fabrique s'approvisionnait localement. Mais, avec la disparition des chevaux de nos campagnes, il a fallu aller chercher des fournisseurs de plus en plus loin : en Pologne jusqu'à une époque encore récente. Aujourd'hui, plus loin encore…

---

* Mon amie Alice Bloch m'affirme que « ce sont les Chinois qui ont inventé les premières brosses à dents, il y a 500 ans. Elles étaient fabriquées avec des poils de sanglier, fixés sur un manche en bois. Rapportée en Europe par des voyageurs, la brosse à dents devint à la mode à l'époque du roi Louis XV. On la fabriquait alors avec des crins de cheval. »

Le centre mondial de la spécialité est aujourd'hui... en Chine, dans une région très pauvre, à 150 km environ au sud de Pékin, où, depuis des siècles, on sait traiter le crin brut. (Et pas seulement le crin de cheval, mais aussi... le poil de cochon, avec lequel on confectionne les pinceaux indispensables à l'art chinois de la calligraphie !).

Sélectionnés par taille, par couleur, par qualité, les crins de cheval sont présentés sous forme de faisceaux joliment maintenus par des rubans aux nœuds savants, et livrés ainsi en « kilotresses », qui débarquent par caisses de 25 kg à Amsterdam avant d'être acheminés dans la Sarthe.

Les fournisseurs et intermédiaires (principalement une société, basée... à Zurich) maintiennent un certain mystère sur les noms des villages chinois où se traite le crin. Mais je pense pouvoir, de passage à Pékin, les identifier, et m'y rendre.

Cet ensemble d'éléments, la remontée de cette filière, cette « crin-connection » me paraît pouvoir constituer matière à un joli documentaire, à la fois curieux, étonnant et coloré.

[Rédigée en janvier 2007, cette note a tenu lieu d'argumentaire pour arracher (c'est le cas de le dire) à la chaîne de télévision EQUIDIA la décision de produire un documentaire sur ce sujet. Elle parut sans doute assez convaincante aux décisionnaires de la chaîne, qui en confièrent aussitôt la réalisation à mon ami Joël Farges. Le tournage (en Mongolie et en Chine) eut lieu en avril-mai 2007. Intitulé finalement « La route du crin », le documentaire de 26 minutes qu'il réussit à en tirer a été multidiffusé un nombre incalculable de fois par la chaîne à partir de juin 2008.]

ÉLOGE DU CROTTIN

Le crottin : sujet vulgaire ? Non : sujet littéraire. Et même hautement littéraire, comme on va pouvoir s'en assurer en feuilletant les pages de cet « Éloge », auquel ont participé une bonne douzaine d'écrivains – une douzaine de bons écrivains.

Éloge, vraiment ? Chanter les louanges d'un excrément : n'est-ce pas une faute de goût ? Dans une de ses « Pièces » de 1932, Francis Ponge nous donne d'avance son absolution. Il y apostrophe *le crottin*, en effet, en des termes rassurants : « Brioches paille, leur dit-il, vous n'êtes pas du dernier mauvais goût. »

On peut donner à cette remarque, j'en conviens, différentes interprétations.

En ce qui concerne, du moins, le goût gustatif – la saveur –, le seul ici à pouvoir en parler (et d'ailleurs, il en parlera) c'est Jean-Pierre Digard : il en a mangé.

Manger du crottin n'est pas forcément une stupidité. On dit bien « bête à manger du foin », jamais je n'ai entendu dire « bête à manger du crottin ».

Le crottin, au contraire, peut contribuer, parfois, à sauver des vies. Une gazette spécialisée dans l'observation et l'analyse de l'actualité en Mongolie a rapporté récemment (*Anda*, 1er trimestre 2002) les faits suivants : « En prévision d'un nouveau *dzud* (comme les Mongols appellent les calamités climatiques hivernales), un vieil éleveur de Bayankhongor a accumulé des réserves de crottin de cheval (*khomool*) durant l'été. Pendant la période de *dzud*, il a pu alimenter ses troupeaux en utilisant ce crottin séché mélangé à de l'eau et à de la graisse de marmotte, conservée elle aussi depuis l'été. Grâce à sa connaissance des techniques d'élevage traditionnelles, l'éleveur en question n'a pas perdu de bêtes. »

Peut-être cet éleveur avait-il observé un phénomène que les vétérinaires équins connaissent bien : il n'est pas rare que les chevaux dévorent leurs propres crottins. Dans la « Nouvelle encyclopédie du cheval » (Maloine, 1992), le Dr Lutz Ahlswede, éminent spécialiste de l'alimentation, écrit « beaucoup d'éleveurs sont effarés quand ils voient le poulain manger le crottin chaud de la mère. Pourtant, cela augmente l'apport en vitamine B et permet la colonisation bactériologique de l'intestin ».

[Ajoutons que le crottin est un aliment très apprécié des oiseaux et, comme on a pu l'apprendre en visitant une récente exposition du Muséum d'Histoire Naturelle, « un kilo de crottin de cheval peut nourrir jusqu'à huit mille mouches » !]

Sans préjuger des motivations de Jean-Pierre Digard (il s'en expliquera lui-même), il faut dire, à sa décharge, que l'expérience était tentante : le crottin de cheval, en effet, a quelque chose d'appétissant. On ne peut pas expliquer autrement le fait que – seul excrément animal dans ce cas – son nom soit utilisé en gastronomie, spécialement pour désigner des petits fromages (de chèvre).

Bel aspect, bonne odeur, le crottin a souvent excité, en tout cas, l'appétit des poètes.

> « pin pan d'or,
> la baguette, la baguette,
> pin pan d'or,
> la baguette sera dehors,
> avec son petit cheval d'or,
> qui fait des crottes d'or,
> plein son panier d'or… »

dit une comptine champenoise (rapportée par Françoise Gründ) qu'avait peut-être entendue Francis Ponge lorsqu'il écrivit, dans les années cinquante, son magnifique poème à la gloire du cheval (« Pièces », Gallimard, 1962) dans lequel on retrouve, en effet, des comparaisons boulangères :

> « Le cheval, grand nerveux, est aérophage […]

Voilà pourquoi le noble animal, qui ne se nourrit que d'air et que d'herbes, ne produit que des brioches de paille et des pets tonitruants et parfumés. »

Et, plus loin :

> « Ah ! C'est l'odeur de l'or qui me saute à la face !
> Cuir et crottin mêlés.
> L'omelette à la forte odeur, de la poule aux œufs d'or.
> L'omelette à la paille, à la terre : au rhum de ton urine,
> jaillie par la fente sous ton crin…
> Comme, sortant du four, sur le plateau du pâtissier,
> les brioches, les mille-pailles-au-rhum de l'écurie. »

Les exégètes ne manqueront pas de relever l'heureuse évolution de « la pensée » de Francis Ponge en la matière (si l'on peut dire). Dans son petit poème de 1932, évoqué plus haut, et intitulé *le crottin*, il trouve à ces « brioches paille » une mauvaise odeur, tout en concédant qu'elles ne sont pas « aussi répugnantes que les crottes du chien ou du chat, qui ont le défaut de ressembler trop à celles de l'homme, pour leur consistance de mortier pâteux et fâchement adhésif » (!) Dans *le cheval*, écrit plus de quinze ans après, entre 1948 et 1951, quel changement ! Quel progrès ! Le crottin, soudain a l'aspect d'une brioche, l'odeur du rhum et le parfum de l'or !

[Brève remarque, en passant : il n'est pas indispensable d'être un très grand poète pour se livrer à ce genre de comparaison : « Le crottin vaut de l'or », titrait en septembre 2006 le magazine *Sports équestres* avant de donner l'exemple d'un entrepreneur dynamique, Michel Farkouh dont la société a réalisé en 2004 seize millions d'euros de chiffre d'affaires en transformant du fumier de cheval en compost. Nom de cette société : Or Brun !]

Tandis que Francis Ponge écrit sa grandiose cantilène au cheval, Louis-Ferdinand Céline met la dernière main à un court roman, « Casse-pipe ». Ces deux textes, aussi différents que le sont leurs auteurs (Ponge : ancien communiste, ancien résistant. Céline : un tout autre itinéraire), ont pourtant un point commun : une réelle admiration pour la défécation chevaline.

Peu de gens le savent : l'auteur du « Voyage au bout de la nuit » (Prix Renaudot 1932) connaissait bien les chevaux. Avant de devenir Céline, Louis-Ferdinand Destouches s'était engagé, en 1912 (il avait tout juste dix-huit ans), dans un régiment monté : le 12e Cuirassiers. De ce séjour dans la cavalerie, il se souviendra toute sa vie. Il en tirera, surtout, un bref récit – une centaine de pages – dont le morceau de bravoure est la narration, à la fois drolatique et apocalyptique, de l'ensevelissement d'un palefrenier sous les prodigieuses quantités de merde que les chevaux, c'est vrai, sont capables de produire.

[Un cheval de quatre cent cinquante kilos, par exemple, produit en moyenne vingt-trois kilos d'excréments par jour : quatorze kilos de crottin et neuf litres d'urine. Ce précieux renseignement est fourni par la Fédération Interprofessionnelle du Cheval (104 rue Réaumur, à Paris) qui, dans un petit « Guide pratique » fort bien fait, explique comment « mieux gérer son fumier de cheval » (FIVAL, septembre 2006).

Autres chiffres intéressants, qui donnent bien la mesure du phénomène, fournis voici une quinzaine d'années par la Chambre Syndicale des Constructeurs Automobiles : « pour remplacer les huit cent mille voitures qui roulent à Paris, il faudrait plus de trois millions de chevaux, note le rapport. Étant donné qu'un seul cheval produit par jour dix litres de crottin, et étant donné la densité dudit crottin, les rues de la capitale seraient alors recouvertes chaque année de dix milliards de kilos de crottin » (*Cheval magazine*, novembre 1991).]

Pour décrire cette avalanche ininterrompue, Céline se lance dans une extraordinaire cavalcade de mots, de jurons, d'onomatopées qui restitue bien, en effet, ce déferlement, cette « cascade immense ».

Le héros de l'histoire ayant finalement appris à dominer le problème, Céline raconte : « Il fredonnait, il refonçait avec sa vannette à la récolte [...] ; il ramenait vingt kilos de brioches à chaque randonnée, bien fumantes, âcres, fragiles » (« Casse-pipe », Gallimard, 1952).

Commune à Ponge et à Céline, cette référence briochée se retrouve chez d'autres auteurs inspirés. Dans un de ses romans, « Je soussigné, Charles le Téméraire » (Belfond, 1985), le poète et musicien belge Gaston Compère s'extasie à son tour devant l'œuvre fécale du cheval : « L'espace dont les chevaux sont à ce point obsédés qu'ils ne cessent de le poursuivre alors même qu'ils y galopent [...], ils le hument de leurs lèvres baveuses, ils le mordent de leurs dents gluantes, ils le mâchent et l'avalent, s'en gonflent au point de quitter terre, et le rendent brusquement [...] par ces pétarades rythmiques qui répondent à celles des narines et précèdent l'expulsion de ces pains de son friables qui croulent, s'éboulent, roulent, et donnent aux écuries, avec le fumet des peaux, cette odeur chaleureuse qui excite la narine et le sang. »

Il faut citer enfin – surtout – le chef-d'œuvre de Michel Tournier, « Le Roi des Aulnes » (Gallimard, 1970), contenant quelques notations anatomiques sur l'animal, qui en fournissent une lumineuse explication : « Le cheval est une croupe avec des organes par devant qui la complètent », fait-il dire à Pressmar, le maître d'équitation du héros de son livre, Tiffauges.

Dans ce roman, qui valut à son auteur le Prix Goncourt, à l'unanimité du jury, on trouve, en effet, une description de défécation chevaline qui est un véritable morceau d'anthologie (et qui est d'ailleurs cité dans toutes les bonnes anthologies de littérature équestre). La voici :

« Un soir qu'il s'attardait dans l'ombre dorée de l'écurie où flottait l'odeur sucrée du purin, en regardant les croupes luisantes onduler de stalle en stalle, il vit la queue [du cheval] se dresser légèrement de biais, en sa racine, découvrant l'anus, bien marronné, petit, saillant, dur, hermétiquement fermé et plissé en son centre, comme une bourse à coulants. Et aussitôt la bourse s'extériorisa, avec la vitesse d'un bouton de rose filmé en accéléré, se retourna comme un gant, déployant audehors une corolle rose et humide, du centre de laquelle il vit éclore des balles de crottin toutes neuves, admirablement moulées et vernissées, qui roulèrent une à une dans la paille sans se briser. Un tel degré de perfection dans l'acte défécatoire parut à Tiffauges la suprême justification des théories de Pressmar. Tout le cheval est dans sa croupe, certes, et celle-ci fait de lui le Génie de la Défécation, l'Ange Anal. »

Plus encore que le regard ou le goût, il semble que le crottin de cheval satisfasse l'odorat. Pour la plupart de ceux qui approchent le cheval, le fumet des écuries est plus et mieux qu'agréable : attirant, attrayant. Au point d'avoir donné à certains l'idée de le mettre en bouteille.

Mon amie Caroline Elgosi m'affirme avoir connu un éleveur, un dénommé Gardel, comme Louis, l'écrivain, ou Gardelle, je ne sais, qui avait inventé un parfum – très viril, naturellement – qu'il voulait baptiser *Crottin*. Hélas, aucune des grandes marques parisiennes qui, en la matière, font la mode, n'osa le lancer. Pas même Hermès, dont l'image est pourtant très liée au cheval…

Le célèbre parfumeur Jean-Paul Guerlain, lui, n'hésita pas : « Le cheval faisait partie de mon existence », raconte-t-il dans son livre « Les routes de mes parfums » (le cherche midi, 2002). « Et c'est avec passion qu'en 1963 j'ai tenté de retranscrire son odeur puissante et charnelle mêlée aux effluves du cuir des harnachements dans un parfum que nous avons appelé *Habit rouge,* en hommage bien sûr au club équestre et à sa célèbre redingote. »

Dans le texte qu'il a spécialement écrit pour le présent recueil, il confirme : restituer la bonne odeur « cuir et crottin mêlés », selon la formule de Francis Ponge, serait pour lui comme une apothéose de sa carrière.

Le parfum du cheval est d'ailleurs le thème qui domine chez la douzaine d'auteurs réunis ici. On le retrouve chez l'écrivain-veneur Bernard du Boucheron, chez l'écrivain-diplomate Tomas Olrich, comme chez l'écrivain-voyageur André Velter.

Sa prégnance paraît même à certains si indispensable que son absence est ressentie comme un manque. La jeune anthologiste Sophie Nauleau me signale une notation de Alphonse Allais, trouvée dans son « Journal » à la date du 13 mai 1897 : « La première chose qui frappe l'odorat du voyageur arrivant à Venise, écrit-il, c'est l'absence totale de parfum de crottin de cheval. »

Cette capacité à dégager une odeur plaisante, tout se passe comme s'il pouvait la transmettre aux fleurs, dont il favorise l'éclosion.

Un haïku du grand maître Yosa Buson fait l'association :

« Braises

sur le crottin :

les fleurs du prunier rouge. »

Ma mère raffolait des géraniums. Dès qu'elle entendait le son des fers sur le pavé, elle se précipitait, pelle et balayette à la main, derrière les rares attelages qui sillonnaient encore, voici un demi-siècle, les rues du 13e arrondissement de Paris, où j'ai grandi. Elle était persuadée qu'il ne pouvait y avoir de bonne floraison sans crottin.

Dans un des textes qui composent le présent recueil, Jean-Loup Trassard témoigne du même empressement des jardinières à récolter le précieux engrais. Jean-Paul Guerlain évoque même l'existence, à Paris, de professionnels du ramassage.

Ma mère était native de Saumur, une ville ou l'on connaît bien les chevaux, et où l'on sait apprécier les vertus de leurs déjections, qui constituent la matière première indispensable à la culture des champignons, très répandue dans la région.

Indispensable, aussi, me fait observer mon amie Mireille Lejeune, à la fabrication de la chape – c'est-à-dire le moule externe – dont les fondeurs de cloches entourent leurs matrices : savant mélange d'argile, de paille et – allez savoir pourquoi – de crottin de cheval.

Mais la plus noble, peut-être, et probablement la moins connue, des utilisations du crottin de cheval, vous en tenez le produit entre les mains : c'est le papier.

Il existe en France, dieu merci, des artisans amoureux de la tradition qui en ont conservé les savoir-faire. C'est le cas de la famille Chaïla-Durand, propriétaire depuis plusieurs générations d'un moulin à papier situé à Brousses, petit village de l'Aude, à une vingtaine de kilomètres au nord de Carcassonne, dans la Montagne Noire.

L'endroit est à la fois charmant et grandiose. On ne peut y accéder qu'à pied, par un étroit chemin qui surplombe la Dure, rivière le long de laquelle de nombreuses fabriques de carton fonctionnaient encore avant la Grande Guerre.

Le 2 août 1914, les cloches de Brousses sonnent le tocsin : c'est la mobilisation. Les deux garçons de la famille Chaïla partent au front. Le cadet, Louis Gabriel, trouve la mort en juin 1917 et l'aîné, Xavier, n'est démobilisé qu'en mars 1919. Lorsqu'il revient au village, le moulin familial a cessé de fonctionner. Xavier remet les machines en route et, dès 1920, la cartonnerie reprend son activité. En 1948, il laisse l'affaire à ses gendres. Une de ses filles, Georgette, a épousé un Durand.

C'est un Durand – André – qui, aujourd'hui encore, accueille le public au moulin, devenu une sorte de musée vivant de la papeterie. On peut y voir tourner des machines anciennes, en particulier une magnifique roue à augets, ainsi qu'une « pile hollandaise » telle qu'on en trouve dans « l'Encyclopédie » de Diderot et d'Alembert ! On peut y voir fabriquer, à la main, feuille à feuille, des papiers extraordinaires, à base de lin, de chanvre, de coton, d'alfa ou de vieux chiffons – mais aussi de fougères, de lavande, de tilleul ou d'orties…

Surtout, c'est le seul endroit au monde, à ma connaissance, où l'on sait produire un papier dont la pâte est issue du crottin : de cheval – ou d'éléphant (!).

« En consultant de vieux manuels », explique avec enthousiasme André Durand, « nous avons retrouvé la trace d'un brevet déposé en 1841 à Paris, par un certain M. Tripot, permettant de fabriquer du papier à partir du crottin de cheval. L'idée fut reprise en Belgique par un certain M. Jobard, pas si jobard que ça, puisqu'il finit directeur des Arts et Métiers de Bruxelles. Il estimait que la paille et le foin ayant subi une première trituration sous les dents et dans l'estomac des chevaux, la moitié du travail préparatoire était fait. Il avait calculé qu'on pouvait obtenir de chaque cheval environ un kilo de papier par jour – et que la production de crottin d'une seule caserne de cavalerie suffirait donc à couvrir les besoins en papeterie du Ministère de la Guerre ! Au XIXe siècle, une usine, située aux portes de Paris, a exploité le brevet de M. Tripot pendant quelque temps. Certains papiers sortant de ses ateliers étaient appréciés, paraît-il, pour envelopper la pâtisserie. »

[Ainsi donc, les friandises du bon Monsieur Ponge, les brioches du sieur Céline, et les pains de son de leur compère Gaston ont-ils pu servir à emballer des gâteaux, des viennoiseries, des sucreries : comment ne pas éprouver de la jubilation à cette idée ?]

Le bon dieu, il faut le reconnaître, a bien fait les choses. Le système digestif du cheval fait qu'il sépare, dans les végétaux absorbés, la lignine (qui est assimilée) de la cellulose (qui est, pour l'essentiel, évacuée sous forme de crottins). Il suffit alors de nettoyer ce crottin, afin de le débarrasser des matières organiques ou minérales qui pourraient y subsister, pour obtenir de façon naturelle ce que l'homme ne peut obtenir qu'après de longs malaxages mécaniques et d'interminables macérations ou de redoutables compositions chimiques.

Devant une telle merveille, l'idée s'impose vite : le crottin mérite l'hommage des écrivains ; cette matière fécale, cette matière première est une matière littéraire ; ce papier-là, s'il peut empaqueter de la pâtisserie, peut bien emballer aussi de la (bonne) littérature.

Pour le contenu, je me suis adressé aux meilleurs traiteurs de la place : une douzaine de poètes, bien connus – au moins – pour leur amour du cheval. Tous ont accepté d'être rétribués « en nature » (deux exemplaires de ce recueil chacun). J'ai classé leurs contributions selon un ordre qui n'est ni thématique, ni alphabétique, ni chronologique, et donc totalement arbitraire. J'assume.

Pour le contenant, je me suis rendu sur place, le 30 janvier 2007, passer ma commande : deux mille trois cents feuilles – pas une de plus – fabriquées spécialement pour l'occasion. Pour ajouter à la préciosité, à l'authenticité, à l'exclusivité du produit, j'ai demandé qu'il soit filigrané – c'est-à-dire qu'on puisse voir en transparence, outre la signature du moulin de Brousses, une tête de cheval, vaguement inspirée d'un dessin de Jean-Louis Sauvat.

Pour pouvoir produire ces deux mille feuilles dans un délai raisonnable, deux tamis, deux « formes » ont été utilisés – ce qui explique la présence de deux filigranes légèrement différents. Afin de garantir aux bibliophiles le caractère absolument unique de cette fabrication, ces deux filigranes faits-main ont été détruits au terme de la production.

L'opération a demandé du temps : il a fallu ramasser les crottins un à un dans les pâturages des environs de Brousses. Car seul le crottin « pur » fait l'affaire. Le fumier, qu'on trouve en abondance dans n'importe quel centre équestre, est inutilisable : il se compose d'une proportion, certes variable, mais toujours excessive, de pailles ou de copeaux qui n'ont pas été ingérés par le cheval, et n'ont donc pas subi la préparation indispensable.

La météorologie de l'année 2007 a ajouté aux problèmes. Les pluies ayant été abondantes, les chevaux ont été mis très tôt au vert. Alors qu'une alimentation sèche (foin, grains et granulés) assure une certaine stabilité dans la composition des crottins, la diversité végétale des pâtures, au contraire, les soumet à d'importantes variations de consistance et de couleur. D'où les énormes différences qu'on pourra observer dans la teinte des feuilles qui composent ce recueil. Et même dans leur format : le rétrécissement au séchage varie considérablement en fonction des éléments contenus dans la matière première.

Il en va de même de l'épaisseur, qui varie également en fonction de la quantité de pâte laissée sur le tamis : l'opération étant manuelle, elle ne peut avoir la précision des fabrications industrielles – et donc assurer un « grammage » fixe et permanent.

Si j'ai opté pour un papier plutôt épais, c'est pour être bien sûr de son opacité – laquelle est obtenue, dans les fabrications industrielles, par d'importants apports de talc, kaolin ou autre. Notre papier est garanti cent pour cent « bio ». On n'y trouvera pas la moindre trace de minéraux ni de produits chimiques.

Dernière précision technique : l'impression – feuille à feuille et à la main – a été réalisée par jet d'encre (qualité « photo »), seul moyen d'obtenir sur ces papiers pleins de creux et de bosses, une lisibilité convenable.

[Ce texte, imprimé sur un banal papier dit « couché » (c'est-à-dire lisse et brillant) a tenu lieu de présentation du coffret pour bibliophiles (et hippophiles) intitulé ÉLOGE DU CROTTIN et contenant une douzaine de contributions d'écrivains et/ou amateurs de chevaux, imprimées – elles – sur du papier fabriqué à base de crottin de cheval. Belle brochette d'auteurs (par ordre alphabétique) : Bartabas, Bernard du Boucheron, Christian Delâge, Jean-Pierre Digard, Christophe Donner, Jérôme Garcin, Patrick Grainville, Jean-Paul Guerlain, Jean-Noël Marie, Tomas Ingi Olrich, Sylvain Tesson, Jean-Loup Trassard et André Velter. (On trouvera d'autres informations sur cet étrange ouvrage – le premier d'une collection appelée *pur-cent* – dans la Bibliographie générale en fin du présent volume).

Depuis la parution de ce texte (officiellement, le 1er janvier 2008), de nombreux amis sont venus enrichir mes Annales anales (oui, je sais, c'est nul mais j'adore : je suis indécrottable) de nouvelles citations.

SYLVAIN TESSON m'a signalé une phrase de Gabriel Matzneff picorée dans « Elie et Phaéton » (La Table Ronde, 1991) : « Ma madeleine de Proust, c'est le crottin de cheval » (page 189).

CHRISTOPHE DONNER m'a fait découvrir le texte d'une interview accordée par Francis Bacon (le peintre) à Francis Giacobetti (le photographe) en 1991-1992, dans laquelle Bacon déclare : « Je n'aime pas l'odeur du crottin de cheval, mais je la trouve excitante sexuellement » (*sic*) !

GILLES LAPOUGE a attiré mon attention sur une phrase de Jean Giono, dans laquelle ce dernier énonce une curieuse sentence. « Le fumier de cheval est un grand poète » écrit-il (page 53) dans « Pour saluer Melville » (Gallimard, 1941). MARION SCALI, qui elle-même le tenait de Jean-Pierre Thibaudat, qui lui-même le tenait de Jean-Pierre Siméon (?), m'a rapporté ce curieux petit poème de Bertolt Brecht :

« Il était une fois un cheval
Qui ne valait pas son pesant de crottin,
Trop crétin pour la course,
Trop balourd pour le labour,
Il se lance, se lance dans la politique,
Et désormais on le porte, porte aux nues. »

MICHEL CONTART, enfin, ancien vétérinaire militaire, grand amateur (et spécialiste) du chien, ce qui ne l'empêche pas d'être, tout au long des dernières années de sa vie, un de mes principaux fournisseurs en beaux textes sur le cheval, m'a posté avant de mourir cette très belle « Chanson de route » de Robert Desnos (écrite en avril 1944 et rééditée par Gallimard en *Quarto* en 1999, page 1258) :

« C'est avec du crottin de Pégase
Qu'Eusèbe a fumé son jardin.
Avec du crottin de Pégase ?
Oh ! oh !
Pour du crottin, c'est du crottin
Eusèbe appartient au gratin.

C'est avec du crottin de Licorne
Qu'Eusèbe a fumé son jardin.
Avec du crottin de Licorne ?
Oh ! oh !
Pour du crottin, c'est du crottin
Eusèbe n'est pas un crétin.

Avec du crottin de Minotaure
Eusèbe a fumé son jardin.
Ouais du crottin de minotaure !
Oh ! oh !
Non du crottin mais de la bouse
Qu'Eusèbe a mis sur sa pelouse. »]

LES CROUPES DE PIERRE KELLER

Pour les cochers, les haleurs, les laboureurs, les mineurs, les charretiers, les rouliers, les débardeurs, les artilleurs, travailler au cul des chevaux n'était pas toujours une sinécure.

Pour les artistes, les peintres, les écrivains, au contraire, la contemplation de la fesse chevaline paraît avoir toujours été un bonheur, un moment d'extase, une source inépuisable d'inspiration.

On connaît, bien sûr, les deux toiles de Géricault, réalisées dans les années 1810 : « Cinq chevaux vus par la croupe » (visible au Louvre) et, plus extraordinaire encore, « Les croupes », où il parvient à entasser, sur un assez petit format (74 x 92 cm), le « portrait » rectal de vingt-quatre chevaux aux robes variées.

Dans la littérature, il faut citer, parmi cent autres, Francis Ponge : « Grand horse ! beau de derrière à l'écurie… / Quel est ce splendide derrière de courtisane qui m'accueille ? monté sur des jambes fines, de hauts talons ? » (« Pièces », 1962).

Guillaume Apollinaire aussi, auquel les rondeurs équines rappellent irrésistiblement celles de sa lointaine bien-aimée : « Les croupes des chevaux évoquaient ta force et ta grâce / D'alezane dorée ô ma belle jument de race » ! (« Poèmes à Lou »).

Plus explicite encore, plus enthousiaste s'il est possible, Patrick Grainville, ne manque jamais, de roman en roman, de glorifier les splendeurs croupières : « C'est vrai, écrit-il dans « Le paradis des orages » (1986), que dans la hiérarchie des culs, rien ne peut égaler ce fleuron nuptial d'une croupe de jument imbue de sa beauté. »

Mais celui qui a porté l'éloge au plus haut degré, peut-être, c'est Michel Tournier qui, dans « Le Roi des Aulnes » (1970), va jusqu'à faire du cheval, cet animal « chevelu et fessu comme une femme », un véritable « Ange Anal » (*sic*), ayant atteint « un degré de perfection dans l'acte défécatoire » (!)

Les croupes mystérieuses photographiées par Pierre Keller ont, elles aussi, inspiré les bons auteurs : en introduction au catalogue de l'exposition de ces polaroïds agrandis (Musée de l'Élysée, à Lausanne, en 1991), Homeric parle de « culs sublimes, irréels ballons multicolores, faces pleines et riantes », tandis que Jacques Chessex en tire un magnifique poème (en 1993), qu'il intitule tout simplement « La fente ».

C'est la richesse du regard de Pierre Keller : à travers lui, chacun peut voir l'épiderme palpitant, l'émouvante anatomie de son choix.

[Présentation de l'exposition des tirages couleurs (d'après polaroïds) réalisés par l'artiste suisse Pierre Keller en 1988 au Haras de Cluny : une série de croupes, entrée dans les collections de la Maison Européenne de la Photographie en 1994 et présentée pour la première fois au public à la MEP sous le titre « Horses » (du 9 septembre au 11 octobre 2009).]

UN GROS ZIZI

Il paraît que le monde entier nous les envient, ces « grands débats » entre intellectuels qui, épisodiquement, agitent le landerneau germano-pratin. Bien que ce soit un peu toujours les mêmes – André Comte-Sponville, Pascal Bruckner, André Glucksmann, Luc Ferry, Alain Finkielkraut –, on ne s'en lasse pas : on prend les mêmes et on recommence. Pendant quelques semaines, les gazettes sont pleines de leurs querelles byzantines. Il paraît que le public (?) en raffole.

La dernière en date a opposé Michel Onfray, qui a osé s'en prendre à la sainte figure de Sigmund Freud, traitant ce dernier de « bourgeois réactionnaire, phallocrate et homophobe » (1), à la fine fleur de l'intelligentsia parisienne, Élisabeth Roudinesco en tête, bientôt suivie par l'inévitable Bernard-Henri Lévy, qui s'est simultanément lancé – cela aurait beaucoup intéressé Freud – dans la défense de Roman Polanski, accusé, comme chacun sait, de pédophilie.

À défaut de pratiquer lui aussi la pédophilie, Freud s'intéressait beaucoup aux petits garçons. Parmi ses psychanalyses les plus célèbres figure en effet le cas du petit Hans. Âgé de 4 ans et 9 mois, Hans est terrorisé par les chevaux. Il en a peur : va savoir pourquoi, il craint qu'ils le mordent. Du coup, le soir, dans son lit, il joue à touche-pipi. Vous ne voyez pas le rapport ? C'est pourtant simple, explique le docteur Sigmund : les chevaux ont un gros zizi. Vous ne voyez toujours pas le rapport ? Pour le comprendre, le mieux est de se reporter au texte original (2).

Un autre cas célèbre : celui dont l'écrivain anglais Peter Shaffer a fait une pièce de théâtre, « Equus », jouée pour la première fois à Paris en 1976. S'inspirant d'un fait divers authentique, il y raconte l'histoire d'un garçon de 17 ans, Alan, ayant crevé les yeux de six chevaux, une nuit, dans une écurie. Un psychiatre tente d'élucider le mystère de cet acte affreux, et finit, magie de la psychanalyse, par en découvrir la

---

1. « Le crépuscule d'une idole : l'affabulation freudienne » (Grasset, 2010).
2. « Cinq psychanalyses » (Presses Universitaires de France, 1954).

cause : un cheval avait observé Alan de ses gros yeux tandis qu'il lutinait une jolie palefrenière. Du coup, si je puis dire, Alan eut la sensation de faire davantage l'amour au cheval qu'à la fille.

Le cheval, c'est vrai, est un être ambigu. S'il est souvent symbole de virilité, de fougue amoureuse, il est aussi fréquemment comparé à une femme. Même physique (une chevelure, des rondeurs, une croupe), même tempérament : fantasque, imprévisible, capricieux, incontrôlable (*sic*). Pas étonnant, dans ces conditions, qu'il soit à l'origine de quantité de manies, phobies, pathologies, faisant ainsi le bonheur des psy de tout poil.

S'il peut provoquer, on l'a vu avec Hans et Alan, troubles et perversions, le cheval peut aussi, à l'inverse, apporter beaucoup d'apaisements psychologiques. Nombreux sont ceux qui pratiquent l'équitation non point par amour pour l'animal, mais pour y résoudre leurs problèmes, y surmonter leurs chagrins, y démontrer leur supériorité, que sais-je encore. On l'a souvent dit : le cheval est une sorte de canapé vivant, de divan psychanalytique à quatre pattes.

Ces vertus sont d'ailleurs exploitées de plus en plus « scientifiquement » pour aider à adoucir certains handicaps moteurs ou cérébraux. Cela s'appelle l'hippo ou l'équithérapie.

Instrument de travail pour les psychologues, le cheval est aussi source d'inspiration pour les philosophes. On citera Montaigne, dont la connivence avec les chevaux fut telle que son biographe Jean Lacouture ne put faire autrement que de l'évoquer dans le titre de l'ouvrage qu'il lui a consacré (3). Lorsque Léon Tolstoï, pour sa part, voulut critiquer le système social de son temps, il entreprit de le faire en donnant la parole à un cheval, appelé Kholstomier. Dans la Grèce antique, déjà, le cheval était source de sagesse. J'aime cette sentence, par exemple, du stoïcien Épictète (Ier siècle de notre ère) : « Quand tu dis *j'ai un beau cheval*, tu t'enorgueillis d'une qualité qui appartient au cheval. »

Source de sagesse, le cheval, enfin, est source de poésie. On sait que lorsque Pégase, le cheval ailé, d'un simple coup de sabot, fit jaillir hippocrène (la fontaine du cheval) de la montagne, les Muses prirent l'habitude de venir s'y désaltérer.

[Paru sous le titre « Hippomanie » dans LA REVUE n° 4 (juillet-août 2010)]

---

3. « Montaigne à cheval » (Le Seuil, 1996).

SPINOZA, NIETZSCHE ET QUELQUES AUTRES

On a beaucoup parlé – beaucoup ri, surtout – de la mésaventure arrivée récemment à notre grand penseur national, l'illustre Bernard-Henri Lévy (BHL), qui s'est ridiculisé en se référant, dans son nouvel essai, « De la guerre en philosophie » (Grasset, 2010) au livre d'un auteur imaginaire : un certain Jean-Baptiste Botul, fabrication pure et simple d'un amateur de canulars.

Trop fort ! s'est aussitôt exclamé un collaborateur du *Canard enchaîné* (10 février 2010), Frédéric Pagès – qui se trouve être, justement, le père, le créateur, l'inventeur de cet écrivain fictif : « BHL est tellement cultivé, ironise-t-il, qu'il peut citer tous les philosophes, même ceux qui n'existent pas ! »

En matière de citations, il y a un autre risque, qui consiste à rapporter une phrase d'un auteur bien réel, certes, mais qu'il n'a ni écrite ni prononcée. J'ai ainsi hésité longtemps avant de mentionner, dans un de mes travaux récents *, une assertion prêtée à un célèbre philosophe du XVIIe siècle, Baruch Spinoza, selon laquelle « L'homme n'aura jamais la perfection du cheval » et dont il y a d'ailleurs une autre version (mais ce n'est peut-être qu'une variante due à la traduction) : « Le cheval est plus parfait que l'homme. » Si je partage assez ce point de vue, je ne puis par contre en garantir l'authenticité. Citation apocryphe ou pas ? Je ne saurais dire.

Auteur(e) d'une sympathique « Petite philosophie du cheval » (éditions Milan, 2009), Martine Laffon, elle, est catégorique (comme l'impératif du même nom) : Spinoza aurait bel et bien eu cette pensée, qu'il aurait formulée dans une de ses œuvres, « L'éthique » (1677). Je ne suis pas allé vérifier, je l'avoue, préférant me plonger dans une lecture tout aussi philosophique mais d'un abord autrement plus attrayant : la bande dessinée que Michel Onfray vient de consacrer à Nietzsche.

---

* Il s'agit d'un recueil de 365 citations destinées à accompagner 365 (magnifiques) photos de Gabriele Boiselle dans un ouvrage intitulé « Chevaux au jour le jour » (éditions de La Martinière, 2010).

Un drôle de gaillard, ce Michel Onfray. À peine la cinquantaine, mais auteur déjà d'une cinquantaine d'ouvrages de philosophie, il a démissionné de l'Éducation Nationale après avoir enseigné en classes terminales pendant vingt ans, pour créer, à Caen, une Université Populaire, gratuite et ouverte à tous. Libertaire et libertin, il a pour passion particulière Friedrich Nietzsche, auquel il a voulu consacrer un film, qui se serait intitulé « L'innocence du devenir ». C'est en lisant le scénario de ce film que le formidable illustrateur qu'est Maximilien Le Roy a eu envie de l'adapter en bandes dessinées. Entreprise parfaitement réussie, tout au moins sur le plan esthétique. Le titre, un peu fumeux, « Nietzsche. Se créer liberté » (éditions Le Lombard, 2010) risque hélas de mettre en fuite ceux qui se méfient (à juste titre) du jargon philosophique. Je tiens à les rassurer : il est rare qu'une BD soit aussi peu bavarde. Elle comporte des suites entières de pages sans bulle. C'est par exemple le cas de la page 106, qui évoque un des épisodes les plus troublants de la vie de Nietzsche.

Cela se passe à Turin, en janvier 1889. Souffrant de maux divers, le philosophe s'était vu contraint de quitter les fonctions qu'il occupait à l'Université. En 1879, à peine âgé de trente-cinq ans, il était déjà à la retraite. Dès lors, il ne cessa de produire : « Le Gai Savoir » (1882), « Ainsi parlait Zarathoustra » (1883), « Par-delà le bien et le mal » (1886). Et de voyager : Marienbad, Rome, Nice, Venise. Turin, enfin.

Là, déambulant un jour sans but précis, il assiste à une scène – somme toute assez banale ou du moins assez courante : un cocher rossant son cheval pour le faire avancer. Nietzsche ne supporte pas le spectacle. Il se rue sur le cocher, l'invective, lui crie « Vandale ! Tortionnaire ! Ne touchez pas à ce cheval ! Ordre de Dieu ! ». Un attroupement se forme. Nietzsche tient des propos de plus en plus incohérents. Il doit être hospitalisé.

J'aime cette belle histoire vraie, qui prouve tout simplement que Nietzsche aimait les chevaux – et non pas, comme certains l'ont insinué, que la philosophie rend fou. Tout au plus peut-elle rendre, comme dans le cas de ceux qui se réfèrent à Jean-Baptiste Botul, un peu idiot.

[Paru sous le titre « la philosophie racontée à son cheval »
dans LA REVUE n° 4 (juillet-août 2010).]

CHEVAUX DU MONDE

Tandis que les Jeux Équestres Mondiaux 2010 se déroulent aux États-Unis, est-il trop tôt de se préoccuper de ceux qui se dérouleront chez nous dans quatre ans ? C'est encore loin, d'accord – mais au train où vont les choses en France, on peut manifester quelqu'inquiétude.

La décision d'attribuer à la Basse-Normandie et à la ville de Caen l'organisation des Jeux de 2014 a été prise par la Fédération Équestre Internationale (FEI) fin mars 2009 – voici donc déjà près de vingt mois. Que s'est-il passé depuis ? En vérité, pas grand-chose, si ce n'est, en juin dernier, la nomination (enfin !), d'un directeur, Fabien Grobon, auquel on souhaite, bien sûr, plein succès.

Issu du monde du tennis, ce dernier a été choisi par Laurent Beauvais, président du Conseil Régional de Basse-Normandie, et principal auteur du rapport dont l'excellence a permis de remporter l'adhésion de la FEI. Lorsque j'ai eu le plaisir, voici exactement un an, de le rencontrer, en compagnie de ses conseillers (Luc Avril pour les sports et Jean-Claude Collot pour la culture), je l'ai entendu exprimer le désir de faire de ces Jeux un événement réellement mondial et réellement populaire. Je leur ai alors suggéré une idée qui sera reprise, j'espère, par Fabien Grobon : provoquer en 2014 le plus grand rassemblement de chevaux du monde jamais réalisé ; faire venir de toutes les régions de la planète des spécimens des races et types de chevaux indigènes. Bref, greffer sur les Jeux Équestres une sorte d'Exposition Universelle du cheval, une sorte de super Musée Vivant * mondial permettant de constater l'incroyable biodiversité de l'espèce, tout en expliquant à un public pas forcément passionné par le dressage ou le saut d'obstacle, qu'à chaque race présentée correspond une utilisation particulière du cheval, un certain type d'équitation, et, par voie de conséquence, une certaine culture.

[Paru dans CHEVAL MAGAZINE n°467 (octobre 2010) dans la rubrique *Ruades*.]

---

* L'expression appartient à Yves Bienaimé, fondateur du Musée Vivant du Cheval de Chantilly, auquel une biographie vient d'être consacrée : « L'écuyer-jardinier », par Pascal Renauldon (Le Rocher, 2010).

CHEVAUX DU CAUCASE

Il aura fallu une (ou même deux) guerres en Tchétchénie, un sanglant affrontement russo-géorgien, de violentes revendications indépendantistes de l'Abkhazie et de l'Ossétie du sud (ce qui implique qu'il y a aussi une Ossétie du nord!) pour que le monde stupéfait découvre enfin l'incroyable diversité ethnique, linguistique et religieuse du Caucase.

Il est une autre richesse de cette région du monde dont on peut parler, heureusement, sans qu'il y ait besoin pour cela de drames, de tragédies ou de catastrophes: c'est l'extraordinaire variété de ses chevaux.

Vaste chaîne de montagne qui (en gros) relie la mer Noire à la mer Caspienne, fait tampon entre le monde chrétien (au nord) et le monde musulman (au sud), mais aussi sert de passerelle entre l'Orient et l'Occident, le Caucase se compose aujourd'hui de quatre États dont le récent passé commun (au sein de l'Union Soviétique) n'a guère créé, hélas, de solidarités.

Il y a la Géorgie (orthodoxe), dont on a beaucoup parlé ces derniers mois, en délicatesse avec ses minorités et avec son puissant voisin. Il y a l'Arménie (chrétienne elle aussi, mais d'une autre obédience que la Géorgie), en délicatesse également avec sa voisine, l'Azerbaïdjan (musulmane) au cœur de laquelle une enclave (arménienne), le Karabakh, porte le nom d'une race de chevaux dont on disait, au XIXᵉ siècle, qu'elle est « aussi estimée parmi les races asiatiques que le sont les chevaux anglais parmi les races européennes » (C. de La Teillais, dans son « Étude sur les chevaux russes », 1869).

Il y a, enfin, la Russie, dont la partie caucasienne se divise en une infinité d'entités administratives plus ou moins autonomes, la plus sinistrement célèbre étant la Tchétchénie, dévastée par d'interminables conflits internes et externes.

D'autres républiquettes moins turbulentes, l'Ingouchie, l'Adygei, l'Ossétie du nord font moins parler d'elles. Mais il nous faut parler ici, au moins, de la Kabardino-Balkarie (capitale: Naltchik) et de la

Karatchevo-Tcherkassie (capitale : Tcherkesk), qui sont le berceau de deux races chevalines cousines, kabardine et karatchaï, d'une extraordinaire vaillance. Un mot aussi, du Daghestan, invraisemblable mosaïque de petits peuples aux idiomes multiples, juste pour dire que c'est là que Vladimir Chamborant, fuyant le Turkménistan où les autorités soviétiques avaient programmé la disparition de l'akhal-téké, parvint à cacher quelques étalons et poulinières de cette race, qu'il contribua ainsi à sauvegarder.

Dans le vaste piémont que les Russes appellent le Caucase du nord, on trouve aussi, à Piatigorsk, un des plus grands élevages au monde de chevaux arabes (sans parler d'une jolie petite race locale, le terski). Un peu plus à l'ouest, la ville de Stavropol possède un haras d'où sont actuellement issus les meilleurs akhal-tékés nés hors Turkménistan. Vers Krasnodar, enfin, se trouvent quelques hauts lieux de l'élevage russe de chevaux de course et de sport, dont sont issus des cracks de légende, tel Aniline, et de nombreuses montures de champions olympiques, telle Elena Petouchkova.

[Paru sous le titre « Le Causase… et ses chevaux »
dans CHEVAL MAGAZINE n° 444 (novembre 2008)
dans la rubrique *Ruades*.]

L'AKHAL, T'ES QUI ?

Lorsque le bon dieu voulut créer le cheval, il dut s'y reprendre à plusieurs fois. Son premier brouillon lui parut un peu raté. Il l'était, en effet : c'était un âne ! Il tenta alors autre chose, raccourcissant légèrement les oreilles : ce fut l'hémione. Il fit d'autres tentatives encore. Avec des rayures : il obtint le zèbre. Avec une grande corne sur le front : ainsi naquit la licorne. Mais rien de tout cela ne lui parut réellement satisfaisant. Alors il créa l'akhal-téké. Voyant que, cette fois, tout était parfait, il partit se reposer.

J'ai déjà raconté cette histoire *, qui me paraît refléter assez bien la croyance de ceux – auxquels j'appartiens – qui pratiquent la religion de l'akhal-téké, cet être en effet presque surnaturel, la plus belle réussite – indiscutablement – de la création.

Ce qui est sûr, c'est que l'akhal-téké n'est pas un cheval ordinaire. Il est aussi différent des autres chevaux que le lévrier, par exemple, est différent des autres chiens. Mais certains préfèrent le comparer au chat. Non point pour sa grâce, son élégance ou sa souplesse, mais parce que, comme l'a dit un connaisseur, « le chat est un animal qui met un point d'honneur à ne servir à rien ».

Si l'akhal-téké pouvait être utile, autrefois, pour aller piller les caravanes qui sillonnaient le long des routes de la soie, il faut bien reconnaître que, les caravanes étant devenues rares, il ne sert plus à grand-chose. Sur les hippodromes, il va moins vite que l'anglais dit de pur-sang, une race fabriquée, cette fois, non par les dieux mais par les hommes, à la composition de laquelle l'akhal-téké a d'ailleurs contribué. Sur les terrains de concours, il saute un peu moins haut que les Allemands. Restent le dressage, l'endurance, le spectacle (les gens du cirque adorent les akhal-tékés), mais là aussi la concurrence est vive. L'engouement dont il bénéficie depuis une vingtaine d'années, basé

---

* « L'Asie Centrale, centre du monde (du cheval) », Belin, 2005.

principalement sur sa beauté, son originalité, sa force de séduction, est-il suffisant pour assurer sa sauvegarde ? Ce n'est pas sûr.

Au cours d'un récent séjour au Caucase (novembre 2009), j'ai rendu visite à mon vieil ami Alexandre Klimuk, un des principaux éleveurs mondiaux de chevaux de type akhal-téké : il dirige, depuis les temps soviétiques, c'est-à-dire depuis un quart de siècle, le grand haras de Stavropol, d'où sont issus quantité de champions (et championnes) de la race. Sentant faiblir la demande, il s'est mis récemment à produire, lui aussi, du pur-sang anglais, puisque ce qu'exige aujourd'hui le marché, c'est du galopeur. Je veux dire : du galopeur qui gagne.

« On peut compter environ deux mille poulinières akhal-téké au monde, affirme-t-il. Dont approximativement six cents au Turkménistan, cinq cents en Russie et le reste ailleurs : Allemagne, Suisse, États-Unis ou France ». C'est donc une race encore fragile.

Pour assurer sa pérennité, il faudra, bien sûr, lui trouver des usages, lui faire gagner des compétitions – bref, la rendre « rentable ». Mais il faudra aussi mettre un terme à l'absurde division des éleveurs en une infinité de chapelles qui, comme toujours, s'excommunient mutuellement.

Passionné par cet animal bien avant la vogue actuelle, j'avais créé, en 1988, une « Association Française du Cheval Akhal-Téké » (AFCAT), dans laquelle j'avais embarqué mes amis Bartabas, Bogros (le fameux colonel), Digard (CNRS) et quelques autres amateurs éclairés. L'idée consistait moins à regrouper les éleveurs – à l'époque quasi inexistants en France – qu'à y faire connaître cette race extraordinaire. Sur ce dernier point, François Mitterrand, je le reconnais, réussit beaucoup mieux que moi, grâce au scandale qui entoura l'arrivée, puis la « disparition », du cheval que lui avait offert le président du Turkménistan.

Je me décidai à dissoudre cette association à l'issue d'une réunion (décembre 1991) à laquelle j'avais convié (à Paris) les représentants des principaux pays producteurs : le Turkménistan et la Russie principalement. Au cours de ce mini-sommet, Tatiana Riabova, qui avait tenu le stud-book akhal-téké aux temps soviétiques, nous avait fait part, en effet, de son intention de créer un organe international unique. Il me semblait que la dissolution des micro-associations locales faciliterait ce regroupement.

Hélas, plus de vingt ans après, où en sommes-nous ? Le Turkménistan, pays du berceau, revendique son rôle de leader, tandis que la Russie cherche à conserver son hégémonie. En France, la création d'une nouvelle association a été rendue nécessaire pour faire officiellement reconnaître la race par les Haras Nationaux (c'est chose faite, heureusement), mais que peut-elle seule ? Un rassemblement en un organe unitaire est indispensable. Le jour où l'on se décidera enfin à le mettre sur pied, il ne faudra pas oublier d'y associer un grand pays – l'Iran – que beaucoup cherchent, pour des raisons diverses, à tenir à l'écart, mais dont on ne peut nier l'importance, y compris dans la production et l'utilisation du cheval turkmène.

[Écrit à la demande de Éliane Feuillerac, sympathique et intrépide journaliste à CHEVAL PRATIQUE, ce petit texte a été réduit et transformé par elle en interview publiée dans le numéro 247 de sa gazette (octobre 2010) sous le titre « L'avis d'un passionné », au beau milieu d'un ensemble très illustré de 8 pages, consacré à la race, et astucieusement intitulé « L'akhal, t'es qui ? » (autre titre rigolo, Éliane ayant mis un akhal-téké au banc d'essai : « t'akhal essayer » !) On rigole bien, à CHEVAL PRATIQUE !]

DES ISLANDAIS SUR LES CHAMPS-ÉLYSÉES

Il est peu de signes, d'emblèmes, de symboles qui caractérisent de façon aussi nette l'Islande que le fameux petit cheval islandais.

Un animal aux origines anciennes, profondément enracinées dans le passé islandais, une race qui ne ressemble à aucune autre race, des allures qui n'appartiennent qu'à lui (le tölt), un cheval très typé, qu'on ne peut confondre avec aucun autre, bref une identité très forte... et très sympathique, exprimant la fougue, l'endurance, la liberté, qui sont des qualités ou des vertus qu'on attribue généralement à la nature islandaise et aux Islandais eux-mêmes.

Une idée s'impose si l'on veut mettre en valeur ce patrimoine vivant à l'occasion de la Saison Islandaise : provoquer un grand rassemblement de chevaux islandais de France en un lieu célèbre, chic et fréquenté, comme les Champs-Élysées (sur lesquels on pourrait organiser un défilé entre le Rond-Point et La Concorde par exemple). Ou sous la Tour Eiffel, avec défilé sur le Champ de Mars, jusqu'à l'École Militaire.

Les chevaux seront ceux qu'on trouve en France, car les chevaux nés en Islande ne peuvent, à notre connaissance, quitter le territoire islandais. Du moins, ceux qui l'ont quitté ne peuvent plus y retourner. (Peut-être quelques chevaux venant d'Islande pourraient-ils être introduits en France à l'occasion de la Saison Islandaise, et vendus sur place après la manifestation ?).

Une autre idée mériterait d'être examinée : le très célèbre photographe Yann Arthus-Bertrand (« La Terre vue du Ciel ») a souvent survolé l'Islande. Il pourrait, s'il y était convié, compléter les prises de vue existantes par de nouvelles photos (il en profiterait pour photographier, au sol, des chevaux, ce qui pourrait enrichir un livre consacré aux chevaux islandais : il n'en existe aucun, et c'est bien dommage, en français !) et faire de cet ensemble une grande exposition : « L'Islande vue du Ciel ».

[Note rédigée le 17 octobre 2002 à la demande de mon ami Chérif Khaznadar, qui venait d'être désigné pour organiser en France une « Saison islandaise »

– version miniature des fameuses « Années » culturelles au cours desquelles un pays est mis à l'honneur dans les musées, les salles de concert, de théâtre, de cinéma un peu partout en France.

Mon projet, jugé écologiquement incorrect (vous vous rendez compte : le crottin, ça pollue terriblement !) fut rejeté par les autorités parisiennes. Mais je gagnai dans l'aventure l'amitié de l'ambassadeur d'Islande en France, Tomas Ingi Olrich, grand amateur de chevaux et passionné d'équitation, qui s'évertua à faire reconnaître par la Fédération Française la façon très particulière des Islandais de monter à cheval.]

LE BARBE, CHEVAL DE LÉGENDE

Tenu dans un relatif mépris, le cheval barbe (autrement dit : le cheval berbère) n'a été longtemps considéré, y compris dans son berceau, l'Afrique du nord, que comme une sorte de cheval arabe au rabais, de sous pur-sang : une monture sympathique, certes, mais manquant un peu de noblesse. Divers signes indiquent que ce long purgatoire est peut-être en train de s'achever.

Alors que le cheval arabe a fait l'objet déjà de mille ouvrages magnifiques, d'albums grandioses – bref, dignes de sa majesté ! –, il n'y avait jusqu'à présent sur le barbe que des publications savantes, techniques, plus ou moins rébarbatives (un mot dont la consonance, justement, évoque la malheureuse race).

À l'initiative d'un éditeur algérien entreprenant, Zaki Bouzid, un terme vient d'être mis à cet ostracisme éditorial, sous la forme d'un splendide ouvrage (29 x 27 cm, à l'italienne), richement illustré et soigneusement imprimé sur 300 pages d'un papier de fort grammage.* Relié pleine toile, recouvert d'une jaquette, glissé dans un étui, cet album constitue, comme l'écrit le professeur Yves Coppens dans sa préface, « un hymne éclatant », « un monument à la gloire du cheval barbe ».

L'auteur de ce monument, Abderrahman Kadri, est décédé, hélas, avant la parution de son œuvre, qu'il a intitulée « Le barbe, cheval de légende ». De légende ? Certes, mais pas seulement : toute son histoire, de l'Antiquité à nos jours, de Hannibal à Beudant (« L'écuyer mirobolant », auquel l'écrivain Jérôme Garcin consacre son prochain roman), de l'Andalousie aux Amériques, a prouvé la vitalité du cheval barbe, dont la carrière n'est certainement pas terminée. Ni trop grand ni trop petit, bien dans son dos et bien dans sa tête, résistant et endu-

---

* Cet ouvrage existe en trois langues (arabe, français, anglais). La version française est disponible à Paris, au prix de 69,50 € à la librairie de l'Institut du Monde Arabe, dans les Fnac et dans les librairies de la RMN (Réunion des Musées Nationaux).

rant, sobre et généreux, il est le parfait cheval pour tous et l'idéal cheval à tout faire.

Le fait que sa réhabilitation (ici littéraire) coïncide avec une certaine reconnaissance de l'identité berbère est-il entièrement fortuit ?

[Paru, légèrement raccourci (castré !) dans JEUNE AFRIQUE n° 2555-2556 du 27 décembre 2009 au 9 janvier 2010.]

LES SEPT VIES DU BARBE

L'histoire du cheval est souvent encombrée de mille croyances, mille légendes, qui lui donnent, c'est certain, beaucoup de charme, mais bien peu de solidité scientifique.

Cela ne surprendra personne, le phénomène s'applique principalement en Orient, terre propice au merveilleux, à l'imaginaire, au prodigieux. Mais il frappe aussi les pays réputés plus rationnels. Pour s'en convaincre, il suffit de lire, par exemple, les travaux d'un des plus fameux hippologues français du XIXe siècle, Ephrem-Gabriel Houël, promoteur des courses de trot en France, inspecteur général des haras nationaux et professeur de « science hippique » (*sic*). Il est l'auteur, parmi de nombreux autres ouvrages, d'une ambitieuse « Histoire du cheval de tous les peuples de la terre, depuis les temps les plus anciens jusqu'à nos jours » en deux volumes (1848 et 1852). À la page 145 du premier tome, il observe déjà que « le goût du cheval s'allie merveilleusement avec la poésie », avant d'ajouter : « il est peu de poètes qui n'aient le sentiment du cheval, et peu d'hommes de cheval qui n'aient à un haut degré le sentiment de poésie ».

Même si cette dernière affirmation est loin, hélas, d'être prouvée, l'assertion montre bien le mélange des genres dans lequel se complaît le monde du cheval, où les conteurs sont souvent plus appréciés que les historiens.

Un des cas les plus caractéristiques est celui de ce cheval qu'on appelle aujourd'hui le pur-sang-arabe. Son épopée le fait naître d'une poignée de vent, domestiquer par le fils aîné de Abraham (Ismaël) et transiter par les écuries du roi Salomon avant de se retrouver entre les saintes mains du Prophète.

Il en va presque de même avec cet autre pur-sang oriental qu'est le cheval turkmène, l'akhal-téké, dont les origines, à en croire ses thuriféraires, sont aussi anciennes et aussi magiques, à l'instar de celles de la licorne, de l'hippogriffe et autres animaux fabuleux.

À la différence de l'histoire de ces races, celle du cheval barbe, bien qu'oriental lui aussi, n'est pas un simple tissu de belles anecdotes, façon « mille-et-une-nuits ». Elle s'appuie au contraire sinon sur des certitudes absolues, du moins sur de solides points de repère vérifiables, offrant en cela un cas unique dans l'historiographie chevaline. En effet, aucune autre race – à ma connaissance – ne présente une telle quantité de sources sûres, étalées sur une aussi longue période historique : plus de deux mille ans.

Pour tenter de structurer un peu cette longue histoire, je l'ai divisée en sept étapes principales.

PREMIÈRE VIE : HANNIBAL

Ce sont les Grecs qui, pour désigner les turbulentes populations des contrées mal connues d'Afrique du Nord, souvent appelées libyques, utilisèrent pour la première fois le mot « barbaros ». Ce qui signifiait, tout simplement, « non-Grec », qui ne parle pas le grec, étranger (et donc plus ou moins étrange). Ce substantif a donné ultérieurement les vocables de barbare, Barbarie, barbaresque, berbère et, beaucoup plus tard, celui de barbe, qu'on ne peut appliquer qu'au cheval.

Lorsque, après les Grecs, les Romains commencèrent à s'intéresser à l'Afrique du nord, ils y trouvèrent, déjà solidement installé, l'ex-comptoir phénicien de Carthage, devenu puissance commerciale, maritime, et même militaire, qui tenait les villes côtières, tandis que l'arrière-pays était aux mains d'autres « barbares » – les Maures, les Numides, les Gétules – divisés en d'innombrables petits fiefs plus ou moins inféodés à la capitale punique.

Trois guerres opposèrent Rome à Carthage. La plus célèbre est celle au cours de laquelle le général carthaginois Hannibal, après avoir conquis l'Espagne, franchi les Pyrénées puis les Alpes, parvint, en 211 avant Jésus-Christ, aux portes de Rome. Si « le chef borgne » était, comme l'affirme dans un très beau poème le parnassien Heredia, « monté sur l'éléphant Gétule », sur quoi croyez-vous qu'étaient montés ses milliers de cavaliers ? Sur des barbes, naturellement.

En longeant la côte nord de Méditerranée, avant de franchir les Alpes, la cavalerie carthaginoise aurait laissé quelques souvenirs : certains spécialistes pensent que de cette époque date, en effet, l'origine du cheval de Camargue actuel.

Autre trace laissée, semble-t-il, par les chevaux d'Afrique du nord : certains d'entre eux, parmi les plus robustes, seraient arrivés jusqu'aux portes de Rome. Emmenés, avec le reste de l'armée carthaginoise, à

Capoue, ils y auraient rencontré le cheval local (étrusque). De cette très lointaine rencontre serait né l'ancêtre du cheval napolitain, dont il sera à nouveau question plus loin.

DEUXIÈME VIE : LA KAHINA

Les cavaleries numides surent tenir en échec de nombreux envahisseurs : les Vandales, les Byzantins, d'autres encore, qui tentèrent à diverses reprises de s'installer en Afrique du nord. Elles faillirent même faire échouer, aux VIIᵉ et VIIIᵉ siècles de l'ère chrétienne, la marche de l'Islam vers l'ouest. Une intrépide guerrière des Aurès, dotée d'une cavalerie efficace, organisa ainsi une vive résistance contre les conquérants arabes, qu'elle parvint à rejeter en Tripolitaine. Mais Allah est grand, et l'héroïne fut tuée au combat (en 702). On se souvient d'elle sous le surnom de La Kahina, « la devineresse ». Son vrai nom n'est pas connu avec certitude : Damya, ou Dihya? On ne sait plus très bien, comme on ignore tout de ses véritables croyances. Certains prétendent qu'elle était juive…

Pour quelques historiens, de cet affrontement est né l'intérêt des Arabes pour les chevaux locaux – autrement dit pour le barbe. Afin d'étayer cette thèse, ils font observer que les nouveaux arrivants n'auraient pu parvenir jusqu'au cœur de l'Afrique du nord avec des chevaux amenés d'Arabie. Il y a à cela trois bonnes raisons. La première est qu'en Arabie même, les chevaux étaient plutôt rares. La seconde est que, pour traverser le Sinaï et le désert libyque, le cheval, gros consommateur d'eau, n'était peut-être pas le véhicule le mieux adapté. La troisième, enfin, est qu'on n'avait nul besoin de se compliquer la vie à faire venir de loin des animaux dont on trouvait sur place d'excellents spécimens en abondance.

Les suppositions des historiens sont d'ailleurs confirmées par la tradition : six siècles après les faits, les Nord-Africains continuent à se vanter d'avoir assuré la remonte des propagateurs de l'islam. C'est le cas, par exemple, de Mohamed, fils (comme il l'écrit lui-même) « du prince des savants et du savant des princes », le célèbre émir Abd el-Kader, héros ambigu de la résistance à la pénétration française en Algérie. Ce Mohamed est l'auteur d'un petit livre, paru en 1875, et rédigé en arabe, probablement sous la dictée, ou en tout cas sous le contrôle de son vieux père – en effet très savant et authentique détenteur de la tradition orale maghrébine – composé de légendes hippologiques, de préceptes hippiatriques et de poésies hippiques (son titre, *iqd al agyad*, ne peut-il être traduit, approximativement, par « choix de perles », ou « sélection de joyaux » ?). Il est très clair sur un point : « Les Compagnons du Prophète – que Dieu les bénisse ! – partirent à la conquête de l'Ifriqiya montés sur des chevaux de Syrie, écrit-il page 211. Mais, arrivés dans les Aurès, ils leur préfèrent les chevaux du pays ». Ceux de la Kahina. C'est-à-dire, on l'a bien compris, des barbes.

Autre certitude historique concernant ce qu'on a coutume d'appeler la conquête « arabe », c'est quelle ne fut pas seulement, peut-être même pas principalement, arabe. Vite converties à l'islam, par les Arabes, en effet, les tribus autochtones – parmi lesquelles, retenez bien ce nom, les Zénètes – ne se contentèrent pas de fournir des chevaux, mais aussi des cavaliers.

Faut-il rappeler que les premiers musulmans à mettre pied en Espagne (c'était en 711) étaient des Berbères, dont le chef, Tariq ibn Ziyad, a laissé son nom dans la géographie : le mot Gibraltar, paraît-il, n'est qu'une déformation de l'expression « djebel al Tariq », le mont de Tariq.

TROISIÈME VIE : GENET D'ESPAGNE

Les cavaliers zénètes, appréciés autant pour leur savoir-faire équestre que pour leur intrépidité, constituèrent petit à petit l'essentiel de l'armée musulmane d'Espagne. Leur façon très particulière de monter à cheval – à la zénète, à la genete, à la jineta – s'imposa, et leurs chevaux devinrent célèbrent dans tout l'Occident sous le nom de genets d'Espagne.

[En simplifiant beaucoup, on peut dire que l'équitation *à la jinete* est une équitation « debout » (étriers chaussés courts), par opposition à l'équitation *à la brida*, plus « assise » (étriers chaussés longs). C'est un peu l'opposition entre l'équitation musulmane et l'équitation chrétienne. En dire davantage ici nous entraînerait trop loin.]

Les siècles passent. Le prestige du petit cheval originaire d'Ifriqiya, d'Afrique du nord, ne cesse de croître. Il faut lui trouver un nom. Le mot barbe apparaît enfin (il semble que l'inventeur de ce mot soit Rabelais, qui l'utilisa, en 1534, dans le livre I de « Gargantua »). Le voilà devenu la coqueluche de toutes les cours d'Europe. Le fameux cheval blanc d'Henri IV, c'est lui ! Le cheval d'instruction de Louis XIII, c'est encore lui : un barbe bai, appelé le Bonite, à propos duquel Monsieur de Pluvinel, grand écuyer du roi et auteur d'un des plus anciens traités d'équitation de langue française (« Le manège royal », 1623, réédité en 1625 sous le titre « L'instruction du Roy en l'exercice de monter à cheval ») écrivit qu'il était « le plus parfait cheval de l'Europe ». Autre auteur d'un manuel célèbre (1657), William Cavendish, duc de Newcastle, ne jurait, lui aussi, que par le barbe.

C'est la troisième vie du cheval barbe, qui, devenu andalou, s'exporte dans toute l'Europe. Spécialement doué pour les airs relevés, pour ce qu'on appelle la haute-école, le genet d'Espagne devient le cheval de référence, et l'on en trouve la trace dans la plupart des grandes races créées aux XVIIe et XVIIIe siècles : en France, en Allemagne, en Angleterre, en Hongrie, et jusqu'en Russie où un peu de son sang coule dans les veines du fameux trotteur orlov.

Certains auteurs expliquent que la haute-école, c'est-à-dire l'équitation savante, soit née en Italie, précisément à Naples, aux touts débuts de la Renaissance par le fait, tout simple, que le cheval local s'y prêtait merveilleusement. C'est à Naples, en effet, que Federigo Grisone, puis Gianbattista Pignatelli créèrent, dès le XVIe siècle, les premières académies équestres, où les écuyers français, tel M. de Pluvinel, virent apprendre la nouvelle équitation, consistant à utiliser le cheval non plus comme au temps de la chevalerie, mais avec grâce et délicatesse.

Ces Messieurs disposaient alors d'un type de cheval – disparu, hélas, aujourd'hui –, le napolitain, dont on a vu qu'il avait peut-être de lointaines origines barbes, remontant à l'occupation de la région par la cavalerie numide. La race en question bénéficia d'apports espagnols massifs lorsque, au XVe siècle, les Aragonais succédèrent aux Angevins sur le trône de Naples, ce qui donna – s'il faut en croire Salomon de La Broue, venu à Naples, tout comme Pluvinel, pour y admirer le travail des écuyers napolitains – des chevaux « parfaits en beauté et bonté ».

Un mot encore, juste pour préciser qu'un des ancêtres les plus marquants de la célèbre race des lipizzans, chevaux sur lesquels les écuyers de l'École Espagnole de Vienne (en Autriche) continuent de nos jours encore à faire vivre la belle équitation classique, était un Napolitain – appelé… Néapolitano !

QUATRIÈME VIE : L'AMÉRIQUE !

L'histoire est connue : le cheval avait disparu des Amériques depuis des millénaires lorsque les conquistadors (espagnols) y débarquèrent, au début du XVIe siècle, leurs chevaux (andalous) semant la panique chez les indigènes, persuadés d'avoir à faire à des êtres surnaturels. Ce qui était d'ailleurs (presque) le cas. Ces animaux étaient

– sinon de vrais barbes, du moins fortement mâtinés de barbe.

Nul n'en doute aujourd'hui dans la secte des adorateurs du barbe : ces montures importées d'Espagne sont à l'origine de tout ce qui ressemble à un cheval en Amérique. Les criollos comme les mustangs, les chevaux de cow-boys comme les chevaux d'Indiens : tous, ils ont tous quelques gouttes au moins de sang barbe.

La preuve, ajoute un savant (français) cité par Alfred Ebelot dans son délicieux essai sur les « mœurs sud-américaines » (*La Pampa*, 1890) : à la différence de la plupart des chevaux du monde, qui ont six vertèbres lombaires, le cheval argentin n'en a que cinq – comme le barbe. [Curiosité confirmée par le Dr vétérinaire Dominique Giniaux (l'inventeur de l'ostéopathie équine) dans une communication faite au colloque d'Alger (1987), mais que l'on retrouve aussi, pour dire vrai, sur certains chevaux arabes.]

Autre « preuve » : la ressemblance, pour ne pas dire la similitude, entre des pièces de harnachement utilisées par les cavaliers d'Afrique du nord et celles de certains cavaliers d'Amérique du sud (étriers à plancher large et courbe, mors « à la gaucho » doté d'un anneau-gourmette, etc.). Comment expliquer ces emprunts troublants, si ce n'est par le fait qu'en important des chevaux, on importe les techniques équestres qui leur sont liées ?

Plus fort encore. Si, en franchissant l'Atlantique, le barbe a indirectement donné naissance aux principales races américaines, en traversant la Manche, il a fait beaucoup mieux. Il a contribué à la création d'une race nouvelle – une race extraordinaire qui, depuis plus de deux siècles, domine le monde des courses. Le cheval le plus rapide de l'univers. Le roi des hippodromes : le pur-sang anglais.

Appellation d'ailleurs assez paradoxale, dans laquelle l'adjectif anglais désigne davantage l'origine des éleveurs que celle de leurs produits, et dans laquelle l'affirmation de pureté fait sourire quand on sait que ce prodigieux animal est au contraire le résultat d'un incroyable mélange de sangs – ainsi que l'attestent les livres généalogiques (studbooks) tenus avec une minutie extrême depuis 1750. Ces pedigrees permettent de savoir que les principaux chefs de la race avaient tous de lointains géniteurs barbes.

Le plus illustre est, sans conteste, Godolphin, dont la vie mouvementée a inspiré bien des écrivains à l'imagination fertile, parmi lesquels Eugène Sue (1846) et Maurice Druon (1957). Ce cheval aurait été offert, en 1731, par le Dey de Tunis au roi Louis XV, lequel, n'ayant d'yeux que pour des chevaux d'un tout autre modèle (plutôt râblés, genre cob), n'y aurait prêté aucune attention et, pire encore, s'en serait débarrassé. Le pauvre animal se serait alors retrouvé à tirer la charrette sur le pavé parisien. C'est là qu'un certain M. Cook, un Anglais, l'aurait remarqué, et acheté. Il le fit venir en Angleterre, et le revendit presque aussitôt au tenancier d'une taverne, qui s'en défit à son tour. Cette fois, l'acquéreur fut le bon. C'était un lord : Lord Godolphin, ancien trésorier de la Maison Royale, ancien député et, surtout, éleveur avisé. Plus chanceux, en vérité, que vraiment avisé. Car il ne vit pas tout de suite les qualités de son barbe, dont il ne fit qu'un simple souffleur, un « agaceur » comme on disait à l'époque. C'est un peu par hasard – ou, pour être plus précis, à la suite du viol d'une belle alezane appelée Roxana – qu'on s'aperçut que ce cheval était un bon reproducteur. Et quel reproducteur ! Puisqu'on trouve dans sa descendance Matchem et Éclipse, deux des fondateurs de la race très aristocratique des pur-sang anglais.

CINQUIÈME VIE : LA FRANCE… EN ALGÉRIE

La cinquième vie du barbe commence le 14 juin 1830, au moment où les Français débarquent à Sidi Ferruch et entament la conquête de l'Algérie. Le corps expéditionnaire se compose de trente-huit mille hommes et quatre mille chevaux.

Quatre mille grands canassons « afrandjis » (français), dont on ne tarde pas à s'apercevoir qu'ils ne sont adaptés ni au climat ni au terrain. On les remplace *fissa* par des chevaux locaux. Très vite, l'armée repère les meilleures régions d'élevage. Elles se situent non point sur la côte, mais plutôt sur les hauts plateaux, en bordure du désert.

Les ressources locales ne sont pas illimitées. L'élevage indigène ne peut subvenir à lui tout seul aux besoins de la guerre de conquête, « grande dévoreuse d'effectifs et de chevaux ». Que faire ? La France, même outre-mer, reste la France, on crée des commissions, on nomme des experts, on commande des rapports. Et, en attendant, on se débrouille…

On se débrouille en ruinant le pays. « Estimé à dix mille chevaux par an en 1830, la production n'offre plus aux commissions d'achats que deux mille à deux mille cinq cents sujets en 1847. Or l'armée d'Afrique a besoin de quatre mille chevaux par an », rappelle le colonel Bogros, un des meilleurs spécialistes de la question.

L'affaire est trop sérieuse pour être laissée aux civils. Elle sera confiée à des militaires. Le service des remontes est renforcé, les dépôts d'étalons (les premiers ont été créés en 1844 sur ordre du maréchal Bugeaud) sont multipliés, des stations de monte et des jumenteries sont ouvertes aux quatre coins du pays : en 1851, le système militarisé des haras algériens fonctionne à plein régime.

« Il sera étendu à la Tunisie en 1882 et au Maroc à partir de 1912 », fait encore observer Denis Bogros, qui ajoute : « Il y sera maintenu jusqu'à la Seconde Guerre mondiale. En 1946, ces établissements seront remis à l'administration civile des trois pays du Maghreb – qui d'ailleurs, en conserveront les structures à peu près telles quelles après les indépendances, et pratiquement jusqu'à nos jours ».

Pour la plupart des officiers français envoyés en Algérie, c'est la révélation. Le plus célèbre d'entre eux, le général Eugène Daumas, au retour d'un séjour de près de quinze ans en Algérie, où il a eu à affronter la résistance organisée par l'émir Abd el-Kader, consigne dans un ouvrage (paru une première fois en 1851, mille fois réédité depuis) l'ensemble de ses observations de terrain. À peine sorti, il envoie cet ouvrage, qu'il a intitulé « Les chevaux du Sahara » à son ennemi d'hier Abd el-Kader, qui vient de rendre les armes, mais pour lequel il éprouve la plus grande considération, ne serait-ce qu'à cause de l'ampleur de ses connaissances hippologiques. Le noble prisonnier lui adresse ses commentaires. Ceux-ci sont si intéressants, si enrichissants que Daumas s'empresse de rééditer son livre, augmenté des commentaires de l'émir. Abd el-Kader y fait de longs développements consacrés au barbe, un cheval qui, dit-il, « meurt, mais ne vieillit pas ».

À la fois résistant et endurant, le barbe enthousiasme la plupart des officiers coloniaux. « Docile, sobre, adroit, patient, agile et infatigable, le barbe réunit au plus haut degré les qualités que recherche l'homme de guerre », écrit le général Oudinot (le fils du maréchal d'Empire) en 1847. Sept ans plus tard, lorsque la France est appelée à combattre en Crimée, c'est la remonte algérienne, dont on a déjà souligné la formidable efficacité, qui fournit les chevaux. De son quartier général devant Sébastopol, le général Canrobert, commandant en chef du corps expéditionnaire, écrit à son ami le général Daumas : « Les chevaux barbes sont les seuls qui résistent bien aux épreuves du climat et de la nourriture » (lettre du 28 janvier 1855).

Plus tard, on lui trouvera d'autres qualités encore. Et même toutes les qualités, y compris son aptitude à l'équitation sportive, au saut d'obstacles, au dressage. La preuve la plus spectaculaire en est fournie par Étienne Beudant, un cavalier, il est vrai, tout à fait exceptionnel : le général Decarpentry l'avait nommé « l'écuyer mirobolant ». André Monteilhet raconte l'histoire de Robersart II, un barbe bai cerise, « né à Bourkika, en Algérie, que Beudant monta dans une légèreté presque parfaite, le cheval exécutant un travail riche et difficile comprenant du trot et du galop en arrière. Il sautait remarquablement les obstacles en concours hippique – où il est applaudi notamment le 9 novembre 1913, par deux connaisseurs de marque : Lyautey et l'ambassadeur de Saint-Aulaire [...] Robersart II, monté à 75 kg, prend part, le même 9 novembre 1913, à un cross-country de 4 500 m couru à un train de plat avec passage de plusieurs dunes de sable. Malgré une erreur de parcours, commise par lui seul, il arrive au poteau avec soixante longueurs (172 m) d'avance sur les onze concurrents, tous montés par des officiers bons gentlemen-riders » (« Les Maîtres de l'œuvre équestre », 1979).

Pendant ce temps, au Maroc, les cavaleries indigènes impressionnent fortement les visiteurs étrangers. En novembre 1815, un Américain du nom de James Rilley fait naufrage au large de Mogador (aujourd'hui Essaouira). Il assiste à un rassemblement extraordinaire de « treize à quinze cents chevaux, aussi légers que le vent et pleins de feu » (cité par Louis Mercier dans les commentaires à sa traduction de « La parure des cavaliers », grand classique de la littérature hippiatrique andalouse). James Rilley parle de chevaux « arabes », mais ce sont en vérité des chevaux barbes, ou issus du barbe (ce qu'on a appelé plus tard des arabe-barbes).

Il faut mentionner aussi, parmi des dizaines d'autres, le témoignage de l'excellent écrivain Pierre Loti. Dans le récit du voyage qu'il fit (à cheval) à travers l'empire chérifien en avril 1889, il dit son admiration pour les cavaleries somptueusement harnachées qui l'accueillent de place en place. Le 27 du mois, il arrive à Fez, où réside le sultan Moulay Hassan (l'ancêtre du monarque actuel). Ce dernier le reçoit à cheval, sur une monture fougueuse, que le roi domine avec majesté. L'entrevue est brève, mais inoubliable.

SIXIÈME VIE : LE DÉCLIN

La Seconde Guerre mondiale marque la fin d'une époque, la fin du cheval de guerre et peut-être même, se demandent certains, la fin du cheval tout court... Pour le barbe, en tout cas, le déclin est inexorable. Sa sixième vie est un calvaire. La dissolution des régiments montés (les derniers escadrons de spahis, basés à Senlis, ont été supprimés en 1962), les guerres d'indépendance, l'exode rural : tout cela contribue petit à petit à reléguer le barbe à un rôle subalterne, à le cantonner à des fonctions purement folkloriques, à n'en faire plus qu'une bête de fantasia, un animal de fantaisie.

Parvenus à l'indépendance, les pays du berceau de la race ont d'autres chevaux à fouetter que de maintenir l'élevage du barbe, devenu plus ou moins « inutile », à un niveau d'excellence. Le coup de grâce est donné en 1965 : une épidémie de peste met les chevaux du Maghreb, pour plus de dix ans, sous embargo international. La France, oubliant les immenses services qu'il lui avait rendus, traite le barbe avec ingratitude. La race n'est même plus reconnue par les haras nationaux, et Ouassal, l'étalon offert par le président algérien Boumediene au président français Giscard d'Estaing, n'est pas autorisé à saillir les poulinières françaises.

SEPTIÈME VIE : LA RENAISSANCE

Il faut attendre le milieu des années 1980 pour assister à un léger redressement, un début de réhabilitation, et bientôt une sorte de résurrection.

L'épidémie a fait au moins trente mille victimes dans la seule Algérie mais un salon organisé à Tiaret en 1985 permet de constater que le barbe, loin s'en faut, n'en a pas totalement disparu.

Au Maroc, Sa Majesté Hassan II ordonne qu'une section consacrée aux barbes soit ajoutée à son haras personnel (à Bouznika, non loin de Rabat), jusque-là exclusivement réservé aux pur-sang-arabes. Les Tunisiens, enfin, s'intéressent à nouveau à leur petit cheval mogod (le poney barbe), dont il est urgent, en effet, de s'occuper si l'on veut que la race ne s'éteigne.

Et puis, les 20 et 21 juin 1987, près de quatre-vingts délégués, en provenance d'une douzaine de pays, se réunissent à Alger pour parler du barbe, envisager sa sauvegarde, organiser son retour en grâce. Il y a là des historiens, des zoologues, des fonctionnaires, des vétérinaires, des éleveurs et des journalistes : les meilleurs spécialistes et les plus hautes personnalités non seulement des pays dits du berceau de la race, mais de la périphérie africaine, d'Europe, et même d'Amérique.

Le colloque se termine dans l'enthousiasme par la création d'un sympathique « machin », l'OMCB (Organisation Mondiale du Cheval Barbe), dans laquelle cohabitent les trois pays du Maghreb et la France.

Pour le barbe, c'est le début d'une septième vie. L'OMCB, en effet, arrache à l'administration française des Haras Nationaux la décision de reconnaître à nouveau la race. Ouassal peut enfin faire son métier d'étalon. Mais, d'émotion sans doute, le pauvre en meurt presque aussitôt. La Suisse, la Belgique, le Luxembourg et même l'Allemagne se rallient à l'organisation – qui, hélas, ne se révèle pas vraiment à la hauteur de sa tâche et paraît plongée aujourd'hui dans une profonde torpeur.

En France, les éleveurs de barbes, tout occupés à leurs chamailleries, semblent s'en désintéresser, tandis que l'Algérie – entièrement mobilisée à résoudre ses problèmes politiques internes – paraît avoir renoncé à son rôle pilote en la matière.

La relève, heureusement, est assurée. Par le Maroc qui, sous l'impulsion du souverain actuel, le roi Mohamed VI, mène depuis plusieurs années une politique d'encouragement à l'élevage de qualité qui commence à porter ses fruits, comme on a pu le constater en 2009, à l'occasion d'un Championnat national, le premier du genre, qui s'est tenu à el Jadida, dans le cadre du Salon du Cheval. En offrant, le jour même de l'inauguration de ce Salon, un bel étalon barbe gris rouanné de six ans, appelé Ouadoud, aux Haras Nationaux français, le roi du Maroc a fait preuve à la fois de générosité et d'habileté : grâce à ce geste, c'est un barbe du Maroc qui sert aujourd'hui d'étalon de référence en France, principal pays d'élevage hors berceau.

[Sur le cheval barbe, j'ai beaucoup écrit ! La « révélation » m'est venue à Tiaret, en 1985, lors du premier Salon National du Cheval, organisé par le ministre algérien de l'Agriculture de l'époque, un certain Kasdi Merbah. Ce que j'y vis m'inspira un article enthousiaste qui fut publié dans la presse française (CHEVAL MAGAZINE) puis algérienne. Je me remis à l'ouvrage – c'est le cas de le dire – deux ans plus tard, en éditant un livre entièrement consacré à la réhabilitation de cette race : « Le cheval barbe » (Favre, caracole, 1987) : 200 pages, avec des textes de Denis Bogros et une pléiade de grands auteurs (François de Beauregard, Maurice Druon, Jean-Claude Racinet, etc.). Puis, franchissant un degré de plus dans cette escalade hagiographique, ce fut le Colloque international que j'organisai à Alger en juin 1987, et qui déboucha sur la création de l'Organisation Mondiale du Cheval Barbe (OMCB), suivie de la publication des Actes de ce colloque (« Tous les textes officiels sur le cheval barbe », Favre, caracole, 1989).

Ce n'est pas tout. En 2002, l'Institut du Monde Arabe, à Paris, organise une grande exposition qu'il décide d'intituler assez improprement « Chevaux et cavaliers arabes ». Improprement parce que l'écrasante majorité des pièces exposées sont turques, persanes, mogholes : tout sauf arabes ! Pour tenter d'atténuer ce mensonge et rééquilibrer un peu la réalité, mon ami Jean-Pierre Digard, auquel on a confié la direction scientifique du catalogue (somptueusement édité par Gallimard), me commande un article sur le barbe, que j'intitule – déjà ! – « Les sept vies du cheval barbe ».

Je reviendrai encore sur la question dans deux des cinq volumes de ma petite géographie amoureuse du cheval, éditée chez Belin : « L'Afrique par monts et par chevaux » (2002) puis « L'Orient, enfer et paradis du cheval » (2007).

C'est beaucoup ! Mais ce n'est probablement pas assez, car voilà que, de partout, on me réclame encore de la copie sur cet animal : les organisateurs du Salon du Cheval de el Jadida (Maroc) afin d'organiser un éventuel colloque lors de la troisième édition de ce formidable rassemblement de barbes, en octobre 2010... et mon ami Joël Farges – encore lui ! – en vue de l'éventuelle réalisation d'un documentaire pour la télévision. Faisant d'une pierre deux coups, je rédige alors le texte – mi-communication, mi-synopsis – qu'on vient de lire.]

LES CHEVAUX DU ROI
ET LE ROI DES CHEVAUX

De toutes les idées lancées – il faut bien le dire : souvent n'importe comment – par Nicolas Sarkozy, il en est une qui avait, dès le départ, assez peu de chances d'aboutir : la création d'une Union Pour la Méditerranée, dans laquelle on aurait vu soudain, comme par enchantement, s'apaiser les tensions entre tous les riverains, se réconcilier Turcs et Grecs, Algériens et Marocains, Juifs et Arabes, par la seule grâce, le seul charme ou la seule volonté d'une espèce de nouvel Aladin, dont le bon génie, conseiller à l'Élysée, s'appelle Henri Guaino.

Pour relancer une affaire qui a si mal commencé, Sarkozy serait, dit-on, à la recherche d'une idée forte, d'une action d'éclat, susceptible de faire sinon l'unanimité du moins des étincelles. De source sûre, il aurait ainsi l'intention, complètement loufoque, de réunir un jour, sur les Champs-Élysées, pour les faire défiler ensemble, des détachements algériens, marocains… et israéliens ! À l'occasion, par exemple, d'une prochaine fête nationale du 14 juillet.

S'il se confirmait qu'un tel projet hante réellement l'esprit du Président français, il faudrait s'inquiéter. Cela prouverait – au moins – que la boîte à idées élyséenne est tragiquement vide.

Devant une telle situation, puis-je, pour ma modeste part, faire une proposition ? Lancer une idée peut-être un peu surprenante, mais en tout cas moins farfelue que celle du défilé sur les Champs-Élysées : la création d'une union méditerranéenne du cheval et de l'équitation, dont il faudrait proposer au Maroc de prendre la direction.

Cette perspective – cavalière, bien sûr – m'est apparue comme une sorte d'évidence, lorsque j'ai assisté, le mardi 20 octobre (2009) en début d'après-midi, à l'inauguration, par le roi Mohamed VI en personne, du deuxième Salon du Cheval de el Jadida.

El Jadida – moins de 100 km au sud de Casablanca – c'est un peu le Deauville du Maroc. Située au bord de l'océan, la ville (que les Portugais avaient appelée Mazagan) est au cœur d'une région où, comme la Normandie en France, l'on élève des chevaux depuis toujours, et d'où sortent les meilleurs produits du pays. À cela s'ajoute que la cité abrite un des moussem les plus courus du pays (Moulay Abdallah Anghar), qui rassemble chaque année plus de mille cavaliers, venus de toutes les régions du royaume.

Il y a quelque temps, un hippodrome, baptisé « Princesse Lalla Malika », a été construit ici, sur une vingtaine d'hectares, en bord de mer, un peu à l'écart de la ville, à l'intérieur duquel le jeune souverain a décidé de créer un nouveau Salon du Cheval dont la première édition, l'année dernière, a remporté un formidable succès populaire : plus de 100 000 visiteurs en moins d'une semaine ! (À titre de comparaison, le Salon du Cheval de Paris peine à accueillir 120 000 visiteurs en neuf jours, dont deux week-ends). Le succès, cette année, s'est confirmé : la foule des visiteurs a frôlé le chiffre de 150 000.

Il faut dire que tout avait été conçu pour que le déplacement en vaille la peine. Chaque région du Maroc y présentait ses richesses dans le domaine de l'élevage, de l'artisanat ou du tourisme équestre. Chaque institution liée à ces activités y avait également installé un stand : la Fédération équestre, les associations d'éleveurs, les sociétés de courses, ainsi que, bien sûr, ces grands utilisateurs de chevaux que sont, au Maroc, la police, la gendarmerie, l'armée et, *primus inter pares*, la garde royale.

Quelques exposants privés (selliers, laboratoires pharmaceutiques, et autres) y montraient leurs meilleures réalisations, tel cet entrepreneur français, Philippe Ploquin, venu présenter une pièce d'orfèvrerie extraordinaire, glorifiant la dynastie alouite : sur un miroir de près d'un mètre de diamètre, vingt-deux chevaux cabrés sont censés symboliser les vingt-deux sultans et rois de ce nom, surmontés d'un plateau où dix chevaux, cabrés eux aussi, célèbrent les dix années de pouvoir du souverain actuel, d'où émerge un petit cheval habillé d'or, qui n'est autre, on s'en serait douté, que le tout jeune prince héritier, Moulay Hassan !

Il y avait là, surtout, plusieurs centaines de chevaux de toutes races – barbe, arabe, arabe-barbe, anglo-arabe, principalement – et de races incertaines, comme le sont souvent les vaillantes montures utilisées pour la fantasia (un mot, soit dit en passant, d'origine mystérieuse, mais en tout cas étrangère, que les Marocains ont décidé de remplacer par le terme, plus couleur locale, c'est vrai, de tbourida). On pouvait même y contempler une grosse bête étrange, monumentale, trois ou quatre fois plus volumineuse que les petits chevaux du coin : un magnifique percheron gris pommelé, amené ici par les Haras Nationaux français. Dans la foule des curieux, combien savaient que dans les veines de cet énorme bestiau coule, depuis le XVIIIe siècle, un peu de sang arabe ?

En dehors des expositions et des exhibitions de fantasia, on pouvait se distraire de mille façons : démonstrations de maréchalerie, baptême de poney pour les enfants – et, par-dessus tout, une succession de spectacles équestres internationaux du meilleur niveau.

C'est en assistant à cette succession de numéros extraordinaires ce 20 octobre que s'imposa à moi, comme sans doute à toute l'assistance, y compris à la personne du roi, la réalité d'une certaine unité méditerranéenne, d'une communauté façonnée par le cheval. Lorsqu'entrèrent sur scène les magnifiques andalous dits « de pure race espagnole » menés en main par les écuyers magiciens de l'École Royale de Jerez, comment ne pas voir dans ces animaux au chanfrein légèrement busqué, à l'encolure puissante, l'évident cousinage avec les chevaux barbes ? C'est-à-dire berbères. C'est-à-dire d'Afrique du nord. C'est-à-dire d'ici !?

Lorsqu'entrèrent ensuite, dans la vaste carrière de présentation, les cavaliers de Zaouit Cheikh (une localité du Moyen-Atlas) vêtus de blanc et d'or, debout sur leurs étriers, montés sur de fringants petits chevaux gris au bec rose, à la crinière en panache, sellés et bridés de harnachements somptueux, comment ne pas songer à leurs lointains ancêtres, qui, en l'an 711 de l'ère chrétienne, servirent de fer de lance à la conquête musulmane ? C'étaient, dit-on, des Zénètes, une tribu berbère venue des profondeurs libyennes. Leur façon si particulière de monter, étriers courts, fut appelée en Espagne « jinete » (déformation de zénète) et leurs montures, mariées aux chevaux locaux, des « genets » (déformation de jinete) !

Comment ne pas se souvenir que, bien avant eux déjà, Hannibal était passé par là, remonté en chevaux numides (berbères), qui laissèrent des traces sur tout le pourtour méditerranéen : en France, sans doute (les petits chevaux de Camargue), en Italie sûrement. Croisés aux chevaux étrusques, ils firent souche en Campanie – c'était cela, les délices de Capoue ! – et eurent pour lointains descendants les fameux chevaux napolitains, sur lesquels naquit, à la Renaissance, cette équitation dite de haute-école qui, plus tard, fut portée à la perfection par des maîtres tels Monsieur de Pluvinel, le professeur d'équitation du roi de France.

Comment ne pas ressentir qu'on est ici, au Maghreb, au cœur d'une civilisation, au centre d'un foyer dont le feu s'est propagé sur une grande partie du pourtour méditerranéen, et dont le véhicule fut incontestablement ce petit cheval local dont on a eu le plaisir de voir, à El-Jadida, quelques beaux spécimens, spécialement au lendemain de l'inauguration du Salon, lors du Championnat National du cheval barbe, dont l'incontestable vainqueur fut un admirable étalon bai brun de deux ans, appelé Seyf el Boraq et appartenant à M. Anas Jamaï Ghizlani.

La qualité moyenne des produits présentés au cours de ce Championnat prouve que le Maroc est, en la matière, sur le bon chemin. Si le père de l'actuel souverain avait un léger penchant pour la race dite arabe (dont les meilleures souches, paradoxalement, se trouvent en Europe ou aux États-Unis, ce qui impose aux éleveurs arabes d'importer leurs étalons et leurs poulinières !), le jeune roi, lui, a marqué sa préférence pour le cheval local, le barbe, dont il encourage l'élevage, et au prestige duquel il veille personnellement. J'en prends pour indice le fait que Mohammed VI, ayant appris que le dernier étalon barbe possédé par les Haras Nationaux français s'était éteint récemment, profita de la présence à el Jadida de Franck Le Mestre, fringant directeur opérationnel du haras du Pin (« le Versailles du cheval »), pour lui annoncer, au cours d'une audience accordée le jour même de l'inauguration du Salon, qu'il offrait à la France un superbe étalon gris rouanné de six ans baptisé Ouadoud.

La France est, pour des raisons historiques évidentes, le pays « hors berceau » où la concentration de chevaux barbes est la plus forte. Raison pour laquelle elle fut admise à faire partie des cofondateurs d'une organisation unique en son genre, l'OMCB : Organisation Mondiale du Cheval Barbe.

Je peux en parler savamment : ce sympathique « machin » a été créé à mon initiative avec la complicité d'un brillant vétérinaire algérien, Rachid Benaïssa, devenu depuis ministre de l'Agriculture, à l'issue d'un colloque organisé à Alger en 1987, auquel j'avais convié tout ce que l'univers comptait comme spécialistes, ou simples amateurs, du cheval barbe : historiens, zoologues, éleveurs et cavaliers originaires d'une douzaine de pays, presque tous riverains de la Méditerranée.

Malgré les incessantes chamailleries qui opposent depuis plus de vingt ans l'Algérie au Maroc, l'institution continue à fonctionner, vaille que vaille : l'Algérie, ainsi que la Tunisie, ont envoyé un délégué à el

Jadida où devait se tenir, en marge du Salon, une réunion de l'organisation. La réunion a eu lieu. Il n'y a pas eu de morts. Preuve, Monsieur le Président Sarkozy, que le cheval – cet animal sur lequel vous ne détestez pas vous exhiber – peut constituer le ciment que vous recherchez pour consolider votre Union Pour la Méditerranée.

[Écrit dans l'enthousiasme de ce que j'avais vu à el Jadida, cet article a connu plusieurs versions. La version intégrale a été diffusée dès le 2 novembre 2009 sur le site électronique de JEUNE AFRIQUE (www.jeuneafrique.com) puis publiée, avec quelques coquilles, dans LE CHEVAL n° 135 (6 novembre 2009). Il a été repris, enfin, dans une version abrégée, dans l'édition papier de JEUNE AFRIQUE n° 2548 (du 8 au 14 novembre 2009).]

POUR UNE ACADÉMIE BARBE
D'ART ÉQUESTRE

Le cheval barbe souffre d'un déficit de notoriété. Et, chez ceux qui le connaissent, d'un déficit de prestige. Le barbe, dans l'esprit de la plupart des cavaliers d'aujourd'hui, ce n'est qu'une brave monture de fantasia, un gentil canasson, une sorte de sous-arabe, utilisable en équitation d'extérieur, de loisir, voire d'endurance. Pas plus. C'est bien dommage – et surtout, c'est injuste.

C'est dommage parce que cette dévalorisation cantonne le barbe dans des usages subalternes (et le maintient donc à des prix qui ne peuvent permettre aux éleveurs de gagner leur vie). Et c'est injuste, parce que l'histoire a prouvé ses prodigieuses capacités dans les emplois les plus nobles.

Étienne Beudant a été surnommé « l'écuyer mirobolant » en raison des résultats qu'il a obtenus en Algérie (à partir de 1908) puis au Maroc (à partir de 1913) de ses montures « indigènes » – c'est-à-dire barbe (et dérivés : arabe-barbe ou anglo-barbe).

Le plus connu de ces chevaux est Robersart, bai cerise de 1,63 m, que Beudant montait dans une parfaite légèreté, exécutant, parmi d'autres airs difficiles, trot et galop arrière. Il faut citer aussi Sultan, Bakhta, Mechboub, Mimoun, Messaoud et dix autres, dont il obtint de véritables prouesses.

Les prédispositions du cheval barbe au travail de haute-école n'étonnent que ceux qui ont oublié que le barbe est un des ancêtres de ces chevaux ibériques connus aujourd'hui sous le nom de Pure Race Espagnol (PRE) et Pur Sang Lusitanien (PSL), très recherchés par les amateurs d'airs relevés, de haute-école ou de fantaisie. Ce n'est pas pour rien si les chevaux hispaniques ont été longtemps désignés sous le nom de andalous ou – plus explicite encore – sous le nom de genet. Le mot genet, en effet, n'est que la déformation du nom d'une tribu berbère venue du Maroc en Espagne au temps de la conquête musulmane : les Zénètes, cavaliers intrépides et habiles.

C'est sur un barbe, appelé Le Bonite, que le père de l'équitation académique, M. de Pluvinel, enseignait, dans les années 1615, la belle équitation à son élève le futur roi de France, Louis XIII.

Le genet, ou cheval andalou, a fait lui aussi preuve de ses exceptionnelles aptitudes à la haute-école non seulement dans les arènes de corrida, mais dans toutes les académies équestres d'Europe : il y a du sang espagnol chez le napolitain ; il y a du sang andalou chez le lipizzan – la monture qu'utilisent de nos jours encore les écuyers de la fameuse École Espagnole de Vienne.

Se souvenant de tout cela, les Espagnols et les Portugais ont créé, voici seulement une vingtaine d'années, les uns à Jerez, les autres à Lisbonne, des Académies équestres devenues de hauts-lieux touristiques et patrimoniaux.

Ne serait-il pas temps de rappeler qu'à l'origine des races utilisées dans toutes ces belles institutions se trouve le barbe, et de consacrer à ce dernier un lieu de prestige où il puisse faire la démonstration de ses extraordinaires facultés ?

Une Académie Barbe d'Art Équestre redonnerait au cheval d'Afrique du nord ses lettres de noblesse. Dès lors, le barbe cesserait de n'être considéré que comme une monture de seconde zone.

Il existe aujourd'hui en France d'excellents maîtres de dressage, originaires du Maghreb, formés aux meilleures sources de la haute-école d'Europe. Des chevaux de qualité existent aussi en quantité dans les haras et les élevages d'Afrique du nord. Reste à trouver un lieu prestigieux et facile d'accès à une clientèle d'amateurs éclairés du monde entier.

[Paru dans LE CHEVAL n° 157 (12 novembre 2010), précédé d'un petit texte introductif signé de Étienne Robert, le directeur (et fondateur) de la publication :

« Invité à y prononcer une conférence sur *Les 7 vies du cheval barbe*, Jean-Louis Gouraud a assisté au 3ᵉ Salon du Cheval de el Jadida, au Maroc (19 au 24 octobre 2010).

Parmi les nombreuses manifestations de ce festival équestre, qui a attiré cette année encore plus de 200 000 visiteurs (voir LE CHEVAL n° 156 du 29 octobre 2010), une des plus impressionnantes aura été le Championnat National du Cheval Barbe, dont le vainqueur est un superbe étalon noir portant une "marque en tête" (tâche blanche sur le front) appelé Seyf Al Boraq, appartenant à un éleveur privé, Anas Jamai.

Comme on le constatera en lisant le texte ci-dessous, la beauté et la qualité des chevaux présentés lors de ce championnat ont donné des idées à notre ami Jean-Louis Gouraud, dont, par ailleurs, le dernier ouvrage, « La Terre vue de ma selle » (Belin), lui a valu le Prix Écrivain-Voyageur (décerné lors de la Forêt des Livres en août 2010) et le Trophée Littérature (lors du Festival Epona en octobre 2010). »

Cette proposition de création d'une Académie barbe d'art équestre a été ensuite reprise par JEUNE AFRIQUE, qui l'a publiée, sous le titre « Éloge du cheval barbe » dans son numéro 2603 (28 novembre au 4 décembre 2010).

Lorsqu'il entendit parler de cette idée, Bartabas me fit connaître sa disponibilité à aider à sa réalisation. Du coup, j'envoyai à mes amis marocains le message suivant :

« L'idée de la création d'une Académie barbe d'art équestre fait son chemin. Destinée à redonner au cheval barbe ses lettres de noblesse, cette future Académie pourrait bénéficier de l'aide (formation des écuyers, dressage des chevaux, conseil artistique, etc.) de l'Académie du spectacle équestre de Versailles.

Créée voici bientôt dix ans par le célèbre écuyer-chorégraphe Bartabas, qui la dirige toujours, cette Académie est logée dans le Manège et les Grandes Écuries du Château de Versailles, créés par le roi Louis XIV. Informé du projet de création d'une Académie vouée au cheval barbe, Bartabas a spontanément proposé son aide, et l'instauration d'une coopération étroite entre les deux institutions.

Cette relation privilégiée s'inscrirait dans la continuité historique : on sait en effet qu'en février 1699 le sultan du Maroc Moulay Ismaïl avait offert au Roi Soleil quelques beaux étalons issus de ses élevages. »

À suivre…]

5
manies

*En dehors de l'hippomanie (et de la mégalomanie), je suis
atteint d'autres pathologies, animé d'autres passions, hanté
par d'autres obsessions. À commencer par les femmes (c'est
grave, docteur ?). Cette affection-là, au moins, porte bien son
nom. Les autres marottes dont je souffre (sans en souffrir)
ont pour noms russomanie et afromanie. J'ai pour ces deux
régions du monde, le continent africain et l'ex-empire russe
(entre lesquels je trouve d'ailleurs bien des similitudes), une
attirance, une inclination, une fascination assez envahissan-
tes en effet. Mais largement payées de retour. Et puis, femmes
ou chevaux, Afrique ou Russie : tout cela se mêle (et s'emmêle) souvent dans ma tête et dans mon cœur pour ne former
qu'un tout dont je m'accommode (bien obligé !).*

LA PLUS NOBLE CONQUÊTE DE LA FEMME

S'il est devenu assez banal de constater et de commenter – pour s'en réjouir ou pour le déplorer – la féminisation galopante du monde du cheval, quelques ouvrages récents (et moins récents) nous rappellent qu'en réalité le phénomène n'est pas si nouveau que cela.

Dans un de ses derniers romans, l'écrivain (l'écrivaine?) Irène Frain nous entraîne « Au Royaume des femmes » (Fayard, 2007), une petite principauté du Tibet qui était dirigée, semble-t-il, au siècle dernier, par une cavalière.

À la même époque, où à peu près, les Ottomans utilisaient couramment des troupes irrégulières, les célèbres bachi-bozouks, dirigées parfois par d'intrépides cheftaines, ainsi qu'en témoigne par exemple le vicomte de Noé dans ses Mémoires (« Les bachi-bozouks et les Chasseurs d'Afrique », 1862).

De façon plus générale, toutes les civilisations ont eu, à un moment de leur histoire, une héroïne guerrière et cavalière : chez nous, Jeanne d'Arc ; au Sahel, la princesse Yennega ; chez les Berbères, La Kahina ; aux Indes, la rani de Jhansi – à laquelle Michel de Grèce a consacré un beau roman, « La Femme sacrée » (Orban, 1984).

Les femmes toutefois ne se sont pas intéressées au cheval que pour guerroyer : dans un charmant recueil d'anecdotes, « Histoire des chevaux célèbres » (1821), Pierre-Jean-Baptiste Nougaret affirme que dans la Grèce antique, dix siècles avant notre ère, « les dames étaient admises à disputer aux jeux olympiques la couronne aussi bien que les hommes : Cynisca, sœur d'Agésilas, roi de Lacédémone […] fut proclamée victorieuse dans la course des chars attelés de quatre chevaux » (page 90).

Si l'existence, dans l'Antiquité, d'un peuple composé uniquement de cavalières est largement mythologique, un recoupement des sources (Homère, Hérodote, Strabon, etc.) et leur confrontation aux découvertes archéologiques récentes tendrait à prouver la réalité historique des Amazones. Il faut lire à ce sujet l'excellent petit livre que vient de leur consacrer un éminent spécialiste des civilisations de la steppe, Iaroslav Lebedynsky (éditions Errance, 2009), dans lequel il révèle, par exemple, que vingt pour cent des tombes féminines souromates – lointains ancêtres des Sarmates et successeurs des Scythes entre Oural et Danube – fouillées dans la région de la Volga contiennent des armes (pointes de flèches, lances et épées) et des éléments de harnachements.

Tant et si bien que je ne serais guère surpris d'apprendre un jour prochain que l'homme préhistorique qui, le premier, voici cinq ou dix mille ans, domestiqua le cheval, était… une femme !

[Paru dans le n° 461 « Spécial Cheval au féminin » de CHEVAL MAGAZINE (avril 2010) dans la rubrique *Ruades*.]

COMME L'ÉQUITATION,
L'ÉROTISME S'EST FÉMINISÉ

Au début du printemps, mon libraire, connaissant mes goûts, m'annonce au téléphone qu'il vient de recevoir un bouquin, édité chez Hachette et intitulé « La Jument ». L'auteur ? Un certain Esparbec. Connais pas, mais mettez-m'en un de côté, lui dis-je. Je passerai le prendre un de ces quatre.

« La Jument » ? Le titre me turlupine. Je file récupérer le paquet que mon libraire a préparé et, sans attendre d'être rentré chez moi, m'empresse de l'ouvrir – pour découvrir que la superbe croupe exposée en couverture n'est pas tout à fait celle d'une poulinière : recouverte d'un porte-jarretelles rouge vif, qui la met en valeur, pour ne pas dire en relief, elle appartient à une créature qui, si j'en juge par le reste de l'anatomie, appartient au genre humain.

À l'examiner de plus près (la couverture), je constate que si l'éditeur appartient bien au groupe Hachette, il se présente ici masqué, sous le nom d'une de ses multiples filiales, la Musardine, spécialisée, c'est bien connu, dans la littérature disons légère. D'ailleurs, pour que les choses soient tout à fait claires, le titre du bouquin est suivi d'un sous-titre explicite : « roman pornographique » !

Je commence à le lire, bien sûr. Mettez-vous à ma place. On aime les chevaux ou on ne les aime pas. On fait son métier sérieusement ou on ne le fait pas.

J'en suis à la page 77 (sur 288 !), fin du chapitre cinq : toujours pas croisé le moindre cheval dans cette histoire. Il y en a peut-être que ça va frustrer ; moi, ça me soulage. J'aurais été chagriné que cet animal noble, fier, élégant, aristocratique, soit mêlé à de vulgaires histoires de fesses. Certes, le cheval est l'animal le plus sexué de la création, Franck Evrard l'a magistralement démontré dans un précédent numéro de la revue *cheval-chevaux* : tantôt symbole de virilité, tantôt représentation de la féminité, il est, par excellence, l'animal de l'amour. Mais, je crois l'avoir prouvé en réalisant une anthologie sur un sujet proche (1), le cheval, aussi connoté soit-il, n'est jamais obscène. La pornographie, ce n'est pas son truc. La lubricité, la grivoiserie, la salacité, la brutalité charnelle, la grossièreté sexuelle – bref, ce que les hommes appellent, je me demande souvent pourquoi, la bestialité – lui sont inconnues. Ces comportements sont, dans la littérature spécialisée (je sais de quoi je parle : j'ai dû, pour composer mon anthologie, en absorber des kilomètres !), plutôt dévolus, ou attribués à l'âne.

Mais, en vérité, dans toutes ces histoires, le seul vrai cochon, c'est l'homme.

On en a encore la preuve dans le roman dont il est question ici. Le seul lien avec le cheval est que l'action (si l'on peut dire) s'y déroule, en effet, dans un club hippique, mais ceux qui le fréquentent y pratiquent une équitation qui a peu de rapports (si l'on peut encore dire) avec l'art équestre. Il y est bien question de levades, de croupades, de cabrioles, mais ici, ces airs ne nécessitent pas la participation d'un animal : point de chevaux dans ces chevauchées. Chez Esparbec, le moniteur, assisté parfois de ses palefreniers stagiaires, suffit à satisfaire la clientèle. Une clientèle composée, on s'en serait douté, de bourgeoises coincées qui ne demandent qu'à être décoincées, de pucelles effarouchées pas si effarouchées que ça, et autres personnages féminins archétypiques des fantasmes masculins.

C'est bien là que le pauvre Esparbec, à mon avis, est complètement à côté de la plaque. Encore un qui n'a pas compris que l'érotisme, aujourd'hui, n'est plus une affaire de mecs. Comme l'équitation, l'érotisme s'est féminisé. Après l'avoir longtemps abandonné aux messieurs, les femmes se sont emparées du sujet. Qu'on s'en réjouisse ou pas, il faut s'y faire, mon cher Esparbec.

Une des pionnières (je ne trouve pas de féminin correct au mot précurseur) de ce bouleversement a été la porno-star Brigitte Lahaie – surnommée parfois « Lahaie qu'on saute » non point par un jeu de mot digne d'un régiment de cavalerie, mais à cause de sa passion affichée pour l'équitation, le jumping, le saut d'obstacles. Brigitte a été, en tout cas, une des premières, voici déjà bientôt vingt ans, à sauter le pas, à passer de l'autre côté de la caméra, à écrire des livres (2), à causer dans le poste, à parler sexe franchement, directement, ouvertement.

---

1. « Le cheval est une femme comme une autre », Pauvert, Fayard, 2001. Avec une préface de François Nourissier et un avant-propos photographique de Michèle Le Braz.
2. Ne serait-ce que pour exprimer son amour… des chevaux, dans « Les Sens de la vie » (Michel Lafon, 1994).

Au cinéma, on pense bien sûr à Catherine Breillat et aussi, bien sûr, à Virginie Despentes (« Baise-moi », 2000). En littérature, à une autre Catherine (« La Vie sexuelle de Catherine M. », Le Seuil, 2001). Laquelle Catherine Millet continue à faire des émules, en France et ailleurs : *Le Monde* du 30 mai nous renseigne sur « le dernier phénomène littéraire en date en Allemagne : 620 000 exemplaires vendus à ce jour » d'un roman de Charlotte Roche, 30 ans, animatrice à la télé, intitulé « Feuchtgebiete » (traduction : « Zones humides ») !

Doué d'un instinct très sûr, sentant souvent avant tout le monde d'où vient le vent, mon ami l'éditeur suisse Pierre-Marcel Favre a été le premier, voici déjà deux ou trois ans, à publier un roman érotique écrit par une Arabe (« À deux doigts », de Yasmine Char). Depuis, d'autres cherchent à exploiter le filon. (3)

Aucun secteur n'échappe à l'audace dont les femmes, soudain, font preuve. Il n'y aurait jamais eu d'exposition « Picasso érotique » (au Jeu de Paume, en 2001) sans l'initiative d'une femme, Dominique Dupuis-Labbé. Jamais l'austère Bibliothèque Nationale n'aurait ouvert ses sulfureux Enfers à un large public sans l'autorité d'une femme, Jacqueline Sanson, directrice générale de la BNF, qui a eu le courage, le culot – qu'aucun homme n'aurait jamais osé avoir – de faire ainsi étalage de ses trésors cachés. Ce fut une bonne idée, si l'on en juge par l'immense succès de cette exposition au titre explicite (« Éros au secret ») : quatre-vingt mille visiteurs (et visiteuses) en quelques mois (décembre 2007 à mars 2008).

Il faut s'y faire : les filles d'aujourd'hui sont plus délurées que les garçons.

Moi, je suis plutôt pour. C'est un peu comme dans l'univers équestre : le fait qu'aujourd'hui les femmes y dominent nettement me paraît plutôt bon pour les chevaux. Le fait qu'elles se soient accaparées l'univers sexuel, c'est plutôt bon pour les livres.

À commencer par leur couverture. Le nom d'Esparbec étant probablement un pseudonyme, je comprends que l'auteur de « La Jument » n'ait pas souhaité publier – discrétion oblige – sa photo. Mais, à en juger par la caricature (signée Wiaz) reproduite au dos du livre, on devine à quoi on a échappé. Cet Esparbec, sorte d'Astérix vieillissant, me paraît être plutôt, comme disait ma pauvre mère, un remède à l'amour. Alors que lorsque Maïna Lecherbonnier, une des plus talentueuses – je veux

---

3. Tel Robert Laffont, en publiant « La Preuve par le miel » de Salwa al Neimi.

dire : une des plus imaginatives – écrivaines de littérature cochonne de la nouvelle génération se montre en couverture, cela met en appétit. (4)

Pour finir, un conseil, un bon tuyau. Aux amateurs de littérature olé-olé qui auraient aussi, ce n'est pas incompatible, du goût pour l'équitation, je recommande les œuvres de Cléa Carmin. Voilà, en effet, une jeune femme libre, libérée, libertine, qui est à la fois, comme elle l'écrit elle-même, « une érotomane avertie et une cavalière passionnée ». Sans jamais mélanger les genres. À la ville : une écriture torride, une sexualité débordante, une imagination luxuriante. À la campagne : une vie tranquille, avec ses enfants, ses chevaux et son chien. Co-auteur d'une série à succès (« Femmes amoureuses » en 2005, « Pulsions de femmes » en 2006, « Extases de femmes » en 2007), cette charmante et sympathique Suissesse est publiée en France par les éditions Blanche, créées et dirigées par Franck Spengler (qui n'est autre, soit dit en passant, que le fils de Régine Deforges, cette autre pionnière de la conquête du droit des femmes à l'érotisme). Dernier titre paru – tout un programme : « Jouir d'aimer ».

Difficile de ne pas songer ici à une autre intrépide cavalière, passionnée – comme Cléa Carmin – par les akhal-téké : Laurence Bougault, dont un de ses recueils de poèmes s'intitule « Le grand jouir » (Le Rewidiage, 1998).

Sous l'apparence d'une jeune femme rangée (maître de conférence à l'université de Rennes, mère de famille, etc.), cette Laurence-là est, en vérité, une aventurière. Elle a parcouru, entre septembre 2001 et avril 2002, en compagnie de deux petits chevaux basothos, plus de trois mille kilomètres à travers une Afrique (du sud et de l'est) pas toujours très accueillante. Il faut lire le récit, pas érotique du tout, mais à la fois intelligent et drôle, qu'elle a fait de son aventure et de ses mésaventures.

S'étant entichée des chevaux turkmènes, elle envisage maintenant de faire encore mieux (ou pire) courant 2009, en tentant de rallier, à cheval bien sûr, Achkhabad (la capitale du Turkménistan) à Paris : une bagatelle de six à sept mille kilomètres.

Avant de la laisser partir, j'ai demandé à Laurence Bougault d'écrire un livre consacré à un sujet qu'elle connaît parfaitement bien et sur lequel traînent beaucoup d'idées fausses : le cheval entier. Est-il plus

---

4. Je recommande, en particulier – modèle du genre – ses « Exercices sexuels de style » en deux volumes aux éditions Blanche (2006).

dangereux, plus méchant, plus difficile qu'un cheval hongre ? Pourquoi les gens de cirque préfèrent-ils travailler avec des mâles qu'avec des femelles ? Peut-on monter un étalon après qu'il ait goûté à la monte (je suis assez content de cette phrase) ? Pourquoi certaines civilisations préconisent la castration, et d'autres l'excluent totalement ?

Les réponses à ces questions se trouvent dans le livre de Laurence, à paraître ces jours-ci, dans la collection *cheval-chevaux* (éditions du Rocher, 2008) sous le titre « Chevaux entiers et étalons : mieux les connaître, mieux les comprendre ».

[Paru dans le numéro 3 de la revue CHEVAL-CHEVAUX (octobre 2008-mars 2009), sous le titre « *La Jument* et les étalons ».]

UNE LONGUE MARCHE (À RECULONS)

Elles sont formidables. Les femmes ont réalisé en un siècle des progrès inouïs. On ne leur rend pas assez hommage. Elles ont mené des combats magnifiques, remporté des victoires grandioses. Le droit de vote, l'interruption volontaire de grossesse, la parité. Elles ont leurs héroïnes : Simone Veil, Gisèle Halimi, « la Cause des femmes », « Ni-putes-ni-soumises ». Et encore, je ne parle pas de tout : la maîtrise de l'électroménager, l'invention du bas indémaillable, puis du collant, l'irruption sur le marché du travail, les crèches, les allocations familiales, le congé parental. Beaucoup de choses ont été dites sur ces conquêtes. Mais il en est une dont personne ne parle – et qui me paraît pourtant majeure, fondamentale : le droit des femmes à se mettre à poil. Je veux dire : totalement à poil.

Elles n'y sont pas encore arrivées, mais elles se rapprochent du but. L'évolution a été spectaculaire. Quand j'étais petit garçon, les dames – et ma maman en premier – portaient la robe au-dessous du genou. C'était déjà un progrès : leurs grands-mères, et encore leurs mères la portaient jusqu'à la cheville (laquelle cheville, du coup, paraissait à l'époque pour un détail anatomique très érotique : presque une zone érogène !). J'ai vu les jupes remonter petit à petit : jusqu'au genou, puis un peu au-dessus du genou, puis très-très-beaucoup : jusqu'au ras des fesses. Glorieuse époque de la mini-jupe, qui ne cessa de rétrécir, non pas au lavage, mais à l'usage, jusqu'à devenir à peine plus large qu'une grosse ceinture. En dessous, les filles, généralement, portaient alors des collants. Un beau jour, elles ont cessé de mettre la jupe, se contentant du collant tout seul, sans rien par-dessus. Bravo !

Ayant ainsi conquis le bas, les filles se sont mises à attaquer le haut. Elles ont, timidement d'abord, puis de plus en plus nettement, laissé apparaître leur nombril grâce à une double action : descendante (des tailles basses de plus en plus basses) et ascendante (des hauts de plus en plus hauts). Poursuivant leur conquête, mais entamant cette fois leur progression par l'autre bout, c'est-à-dire non plus du bas vers le haut, mais du haut vers le bas, elles se sont ensuite occupées de leurs poitrines, laissant d'abord deviner la naissance des seins, puis inventant des décolletés de plus en plus audacieux : pigeonnants, plongeants, vertigineux.

Bientôt, c'est sûr, comme dirait la publicité, mais en énonçant le slogan à l'envers, après avoir enlevé le bas, elles enlèveront le haut. Assurément, ce sera, Mesdames et Messieurs, un très grand progrès, une très grande victoire : comme un retour à la préhistoire, à l'époque des cavernes. Et même avant : au paradis terrestre – car Ève était bien toute nue, n'est-ce pas ?

C'est ce désir régressif, ce besoin de revenir au passé, cette irrépressible nécessité que ressentent les femmes de retourner en arrière qui explique (en tout cas, je ne vois pas d'autre explication) l'incompréhensible fascination des jeunes musulmanes – dont les mères ont été libérées du voile par les Atatürk, les Bourguiba, les Pahlavi – pour les pratiques anciennes. Seule différence avec leurs sœurs occidentales : au lieu de se déshabiller à-qui-mieux-mieux, elles ont plutôt tendance à se couvrir, à s'emmitoufler, à s'emmailloter le plus possible. Le processus est donc inverse, mais le principe est le même.

Qu'on ne me reproche pas de tenir ici des propos misogynes : les hommes, je le reconnais bien volontiers, les mâles sont soumis, eux aussi, aux sentiments les plus paradoxaux. Ainsi, moi, bon vieux macho indécrottable, j'avoue être tiraillé entre l'indiscutable plaisir à voir toutes ces belles gamines, à Paris, Rome, Madrid, ou Moscou, se promener seins, fesses et nombril à l'air, et le tout aussi indiscutable attrait qu'exerce sur moi une femme qui n'en montre pas trop, une femme qu'il faut deviner, une femme qu'il faut imaginer, fantasmer et donc désirer.

[Paru dans Jeune Afrique n° 2450-2451
(23 décembre 2007 au 5 janvier 2008).]

VOILÉES ET DÉVOILÉES

En France, la manière dont les femmes s'habillent semble infiniment plus problématique que la façon dont elles se déshabillent. Du moins, ce qu'elles portent par-dessus engendre-t-il beaucoup plus de contestations que ce qu'elles portent par-dessous. Si les voiles en tous genres – niqab, hijab ou burqa – font polémique, l'unanimité, par contre, se fait autour du porte-jarretelles, de la guêpière à dentelles ou du soutien-gorge à balconnet.

C'est en tout cas le constat que j'ai pu faire en visitant cette année [23, 24 et 25 janvier 2010] le Salon de la Lingerie qui se tient chaque hiver au Parc des Expositions de la Porte de Versailles, heureusement bien chauffé. Car, dehors, le thermomètre était alors descendu très en dessous de zéro. Les Parisiens s'en souviennent : le froid était si vif qu'on avait fini par prendre en pitié toutes ces jolies filles dénudées placardées dans les rues pour vanter les avantages des décolletés *Aubade* ou les mérites des petites culottes *Chantelle*.

Fréquenté par une foule d'acheteurs, de stylistes, de fabricants venus du monde entier, ce Salon – le plus grand de la spécialité – est, comme il s'en vante, réellement international. On y entend beaucoup parler italien, anglais, allemand, néerlandais, bien sûr. Mais on y croise aussi beaucoup de Chinois, de Latinos, de Libanais. J'y ai même vu – je le jure – un ultra-religieux, avec longue barbe et chapeau à la Rabbi Jacob, parfaitement à l'aise au milieu de cette nuée de mannequins dépoitraillées, aux jambes interminables, qui se trémoussent sur les podiums au son des musiques aussi excitantes que possible pour mettre en valeur les minuscules nouveautés proposées par leur employeur. Il ne paraissait pas gêné non plus d'y côtoyer cette musulmane dûment voilée venue ici pour approvisionner sa boutique de Casablanca. D'ailleurs, s'il est un endroit où le dialogue israélo-arabe pourrait réellement avoir lieu, c'est bien ici, la plupart des grandes marques de lingerie féminine mondiales ayant confié la fabrication de leurs mini-vêtements à des sous-traitants situés à Tel-Aviv ou à Tunis.

Les dessous féminins ne constituent donc pas, à la différence des dessus, un sujet politique. Simplement économique : le secteur, en effet, réalise au plan mondial un chiffre d'affaires de l'ordre de (selon les sources) 2,5 à 3 milliards d'euros. Rien qu'en France, on estime que chaque femme dépense environ 100 euros par an de lingerie intime. La nouveauté, c'est que les plus grandes acheteuses ne sont plus les jeunes femmes (15-35 ans), mais les femmes mûres – soucieuses sans doute de rester désirables, comme Madonna par exemple, au-delà de la cinquantaine. Une autre évolution intéressante est dans le comportement consumériste : une grande partie des achats se fait aujourd'hui via internet.

Mais les principales innovations sont d'ordre technologique : nouvelles fibres, nouveaux textiles permettent de mieux sculpter le corps, de le rectifier sans le gêner : d'où le retour en force de ces sous-vêtements affriolants tels les bustiers, les guêpières, les corsets auxquels les femmes avaient fini par renoncer, lasses de « souffrir pour être belles », et devenus aujourd'hui confortables.

Le (relatif) vieillissement de la clientèle – et la nécessité, pour cette dernière, de pouvoir présenter, même à un âge avancé, un décolleté impeccable, ont entraîné aussi des « avancées » (*sic*) technologiques dont un exemple nous est donné avec *la décollette*, présentée pour la première fois cette année au Salon International de la Lingerie. Sous ce nom poétique se cache en fait un instrument plutôt prosaïque : il s'agit d'une sorte de prothèse que les femmes mûres doivent porter la nuit entre leurs seins pour éviter que s'y creusent des rides évidemment disgracieuses lorsqu'on désire pouvoir exhiber sa gorge.

Au moment où se clôturait ce Salon de trois jours, un des principaux magazines de mode parisien (sobrement intitulé *Numéro*) mettait en exergue une citation, sans référence précise, hélas, empruntée paraît-il à Jean-Jacques Rousseau : « Les femmes sauvages n'ont point de pudeur, car elles vont nues. Je réponds que les nôtres en ont encore moins, car elles s'habillent. »

[Paru, dans une version très raccourcie (c'est le cas de le dire) dans LA REVUE n° 1 (avril 2010).]

TIGRESSES ET CENTAURESSES

On dirait un ange. Elle est jeune et jolie. Surtout, elle respire la gentillesse, la bonté, la compassion. Son regard est affectueux, son sourire bienveillant, son propos mesuré. Chez elle, dès l'abord, ce qui frappe (on ne va pas tarder à voir combien le mot est bien choisi), c'est l'aura qui s'en dégage : une sorte de tendresse, d'immense douceur.

Mais attention, quand elle cogne, elle cogne dur. Son poing est un marteau-pilon, et sa rapidité celle d'un marteau-piqueur. Sarah Ourahmoune, 26 ans, 1 m 57 et 48 kilos, est boxeuse.

Lorsqu'on la voit pour la première fois, on ne peut pas deviner. On ne peut pas soupçonner cette gracieuse jeune femme, d'apparence si fragile, presque chétive, d'avoir un punch terrible, une frappe redoutable. Je l'ai dit : ce qui d'emblée impressionne chez elle, c'est son calme : olympien (et peut-être un jour olympique). Sa force tranquille. Son imperturbable placidité. Aussi longtemps, du moins, qu'elle n'est pas montée sur le ring. Dès qu'elle a enfilé ses gros gants, ajusté son casque, mordu son protège-dents, c'est autre chose. La chatte se transforme en tigresse. De ses beaux yeux sombres, hérités de ses parents algériens, elle foudroie l'adversaire, avant de lui décocher les crochets, uppercuts et autres coups qui, en un éclair, le mettent hors service.

On l'a vue récemment à la télé *, dans un formidable documentaire signé Alexandra Riguet qui, soit dit en passant, mériterait d'être montré en salle. Un reportage sensible et efficace qui, en effet, supporte la comparaison avec le mélodrame réalisé en 2004 par l'excellent Clint Eastwood, « Million dollar baby », racontant la vertigineuse ascension, puis la chute tragique d'une jeune boxeuse, elle aussi au charme irrésistible. La différence, c'est que, chez Alexandra, l'aventure se termine bien.

Lors des derniers championnats du monde de boxe féminine, fin

---

* Le 5 novembre 2009, sur M6.

novembre 2008, Sarah Ourahmoune avait été scandaleusement mal notée par un jury désireux, de toute évidence, de favoriser une athlète originaire du pays d'accueil, la Chine. Sarah avait dû se contenter du titre de vice-championne de sa catégorie. Jusqu'à ce que les analyses pratiquées le jour de la finale permettent de déceler chez la Chinoise l'utilisation de substances prohibées. Voilà cette dernière disqualifiée, et Sarah proclamée championne du monde. *Happy end.*

On est heureux pour elle. Mais, une fois retombées les bouffées d'adrénaline, on ne peut s'empêcher de s'interroger sur ce qui peut bien pousser une jeune femme à pratiquer un sport pareil. Ses amateurs ont beau qualifier la boxe de « noble art », il s'agit tout de même d'une activité qui consiste à se bagarrer, à taper sur un adversaire, et à cogner le plus fort possible pour l'anéantir le plus vite possible. Cette brutalité est peu compatible avec l'image – sans doute ringarde – que l'on peut se faire de la féminité.

Le cas de Sarah n'est pas isolé. Elles sont, rien qu'en France, plus de trois mille à monter sur un ring.

Le phénomène est assez récent : une quinzaine d'années, guère plus. La boxe féminine n'a été officiellement « reconnue » par la Fédération française qu'en 1996. Faut-il y voir un indice (parmi beaucoup d'autres), d'un phénomène plus général, d'une ampleur bien plus considérable : l'émergence de la violence chez les femmes ? On n'en est peut-être pas encore à la parité absolue avec les messieurs, mais on s'en rapproche. Dans son *Bulletin statistique* de novembre 2005, l'Observatoire National de la Délinquance soulignait que depuis 1996 (pure coïncidence ?) le nombre de femmes s'étant livrées à des actes de violence a augmenté de façon quasi exponentielle : « En 2004, peut-on y lire, 48 700 femmes ont été mises en cause par les services de police et les unités de gendarmerie pour atteintes aux biens et 22 400 pour atteintes volontaires à l'intégrité physique. Cela représente respectivement 15,6 % et 12 % du total des personnes mises en cause enregistré en 2004 pour ces atteintes. Entre 1996 et 2004, le nombre de femmes mises en cause […] augmente de 21 % alors que celui des hommes est en baisse de 4 %. La hausse a été particulièrement forte pour les mineures ».

Chez les ados, la violence est d'abord verbale. Le phénomène saute aux yeux, ou plutôt aux oreilles, de quiconque se promène dans la rue, prend le métro, fréquente les magasins, ou se retrouve dans la cohue d'une sortie d'école. Les insultes fusent. On est saisi non pas tant par la grossièreté que par la brutalité des propos. Chez les fillettes, la crudité du langage est souvent décoiffante, la plupart du temps à connotation – cela aussi est assez nouveau – clairement sexuelle. Bien des gamines, manifestement, utilisent des mots dont, heureusement, elles ne connaissent pas vraiment la signification, ou évoquent des pratiques dont, espérons-le, elles n'ont pas encore, à 10 ou 12 ans, fait l'expérience…

Il ne faudrait pas croire que cette curieuse façon d'exprimer sa vitalité ou d'évacuer son agressivité soit réservée aux enfants des milieux dits défavorisés, aux loubards de banlieue, non : dans les beaux quartiers aussi, on en entend de belles. De la même manière, il ne faudrait pas croire non plus que la boxe féminine soit l'affaire exclusive de filles issues de quartiers difficiles ou d'élèves en échec scolaire, non : beaucoup de jeunes boxeuses sont des étudiantes – en marketing, en droit, voire en médecine –, et la petite Sarah Ourahmoune elle-même, bac +3, dotée déjà d'un diplôme d'éducatrice spécialisée, prépare désormais… Sciences Po !

À Sciences Po, des filles capables de cogner dur, on n'en trouve pas seulement parmi les élèves. Il y a en a aussi parmi les enseignant(e)s. Sylvie Brunel, par exemple, qui y a donné des cours pendant dix-huit ans (aujourd'hui, elle enseigne à La Sorbonne). Encore une charmante et délicieuse personne, qui respire la féminité : toujours pimpante, élégante, séduisante. Toujours aimable, cordiale, chaleureuse. Sauf quand, soudain, la voilà qui se déchaîne. Alors là, tous aux abris ! Avec elle, ce n'est pas aux poings que l'affaire se règle, mais plutôt au canon, au bazooka, à la bombe atomique.

Le fait que son mari ait décidé, après vingt-cinq ans de mariage (et trois enfants), de la quitter pour convoler auprès d'une jeunette qui pourrait être sa fille, a déclenché chez cette très sérieuse et très savante professeur(e) de géographie une furieuse envie de se venger, et de venger d'un même élan celles qu'elle appelle ses sœurs : ces femmes – innombrables – abandonnées à l'orée de la cinquantaine. Ou, pour parler, comme elle sait le faire, plus crûment, larguées à l'aube de la ménopause.

Plutôt que de commettre un meurtre, Sylvie Brunel a choisi, et c'est heureux, d'écrire un livre. Mais quel livre ! Un brûlot, intitulé « Manuel de guérilla à l'usage des femmes » (sous-entendu : trahies). Un pamphlet brillant, intelligent, plein d'entrain, écrit avec talent, et parfois, bien sûr, mais c'est la loi du genre, profondément injuste (Grasset, 2009).

Le mari de Sylvie Brunel étant, hélas, un homme politique célèbre, la presse a fait ses choux gras des seuls passages du livre qui lui sont personnellement consacrés, sans s'apercevoir d'ailleurs qu'il s'agissait moins de dénonciations furibardes que de paradoxales déclarations d'amour. Mais l'essentiel du livre n'est pas dans ce qui a pu malencontreusement passer pour un règlement de comptes. Il est dans la dénonciation de l'ingratitude masculine et l'éloge de la maturité féminine. « Seules les hommes qui ont une vision mécanique de la sexualité, un désir conditionné à une plastique stéréotypée [écrit-elle, page 94] fuient les femmes mûres. Les autres aiment les femmes rieuses et épanouies, les femmes qui se régalent de la bonne chère et respirent la joie de vivre. », affirme-t-elle, brossant au passage un autoportrait très ressemblant.

Là où Sylvie Brunel sombre dans l'excès, c'est lorsqu'elle va jusqu'à tenir les hommes pour responsables des cancers qui frappent les femmes (chapitre 11). Cela me rappelle un petit peu cet amer petit-déjeuner au cours duquel ma femme m'a reproché sévèrement le comportement que j'avais eu… dans son rêve !

Il arrive aussi qu'à trop utiliser le chalumeau, il y ait des retours de flammes. Après avoir reproché sur deux cents pages leur inconstance aux messieurs, Sylvie Brunel en consacre une quinzaine à celles qu'elle appelle les « femmes couguars » (chapitre 14). « Le couguar, nous explique la géographe, est un puma nord-américain, un beau félin sauvage et réputé cruel. La femme couguar est connue pour son appétit sexuel et son absence de scrupules : elle prend les hommes, y compris à des femmes plus jeunes qu'elle ! » C'est-à-dire se comportant exactement comme les mecs qu'elle dénonce par ailleurs. Au fond, ces femmes, explique doctement Sylvie Brunel, ne font que « appliquer vis-à-vis d'eux exactement les mêmes techniques que celles que mettent en œuvre les séducteurs. En inversant simplement le rapport de force. »

Une de ses amies, raconte-t-elle dans le même chapitre, pour mieux nous faire comprendre, est cavalière. Elle appelle cela « le débourrage des mecs » : elle traite les hommes « comme ses poulains quand ils entrent en phase d'apprentissage pour être montés ».

Oui, j'avais oublié de le préciser : Sylvie Brunel n'est pas qu'une brillante professeur(e) de géographie, une éminente spécialiste du développement durable : elle est aussi une femme de cheval, auteur(e) d'un livre, « Cavalcades et dérobades » (JC Lattès, 2008) qui a obtenu l'an passé le Goncourt de la spécialité, le Prix Pégase.

Il y a belle lurette que l'univers du cheval, qui fut longtemps exclusivement masculin, s'est féminisé. Le virage a été pris aux alentours de la Seconde Guerre mondiale, lorsque la mécanisation a démodé l'utilisation des chevaux dans l'armée, l'agriculture et les transports. Avec cette ingratitude que dénonce dans son livre Sylvie Brunel et qui est souvent, il faut bien le reconnaître, un trait typiquement masculin, les hommes ont dès lors cessé de s'intéresser à cet animal, dont ils avaient pourtant tenu soigneusement les femmes à distance aussi longtemps qu'il était un élément de richesse ou de pouvoir. Le terrain ainsi dégagé, les femmes se sont alors engouffrées dans le monde équestre, où elles exercent de nos jours, en France du moins, une écrasante prépondérance : 80 % des équitants sont des femmes – des fillettes surtout. Tant mieux pour les chevaux, soit dit au passage.

C'est une femme, en tout cas, qui vient de réaliser ce qui constitue, à ma connaissance, un des plus extraordinaires exploits équestres de tous les temps.

Elle s'appelle Laurence Bougault. Elle est française. Elle vient de parcourir, en 140 jours de marche, plus de 6 500 km, en utilisant une seule et unique monture : une jolie petite jument de 5 ans, Almila, typique de sa race. Crin rare, toupet absent, robe de soie, longues oreilles et yeux en amandes : Almila est une akhal-téké, native des contrées turkmènes de l'Iran, aux confins du Moyen-Orient et de l'Asie Centrale. Laurence et Almila sont parties le 2 avril 2009 de Ispahan (Isfahan), une des plus grandes, des plus belles et des plus saintes villes de Perse, et sont arrivées, saines et sauves cinq mois plus tard, à Fontainebleau, le 12 septembre 2009. Une aventure extraordinaire qu'il faut saluer d'autant plus chaleureusement qu'elle nécessitait beaucoup plus que du culot, mais un véritable courage. Et beaucoup plus qu'une bonne condition physique, mais une intelligence polymorphe, afin de pouvoir gérer les mille difficultés d'une telle entreprise. Une femme seule (j'allais écrire : deux femmes seules), jeune encore (Laurence n'a pas atteint la quarantaine), traversant de part en part l'Iran, la Turquie, la Grèce, l'Italie et pour finir, la France, n'est-ce pas beaucoup plus et beaucoup mieux qu'une simple performance ?

Laurence n'en est pas à sa première action d'éclat cavalière. Il y a quelques années déjà, elle avait parcouru, autre prouesse, 3 300 km à travers une Afrique du sud et de l'est (Lesotho, Mozambique, Malawi) pas toujours aussi hospitalière qu'on le croit, en utilisant cette fois deux petits chevaux basothos, un gris et un bai, Putsa et Speedy. De cette folle expédition de sept mois (septembre 2001 à avril 2002), elle avait tiré un beau récit tendre et violent, « Sous l'œil des chevaux d'Afrique » (Belin, 2003).

Parce qu'en plus, n'en déplaise aux piétons, n'en déplaise aux machos, Laurence Bougault sait lire et écrire. Elle écrit même très bien. Spécialiste de Saint-John Perse, elle enseigne la stylistique à l'Université de Rennes.

Les centauresses d'aujourd'hui sont comme cela. À la fois belles et intelligentes, intrépides et courageuses. Il faut s'y faire.

[Paru dans LA REVUE POUR L'INTELLIGENCE DU MONDE n° 23 (décembre 2009-janvier 2010).]

QUAND LES AVENTURIERS
SONT DES AVENTURIÈRES...

Certes, il y a eu Alexandra David-Néel: une ancienne chanteuse lyrique, devenue tenancière de casino à Tunis, qui, la cinquantaine venue, se prit de passion pour le bouddhisme, l'Himalaya, et fut la première Européenne à pénétrer (en 1924) dans Lhassa, la capitale sacrée des Tibétains. Elle consacra de nombreux ouvrages (la plupart en anglais) à ses découvertes, avant de mourir, quelque part en France, à l'âge de 101 ans!

D'accord, il y a eu Isabelle Eberhardt: une Française d'origine russe, née en Suisse, qui alla finir ses jours – beaucoup trop tôt: elle n'avait pas encore atteint la trentaine – en Algérie, après s'être convertie à l'islam, avoir sillonné en tous sens le Sahara, et publié, elle aussi, quelques passionnants récits.

C'est vrai, il y a eu Catherine de Bourboulon. Et Odette du Puigaudeau. Et encore quelques autres « aventurières en crinoline », comme les a joliment surnommées Christel Mouchard dans un petit livre-inventaire (Le Seuil, 1987). Mais il faut bien le reconnaître: chacune de ces femmes est un cas, une curiosité, presque une bizarrerie. La bourlingue, n'est-ce pas, c'est plutôt une affaire d'hommes. C'était. Car ce qui, jusqu'ici, constituait en effet l'exception est devenu la règle: de nos jours, les grands aventuriers sont (presque) tous des aventurières. En un siècle à peine, la prouesse physique s'est féminisée – assortie souvent d'un exploit intellectuel: de leurs extraordinaires pérégrinations dans les recoins les plus improbables de la planète, les unes tirent un récit, d'autres un roman, d'autres encore... une thèse de doctorat.

Partie sur les traces de Alexandra David-Néel, la toute jeune Élodie Bernard (24 ans au moment des faits) est, comme son modèle, entrée clandestinement au Tibet, au moment (2008) où les autorités chinoises avaient bouclé la région en proie à la révolte. Dans un livre au titre un peu mystérieux (« Le vol du paon mène à Lhassa »), paru fin avril 2010 chez Gallimard, l'intrépide raconte avec entrain comment elle a fait pour pénétrer dans cette vaste zone interdite, et avec rage comment elle a fini par s'en faire expulser, non sans s'être enrichie au passage de mille rencontres, qu'elle rapporte avec finesse et talent.

Clara Arnaud, elle, n'a que 21 ans lorsqu'elle se lance dans une entreprise plus folle encore. Son projet consiste à traverser à pied, et en solitaire, les immensités du grand ouest chinois – autrement dit: le Sinkiang et les hauts-plateaux tibétains. Solitaire? Pas tout à fait: elle a pour compagnons des chevaux de bât acquis sur place (non sans mal), qui l'aideront à porter ses bagages: sa tente, sa boussole, son réchaud à gaz, son matériel de maréchalerie. Et un violon un peu grinçant, acheté pour trois sous à un commerçant musulman de Xian, ancienne capitale impériale et autrefois étape importante pour les caravanes qui sillonnaient les Routes de la Soie. Avant de partir, Clara a bien étudié le chinois, mais elle sait que le mandarin classique, qu'elle a appris à l'école, n'est pas parlé partout en Chine: un instrument de musique, se dit-elle, facilitera peut-être la communication.

Autre élément important de son kit de survie: les livres! Elle en trimbale des kilos: un dictionnaire, des romans (Hemingway, surtout) – et les œuvres complètes de Homère! La lecture de « L'Odyssée », d'ailleurs, l'inspirera lorsqu'elle traversera des sommets, à 5 000 m d'altitude, battus en permanence par le vent: elle baptisera Éole et Zéphyr les deux braves chevaux qui transportent son barda. La gamine, on le voit, ne manque ni d'humour, ni de culture.

Ni, surtout, de courage. Il en faut – des tonnes! – en effet pour progresser malgré les rigueurs du climat et du terrain, les obstacles administratifs et policiers, et l'attitude, pas toujours spécialement accueillante, des Hans, des Huis, des Ouighours, des Kazaks, des Tibétains et autres peuples croisés au cours de son périple de presque sept mois (février à mi-août 2008). Ces difficultés, toutefois, semblent avoir sur Clara un effet contraire: loin de la décourager, elles la stimulent. Elles alimentent sa curiosité, qui est insatiable; elles excitent sa sagacité, toujours en éveil – sans émousser, heureusement, sa sensibilité. Le récit, d'ailleurs fort bien écrit, qu'elle a rapporté de cette Longue Marche s'en ressent: il grouille de vie, il pétille d'intelligence et – ce qui ne gâche rien – déborde d'émotion. Un des charmes de ce livre, très sobrement intitulé « Sur les chemins de Chine » (éditions Gaïa), est l'espèce de naturel, de détachement, d'innocence (ou d'inconscience) avec lequel Clara raconte ses exploits. À la différence de bien des écrivains-voyageurs qui ne cessent de s'extasier de leur propre audace,

Clara Arnaud semble au contraire trouver parfaitement normal de vivre ainsi d'aventures. Elle paraît même ne pas envisager qu'on puisse vivre autrement. De retour à Paris, Clara a sagement repris ses études. Les cours qu'on lui donne à Sciences Po doivent lui paraître bien théoriques!

Ce n'est pas pendant quelques mois, mais carrément quelques années, que Carole Ferret – autre cas! – a déambulé en Asie. Son but à elle n'était pas tant de vivre intensément que de se livrer à une enquête ethnologique. Quand on étudie le nomadisme, rien de mieux, c'est vrai, que de nomadiser soi-même. Ainsi Carole a-t-elle partagé la vie des campements de bergers pendant pratiquement quinze ans (1993 à 2008) sur les immenses territoires orientaux de l'ancienne Union Soviétique: en Sibérie (Iakoutie, Bouriatie, Touva) et en Asie Centrale (Kazakstan, Ouzbékistan, Turkménistan). L'incroyable quantité d'informations accumulées au cours de ces années à la fois aventureuses et studieuses a débouché, en juin 2006, sur la soutenance d'une thèse de doctorat consacrée à ce qu'il a de commun à tous les peuples observés: l'usage du cheval.

En lisant ce travail savant, on est frappé non seulement, bien sûr, par la précision et l'exactitude des faits observés (c'est la moindre des choses) mais par leur justesse, leur authenticité. On n'est pas là, comme c'est trop souvent le cas dans la littérature universitaire, dans le livresque, le témoignage de seconde main – mais au contraire dans la poussière du terrain, dans l'odeur du crottin: dans la vie, la vraie vie.

Autre caractéristique du travail de Carole Ferret: la limpidité de son style, la simplicité de son écriture, qui font que non seulement son texte sonne juste, mais a été jugé – fait rarissime – publiable. Il vient de paraître, en effet (aux éditions Belin) sous un titre, « Une civilisation du cheval », qui n'est pas sans rappeler celui d'une des toutes premières publications savantes d'un des plus grands anthropologues français, André Leroi-Gourhan, « La civilisation du renne » (Gallimard, 1936).

Le renne est ce drôle de bestiau (« une caricature de cerf », écrit Leroi-Gourhan dès les premières lignes de son livre) qu'on élève, domestique, utilise – et mange – dans les régions circumpolaires, là où le cheval ne peut plus subsister. Ceux que le sujet intéresse peuvent naturellement relire la remarquable enquête du célèbre archéo-ethnologue, mais ils auront plaisir à se plonger aussi dans le sympathique récit que vient de publier une – encore une! – de ces jeunes femmes d'aujourd'hui qui, décidément, n'ont pas froid aux yeux. Ni aux yeux, ni ailleurs: la région où Astrid Wendlandt est allée vagabonder (c'est elle qui utilise ce mot) pendant de longs mois est une des plus froides de la planète – le Grand Nord sibérien. C'est là, « Au bord du monde », comme le dit poétiquement le titre de son livre (Robert Laffont, 2010) que vivent (survivent, plutôt) les Nenets, éleveurs et utilisateurs de rennes. Jolie blonde franco-canadienne, Astrid Wendlandt est une journaliste chevronnée – elle a travaillé pour le *Moscow Times*, le *Financial Times*, l'Agence Reuters. Cela se sent, à sa manière enlevée de faire vivre sous nos yeux ces derniers nomades de la planète, que trois quarts de siècle de communisme soviétique n'ont pas réussi, dieu merci, à transformer en hommes nouveaux.

[Paru dans LA REVUE n° 4 (juillet-août 2010).]

COMMENT LES FEMMES PEUVENT
NOUS LIBÉRER (DU CHÔMAGE)

Les experts (?) se laissent parfois aller à expliquer que le chômage est une conséquence normale, prévisible et inéluctable du progrès technologique. Je lis un peu partout, à droite comme à gauche, que le marché de l'emploi ne peut aller, du fait de la mécanisation et, pire encore, de l'informatisation, qu'en se rétrécissant.

Je ne suis pas expert. *Mea culpa*, *mea maxima culpa*, je n'ai pas fait l'ENA. J'ai juste fait, on le voit, un peu de latin (de sacristie). Je ne suis donc pas un interlocuteur valable (sauf aux yeux, croyez-moi, de mon inspecteur des impôts). Mais puis-je tout de même faire observer que cette théorie est complètement fausse ? Ou, du moins, qu'elle ne fut pas toujours exacte.

En effet, il me semble bien avoir constaté, il y a pas si longtemps, le phénomène inverse. La grande époque de la robotisation s'est caractérisée, si j'ai bonne mémoire, par un prodigieux dynamisme du marché de l'emploi. Au point que, les ressources humaines du pays s'avérant insuffisantes, il fallut importer vite-fait (mal-fait) quelques millions de travailleurs. C'était, me dit-on, pour compenser la dépression démographique due aux années de guerre... D'accord.

Mais comment expliquer un autre phénomène concomitant, d'une ampleur bien plus considérable, puisqu'il fit quasiment doubler – je dis bien, doubler – le nombre des travailleurs en quelques années seulement ? Tout le monde semble avoir oublié aujourd'hui ce fantastique bouleversement de l'emploi : l'arrivée des femmes sur le marché du travail. Ce ne fut pas rien : des millions de candidates ont trouvé, sans graves difficultés, un salaire. L'offre a absorbé, en moins de temps qu'il n'en faut pour l'expliquer, la demande.

Il y a bien eu, à l'époque (et ce n'est pas la préhistoire : c'était dans les années soixante), simultanéité entre progrès technique rapide et embauche massive. Preuve qu'une avancée technologique n'entraîne pas nécessairement, fatalement – « mécaniquement », serais-je tenté de dire – un recul de l'emploi.

On me dit que ce n'est plus le cas aujourd'hui. Et qu'on envisage pour cela toutes sortes de solutions. On va organiser la relance. On va améliorer la formation. On va se partager le temps du travail… Cela fait vingt ans que les Jospé et les Juppin qui se succèdent proposent aux électeurs des potions magiques qui aggravent plus qu'elles n'améliorent l'état de santé du malade. Le seul partage qu'ils aient, à ce jour, réussi c'est celui de la société française : il y a, d'un côté, ceux qui ont un boulot ; et de l'autre, ceux qui n'en ont pas (et n'en trouveront pas). Ça, c'est la dure réalité.

Puisqu'elle ne peut durer, je propose une solution radicale : remettre les femmes… à la maison. *Les femmes au foyer !*

On libérera ainsi quelques millions d'emplois. Les femmes laisseront leurs places aux chômeurs (mâles, bien sûr), et le tour sera joué !

Sauf que, paraît-il, on ne peut plus, de nos jours, dire les choses de cette façon. Il faut les présenter autrement.

Essayons.

Il existe peut-être un moyen de transformer le chômage, cette calamité, en une formidable aubaine. Un moyen de sortir de la crise non point, comme certains, à droite, le suggèrent, en diminuant la protection sociale, mais au contraire en l'augmentant. En l'augmentant même de façon spectaculaire, voire révolutionnaire. De susciter une avancée sociale d'une ampleur comparable à celles que furent l'instauration des Congés Payés et la création de la Sécurité Sociale. Il suffit pour cela de reconnaître (enfin !) aux femmes leur droit à bâtir une famille, de leur donner (enfin !) les moyens de vivre la maternité dans la dignité, de reconnaître (enfin !) la valeur du travail ménager en accordant à toutes celles qui le désireraient *un salaire* qui leur permette de rester à la maison pour s'occuper de leur progéniture et du développement harmonieux de leur foyer !

Voilà ! Est-ce mieux dit ainsi ? Est-ce plus acceptable de cette façon ? En tout cas, je ne vois pas très bien qui pourrait ne pas être d'accord. Il y en a pour tout le monde. Pour la droite (la revalorisation de la famille), comme pour la gauche, qui obtiendrait ainsi la reconnaissance du fait que ce travail « à la maison » est un travail comme un autre, et qu'il mérite donc un salaire, une sécurité sociale et une retraite.

Pour les natalistes, enfin, car il faudrait évidemment lier la possibilité pour une femme de quitter son emploi en conservant son salaire (et les avantages qui y sont liés) au nombre d'enfants. Faudrait-il accorder ce droit au premier enfant ? Au second ? Ou au troisième ? Il faut faire, évidemment, de savants calculs – les experts font ça très bien –, pour que ce dispositif ne coûte pas plus cher que le chômage lui-même (« 600 milliards de francs » affirmait Ségolène Royal au soir du premier tour d'après la dissolution). Mais, même à coût égal, cela vaudrait la peine. On en tirerait un bénéfice énorme.

Et pas seulement sur le plan technique (la remise au travail des chômeurs entraînant un assainissement des comptes de la Sécurité Sociale ; la garantie d'un revenu sûr à ces consommatrices quasi « professionnelles » que sont les ménagères assurant une relance de la consommation, etc.).

Mais aussi, et surtout, sur le plan moral (c'est ma formation en sacristie qui ressort).

La grandeur du système français (Égalité, Fraternité) est d'organiser la solidarité nationale : les jeunes payent pour les vieux, les valides pour les malades, c'est bien. Que les travailleurs payent pour les chômeurs n'est pas condamnable en soi : c'est la même logique, la même éthique. Ce qui, par contre, me semble totalement immoral, c'est qu'une catégorie de population soit obligée de trimer de plus en plus dur pour qu'une autre catégorie de population puisse être payée… *à ne rien faire.*

Il y a dans le fait qu'aucun travail ne soit demandé au chômeur en contrepartie des indemnités qu'il perçoit quelque chose de malsain, d'indécent et, pour tout dire, de totalement inacceptable. Aussi bien pour celui qui encaisse que pour celui qui débourse. N'est-ce pas une atteinte à la dignité du premier… et une insulte à la peine du second ?

Que le fonctionnement de notre économie réduise à l'inactivité et à « l'inutilité » des individus en pleine santé et en pleine possession de leurs moyens physiques et intellectuels est déjà révoltant. [Comme est révoltante, soit dit en passant, la mise en jachère de bonnes terres, c'est-à-dire l'interdiction de cultiver des terres cultivables. Quel que soit l'argument économique, le principe est inadmissible.] Qu'il amène ces derniers à vivoter de l'argent qu'on arrache à ceux qui ont la chance (en l'occurrence, la malchance !) d'avoir un emploi est carrément intolérable.

J'entends les experts (?) crier que je mélange tout. La morale et l'économie. C'est bien vrai. Ma proposition vise à concilier l'économie et la morale. Quitte à payer quelques millions (trois et demi, aux dernières nouvelles) d'individus à ne rien faire, autant que ce soit juste, et justifié. Autant que ce soit les mères et les ménagères qui, elles, au moins – personne n'en disconvient, j'espère – font « quelque chose ».

[Écrite en août 1997, cette tribune était destinée au supplément économique du quotidien *Le Monde*. Après l'avoir longuement examinée, la rédaction dudit supplément me fit savoir que mon texte était impubliable : le Front National de Jean-Marie Le Pen, en effet, avait fait quelque temps auparavant des propositions du même genre. Les miennes devenaient donc insoutenables. Heureusement, Le Pen ne s'est jamais vraiment exprimé sur ses goûts musicaux ou picturaux : s'il avait eu la mauvaise idée de déclarer son amour pour Mozart, ou sa passion pour le Greco, le Greco et Mozart auraient alors risqué de devenir *non grata* dans les colonnes du grand quotidien du soir...
Il n'empêche : un mois plus tard, *Le Monde* (du 14 octobre 1997) publiait tout de même sur quatre colonnes un grand article intitulé « Douze milliards de francs pour renvoyer les mères au foyer », faisant le bilan d'une mesure de même nature, lancée en 1985 par Georgina Dufoix – plus proche, si je ne me trompe, des socialistes que des frontistes : l'allocation parentale d'éducation (APE) visant (écrit le journaliste) « à inciter les mères de famille à quitter le marché du travail pour mieux dégonfler les statistiques du chômage ». Améliorée l'année suivante par Michèle Barzach, ministre du gouvernement Balladur, cette mesure réservée d'abord aux mères d'un troisième fut étendue en 1994 aux mères d'un deuxième enfant. « En nombre absolu, conclut le journaliste, à partir de juillet 1994, 65 000 femmes ont cessé de travailler ou de chercher un emploi pour toucher l'APE [...] Cesser le travail leur a permis de rompre avec un lancinant casse-tête : comment faire garder son enfant ? » C.Q.F.D.]

SAVOIR FAIRE PARLER LES CHEVAUX

[Lorsqu'un beau jour d'avril 2002, Jean-Paul Bertrand, l'homme qui avait res-suscité les éditions du Rocher, me proposa de créer une collection consacrée au cheval, mon premier élan fut de lui proposer de réunir en un volume trois nouvelles dans lesquelles ce sont les chevaux eux-mêmes qui s'expriment. Idée aussitôt acceptée par ce grand éditeur qui savait laisser la bride sur le cou aux directeurs de collection qu'il s'était choisis.

C'est ainsi que parut, début 2003 – premier volume de la collection *cheval-che-vaux* – un recueil de nouvelles de Léon Tolstoï, Alexandre Kouprine et Carl Sternheim, sous le titre « Quand les chevaux parlent aux hommes ».

Afin de bien m'expliquer sur mes intentions, je fis précéder ces trois beaux tex-tes d'une longue introduction dans laquelle je tentai de montrer que l'idée de faire parler les chevaux – vieux rêve d'écrivain – était si ancienne et si répan-due qu'elle avait fini par (presque) constituer un genre littéraire à part entiè-re, que j'appelai « la littérature hippophone ».

L'ouvrage ayant été rapidement épuisé, je repris le thème dans un autre volu-me de la collection *cheval-chevaux*, publié peu de temps après (« C'est pas con un cheval. C'est pas con !... »), en ne reprenant toutefois de mon introduction que la première moitié, consacrée aux généralités, à l'histoire de cette littéra-ture hippophone, « de Homère à Homeric ».

On pourra en trouver ci-dessous la seconde moitié, plus spécifiquement desti-née à présenter les trois petits chefs-d'œuvre réunis dans ce premier volume de la collection.]

La référence absolue, le modèle incontournable, « le » chef-d'œuvre de la littérature hippophone, c'est « Kholstomer » (1). Une nouvelle qui, bien que brève – moins de cent pages – a demandé à son auteur, le grand, l'immense Lev (Léon) Nicolaïevitch Tolstoï, un quart de siècle de réflexion, d'écriture et de réécriture.

---

1. Le « e » russe étant mouillé, ce mot peut indifféremment s'orthographier en français Kholstomer, ou Kholstomir, ou, comme dans la traduction que nous avons retenue, Kholstomier.

L'idée lui en serait venue pour la première fois en 1856 (il n'a alors que vingt-huit ans). Très précisément le 31 mai. Ce jour-là, en effet, il note dans son *Journal* son envie d'écrire l'histoire d'un cheval. Mais ce n'est qu'un vague projet. Il n'a pas encore d'idée précise sur la forme à donner à son récit, ni même sur le genre d'histoire qu'il aimerait raconter. Il y songe, c'est tout. Les chevaux l'intéressent et il se dit qu'un cheval pourrait fort bien faire le héros d'un roman, rien de plus.

S'il s'intéresse tellement aux chevaux, c'est peut-être parce qu'il leur doit beaucoup. À l'un d'eux du moins, il doit même la vie!

Revenons quelques années en arrière: 1851-1852. Le jeune Tolstoï s'est engagé au Caucase, où l'armée russe est occupée – déjà! – à soumettre les Tchétchènes. On lui confie un jour le soin d'escorter un convoi à travers les montagnes. Il est monté sur un grand cheval gris, un animal superbe, mais un peu lourdaud, tandis qu'à côté de lui, son copain Sado caracole sur un petit cheval nogaï (2). Tolstoï s'extasie: la vigueur de ce poney l'impressionne. Sado est un brave gars: il propose à Tolstoï de l'essayer. Ils échangent leurs montures. Tolstoï, grisé par la vivacité du petit cheval, s'éloigne au galop, s'aventure de l'autre côté de la colline – où il se retrouve nez à nez avec un groupe de partisans tchétchènes, qui le prend en chasse. Tolstoï fait volte-face, détale ventre à terre, et sème ses poursuivants. Rapide, le cheval de Sado l'a tiré d'affaire. Il s'en souviendra jusqu'à la fin de ses jours (3).

Comme tous les amateurs de chevaux, Léon Tolstoï aime fréquenter d'autres amateurs de chevaux, avec lesquels on se raconte des histoires de chevaux…

Dans les années 1859-1860, alors que depuis trois ou quatre ans déjà, on l'a vu, l'idée d'écrire la vie d'un cheval lui trotte dans la tête, un ami (4) lui parle d'un animal exceptionnel, au destin extraordinaire. Un véritable crack. Un des chevaux les plus rapides de son temps, capable

---

2. « On attribue l'origine des chevaux nogaïs au croisement du cheval tartare avec le cheval abkhase (Caucase) et plus tard avec les chevaux d'Ukraine et de Pologne. Ces chevaux ont [...] une taille moyenne de 1,47 m mais il y en a qui sont beaucoup plus petits [...]. Ils sont très résistants et rapides. »
Extrait de « Les races chevalines, avec une étude spéciale sur les chevaux russes », par L. de Simonoff et J. de Moerder (Librairie Agricole de la Maison Rustique, 1894).
3. J'ai puisé cette histoire dans un ouvrage très documenté de Boris Vassilievitch Bardine, consacré à quelques chevaux russes célèbres: « Émeraude, Bracelet et autres ». Publié, en russe bien sûr, à Alma-Ata (Kazakhstan) à la fin des années soviétiques (Kaïnar, 1990), il fourmille d'anecdotes montrant l'intérêt que Tolstoï a constamment porté aux chevaux.
4. Lire page suivante.

de couvrir 200 sagènes (soit 426 mètres) en 30 secondes. Ses foulées sont si régulières et si véloces qu'on le surnommera Kholstomer – littéralement : « celui qui mesure la toile », autrement dit, le Métreur ou, pour utiliser un mot plus ancien, l'Auneur (5).

Mais, de son vrai nom, ce cheval s'appelle Moujik Ier. Un patronyme peut-être légèrement méprisant. Le cheval est tacheté, ce qui ne correspond pas au goût de l'époque. Il porte une grosse étoile en tête et de hautes « chaussettes » blanches aux quatre membres. À sa naissance (en 1803), on le trouve un peu ridicule, un peu débraillé. On se moque de lui : « un vrai moujik ». Sauf que l'habit ne fait pas le moine et la robe du cheval ne fait pas sa vitesse. Sur l'hippodrome, le moujik se comporte comme un empereur.

Il est le fils de Lubezni Ier (ce qu'on peut traduire par Aimable Ier) et de Baba, une jument orientale, amenée de Boukhara. Il appartient au comte Orlov. Un personnage peu recommandable (il fut un des auteurs probables de l'assassinat de l'empereur Pierre III, ce qui permit à son épouse, la future Grande Catherine, de devenir impératrice), mais un hippologue génial, inventeur de deux races magnifiques : le trotteur-orlov et l'orlov-de-selle (6). À la mort de ce dernier, en 1807, sa fille confie la gérance du haras familial à des régisseurs sinon incapables du moins incompétents. En particulier un Allemand qui, trouvant

---

4. [Note de la page précédente] L'ami en question s'appelle Alexandre Alexandrovitch Stakhovitch. Son frère, Michel Alexandrovitch, propriétaire d'un haras de la région d'Orel, était tenté par la littérature, et avait l'intention d'écrire l'histoire de Kholstomer. Hélas, assassiné en 1858, il n'avait pu mettre son projet à exécution. Lorsque, bien des années plus tard, Tolstoï publiera sa nouvelle (très librement) inspirée de la vie de ce cheval, il la dédiera à M. A. Stakhovitch.

5. Certains traducteurs préféreront le mot l'Arpenteur. Ce sera, en particulier, le cas de Boris Schloezer dans le volume de *La Pléiade* réunissant les « Souvenirs et récits » de Tolstoï (Gallimard, 1960). D'autres traducteurs proposèrent l'équivalent, à mon avis moins heureux, de Double-patte…

6. Pour plus de détails, se reporter à mon petit bouquin « Russie : des chevaux, des hommes et des saints » (Belin, 2001).

7. Ma source principale est ici Iakov Ivanovitch Boutovitch, propriétaire d'un célèbre haras des environs de Moscou, dont la passion du cheval se doublait d'une passion pour la peinture. Nationalisée au lendemain de la révolution de 1917, sa formidable collection fut transférée à Moscou en 1929 (où elle constitue, aujourd'hui encore, l'essentiel des trésors du Musée du Cheval de l'Académie d'Agriculture, au 44 de la rue Timiriazev). Pour aider les employés chargés dès lors de la conservation des centaines d'œuvres qu'il avait accumulées, il entreprit la rédaction d'un monumental catalogue, contenant des notes détaillées sur 187 peintres, sculpteurs et dessinateurs de chevaux. Il rédigea également une sorte de monographie consacrée aux chevaux portraiturés par le peintre Nicolaï Egorovitch Svertchkov (1817-1898) dont il avait rassemblé près de deux cents tableaux. C'est dans cette masse documentaire – restée hélas inédite, mais consultable au Musée de Timiriazev, que j'ai puisé les informations concernant Moujik Ier, alias Kholstomer, dont Svertchkov fit, en 1891, un portrait géant (121 x 223 cm).

Moujik Ier pas assez beau et un peu trop petit, le fait castrer (7) afin que ses défauts ne se transmettent pas à une éventuelle descendance.

Cette histoire de Kholstomer plaît à Tolstoï. Son projet, petit à petit, prend forme.

Il lui trouvera sa forme définitive, peut-être, au cours d'une promenade qu'il fait, en 1860, avec Ivan Tourgueniev, de dix ans son aîné, auquel il voue la plus vive admiration (8)... ce qui ne l'empêchera pas de se brouiller avec lui un an plus tard. Mais, ce jour-là, les deux hommes sont encore les meilleurs amis du monde, et se baladent paisiblement dans la campagne. Tolstoï aperçoit dans un pré un vieux cheval borgne. Il s'en approche, et se met à raconter à son illustre compagnon ce qu'il croit lire dans les pensées de la pauvre bête.

Dans une lettre écrite peu de temps après, Tourgueniev raconte : « non seulement il s'était en quelque sorte identifié à ce malheureux animal, mais il m'avait entraîné à sa suite. Je ne pus m'empêcher de lui dire : *écoutez, Lev Nicolaïevitch, vraiment, vous avez dû être cheval autrefois. Oui, essayez donc de décrire les sentiments que peut éprouver un cheval !* »

Tolstoï prend son maître au mot. Il va faire mieux encore. Décrire non pas de l'extérieur, mais de l'intérieur. Ce sera le cheval lui-même qui racontera. Tolstoï se met au travail. Un premier jet, écrit en 1861, ne le satisfait pas entièrement. Il le reprend, le corrige en 1863, le remanie encore en 1864. Toujours insatisfait, il semble renoncer, range le brouillon dans un coin, l'oublie peut-être, pour le redécouvrir, le retravailler, y mettre la dernière main – et le publier enfin – en 1885.

Chacun comprend que, sous le couvert d'une confession chevaline, l'écrivain (devenu célèbre : il a, entre-temps, écrit et publié les six volumes de « Guerre et Paix » et quelques autres œuvres majeures) cherche à faire passer ses idées. Des idées nouvelles, originales – voire « dangereuses ». Au point que, pour des rééditions ultérieures, la censure, qui s'est radicalisée, exigera (11 août 1892) la suppression des passages dans lesquels « l'auteur exprime des idées tendancieuses sur la notion de propriété ».

Tolstoï a visé juste. Sa nouvelle remporte un succès immédiat. Et, pendant plus d'un siècle, ce succès ne se démentira pas, y compris pen-

---

8. Dans son excellent «Tolstoï», Henri Troyat explique : les « récits de Tourgueniev [...] subjuguèrent Léon Tolstoï autant par le charme de leur style que par la générosité de leur pensée égalitaire. Il dira, plus tard, que "Les récits d'un chasseur" [...] auront contribué à la suppression de l'esclavage dans le monde » (Fayard, 1965).

dant l'époque soviétique, où « Kholstomer » est considéré par les communistes comme une des plus belles paraboles du nouvel évangile.

En Russie, de nos jours encore, l'histoire du vieux cheval continue à plaire. Constamment rééditée, elle a été adaptée au théâtre (9) et l'aurait certainement été au cinéma si la difficulté de tenir le rôle n'avait été insurmontable (10). Les enfants, en effet, y voient un conte – un conte comme ils les aiment, c'est-à-dire à la fois merveilleux et triste. Les adultes, eux, y voient une allégorie, à laquelle les agissements des nouveaux riches de la nouvelle Russie ont redonné acuité et actualité.

En France, par contre, le chef-d'œuvre de Tolstoï n'est connu que d'une toute petite frange d'amateurs éclairés. C'est inexplicable. Et c'est pour remédier à cette anomalie que nous la publions, dans une version (11) enfin accessible.

Accessible ? Jusque-là, en effet, pour pouvoir lire ce texte – trop court pour faire un vrai livre –, il fallait aller farfouiller au beau milieu d'épais volumes (12) dans lesquels la nouvelle se trouvait noyée.

J'ai voulu ici faire l'inverse. Lui donner une place, sa vraie place : la première. Et transformer, autant que possible, « l'inconvénient » de sa brièveté en avantage : puisque le texte n'est pas long, il reste assez de pages pour présenter à sa suite la postérité de « Kholstomer ».

À commencer par une nouvelle de Kouprine, dédiée, justement, « à la mémoire de l'incomparable trotteur pie Kholstomer ».

Alexandre Ivanovitch Kouprine est un des derniers grands écrivains russes d'avant l'époque soviétique. Dans la lignée – et de la même trempe – que les Tourgueniev, Tolstoï et Tchekhov, de peu ses aînés. Un auteur de tout premier plan (il faillit obtenir le Nobel en 1933 – finalement attribué à son compatriote Ivan Bounine), adulé chez lui mais bizarrement ignoré chez nous.

C'était déjà le cas lorsque, fuyant la révolution bolchevique,

---

9. Un théâtre de Moscou (ou Nikitskich Varot) a présenté en mai 1998 une époustouflante adaptation de l'œuvre de Tolstoï écrite et mise en scène par Marc Rozovski, avec Eugène Guertchakov dans le rôle de Kholstomer.

10. On peut toutefois s'étonner que nul n'ait jamais songé à en tirer un dessin animé. Mais il n'est pas trop tard pour s'y mettre…

11. La version que j'ai retenue est celle de J.W. Bienstock, « révisée et annotée par P. Birioukov ». Il s'agit, je crois, de la toute première traduction en français de la nouvelle de Tolstoï, éditée à Paris en 1902. La date indiquée (1861) est celle de la première rédaction en russe. Dont on a vu qu'elle avait été fréquemment remaniée par l'auteur, avant sa parution, en 1885.
Sur l'orthographe Kholstomier choisie par Bienstock, lire la note 1.

12. Outre le volume de *La Pléiade* signalé note 5, mentionnons l'excellente anthologie thématique publiée par le Groupe de la Cité : « Le cheval, romans et nouvelles » (Omnibus, 1995).

Kouprine vint avec sa famille s'installer en France : alors que sa renommée littéraire lui ouvrait toutes les portes en Russie, il fut traité ici comme un réfugié russe parmi tant d'autres. C'est-à-dire pas très bien.

Sa fille Kissa, qui devint plus tard une actrice célèbre du cinéma muet (elle apparaît dans cinq films au moins de Marcel L'Herbier), aimait raconter cet épisode : le soir de leur arrivée à Paris, le 4 juillet 1920, les Kouprine, après s'être installés à l'hôtel, décident de faire un tour en ville. Ils entrent pour dîner dans un petit restaurant qui leur semble bien sympathique. L'écrivain ne parle pas un mot de français, et sa fille guère plus : la seule chose qu'elle ait retenue de ses leçons, ce sont les paroles de « Malbrough s'en va t'en guerre, mironton mironton mirontaine »… Le tenancier, hélas, n'a ni humour ni patience. Il ne comprend rien à ce que lui racontent les ruskofs. Il s'énerve, hausse le ton, et finit par tirer brusquement la nappe de la table où sont installés les Kouprine, renversant tout ce qui s'y trouve déjà, en leur criant quelque chose du genre « allez vous faire foutre » ! (13)

Lorsqu'il fait ainsi l'expérience de la fameuse courtoisie française, Kouprine a tout juste cinquante ans. Il est un peu surpris, voire même un peu choqué – mais, au cours de sa vie mouvementée, il en a vu d'autres !

Alexandre Ivanovitch naît en 1870. Son père, petit fonctionnaire de la région de Penza, meurt du choléra l'année suivante, laissant à sa femme Lioubov trois enfants – et pas un sou. La veuve parvient à caser ses deux filles dans un pensionnat public, et, vaille que vaille, à élever son fils Alexandre, avant de lui trouver une place dans un orphelinat.

Kouprine adore sa mère, une jolie Tatare qui prétendait être la dernière descendante d'une dynastie, aristocratique mais fauchée, les Koulountchak. Un nom qui, en langue tatare, signifie l'étalon : de quoi être fier, en effet. Kouprine aimait dire, en plaisantant, qu'il descendait de Tamerlan. Il ne cachait pas, en tout cas, ses origines orientales. Quand bien même les aurait-il dissimulées que son tempérament l'aurait trahi. Cet étalon avait le sang chaud.

Cela lui valut d'ailleurs – tant mieux pour les Belles-Lettres – de renoncer à une carrière militaire. Persuadée que l'armée lui assurerait

---

13. Quelques années plus tard, Kouprine se vengera de cette gracieuseté par une autre gracieuseté. En 1933, voyant les chiens qui, déjà, pullulaient à Paris, il note dans son Journal : « Sous nos yeux, les chiens s'humanisent de plus en plus. Mais on voit aussi des hommes qui se chiennisent et même se cochonnisent » !

une vie aisée, sa pauvre mère l'avait fait entrer, très jeune, à l'École des Cadets (1880), puis à l'École Militaire (1888) de Moscou. Il allait passer ses examens à l'Académie de l'État-Major (1893) de Saint-Pétersbourg lorsqu'il fut témoin d'une vilaine altercation. La scène se passe – déjà – dans un restaurant, le restaurant d'un bateau naviguant sur le Dniepr. Un client en état d'ébriété se met à insulter la jeune serveuse. Kouprine intervient. La discussion s'envenime. Excédé, l'élève officier s'empare du poivrot et le jette dans la rivière. Hélas c'était un commissaire de police !

Interdiction fut faite à Kouprine de se présenter aux examens. Toujours vif – l'étalon est un peu sur l'œil – il flanque aussitôt sa démission de l'armée.

Commence alors pour lui une existence vagabonde. Il exerce un peu tous les métiers. Comme il le racontera lui-même plus tard : « J'ai été tourneur, typographe, marchand de tabac, marinier, porteur de pastèques ; j'ai voyagé avec un cirque, j'ai été acteur, et encore mille autres choses. Je ne me souviens pas de tout. Non, ce n'était pas la nécessité qui me poussait : c'était l'amour de la vie, la curiosité. Tout m'intéresse. Tenez, par exemple, j'aimerais, pendant quelque temps, être une femme, être en couches, ressentir ce qu'un être différent peut éprouver. Devenir un arbre, un poisson. Un cheval ! » (14)

Devenir cheval ! Voilà le vieux rêve de Kouprine.

Dans un livre de souvenirs, un de ses amis, un certain Batiouchkov, raconte que « désireux de savoir comment un cheval dort », Kouprine avait, deux nuits de suite, amené des chevaux dans sa chambre, pour mieux les observer, et les comprendre. On ne peut s'empêcher de penser qu'il aurait été peut-être plus simple pour Kouprine d'aller dormir à l'écurie – mais c'est ne pas tenir compte de la complexité de l'âme russe, de l'étrangeté de l'âme orientale. « L'amour du cheval, disait lui-même Kouprine, je l'ai dans le sang : cela vient de mes ancêtres tatares »…

Toutefois, ces bizarres expériences nocturnes ne sont pas seulement motivées par une fantaisie et une curiosité gratuites. Kouprine a déjà en tête l'idée d'écrire une nouvelle dans laquelle il chercherait à se mettre à la place d'un cheval, pour en exprimer les émotions, les sensations.

Cette nouvelle c'est « Isoumroude ». Autrement dit « Émeraude ».

---

14. La plupart des épisodes que je rapporte ici ont été racontés par sa fille K. Kouprina dans « Kouprine mon père » (Khudojestvennaya Literatura, 1979) et/ou par V. Afanasiev dans « Alexandre Ivanovitch Kouprine » (même éditeur, 1972), tous deux publiés en russe et en Russie.

Rédigé en 1907 (Kouprine a trente-sept ans, il a déjà publié son œuvre maîtresse, « Le duel »), ce petit chef-d'œuvre de sensibilité, de « psychologie » animale n'a jamais été traduit en français. Ce texte est donc chez nous un inédit. Pour en établir la version française, j'ai fait appel à celui que je considère comme le meilleur traducteur actuel de la poésie russe, Henri Abril (15). Il fallait tout son savoir-faire et son talent pour restituer la beauté, la musique si particulière du texte de Kouprine, en un mot, oui, sa poésie.

L'entreprise de Kouprine, en effet, est avant tout littéraire – alors que celle de Tolstoï était plutôt philosophique. Le premier a surtout travaillé la forme, alors que le second s'est attaché au contenu.

Tolstoï fait parler un cheval, mais c'est un peu un prétexte, un procédé, un artifice pour exprimer un jugement – prétendument naïf, apparemment extérieur – sur les hommes. L'ambition de Kouprine est différente. Il cherche à restituer les sentiments de l'animal, à pénétrer son « âme » (16). Il se substitue à lui. Il ne le dote pas des moyens humains : le don de la parole et le sens critique. Isoumroude (c'est le nom du héros de Kouprine), en français Émeraude, est, tout autant que le Kholstomer de Tolstoï, victime de la folie des hommes – mais il ne se plaint pas. S'il ne se plaint pas, *c'est parce qu'il ne comprend pas*. Et, ne comprenant pas, il ne juge pas.

Kouprine, lui, a tout compris : le cheval n'est pas un être naïf, mais c'est un être innocent. Le génie de l'écrivain est d'avoir su restituer cette innocence uniquement par le style. Par la poésie.

Malgré ces différences d'intentions, il dédie sa nouvelle à Kholstomer – sans qu'on sache d'ailleurs très bien s'il s'agit d'un hommage au texte de Tolstoï (paru alors qu'il avait tout juste quinze ans), ou au trotteur dont le vrai nom était, on l'a vu, Moujik Ier.

Pour ma part, je pencherais plutôt pour la première hypothèse. Car, comme l'ont prouvé les recherches de D.V. Bardine (voir note 3), l'histoire que raconte Kouprine est directement inspirée des mésaventures non point de Moujik Ier mais d'un autre trotteur, dénommé Rassvet (l'Aube, l'Aurore).

---

15. Un éditeur courageux a entrepris la publication de l'œuvre poétique intégrale et bilingue de Ossip Mandelstam – pourtant réputée « intraduisible ». Henri Abril s'est admirablement acquitté de cette tâche « impossible ». Trois volumes parus (Circé, 1999, 2001, 2002).
16. On peut ici faire un rapprochement avec la tentative d'Eugène Sue de décrire les pensées, d'exprimer les émotions d'un cheval dans « Godolphin Arabian » (1846).

L'affaire défraya la chronique russe dans les années 1900. Pas question de la raconter en détail ici – un livre entier y suffirait à peine –, mais il est bon, avant de lire « Émeraude », d'en connaître les grandes lignes.

Il y avait alors à l'hippodrome de Moscou un trotteur-orlov invincible, un coursier exceptionnel, du nom de Pitometz – dont l'hégémonie fut soudain contestée par un étalon gris aux origines suspectes, le fameux Rassvet. Après de rocambolesques péripéties, il fut prouvé que ledit cheval n'était point de race orlov mais de race américaine, qu'il ne s'appelait pas Rassvet mais William S.K., qu'il y avait eu substitution, tricherie et faux papiers. Plutôt que d'avouer leur méfait, les propriétaires du crack préférèrent le faire disparaître. On suppose que l'animal fut empoisonné (17). De quoi, on le voit, inspirer un écrivain !

La troisième nouvelle de ce recueil – cerise sur le gâteau – est également un texte rare : un délicieux récit, moins ambitieux peut-être que les précédents – il ne s'agit ni d'un conte philosophique ni d'un poème en prose – mais comme eux pourvu d'éminentes qualités littéraires.

Une jument, Libussa, y raconte elle-même ses tribulations – de la façon la plus simple qui soit : sans prétention. Mais avec, tout de même, l'idée de laisser entrevoir, derrière les petites histoires, la grande Histoire.

Le récit de Libussa, devenue la jument de Guillaume II (18) et, à ce titre, le témoin « privilégié » des agissements de l'empereur d'Allemagne, nous plonge au cœur des conflits qui déchirèrent l'Europe au début du XXᵉ siècle – et débouchèrent sur ce qu'il est convenu d'appeler chez nous la Grande Guerre.

À la différence des deux autres, ce texte n'a pas été écrit en russe, mais en allemand. Ce qui justifie pourtant sa présence ici, c'est que non seulement son héroïne, elle, vient bien de Russie, mais surtout qu'il se réfère explicitement à l'œuvre de Tolstoï, dont il est en quelque sorte un rejeton. Les intégristes diront : un bâtard...

« Libussa » a été écrit par un certain Carl Sternheim (sur lequel, je l'avoue, je ne sais pas grand-chose) en 1920. Traduit en français par

---

17. Le nom des Boutovitch ayant été malencontreusement mêlé à cette affaire, le benjamin de la famille, Iakov, ne fut pas autorisé à poursuivre ses études pour devenir officier. Il se résigna alors à reprendre le haras paternel, dans lequel il créa une galerie d'art, dont les fabuleuses collections, saisies par la révolution, constituent l'essentiel du fonds de l'actuel Musée du Cheval de Moscou (voir note 7).

18. Difficile de ne pas penser ici à Pressmar, le maître d'équipage de Guillaume II, mis en scène par Michel Tournier dans «Le roi des aulnes» (Gallimard, 1970), et auteur d'une leçon d'équitation, véritable morceau d'anthologie.

Marc Henry, il a été publié en 1925 par Simon Kra aux éditions du Sagittaire, dans une excellente collection, *Les cahiers nouveaux*, dans laquelle figurent aussi des textes de Unamuno, de Mac Orlan, de Desnos, de d'Annunzio… et de Kouprine (« Olessia, la jeune sorcière »)! Imprimé seulement à mille exemplaires et, à ma connaissance jamais réédité, « Libussa » méritait, autant que « Kholstomer » et « Émeraude », je crois, une exhumation.

[L'ouvrage, dont le texte qui précède constitue une grande partie de l'introduction (« Quand les chevaux parlent aux hommes », collection *cheval-chevaux*, éditions du Rocher, 2003), remporta un certain succès. Il éveilla même la curiosité de la presse spécialisée. J'eus ainsi à m'en expliquer dans la belle revue EQUUS (qui, hélas, a cessé de paraître) n° 53, daté mai-juin-juillet 2003:

EQUUS — La collection que vous lancez chez Jean-Paul Bertrand, aux éditions du Rocher, porte un nom qui a le mérite d'annoncer clairement la couleur: elle s'intitule *cheval-chevaux*. Quelle différence avec les autres collections existantes et les autres éditeurs spécialisés?

J.-L. G. — Nous ne piétinerons pas les plates-bandes soigneusement entretenues par nos excellents confrères. Nous laissons l'hippologie, les soins aux chevaux, les traités vétérinaires à Maloine; l'équitation à Belin, Lavauzelle et Jean-Michel Place. Entre ces deux jardins, le champ est vaste: la littérature, l'histoire – et les histoires. Histoire de chevaux, et de gens de chevaux. Il y a de quoi faire!

EQUUS — *caracole*, la collection que vous dirigiez aux éditions Favre, c'est terminé?

J.-L. G. — Pas du tout. Elle caracole toujours. Après y avoir publié quelques œuvres majeures, tel que le premier traité d'entraînement des chevaux de l'histoire, je continue à y éditer des textes rares, curieux, originaux – mais toujours assez courts. *caracole* est une collection de semi-poche, de petit format, à prix raisonnable. Le dernier volume paru est un recueil de poèmes de Catherine Paysan: « Écrit pour l'âme des cavaliers ». J'y réédite ces jours-ci la formidable série d'articles que Jan Krauze a consacrés l'été dernier, dans *Le Monde*, à l'univers des courses. Enrichi d'une introduction inédite, ce petit livre constitue une excellente initiation au monde – pour beaucoup mystérieux – des éleveurs, entraîneurs, jockeys et drivers. Un royaume dont le prince est le cheval, comme l'indique le titre: « Cheval, amour et passion ».

EQUUS — Vous commencez votre nouvelle collection, *cheval-chevaux*, en frappant fort. Un peu trop fort, peut-être, un peu trop haut? Léon Tolstoï, Alexandre Kouprine. Ce n'est pas très facile.

J.-L. G. — D'accord et pas d'accord. Tolstoï, Kouprine : en effet, c'est de la très grande littérature – mais pas de la littérature difficile. Depuis le temps que je fréquente la littérature russe, je constate que le cheval y est omniprésent. Tous les grands écrivains russes ont consacré des textes superbes au cheval : Tourgueniev (« La fin de Tchertopkhanov » dans « Les récits d'un chasseur », magnifique et pathétique histoire d'amour entre un homme et un cheval), Tchekhov, Leskov, etc.

Quelques-uns d'entre eux se sont livrés à l'exercice, très périlleux, de se substituer aux chevaux, de se mettre à leur place. J'ai trouvé intéressant de réunir leurs essais dans un seul volume.

Faire parler les chevaux est un vieux rêve d'écrivain, une idée de poète. Léon Tolstoï et Alexandre Kouprine y sont parvenus. J'ai intitulé le recueil de leurs textes « Quand les chevaux parlent aux hommes », par allusion, bien sûr, au best-seller américain où c'est l'inverse : où ce sont les hommes qui murmurent à l'oreille des chevaux !…

Equus — Pour ces écrivains, le cheval n'était-il pas qu'un simple prétexte, un être parabolique ?

J.-L. G. — Il est certain que chez Léon Tolstoï l'idée de faire raconter sa vie par un vieux cheval (« Kholstomer ») est un artifice littéraire qui lui permet de faire passer des idées considérées, à l'époque, comme très avancées. Tolstoï fait là, c'est évident, une critique sévère de la société des hommes. En mettant cette critique dans la bouche d'un cheval, il espère échapper à la censure. Certes. Mais si l'idée lui en est venue, c'est qu'il fréquentait les chevaux, qu'il les connaissait, et les aimait. Tolstoï était un véritable homme de cheval.

Equus — Éleveur ? Amateur de courses ? Cavalier ?

J.-L. G. — Oui, tout cela à la fois. Riche propriétaire terrien, le comte Tolstoï possédait plusieurs haras. Dans l'un d'eux, dans la région de Toula, il élevait des trotteurs. Dans un autre, dans la région de Samara, il élevait ce qu'on appelait à l'époque des chevaux de steppe : des chevaux de petite taille, très endurants. On englobait alors sous ce vocable unique des chevaux très différents, issus des invasions turco-mongoles, et donc venus des lointaines profondeurs orientales, aussi bien que les chevaux des bergers nomades ou semi-nomades vivant dans les steppes étendues entre le Don et la Volga, aux pieds du Caucase – ou même carrément en haute montagne : chevaux kirghizes, nogaïs, kalmouks, karabars, kabardines et autres. La race préférée de Léon Tolstoï était le cheval bachkir.

Equus — Bachkir ? Vous pouvez préciser ?

J.-L. G. — Les Bachkirs sont des nomades musulmans, très proches des Tatars, sédentarisés dans une région située, *grosso modo*, à l'intersection de la Volga et de son affluent la Kama. Il existe aujourd'hui, dans la Fédération de Russie, une petite république bachkire, la Bachkirie (ou Bachkortostan), dont la capitale est Oufa. Leurs chevaux plaisaient à Tolstoï, qui voulut même en faire une race amélioratrice. J'ai lu ça dans un gros bouquin bourré d'anecdotes passionnantes sur de célèbres chevaux russes, (« Émeraude, Bracelet et autres »), écrit par un certain Boris Bardine et publié en 1990 au Kazakhstan! Il raconte que, dans les années 1870, Léon Tolstoï s'était mis en tête de créer une nouvelle race de chevaux de selle, capable d'assurer la remonte de la cavalerie. Son idée consistait à croiser des chevaux anglais et des trotteurs russes avec des chevaux kirghizes, kalmouks et, surtout, bachkirs!

EQUUS — Quel fut le résultat?

J.-L. G. — Pour sélectionner les meilleurs spécimens bachkirs, Tolstoï organisait dans son domaine de Samara des courses ouvertes à tous les chevaux de la région. Après avoir été longtemps très réticent à l'égard du pur-sang anglais, qui était en vogue à l'époque – Tolstoï se méfiait de la mode –, il finit par se rendre à l'évidence: le pur-sang anglais était le plus rapide de tous. Il finit même par en acheter un, comme étalon, pour son élevage! Et c'est sur des chevaux de ce type qu'à la fin de sa vie il aimait se promener.

EQUUS — Le livre dans lequel vous avez rassemblé les textes de Tolstoï, Kouprine (et Sternheim) contient de nombreuses photos de Tolstoï à cheval.

J.-L. G. — Oui, ce sont des documents extraordinaires. Il est très touchant de voir ce vieux monsieur, immensément riche, immensément talentueux et immensément célèbre trouver auprès des chevaux sa seule vraie distraction, son seul vrai bonheur. Jusqu'à l'âge de 82 ans, Léon Tolstoï a aimé se balader à cheval. Sa femme, Sophie Andréïevna, qui adorait faire des photos, et a réussi quelques beaux portraits équestres de son génial époux, notait dans ses carnets que, peu de temps avant de mourir, Tolstoï faisait encore des promenades quotidiennes de 15 à 20 verstes (à peu près 15 à 20 km) sur son fidèle cheval Délire. Une fois même, il partit jusqu'à Toula, à 35 verstes de là, par grand froid (moins 15!) et revint en pleine forme!]

SI TOLSTOÏ N'AVAIT PAS ÉTÉ ÉCRIVAIN...

Ce n'est peut-être pas le moment. L'anniversaire de la mort d'un homme, j'en conviens, n'appelle pas spécialement à des réjouissances. Surtout si l'homme en question est un héros, un saint, une gloire nationale. Le centenaire de la mort de Léon Tolstoï (1), toutefois, m'a donné l'occasion de me livrer, qu'on me le pardonne, à un petit exercice assez divertissant.

Coïncidant avec la proclamation de « 2010 année franco-russe », le centième anniversaire de la disparition du grand écrivain russe a déclenché en France un déferlement d'ouvrages commémoratifs – essais, biographies, traductions nouvelles ou rééditions – parmi lesquels on peut mentionner celui de Dominique Fernandez (« Avec Tolstoï », Grasset) et celui de Vladimir Fedorovski (« Le roman de Tolstoï », Le Rocher).

Membre de l'Académie française, écrivain talentueux, sensible et raffiné, Dominique Fernandez a souvent témoigné déjà de son goût, son attirance, sa fascination pour la patrie de Tolstoï. Parmi les quelque soixante-dix volumes que comporte (pour le moment) son œuvre, une bonne demi-douzaine y est consacrée : il est l'auteur, en particulier, d'un « Dictionnaire amoureux de la Russie » (Plon, 2004), qui révèle sa profonde intimité avec la littérature et la musique russes ; et de deux romans, « Nicolas » (Grasset, 2000) et « Place Rouge » (2008), qui prouvent que ses viriles amours russes ne sont pas toujours platoniques. Dans le bel essai qu'il vient de consacrer à Tolstoï, il s'arrange d'ailleurs pour déceler chez l'auteur de « Guerre et Paix » – fallait le faire – de vagues tendances homosexuelles (pages 142, 210, etc.).

Vladimir Fedorovski, c'est tout à fait autre chose. Aucune prétention culturelle chez cet ancien diplomate soviétique qui se présente

---

1. Léon Tolstoï s'est éteint en novembre 1910 : le 7 selon le calendrier de l'époque, dit « julien » ; le 20 selon le calendrier actuel, dit « grégorien » (adopté en Russie après la révolution de 1917 seulement).

pourtant, avec cet aplomb qui le caractérise, comme « l'écrivain d'origine russe le plus édité en France ». Même si l'on ne retient dans cette étrange comptabilité que les auteurs russes de langue française, c'est oublier un peu vite feu l'excellent Henri Troyat, auteur lui aussi d'une monumentale biographie de Tolstoï (Fayard, 1965) et d'une bonne centaine d'autres ouvrages, parmi lesquels on compte quelques authentiques chefs-d'œuvre. Fedorovski, pour sa part, ne prétend pas à une éventuelle gloire littéraire posthume : de bonnes ventes de son vivant lui suffisent amplement. Il a, de ce point de vue, tout lieu d'être satisfait : ses « romans » se vendent, paraît-il, comme des petits pains (2).

Entre Fernandez et Fedorovski, le fossé est abyssal. Le premier s'est livré à une magistrale approche littéraire et psychologique de son personnage, tandis que le second s'est contenté d'enfiler les anecdotes. Mais tous deux n'ont pu s'empêcher, à un moment donné, de proposer à leurs lecteurs une visite du fameux domaine de l'écrivain, là où ont été conçues et écrites des œuvres qui comptent parmi les plus importantes de la littérature mondiale : « Guerre et Paix » (commencé en 1863, achevé en 1869), « Anna Karenine » (1873-1877), « La Sonate à Kreutzer » (1887-1889), et quantité d'autres encore.

Cet immense domaine, hérité par Léon de son père Nicolas – qui lui-même le tenait de son épouse Marie, riche légataire d'une illustre famille aristocratique, les Volkonsky – se trouve dans la région de Toula, à tout juste deux cents kilomètres au sud de Moscou. Il porte le nom, devenu célèbre grâce à l'écrivain, de Iasnaïa Poliana, ce qui, d'après Troyat, peut signifier, au choix, « lumineuse clairière » ou, plus prosaïquement, « la clairière aux frênes ». Léon Tolstoï y est enterré – modestement – au pied d'un arbre. La maison, intacte (malgré l'occupation nazie) et le parc environnant peuvent être visités. Pour les Russes comme pour les étrangers, l'ensemble est aujourd'hui un véritable lieu de pèlerinage – où Dominique Fernandez et Vladimir Fedorovski, évidemment, n'ont pas manqué de se rendre.

Là où l'affaire devient amusante (voilà enfin où je voulais en venir), c'est qu'à lire leurs descriptions, on n'a vraiment pas l'impression qu'ils

---

2. Aucune allusion ici à un autre célèbre marchand de petits pains, Alexandre Menchikov, devenu le favori de Pierre-le-Grand et, de ce fait, un des personnages les plus puissants de l'Empire. Fils d'un simple valet d'écurie, cet aventurier aurait, selon la légende, commencé sa carrière comme pâtissier. Le tsar ayant goûté à ses brioches et les ayant appréciées aurait alors appelé le mitron auprès de lui, dont il aurait fait un prince.

ont visité le même endroit. Ils n'y ont pas vu, en tout cas, les mêmes choses. Cette différence de regards posés sur une même réalité est un phénomène (courant) qui m'a toujours beaucoup diverti. Il en est un autre exemple, plus savoureux encore, auquel Léon Tolstoï est non seulement lié mais dont il est, cette fois, un des acteurs.

L'affaire se passe en 1890. Un journaliste américain, appelé Thomas Stevens, a entrepris de traverser la Russie du nord au sud – de Saint-Pétersbourg à Astrakan – non pas, comme il serait simple, par les voies fluviales mais, ce qui est en effet beaucoup plus sympathique, à cheval. Il n'en est pas à sa première drôle d'aventure : il a déjà parcouru l'Afrique « à la recherche de Stanley » et narré son voyage à vélo autour du monde dans un livre, « Around the World on a Bicycle » publié en deux tomes à New York en 1887 et 1888. Pour traverser l'empire d'Alexandre III, il a acheté sur place, à un cirque ambulant, un canasson qui lui ressemble : un peu loufoque. Mais, bien qu'excentrique, le gaillard a un vrai talent. C'est un très bon journaliste. Le livre dans lequel il raconte son périple russe, traduit en français sous le titre « En Russie sur un mustang » (Payot, 1994) est une mine. Le chapitre, en particulier, qu'il y consacre à sa visite à Léon Tolstoï est un morceau d'anthologie. Il y rapporte comment le célèbre écrivain, alors âgé de 62 ans, le reçoit, pendant près de deux jours, lui fait visiter son domaine, l'abreuvant de considérations philosophiques et lui exposant à n'en plus finir ses conceptions en matière de pédagogie, de religion, et même de politique.

Il faut alors se reporter, pour comparer, à ce qu'en dit Tolstoï lui-même dans son journal intime. À la date du 22 juin : « Le soir est arrivé à cheval l'Américain Stevens » écrit-il laconiquement. Et, à la date du 23 juin : « Levé tôt, causé avec Stevens de futilités » ! Merveilleux contraste entre deux façons de vivre, d'apprécier et raconter un même épisode.

J'ai moi aussi, bien sûr, visité Iasnaïa Poliana. Ce que j'y ai vu n'a pas grand-chose de commun non plus avec ce qu'y ont remarqué Dominique Fernandez, Vladimir Fedorovski ni, avant eux, Thomas Stevens. Ce que j'y ai principalement relevé, c'est qu'on y trouve des écuries (où, de nos jours encore, quelques braves chevaux attendent patiemment de balader les touristes qui le désirent dans les allées du vaste domaine), et que ces écuries sont situées à plus de deux cents mètres des lieux d'habitation. Preuve que son constructeur, Léon Tolstoï lui-même, s'y connaissait : deux cents mètres, en effet, sont la distance minimale à laquelle il faut installer ses chevaux si l'on ne veut pas être, en été, envahi comme ces pauvres bêtes par les mouches ou, pire encore, par les taons.

Dire que Léon Tolstoï s'y connaissait en chevaux est un euphémisme. Tolstoï était non seulement un excellent cavalier, ainsi qu'en témoignent les nombreuses photographies qui le montrent en selle, dans une belle position ; non seulement l'auteur de quelques nouvelles grandioses, dont le cheval est le héros (en particulier « Kholstomier », dans laquelle Tolstoï fait parler un vieux hongre) – mais aussi un éleveur passionné. Il avait même eu l'idée – ce qu'aucun de ses biographes n'a relevé – de créer une race nouvelle qui aurait réuni les qualités des petits chevaux de la steppe et des grands chevaux dits « de pur-sang » : l'endurance et la résistance des uns, la vitesse et la vivacité des autres. Il acquit même, pour se livrer à des expériences de métissage des deux types, un vaste haras dans la région de Samara, sur la Volga. Ses bricolages génétiques se soldèrent, heureusement, par un échec total. Si je dis « heureusement », ce n'est pas que je sois a priori contre le mélange des races. C'est plutôt un cri de soulagement. Imaginons, en effet, que ses expérimentations aient réussi. Occupé alors à développer son élevage, Tolstoï aurait-il trouvé le temps et l'énergie d'écrire ses chefs-d'œuvre ? Probablement pas. Quel drame affreux, quelle perte irréparable ç'eut été pour l'humanité !

[Paru dans LA REVUE n° 5 (septembre 2010).].

RUSSIE : SEX IN THE CITIES

Ce n'est pas une grande découverte, juste une triste constatation : il faut faire peur pour être respecté. Prenons le cas de la Russie. Il n'y a pas très longtemps, dix ans à peine : vous souvenez-vous ? Lambeau dépenaillé de l'ancienne Union Soviétique, ex-deuxième puissance mondiale (première dans certains secteurs), la Russie était devenue la risée du monde développé. Elle avait « perdu la guerre » (froide). Ses centrales nucléaires implosaient, ses sous-marins nucléaires explosaient – et ceux dont le moteur n'avait pas encore fondu servaient à alimenter en électricité des villes (comme Vladivostok) où ni le gaz ni le pétrole de ce grand producteur de pétrole et de gaz n'avaient pu être acheminés, les routes étant défoncées, les pipelines percés et les chemins de fer déglingués. Son armée faisait sourire, son président (Eltsine) faisait pitié et ses plus jolies femmes faisaient le tapin sur tous les trottoirs de la planète. Après nous avoir, pendant plus d'un demi-siècle, fichu une trouille terrible, l'ours russe n'était plus qu'une vieille peluche sans griffes. On pouvait alors la moquer sans risques.

Et puis les cours du pétrole (et autres matières premières, que le pays possède en abondance) ont grimpé, grimpé – et continuent de grimper. La Russie a commencé à engranger des sommes colossales, qui lui ont permis de remettre en marche ses trains, ses avions, son armée. À parler fort. À oser utiliser l'arme du pétrole pour ramener certains de ses voisins à la raison. Par un paradoxe qui pourrait être amusant s'il n'était insupportable, les bonnes consciences libérales – principalement américaines, bien sûr – ont alors trouvé scandaleux que la Russie se permette de vouloir vendre désormais ses hydrocarbures au prix du marché ! On a été jusqu'à exiger de Gazprom ce que personne n'aurait eu l'idée de suggérer à Exxon-Mobil, à savoir de céder ses produits à des prix bradés. Les États-Unis, si prompts à dénoncer le comportement russe à l'égard de l'Ukraine ou de la Géorgie ont-ils montré l'exemple, en cédant à prix d'ami leurs matières premières à leurs voisins les plus pauvres ? De la même manière que leurs ancêtres considéraient qu'un bon Indien est un Indien mort, les Américains d'aujourd'hui considèrent apparemment qu'il n'y a de bonne Russie que de Russie faible.

Mais voilà : le nounours est sorti de sa longue hibernation. Il montre à nouveau ses dents. À nouveau, il fait peur. Du coup, on le respecte. Jusque dans ce qu'il a de moins honorable. Ses nouveaux riches, aux fortunes insolentes et au mauvais goût légendaire, étaient hier tournés en dérision dans les vieilles maisons de luxe, aujourd'hui, on les cajole. La diaspora russe, composée de putes et de pauvres hères ayant fui les pénuries chroniques de leur misérable pays, est aujourd'hui, elle aussi, prise au sérieux : elle s'est organisée en groupes criminels redoutables – et donc respectables.

Deux des principaux succès cinématographiques de l'année 2007 ont d'ailleurs pour cadre des mafias russes. Celle de Londres, dans « Les promesses de l'ombre », du réalisateur David Cronenberg, et celle de New York, dans « La nuit nous appartient », du réalisateur James Gray.

Le premier raconte comment un petit vieux charmant se révèle n'être qu'un épouvantable criminel désireux d'organiser par tous les moyens, y compris les pires, la succession de son fils – un raté, c'est tout son drame – à la tête de son réseau… de prostitution. Le second raconte comment un charmant petit vieux (là encore) se révèle n'être (lui aussi) qu'un ignoble salopard prêt à toutes les vilenies pour faire prospérer son trafic de drogue. Dans les deux histoires, le rôle principal est tenu par un « héros » qui connaîtra, au cours du film, une sorte de rédemption : le premier – un homme de main magnifiquement interprété par Viggo Mortensen – en sauvant de la mort une innocente enfant, le second, médiocre tenancier de bar, en devenant… flic (!). Deux très bons films, mais d'une violence inouïe : preuve que les Russes ne sont, comme on a eu un moment tendance à l'oublier, que de sombres brutes, même s'ils offrent, parfois, l'apparence de grands sentimentaux. C.Q.F.D.

Ce retour de la Russie sur la scène internationale présente tout de même quelques aspects positifs. La langue russe, dont l'enseignement – en France, en particulier – s'était effondré, connaît un léger regain d'intérêt. Moscou et Saint-Pétersbourg, passant aujourd'hui pour des métropoles « branchées » sont redevenues des destinations touristiques fréquentables. C'est là, en tout cas, que se déroule l'action de deux des principaux romans de la dernière rentrée littéraire, tous deux parus chez Grasset : « Au secours pardon » de Frédéric Beigbeder, publié pour l'été, et « Place Rouge » de Dominique Fernandez, lancé pour l'hiver.

Bien que relevant de styles très différents, utilisant des langues totalement dissemblables, les deux « fictions » ont en commun de pouvoir servir, chacune dans leur genre, de guide touristique.

Chez Beigbeder, c'est moins un style qu'une verve, une gouaille branchouille, truffée d'expressions angloïdes, de jeux de mots, de gags (dans Beigbeder, il y a BD !). Chez Fernandez, c'est un style beaucoup plus classique, presque académique – ce qui est bien la moindre des choses de la part d'un écrivain qui vient d'être admis à l'Académie française. Tous deux adorent Moscou et Saint-Pétersbourg – mais bien qu'ils explorent les mêmes lieux, ils n'y voient pas les mêmes choses. Chez Dominique Fernandez, on est un peu dans *le Guide Bleu*, alors que chez Frédéric Beigbeder, on serait plutôt dans *le Petit Futé*.

À propos du premier, j'aurais pu faire allusion à son délicieux « Dictionnaire amoureux de la Russie » (Plon, 2004), dans lequel on trouve déjà, comme dans « Place Rouge », d'excellents textes consacrés aux grands personnages de la littérature, de la peinture et de la musique russes, des descriptions raffinées des hauts lieux des deux capitales de la Russie. Mais ici, la référence à la célèbre collection du département tourisme du groupe Hachette me paraît mieux adaptée, ne serait-ce qu'à cause de sa teinte : le bleu, on le sait, est couleur de ralliement de « la tribu ». C'est sous ce vocable, en tout cas, que Dominique Fernandez désigne la communauté homosexuelle, qu'il semble bien connaître, et dont l'épicentre, à Paris, se situe dans le Marais, un quartier dont le nom n'évoque plus à ceux qui le fréquentent les marécages sur lesquels il a été construit, mais plutôt le comédien dont fut amoureux fou un écrivain, Cocteau, qui portait le même prénom que lui.

Si, à Moscou, les personnages de Dominique Fernandez fréquentent donc le *Blue Note*, ceux de Frédéric Beigbeder préfèrent le *Night Flight*, discothèque réputée pour ses jolies filles – les plus belles du monde, indiscutablement –, aux jambes interminables et aux tarifs exorbitants.

Si, la nuit, les héros des deux romans n'ayant pas les mêmes goûts, ne fréquentent donc pas les mêmes boîtes, il leur arrive, en revanche, de se croiser le jour dans les mêmes endroits. Dans la maison, par exemple, de Dostoïevski. Mais alors que cette visite est pour Fernandez l'occasion d'un beau développement sur l'œuvre de cet écrivain torturé, ce n'est pour Beigbeder qu'une bonne occase de placer une blague sur le chapeau mou qu'on y a pieusement conservé. De même, lorsque le premier évoque le duel dont l'issue fut fatale à Pouchkine, avec grâce et émotion, l'autre en profite pour proférer quelques plaisanteries sur les dangers de l'amour.

Petit échantillon du haut niveau de culture de celui qui se targue de faire la pluie et le beau temps dans les lettres françaises : à Saint-Pétersbourg, il se promène (avec une fille splendide, bien sûr) dans un parc. « C'est là, écrit-il finement, que Pouchkine venait lire sur son banc, en robe de chambre, comme une pomme de terre » (sic).

Quand Fernandez fait visiter à ses personnages (et à ses lecteurs ravis) la galerie Tretiakov (Moscou) ou le Musée Russe (Saint-Pétersbourg), Beigbeder les trimbale de palaces en casinos. Pour lui, la capitale de la Russie n'est pas la ville aux « quarante fois quarante » clochers mais une mégalopole que son maire, dont il orthographie le nom tantôt Luzhkov (page 91) et tantôt Loujkov (page 103), a « transformé en Las Vegas ».

Tandis que Fernandez digresse avec élégance sur Gorki ou Tourgueniev, Tchaïkovski ou Chostakovitch, Repine ou Levitan, Beigbeder se vante de ne connaître vraiment qu'un seul écrivain russe – et encore, il ne s'agit que de Gabriel Matzneff, plus germanopratin (comme Beigbeder) que pétersbourgeois et amateur (comme Beigbeder) de pucelles pas trop effarouchées.

N'ayant guère quitté les deux mégapoles russes, Beig-BD n'hésite pas à écrire, avec le culot qu'on lui connaît, qu'il ne se passe rien à l'est de la Volga – exceptées, dit-il, les « excursions » du fils de Philippe Tesson ! Beigbeder connaît bien Philippe Tesson, en effet, qu'il croise fréquemment sur les plateaux de télévision. Il ne connaît rien, en revanche, aux véritables aventures – physiques et intellectuelles – que vit si intensément et raconte si bien son fils Sylvain, en Sibérie et en Asie Centrale. Il est vrai que ce grand dadais de Beigbeder, si l'on en juge par ce qu'il raconte lui-même dans son roman, ne connaît pas grand-chose à l'art de voyager et ignore tout des grandeurs du sport, lui qui ne pratique – ou s'enorgueillit de ne pratiquer – que les galipettes.

Beigbeder a le droit d'aimer les parties de jambes en l'air. Mais sa passion tourne à l'obsession. Parlant de la guerre en Tchétchénie, il écrit (page 128) : « les bombes, je les préfère sexuelles, et les attentats, à la pudeur ». Décrivant les fameux ponts-levis de Saint-Pétersbourg, il écrit (page 197) qu'ici « les ponts s'écartent comme des jambes » !

Ce qui le sauve, c'est qu'il finit par le reconnaître : « trop de comparaisons sexuelles ? Ce sont les seules qui ne m'ennuient pas » écrit-il. Comme dans tout bon procès de Moscou, Beigbeder passe volontiers aux aveux. D'ailleurs – c'est la meilleure idée du livre –, son roman a la forme d'une longue confession à un prêtre orthodoxe. Au cours de laquelle, illuminé par quelques éclairs de lucidité, il lui arrive de se repentir vraiment : « je me suis aperçu, dit-il quelques pages avant la fin, que je n'avais rien compris à la Russie ».

Ce n'est pas du tout le cas de Dominique Fernandez, qui sait explorer avec finesse cette fameuse « âme russe » qui tiraille chaque citoyen de ce pays – le plus vaste du monde – entre orient et occident. Un occident pour lequel chaque Russe éprouve à la fois haine et fascination, attirance et répulsion.

L'histoire que raconte Dominique Fernandez dans « Place Rouge » est une histoire d'amour. Celui qu'éprouve un garçon, Raoul, pour un autre garçon, Iermolaï : un peintre français déjà mur pour un jeune artiste russe. Ce dernier est encouragé à l'aventure homosexuelle par sa sœur, galeriste en vogue, qui espère donner ainsi à son frère le piquant médiatique qui lui manque. Rassurez-vous : comme toutes les fausses histoires d'amour, celle-ci finira mal. Par un crime !

Beigbeder, lui aussi, raconte une histoire d'amour qui, évidemment, finira mal : celle d'Octave (dont le job consiste à dégotter parmi les jolies filles qui pullulent en Russie celles qui pourraient faire une carrière de top-modèle) et de Lena, une adolescente de Saint-Pétersbourg dont il s'apercevra, tardivement, qu'elle est… sa fille (!).

Homo ou hétéro, le sexe est omniprésent dans ces deux romans. Chez Frédéric Beigbeder, on baise à presque toutes les pages, et pourtant, il y a chez lui, comme chez Dominique Fernandez, une sorte de petite nostalgie pour les amours romantiques, les amours platoniques. L'amour charnel, proclament, pour une fois d'accord, les deux écrivains, n'est pas celui qui compte. Il y a là un côté fleur-bleue chez Fernandez, fleur-rose chez Beigbeder qui finit par émouvoir – et par faire pardonner les dérapages pas toujours contrôlés du petit futé de Saint-Germain-des-Prés – comme lorsqu'il lance cette sentence qui jette le trouble dans mon esprit résolument hétéro : « les hommes qui aiment les jolies femmes (écrit-il page 268) sont tous pédés » !

J'ignore si Beigbeder est, comme il l'insinue lui-même, un homosexuel refoulé, si Fernandez est, à titre de réciprocité un hétérosexuel refoulé. Ce que je sais, c'est que je préfère la Russie de Dominique Fernandez à celle de Frédéric Beigbeder, la Russie de Pouchkine à celle de Poutine, la Russie des exarques à celle des oligarques, bref la Russie des mystiques à celle des mystificateurs.

[Paru sous le titre « Moscou/Saint-Pétersbourg, sex in the cities » dans LA REVUE POUR L'INTELLIGENCE DU MONDE n° 13 (mars-avril 2008).

Il s'agissait là de la première livraison d'une chronique que Béchir Ben Yahmed, l'éditeur de cette belle revue intelligente, me proposait de tenir désormais régulièrement, sous le titre de « par monts et par chevaux ». Ignorant les coutumes indigènes, j'avais osé y évoquer deux films – or le cinéma y était le domaine réservé d'un autre collaborateur, Renaud de Rochebrune. Je m'empressai donc de couper le passage relatif aux œuvres de Gray et Cronenberg, tandis que le rédacteur-en-chef, jugeant sans doute certains passages trop polémiques, censurait mes propos anti-américains.]

SAINT-PÉTERSBOURG MON AMOUR

[Le supplément hebdomadaire du grand quotidien du soir, LE MONDE MAGAZINE, consacre chaque semaine une double page à la présentation d'une ville par un écrivain plus ou moins célèbre. Début 2010, la responsable de cette rubrique, Émilie Grangeray, m'a demandé d'y présenter à ma façon Saint-Pétersbourg, ce que j'ai fait avec plaisir en lui livrant les éléments suivants.]

RÊVER DE GALOPADES

Conçue pour abriter d'imposants régiments de cavalerie, Saint-Pétersbourg possède quantité de manèges reconvertis en salles d'exposition et d'écuries transformées en bureaux. Cette omniprésence du cheval s'y fait sentir, de nos jours encore, par l'étonnante densité de statues équestres. Pour s'en tenir aux seules représentations impériales, il faut mentionner, bien sûr, la plus célèbre, au bord de la Neva, réalisée par le Français Falconet et chantée par Pouchkine (« le cavalier d'airain »).

Pierre-le-Grand a été également sculpté à cheval par l'Italien Rastrelli. Mais la Grande Catherine n'avait pas aimé cette œuvre (assez banale il est vrai) – raison pour laquelle son fils Paul Ier, qui détestait sa mère (et réciproquement) la fit ériger à l'entrée de son propre palais – près duquel, charmante famille, Catherine le fit assassiner.

Il y a aussi la statue d'Alexandre III, sortie des oubliettes soviétiques et installée aujourd'hui dans la cour du Palais de Marbre (une annexe du Musée Russe, une des principales institutions de Saint-Pétersbourg, dont la visite est indispensable). Cette statue est si massive, l'empereur si phénoménal, et le cheval si monumental qu'une chanson, au moment de son inauguration, avait tourné en dérision, sans le nommer, « un gros crétin monté sur un hippopotame »…

La statue équestre que je préfère est celle qui, face à Saint Isaac, représente Nicolas Ier, « l'empereur de fer » transformé ici en empereur de bronze. Cabré, son cheval tient en équilibre sur ses postérieurs. C'est un exploit technique : les sculpteurs s'arrangent toujours pour faire reposer leurs œuvres monumentales sur trois points au moins.

S'OFFRIR UNE VIE DE PALACE

Avant l'ouverture d'innombrables quatre et même cinq étoiles (Radisson, Marriott, Novotel, etc.) et la multiplication des petits hôtels offrant d'ailleurs souvent un excellent rapport qualité/prix, les touristes n'avaient guère de choix. Il leur fallait se contenter de l'épouvantable hôtel « Leningrad » (devenu « Saint-Pétersbourg ») géré par une société d'État (Intourist) auxquels certains vieux habitués restent attachés car l'habiter, disent-ils, est le seul moyen de ne pas le voir. Il offre, en revanche, une vue magnifique sur le croiseur « Aurore » et sur le quai Koutouzov, juxtaposition de palais splendides.

L'autre solution consistait à « descendre » dans un des deux palaces mythiques de la ville : l'hôtel « Europe » ou l'hôtel « Astoria », de loin mon préféré : à deux pas de l'Amirauté, à trois pas de la perspective Nevski, à quatre pas de l'Ermitage, il donne sur la place Saint Isaac (splendide mais prétentieuse cathédrale construite par un architecte français, de Montferrand), dominée par la statue équestre de Nicolas Ier.

VISITER LE CABINET DE CURIOSITÉ DE PIERRE-LE-GRAND

Si l'Ermitage est bien le plus beau, le plus riche et le plus visité des musées de Saint-Pétersbourg, le plus surprenant est celui qu'a fondé Pierre-le-Grand dès 1714, pour y entasser les bizarreries qu'il avait accumulées au cours de ses voyages, ou reçues en cadeau de ses visiteurs, telle cette épouvantable collection de fœtus humains en bocaux et d'animaux empaillés : renards à deux têtes ou moutons à cinq pattes. Devenu peu à peu un musée ethnographique (riches collections africaines, dues à l'africaniste Vladimir Arseniev ; objets rares des Indiens d'Amérique, etc.), cet ancien cabinet de curiosités impérial porte un nom qui est en lui-même une sorte de monstruosité linguistique, composé pour moitié d'allemand (kunst) et d'italien (camera).

SE GAVER DE SOUPE DE POISSON

Il serait vraiment dommage de se contenter de Mac Do, sushi-bars, pizzas et autres gargotes de restauration rapide (« bistro », en russe, signifie « vite ») qui aujourd'hui ont envahi Saint-Pétersbourg. Profitons au contraire de la proximité de la mer pour découvrir une spécialité russe : la soupe de poisson (ukha). Il y a mille façons de la préparer : avec ou sans crème, avec ou sans ail, etc. Une des meilleures est celle que propose une petite auberge spécialisée, peu fréquentée par les touristes. Cinq ou six tables, pas plus. Quelques tableaux naïfs sur les murs en rondins de bois. Un vieux guitariste pour interpréter à la demande de belles romances russes. Ce lieu plein de charme s'appelle « Demyanova Ukha ». Littéralement : la soupe (de poisson) de Damien, par allusion à un personnage d'un conte pour enfants, si généreux qu'il gavait ses hôtes jusqu'à l'indigestion.

Autre solution pour s'initier à la (bonne) cuisine russe : faire un soir l'expérience du « Tsar », un somptueux établissement – genre mégalokitch – où des créatures de rêve vous bichonnent, sous le regard sévère des empereurs, dont les portraits ornent les murs. Avant de quitter ce lieu un peu délirant, un petit détour s'impose par les toilettes : impériales elles aussi !

PRIER DIEU ET ALLAH

La grande idée du fondateur de Saint-Pétersbourg était de doter la Russie d'une capitale tournée vers l'ouest, vers l'Europe, vers le monde moderne et « civilisé ». Par opposition à Moscou qu'il jugeait trop orientée… vers l'Orient et le passé. Son admiration pour les techniques des Européens n'impliquait toutefois chez Pierre-le-Grand aucun mépris pour les peuples « sauvages », comme au contraire il le prouva en adoptant un jeune esclave africain acheté au sultan de Turquie, dont il fit un de ses très proches collaborateurs. Ce jeune Nègre s'appelait Hannibal. Il est l'aïeul de Alexandre Pouchkine ! Difficile d'affirmer, dans ces conditions, que « tous les Russes sont racistes ». Comme il serait excessif de dire qu'ils sont tous confits d'orthodoxie et de haine anti musulmane. Si, conformément au vœu de Pierre, la ville ne contenait aucune église à bulbe (du moins jusqu'à la construction, à la fin du XIXe siècle, de la pâtisserie architecturale dite de la Résurrection du Sauveur sur le Sang Versé), elle comporte un minaret, fièrement hérissé non loin de la forteresse Pierre-et-Paul, où reposent les cendres de Pierre-le-Grand et de tous les empereurs qui lui ont succédé. Inspirée de l'esthétique de Samarcande, cette grande mosquée accueille un nombre croissant de fidèles : Tatares de vieille souche pétersbourgeoise ou Tadjiks, travailleurs d'immigration récente.

ENFIN

Les amateurs nostalgiques de musique russe visiteront le cimetière du monastère Alexandre Nevski (le père-lachaise local). On y trouve côte à côte les tombes de Rimski-Korsakov, Moussorgski, Borodine et Tchaïkovski. Quant aux amateurs de ballets, ils y retrouveront (en cherchant bien) la tombe de Marius Petipa.

[Cet ensemble est paru dans LE MONDE MAGAZINE n° 42 (supplément au MONDE du samedi 3 juillet 2010). La formule consistant à privilégier l'image, les textes destinés, en fait, à servir de simples légendes aux photos, ont été parfois considérablement raccourcis.
Un petit texte de Émilie Grangeray présente en quelques lignes l'écrivain du jour. Voici celui qu'elle a eu la bienveillance de me consacrer :
« Auteur d'une sorte de géographie amoureuse du cheval (dernier titre paru : "La Terre vue de ma selle", Belin, 2009), Jean-Louis Gouraud revient de Saint-Pétersbourg, ville équestre s'il en est, où il est allé présenter, fin avril, la traduction en russe d'un de ses romans ("Ganesh"). Début mai, il y était l'invité d'honneur du Salon du Cheval, désireux de célébrer le 20e anniversaire de son raid équestre Paris-Moscou (3 333 km en 75 jours : 1er mai-14 juillet 1990). »]

EMPEREURS DE FER ET CHEVAUX DE BRONZE

Conçue pour pouvoir héberger d'imposants régiments de cavalerie, Saint-Pétersbourg possède une impressionnante quantité de manèges – reconvertis, hélas, en salles d'exposition ou de gymnastique – et d'écuries – transformées de nos jours en bureaux ou magasins. Cette omniprésence du cheval ne se fait plus sentir, aujourd'hui, que par une étonnante densité de statues équestres.

Pour s'en tenir aux seules représentations impériales, il faut mentionner, bien sûr – à tout seigneur tout honneur – la plus fameuse d'entre elles, la plus photographiée par les touristes : celle qui montre le fondateur de la ville caracolant sur un cheval qui piétine un reptile de ses postérieurs. Juché sur son fringant destrier, Pierre-le-Grand contemple fièrement la Neva, au bord de laquelle le monument a été édifié.

Pour réaliser cette œuvre, commandée par Catherine II (« la Grande Catherine »), le Français Étienne-Maurice Falconet dut séjourner à Saint-Pétersbourg une bonne dizaine d'années (1766 à 1778). Sublimement exécutée, elle inspira à Pouchkine un de ses plus célèbres poèmes, « le cavalier de bronze » (parfois traduit de façon plus poétique, par « le cavalier d'airain »).

Une autre statue équestre de Pierre-le-Grand est encore visible à Saint-Pétersbourg. Celle-ci avait été commandée à un Italien, Bartolomeo Carlo Rastrelli – dont le fils, Bartolomeo Francesco, architecte, réalisera plus tard les bâtiments les plus prestigieux de Saint-Pétersbourg : le Palais d'Hiver (qui abrite aujourd'hui le Musée de l'Ermitage), le couvent Smolny (devenu le siège de l'administration municipale) et, à Tsarskoye Selo, le fabuleux Palais Catherine. La statue réalisée par Rastrelli père, hélas, déplut à Catherine – elle est, en effet, assez banale –, ce qui constitua le meilleur argument pour que son fils Paul Ier, qui détestait sa mère, se mette, au contraire, à l'adorer. Au point de la faire installer à l'entrée même de l'étrange « château secret », plein de cachettes et de labyrinthes, qu'il s'était fait construire, et dans lequel il fut étranglé le 11 mars 1801, probablement sur ordre ou au moins avec le consentement de son fils Alexandre Ier, futur empereur et futur tombeur de Napoléon. Charmante famille !

La troisième statue équestre intéressante de Saint-Pétersbourg est celle que le dernier tsar, Nicolas II, avait commandée au sculpteur (russe) le plus en vogue de l'époque, Pavel Petrovitch Troubetskoï, pour honorer son père Alexandre III. Édifiée à la veille de la Révolution, cette œuvre colossale fut, à cause justement de son énormité, aussitôt tournée en dérision. Alexandre III était un solide gaillard, de grande taille et de force herculéenne – ce que l'artiste voulut sans doute restituer en le représentant ainsi : massif, pour ne pas dire mastoc, à califourchon sur une monture elle aussi phénoménale. À peine installée, l'œuvre fut la risée du bon peuple qui la surnomma « l'épouvantail ». Une espèce de comptine fut même composée évoquant « un gros crétin monté sur un hippopotame… »

Placardisée par les Soviétiques, cette statue a été heureusement sortie des oubliettes : elle trône aujourd'hui au centre de la cour du Palais de Marbre. Situé au bord de la Neva, ce magnifique édifice, que la Grande Catherine (encore elle) avait eu l'intention d'offrir à son très cher ami Grigorievitch Orlov – dont le frère, Alexeï Grigorievitch est le génial « inventeur » du trotteur orlov – est aujourd'hui une des annexes du Musée Russe, dont la visite s'impose à quiconque vient ici.

D'autres tsars, d'autres grands ducs, d'autres princes ont été statufiés à cheval à Saint-Pétersbourg. La dernière sculpture du genre est celle – assez moche – qui a été édifiée récemment soi-disant pour honorer saint Alexandre Nevski, qui vainquit ici les Suédois (en 1240) avant d'écraser, deux ans plus tard, et un peu plus loin, les chevaliers Teutoniques. Installée au beau milieu de la place qui porte son nom, face à la Laure (monastère) où reposent ses cendres, cette statue-là n'est pas digne de son modèle.

Il n'en va pas de même de celle érigée en l'honneur de Nicolas Ier, face à la plus somptueuse des églises de la ville : la Cathédrale Saint Isaac (encore une œuvre française, soit dit en passant, construite entre 1819 et 1858 sous la conduite de l'architecte Auguste de Montferrand).

Cette statue de Nicolas Ier, érigée peu de temps après l'achèvement de la cathédrale, est due à une star de l'époque, Pierre Klodt, dont les sculptures – en effet superbes – de « dompteurs de chevaux » (sic), qui ornent les quatre coins du pont sur la Fontanka (un petit affluent de la Neva) lui valurent une notoriété dans toute l'Europe, et son admission aux Académies des Beaux-Arts de France, d'Allemagne et d'Italie.

Celui qu'on avait surnommé, à cause de sa sévérité, « l'empereur de fer » est transformé ici en empereur de bronze. Cabré, son cheval tient en équilibre sur ses postérieurs. C'est un exploit technique : en général, les œuvres monumentales reposent sur au moins trois points d'appui.

Pour dire vrai, l'intérêt particulier que je porte à cette œuvre n'est pas dû seulement à la prouesse qui consista à faire tenir quelques tonnes de métal sur une base aussi gracile. Elle est due aussi (surtout) à la sympathie que m'inspire cet empereur pourtant plutôt antipathique : c'est lui qui, ayant succédé à son frère Alexandre Ier dans une période troublée, insurrectionnelle, presque révolutionnaire, jugea que, parmi les décisions à prendre, une des plus urgentes était d'offrir aux vieux chevaux méritants une pension confortable. Arrivé au pouvoir en décembre 1825, il ordonna dès janvier 1826 la création, à Tsarskoye Selo, d'une maison de retraite pour chevaux. Puis lorsque le premier pensionnaire mourut, en 1831, c'est lui qui décida que l'animal serait enterré sur place, imposant ainsi une coutume que ses successeurs respectèrent jusqu'à la Révolution : lorsque cette dernière explosa, cent vingt chevaux avaient été enterrés ici, l'alignement rigoureux de leurs pierres tombales formant le plus grand cimetière équin du monde – aujourd'hui en cours de réhabilitation.

[Paru dans CHEVAL MAGAZINE n° 468 (novembre 2010).]

LA SCULPTURE, UN ART TRÈS POLITIQUE

Qu'une œuvre d'art fasse polémique, voilà qui est assez fréquent : « Hernani », le drame de Victor Hugo ; l'urinoir de Marcel Duchamp ; les portraits cubistes de Picasso ; la musique (si l'on peut dire) de Pierre Boulez – on n'en finirait pas d'en dresser un inventaire. Mais qu'une sculpture déclenche une bataille politique, voilà qui est beaucoup plus rare.

Je ne fais pas allusion ici, naturellement, aux œuvres de propagande, érigées dans un but purement politicien, sans aucune préoccupation artistique : édifiées souvent du vivant même du dictateur qu'elles représentent en majesté, elles ont pour destin inévitable d'être déboulonnées dès la fin de la dictature – ou le changement de dictateur. L'exemple le plus récent est celui de l'effigie de Saddam Hussein, dont le renversement a symbolisé l'effondrement du régime.

Non, le cas que je voudrais évoquer est totalement différent. Il n'est le résultat ni de la folie d'un tyran, ni du culte de la personnalité. S'il n'est pas totalement dépourvu d'intentions politiques, le mot politique doit être pris, en l'occurrence, au sens noble du terme, car l'ambition n'est pas de glorifier un individu, mais un peuple ; n'est pas d'endoctriner mais d'exalter des valeurs. Sa fonction est allégorique, un peu comme la fameuse statue de la Liberté, offerte par les Français aux Américains et installée au beau milieu de la baie de New York.

Ceux qui suivent, même de loin, l'actualité africaine l'auront compris : je parle de celle que le président du Sénégal, Abdoulaye Wade, a fait ériger à Dakar, face à l'océan, et qu'il a inaugurée début avril, à l'occasion de la célébration du cinquantenaire de l'indépendance de son pays. Ce « Monument de la Renaissance africaine » est décrit par François Soudan *, comme une copie tropicalisée de « L'ouvrier et la kolkhosienne » – archétype du réalisme socialiste tel que l'imposait

---

* Dans *Jeune Afrique* n° 2568 du 25 mars au 3 avril 2010.

autrefois aux artistes le pouvoir soviétique. Il y a de cela, en effet. Véritable « remake stalino-nègre » (*dixit* Soudan) de ladite sculpture, il représente un colosse surgissant de terre, tenant fièrement sur son épaule gauche un enfant (qui pointe du doigt l'horizon, c'est-à-dire l'avenir, nécessairement radieux) et entraînant de son puissant bras droit une frêle jeune femme peu vêtue.

Dans le brouhaha politique provoqué par l'édification de cette œuvre réellement monumentale, on peut détecter divers angles d'attaque. Certains critiquent son gigantisme (une cinquantaine de mètres de haut), qui serait symptomatique de la mégalomanie de son concepteur. D'autres dénoncent son esthétique, pas franchement africaine (pourquoi avoir été chercher un exécutant en Corée ou je-ne-sais-où, alors que le Sénégal a la chance de « posséder » un des sculpteurs contemporains les plus prisés au monde, Ousmane Sow?). D'autres, enfin, se sont offusqués de son coût (supérieur à vingt millions d'euros) et du fait que son concepteur – le Président de la République en personne – veuille percevoir des royalties sur ce que rapportera la visite du monument.

Je m'étonne que personne n'ait encore dénoncé… son machisme, qui pourtant saute aux yeux : la compagne du héros de bronze est manifestement une femme soumise. Qu'on ne me dise pas que l'intention était de se conformer ainsi à la coutume locale. Car *primo*, pour ce que j'en sais, les Sénégalaises ne sont pas si soumises que ça. Et *secundo*, voilà au moins quelque chose qu'on peut lui reconnaître : le président Wade se moque des coutumes, et n'hésite pas à briser les tabous. S'il ne manque jamais de témoigner son respect au chef des Mourides (puissante obédience musulmane sénégalaise), il prouve par contre, en faisant édifier un tel monument, sa capacité à braver certaines traditions religieuses. L'islam, en effet, n'aime pas beaucoup ce genre d'ouvrage. Il réprouve toute représentation humaine. Si l'art musulman est plus décoratif que figuratif, c'est afin d'éviter, sans doute, les tentations d'idolâtrie. Et puis, en cherchant ainsi à imiter la vie, la nature, l'homme ne ferait-il pas preuve d'arrogance, ne se poserait-il pas en concurrent du Créateur?

Ces questions ont agité les esprits en Orient bien avant même l'avènement de l'islam. Les Byzantins, qui raffolaient de ce genre de discussions théologiques – afin d'établir, par exemple, quel était le sexe des anges – avaient eux aussi examiné la question de près, et conclu que si l'on pouvait à la rigueur représenter des êtres vivants, mieux valait s'en tenir à une représentation plane, allégorique, sans relief, afin de ne pas trop donner l'illusion de la vie. Si les églises orthodoxes sont recouvertes d'icônes, il est rarissime d'y trouver un Christ, une Vierge ou un saint sculptés.

Notons au passage, juste pour le *fun*, comme il convient de dire aujourd'hui, que ce sont, paradoxalement, les deux plus grandes nations orthodoxes qui ont, au cours de l'histoire, produit le plus grand nombre de sculptures : la Grèce (antique, et donc d'avant le christianisme) et la Russie (soviétique, et donc d'après la déchristianisation).

Aujourd'hui encore, malgré la rechristianisation spectaculaire des villes et des campagnes, la Russie reste un des pays où le nombre de statues est le plus élevé au monde. Vingt ans après la chute du communisme, il n'est pas d'agglomération, de village, de hameau qui ne possède, érigé au meilleur endroit, un Lénine de bronze, de fer ou de tôle. Des milliers de petits et grands Lénine continuent ainsi à montrer du doigt le bon chemin aux cent et quelque millions de Russes. Seule différence : l'index, autrefois pointé vers le siège du Parti indique maintenant une église ou une banque. Il ne viendrait en tout cas à l'esprit de personne de s'en prendre au plus grand saint de l'évangile communiste. On ne sait jamais : des fois qu'il reviendrait !

La seule statue qu'à la perestroïka les Moscovites aient osé déboulonner est celle du camarade Felix Edmoundovitch Dzerjinski, fondateur de la Tcheka, ancêtre du Guépéou, devenu KGB (et aujourd'hui FSB). Mais le maire de la ville, l'ex-camarade Youri Mikhaïlovitch Loujkov, s'est alors empressé de confier à un de ses amis d'origine géorgienne, Zurab Constantinovitch Tsereteli, ancien fondeur devenu « artiste », le soin d'ériger un peu partout dans la mégapole des monuments de bronze – cette fois à Pierre-le-Grand (qui pourtant détestait Moscou), aux vénérables patriarches ou, plus inoffensif encore, aux animaux qui peuplent les contes russes…

Le président Wade aurait pu faire appel à lui : Tsereteli adore se produire à l'étranger. Il a offert un Saint-Nicolas de bronze à Bari (Italie du sud), un Jean-Paul II à Ploërmel (une bourgade de Bretagne), un Honoré de Balzac à Tours, la ville natale de l'écrivain (qui n'a pas su très bien qu'en faire) : sûr qu'il aurait été ravi de faire quelque chose pour le Sénégal.

C'est à un artiste français, par contre, que les Russes ont fait appel pour concevoir un monument qui sera édifié, probablement en 2012, à l'occasion du bicentenaire de la célèbre bataille, sur le site de ce que les

Français appellent la victoire de la Moscova, et les Russes la victoire de Borodino – en fait un immense carnage franco-russe, au cours duquel les combats de cavalerie furent surtout de gigantesques boucheries chevalines. Sculpteur célèbre et fin cavalier, Jean-Louis Sauvat a conçu une œuvre monumentale (8 m de large x 6 m de haut), composée de plaques d'acier soudées entre elles, montrant des silhouettes de chevaux comme secouées de soubresauts héroïques.

Ici, rien de politique. L'idée consiste simplement à rendre hommage à celui qui a été, depuis plus de cinq mille ans, notre compagnon le plus fidèle, en même temps que notre auxiliaire le plus docile et notre serviteur le plus loyal : le cheval ; à témoigner un peu de respect à cet animal innocent que l'homme – si prompt à s'honorer lui-même – a oublié de remercier des innombrables services qu'il lui a rendus.

Il ne s'agit point d'idolâtrie, pas même de dérive « animalitaire » (un mot inventé par Hemingway) : juste d'un petit témoignage non point de repentance – je déteste ce mot –, mais de reconnaissance.

[Paru dans LA REVUE n° 3 (juin 2010).]

[En préparant cette chronique, j'avais demandé au fondateur de LA REVUE, Béchir Ben Yahmed, si le président tunisien Habib Bourguiba (qu'il a intimement connu) avait succombé lui aussi – comme Saddam Hussein, comme beaucoup d'autres – à la tentation. Voici sa réponse (arrivée trop tard, hélas, pour que je puisse l'utiliser dans ma chronique) :
« On n'est jamais si bien servi que par soi-même » ! En application de cet axiome, Bourguiba avait fait faire sa statue et celle d'Ibn Khaldoun, les a fait ériger des deux côtés de l'avenue principale de Tunis qui porte… son nom, lui à l'entrée de l'avenue. En prenant la précaution de faire indiquer au bas de la statue d'Ibn Khaldoun que c'est… Habib Bourguiba qui l'a fait ériger à cette place !
À sa chute, son « tombeur » a bien fait remplacer la statue de Bourguiba par… une horloge. Quant à la statue, il l'a fait mettre à la Goulette, le port d'entrée en Tunisie. Explication : Bourguiba était revenu dans son pays le 1er juin 1955 par ce port et avait d'ailleurs édicté que ce jour-là serait fête nationale « le jour de la victoire » (sur le colonialisme) B.B.Y.]

TROTTEURS FRANÇAIS D'ORIGINE RUSSE

Ainsi en ont décidé Jacques Chirac et Vladimir Poutine à une époque où l'un et l'autre présidaient encore aux destinées de leur pays : 2010 sera consacrée à célébrer l'amitié franco-russe. Tout au long de l'année qui commence, Russes et Français vont donc se congratuler, un peu comme le font les chevaux lorsqu'ils se grattouillent mutuellement le garrot.

Les diplomates des deux pays ont concocté un joli programme de festivités – pas très original et dépourvu de moyens (« c'est la crise ! »), mais prestigieux : le Louvre accueillera une grande exposition d'icônes, les ballets de l'Opéra de Paris se produiront à Novossibïrsk, les basses profondes d'une extraordinaire chorale orthodoxe feront trembler les murs de l'église Saint-Roch à Paris, et l'on fera monter dans le transsibérien un petit groupe d'écrivains français qui, espérons-le, n'en profiteront pas pour s'étriper (le risque existe).

Le cheval, dans tout ça ? Rien, et c'est bien dommage. Car ces deux grandes puissances cavalières auraient eu bien des choses à fêter ensemble. L'influence qu'elles ont exercée l'une sur l'autre, dans les domaines de l'élevage et de l'équitation, est considérable.

Comme l'a justement rappelé le comte de Bellaigue, président de la Société des courses de trot, dans l'excellent documentaire que lui a récemment consacré Alain Marie (pour *Equidia*), « il y a beaucoup de sang orlov dans le trotteur-français ». Et à l'inverse, il y a beaucoup de sang français dans certaines races russes.

En matière équestre, si l'on sait que la cavalerie cosaque a fortement impressionné Napoléon, on sait moins que, près d'un siècle plus tard, la Cour de Russie fit appel à des maîtres français, Eugène Caron, puis James Fillis, pour enseigner la belle équitation aux officiers impériaux.

En mémoire de cette époque glorieuse et à l'occasion de cette belle année franco-russe, n'aurait-il pas été opportun, par exemple, de faire venir l'Académie équestre de Versailles à Saint-Pétersbourg ? On aurait pu aussi prévoir une parade commune, réunissant la Cavalerie du Kremlin, de création récente, à celle qui lui a servi de modèle – à savoir notre Garde Républicaine ! Mais on apprend que cette année (qui correspond aussi au cinquantième anniversaire des Indépendances africaines), ce sont les troupes (à pied) de quinze ex-colonies qui défileront, le 14 juillet, sur les Champs-Élysées.

Nos officiels n'ayant donc rien prévu, il faudra se rabattre sur des initiatives privées : un colloque à Saumur, un spectacle à Chantilly, une exposition au Pin, que sais-je encore ?

Pour ma part, je fêterai cette année dans mon coin : 2010, c'est également le vingtième anniversaire de mon voyage de Paris à Moscou – 3 333 km couverts en 75 jours grâce à mes deux chevaux, Prince de la Meuse et Robin. C'étaient des trotteurs-français. Sûr qu'ils avaient de (lointaines) origines russes !

[Paru dans CHEVAL MAGAZINE n° 458 (janvier 2010)
dans *Ruades*, ma petite chronique mensuelle.]

UNE ANNÉE (TROP PEU) FRANCO-RUSSE

Officiellement consacrée « franco-russe », l'année 2010 a donné lieu à toutes sortes de manifestations : spectacles, concerts, expositions, colloques et autres cérémonies, destinées à mettre en évidence l'ancienneté et la solidité des liens qui unissent les deux pays. Aucun secteur n'a échappé à ces congratulations.

Aucun, sauf un.

Un secteur dans lequel, pourtant, la Russie et la France peuvent se glorifier d'avoir eu, en tout temps, de nombreux échanges ; un secteur dans lequel ces deux grandes nations équestres ont de nombreux souvenirs en commun ; un secteur riche d'influences mutuelles, et d'admiration réciproque. Je veux parler de l'équitation : du cheval, de son élevage et de ses utilisations.

Seules exceptions, à ma connaissance : la création par Sophie Bienaimé d'un spectacle d'inspiration russe sous la voûte centrale des Grandes Écuries de Chantilly, et l'organisation, au Haras du Pin, d'une triple exposition. Exposition de quelques spécimens de chevaux de races russes ; exposition d'un reportage photo de Thierry Prat sur la Russie chevaline ; exposition, enfin et surtout, d'une belle collection des œuvres du plus franco-russe des sculpteurs animaliers du XIXe siècle, Evgueni (Eugène) Lanceray.

S'il y a un lieu où il aurait convenu, plus qu'ailleurs, de célébrer l'entente cordiale franco-russe autour du cheval, c'est bien Saint-Pétersbourg. C'est à Saint-Pétersbourg, en effet, que le grand-duc Nicolas Nicolaïevitch convia, en 1898, un célèbre écuyer français (Français, bien que d'origine anglaise), James Fillis, pour en faire l'écuyer-en-chef de l'École de Cavalerie impériale – poste qu'il occupa jusqu'en 1910. Il y a tout juste – notons la coïncidence – un siècle !

James Fillis avait eu pour maître un certain François Caron, qui avait été lui-même l'élève de François Baucher, l'homme qui révolutionna l'art du dressage. Miracle de la transmission : longtemps après le départ de Fillis, les champions soviétiques Filatov ou

Petouchkova, par exemple, se réclamaient encore de son enseignement !

Il est tentant de comparer ce genre de filiation avec celle, beaucoup plus célèbre, qu'on a pu observer dans un domaine d'ailleurs assez voisin de la haute-école – la chorégraphie – et d'oser un parallèle entre James Fillis (1834-1913) et Marius Petipa (1818-1910).

Un demi-siècle avant Fillis, en effet, Petipa fut invité lui aussi à Saint-Pétersbourg. Dix ans après son arrivée, il y fut nommé professeur à l'École Impériale de Danse, puis maître de ballet au Théâtre impérial (1859), où il imposa la tradition de l'école française tout en l'adaptant au tempérament slave – ce qui donnera naissance à la fameuse école russe, que Diaghilev, plus tard, fera triompher à Paris. Notons encore une coïncidence : 2010, année franco-russe, est aussi celle du centenaire de la mort de Marius Petipa (… et celle du soixantième anniversaire de la mort de Nijinski !).

Si les Opéras et Ballets des deux pays ont naturellement célébré de cent manières, au cours de l'année, cette osmose chorégraphique, rien n'a été organisé, hélas, pour glorifier son équivalent équestre. Il aurait été de bon goût, par exemple, de faire venir à Saint-Pétersbourg pour quelques représentations l'Académie du Spectacle Équestre de Versailles, créée en 2003 par le maître de ballets équestres Bartabas – et de communier ainsi ensemble dans l'amour de la belle équitation classique.*

À propos d'Académie, j'avais lancé l'idée, en février 2002, de la création, au cœur même de Saint-Pétersbourg, d'une institution de ce genre. À l'époque, nul ne s'intéressa à ma suggestion. Le moment est peut-être venu de l'envisager sérieusement ?

On le sait : un des principaux attraits de la capitale de l'Autriche, en dehors de son architecture baroque et de ses nombreuses salles de musique est, indiscutablement, sa fameuse École Espagnole d'équitation, dans laquelle des écuyers en uniforme font danser leurs chevaux lipizzans selon une chorégraphie immuable depuis trois siècles.

---

*Autres « ratages » : j'avais proposé que défilent conjointement sur les Champs-Élysées, le 14 juillet, les régiments montés de la Garde Républicaine et du Kremlin (d'autant plus que ce dernier a bénéficié, lors de sa création, à l'initiative du président Poutine, des conseils du premier). Hélas, l'Élysée préféra faire défiler avec nos troupes des détachements (à pied) d'une quinzaine d'États Africains (qui célébraient, en 2010, le cinquantenaire de leur indépendance) – ce qui ne manqua pas, bien sûr, de faire polémique. J'avais proposé aussi qu'un grand colloque réunisse à l'École Nationale d'Équitation (Saumur) spécialistes russes et français pour évoquer les échanges franco-russes en matière d'élevage équin, d'équitation et d'arts équestres. Accueilli avec enthousiasme, le projet a fini par s'effilocher puis mourir dans les méandres administratifs. *De profundis.*

Alors que Saint-Pétersbourg a largement dépassé ses trois siècles d'existence, une réflexion s'impose : cette ville, qui fut la capitale de l'Empire Russe, à une époque où le cheval était l'animal-roi, ne pourrait-elle lui rendre un hommage aujourd'hui ?

De nombreux exemples à l'étranger prouvent qu'une institution vouée au culte du cheval et de l'équitation remporte toujours un succès populaire durable. Outre l'École Espagnole de Vienne, citons le Manège Royal de Jerez, en Espagne, l'Académie de Lisbonne, au Portugal, ou, en France, le Cadre Noir de Saumur.

À Saint-Pétersbourg, ville conçue pour abriter d'innombrables quartiers de cavalerie, il ne serait pas difficile de trouver un lieu adapté à une institution de ce genre. Pourquoi pas l'actuel Stade d'Hiver (Zimnii Stadion), idéalement situé au centre-ville, à deux pas de la Perspective Nevski, du Musée Russe et de l'Hôtel Europe ? Cet ancien manège est assez vaste pour permettre l'évolution des chevaux et accueillir un grand nombre de spectateurs. Il dispose en outre, juste en face, d'un bâtiment symétrique qui abritait autrefois des écuries et pourrait être réhabilité dans cet usage.

Comme à Vienne, à Jerez, à Lisbonne, à Saumur, ou à Versailles, le public pourrait non seulement assister à des spectacles, mais aux répétitions, au travail quotidien des écuyers et des chevaux. Il pourrait visiter les écuries, la sellerie, voire un musée qui trouverait facilement sa place dans ces magnifiques locaux, rappelant au visiteur les grandes heures de cavalerie russe. On pourrait également y exposer les innombrables chefs-d'œuvre d'artistes comme Svertchkov, Kovalevski, Lanceray (et autres) entassés dans les réserves de l'Ermitage dont ils ne sortent, hélas, jamais !

Cette institution se distinguerait de toutes les autres en proposant une évocation spécifiquement russe de l'équitation, et un hommage aux races locales : les orlov-rostopchine (selle-russe), les dontchaks, les kabardines, les akhal-tékés et, même si ces races sont de création plus tardive (époque soviétique), les terskis et boudionnis…

Le prestigieux établissement pourrait s'intituler « Académie des Arts Équestres », en utilisant à dessein le pluriel, car l'usage du cheval par les Russes a été pluriel. C'est précisément cette diversité que l'Académie de Saint-Pétersbourg pourrait évoquer : la haute-école, dans la tradition de James Fillis ; la cavalerie militaire, qui pourrait donner, en grands uniformes d'époque, des spectacles de carrousel ; et la djighitovka (ou voltige cosaque), enfin, qui apporterait une note joyeuse et très spectaculaire à cette institution qui, bien qu'académique, ne devrait pas sombrer dans la routine et l'ennui.

L'évocation de l'équitation cosaque m'amène à déplorer encore une autre insuffisance dans la célébration des relations franco-russe. Parmi les nombreuses occasions ratées de cette année 2010, il en est une qui, heureusement, pourra bénéficier d'une cession de rattrapage en 2014 à l'occasion du bicentenaire de l'événement : l'installation d'un campement cosaque sur les Champs-Élysées.

Si les Champs-Élysées sont bien « la plus belle avenue du monde », les cosaques ont été, aux dires même de leurs victimes, « les meilleurs cavaliers du monde ». La Grande Armée napoléonienne en a fait l'amère expérience. Aussi, l'empereur Alexandre Ier, lorsqu'il entra, enfin vainqueur de l'empereur Napoléon Ier, dans Paris, à la tête des Coalisés, le 31 mars 1814, était-il escorté d'une nombreuse cavalerie cosaque. Cette dernière prit ses quartiers sur la célèbre avenue, y établissant un campement pittoresque qui devint, pour les Parisiens (et surtout les Parisiennes) une véritable attraction : il ne serait pas difficile d'en reconstituer aujourd'hui l'ambiance, en s'inspirant, par exemple, des nombreuses aquarelles réalisées d'après nature par l'artiste letton Sauerweid, recruté comme « reporter » par Alexandre pour immortaliser son entrée dans Paris et la défaite « définitive » (croyait-il alors) de Napoléon.

La monture utilisée par l'empereur de Russie ce jour-là était un élégant cheval gris, appelé L'Ami qui, ramené à Saint-Pétersbourg, survécut à son maître. Lorsque Nicolas succéda, dans les pénibles conditions que l'on connaît, à son frère Alexandre, en décembre 1825, il hérita d'une situation politique et sociale très difficile. Pourtant, rien ne lui parut plus urgent à régler que d'assurer au vieux cheval de son frère une retraite confortable. Une des toutes premières décisions du nouvel empereur fut l'édification, au fond du parc de Tsarskoye Selo, non loin de Saint-Pétersbourg, d'une jolie petite bâtisse dans laquelle L'Ami pourrait couler une vieillesse paisible.

Dans cette charmante écurie, baptisée Hôtel des Chevaux Invalides, L'Ami vécut ainsi encore quelques années. Il s'éteignit, de sa belle mort, en 1831, dix-sept ans après son entrée triomphale dans Paris. Nicolas Ier prit alors une décision stupéfiante. Il ordonna son enterrement.

Les ordres de celui qu'on a appelé Nicolas le Bastonneur, ou l'Empereur de fer, ne se discutaient pas : on enterra donc L'Ami, sur place, à l'ombre des écuries où il avait passé les dernières années de sa vie. Ce fut le début d'une tradition qui se perpétua jusqu'en octobre 1917 : la plupart des montures utilisées par leurs altesses les membres de la famille impériale furent elles aussi enterrées là, à côté de L'Ami, dans un strict alignement, tel que Nicolas Ier, fasciné par l'ordre et la rigueur, en raffolait. Plus de cent chevaux furent ainsi inhumés à Tsarskoye Selo, constituant le plus grand cimetière équin du monde, la plus vaste nécropole du genre.

Puis vinrent la Révolution, les guerres, les dévastations. L'endroit fut sinon pillé, du moins abandonné. Lorsqu'à la fin de l'ère soviétique, aux premiers frémissements de la perestroïka, j'eus le bonheur de « redécouvrir » ce site, il était en piteux état : une sorte de dépotoir.

C'est alors que j'entrai en contact avec celui qui allait devenir mon ami, le directeur de l'Ensemble des Parcs et Palais de Tsarskoye Selo, Ivan Saoutov. Je tentai de le convaincre de sauvegarder ces lieux abandonnés, de restaurer l'Hôtel des Chevaux Invalides, de réhabiliter cet ensemble unique au monde. Avec l'aide d'amis aussi fous que moi, je parvins à collecter quelques fonds pour aider au démarrage des travaux, lancer la restauration.

Ivan Saoutov, hélas, n'est plus de ce monde, mais c'est heureusement son épouse, Olga Taratinova, qui lui a succédé à la tête de l'ensemble domanial, bien décidée à poursuivre l'œuvre entreprise par son mari.

Beaucoup reste à faire, mais lorsque les travaux s'achèveront enfin, peut-être se souviendra-t-on que la résurrection de ces lieux aura été due à une amitié franco-russe, communiant dans l'amour du cheval ?

[Ce texte est paru deux fois. Il a été publié en français dans le n° 72 (automne 2010) de EQU'IDÉE, la revue de feu les Haras Nationaux (devenus l'Institut Français du Cheval et de l'Équitation : IFCE) sous le titre « 2010, année franco-russe ». Traduit en russe, il a été également publié (sous le titre « Saint-Pétersbourg et Paris, capitales équestres ») dans un gros ouvrage destiné à célébrer l'Année France-Russie et édité en octobre 2010 par les services municipaux de la ville de Saint-Pétersbourg : « Saint-Pétersbourg/France : science, culture, politique » (Europeïski Dom, Saint-Pétersbourg, 2010).]

SA MAJESTÉ LE BAÏKAL

Une bonne nouvelle n'arrive jamais seule. Coup sur coup, j'apprends qu'on a pris – enfin ! – les mesures qu'il fallait pour cesser de polluer le Baïkal, le lac le plus pur du monde. Et que Transboréal (petit-éditeur-deviendra-grand-si-dieu-lui-prête-vie) vient de consacrer à cet endroit, le plus beau du monde, un album illustré, cartonné, et surtout sylvain-tessoné.

Explications.

Quand j'étais petit garçon, tandis que d'autres, genre Michel Sardou, récitaient leurs leçons « en chantant », je rêvassais devant les planisphères. En balayant du regard les immensités vert sombre censées représenter la taïga soviétique, mon œil s'arrêtait sur une petite égratignure bleue : le lac Baïkal. J'avais un bon prof de géo, qui savait frapper les esprits juvéniles, et leur donner ainsi du goût pour sa discipline, jugée en général plutôt rébarbative. Ce lac, me dit-il, un de plus étendu de la planète, occupe une surface équivalente à celle de la Belgique. Un lac sibérien vaste comme un pays européen ! Cette comparaison marqua à jamais mon imagination.

Plus grand, je n'eus de cesse, évidemment, que d'aller voir ça de plus près. La documentation touristique fournie à l'époque par les Soviétiques n'était guère attrayante pour le commun des mortels. Elle contenait surtout des statistiques sur la production d'électricité des barrages, la productivité des kolkhozes, ou le nombre de têtes de bétail par habitant. Je la trouvai pourtant passionnante lorsqu'elle précisait que ce fameux lac contient à lui tout seul un cinquième des réserves mondiales d'eau douce ! Que plus de trois cents cours d'eau s'y jettent, alors qu'une seule rivière, l'Angara, en ressort. Que si, par supposition, le lac se trouvait un jour vide, il faudrait à ces trois cents cours d'eau plus de quatre siècles pour le remplir à nouveau ! Et toutes sortes d'autres choses extraordinaires de ce genre.

Aussi, une de mes premières lointaines escapades consista-t-elle à m'arrêter longuement à Irkoutsk, chef-lieu de la Sibérie orientale, situé non loin – une soixantaine de kilomètres seulement – du lac, avant de me rendre, par le transsibérien bien sûr, à Oulan-Bator, capitale de la Mongolie, autre lieu de tous mes fantasmes depuis que mon prof de géo m'avait dit que c'était « le seul pays au monde où les chevaux sont plus nombreux que les hommes. »

Ce fut le coup de foudre. À la différence, toutefois, des coups foudre amoureux, celui-ci se révéla durable. Il dure encore. Une bonne demi-douzaine de fois, je suis retourné là-bas. J'ai même songé à m'y installer, à transformer un camp de pionniers abandonné en base de tourisme équestre, près de Bolgoloousnoye, sur la rive occidentale du lac ; ou, plus romantique encore, à y acheter une vieille isba dans un village délabré de Bouriatie appelé Gremiatchinsk, sur la rive orientale, pour y passer le reste de mes jours, avec un cheval et un fusil. Une bonne demi-douzaine de fois, je suis allé voir Sa Majesté le Baïkal dans ses différents atours, sous ses aspects changeants, en été, au printemps, en hiver – où le thermomètre tombe, sans crier gare, à moins dix, moins vingt, moins trente… Et surtout en automne, ma saison préférée : plus de tiques ni de moustiques, ni trop chaud ni trop froid, et une infinité de couleurs. J'ai ainsi longé ses rives à cheval ; inventorié ses richesses naturelles en arpentant la Bargouzine ; caboté, une semaine durant, le long de ses côtes ; exploré à pied le pourtour de la plus vaste de ses îles (Olkhon). Ce fut chaque fois un immense bonheur, un sentiment de plénitude, une sensation de proximité avec l'infini, l'éternel, l'absolu.

En feuilletant le beau-livre que Transboréal vient d'éditer, « Lac Baïkal, visions de coureurs de taïga », j'ai retrouvé un peu de cette satisfaction. Les photos de Thomas Goisque rendent bien compte de la grandeur et de la beauté des lieux, en restituent fidèlement l'incroyable variété des couleurs : le rouge des falaises de Solnitchnaïa, l'or des arbres en octobre, le bleu diamant des éclats de glace qui surgissent du lac gelé. Surtout, il ne s'en tient pas aux seuls paysages : il a compris que l'autre richesse de ce pays, ce sont ses habitants pour lesquels il a manifestement une forte empathie, une sorte de tendresse qui donne aux personnages dont il a tiré le portrait, une vraie proximité : la trogne burinée d'un garde-chasse, le visage lisse d'une gamine aux yeux couleur du ciel, le bon regard d'une babouchka bouriate (ou la joie de vivre de la Sibylle emmitouflée trinquant au Mouton-Cadet).

Certes, j'aurais aimé y voir aussi quelques portraits de chevaux : trois fois seulement, page 27, page 71 et page 89, on aperçoit dans le décor un de ces animaux dont le rôle, pourtant, est essentiel en Baïkalie.

Mais, de toute évidence, Thomas préfère photographier – ce que je comprends parfaitement – les jeunes filles, de préférence à moitié nues, comme ces étudiantes, fort gracieuses en effet, barbotant dans des eaux naturellement chaudes de Khalkouss. Scène qui présente en outre l'avantage d'offrir à Sylvain Tesson l'occasion de poser, en légende, une question comme il les aime : « Comment rendre sulfureuses des eaux sulfuriques ? »

Bien que les textes qui accompagnent les photos dans ce genre d'ouvrage ne soient généralement pas faits pour être lus, il faut ici faire une exception. Rédigés par Sylvain Tesson, dont on sent aussitôt la patte (d'ours), ils valent leur pesant d'omoul. Sylvain a l'art d'être sérieux et drôle en même temps. Son texte, à la fois sensible et très documenté, mêle avec intelligence et sans pédanterie aucune histoire et géographie, physique et littérature, anecdotes amusantes et considérations générales qui finissent par donner une idée précise (et juste) de ce pays, de ces gens, et de cette fameuse âme russe qui, à la fois, nous déconcerte et nous séduit.

En bon géographe, et en amoureux véritable du Baïkal, Sylvain Tesson s'alarme quelque part des dangers qui le menacent. Le principal était la pollution entraînée par le déversement dans ses eaux limpides des déjections d'une gigantesque usine de cellulose et de pâte à papier, située à l'extrémité sud. Depuis octobre [2008] – c'est la seconde bonne nouvelle dont je parlais au début – le combinat a cessé – définitivement semble-t-il – de fonctionner *. Grâce à quoi le Baïkal restera le lac le plus pur du monde, dans lequel les ours pourront continuer à venir se désaltérer, les phoques d'eau douce à batifoler, les mille variétés de bestioles copépodes ou amphipodes, qui assurent « la propreté des eaux en même temps qu'elles en témoignent », à prospérer, et l'omoul, ce délicieux poisson qui constitue la base de l'alimentation des habitants du pourtour baïkalien, d'y proliférer à nouveau.

[Paru dans LE CHEVAL n°114 (19 décembre 2008).]

---

* Hélas, trois fois hélas, les autorités auraient décidé depuis sa remise en service.

CAUCASE DU NORD : LA NORMANDIE RUSSE

Le Caucase est terre de légendes.

On y trouverait les plus belles femmes du monde – les Circassiennes –, vivier d'odalisques dans lequel les sultans ottomans, paraît-il, choisissaient souvent leurs favorites. On y trouverait, aussi, un nombre anormalement élevé de centenaires – manière, sans doute, de dire que, là-bas, le temps ne s'écoule pas à la même vitesse qu'ailleurs.

On y trouve, en tout cas, une incroyable mosaïque humaine, une invraisemblable quantité de langues hétéroclites, sans aucun lien les unes avec les autres.

Une légende, bien sûr, fournit une explication à ce phénomène étrange. Longtemps après avoir créé les hommes, le Bon Dieu s'aperçut que quelque chose n'allait pas : il avait oublié de leur donner le langage. Alors, à la hâte, il entassa dans sa charrette céleste quantité d'idiomes, qu'il se mit à distribuer tout autour de la planète. En arrivant au-dessus du Caucase, une roue de son chariot, hélas, heurta le mont Elbrouz (le plus haut sommet d'Europe : 5 633 m). Le cahot fut si violent que tout un paquet de langues, débordant des ridelles, tomba par terre. Après avoir constaté qu'il lui en restait suffisamment pour finir sa tournée, le Bon Dieu décida de ne pas les ramasser.

Grave erreur ! Si elle fut, en effet, lourde de conséquences, cette négligence divine, toutefois, n'est pas la seule cause des divisions qui déchirent depuis des siècles, et aujourd'hui encore, cette contrée turbulente. Sa position stratégique, entre Mer Noire et Caspienne, à l'intersection de l'Europe et de l'Asie, sur la ligne de fracture entre le monde chrétien et le monde musulman, explique qu'elle fut un enjeu mille fois disputé, d'autant plus attrayant que c'est là que furent découverts, à la fin du XIXe siècle, les premiers grands gisements de pétrole.

Pour en tracer sommairement la géographie, on peut dire que la région se compose de nos jours de deux parties distinctes. La Transcaucasie (ou Caucase du sud), où se trouvent trois républiques qui n'ont en commun que le fait d'avoir été membres, jusqu'en 1991, de l'Union Soviétique : la Géorgie, en guerre avec son grand voisin russe, l'Arménie et l'Azerbaïdjan, en délicatesse l'une avec l'autre, à cause de sombres histoires d'enclaves azéries en Arménie et arméniennes en Azerbaïdjan.

Pour l'autre moitié, appelée Ciscaucasie (ou Caucase du nord), c'est apparemment plus simple : la région est entièrement russe. Plus exactement, elle fait entièrement partie de la Fédération de Russie. Mais cette simplicité apparente cache une complexité inouïe, car cette partie-là se compose en fait d'une bonne demi-douzaine de républiquettes, dont la plus tristement célèbre est la Tchétchénie. Il faut mentionner aussi l'Ingouchie, l'Ossétie, l'Adyghéie, la Kabardino-Balkarie, la Karatchaevo-Tcherkessie et, plus représentatif encore de l'incroyable diversité ethnique et linguistique de cette contrée, le Daghestan, où l'on compte plus de cinquante dialectes différents, sans aucun cousinage entre eux !

Et puis, au pied de ces montagnes s'étalent des plaines immenses, devenues au XIXe siècle une contrée très fréquentée par la bonne société russe parce qu'y jaillissent un peu partout des sources plus ou moins miraculeuses, ayant donné naissance à d'importantes stations thermales : Piatigorsk, où est venu mourir – bêtement : à la suite d'un duel – un des plus grands poètes russes, Mikhaïl Lermontov (1814-1841) ; Kïslovodsk – lieu de naissance de Alexandre Soljenitsyne (1918-2008) –, Essentouki, Naltchik, etc.

Surtout, l'endroit, au climat (relativement) serein fut choisi par les amateurs de chevaux pour y installer leurs élevages. C'est là, près de Krasnodar, que fut créé le plus grand haras de Russie voué aux galopeurs (il a été racheté récemment par un des plus riches oligarques de la poutinie, Oleg Deripaska qui, hélas, ne s'en occupe guère). Baptisé Voskod (L'aube), il a donné naissance à quelques cracks célèbres, parmi lesquels, en 1961, Aniline, un beau pur-sang bai, le chanfrein couvert d'une longue liste blanche, qui fit une belle carrière, sous la selle de son jockey attitré, un certain Nasibov, sur les hippodromes soviétiques et « de l'ouest » (Paris, Cologne, Washington).

Un peu plus loin, dans les environs de Stavropol se trouve le plus fameux élevage russe de chevaux d'origine turkmène. Dirigé avec compétence depuis un quart de siècle par Alexandre Klimuk, ce haras (aujourd'hui privatisé) produit non seulement les plus beaux akhaltékés de Russie, mais s'est mis à fabriquer, lui aussi, pour répondre à la demande du moment, du pur-sang (plus ou moins) anglais.

D'autres races « russes » ont vu le jour ici, tel le terski, qui connut son heure de gloire aux temps soviétiques : c'est sur un joli terski gris, appelé Symbol, que le maréchal Joukov ouvrit le fameux Défilé de la Victoire, sur la Place Rouge de Moscou, le 24 juin 1945. Aujourd'hui menacé de disparition, le terski servait aussi, autrefois, à donner du brillant aux attelages de troïka...

Si en France, « tout finit par des chansons », au Caucase, je l'ai dit, tout finit par des légendes ! L'abondance des élevages, l'omniprésence du cheval en ce piémont finirent donc par y créer une belle histoire, qu'on raconte aujourd'hui aux enfants sages : il y a longtemps, très long-temps, les montagnes pouvaient marcher, se déplacer, aller, venir – jus-qu'au jour où, arrivant entre Mer Noire et Caspienne, elles aperçurent là, devant elles, des milliers de chevaux merveilleux. Pétrifiées devant tant de beauté, elles demeurèrent ici à tout jamais, constituant la chaî-ne du Caucase.

Aux petits (et grands) enfants de France, on pourrait raconter, sans trop mentir, que le Caucase est un peu la Normandie de Russie : une juxtaposition de haras magnifiques.

Parmi lesquels nous avons visité deux écuries extraordinaires.

LE HARAS DU TERSK : LA MECQUE DU CHEVAL ARABE

Comme toujours au Caucase, il faut commencer par une histoire aux allures de conte de fée. Celle-ci commence à la fin du XIXᵉ siècle. Un aristocrate russe, le comte Sergueï Alexandrovitch Stroganov, dont l'immense fortune lui a été léguée par ses ancêtres, riches com-merçants anoblis au siècle précédent (en remerciement de l'aide financière qu'ils apportèrent au tsar, ruiné par des guerres incessan-tes), s'entiche, au cours d'un long périple en Orient, des chevaux qu'il y rencontre. Il achète sur place une quinzaine d'étalons et une qua-rantaine de poulinières, qu'il rapporte avec lui, bien décidé à acclima-ter le type en Russie. On se moque de lui : comment élever dans un pays aussi froid des animaux habitués au contraire, à de fortes cha-leurs ? Le comte sillonne toute la Russie, à la recherche de l'endroit idéal, et fixe finalement son choix aux pieds du Caucase, à l'ombre de la Montagne des Serpents, qui abrite des grands vents. Dans cette Russie du sud, le climat est relativement doux, et les pâturages sont abondants. C'est là, tout près de Piatigorsk qu'il installe, en 1889, son élevage. À la surprise générale, ça marche : les animaux nés ici sont un peu plus grands que les chevaux nés en Orient, mais ils ont bien conservé le modèle typique des arabes, leur vivacité, leur élégance.

Évidemment, à la Révolution, une trentaine d'années plus tard, la qualité de la production attire l'attention et la convoitise des connaisseurs de l'armée bolchevik. En 1921, le futur maréchal Boudionny, fondateur de la Cavalerie Rouge, s'en empare, et rebaptise l'élevage, qu'il militarise, du nom de l'armée cosaque du Tersk, qui occupait autrefois ce territoire. Les Soviétiques, plus tard, changeront encore la dénomination de l'endroit, pour l'affubler du nom fort peu poétique de Haras n° 169!

Lorsqu'arrive la guerre, afin qu'ils ne tombent pas aux mains des nazis, dont la progression dans la région est foudroyante, les merveilleux animaux sont évacués vers l'arrière, loin, très loin du front: au Kazakhstan. La guerre terminée (et gagnée), les arabes « russes » sont alors ramenés dans leur berceau.

Entre-temps, les premières souches, rapportées d'Orient par Stroganov, avaient été enrichies, en 1936, par l'achat (à l'Angleterre!) de vingt-cinq arabes purs, parmi lesquels Nassim, fondateur d'une lignée dans laquelle on trouve des chevaux de légende, tels que Negativ ou Nabor, qui permirent au haras russe de remporter ses premiers succès internationaux. Mais il ne deviendra un véritable leader mondial de la spécialité qu'à partir de 1963. À cette date, le président égyptien, Gamal Abdel Nasser, offre au successeur de Staline, le pittoresque et turbulent Nikita Krouchtchev, un magnifique étalon appelé Assouan, en remerciement de l'aide apportée par l'Union Soviétique à la construction du barrage du même nom, sur le Nil. Cet étalon se révèle être un reproducteur prodigieux, ses produits, vendus aux enchères dans le monde entier, font la fortune du haras.

Le célèbre homme d'affaires américain pro-soviétique Armand Hamer, qui fut l'ami de Lénine, y achète un étalon appelé Pesniar au prix record, extravagant pour l'époque (1981), de un million de dollars! Deux ans plus tard, des Finlandais acquièrent l'étalon Pelenc à un prix gardé alors secret, équivalent, dit la rumeur, à ce qu'aurait coûté sa statue en or massif (on en a appris plus tard le montant: 2 350 000 dollars!).

La statue qui, aujourd'hui, orne l'entrée du haras du Tersk (toujours aussi poétiquement numéroté 169) n'est pas en or massif, peut-être pas même en bronze, mais elle honore le prolifique Assouan, enterré un peu plus loin, étant mort en 1987, après avoir donné naissance à plus de quatre cents poulains. Sa première épouse, Naturchitsa (ce qu'on peut traduire par « modèle pour peintre ou sculpteur »), est statufiée à ses côtés, en souvenir des heures de gloire passées.

Aujourd'hui, ce passé prestigieux paraît bien lointain. Lors du changement de régime, passant brutalement d'un communisme borné à un capitalisme sauvage, les lieux ont beaucoup souffert, mais il y a de beaux restes : un des produits du Tersk, Alchimik, magnifique étalon alezan de dix ans, pouvait encore participer dignement aux derniers Championnats du Monde du Cheval Arabe, à Paris (Villepinte) les 4, 5 et 6 décembre dernier (2009) et l'on trouve encore, dans l'étonnant bâtiment circulaire posé, tel une soucoupe volante, au milieu du haras, qui servait autrefois aux présentations lors des ventes aux enchères, une quinzaine d'étalons intéressants. Certes, les portes des boxes tiennent avec des ficelles, et l'abreuvement se fait aux seaux, portés à main d'homme, mais depuis quelques mois, heureusement, l'État paraît vouloir reprendre les choses en mains, à travers sa société pétrolière Loukoil.

Parmi les nouveaux pensionnaires des lieux se trouve Serdar, un étalon offert récemment par le cheikh Zayed, des Émirats Arabes Unis, à son ami Poutine (qui est, comme chacun sait, un assez bon cavalier).

Les dirigeants actuels font ce qu'ils peuvent, avec plus de bonne volonté que de moyens, mais aussi avec l'aide de Dieu, car le nouveau chef des écuries, Sergueï Ivanovith Yermolov est, en dehors de ses heures de service, sous-diacre à l'église voisine, chargé du carillon.

LE HARAS DE MALKA : LA DATCHA DU PRÉSIDENT KABARDE

Il faut quitter, à peu près à mi-chemin, le grand axe routier qui relie Piatigorsk, la jolie station thermale du Caucase du nord, à Naltchik, la capitale de la Kabardino-Balkarie, une des nombreuses républiquettes qui composent l'étrange mosaïque ethnique, linguistique et politique de cette région. Faire quelques kilomètres, pour gagner une bourgade au nom imprononçable : Pririétchenskoye – ce qui signifie tout simplement « au bord de la rivière » : une rivière appelée Malka. Au bout du village, tout près d'une banale petite maison datant sans doute de l'époque soviétique, récemment transformée à la hâte en mosquée, un portail majestueux – fer forgé, ouverture automatique, poste de garde – donne accès à un parc magnifique. Sur la droite, derrière un bel alignement d'arbres, un vaste bâtiment de brique rouge, comme neuf – en tout cas intact, puisque sa construction remonte à un bon siècle et demi.

C'est en 1870, très exactement, qu'un officier de l'armée du tsar, d'origine kabarde (c'est-à-dire, pour simplifier, tcherkess, en français : circassien), un certain Kadzokov, portant un double prénom, Lokman (caucasien) et Dimitri (russe), décide de créer là, sur un domaine qui, à son apogée, s'étendra sur treize mille hectares (!) un haras entièrement voué à l'élevage d'une race de chevaux autochtone, appelée selon les origines ethniques de ses éleveurs, tantôt karatchaï, tantôt kabardine.

(Précisons tout de suite que ces deux dénominations désignent en fait, malgré les dénégations d'inspiration purement politiciennes de certains soi-disant hippologues, le même cheval – un peu comme au Tyrol, le avelignese italien et le haflinger autrichien).

Un animal aux qualités exceptionnelles, résultat miraculeux du croisement, au cours des siècles et au gré des invasions – innombrables – qu'ont connus les environs de tous les types de chevaux des envahisseurs : mongols, kirghizes, turkmènes, turcs, persans – que sais-je encore ? Bref, un cheval qui concentrerait en lui toutes les qualités – sans en avoir retenu les défauts – des races qui le composent.

Né et élevé en altitude (jusqu'à 3 000, voire 3 500 m), il est doté d'un système respiratoire d'athlète, qui en fait un grimpeur infatigable. Sobre, rustique, courageux, habitué à d'importantes variations de température, ce petit cheval (1 m 50 au garrot en moyenne), généralement bai brun, presque noir, est utilisé depuis des temps immémoriaux par les bergers – et les guerriers – de la région, aussi bien sous la selle que sous le bât. Très recherché autrefois par les cosaques, ayant porté ses maîtres tcherkess jusqu'à Istanboul, jusqu'au Caire (la cavalerie mamelouke était composée d'une large proportion de circassiens), bref jusqu'au bout du monde, il devrait pouvoir faire de nos jours une belle carrière en endurance. À condition que la race ne s'éteigne pas.

C'est pourtant bien la menace qui pèse sur elle, malgré les efforts, presque héroïques, en tout cas désintéressés, de passionnés qui, tel Ibragim Hassanbievitch Yaganov, maintiennent envers et contre tout les derniers élevages de « purs » kabardines selon la tradition, sans aucun recours à des artifices alimentaires ou vétérinaires, afin de garantir à la race, disent-ils, la pérennité de ses exceptionnelles qualités.

Personnage charismatique, belle gueule de Tcherkess, Ibragim Yaganov a quelques disciples sur place, ainsi qu'en Europe (spécialement en Allemagne, mais aussi en France) pour partager sa passion et soutenir son action. Malgré cela, il se sent bien seul.

Un espoir, pourtant, était né, voici deux ou trois ans, lorsque le président de la République de Kabardino-Balkarie, Arsène Kanokov, fit semblant de s'intéresser à la question, et de vouloir contribuer à sauver une race sur le déclin, faute d'emploi (les bergers, aujourd'hui, il faut les comprendre, préfèrent un 4x4 à un troupeau de chevaux dont l'entretien est souvent une succession de corvées). Il ordonna à un de ses amis (et sans doute associés), riche homme d'affaires du coin, Anatoli Bitov, de restaurer le haras « historique », plus ou moins abandonné depuis la fin des temps soviétiques, situé à Malka, créé par Kadzokov mais, comme tous les établissements privés, nationalisé à la Révolution, puis transformé en usine à bêtes de boucherie. Lorsque le président de la républiquette eut l'idée de le restaurer, on crut que c'était pour en faire le temple, le conservatoire de la race, un lieu prestigieux, où l'on pourrait mettre en valeur ses qualités compétitives. Mais, en fait, l'endroit, magnifiquement situé le long de la rivière, est davantage aujourd'hui une sorte de datcha pour ce Président (qui a fait fortune dans le commerce), un lieu de détente pour épater ses copains, oligarques comme lui. D'ailleurs, davantage intéressé par les performances sur hippodrome que par les qualifications en endurance, il a donné ordre au jeune zootechnicien (27 ans) qui dirige aujourd'hui le haras, Salim Hassanbievitch Orichev, de se mettre, lui aussi, à produire, comme tout le monde en Russie, du pur-sang (anglais).

Du coup, voilà à nouveau Ibragim à la pointe du combat pour la sauvegarde du kabardine. « C'est dommage, explique-t-il, car cette race, qui avait réellement failli disparaître dans les années 1990, a connu une certaine renaissance locale, et un début de notoriété internationale. On est passé d'un cheptel de moins de 300 têtes à probablement 1500, dûment enregistrés au stud-book de l'Institut du Cheval. Les seuls chevaux auxquels on s'intéresse aujourd'hui en Russie étant ceux qu'on peut faire courir sur hippodrome, ce qui n'est évidemment pas le cas des kabardines, j'ai compris, au début des années 2000 que pour sauver notre race, il fallait la faire connaître à l'étranger : en Pologne, en Suède, en Allemagne – en France aussi, bien que la France ait déjà, avec ses arabes, d'excellents chevaux d'endurance. Dans des compétitions internationales auxquelles nous avons participé, notre meilleur résultat a été 14e au Championnat du monde, à Dubaï, en 2007. Mais en Russie, où l'endurance, en tant que discipline, commence à poindre, le kabardine est leader de la spécialité. »

Et le haras de Malka en est encore, malgré les dérives présidentielles, la plus belle vitrine.

[Paru dans L'ÉPERON n° 307 (décembre 2010-janvier 2011) sur quatre pages très illustrées et sous le titre « Le Caucase, terre de légendes », ce texte reprend, au mot près, la note que j'avais rédigée quelques mois plus tôt pour mon ami le réalisateur Joël Farges, qui espérait convaincre la chaîne *Equidia* de poursuivre avec les deux haras décrits ici une série de petits documentaires (de 26 minutes chacun) que nous avions lancée quelques années auparavant et consacrée aux « Écuries extraordinaires ». La chaîne ayant changé de politique, le projet, hélas, n'aboutit pas.]

CE QUI NOURRIT LE TERRORISME AU CAUCASE

L'explosion, fin mars 2010, de quelques bombes dans le métro de Moscou, puis dans une petite agglomération du Daghestan, suivie d'une autre encore en Ingouchie, a fait plus de dégâts que la cinquantaine de personnes innocentes inutilement tuées dans ces attentats. Victimes collatérales : les nombreux experts – journalistes, professeurs, diplomates, ex-soviétologues de toutes obédiences – qui expliquaient la veille encore que Poutine avait fini par trouver la recette pour ramener le calme au Caucase du nord. Une recette simple, consistant, en gros, à sous-traiter la sécurité dans cette région aux autochtones. Partant du principe – et du constat – que les Russes éprouvent une certaine difficulté à comprendre la « mentalité caucasienne », le Kremlin avait eu l'idée de déléguer une partie de ses pouvoirs à des potentats locaux généreusement indemnisés, à charge pour eux de faire régner l'ordre, à leur façon – et selon la « mentalité caucasienne » – dans leurs fiefs. Grâce à des brutes épaisses genre Ramzan Kadyrov, satrape de Tchétchénie, les premiers résultats furent, si l'on peut dire, encourageants. Une certaine paix, en effet, y fut rétablie.

On décida alors d'étendre le système à l'ensemble de la demi-douzaine de républiquettes du Caucase du nord, membres à part entière de la Fédération de Russie mais théoriquement autonomes. De plus en plus « théoriquement » depuis que Medvedev les a fait chapeauter, récemment, par une espèce de super-préfet (russe) nommé par lui.

J'étais voici peu (octobre-novembre 2009) dans l'une de ces entités : la Kabardino-Balkarie. La discussion que j'y eus avec une (forte) personnalité locale me paraît très instructive. Haute et fière stature de Tcherkess, Ibragim Yaganov est non seulement un des principaux éleveurs de chevaux de la région mais le chef d'une opposition officieuse. La constitution russe interdisant les partis régionaux, la seule possibilité, pour un Kabarde ou un Balkar, de faire de la politique en Kabardino-Balkarie consiste à adhérer à la section locale d'un grand parti fédéral. Or la politique fédérale n'intéresse pas Yaganov, qui ne se

préoccupe que de la situation ici, chez lui, dans sa petite république
– actuellement présidée par un médiocre affairiste indigène, un certain
Kanokov.

Opposant sans statut officiel, Yaganov explique : « En sous-traitant
à des bandes locales les questions de sécurité, en déversant ainsi des
sommes considérables dans les forces spéciales chargées du renseignement et du maintien de l'ordre au Caucase du nord, le Kremlin y a suscité la naissance d'un véritable business. Un business très juteux, qui ris-
querait de disparaître si le calme se prolongeait trop longtemps. C'est
uniquement pour cela que nos régions ne retrouveront jamais la paix :
pour continuer à profiter de la manne sécuritaire, il faut entretenir l'in-
sécurité. Au Caucase, le contre-terrorisme nourrit le terrorisme. »

C'est le petit détail qui avait échappé aux « experts ».

[Paru dans LA REVUE n° 2 (mai 2010).]

AFRIQUE : LES ILLUSIONS PERDUES

Merci aux organisateurs de cette réunion d'éminents intellectuels africains de m'y avoir convié, bien que je ne sois ni intellectuel, ni – comme on l'a sans doute remarqué – africain.

Je voudrais profiter de la présence, justement, de tant d'éminents personnages pour, humblement, leur poser quelques questions. À commencer par l'intitulé de la présente réunion : « Afrique : les espoirs perdus ». Est-ce que ce ne sont pas plutôt les illusions qui ont été perdues ?

Lorsqu'à la fin des années soixante, j'ai eu l'honneur d'être appelé à diriger la rédaction de *Jeune Afrique*, toutes sortes de grandes idées, de grands projets, c'est vrai, agitaient le continent : Panafricanisme, Négritude, plus tard Authenticité…

Tout cela, il faut avoir l'honnêteté (et le courage) de le reconnaître, a échoué. Et l'on ne parle plus aujourd'hui, pour reprendre le titre, largement provocateur, d'un livre récent, que de « Négrologie » *.

Les idéologies proprement africaines se sont donc révélées n'être que des impasses. Les illusions ont été perdues – peut-être pas l'espoir…

Et même si cela ne nous console guère, il faut constater qu'ailleurs aussi dans le monde, on a assisté à la fin de bien des illusions.

Quelques exemples : qui, dans le Monde Arabe, croit encore à l'Unité Arabe, au Panarabisme ? Personne, pas même Kadhafi ! Sur le plan économique, même désillusion : quel pays pétrolier a réussi en 30, 40 ou 50 ans de manne pétrolière, à créer une économie durable ?

En Amérique Latine, qui parle du Panaméricanisme ? En Asie Centrale, qui croit encore au Panturquisme ?

Qui croit encore, de façon encore plus générale, au Socialisme ? Et qui pense sincèrement que le Libéralisme, le Capitalisme – auxquels pourtant le monde entier semble s'être rallié, de gré ou de force – sont

---

* Allusion au titre d'un ouvrage de Stephen Smith paru chez Calmann-Lévy peu de temps auparavant.

de bons systèmes ? Si « bons » qu'on ne cesse de dénoncer les disparités, les inégalités, les injustices qu'ils engendrent. Sans parler de l'individualisme, si contraire aux cultures africaines, la domination des intérêts particuliers sur l'intérêt général (etc.) qu'ils suscitent !

Le désarroi idéologique est mondial. Il suffit pour s'en rendre compte d'aller se promener dans ce qui était, il n'y a encore pas très longtemps, la deuxième puissance mondiale : l'Union Soviétique.

Ne croyant plus au Communisme, et pas tout à fait encore au Libéralisme, les foules s'y réfugient dans la religion, les sectes, les superstitions.

N'est-ce pas aussi ce désarroi qui a entraîné, ici et là, une montée de ce qu'on appelle l'Islamisme ?

Revenons à l'Afrique. On se gausse en Europe, en Amérique et aujourd'hui en Asie, de ses échecs, de son incapacité à surmonter elle-même ses difficultés. Et, après avoir essayé de « vendre » aux Africains toutes sortes de recettes de développement (qui ont toutes échoué), on essaye de leur vendre aujourd'hui l'idée que sans Démocratie, point de salut ! Sans Démocratie, point de développement. Je suis un peu étonné qu'on puisse faire ce genre d'affirmation au moment où l'on a sous les yeux la preuve du contraire : l'extraordinaire succès économique de la Chine.

Je suis étonné également que, parmi les orateurs entendus ici, aucun n'ait réellement remis en cause ce qui est considéré aujourd'hui comme un dogme : « Il faut faire de la Démocratie. »

Pourtant, la Démocratie voulue par l'Occident n'est-elle pas parfois dangereuse ?

Dans des pays pluriethniques, le multipartisme n'encourage-t-il pas l'ethnicisme, n'exacerbe-t-il pas le tribalisme ? N'y a-t-il pas eu plus de morts « politiques » en Afrique après qu'on y ait imposé la dissolution des Partis Uniques qu'avant ?

Ne va-t-on pas, de la même façon, compter bientôt plus de morts en Irak après qu'avant Saddam ? Après qu'avant la « démocratisation » à la mode américaine ?

Je suis surpris, enfin, qu'aucun des orateurs qui m'ont précédé n'ait évoqué l'idée d'aller chercher dans le fonctionnement des sociétés traditionnelles africaines des modèles pour aujourd'hui.

Qu'on m'autorise à citer, par exemple, les propos tenus récemment par l'éminent africaniste Georges Balandier à un journaliste de *l'Express* (9 octobre 2003) : « Les colonisateurs ont présenté la palabre comme un mal de l'Afrique, une façon de substituer la parole à l'efficacité. C'est une erreur de jugement. Lors d'une palabre, les représentants des diverses composantes d'une population se réunissent pour élaborer des décisions acceptables par l'ensemble de la collectivité. Ce mode d'argumentation – transposé – serait plus démocratique que celui de pseudo-Parlements où les jeux sont faits d'avance et où les rapports d'autorité empêchent de véritables débats. »

Merci au Ministre Mohamed Benaïssa d'avoir organisé la palabre d'Assilah – et de m'y avoir convié.

[Parue dans JEUNE AFRIQUE n° 2283 (10 au 16 octobre 2004) sous le titre « Un pavé dans la mare à Assilah », cette tribune reprend dans ses grandes lignes le texte d'une communication prononcée le 11 août 2004 à Assilah, charmante localité du Maroc dont le maire, Mohamed Benaïssa, longtemps ministre des Affaires Étrangères du royaume, réussit à faire, au fil des ans, une petite capitale culturelle (voir l'article suivant). Chaque année depuis presque trente ans, en effet, un Festival transforme cet ancien fortin portugais en une véritable « cité des arts ». Parmi les nombreuses manifestations que comportait cette année-là le Festival, un colloque auquel participait tout un aréopage d'éminentes personnalités africaines (les ministres sénégalais, malien et burkinabé des Affaires Étrangères, les ambassadeurs du Congo et de Madagascar, ainsi qu'une belle brochette d'intellectuels libyens, marocains, soudanais, etc.) était censé élucider un mystère : « pourquoi l'Afrique, pourtant riche en hommes, cultures et en potentiels économiques n'arrive pas à concrétiser tous les espoirs qu'elle suscite ».

Comme souvent, ce symposium donna lieu à des propos très convenables, mais surtout très convenus parmi lesquels ma petite intervention fit l'effet, comme le dit *Jeune Afrique*, d'un pavé dans la mare. Ce n'est pas dévoiler un très grand secret que de révéler que la plupart des participants vinrent ensuite me remercier d'avoir dit ce que – eux, du fait de leurs positions officielles – ne pouvaient pas dire… mais pensaient très fort !]

ASSILAH, VILLE AFRICAINE

Voilà un bon quart de siècle que Chérif Khaznadar sillonne le monde. Un bon quart de siècle qu'il s'aventure dans les coins et les recoins les plus reculés de la planète. Explorateur d'un genre nouveau, il recherche les multiples formes d'expression des hommes : chants, danses, cérémonies, rituels. Il y a chez lui un côté chercheur d'or – mais son minerai à lui, c'est la beauté des musiques et des gestes, c'est l'inventivité des peuples, c'est l'incroyable créativité de l'espèce humaine.

Il y a chez lui, aussi, un côté sauveteur – car ses trouvailles, bien souvent, sont des monuments en péril, des manifestations culturelles en danger de mort, des fêtes ou des spectacles menacés de disparition, et le traitement qu'il leur administre leur redonne vigueur, parfois même une vie nouvelle. Son rôle, en effet, n'est pas seulement de « découvrir » comment on chante, comment on danse, comment on prie dans les steppes de Mongolie ou les forêts d'Amazonie, mais (c'est encore plus difficile) de restituer ces chants, ces danses, ces prières dans toute leur authenticité… devant un public occidental.

Créateur du Festival des Arts Traditionnels (Rennes, 1974) et fondateur de la Maison des Cultures du Monde (Paris, 1982), Chérif Khaznadar nourrit ainsi depuis 25 ans la bouche gourmande et insatiable de la curiosité occidentale – tel Tundj Hata pourvoyant en têtes coupées « La niche de la honte » imaginée par Ismaïl Kadaré – sauvegardant, pérennisant, du même coup, les œuvres représentées.

En vingt-cinq ans, Chérif Khaznadar et sa femme Françoise Gründ ont fait, par exemple, connaître en France – en Europe – le *pansori* de Corée, le *mugam* d'Azerbaïdjan, le *teyyam* du Kerala, le *wadaïko* du Japon, le *tchiloli* de São Tomé, comme les marionnettes sur eau du Vietnam ou les musiques sacrées des Guerzés de Guinée.

Après avoir connu tant de richesses, tant de merveilles (1), après

---

1. Dont on aura un aperçu dans cette espèce de « Livre des Merveilles » du XXe siècle qu'est le recueil des expériences vécues par Françoise Gründ et Chérif Khaznadar aux quatre (*sic*) coins des cinq continents et publiées sous le beau titre de « Atlas de l'Imaginaire » (Favre, Lausanne, 1996).

avoir, disons-le, « tout vu et tout entendu », on se demande comment Chérif Khaznadar peut encore s'enthousiasmer. « Et pourtant, Mesdames et Messieurs, il le peut », comme l'affirmait Pierre Dac, et comme le prouve le beau livre qui vient de paraître (2).

Cette fois-ci, Khaznadar s'emballe non point pour une chorégraphie barbare, un chanteur primitif ou une théâtralisation sauvage, non : cette fois-ci, il s'entiche… d'une ville ! Et encore, pas même une vraie ville : juste une bourgade, un gros village alangui le long de l'Atlantique, au sud de Tanger, dans cette partie du Maroc où l'influence espagnole est encore forte. À première vue, Assilah (c'est le nom de la localité) n'a rien de spécialement attirant : ses plages ne sont pas les plus belles du Maroc, ses hôtels ne sont pas des palaces, et ses trésors sont à peu près inexistants, exception faite d'une muraille datant de l'occupation portugaise (XVe siècle), dominée par un donjon auquel une restauration excessive a retiré tout son charme.

Ce qui séduit Khaznadar, c'est donc tout autre chose que ses pauvres atouts touristiques. C'est l'expérience – réussie – qu'y ont menée deux enfants du pays, prouvant qu'une ville pouvait se développer, se moderniser « par la culture, avec la culture, grâce à la culture » : « un exemple unique au monde, précise-t-il, de développement social, économique, architectural, urbanistique d'une cité par l'art. »

Pour comprendre, il faut remonter aux années 1970 : Assilah est alors un bourg assoupi, en voie de délabrement, d'oubli, d'abandon. Deux amis, tous deux natifs de la petite cité et tous deux artistes, décident un jour qu'il faut stopper cette décadence, « faire quelque chose » pour changer le cours de l'histoire de leur village natal. Ils s'emparent (en toute légalité, bien sûr) du pouvoir municipal, et créent, en 1978, une sorte de grande fête culturelle à laquelle ils prennent bien soin de préférer le nom arabe de Moussem au terme occidental de Festival. D'emblée, c'est un succès.

Ateliers de gravure, de céramique, de peinture, implication systématique des enfants du village aux activités, rassemblement de peintres, d'écrivains, de chercheurs, organisation de conférences, de colloques : d'année en année la fête se développe, entraînant le développement de la ville.

D'événement local, le Moussem devient une attraction nationale. Le roi s'y intéresse. Les personnalités affluent : on croise à Assilah aussi

---

2. « Asilah, la culture d'une ville » : 120 pages en couleurs, paru aux éditions Plume (2, rue de la Roquette, 75011 Paris). Versions disponibles en anglais, arabe, espagnol et français.

bien Amin Maalouf qu'Alberto Moravia, Mahmoud Darwish qu'Ettore Scola, Léopold S. Senghor que Jorge Amado, Tchikaya U'Tamsi que Federico Mayor. Le succès entraîne le succès.

De riches parrains, comme le sultan d'Oman ou le prince Bandar Bin Sultan Bin Abdelaziz, financent l'aménagement de salles de conférences, la création d'une bibliothèque et la transformation du vieux palais Raissouni (construit vers 1910) en un splendide Palais de la Culture.

Cette réussite, qui fascine Khaznadar, est avant tout celle de deux hommes, deux enfants d'Assilah : Mohammed Melehi, artiste peintre talentueux dont la réputation dépasse largement aujourd'hui les frontières du Maroc, et Mohammed Benaïssa, artiste lui aussi, mais très tôt reconverti dans la politique, qui est également, on le sait, un art, et dans lequel il a fait preuve d'un certain talent, puisqu'après avoir été ministre de la Culture, puis ambassadeur du Maroc aux États-Unis, il est actuellement [c'est-à-dire en 1999] ministre des Affaires Étrangères du royaume.

Parmi les nombreuses « attractions » qu'offre aujourd'hui Assilah, deux au moins méritent une mention particulière : l'idée (géniale) de faire repeindre les murs de la ville non point par des employés municipaux mais par de véritables artistes, pouvant donner libre cours à leur imagination ; et à leur personnalité. Transformées ainsi en une sorte de musée de plein air, exposant des œuvres condamnées à disparaître sous les intempéries, les rues d'Assilah dégagent un charme qui commence à faire accourir des amateurs du monde entier.

L'autre aspect remarquable est cette espèce de passion africaine qui anime, depuis ses débuts, les animateurs d'Assilah. Depuis vingt ans, les deux Mohamed (Benaïssa et Melehi) convient au Moussem des artistes, des écrivains, des intellectuels d'Afrique noire, de l'Océan Indien ou des Caraïbes : René Depestre, Édouard Maunick, Henri Lopez, Jacques Rabemananjara, et tant d'autres. Cette année, ils « institutionnalisent » l'africanité d'Assilah (sur laquelle Khaznadar insiste en émaillant les chapitres qui composent son beau-livre des citations d'un seul poète : le Congolais Tchikaya U'Tamsi), en ouvrant une Maison Africaine des Écrivains qui pourra héberger confortablement des créateurs du continent tentés par le calme et la sérénité d'Assilah, devenue certainement la plus africaine des villes arabes – et la plus arabe des villes africaines.

[Paru dans JEUNE AFRIQUE n° 2029 (3 novembre au 6 décembre 1999), sous le titre « Asilah la belle ». On remarquera que le nom de cette localité s'écrit parfois avec un seul, parfois avec deux « s » : les deux orthographes sont admises.]

LES DANSES DE LA TERRE

Chaque année, depuis cent ans, les jurés du Nobel attribuent, outre un célèbre Prix de la Paix, une bonne demi-douzaine de récompenses à des scientifiques : physiciens, chimistes, biologistes… Un seul malheureux prix est consacré aux disciplines artistiques : le Nobel de Littérature. Ne serait-il pas simple de mettre fin à cette anomalie, à ce déséquilibre en instituant, par exemple, un Nobel d'Architecture, un Nobel de Sculpture, un Nobel de Musique ? Et d'autres encore : d'Histoire, de Philosophie, d'Anthropologie…

Si ces messieurs les jurés redoutaient l'inflation, ils pourraient se contenter de créer au moins, comme une sorte d'accessit au Nobel de la Paix, un Nobel de la Culture. Un prix qui récompenserait les efforts – et les actes – d'un individu ou d'une organisation en faveur d'une meilleure connaissance mutuelle, d'un rapprochement non conflictuel des peuples, d'une confrontation amicale des cultures. Un prix, en bref, qui honorerait celui ou celle qui aurait milité avec efficacité pour ce brassage mondial des idées et de leurs moyens d'expression, respectueux de leur diversité, qui est un peu le contraire à la fois du métissage cher à feu Léopold Sédar Senghor et, surtout, de cette mondialisation des moyens culturels chers à Jean-Marie Messier, à laquelle, médusés, on est en train d'assister. [Ce texte a été écrit fin 2001.]

Ce Prix Nobel de la Culture, il faudrait l'instaurer, ne serait-ce que pour pouvoir l'attribuer à Françoise Gründ et Chérif Khaznadar qui, depuis trente ans, sillonnent inlassablement la planète pour faire connaître les unes aux autres les cultures du monde. Ensemble, ils ont même créé, à Paris, en 1982, « une maison pour ça » – la Maison des Cultures du Monde. Ensemble, ils ont dressé une sorte de bilan de leur gigantesque expérience, une sorte d'inventaire de leurs innombrables découvertes : « L'Atlas de l'imaginaire » (Favre, Lausanne, 1996), en exergue duquel ils ont placé une petite fable tibétaine qui sonne comme une parabole de leur action : « J'ai vu quelque chose qui bougeait. Je me suis approché. J'ai vu un animal. Je me suis encore approché. J'ai vu un homme. Je me suis encore approché. Et j'ai vu que c'était mon frère. »

Chemin faisant, Françoise Gründ a inventé une nouvelle discipline, l'ethnoscénologie (qu'elle enseigne aujourd'hui à l'Université de Nanterre), qui se propose d'étudier les mille et une formes de « spectacles » imaginés par les hommes pour s'exprimer, pour communiquer, entre eux ou avec l'au-delà : célébrations et consécrations, rites et rituels, cérémonies et danses.

Dans l'ouvrage, magnifiquement illustré, qu'elle vient de publier *, Françoise Gründ distingue plusieurs types de danses : les danses « de naissance » (comme le *sama* des soufis ou le *buto* du Japon), les danses de rites « de passage » (comme le *worso* des Peuls du Niger), les danses de funérailles (le *dama* des dogons du Mali, le *tchiloli* de São Tomé), etc.

Après avoir fait, en 280 pages et 150 photos, un tour du monde des danses, nous avons eu envie de poser quelques questions à l'auteur de cet album-anthologie :

Q – Dans votre inventaire des danses du monde, on trouve beaucoup d'exemples puisés en Inde, en Amérique latine, en Corée, au Japon – aucun en Europe : les Européens ne savent-ils donc pas danser ?

R – On ne peut pas dire cela : bien que les formes traditionnelles s'y soient raréfiées, on trouve encore en Europe d'authentiques danses : comme le *flamenco*, en Espagne. Mais mon livre étant publié en France et en français, il m'a semblé plus intéressant de privilégier les danses qu'on a peu l'occasion d'y voir.

Q – Vous consacrez, par contre, beaucoup de chapitres à l'Afrique : Bénin, Zambèze, Niger, Mali, São Tomé, Côte d'Ivoire… Vous confirmez donc l'adage, légèrement raciste, selon lequel « les Africains ont la danse dans la peau et le rythme dans le sang » ?

R – Ce n'est pas faire preuve de racisme que de rendre hommage à l'incroyable richesse d'expressions qu'on trouve encore en Afrique et qui passe par la danse. Ce n'est pas être raciste que d'observer que les Africains savent, mieux que les Européens, transcender l'invisible, déchiffrer le monde, communiquer avec les morts, mais aussi avec les énergies de l'univers. Que les Africains savent, mieux que les Européens, utiliser ce langage non vocal qu'est la danse.

Q – Ce langage, les animaux l'utilisent aussi. On parle de la « danse amoureuse » d'un coq devant une poule, d'un pigeon devant une pigeonne. Le terme de « danse » est-il approprié ?

---

* « Les danses de la Terre », éditions de La Martinière.

R – Oui, à cent pour cent. Et puisque vous voulez absolument me faire comparer les Européens aux Africains, je ferai appel à une comparaison animale. Avez-vous remarqué que, chez les animaux, le mâle est souvent plus beau, plus emplumé, plus coloré que la femelle? L'élément producteur (la mère, la femelle) est moins brillant, moins exubérant que l'élément reproducteur (le mâle). Est-il très osé de transposer? L'Européen productiviste ne ressemble-t-il pas un peu à la femelle – l'Africain au mâle?

Q – C'est osé, en effet, mais intéressant. Cela, pourtant, n'explique pas pourquoi vous avez totalement exclu de votre inventaire des formes de danses dans lesquelles les Européens, les Occidentaux en général, excellent. Je pense aux danses de distraction (le rock, le disco, etc.) et plus encore au travail des chorégraphes contemporains: Maurice Béjart, Pina Bausch, etc.

R – C'est vrai, et c'est tout simplement parce qu'on ne peut pas tout mélanger. Il y a des trémoussements de pure distraction qu'on appelle « danse » mais qui ne sont en fait que des exercices d'hygiène. J'allais dire: de gymnastique. Les danses de salon, les danses de scène sont, elles aussi, très « parlantes », si j'ose dire, mais dans mon livre j'ai pris le parti de n'évoquer que les danses qui ne sont pas des spectacles au sens occidental du terme, c'est-à-dire avec des acteurs d'un côté et des spectateurs de l'autre. Dans les danses dont il est question dans mon livre, tout le monde, acteurs et spectateurs, est « participant ».

C'est justement une des principales réussites de ce beau livre, un de ses plus grands mérites: entraîner celui qui le feuillette dans une farandole circumterrestre qui s'apparente à une danse tourbillonnante, où il n'y a pas d'un côté un auteur et de l'autre un lecteur – mais deux « participants ».

[Paru dans Afrique Magazine n° 197 (février 2002),
sous le titre « La planète aux mille et une danses ».]

AFRIQUE, IRAK : MÊMES COMBATS ?

Échec en Côte d'Ivoire, indifférence en Centrafrique : on a l'impression qu'en Afrique, la France a perdu la main, qu'elle ne sait plus y faire, qu'elle n'y comprend plus rien. Pire qu'une impression, c'est hélas une réalité.

Les causes en sont multiples, mais la première est que, dans nos chancelleries, l'Afrique n'est plus à la mode. On s'y intéresse davantage aux Balkans qu'aux Congos, aux pays Baltes qu'aux pays des Grands Lacs. Les histoires de nègres paraissent dérisoires aux énarques qui, petit à petit, ont remplacé partout les anciens de la France d'Outre-mer. Nos écoles, du coup, ont cessé de « fabriquer » les africanistes dont on aurait besoin.

On voit le résultat !

Ayant bien du mal à interpréter ce qui se passe ici où là au sud du Sahara, nos beaux messieurs ont aujourd'hui tendance à appliquer là-bas des grilles de lecture qu'ils ont utilisées ailleurs. Hélas, ça ne marche pas toujours.

Ainsi, les troubles qui secouent la Côte d'Ivoire ont-ils été souvent considérés par nos « experts » comme une nouvelle manifestation de l'éternelle opposition entre le monde musulman (au nord) et le monde chrétien (au sud). Pour ceux qui connaissent un peu le terrain, cette interprétation fait rire (ou pleurer) : chrétiens ou musulmans, nordistes ou sudistes, les habitants de la Côte d'Ivoire sont surtout et avant tout… animistes – et ce lien profond, cette vision du monde commune sont beaucoup plus puissants que toute autre croyance, toute autre appartenance. Si l'on veut comprendre ce qui se passe en Côte d'Ivoire, et aider à la solution du conflit qui déchire ce pays, il faut en chercher les causes ailleurs que dans la religion.

Le tribalisme, alors ?

Peut-être. Mais cette explication-là ne marche pas non plus à tous les coups. En Centrafrique, par exemple, c'est un gars du Nord – le général Bozize – qui vient de renverser un président pourtant originaire, lui aussi, du Nord (Patassé). Quelques années auparavant, un autre général (Kolingba), originaire du Sud, avait renversé un autre président (Dacko) également originaire du Sud. En Centrafrique, le conflit n'est pas tribal. Il est, si l'on ose dire, intestinal : les gens ont faim, tout simplement. Voilà trois ans que les salaires des fonctionnaires – civils et militaires – n'y sont plus payés. Quelle que soit l'appartenance du responsable, ce genre de situation permet de faire l'unanimité contre lui, toutes ethnies confondues, y compris la sienne.

Il y a, par contre, une comparaison que nos grands diplomates, nos brillants observateurs de la vie internationale ne font pas. C'est celle entre le renversement d'une dictature à Bagdad et le renversement d'une tyrannie à Bangui. C'est bien dommage. Car il y a, en dehors du mérite, dans les deux cas, à avoir fait cesser un despote de nuire à son peuple, bien des points communs.

Non seulement Bozize est au moins aussi recommandable que Bush (comme lui, il lit et connaît la Bible ; comme lui, il ne boit pas une goutte d'alcool), mais il présente même sur son collègue américain un gros avantage : il a agi chez lui, dans son propre pays, à l'intérieur de ses propres frontières.

La France, hélas, ne semble pas faire le rapprochement. Tandis qu'elle s'évertue à vouloir à tout prix participer à la reconstruction de Bagdad, elle ne semble guère pressée de participer à celle de Bangui. Ce serait, pourtant, davantage dans ses moyens, dans sa vocation – et dans son intérêt. S'il y a du pétrole en Irak, il y a en Centrafrique du diamant, du bois et d'innombrables richesses inexploitées. Qu'attend-on pour aider les Centrafricains, auxquels tant de liens (et tant de responsabilités) nous rattachent, à les mettre en valeur ? Et à retrouver ainsi le minimum de prospérité et de sécurité grâce auquel la démocratie, à l'instauration de laquelle nous attachons tant d'importance, serait enfin possible.

[Ce billet rageur a été rédigé en sortant d'un entretien (obtenu non sans mal) avec un des plus proches collaborateurs de Dominique de Villepin, à l'époque ministre des Affaires Étrangères. Ce dernier était alors tout auréolé de gloire pour avoir prononcé, peu de temps auparavant (le 14 février 2003), un flamboyant discours devant le Conseil de Sécurité des Nations Unies, dans lequel il avait marqué la réprobation de la France à l'idée de porter la guerre en Irak. Discours brillantissime mais vain, hélas : le 20 mars, les troupes anglo-américaines lançaient leur offensive contre Bagdad.

Villepin avait été nettement moins brillant et tout aussi inefficace lorsque, prétendant pouvoir régler en deux coups de cuillère à pot l'imbroglio politique en Côte d'Ivoire, il avait réuni à Marcoussis (banlieue parisienne) les forces ivoiriennes en présence, à la mi-janvier. Son comportement autoritaire, jugé méprisant par les intéressés, eut pour effet de braquer durablement contre la France le personnage principal du drame, Laurent Gbagbo.

Cette maladresse, révélatrice d'une méconnaissance des réalités africaines, avait beaucoup déçu un de mes amis et maîtres, l'excellent Guy Georgy, qui dirigeait à l'époque la Maison de l'Amérique latine. Avant de devenir un bon connaisseur des affaires latino-américaines, Georgy avait été un africaniste éminent, apprécié – ce qui n'est pas, on en conviendra, un gros inconvénient – des Africains eux-mêmes. Au temps où il avait dirigé le Département Afrique du Ministère des Affaires Étrangères (quai d'Orsay), il avait eu pour stagiaire, pour collaborateur, un jeune homme dénommé de Villepin, qui ne lui avait pas semblé dépourvu de qualités. Aussi, lorsqu'il assista à l'irrésistible ascension de ce dernier, jusqu'à devenir, via l'Élysée (où il resta longtemps le principal collaborateur du président Chirac), ministre des Affaires Étrangères, Guy Georgy se réjouit-il de voir enfin à ce poste un homme connaissant et aimant l'Afrique. On imagine sa déception, au vu des résultats de la désastreuse conférence de Marcoussis.

Lorsque, en mars de la même année, mon ami le général Bozize s'empara du pouvoir à Bangui, la France, loin de lui porter secours, aide et assistance, lui fit comprendre qu'il serait au contraire placé en quarantaine aussi longtemps qu'il n'organiserait pas des élections, « démocratiques » évidemment, en Centrafrique.

Comment organiser des élections dans un pays sans administration, sans police, sans routes, sans moyens ? Comment la France, et l'Europe, pouvaient-elles avoir de telles exigences absurdes, irréalistes, irréalisables ? Comment pouvait-on faire preuve d'une telle méconnaissance des réalités ? Je m'en ouvris à Guy Georgy, qui voulut bien, malgré la méfiance que lui inspirait désormais son ex-poulain, me faire recevoir au Cabinet de ce Villepin.

Le très haut fonctionnaire qui me reçut fit preuve d'une telle ignorance et d'une telle incompréhension des affaires africaines qu'en sortant de cette audience, je rédigeai la note qui précède à l'intention de mon ami Georgy et les articles qui suivent à l'intention de la presse.]

RECONSTRUIRE LA CENTRAFRIQUE

Après avoir affamé sa population pendant dix ans, renversé brutalement son régime, bombardé ses villes – et laissé piller ce qu'il en restait –, les États-Unis ont décidé de s'atteler à la reconstruction de l'Irak.

Fort bien (mais quand même plus « fort » que « bien »).

Au lieu de s'évertuer à vouloir participer à tout prix à cette opération ambiguë, et probablement de s'y ridiculiser, la France ne pourrait-elle s'atteler à une tâche davantage dans sa vocation – et dans ses moyens : la reconstruction de la Centrafrique ?

Voilà, en effet, un charmant petit pays (moins de 4 millions d'habitants), entièrement dévasté, dont le sort devrait, sinon nous préoccuper (il ne faut pas trop demander), du moins nous intéresser. Non point que nous portions, célèbre fardeau de l'homme blanc, l'entière responsabilité de sa lente dégradation et, pour finir, de son anéantissement : on ne peut infantiliser éternellement les Africains en les absolvant de toute culpabilité dans leur acharnement à forger leur propre malheur. Mais ce n'est pas faire preuve de masochisme que de reconnaître que nous avons activement contribué au désastre.

Sans remonter à la préhistoire coloniale (le « poste de Bangui » a été créé en juillet 1889), rappelons quelques faits.

Dans les années 1970, le président Giscard d'Estaing, grand amateur, comme chacun sait, de safaris, appréciait beaucoup la Centrafrique, vaste terrain de chasse dont le régisseur – pardon, le président – était alors un certain Jean-Bedel Bokassa. Un peu fantasque, certes (il avait tendance à se prendre pour Napoléon), mais plutôt brave gars. Ayant servi, comme sous-off, sous le drapeau tricolore, il était d'une fidélité à toute épreuve, aimait la France comme sa patrie, et couvrait son président de ces petits cadeaux qui entretiennent l'amitié. En particulier, des diamants : on en reparlera…

Première leçon : la Centrafrique est donc non seulement un véritable paradis touristique et cynégétique, mais elle dispose de ressources minérales appréciables. Suffisantes, en tout cas, pour permettre à

Bokassa, qui n'était pourtant pas un gestionnaire extraordinaire, de payer régulièrement les fonctionnaires... et de s'offrir, en prime, quelques folies comme l'achat de châteaux en France (que Bernard Tapie essaya de lui racheter, quelque temps plus tard, pour une bouchée de pain), la construction d'un petit Versailles tropical à Berengo, son village natal, ou l'organisation d'une cérémonie bouffonne au cours de laquelle il se fit couronner empereur.

Deuxième leçon : la population centrafricaine n'est pas d'un naturel bagarreur. Aussi longtemps qu'il distribua, chaque mois, les salaires, et que chacun pouvait donc manger à sa faim, nul – ou presque – ne chercha querelle à ce chef extravagant. Extravagant, mais pas fou : issu d'une ethnie très minoritaire, les Mbaka, Bokassa sut, tout au long de son règne, répartir habilement les postes, les avantages, les responsabilités entre les différentes régions de cette mosaïque ethnique qu'est la Centrafrique – dominée par les Baya (au nord ouest) et les Banda (au centre est), représentant chacun 30 à 35 % de la population totale.

Et ce n'est pas idéaliser rétroactivement la situation que de rappeler qu'à l'époque, les écoles, les hôpitaux et les banques fonctionnaient à peu près, et que la capitale, alanguie au bord de l'Oubangui, méritait encore le surnom qu'on lui avait donné à l'époque coloniale de Bangui « la Coquette ».

Hélas, l'empereur centrafricain cessa un jour de plaire au Président français. Giscard décida de licencier son garde-chasse, devenu indésirable. « Lorsqu'on veut se débarrasser de son chien, dit un proverbe probablement auvergnat, on déclare qu'il a la rage. » Les services français accusèrent Bokassa d'avoir massacré des écoliers contestataires (ce qui est probablement vrai) et d'en avoir mangé quelques-uns (ce qui est probablement faux). Celui qu'on rebaptisa dès lors « l'ogre de Berengo » se défendit comme il put : il révéla avoir offert à son tombeur, au temps de leur fraternisation, quantité de diamants. Vrai ou faux, peu importe. Giscard ne se remit jamais de l'accusation, qui lui coûta sa réélection, le 10 mai 1981, face à François Mitterrand.

Paradoxalement, le départ du tyran, la chute du dictateur, le renversement du potentat (pour ne reprendre que quelques-unes des expressions consacrées) fut pour la Centrafrique le début d'une véritable descente aux enfers.

En effet, avant de perdre le pouvoir en France, Giscard avait eu celui de monter en Centrafrique, redevenue république, une sorte de coup d'État à l'envers, imposant un président certes docile, mais n'ayant aucun goût pour la fonction. Arraché de force à la retraite heureuse qu'il vivait paisiblement en France, le brave David Dacko, appartenant à la même ethnie que Bokassa, fut propulsé de force à la tête de son pays. Il n'y fit pas long feu. Un général l'en délogea quelques mois plus tard.

Paris avait « suggéré » à David Dacko d'instaurer en Centrafrique le multipartisme, et d'organiser des élections présidentielles, des vraies, avec plusieurs candidats. Le résultat fut désastreux. Le scrutin se transforma en une sorte d'affrontement entre les tribus du Nord (plus ou moins représentées par un certain Patassé, qui avait été Premier ministre de Bokassa) et les tribus du Sud, représentées par ce pauvre Dacko, complètement débordé par les événements.

Sous le prétexte bien connu de rétablir l'ordre et d'éviter un génocide, le général André Kolingba s'empara du pouvoir, le 1er septembre 1981 – sous l'œil bienveillant de la France, qui continuait à suivre de près ce qui se passait dans ce pays, non point tant par compassion que parce qu'elle y entretenait encore une de ses principales bases militaires en Afrique : à Bouar, au beau milieu de la brousse, loin de tout lieu habité mais idéalement située au cœur du cœur de l'Afrique centrale, à quelques minutes, pour nos *Alpha-jet*, nos *Jaguar* ou nos *Mirage*, du Gabon, du Cameroun, du Zaïre – ou du Tchad, où Kadhafi persistait à nous faire le pied de nez.

Loin d'apaiser les tensions ethniques, le général Kolingba, appartenant lui-même à un groupe ultra-minoritaire du Sud, les Yakoma, fit preuve au contraire d'un tribalisme outrancier, réservant les affaires les plus juteuses aux gens de son clan, transformant l'armée en garde personnelle, ruinant le pays en enrichissant les siens, rompant, enfin et surtout, le délicat équilibre que l'épouvantable Bokassa avait su préserver.

Lorsqu'après le fameux « discours de la Baule » (21 juin 1990) par lequel François Mitterrand menaçait ses pairs africains de leur couper les vivres s'ils ne se mettaient pas à faire de la démocratie, Paris imposa, une fois encore, de nouvelles élections présidentielles en Centrafrique, l'affreux Kolingba ne parvint pas à truquer suffisamment le résultat des urnes pour rester au pouvoir. Il dut céder sa place, en septembre 1993, à un personnage, plus abominable encore, mais « démocratiquement élu », Ange-Félix Patassé.

Les gens du Nord crurent que leur tour était enfin venu : jamais depuis sa création, la République Centrafricaine n'avait eu pour président un nordiste. Patassé, issu d'une microscopique ethnie proche du

Tchad, les Kaba, bénéficia donc d'emblée du soutien des Baya, la tribu majoritaire du Nord. Et en particulier de son représentant le plus prestigieux, le général Bozize.

François Bozize offre, dans le paysage politico-militaire africain, un cas particulier : ni fanfaron, ni rigolard, c'est un personnage austère, très réservé, avare de ses paroles et de ses sourires. On pourrait croire à une posture, une simple attitude ou à de la timidité s'il n'avait, à diverses reprises, prouvé un courage physique assez exceptionnel, il faut bien le dire, dans la région. « Découvert » par Bokassa, qui l'envoya étudier en France (École d'État-major, École de Guerre), brimé par Kolingba qui lui reprochait principalement de ne pas être Yakoma, il connut l'exil, la prison, la torture, avant de rallier le nouvel élu, Ange Patassé, – sincèrement désireux de le servir et de servir, du même coup, son pays.

Vaguement diplômé d'agronomie, Patassé se piquait d'avoir inventé une nouvelle variété de maïs, particulièrement adaptée au climat tropical. Il se targuait, aussi, d'être radiesthésiste (!). Mais le seul domaine dans lequel ce personnage ubuesque, cet Ange démoniaque, faisait preuve de sérieux et d'obstination, c'était les affaires. Non pas les affaires de l'État, qui le laissaient totalement indifférent. Non : ses affaires à lui, ses propres trafics.

Rien n'échappait à sa rapacité : ni le diamant, qui constitue la principale ressource du pays, ni le bois, dont il a organisé une surexploitation catastrophique, ni le pétrole que lui offrait Kadhafi, avec lequel il a toujours veillé à maintenir des relations cordiales, je veux dire rentables.

Tout cela n'aurait pas été dramatique s'il avait, comme certains chefs d'État africains très respectables, largement redistribué la manne ainsi accumulée. Lui, non. Pas un sou. Pas un centime de franc CFA. Rien.

Le peuple centrafricain subit ainsi, pendant dix ans comme le peuple irakien, un embargo. La différence avec l'Irak, c'est qu'en Centrafrique cet embargo fut organisé par son propre président, et à son seul profit. Il y a eu (et il y a encore) en Afrique (et ailleurs) des chefs d'État qui mettent la main dans la caisse. Patassé, lui, avait carrément piqué la caisse.

La France, sous le prétexte vaseux que ce dernier avait été élu et même réélu « démocratiquement », refusa d'intervenir, ne fût-ce qu'en soutenant une opposition pourtant de plus en plus générale, et de plus en plus perceptible. En fait, voulant réduire son dispositif militaire en

Afrique, Paris avait entre-temps abandonné la base de Bouar – privant ainsi nos armées d'une position stratégique, et la Centrafrique de quelques ressources collatérales. La Centrafrique, du coup, devenait le cadet de nos soucis.

Quand au sort des Centrafricains, faut-il seulement en parler ?

Pauvres Centrafricains ! Connus pour leur gentillesse, leur patience, ils ne purent pourtant contenir indéfiniment leur exaspération. Dépassant les bornes, leur président glouton avait, en effet, cessé de payer les fonctionnaires, et même – grossière erreur – les militaires. Poussés à bout, avec des arriérés de salaire dépassant parfois trois années consécutives (!), ceux-ci finirent par manifester leur grogne. La misère entraînant la violence, le pays fut alors secoué par de multiples mutineries de soldats sans solde, par une tentative violente de Kolingba de revenir au pouvoir, par des troubles incessants.

Petit à petit, le pays tomba en ruines. Les écoles, les hôpitaux fermèrent les uns après les autres. À défaut d'entretien, les routes devinrent impraticables. À défaut de percevoir leur dû, les forces de l'ordre devinrent des forces de désordre.

Au lieu de s'appuyer sur ceux qui auraient pu l'aider, Patassé avait plutôt tendance à s'en méfier. En novembre 2001, il voulut même faire arrêter son chef d'état-major, le général Bozize. Mais celui-ci, prévenu par ceux-là même qui devaient procéder à son arrestation, parvint à s'enfuir, avec une partie de l'armée et les quelques rares véhicules encore en état de marche, jusqu'aux confins tchadiens.

Ne trouvant plus un seul Centrafricain pour le défendre, pas même parmi ses proches, Patassé fit appel à des troupes étrangères. Son ami Kadhafi lui fournit quelque temps une garde prétorienne lourdement équipée d'avions et de blindés. Et lorsque celle-ci se retira, elle fut remplacée par une fine équipe de mercenaires commandée par l'illustre Paul Barril, dont ceux qui le connaissent disent qu'il rêvait (et, paraît-il, rêve encore) de réussir en Centrafrique ce que Bob Denard avait raté aux Comores : devenir une sorte de proconsul africain, de prince tropical, de roi-nègre... blanc.

Estimant sans doute que sa sécurité personnelle n'était pas suffisamment garantie par la CEMAC, force d'interposition composé d'éléments congolais, gabonais et tchadiens, censée faire régner l'ordre dans la capitale, Patassé appela à la rescousse le richissime homme d'affaires Jean-Claude Bemba, qui contrôle une vaste portion de territoire située dans l'ex-Zaïre, juste en face de Bangui, de l'autre côté du fleuve. Les voyous en uniforme qu'il dépêcha en Centrafrique se chargèrent d'y rétablir… le désordre, pillant les maisons, rackettant la population, semant la terreur.

Aussi, lorsque le général Bozize, le 15 mars 2003, revint à Bangui à la tête d'une colonne bien armée, ne trouva-t-il aucun Centrafricain pour s'opposer à sa progression. Il fut, au contraire, accueilli en libérateur. La soldatesque bembiste s'empressa de retraverser le fleuve, et les *supermen* barriliens de regagner leurs tristes pénates parisiens.

« Ce ne fut pas un coup d'État, écrivit quelques jours plus tard l'éditorialiste d'un quotidien de Bangui. Ce fut un coup d'éclat. »

C'est vrai. Bozize avait bien préparé son affaire. Il avait eu l'intelligence d'attendre que les Libyens se retirent, eux et leur quincaillerie lourde. L'intelligence d'attendre que Patassé parte en voyage à l'étranger, emportant avec lui la plupart de ses gardes du corps blancs – ce qui présentait le double avantage de diminuer d'autant les risques d'une éventuelle résistance, et d'écarter, surtout, l'hypothèse d'une bavure toujours possible : il ne fallait qu'en aucun cas Patassé soit tué, même accidentellement, sous peine d'entacher le nouveau régime d'un péché originel indélébile. Il eut l'intelligence, aussi, de choisir pour faire son coup le moment où l'invasion de l'Irak par les troupes anglo-américaines « légitimait », en quelque sorte, les interventions militaires destinées à renverser un dictateur.

L'entrée des troupes de Bozize dans la capitale fut suivie, hélas, de quelques désordres : on assista à d'épouvantables scènes de pillage, qui achevèrent de donner à la ville l'air désolé – c'est un euphémisme – qu'elle a aujourd'hui. Mais comment reprocher à la petite armée de libération de n'avoir pas su empêcher ce que la plus grande armée du monde n'a pas elle-même pu éviter à Bagdad ?

Avec intelligence encore, le tombeur du dictateur, l'exterminateur de l'Ange, a proposé à un homme universellement respecté, le professeur Abel Goumba, de former un gouvernement de transition et de réconciliation. Toutes les forces politiques du pays ont été sollicitées, y compris les proches des anciens chefs d'État : c'est ainsi qu'un des fils de David Dacko a été nommé ministre (du Tourisme et de l'Artisanat). Même l'ancien tyran Kolingba, maintenu en vie grâce à une trithérapie, a été consulté. Deux patassistes, enfin, ont obtenu des strapontins ministériels… Bel œcuménisme !

Il faut absolument que ce gouvernement réussisse. Il faut aider la petite armée centrafricaine à restaurer la paix et la tranquillité. Il faut aider l'État centrafricain à reprendre le contrôle de ses richesses, le diamant et le bois, qui, seul, permettra de redonner vie à une administration délabrée, payer des fonctionnaires affamés et, petit à petit, ressusciter ce joli pays dévasté. En attendant, il faut aider le gouvernement Goumba à assurer les premières fins de mois : à faire, comme on dit, la soudure.

Au lieu de supplier Bush de participer à la reconstruction de l'Irak, aidons Bozize, personnage tout aussi recommandable, à reconstruire la Centrafrique. C'est une tâche davantage à notre portée. Une belle occasion de montrer, quelque part dans le monde, de quoi la France est encore capable. De prouver qu'en Afrique, malgré notre impuissance à résoudre la crise ivoirienne, nous n'avons pas complètement perdu la main. D'offrir, enfin, et pour pas très cher, une vitrine vivante de l'application de nos beaux principes.

Mais attention : il y a urgence. Si le problème des salaires, et donc de la survie, n'est pas réglé rapidement, le réel enthousiasme dont les Centrafricains ont fait preuve à l'arrivée de la nouvelle équipe se transformera en colère, peut-être même en carnage. Et alors, comme l'écrit avec beaucoup d'à-propos Albertine Déigoto dans un de ces petits quotidiens qui pullulent en Afrique (*Le Confident* du 23 avril 2003), « ce sera la merde ».

[Proposé aux deux principaux quotidiens de Paris (*Le Monde* et *Le Figaro*), cette tribune a été jugée « beaucoup trop longue » pour pouvoir être publiée. J'en ai donc rédigé une version beaucoup plus courte, qu'on trouvera pages suivantes.]

IL FAUT SAUVER LE SOLDAT BOZIZE

Tandis que la gigantesque armada ultramoderne de George W. Bush libérait, avec pertes et fracas, l'Irak d'un épouvantable dictateur, le 15 mars dernier [2003], à quelques milliers de kilomètres (et à quelques années-lumière) de là, le modeste bataillon sous-équipé de François Bozize soulageait, en toute discrétion et sans heurts, la Centrafrique d'un bouffon tyrannique.

Beaucoup s'extasièrent sur l'exploit du premier; on ne prêta guère attention à la prouesse du second. Les deux faits d'armes, pourtant, méritent d'être comparés. S'il y a entre eux de tristes similitudes (dans les deux cas, l'entrée des troupes dans la capitale s'accompagna de pillages – auxquels Bozize, quant à lui, sut mettre un terme en quarante-huit heures), il y a surtout une différence fondamentale. Alors que la légalité de l'expédition anglo-américaine laisse, c'est le moins qu'on puisse dire, à désirer, la légitimité de l'opération centrafricaine est plus facilement défendable : c'est une affaire intérieure.

Centrafricain, Bozize a agi en Centrafrique, à la tête de forces centrafricaines. Avec l'aide, c'est vrai, de quelques éléments tchadiens, mais sans l'intervention d'une quelconque puissance étrangère. En tout cas, pas celle de la France, qui a soutenu jusqu'au bout, hélas, le tyranneau local, Ange-Félix Patassé, sous prétexte qu'il avait été élu « démocratiquement » (tu parles!).

C'est d'ailleurs une sorte de fatalité : la France, qui, pourtant, a « fondé » ce charmant petit pays (moins de 4 millions d'habitants) s'y est toujours emmêlée les pinceaux. En y intervenant – tantôt trop, tantôt pas assez, mais toujours mal à propos. En faisant puis défaisant Bokassa. En imposant puis en lâchant Dacko. En soutenant puis en abandonnant Kolingba. En favorisant, enfin, l'installation d'un Patassé dont on savait qu'il ne nous aimait guère, et dont la principale action d'éclat fut, en effet, de nous pousser dehors, de nous encourager à abandonner la base militaire que nous y possédions à Bouar, en pleine brousse, mais stratégiquement située : à quelques minutes, pour nos *Alpha jet*, nos *Jaguar* ou nos *Mirage*, du Tchad, du Gabon, du Cameroun, du Congo et de l'ex-Zaïre.

Que Patassé ait préféré la Libye à la France n'est pas rédhibitoire : c'est d'ailleurs sa souveraineté. Plus graves sont le pillage et le gaspillage, auxquels il s'est livré pendant dix ans, des maigres ressources (le diamant et le bois) de son pauvre pays. Bien que modestes, elles lui auraient permis de payer, au moins, les salaires des fonctionnaires, civils et militaires. Or voici plus de trois ans – oui, trois ans ! – que ceux-ci n'ont pas été versés. Trois années d'arriérés ! Comment s'étonner, dès lors, qu'il n'y ait plus, en Centrafrique, de douanes, plus de gendarmeries, plus d'écoles, plus d'hôpitaux ?

En infligeant ainsi à son peuple une sorte d'embargo intérieur, Patassé a, certes, innové. Il a également réussi à établir un autre point de comparaison avec l'Irak : dix ans de privations !

Mais tandis qu'à Paris même il est devenu de bon ton, de bon aloi de se réjouir de la chute d'un dictateur à Bagdad, rien n'indique qu'on s'y félicite vraiment de celle du despote centrafricain. Tandis qu'on se bouscule, qu'on gesticule dans le (vain) espoir de jouer un rôle dans la reconstruction de l'Irak, on évince – poliment – les demandes d'aide, pourtant mesurées, que le gouvernement de transition nommé par le général Bozize et dirigé par Abel Goumba, un des derniers « vieux sages » d'Afrique francophone (et francophile), est venu nous présenter. On invoque des difficultés budgétaires (qui ne semblent pourtant pas poser de problème en d'autres circonstances), on élude, on tergiverse, on reporte à plus tard : « après les élections » – affectant de croire qu'il est possible d'organiser la démocratie dans un pays où il n'y a plus d'administration territoriale, ni policière, ni judiciaire.

Il ne s'agit pas plus de faire la charité aux Centrafricains que les Anglo-américains ne la font aux Irakiens. Il ne s'agit pas de faire « raquer », une fois de plus, le contribuable français. Il s'agit de passer un contrat. Remettons en route ensemble une exploitation rationnelle et honnête des richesses naturelles de ce pays, sur laquelle nous pourrons consentir quelques avances de trésorerie : de quoi faire face aux urgences, écarter les risques d'émeutes, et pacifier (« sécuriser » comme il faut dire maintenant) le pays, afin de pouvoir organiser, en effet, dans l'ordre et la tranquillité, des élections libres et transparentes.

Au lieu de supplier Bush de nous laisser participer à la reconstruction de l'Irak, aidons le soldat Bozize à reconstruire la Centrafrique. C'est une tâche davantage à notre portée, et dans notre vocation. Une belle occasion de montrer, quelque part dans le monde, de quoi la France est encore capable. De prouver qu'en Afrique, malgré notre impuissance à résoudre la crise ivoirienne, nous n'avons pas complètement perdu la main. D'offrir, enfin, et pour pas cher, une vitrine vivante de l'application de nos beaux principes.

Mais attention il y a urgence. Si le problème des salaires, et donc de la survie, n'est pas réglé rapidement, le réel enthousiasme dont les Centrafricains ont fait preuve à l'arrivée de la nouvelle équipe se transformera en colère, peut-être même en carnage. Et alors, comme l'écrit avec beaucoup d'à-propos Albertine Déigoto dans un de ces petits quotidiens qui pullulent en Afrique (*Le Confident* du 23 avril 2003), « ce sera la merde ».

[Paru (amputé hélas de la dernière phrase) dans LE FIGARO du lundi 23 juin 2003, dans la rubrique *Débats et opinions*.]

L'HEBDO DE « BBY » : PASSOIRE OU PÉPINIÈRE ?

On ne peut pas dire que *Jeune Afrique* soit un magazine spéciale-ment rigolo. On pourrait même dire l'inverse. Sans sombrer dans les excès du fondateur du quotidien français *Le Monde*, Hubert Beuve-Méry, qui conseillait (paraît-il) à ses journalistes de « faire chiant » (*sic*), le fondateur de *Jeune Afrique*, lui, se contente de demander aux siens de faire sérieux. Mais ceux-ci s'exécutent avec tant d'application qu'ils franchissent parfois les bornes...

Des lecteurs s'en émeuvent, s'en plaignent même. Alors, Béchir Ben Yahmed, qui ne s'était rendu compte de rien, car la plaisanterie n'est pas son fort – toutefois, le fait qu'il laisse paraître cette chronique prou-ve qu'il n'en est pas l'ennemi –, se ressaisit : il émaille ses éditoriaux de citations savoureuses, d'anecdotes amusantes (mais toujours authen-tiques, voire historiques : même dans le divertissement, il convient de rester sérieux). Et va jusqu'à ordonner, quand bien même cela lui répu-gne un peu, la création de rubriques spécialisées : « Humour » ou « Sourire ».

À propos d'anecdotes, connaissez-vous celle-ci, parfaitement authentique et même – que BBY se rassure – historique ? À l'Assemblée nationale (française), un député un peu trop véhément se fait rappeler à l'ordre : « S'il vous plaît, un peu de tolérance » demande le président au parlementaire, qui rétorque aussitôt : « La tolérance ? La tolérance ! Il y a des maisons pour ça ! »

À *Jeune Afrique*, avec l'humour c'est un peu la même chose : il y a des rubriques « pour ça ». Mais elles ne durent jamais très longtemps. Comme les bonnes blagues ne font pas vraiment partie de la culture-maison, les rubriques créées pour égayer le magazine perdent bientôt leur régularité... Elles s'espacent, et finissent par disparaître. Jusqu'aux prochaines protestations des lecteurs...

C'est d'ailleurs, soit dit en passant, le sort de bien des rubriques de *Jeune Afrique*, et il faut rendre hommage à son fondateur d'avoir réel-lement innové, d'avoir véritablement inventé une nouvelle forme de presse en réalisant, depuis plus de trente ans, un périodique (presque) entièrement composé de rubriques épisodiques...

Heureusement, il y a tout de même dans *Jeune Afrique* matière à plaisanterie ; il y a une rubrique (la seule, d'ailleurs, qui soit parfaitement régulière, rigoureusement inamovible) sur laquelle se précipitent tous ceux qui croient avoir de l'humour : c'est le générique. Vous savez, ce coin de magazine où sont entassés les noms des collaborateurs : dirigeants, journalistes, publicitaires, voire secrétaires, coursiers et balayeurs. Dans certains journaux, on appelle ça « l'ours », en souvenir des temps lointains où les quotidiens (français) avaient obligation de reproduire le logo (qui ressemblait, dit-on, à un petit ours ! ?) du très puissant syndicat ouvrier dit « du Livre » bien qu'il n'eût strictement rien à voir ni avec la Bible ni avec le Coran.

Dans la plupart des hebdos, cet ours, ce générique, n'occupe qu'un petit encadré. À *Jeune Afrique*, il a pris petit à petit l'ampleur d'une demi-page – parfois même de toute une page ! –, non pas tant à cause de l'abondance de son personnel, plutôt réduit à son strict minimum, qu'à la prodigieuse complexité de son organigramme. C'est, pour les amateurs, un premier sujet de divertissement et de plaisanterie. Le second motif de rigolade, c'est sa formidable mobilité, son extravagante instabilité. Le générique de *Jeune Afrique*, c'est vrai, et cela amuse le petit Landerneau du journalisme africain et africaniste, est un charivari permanent, une valse perpétuelle ; il est en bouleversement continu.

Moi, ça ne me choque pas. Ces changements incessants prouvent au moins que ça bouge, qu'on ne s'y encroûte pas, que le magazine est vivant, qu'il ne s'enlise pas dans le marécage des habitudes, dans le train-train quotidien qui est le pire ennemi du journalisme. Cela prouve qu'on y conserve une certaine fraîcheur, une rapidité de réflexe, une sensibilité à l'actualité qui font les bons magazines. Cette capacité à se renouveler, à mes yeux, c'est plutôt un signe de santé.

Mais je comprends que les employés du groupe aient une autre vision des choses. D'autant que, souvent, c'est en examinant le générique qu'ils découvrent une promotion ou, plus fréquemment, une disgrâce. Béchir Ben Yahmed se conforme là à une vieille tradition africaine. En Afrique, en effet, c'est à la radio, en général, que les ministres apprennent leur nomination... ou leur « démission ».

Si la lecture du générique de *J.A.* n'est donc pas désopilante pour tout le monde, elle fait glousser, en revanche, l'ensemble de la profession. Elle déclenche, chez la plupart de mes confrères (qui ne sont pas souvent des frères, mais fréquemment, c'est vrai, des…) une franche hilarité. Pourquoi? Pour eux, *Jeune Afrique* est une sorte de hall de gare, où l'on ne fait que passer. Plus marrant encore: « *Jeune Afrique* est une passoire ».

Primo, ce n'est pas très drôle. *Secundo,* c'est faux. La preuve la plus éclatante en est donnée par Aldo de Silva, le directeur artistique du groupe, qui était là quasiment à la fondation de *Jeune Afrique,* et qui y est toujours! Il n'est pas un cas unique. On compte par dizaines les collaborateurs de *J.A.* qui y sont restés cinq ans, dix ans, vingt ans. Il y a aussi ceux qui y ont été, en sont partis, et y sont revenus. Ceux qui, sans jamais y être tout à fait, se sont débrouillés pour n'en être jamais non plus tout à fait absents. Et puis il y a ceux, plus nombreux encore, qui, sans y être restés une éternité, y sont toujours fidèles. Ça fait du monde, en effet! Dans ce formidable brassage, on peut voir une preuve d'instabilité. Moi, j'y verrais plutôt un signe de vitalité. Pour moi, *Jeune Afrique* n'est pas un simple lieu de passage, c'est un prodigieux bouillon de culture, une véritable pépinière.

À ne m'en tenir même qu'à ma petite expérience personnelle, la démonstration est éclatante. Je suis resté à *Jeune Afrique* sept ans. Non pas sept ans de malheur mais au contraire sept ans de vrai bonheur. Car il ne faudrait pas croire, après tout ce que j'ai pu raconter au début de ce papier, que ce soit triste de faire un journal sérieux. C'est tout le contraire. Il y a quelque chose de gai, de joyeux, et même de carrément jubilatoire à faire un bon journal. En sept ans, c'est fou le nombre de célébrités (ou de futures célébrités) du journalisme (ou annexes) que j'ai vu défiler dans les bureaux et les couloirs de *Jeune Afrique*: Hervé Bourges, Gilbert Comte, Siradiou Diallo, Ania Francos, Philippe Grumbach, Jean Lacouture, (Jean-Jacques) Loup, Françoise Prévost, Jean-Pierre Sereni, Guy Sitbon, Jean Ziegler – sans parler de ceux qui m'ont précédé ou succédé.

Je suis entré à *J.A.* début mars 1968, pour remplacer un certain André Bercoff. J'en suis parti fin février 1975, où m'a succédé un peu plus tard un certain Amin Maalouf. Tous deux étaient, à l'époque des faits, à peu près inconnus; sauf peut-être dans leur pays d'origine (le Liban) où ils avaient tous deux déjà mené une brillante carrière journalistique. Tous deux sont devenus célèbres après leur passage à *Jeune Afrique*. L'un pour ses pastiches brillants, ses livres surprenants, ses pitreries intellectuelles. L'autre pour sa patiente construction d'une œuvre littéraire de qualité (« Léon l'Africain », « Le Rocher de Tanios », prix Goncourt 1993, etc.).

Que *Jeune Afrique* soit une pépinière, on ne s'en aperçoit, bien sûr, qu'après coup. Lorsque les jeunes pousses vont développer leurs branches, faire éclore leurs boutons et mûrir leurs fruits ailleurs. Cette formidable richesse, je n'en ai pris, pour ma part, réellement conscience que tout récemment. Et de la façon la plus brutale qui soit : dans la rubrique nécrologique du *Monde* qui, en janvier dernier (1996), a annoncé, coup sur coup, la mort de deux de mes anciens collaborateurs. Deux types épatants, devenus tous deux les meilleurs de leur spécialité, restés de merveilleux amis bien après leur départ (et le mien) de *Jeune Afrique* : Philippe Constantin (dont *Le Monde* a annoncé le décès le 6 janvier) et Roman Cieslewicz (*Le Monde* du 24 janvier).

Philippe Constantin était, au moment de sa mort, le 3 janvier dernier (il avait 51 ans), un des papes de l'industrie musicale « française ». Il avait fait ses premières armes chez Pathé Marconi, où il était entré, tout en donnant ses premières lignes à *Jeune Afrique*, en 1968.

Philippe était doué pour grimper non seulement sur les barricades, mais également les échelons de la hiérarchie. Recruté pour gérer le catalogue international de Pathé EMI (il fait alors découvrir aux Français le groupe Pink Floyd), il est bientôt promu directeur des Éditions Pathé-Marconi, puis producteur (il lance Jacques Higelin, le groupe Téléphone, les Rita Mitsouko, et tant d'autres). Dix ans plus tard, il créé Virgin France, puis prend la direction de Barclay, avant de se lancer, en 1990, dans une nouvelle aventure, avec Polygram...

Ce Français de la France profonde avait une passion pour l'Afrique. Toute sa vie, il s'est attaché à faire connaître en Europe la musique africaine : c'est lui qui a lancé en France les Mory Kante, les Salif Keita (pour ne parler que des plus connus). Il avait épousé une Africaine. Et, au moment où il est décédé, des suites d'une maladie « africaine » (une crise de paludisme), il venait de lancer une nouvelle marque, baptisée – tenez-vous bien – « Sankara » !

On reconnaît bien là sa vieille tentation révolutionnaire. Philippe Constantin se reconnaissait deux « parrains » : John Lennon... et Che Guevara. Un cocktail explosif, en effet. Mais tout l'art, tout le charme de Philippe résidait, justement, dans sa façon si personnelle de gérer ses contradictions. Ce trotskyste-rock était diplômé d'HEC. Ce passionné affectait la lassitude. Ce doux était un dur (et l'inverse). Ce contestataire était un organisateur. On l'a compris : j'aimais beaucoup Philippe Constantin.

Je l'avais recruté à *Jeune Afrique* lorsque Béchir Ben Yahmed m'avait chargé, en pleine fête soixante-huitarde, de redonner vie aux pages culturelles de son magazine, livrées depuis trop longtemps à l'abandon. Je m'étais alors entouré d'une équipe de « pigistes » de choc : Philippe Constantin y était chargé de la musique, bien sûr ; Chérif Khaznadar (aujourd'hui directeur de la Maison des Cultures du Monde) du théâtre, et Ferid Boughedir (aujourd'hui un des plus célèbres réalisateurs arabes) du cinéma ! Qui dit mieux ?

Roman Cieslewicz est mort le 21 janvier, d'un infarctus, à l'âge de 66 ans. Trois ans auparavant, le Centre Pompidou, à Paris, avait organisé en son honneur une vaste rétrospective de son œuvre, si riche, si diverse – mais en même temps si compacte, si cohérente, si reconnaissable – d'affichiste, de graphiste et d'illustrateur. Une consécration : très peu d'artistes ont droit, de leur vivant, à un tel hommage.

Un pan de mur, dans cette exposition, attirait tout spécialement le regard. Composé d'une juxtaposition de planches en noir et blanc, noir et rouge, rouge et blanc, c'était comme l'étalement, l'étalage d'un livre. D'un livre sans texte. Pas une phrase, pas un mot. Juste un titre, un cri : « Che ». Une sorte de gigantesque icône à la gloire de Guevara – encore lui ! – qui fut décidément le révolutionnaire le plus chic du siècle, et l'un des emblèmes les plus forts des générations soixante-huitoïdes...

En se rapprochant pour lire la minuscule étiquette apposée près de l'œuvre, on pouvait découvrir qu'il s'agissait bien du développement des pages d'un livre. D'un livre édité dans les années soixante-dix par... *Jeune Afrique* !

J'avais fait la connaissance de Roman Cieslewicz peu de temps après son installation en France, dans les années 1965-1966. Il arrivait de Pologne et avait trouvé refuge (et emploi) auprès d'un des meilleurs *art directors* d'Europe, le Suisse Peter Knapp, qui assurait alors la direction du magazine féminin *Elle*. Séduit par la simplicité et la force de son travail graphique, je lui avais demandé de réaliser des illustrations pour les livres que je publiais : j'ai été, je crois, le premier éditeur à faire appel à ses services. Beaucoup d'autres ont suivi : Christian Bourgois, qui lui confia de nombreuses couvertures pour la collection de poche 10-18 ; Hachette, qui lui demanda de *relooker* la couverture des *Guides Bleus* ; etc. Puis ce furent les agences de publicité, les journaux, les musées, le Centre Pompidou : la fortune et la gloire...

Très vite, nous nous sommes liés d'amitié. Il était difficile, en effet, de ne pas succomber au charme de ce personnage, de son accent, de ses yeux bleus, de sa franchise directe, de sa générosité un peu bourrue – et surtout, de son immense talent, puissant et inépuisable. On l'a compris : j'aimais beaucoup Roman Cieslewicz.

C'est donc tout naturellement que je l'ai traîné avec moi à *Jeune Afrique* lorsqu'en 1968 Béchir Ben Yahmed me proposa de venir m'occuper des pages culturelles de son magazine, puis des *cover-story*, puis de l'ensemble de la rédaction.

Une des urgences auxquelles je crus devoir faire face, en effet, fut de donner au magazine un peu plus de force visuelle. Je fis appel à plusieurs créateurs : graphistes, maquettistes, illustrateurs. Roman Cieslewicz fut le seul qui trouva grâce aux yeux du directeur artistique, l'inamovible Aldo de Silva, déjà cité.

Ce dernier me soutint, heureusement, lorsque je voulus renforcer la présence de l'image dans le magazine, et fis appel non seulement à Cieslewicz, mais à quelques jeunes photographes alors inconnus (Guy Le Querrec) ou débutants (Abbas), devenus tous deux des stars du photojournalisme et des piliers des agences les plus prestigieuses du monde.

On trouvera peut-être que, dans cette chronique, sous prétexte de faire l'éloge des autres, je me suis surtout beaucoup vanté moi-même. Et bien oui, je l'avoue : je ne suis pas peu fier. Non seulement d'avoir su détecter et attirer tant de personnalités talentueuses, d'avoir su conserver leur estime et leur amitié ; mais d'avoir, tout simplement, travaillé à *Jeune Afrique*.

[Paru dans JEUNE AFRIQUE n° 1860 (28 août au 3 septembre 1996).]

LA REVUE PLURIELLE DE « BBY »

Voilà un demi-siècle qu'il en rêve, un quart de siècle qu'il y pense et près d'une décennie qu'il y travaille. Après avoir créé, en 1960, le premier magazine panafricain de langue française – *Jeune Afrique* –, Béchir Ben Yahmed lance aujourd'hui la première revue internationale francophone.

Son titre, cette fois, ne fera pas scandale. On ne peut pas faire plus court, plus sobre, plus laconique : elle s'appelle *La revue*, tout simplement. Mais avec une majuscule à l'article, afin de bien montrer qu'elle n'est pas une revue quelconque : elle est La revue. *The big revue.*

Si je parle de scandale, c'est que le lancement d'aujourd'hui a été précédé d'essais, de tentatives, de brouillons qui ont déclenché, en effet, pas mal de vacarme. Au départ, l'idée de Béchir Ben Yahmed était assez simple : elle consistait à mettre à la disposition des lecteurs de langue française l'équivalent de l'excellente revue américaine *Foreign Affairs* – une revue de très haut niveau dans laquelle des gens aux compétences indiscutables expliquent le monde à leurs contemporains. Pour dire les choses encore autrement : une revue « intelligente » – dans les deux sens du terme : c'est-à-dire facilitant intelligemment l'intelligibilité du monde.

Ayant décidé de prendre un peu de champ, et cédé à des successeurs (choisis par lui) la direction de la rédaction de son hebdomadaire, le fondateur de *Jeune Afrique* crut disposer alors de suffisamment de temps pour s'atteler à la création de la revue de ses rêves : en juin 2003 sortait le premier numéro d'un trimestriel dont tout le monde salua l'exceptionnelle qualité rédactionnelle et artistique, mais dont le titre, *La revue de l'intelligent* provoqua, je l'ai dit, incompréhension, moqueries ou protestations. Il fallut réagir, expliquer, convaincre. Le meilleur des arguments en la matière consiste à donner aux lecteurs un contenu en amélioration constante, tâche dont s'acquitta brillamment un rédacteur en chef nommé par Ben Yahmed, écrivain et ancien éditeur, l'excellent Jacques Bertoin (décédé, hélas, en 2008).

De numéro en numéro, d'ajustements en perfectionnements, la formule évolua. Le format gagna quelques centimètres, la périodicité s'accéléra (bimestrielle à partir de 2006), et le titre se clarifia, pour devenir, jusqu'au mois dernier, explicite à l'extrême : *La revue pour l'intelligence du monde*. Difficile d'être plus clair, en effet. Sauf qu'un titre interminable n'est pas un titre : c'est une phrase, une formule, un slogan.

En devenant désormais mensuelle, la publication affûte son titre, qui devient, je l'ai dit, *La revue* tout court, « pour l'intelligence du monde », n'étant plus qu'un sous-titre, une sorte de rappel des buts et fonctions de cette nouvelle formule, dont Béchir Ben Yahmed en personne assume la rédaction en chef.

Une nouvelle revue, une de plus : pour quoi dire, pour quoi faire ? N'y a-t-il pas un paradoxe à vouloir lancer aujourd'hui un titre alors que la presse écrite connaît, dans le monde entier, une crise sans précédent, probablement mortelle pour une grande partie des quotidiens et hebdomadaires, tués en effet par l'information immédiate, en ligne, simultanée à l'événement. L'internet, par sa rapidité, son universalité et son incroyable diversité, ne rend-elle pas désuète, caduque, inutile de nos jours tout autre moyen de communication ?

Notre opinion est que : justement non ! Au contraire ! Trop d'informations tuent l'information, ou du moins la compréhension. Un proverbe africain dit que trop d'eau ne désaltère pas : elle noie. La sagesse populaire vient ici à la rescousse des penseurs de la médiologie : au lieu d'irriguer, l'abondance des sources finit par inonder. De même, la surabondance de nouvelles souvent inidentifiables, et donc invérifiables, rend paradoxalement le monde illisible. Dans cette confusion générale, cette cacophonie universelle, créatrices de troubles et de désarrois, un peu de recul, de réflexion, d'explication sont plus que jamais nécessaire. C'est ce que *La revue* se propose d'apporter, en s'appuyant sur une équipe de collaborateurs choisis pour leur compétence et leur expérience.

La revue s'adresse à un public francophone, mais ce n'est pas pour autant une revue française : c'est une revue internationale de langue française. Pour mieux expliciter cette réalité, le comité de rédaction constitué par Béchir Ben Yahmed a longuement recherché un exergue, une citation. Quelqu'un a suggéré « le centre du monde est partout ». C'est l'idée, en effet, mais la formule est déjà prise. Une proposition a alors surgi, que je trouve, pour ma part, carrément géniale, car elle dit tout sans grands effets de manche. Elle consiste tout simplement à mettre au pluriel les titres des sections qui composent cette revue plurielle. Ce sera donc les politiques (et non la politique), les économies, les sciences, les cultures, les sociétés. En quelque sorte, des revues en une seule.

[Paru sous le titre « *La revue* au pluriel » dans JEUNE AFRIQUE n° 2569 (4 au 10 avril 2010).]

« LE PETIT PRINCE » AU SOMALILAND

Est-ce parce qu'ils s'ennuient chez eux ? Parce qu'ils s'y sentent un peu à l'étroit ? Parce que leur pays est trop calme, trop sage, trop tranquille ? Toujours est-il que les Suisses sont parmi les plus grands fournisseurs mondiaux d'aventures extraordinaires, d'exploits inouïs, de challenges improbables.

Le premier homme à avoir réussi un tour du monde sans escale en ballon est un Suisse. Il s'appelle Bertrand Piccard. Après avoir tenu son pari (en 1999), il s'apprête aujourd'hui à entamer un autre tour du monde, avec cette fois un avion de son invention fonctionnant sans autre carburant que l'énergie solaire !

Le premier homme volant à être parvenu à traverser la Manche muni d'une simple aile dorsale (équipée, il est vrai, d'un réacteur !), Yves Rossy, est Suisse lui aussi.

Plus paradoxal encore : c'est une équipe suisse, le team Alinghi, qui a réussi à construire le voilier le plus rapide du monde et à battre ainsi tous les rois de la mer : pas tout à fait banal de la part d'un pays ne disposant d'aucune façade maritime.

Les récits des exploits de ces trois prodigieux Helvètes ont été publiés par un éditeur – suisse, bien sûr – qui est lui aussi, dans le bon sens du terme, un grand aventurier. Pierre-Marcel Favre, pilote d'avion, amateur de belles voitures (et de belles femmes – ce qui, paraît-il, va avec) est en effet un des rares hommes au monde à avoir mis les pieds au moins une fois dans un peu près tous les pays membres des Nations Unies : en tout cas, plus de cent, sur les cinq continents.

Le plus récent de ses voyages n'est pas le moins original, car il l'a mené dans un pays… qui n'existe pas : le Somaliland. Sans se lancer ici dans un long exposé, deux mots d'explication. La Somalie officielle, celle que reconnaît l'ONU, est née en 1960 de la fusion de deux colonies : l'une italienne, l'autre britannique. Lorsque la folie meurtrière s'est emparée de ce pauvre pays, les ex-Britanniques ont préféré laisser leurs cousins ex-Italiens se chamailler entre eux. En 1991, ils ont proclamé leur indépendance, sans obtenir la moindre reconnaissance internationale, mais beaucoup mieux que cela : la paix intérieure. Tandis que les premiers, toujours en proie à des désordres sanglants, laissaient leurs rivages se transformer en côte des pirates, les seconds, au contraire, instauraient dans leur républiquette un régime pacifique. « Et même démocratique, ajoute Pierre-Marcel Favre, puisque des élections bien organisées viennent de remercier l'ancien président, Dahir Riyale Kahin, qui a reconnu sa défaite. »

Comme tout État digne de ce nom, le Somaliland (entre trois et quatre millions d'âmes, réparties sur un territoire grand comme trois fois la Suisse), possède son drapeau, son armée – et même sa monnaie. Hélas, les caisses sont vides, et les salaires des fonctionnaires n'ont pas été payés depuis des lustres.

Pour se rendre dans cet étrange pays, il faut en avoir vraiment envie. Obtenir un visa dans la seule « ambassade » dont il dispose en Europe : à Londres, naturellement. Se poser à Djibouti, seule porte d'entrée possible, et de là gagner la « capitale », Hargeisa. « Deux solutions, explique Favre : ou bien se taper dix à quinze heures de route – enfin, si on peut appeler ça une route –, ou bien prendre le risque de voler pendant 35 minutes dans l'unique avion de la seule compagnie locale, un Iliouchine 18 en ruine. »

Quel irrépressible besoin, quelle irrésistible motivation ont donc poussé cet éditeur paisiblement installé à Lausanne, au bord d'un lac où il n'y a jamais le feu, à se rendre dans un des endroits les plus inaccessibles et les plus misérables de la Corne de l'Afrique ?

Y apporter des livres !

La réponse a l'air d'un gag – mais ce n'est pas du tout une plaisanterie.

Un jour, Pierre-Marcel Favre rencontre un collectionneur un peu fou (comme tous les collectionneurs) mais aisé (c'est toujours mieux pour enrichir une collection), l'entrepreneur Jean-Marc Probst. Grand voyageur – on pourrait même dire bourlingueur – ce dernier est tombé, encore enfant, amoureux d'un des plus jolis textes de la littérature française du XXe siècle : « Le Petit Prince », un conte écrit et dessiné par Antoine de Saint-Exupéry – un sacré bourlingueur lui aussi. Probst a commencé par acheter les différentes éditions de ce livre aux multiples rééditions, en différents formats, puis en différentes langues. Cette accumulation a fini par déboucher sur une véritable collection : plus de mille volumes ! Non content d'entasser ainsi les versions produites un peu partout dans le monde, Probst a voulu – comportement typique d'un collectionneur – combler les manques, remplir les trous : autrement dit, susciter les traductions dans les quelques langues, idiomes ou dialectes dans lesquels « Le Petit Prince » n'avait pas encore été adapté. Ce qui était le cas de la langue somali – jusqu'à ce que Probst et Favre s'entendent pour mettre un terme à cette insupportable anomalie.

Une fois l'autorisation de la famille Saint-Ex obtenue et le texte traduit (par Abdulghani Gouré Farah, auteur d'un dictionnaire français-somali), restait à imprimer le bouquin. Un jeu d'enfant pour Favre qui, en amateur d'expériences rares, décida d'aller livrer lui-même la totalité du tirage * à ses bénéficiaires : les enfants des écoles du Somaliland.

Les deux compères, Favre et Probst, chargés de leurs caisses de bouquins, ont été accueillis à bras ouverts, fin août 2010, par la ministre de l'Éducation, Samsam Cabdi Aadan, une des trois femmes d'un gouvernement composé d'une vingtaine de ministres, qui va répartir le trésor entre les quelque 2 500 enseignants (dont les salaires n'ont pas pu être versés depuis plusieurs mois) que compte le pays.

Antoine de Saint-Exupéry avait imaginé la rencontre entre un aviateur perdu dans le désert et un petit prince tombé de son astéroïde, sans deviner qu'un aviateur suisse atterrirait un jour avec son livre dans une planète étrange appelée le Somaliland.

[Paru dans LA REVUE n° 6 (octobre 2010).]

---

* Il est toutefois possible de se procurer un exemplaire de cet ouvrage par internet, au prix de 14 € sur le site www.editionsfavre.com.

bibliographie

collection *caracole*
(première manière)

Les sorciers prétendent que les chats ont sept vies. Bien que consacrée exclusivement au cheval, la collection caracole *en a vécu, quant à elle, au moins deux (on pourrait même dire trois, voire quatre).*

Par référence, et en hommage, à François Baucher, dont la Méthode a été radicalement modifiée après qu'il ait été victime d'un grave accident (en mars 1855, l'énorme lustre de son manège lui était tombé dessus), j'ai repris, pour distinguer ces deux vies, ces deux périodes, l'expression de première, puis seconde « manière ».

Dans l'enthousiasme, la première manière fut peut-être un peu échevelée, un peu désordonnée : tel un poulain fringant, tirant dans tous les sens. Manuels pratiques, livres d'art, traités d'équitation et d'attelage, précis vétérinaires, récits, essais : au début, tout me semble bon, intéressant, indispensable.

Créée en 1986, la collection se compose déjà d'une trentaine de titres lorsque, courant 1990 (tandis que je baguenaude avec mes deux trotteurs, Prince de la Meuse et Robin, quelque part entre Paris et Moscou), Pierre-Marcel Favre accepte l'offre d'achat de sa maison par des financiers soutenus, disent-ils, par le Crédit Agricole. Ayant déjà acquis quelques joyaux de l'édition parisienne, ils ont baptisé leur entreprise d'un drôle de nom : le groupe Sphère.

Hélas, cette sphère n'était qu'une bulle. Elle éclate un an à peine plus tard. C'est tout juste si j'ai eu le temps de convaincre les nouveaux dirigeants d'enrichir caracole *de deux ou trois titres, et c'est déjà la faillite du groupe. Patatras ! Le lustre (la sphère) me tombe sur la tête !*

Mon ami Thierry Verret, propriétaire d'un groupe prospère (les éditions Lamarre) vient à mon chevet, et me permet de maintenir caracole *en vie (quatre volumes paraîtront ainsi sous ce label) jusqu'au retour de Favre.*

Ce sera, alors, une renaissance, une réincarnation : une seconde manière.

P. Leurot
LE LIVRET DU BOURRELIER-SELLIER-HARNACHEUR
manuel pratique

(présenté par François Rivet)
150 x 235 mm / 190 pages
ISBN 2-8289-0260-9 (1986)
[Cet ouvrage a été réédité à diverses reprises, en particulier en 1991, sous l'ISBN 2-8289-0511-X]

François Rivet, qui a eu l'idée de rééditer ce manuel introuvable, le qualifie dans sa préface de véritable « bible ». On peut le croire.

Artisan sellier-bourrelier, François Rivet est le créateur de nombreux articles originaux, telles ses célèbres bottines de soins pour chevaux ou ses sacoches de randonnée en kit, réalisées à la demande de l'Association Nationale de Tourisme Équestre (ANTE).

Surtout, il enseigne depuis plus de dix ans le travail du cuir au Centre d'enseignement zootechnique de Rambouillet et dirige depuis 1979 des stages, aussi bien pour des enfants du primaire (en techniques d'éveil) que pour des adultes désireux de pouvoir réparer euxmêmes un licol, recoudre une matelassure ou rallonger une muserolle…

Il est aujourd'hui chargé de la reconversion à la sellerie d'anciens lads et jockeys dans un Atelier Protégé situé à Chantilly, au cœur du plus grand centre d'entraînement de chevaux de course du monde.

Il a aussi initié à la sellerie-bourrellerie plusieurs centaines de personnes à une époque où, paradoxalement, cette activité passe pour révolue !

Cette expérience pédagogique unique en France aurait autorisé François Rivet à rédiger son propre manuel. Il a eu l'humilité et l'honnêteté de s'effacer derrière un grand maître, Leurot, l'auteur du présent traité, édité en

1924 et réédité ici en fac-similé, estimant qu'il n'était pas possible d'être plus clair, ni plus complet. Ni surtout, plus fidèle à une tradition, une technique, un savoir-faire séculaires.

Isabel Domon
et Pierre-André Poncet
CH comme CHEVAL
150 x 235 mm / 248 pages
ISBN 2-8289-0248-X (1986)

S'il y a trop de vaches, trop de lait, trop de viande en Suisse, il n'y a par contre pas assez de chevaux. Il faut en importer chaque année 2 500 pour les seuls besoins des sports équestres... L'équipe helvétique de concours hippique, une des meilleures du monde, est remontée en chevaux venus des quatre coins d'Europe – jamais en chevaux suisses. La confédération n'est pourtant pas inapte à l'élevage : de très grands champions sont sortis des pâturages helvétiques, tel Valido CH vainqueur à Aix-la-Chapelle, en 1985.

Alors, où est le problème ? C'est d'abord, répondent les auteurs de ce livre, une question d'organisation : en Suisse, un véritable fossé sépare encore le sport hippique (consommateur) et le monde de l'élevage (producteur). C'est aussi, et surtout, un problème de sélection, qu'il est urgent de baser sur le seul critère vrai : les performances. Mais pour cela, encore faudrait-il disposer des sources de renseignements nécessaires. Or, en Suisse, ces sources n'existent pas.

Ou du moins, n'existaient pas jusqu'à la parution de ce livre qui fournit, comme le remarque dans sa préface le célèbre professeur Gerber « pour la première fois une échelle objective pour l'évaluation des étalons suisses ».

Il fallait, pour réaliser ce travail monumental, toute la passion d'Isabel Domon, 34 ans, cavalière émérite et grand reporter à *24 heures*, le quotidien lausannois. Et tout le sérieux de Pierre-André Poncet, 37 ans, éminent vétérinaire équin et très récent directeur du Haras fédéral d'Avenches. Il n'est d'ailleurs pas sans intérêt de noter que sa nomination à la tête de la principale institution chevaline de Suisse est postérieure à la rédaction de ce livre, qui se trouve ainsi propulsé à la « dignité » de manifeste ou en tout cas de livre-programme.

Plus modestement, les auteurs ont voulu, avec ce guide pratique de l'éleveur suisse, jeter les bases scientifiques à l'amélioration du cheval de sport helvétique, et contribuer à imposer sur le plan mondial le label CH.

François Nadal
avec la collaboration
de Nicole Bernheim
CES CHEVAUX QUI FONT DU CINÉMA
(préface de Philippe Noiret)
150 x 235 mm
172 pages + cahier photos de 12 p.
ISBN 2-8289-0246-3 (1986)

La fabuleuse course de chars de « Ben Hur », c'est lui. Les folles cascades de « Fanfan la Tulipe », c'est lui. Les furieuses charges de cavalerie dans l'« Austerlitz » d'Abel Gance, c'est encore lui. Le steeple délirant du dernier « James Bond », c'est toujours lui !

François Nadal est dresseur (il n'aime pas beaucoup ce mot) de chevaux de cinéma. Un des rares spécialistes mondiaux.

En trente-sept ans de métier, il a réglé les séquences équestres de plus de cent cinquante films ; il a mis à cheval quelques-uns des plus grands comédiens français – de Gérard Philipe à Gérard Depardieu, de Jean Marais à Jean Rochefort – et travaillé avec les principaux réalisateurs du cinéma international.

C'est cette expérience unique qu'il raconte ici à Nicole Bernheim.

Ceux qui aiment le cinéma y trouveront un récit grouillant d'anecdotes savoureuses vécues de l'intérieur. Ceux qui s'intéressent au cheval y trouveront non seulement mille conseils pratiques, mille « petits secrets », mais mieux encore : la magistrale leçon d'un homme exceptionnel qui sait « parler cheval ».

René Bacharach
RÉPONSES ÉQUESTRES
205 x 240 mm / 176 pages
ISBN 2-8289-0262-5 (1986)

La quintessence de la littérature équestre, par celui qui fut le confident de tous les grands écuyers du siècle : un « must ». Une immense culture au service d'une longue expérience.

Jean Deloche
LE CHEVAL
et son harnachement
DANS L'ART INDIEN
(en coédition avec l'École Française d'Extrême Orient ;
préface de Jean-Pierre Digard)
215 x 300 mm / 96 pages
ISBN 2-8289-0261-7 (1986)

Des attelages de guerre aryens aux somptueuses exhibitions équestres du Grand Moghol : plus de vingt siècles d'utilisation du cheval. Des milliers de figurations retrouvées et étudiées par un chercheur ayant sillonné l'Inde pendant dix-huit ans. Un texte essentiel que rehausse une merveilleuse iconographie.

Eugène Daumas
LES CHEVAUX DU SAHARA
150 x 235 mm / 492 pages
ISBN 2-8289-0258-7 (1986)
[Cet ouvrage a été publié en coopération avec les Guides Équestres de Caroline Elgosi, qui a procédé par la suite à plusieurs réimpressions]

L'ouvrage que voici est un grand Classique. Un chef-d'œuvre, tel que la littérature équestre en produit bien peu. Un livre que tout homme de cheval en tout cas « doit connaître », comme l'affirme l'auteur d'une célèbre bibliographie hippique, Mennessier de la Lance.

En 1851, le Général Melchior-Joseph-Eugène Daumas, chef du Service de l'Algérie au ministère de la Guerre publie un ouvrage consacré au « Chevaux du Sahara », remar-quable recueil des observations que ce cavalier attentif et ouvert put faire au cours de sa longue carrière en Afrique du Nord, tant sur les chevaux « orientaux » que sur les traditions hippiques des Arabes.

Il a alors la très bonne idée d'en adresser un exemplaire à son ennemi d'hier, pour lequel il avait fini par nourrir une profonde estime, voire de l'admiration – il en était digne, en effet : l'Émir Abd el-Kader, fin politique, juriste éminent, religieux cultivé et, on le verra, grand hippologue.

L'Émir, qui est alors en France, plus ou moins prisonnier, prend le Général au mot et lui transmet, chapitre par chapitre, ses commentaires. Ils ont tant d'intérêt, ils dénotent une telle culture à la fois islamique et hippiatrique que Daumas, devenu entre-temps Conseiller d'État et Directeur des Affaires de l'Algérie, décide en 1853 de rééditer son livre, « augmenté de nombreux Documents par l'Émir Abd el Kader ».

Cet ouvrage, aujourd'hui presque introuvable (sauf à des prix… bibliophiliques !) est une véritable anthologie de la connaissance du cheval par les anciens Arabes, qu'il faut placer au même niveau que les deux Classiques du XIVᵉ siècle : « el Naceri », écrit par Abou Bekr Ibn Bedr pour le sultan d'Égypte el Nacer, et « la Parure des Cavaliers et l'Insigne des Preux » écrit par un Andalou, Ibn Hodeil.

C'est ce livre que nous rééditons aujourd'hui en fac-similé, tel qu'il fut publié en 1853. Seule diffère de l'édition originale la couverture sur laquelle nous n'avons pas pu résister au plaisir de reproduire le magnifique tableau d'un peintre contemporain des auteurs, Alfred De Dreux, intitulé « Cheval d'Abd el Kader et son Saïk », et que nous avons « retrouvé » par hasard en 1985 dans une galerie d'art… à Londres (!)

Collectif
LE GRAND LIVRE
DU CHEVAL EN ALGÉRIE

215 x 300 mm / 120 pages
ISBN 2-8289-0259-5 (1986)

Tout sur le cheval au pays de Massinissa et d'Abd el Kader : les grandes races (le pur-sang arabe, le barbe), les haras (Tiaret) ; les courses, la fantasia, les sports équestres. Un beau livre pour un grand sujet.

Dominique Giniaux
SOULAGEZ VOTRE CHEVAL
AUX DOIGTS
(…ET À L'ŒIL !)

(préface de Jean Plainfossé)
150 x 235 mm / 132 pages
ISBN 2-8289-0257-9 (1986)
[Cet ouvrage a connu depuis de nombreuses rééditions. Il est disponible aujourd'hui aux éditions Equilivres (*Cheval magazine*)]

On a déjà écrit et on écrira encore de nombreuses pages sur l'action de la main chez le cavalier. Cet ouvrage en présente un aspect très intéressant et encore trop peu connu. L'action dont il s'agit se situe dans un domaine tout à fait différent et devrait être connue de toute personne s'occupant de chevaux. De même que la main du cavalier contribue à l'équilibre du cheval monté, la main de l'homme de cheval peut contribuer efficacement à maintenir cette autre forme d'équilibre qu'est la santé. Par une méthode simple mais néanmoins précise établie d'après les règles de l'acupuncture, le Dr Giniaux met à la disposition de tous ceux qui s'intéressent aux chevaux un moyen d'enrayer des affections parfois graves sans le secours d'aucun médicament.

Appliquez vous-même les principes de l'acupuncture et de l'auriculothérapie : vous faciliterez la guérison de nombreuses coliques, boiteries, affections diverses.

À Chantilly, dans les grandes écuries de course où il exerce son art, on le surnomme « le Rebouteux ». Affectueusement. Mais rassurez-vous, le docteur Giniaux est un vrai

vétérinaire : Toulouse et tout le pedigree ! Simplement, il ne pratique pas sa science tout à fait comme ses confrères.

Dominique Giniaux, certes, est un original : il est, à notre connaissance, le seul vétérinaire au monde à pratiquer sur les chevaux l'ostéopathie et l'acupuncture, ces « médecines douces » qui ont fait leurs preuves depuis bien longtemps sur l'homme. C'est d'ailleurs sur l'homme que Giniaux a appris et c'est pour des médecins « humains » qu'il dirige aujourd'hui des Travaux pratiques à la Faculté de Médecine de Paris Nord.

Mais enseigner à Bobigny, suivre les cracks à Chantilly, cela ne suffit pas à remplir la vie d'un hyperactif comme Dominique Giniaux. Il se passionne aujourd'hui pour une autre « médecine parallèle » qu'est l'auriculothérapie. Après avoir mis au point, dans les années quatre-vingt, la « carte » de l'oreille du chien, il travaille actuellement à établir celle du cheval, sur laquelle il obtient d'ores et déjà des résultats spectaculaires. C'est pour faire profiter le plus grand nombre de sa science qu'il a conçu ce petit livre.

Que les choses soient claires : il ne s'agit pas d'un manuel d'acupuncture, ni d'un cours d'auriculothérapie « en dix leçons ». Il s'agit de recettes simples, de pratiques élémentaires, applicables par tous, sans préparation, sans formation particulière, qui s'inspirent des principes – complexes, eux – de la vraie acupuncture et de la délicate auriculothérapie.

N'espérez pas avec ce modeste bouquin pouvoir vous passer définitivement d'un vétérinaire, ni guérir toutes les maladies. Par contre, vous pourrez grâce à lui soulager une colique, atténuer une boiterie, éviter des causes de troubles. Essayez ! Vous verrez : ça marche !

Dominique Giniaux
LES CHEVAUX M'ONT DIT…
essai d'ostéopathie équine

(préface de Jean Josse)
150 x 235 mm / 120 pages
ISBN 2-8289-0317-6 (1987)
[Cet ouvrage a connu depuis de nombreuses
rééditions. Il est disponible aujourd'hui
aux éditions Equilivres (*Cheval magazine*)]

On le savait depuis longtemps, Dominique Giniaux n'est pas un vétérinaire tout à fait classique. Il a une manière bien à lui de soigner les chevaux. Jamais de seringues, jamais de médicaments. Juste quelques aiguilles pour l'acupuncture, et ses mains pour les manipulations !

Mais aujourd'hui, avec un livre intitulé « les chevaux m'ont dit », ne va-t-il pas un peu trop loin ? Voilà maintenant que les chevaux lui parlent ! Qu'il entend des voix ! Qu'il se prend pour Jeanne d'Arc, peut-être ?

Non, ce n'est pas exactement cela. Le langage grâce auquel Giniaux et les chevaux qu'il soigne communiquent n'a rien à voir avec le ciel ni avec le diable. C'est l'ostéopathie, une médecine qui implique *une écoute* du corps malade ; un corps qui parle – quand on sait l'entendre – et même souvent « crie des évidences parfaitement palpables ».

Cette « méthode douce », cette médecine *différente*, à fait ses preuves depuis longtemps sur l'homme. C'est d'ailleurs sur l'homme que Giniaux a appris (auprès de Jean Josse, qui a bien voulu préfacer ce livre).

Son originalité, c'est d'avoir été le premier à l'appliquer avec succès au cheval. On ne manipule pas de la même façon un bipède de 70 kg et un quadrupède de 700 kg. Il a fallu adapter, inventer, chercher… et apparemment trouver puisqu'aujourd'hui on réclame Dominique Giniaux dans le monde entier et qu'on n'hésite pas à lui confier les cracks les plus célèbres !

C'est le résultat de cette extraordinaire expérience qu'il a consigné dans ce livre modestement sous-titré « essai d'ostéopathie équine ». Si ce sous-titre souligne bien le côté scientifique, il rend mal compte de son aspect résolument pratique. Or tout homme de che-val pourra en tirer de précieuses applications. L'éleveur y découvrira, par exemple, qu'un blocage de l'atlas peut faire baisser la vue de son poulain. L'entraîneur y apprendra à surveiller les vertèbres de ses élèves : la lésion de l'une d'elles (C7) peut déclencher une tendinite ! Le maréchal y saura qu'une insuffisance de talons aux postérieurs peut empêcher le cheval de dormir…

Le cavalier, enfin, y glanera toutes sortes de conseils utiles sur la position de la selle, sur la pratique de l'épaule en dedans et mille autres « détails » qui feront la différence.

Ce qui est certain, en tout cas, c'est qu'après avoir lu ce livre, vous ne regarderez plus votre cheval de la même façon !

Jean-Claude Racinet
TRUCS ET PROCÉDÉS
POUR LE REDRESSAGE
DU CHEVAL DIFFICILE
150 x 235 mm / 160 pages
ISBN 2-8289-0308-7 (1987)

Les petites annonces contiennent parfois des propositions originales. Comme celle-ci, qui paraissait régulièrement dans la presse équestre des années soixante-dix : « redressage chevaux difficiles téléphoner Jean-Claude Racinet ».

Racinet, en effet, a toujours aimé les chevaux « tordus ». Non seulement parce que leur redressage constitue un « challenge » mais surtout parce que, rétif lui-même, il comprend les rétifs. Comme il aime le noter, son expérience militaire (Corée 1952-1953, Algérie 1954-1961) lui a appris que les fortes têtes font souvent les meilleurs soldats… quand on sait les prendre.

Or apparemment, Racinet sait s'y prendre. Quelques anecdotes : en 1964, il « hérite » d'un cheval réputé cinglé, auquel il applique un de ses procédés. L'année suivante, Turenne – c'est le nom du cheval – devient la première monture internationale du jeune Gilles Bertran de Ballanda.

Un jour de 1972, un visiteur entre dans le manège où Racinet redresse un rétif aux longues rênes sur une barre sèche de 1 m 80 !

Émerveillé, il achète le cheval séance tenante. Monté successivement par Bachelet, de Fombelle et Daniel Constant, le cheval devient quatre ans plus tard la monture olympique de l'Américain Frank Chapot.

Cette même année, le Belge François Mathy emmène aux J.O. de Munich, comme remplaçant, un grand bai nommé Sans Cœur. Encore un cheval rattrapé par Racinet, qui l'avait acquis quatre ans plus tôt dans un ranch des environs de Fontainebleau. Le cheval cornait : il le fit opérer. Il embarquait : Racinet le calma. Il lui apprit même à passager !

C'est encore à la même époque que, sous la monte de Michel Parot, un certain Tancarville battit le record d'Europe de saut en hauteur. Ce cheval avait été travaillé par Racinet de 1968 à 1971…

Faut-il en rajouter ? Pas nécessaire : on a compris. Racinet sait y faire.

Mais enfin, dira-t-on, il n'est pas le seul. Certes. Il était, toutefois, le seul à pouvoir faire un aussi bon livre ! Car Racinet n'est pas seulement un écuyer doué, c'est aussi un écrivain talentueux. Auteur de plusieurs essais (« les Capitaine d'Avril ») et romans (« Bonsoir, je suis votre chef de bloc »), il fit les beaux jours de l'*Information hippique* de 1975 à 1983 par ses articles anti conformistes, incisifs et pétillants.

On retrouvera ces qualités dans le présent ouvrage, qu'il a écrit aux États-Unis, où il a émigré pour faire découvrir aux Américains éberlués une équitation de légèreté : l'équitation de tradition française !

Philip Morris
LES CHEVAUX
DU PAYS DE MARLBORO

245 x 285 mm / 140 pages
ISBN 2-8289-0304-4 (1987)

Ce magnifique album ravira les amateurs de pub comme les amoureux du cheval : il contient les plus belles photos de la campagne la plus célèbre du monde. Cow-boys solitaires et chevaux par milliers. Un fabuleux western. Émotions fortes garanties.

Mario Luraschi
UN VRAI CINGLÉ DE CHEVAL

par Annie Lorenzo
(préface de Yves Saint-Martin)
215 x 300 mm / 64 pages
ISBN 2-8289-0285-4 (1987)

Chevaux en feu et cavaliers en folie, vraies chutes et faux accidents, chars romains et diligences western, haute-école et pitreries : les prouesses équestres d'un grand cascadeur racontées par Annie Lorenzo. Un album en cinémascope !

Pierrette Brès
et Annie Lorenzo
LES FEMMES
SONT DANS LA COURSE

150 x 235 mm
168 pages + cahier photos de 8 p.
ISBN 2-8289-0284-6 (1987)

Aussi célèbre pour son charme télégénique et l'éclat de son sourire que pour la qualité de ses pronostics sur le résultat des courses. Pierrette Brès est devenue, pour tous les Français, « Madame Tiercé » ou, plus poétiquement « la Madone des Steeples ».

On ne devient pas une star du petit écran, une crack du « prono » par la simple opération du Saint-Esprit. Certes, Pierrette est très pieuse et croit dur comme fer aux miracles, mais cela n'explique pas tout.

Dans le monde très âpre du journalisme, avoir monté des chevaux à l'entraînement n'est pas nécessairement une référence. Dans l'univers très macho des courses, être une femme constitue un lourd handicap.

Heureusement, Pierrette a eu un bon entraîneur, et elle a su driver magistralement sa carrière. Une carrière très mouvementée – de Rouget de Lisle à… Kadhafi ! – qu'elle raconte ici, en même temps qu'elle révèle les secrets de sa passion pour le cheval !

Si elle est, encore aujourd'hui, la seule femme journaliste hippique de France, elle rencontre un nombre croissant de femmes dans les écuries et sur les pistes : petit à petit, c'est sûr, le monde des courses se féminise.

De ces rencontres « entre femmes » est né ce livre, galerie de portraits hauts en couleurs ou tons pastels, fauves ou tout en demi-teintes, selon qu'il s'agit de Caroline Lee ou de Béatrice Marie, de « Criquette » Head ou de Marianne Maréchal.

Trot ou galop, plat ou obstacles : « Les femmes dans la course » sélectionnées par Pierrette Brès – une dizaine – excellent toutes dans leur métier.

Ne serait-ce que pour ces dix femmes-là, il faut inventer d'urgence une manière de dire au féminin éleveur et entraîneur, jockey et driver, lad et palefrenier, handicapeur et maréchal-ferrant.

Collectif
LE CHEVAL BARBE

(préface du colonel de Beauregard)
200 x 235 mm / 200 pages
ISBN 2-8289-0293-5 (1987)

Après des années d'oubli, voici le barbe réhabilité : Denis Bogros et une pléiade de grands auteurs (Maurice Druon, Jean-Claude Racinet, etc.) rendent ici un hommage mérité au « petit cheval » d'Afrique du Nord que ses étonnantes qualités désignent comme le cheval à tout faire. Par excellence !

Alain Turbot
L'AGENDA DU CHEVAL

210 x 300 mm / 130 pages
ISBN 2-8289-0247-1 (édition 1987)
ISBN 2-8289-0307-9 (édition 1988)

L'idée d'un Agenda du cheval n'est pas nouvelle. Beaucoup l'ont eue avant nous. Le projet, en effet, est séduisant : réunir en un grand calendrier universel et œcuménique toutes les disciplines (le cirque et l'attelage, les courses et la voltige, le polo et le dressage...), toutes les races (l'arabe et le percheron, les poneys et les chevaux lourds), toutes les foires, les fêtes, les carrousels, les courses, les concours, les ventes de France, d'Europe, du Monde : un rêve !

Un rêve, hélas, irréalisable, tant sont nombreux les écueils ; le principal étant que le monde du cheval est terriblement imprévoyant ! Impossible de savoir si tel spectacle équestre organisé cette année à tel endroit se répétera l'année prochaine ; impossible de savoir, du moins avec certitude, à quelle date : dernier dimanche de juillet, ou premier d'août ? Difficile d'affirmer que telle manifestation hippique, qui n'a remporté qu'un demi-succès cette année aura encore lieu l'an prochain, ou si l'on ne va pas en décaler le jour, la semaine, le mois !

Dans le domaine des sports équestres, les dates définitives ne sont arrêtées que fort tard dans la saison. Parfois quelques semaines seulement avant l'épreuve. Même dans le domaine des courses, qui est pourtant un des mieux organisés, il y a des incertitudes, sans parler des aléas de la météo, qui peuvent amener l'annulation d'une réunion ou un changement de lieu de dernière minute.

Pour quelqu'un qui veut ne fournir que des informations fiables, des dates à peu près sûres (et c'est le cas d'Alain Turbot, qui a réuni la documentation de cet Agenda), c'est un casse-tête : ou bien on fait l'impasse sur mille événements qui auront probablement lieu sans qu'on sache précisément quand – et l'on est terriblement incomplet. Ou bien on prend le risque d'annoncer des manifestations qui ne se dérouleront pas aux dates annoncées – et l'on est affreusement approximatif. Cruel dilemme.

Alain Turbot a taillé, à travers cette broussaille de difficultés, un petit sentier qu'il faudra naturellement, d'année en année, entretenir, élargir, embellir. Cela ne pourra se faire, évidemment, qu'avec votre aide, avec l'aide des Fédérations, des Organisateurs de spectacles, des Associations d'éleveurs. Que tous, que chacun nous adressent leurs conseils, leurs suggestions et, surtout, leurs informations.

Dans la première partie de cet Agenda, vous trouverez les plannings généraux pour l'année des grands concours, des grandes présentations de chevaux, des grandes foires aux chevaux lourds, etc., dont les dates ne sont pas toujours arrêtées – mais le numéro de téléphone à composer pour vérification est indiqué.

Les informations contenues dans les semainiers, elles, sont en principe sûres, fermes et définitives : elles nous ont été officiellement confirmées.

Un répertoire assez complet, enfin, termine cet Agenda : vous y trouverez toutes les coordonnées nécessaires pour vous informer sur ce que nous aurions omis, parfois volontairement, de mentionner.

Alain Turbot, qui fut « l'inventeur » en France des cours d'hippologie qu'il a dispensés gratuitement pendant plusieurs années au lycée Charlemagne, puis à Maisons-Alfort, remercie tous ceux qui l'ont aidé dans son difficile travail de défrichage.

Il vous remercie d'avance pour votre indulgence et pour votre aide.

Il vous souhaite une bonne année.

Édith Huyghe
et René Huyghe
(de l'Académie française)
LÉONARD DE VINCI
LE CHEVAL ET LA PUISSANCE

210 x 300 mm / 64 pages
ISBN 2-8289-0400-8 (1988)

Peinture, architecture, anatomie, mécanique, géologie, philosophie... autant de facettes du génie de Léonard de Vinci, autant de passions ; mais on en néglige souvent une qui tint une place marquante dans sa vie : le cheval. Léonard fut fin écuyer et consacra au noble animal des études anatomiques, dynamiques, des plans d'écuries... et trois de ses principales œuvres : la gigantesque statue Sforza, la bataille d'Anghiari et le tombeau Trivulzio. Par une sorte de malédiction, ces créations restèrent inachevées et furent détruites. Cependant, nous pouvons imaginer leur splendeur finale grâce aux nombreuses esquisses conservées.

« Léonard de Vinci, le cheval et la puissance », remarquablement illustré par les dessins les plus significatifs des collections de S.M. la Reine d'Angleterre, offre un double regard sur l'univers équestre de Léonard.

L'académicien René Huyghe, psychologue de l'art, analyse le rôle clef de l'animal dans la découverte de l'énergie par Léonard ; Édith Huyghe, sa belle-fille, étudie les liens spécifiques et historiques de Vinci avec le cheval du XVe siècle italien.

[René Huyghe, de l'Académie française, a été conservateur en chef des Peintures du musée du Louvre, puis professeur au Collège de France. Outre ses monographies d'artistes et études d'ensemble sur l'histoire de l'art, il analyse le phénomène artistique dans une suite d'ouvrages dont certains consacrés à Léonard. Ses livres les plus connus sont le « Dialogue avec le Visible » (1955), « L'Art et l'Âme » (1960), « Formes et Forces » (1971), « Les Signes du Temps et l'Art Moderne » (1985).

Édith Huyghe, passionnée d'équitation, tient dans plusieurs revues équestres des chroniques consacrées aux rapports entre le cheval, les sociétés et leurs arts.]

Sous la direction de Jean-Pierre Digard
DES CHEVAUX
ET DES HOMMES
équitation et société

150 x 235 mm / 220 pages
ISBN 2-8289-0326-5 (1988)

Alors que le cheval a perdu, depuis bien longtemps déjà, sa fonction « utilitaire », l'équitation de loisir et les sports équestres connaissent actuellement en Occident un engouement ; un renouveau et une diversification sans précédent. Cette évolution traduit des changements sociologiques et culturels profonds, au total mal connus des milieux équestres. Elle suscite par conséquent des curiosités et des interrogations nouvelles (sur les motivations, les aspirations, les difficultés des cavaliers) qui nécessitent des approches différentes.

Le moment était donc venu d'inventorier les recherches de sciences sociales en cours sur l'équitation, et de tester leurs capacités de proposition pour l'orientation du futur de l'équitation, des sports équestres et de l'élevage du cheval de selle.

Il fallait, pour répondre à cette double nécessité, provoquer une confrontation entre professionnels de l'équitation et spécialistes des sciences sociales, ce que nul n'avait osé entreprendre jusque-là.

Aussi le premier colloque « Sciences Sociales de l'Équitation » qui s'est tenu en Avignon les 21 et 22 janvier 1988 a-t-il été qualifié par bien des participants d'« historique » ! Il fut, en tout cas, une grande première, ouvrant pour l'avenir des perspectives considérables.

Ce livre réunit les communications présentées à ce colloque, qui réunissait les meilleurs spécialistes – économistes, ethnologues, historiens, psychologues, sociologues – de l'équitation envisagée en tant que phénomène social et culturel.

Organisé par les éditions *caracole* et RMG Avignon en ouverture de la désormais célèbre grande fête équestre de l'hiver « Cheval Passion », ce colloque, surnommé non sans humour par un de ses promoteurs « Cheval Raison », était placé sous la responsabilité scientifique de Jean-Pierre Digard, directeur de recherches au CNRS (où il dirige le laboratoire de Sciences sociales du monde iranien contemporain) et chargé de conférences à l'École de Hautes Études en Sciences Sociales (où il enseigne l'anthropologie de la domestication animale).

Né en 1942, docteur en ethnologie, Jean-Pierre Digard a consacré plus de dix ans de sa vie à l'étude des tribus de nomades cavaliers d'Iran. Il s'intéresse surtout, maintenant, aux pratiques et aux idées liées aux animaux domestiques dans le monde occidental.

Lucien Brasse-Brossard
LE MANUEL DU BON CHARRETIER

(présentation de Isabelle Bernard;
préface de Bernadette Lizet)
150 x 235 mm / 384 pages
ISBN 2-8289-0334-6 (1988)

Si l'attelage sportif a été depuis longtemps élevé à la dignité de discipline équestre, avec tout ce qui s'ensuit – Associations, Fédération, Compétitions –, il n'en va pas de même de l'attelage agricole, relégué au rang d'activité ringarde ou folklorique.

Si des ouvrages innombrables proposent aux néophytes de les initier à l'art et la manière de mener à la hongroise ou selon saint Achenbach, il n'en va pas de même en ce qui concerne la façon d'atteler et de conduire un tombereau, une charrette, une charrue !

Le dernier livre consacré à cette question a été publié en 1945 par « la Maison Rustique ». Il était devenu introuvable. Le voici à nouveau disponible, sous forme de « reprint ».

Mieux qu'une simple réédition, le reprint est une reproduction exacte de l'édition originale, dont les pages (sauf la couverture, qu'on a voulue moderne) sont tout simplement photographiées et restituées telles quelles. L'apparence peut s'en ressentir, mais ce qu'on perd en qualité, on le gagne en authenticité !

C'est Isabelle Bernard, jeune journaliste et photographe, aussi passionnée par le cheval et le poney que par les phénomènes culturels qui les environnent, qui a eu l'idée de cette réimpression. Le fait que cette initiative vienne d'une très jeune personne n'est pas sans signification. Il y a indiscutablement un mouvement en faveur du retour à l'attelage « utilitaire », même s'il prend parfois une forme ludique (trait-tract par exemple). Le cheval lourd, c'est-à-dire, parlons clair, le cheval à viande, redevient cheval de trait, cheval ami.

Oui, mais les bons charretiers sont devenus rares. Les maîtres manquent, les traditions sont perdues, les gestes oubliés.

Il était donc urgent de mettre à la disposition de ceux qui tente le travail *avec* le cheval un ouvrage clair, complet, pratique.

« Le Manuel du Bon Charretier » est tout cela. C'est la bible de la spécialité. Comme l'écrit Bernadette Lizet dans sa préface, ce texte « mérite parfaitement le qualificatif de *manuel*. Il vise un objectif pédagogique : vulgariser les connaissances scientifiques, établies sur une base expérimentale, dans un champ très vaste qui couvre le travail, le repos, la reproduction de l'animal, aussi, et la panoplie des objets et des savoir-faire ».

Collectif
CHEVAL ET TRADITION EN AFRIQUE DU NORD
l'exemple de l'Algérie

(enquête de Annie Lorenzo ;
photos de Éric Préau)
215 x 300 mm / 120 pages
ISBN 2-8289-0332-X (1988)

Poésie et réalités, histoire et légendes, travail et jeux, fantaisie et fantasias, hippologie et hippiatrie : un reportage sur les traditions équestres d'un grand peuple cavalier.

Rosalind Mazzawi
UN CHEVAL MODÈLE LE PUR-SANG ARABE

(préface de Catherine Bastide)
215 x 300 mm / 56 pages
ISBN 2-8289-0316-8 (1988)

Améliorateur des autres races, l'arabe de pur sang est le meilleur des chevaux : c'est un modèle de cheval. Inspirateur des plus grands artistes, le pur-sang arabe est le plus beau des chevaux : c'est un cheval modèle.

Un somptueux album à la gloire de la plus merveilleuse créature d'Allah.

Yves Barjaud
LES HUSSARDS
trois siècles de cavalerie légère
en France

(préface du général Jean Combette ;
illustrations de Daniel Lordey)
150 x 235 mm / 308 pages
ISBN 2-8289-0333-8 (1988)

« Un hussard qui n'est pas mort à trente ans est un jean-foutre ! » disait avec délicatesse le général Lasalle, tué – à l'âge de trente-quatre ans – à la bataille de Wagram.

L'héroïsme des hussards, voire la folle témérité de ces intrépides cavaliers et fameux sabreurs, sont restés légendaires. Mais que sait-on vraiment d'eux aujourd'hui, si ce n'est qu'ils avaient une manière assez spéciale d'aborder les obstacles, militaires et autres : *à la Hussarde !*

Fine fleur de notre cavalerie légère depuis trois siècles, les quatorze Régiments de Hussards français ont une longue histoire jalonnée d'exploits étourdissants qui méritait d'être ressuscitée.

Cela n'avait pas été fait depuis 1902 !

Dans cet ouvrage véritablement encyclopédique, le colonel Barjaud, historien militaire et conseiller au Musée international des Hussards (Tarbes) ne se contente pas de rappeler les origines (hongroises) de ces cavaliers d'élite, dont on retrouve des avatars dans presque toutes les armées du monde.

Ni de faire la narration de leurs principaux faits d'arme, qu'avec talent l'auteur transforme, comme le note le général Combette qui préface ce livre, en un « véritable traité de tactique des troupes légères ».

Il répertorie, inventorie, classifie, dans une monumentale « revue de détail » d'une extraordinaire érudition les tenues, les insignes, les emblèmes, les armes, les harnachements des Hussards français des origines à 1940. Tout y passe ! Les coiffures dont les seuls noms font rêver : shako, mirliton, colback. Les uniformes, dont certaines pièces, comme le dolman et la pelisse, le sabre et la sabretache, sont indissociables du Hussard.

Pour plus de précision dans le détail, plus

d'exactitude dans la minutie, Yves Barjaud a demandé à Daniel Lordey, peintre de l'Armée, d'illustrer son texte d'une centaine de dessins originaux.

Alliant ainsi rigueur scientifique et élégance artistique, ce livre est plus et mieux qu'un ouvrage de référence. C'est un véritable hommage à son sujet : « Vivat Hussar » !

Alphonse Alt (photos)
et Colette Godard (texte)
ZINGARO

240 x 285 mm / 56 pages
ISBN 2-8289-0356-7 (1988)

Hommes et chevaux, sciure et dentelles, basse-cour et grandes orgues : c'est Zingaro, « cabaret équestre et musical ». La vision éblouie de cet univers magique par une journaliste et un photographe carrément envoûtés.

Marie-Christine Renauld-Beaupère
ALFRED DE DREUX
le peintre du cheval

215 x 300 mm / 128 pages
ISBN 2-8289-0286-2 (1988)

Alfred De Dreux (1810-1860) fut un des créateurs les plus féconds de son siècle. Portraitiste à la mode, longtemps considéré comme le chroniqueur un peu frivole d'une époque brillante, il redevient célèbre.

On redécouvre chez cet élève de Géricault un artiste qui incarne la grande tradition française du panache, et rivalise sans forfanterie avec les plus grands par sa force d'expression, la liberté et la sûreté de son métier.

Une passion occupe l'esprit d'Alfred De Dreux : le cheval. Peintre amoureux de son modèle, il a pendant trente ans fixé sur la toile les mille facettes du noble animal.

En contrepoint de son œuvre considérable et variée, c'est toute une société qui défile et caracole : princes de sang, grands bourgeois, dandies, cavaliers et amazones, jockeys ou palefreniers.

Dans cet album, Marie-Christine Renauld-Beaupère a sélectionné une centaine d'œuvres particulièrement représentatives de l'artiste.

Diplômée de l'École du Louvre, expert en tableaux et sculptures des XIXe et XXe siècles, auteur de nombreux articles, elle prépare avec Philippe Brame et Bernard Lorenceau le Catalogue Raisonné de l'œuvre d'Alfred De Dreux.

Son introduction sur la vie et l'œuvre de cet artiste célèbre mais mal connu constitue l'étude la plus complète qui lui ait été jamais consacrée.

Christian Thomas
FERREZ VOUS-MÊME
VOTRE CHEVAL
initiation à la maréchalerie
et à la forge

150 x 235 mm / 144 pages
ISBN 2-8289-0309-5 (1988)
[Cet ouvrage a été réédité à plusieurs reprises, en particulier en 1990, puis par d'autres éditeurs]

Christian Thomas n'a certes pas inventé la maréchalerie – il rend d'ailleurs hommage, en dédicace, à celui qui la lui a apprise – mais il a complètement bouleversé la manière de l'enseigner : il a inventé, c'est le terme qui convient, les stages de maréchalerie pour tous.

Pour tous ? Oui : le randonneur surpris en rase campagne par un fer qui tinte, le responsable de centre hippique qui ne peut tout de même pas faire venir un spécialiste chaque fois qu'un fer perd un clou, tous ceux qui veulent simplement savoir « comment ça marche ».

Jeunes et vieux, garçons et filles : Christian Thomas a personnellement initié en cinq ans un bon millier de personnes à la maréchalerie. C'est cette expérience, unique en France, qui lui a donné l'idée d'un livre dans lequel il répondrait une fois pour toutes aux innombrables questions que ses stagiaires lui posent. Mais avec un minimum de mots ; car la maréchalerie est avant tout une pratique, un ensemble de gestes.

Le résultat, c'est ce petit livre, tout à fait révolutionnaire dans la mesure où c'est le premier manuel de maréchalerie qui indique *com-*

ment s'y prendre. Sans négliger bien sûr la théorie, mais en lui accordant juste la place nécessaire.

L'autre innovation du manuel de Christian Thomas, c'est qu'il fournit – ce qu'étrangement personne n'avait fait auparavant – les rudiments de la technique de la forge, sans lesquels il ne peut y avoir de maréchalerie.

Le livre que vous avez entre les mains n'est ni le plus gros, ni le plus savant, ni le plus complet des ouvrages consacrés au pied du cheval et à la ferrure, mais il est le premier à mériter vraiment le terme de manuel pratique.

Christian Thomas
SOIGNEZ VOUS-MÊME
VOTRE CHEVAL
manuel de secourisme équin
_____

(préface du Dr Vét. Yves Saget)
150 x 235 mm / 112 pages
ISBN 2-8289-0328-1 (1989)

« Soignez vous-même votre cheval » : ce titre va faire hurler les gens sérieux, les professionnels distingués, les vétérinaires patentés : « ça suffit ! L'amateurisme a déjà entraîné assez de drames ! Trop d'inconscients tripatouillent leur pauvre bête ! Arrêtez le massacre ! »

Sans vouloir manier le paradoxe, nous sommes d'accord. Mais c'est précisément parce que nous faisons le même tragique constat qu'il nous a semblé indispensable et urgent de publier ce manuel de secourisme équin.

Trop d'accidents, c'est vrai, sont dus à l'ignorance de cavaliers, de palefreniers, voire de moniteurs qui, tout en croyant bien faire, commettent l'irréparable. Bien des chevaux auraient pu être sauvés si leurs propriétaires avaient su quoi faire au bon moment. Souvent, le cheval est tout simplement victime de celui qui l'emploie, de sa méconnaissance des règles les plus élémentaires de santé animale.

À cela s'ajoute, c'est exact, l'impardonnable légèreté, l'inexcusable comportement de ceux qui se croient plus malins que les autres, de ceux qui s'imaginent tout savoir, de ceux enfin qui veulent faire l'économie du vétérinaire.

Le phénomène existe. Avec l'expansion des diverses formes d'équitation, la multiplication des petits propriétaires (souvent un peu fauchés), la généralisation du cheval-chez-soi, il ira même en s'amplifiant. On peut le déplorer, on ne peut pas l'ignorer.

Faut-il laisser les gens continuer à se débrouiller comme ils peuvent, à se dépatouiller au milieu de leurs seringues, à tripoter leur cheval comme d'autres bricolent leur démarreur ?

Apprendre ce qu'on peut faire soi-même, et comment le faire. Apprendre les gestes qui sauvent. Apprendre aussi ce qu'il ne faut surtout pas faire !

Christian Thomas, l'auteur de ce petit livre, n'a pas d'autre ambition. « Je n'ai nullement l'intention, dit-il, de remplacer le vétérinaire, mais d'aider ceux qui approchent les chevaux à faire face aux problèmes les plus couramment rencontrés, et à prendre toutes les précautions qui empêcheront ces problèmes de se représenter. »

Avec Christian Thomas, pas de phrases inutiles, de développements pédants et incompréhensibles : rien que des conseils pratiques, des recommandations simples, concrètes, faciles à comprendre et à appliquer. Son précédent livre (« Ferrez vous-même votre cheval ») nous a habitués à cette limpidité, à cette efficacité.

Comme le rappelle avec une amicale admiration Yves Saget, le vétérinaire (eh oui !) qui préface son livre, Christian Thomas est riche d'une rare expérience : moniteur diplômé d'État, guide de tourisme équestre, instructeur de maréchalerie, cavalier (n'en jetez plus !), il est aussi un exceptionnel pédagogue. Soyez sûr qu'il a mis tout son savoir, tout son talent et tout son cœur, qui est grand, dans ce petit bouquin salutaire.

Bartabas
ZINGARO
des chevaux et des hommes
(photographies de Alfons Alt)
240 x 320 mm / 56 pages
ISBN 2-8289-0455-5 (1989)

Une galerie de portraits peu ordinaires : la tribu Zingaro, installée dans sa cathédrale de bois, où chaque soir le miracle se reproduit. Les écuries magiques de Bartabas, le chevalier centaure et sans reproche.

Denis Bogros
DES CHEVAUX, DES HOMMES,
DES ÉQUITATIONS
petite histoire des équitations
pour aider à comprendre l'Équitation
150 x 235 mm / 190 pages
ISBN 2-8289-0454-7 (1989)

S'il est impensable d'étudier les Beaux-Arts sans apprendre l'histoire de l'Art, pourquoi la plupart des cavaliers croient-ils possible d'apprendre l'Art équestre sans étudier l'histoire de l'Équitation ?

C'est la question que pose ici l'auteur, écuyer célèbre et écrivain savant, en apportant son remède : un ouvrage qui est à la fois un monument d'érudition, un texte passionné et un manuel passionnant. Un outil indispensable, en tout cas, pour ceux qui ressentent le besoin d'un léger rattrapage, d'un rapide recyclage. Bref, d'une petite remise en selle culturelle.

Organisation Mondiale du Cheval Barbe
TOUS LES TEXTES OFFICIELS
SUR LE CHEVAL BARBE
150 x 235 mm / 196 pages
ISBN 2-8289-0330-3 (1989)

Le texte intégral des communications et des débats du premier Colloque International sur le Cheval Barbe (Alger, juin 1987) qui a réuni les meilleurs spécialistes mondiaux et a donné naissance à l'OMCB (Organisation Mondiale du Cheval Barbe) dont on trouvera ici tous les textes : assemblées, statuts, standard du barbe pur, etc. Le livre officiel.

Patrick Broux
MANUEL DE SELLERIE
150 x 235 mm / 192 pages
ISBN 2-8289-0327-3 (1989)
[Cet ouvrage a été réédité à diverses reprises, en particulier en 1994, sous l'ISBN 2-85030-188-4]

Il y a un petit bout de temps que le besoin d'un tel ouvrage se faisait ressentir : un peu plus d'un demi-siècle ! Rien de sérieux, en effet, n'avait été publié depuis le fameux « Livret du Bourrelier-Sellier-Harnacheur » de P. Leurot (1924). Cela commençait à poser quelques problèmes, car en 65 ans, bien des choses ont changé. Les cuirs ne sont plus tout à fait les mêmes, de nouvelles manières ont fait irruption, certains outils d'autrefois ne sont plus fabriqués. Les besoins des usagers, eux aussi, ont évolué.

Ce bouquin tant attendu, vous l'avez entre les mains. Son auteur, Patrick Broux, est un professionnel connu et respecté. Compagnon Sellier des Devoirs Unis, il s'est installé (après avoir réalisé le fameux Tour de France initiatique qu'implique le Compagnonnage) dans le Vaucluse depuis cinq ans. Cet artisan, encore jeune (38 ans) mais déjà expérimenté, n'est pas seulement un artiste amoureux de la belle ouvrage. C'est aussi un pédagogue recherché des stagiaires et des apprentis. C'est enfin un praticien : cas rare dans la profession qu'il exerce, il s'adonne à l'équitation et à l'attelage « pour le plaisir, dit-il, mais aussi dans un but professionnel, considérant qu'un bon sellier doit connaître la finalité de ses productions ».

En professionnel avisé, Patrick Broux a demandé à plusieurs vieux maîtres de vérifier son travail, qu'en enseignant scrupuleux il a également testé sur des néophytes. Le résultat : un manuel complet, clair, pratique et moderne.

En effet, s'il est respectueux du passé, des

techniques ancestrales, des coutures à la main, des finitions à l'ancienne, l'auteur a réussi là un ouvrage résolument contemporain. Il répond aux vrais besoins des usagers d'aujourd'hui, qui y trouveront tout ce qu'il faut savoir pour réaliser les principales pièces de harnachement, du simple licol d'écurie au plus compliqué harnais d'attelage. En passant par toutes sortes de bridons ou d'enrênements, toutes les catégories de muserolles et de martingales, toutes les variétés de selles et d'attirails divers…

En prime, Patrick Broux fournit les schémas de montage et les grilles de dimensions de chaque article : un trésor que partagent rarement les artisans, qui ont mis une vie entière à le constituer. Mais l'auteur sait bien que les croquis et les chiffres ne sont pas tout : le tour de main ne se trouve pas dans les livres, aussi bien faits soient-ils.

Alors Mesdames-Messieurs, à vos alênes !

Jean-François Ballereau
MERCI LES CHEVAUX

150 x 235 mm
192 pages + cahier photos de 12 p.
ISBN 2-8289-0405-9 (1989)

Il y a trente-six façons de fréquenter les chevaux, trente-six raisons de les aimer, trente-six manières de les apprécier.

Trente-six vedettes de la littérature et de la chanson, du cinéma et de la télévision, des affaires et de la politique parlent ici de leur passion : le cheval. Et de ce qu'il leur a apporté : tout !

Il a bouleversé leur vie. Il les a souvent aidés, parfois sauvés. Surtout, il leur a révélé trente-six secrets, dont le principal est celui du succès. Merci les chevaux !

C'est ce qu'ils ont confié à Jean-François Ballereau qui, après avoir exercé trente-six métiers et réalisé trente-six voyages, est devenu le plus célèbre écrivain-randonneur de France et de Navarre. Merci Jean-François !

Collectif
LE PETIT LIVRE
DU CHEVAL EN CHINE

(coordination de Valérie Courtot-Thibault, contributions de Caroline Puel, Anne Mariage, Françoise Aubin, Corinne Forgerit, Hubert Delahaye et Frederic Obringer)
150 x 235 mm / 208 pages
ISBN 2-8289-0331-1 (1989)

Merci à Alain Dubost, responsable de la section versaillaise des Amitiés Franco-Chinoises, qui eut l'idée géniale (et surtout l'immense mérite de la réaliser !) d'organiser, au cours de l'été 1986, un voyage d'étude en Chine sur le thème du cheval. C'est au cours de ce séjour inoubliable qu'est né le projet de ce livre.

Merci aux deux Liu qui accompagnèrent notre petit groupe de passionnés (huit Français fous de cheval et fous de Chine) durant trois semaines : le très charmant mini-Liu (Yiushan), responsable du tourisme en Heilongjiang, et le très savant maxi-Liu (Zheng-chen), professeur à l'Institut des Langues Étrangères de Pékin, dont les conseils, les contacts et les travaux ont orienté la conception du présent ouvrage.

Merci à Anne-Laure Baron-Siou qui, non contente d'avoir animé de son inépuisable bonne humeur notre groupuscule d'hippo-et-sino-philes, en fixa sur pellicule, avec talent et sensibilité, les grands moments. Comme ce 8 septembre 1986, où nous visitâmes le village numéro six de la ferme numéro trois, ex-haras numéro sept (sic) située à 40 km au nord-ouest de l'invraisemblable complexe pétrochimique de Daqing. C'est là que fut prise la sympathique photo qui illustre la couverture de ce petit livre. Les deux braves canassons qu'on y voit enfourchés par des gamins dont le visage reflète encore l'incrédulité (ils rencontraient des blancs – des Long Nez – pour la première fois de leur vie) sont des chevaux mongols « améliorés » par apport de sang russe lourd et font merveille en attelage, qui est la principale sinon l'unique utilisation du cheval en Chine.

Merci, enfin, à tous ceux qui me permirent de dégotter les éminents spécialistes et excellents auteurs qui ont composé cet ouvrage collectif. Merci à Jean-Pierre Digard, qui me fit connaître Valérie Courtot-Thibault, qui a assuré supervision, coordination et correction de l'ensemble. Merci à Bernadette Lizet, qui me fit connaître Georges Metailié (qui prépare un monumental dictionnaire franco-chinois d'agriculture), qui me fit connaître Frédéric Obringer, qui me fit connaître Hubert Delahaye, etc.

Merci, enfin, à tous ceux qui ont bien voulu m'encourager à publier ce livre. Il leur a fallu beaucoup de persuasion, l'envie de renoncer m'ayant souvent envahi : si Alain Dubost avait eu quelque peine à réunir huit personnes pour son voyage d'études sur le cheval en Chine, combien d'exemplaires de ce livre parviendrai-je à vendre ? On me dit que, depuis les pionniers que nous fûmes, c'est par centaines aujourd'hui que les touristes vont galoper chaque année « en Chine », dans les steppes de Mongolie intérieure ! ? Quel que soit son succès (ou son insuccès), grande est en tout cas ma satisfaction de combler avec ce petit ouvrage une faille incompréhensible dans les études sinologiques en même temps qu'un vide inadmissible dans la connaissance hippologique. Excusez du peu.

Georges Nabéra-Sartoulet
ÉPERONS
DE TOUS LES TEMPS
DE TOUS LES PAYS
215 x 300 mm / 96 pages
ISBN 2-8289-0458-X (1990)

Collectionneur et expert en éperonnerie mondialement connu, conservateur au Musée Vivant du Cheval (Chantilly), Georges Nabéra-Sartoulet est aussi un artiste. Il a dessiné lui-même les centaines de planches à l'ancienne qui illustrent cet album unique en son genre. Monumentale encyclopédie de l'éperon, voici un ouvrage peu ordinaire : une somme pour les passionnés d'équitation et une curiosité pour les amateurs d'art ou d'histoire.

Évelyne de Faucompret
LA SELLE ET LE COSTUME
DE L'AMAZONE
À TRAVERS LES ÂGES
215 x 300 mm / 76 pages
ISBN 2-8289-0310-9 (1990)

Racontée par le texte et par l'image, la longue histoire d'une double recherche pour permettre aux dames de monter à cheval en restant féminines : le confort de la selle et l'élégance du costume. Du Moyen Âge à nos jours, mille trouvailles ingénieuses ou gracieuses – et parfois même les deux.

Marlit Hoffmann
PRÉSENTATIONS
DE CHEVAUX
ET SPECTACLES ÉQUESTRES
(traduit de l'allemand par Dora Fulchiron ; préfaces de Jacinte Giscard d'Estaing et Fredy Knie Jr)
150 x 235 mm / 128 pages
ISBN 2-8289-0335-4 (1990)

Jeux, attractions, pantomimes, cascades, tableaux vivants, numéros de cirque : mille manières de présenter chevaux et poneys, mille conseils pour organiser fêtes et spectacles équestres, mille trouvailles pour animer poney clubs et cercles hippiques. Du plus simple au plus sophistiqué, mais toujours faciles à réaliser.

Jean-Claude Racinet
L'ÉQUITATION DE LÉGÈRETÉ
philosophie, procédés, mise en œuvre
145 x 235 mm / 352 pages
ISBN 2-8289-0459-8 (1991)
[cet ouvrage a été réédité en 1999 par PSR (86200 La Roche-Rigault)]

Autrefois, on aurait donné tout simplement « Équitation » pour titre à ce livre, tant il allait de soi que la légèreté était le préalable (ou à tout le moins la finalité) du dressage du cheval. « Équitation de légèreté » serait apparu comme un pléonasme. De nos jours, il est malheureusement nécessaire de préciser.

Paradoxalement, cet abandon progressif de l'idéal de légèreté semble s'être manifesté en raison directe du développement des épreuves de Dressage, « discipline sportive », dominée par la manière allemande moderne qui, travaillant peu ou prou « en force » et n'acceptant pas que le cheval prenne en charge les mouvements qu'il exécute, n'aboutit qu'à un équilibre imparfait. Aussi n'est-il pas étonnant qu'un courant « en marge » du Dressage Officiel se soit progressivement révélé. Nuno Oliveira fut sa figure de proue, mais la nébuleuse que constituent, épars, les cavaliers épris de la manière française excède de loin le nombre des disciples du Maître portugais (tout en les incluant).

En plus de ceux aux yeux desquels une performance obtenue dans la tension manque non seulement d'élégance, mais de vraie valeur, ce livre s'adresse à tous ceux qui, à cheval, recherchent en priorité l'équilibre et la mobilité que seule la légèreté procure : écuyers de haute-école, bien sûr, mais aussi cavaliers de sauts d'obstacles, et pourquoi pas meneurs, joueurs de polo, ou randonneurs. Bref, tout « équitant » à la recherche de la maniabilité maximale, tant il est vrai, comme aime à le dire Jean-Claude Racinet, que « le Dressage est la culture générale de l'Équitation » : indispensable, quelle que soit votre spécialité.

Rédigé dans cette langue claire et incisive à laquelle Jean-Claude Racinet nous a habitués dans ses articles et ses livres précédents, ce traité d'équitation est une véritable somme : il capitalise, en effet, non seulement une vie entière de réflexion et d'expérience, mais plusieurs siècles de tradition équestre. Qu'est-ce que cela donne ?

Tentons une formule : « Baucher, troisième manière » !

[période SPHÈRE]

Laetitia Bataille
ATTELAGE ET VOYAGE
manuel pratique de tourisme attelé

(préface de Vital Lepouriel)
145 x 230 mm / 320 pages
ISBN 2-8289-0502-0 (1991)

L'attelage, ce n'est pas seulement cette activité snob et ruineuse réservée à quelques milliardaires oisifs, légèrement ridicules sous leurs chapeaux hauts-de-forme.

L'attelage, ce n'est pas non plus cette grossière locomotion des paysans d'autrefois, juchés sur un tombereau tiré par un gros cheval blasé.

L'attelage, c'est aussi un extraordinaire moyen de voyager, de « randonner », de nos jours et à un prix tout à fait raisonnable, un moyen de partir à plusieurs, en couple, d'emmener ses enfants (et bien sûr son chien), en disposant de quelques bagages et donc d'un peu de confort.

Seulement, il ne suffit pas d'accrocher n'importe comment n'importe quel cheval à n'importe quel attelage et de partir en criant « Hue cocotte ! »

Ce serait l'accident garanti, la catastrophe assurée ! Atteler nécessite mille précautions que Laetitia Bataille explique dans ce livre à la fois pratique et complet, sérieux et agréable, dans lequel sont traités avec le même souci ces trois éléments indissociables que sont le cheval, la voiture et… l'homme.

Qu'il s'agisse de choisir son véhicule, d'entretenir son harnais, ou de soigner son cheval, ce manuel a réponse à tout : matériel et topographie, maintenance et sécurité, code de la route et bivouac, préparation et santé.

Connue pour ses précédents manuels de tourisme équestre, dont la clarté et l'exhaustivité ont permis à tant de randonneurs de réussir leur voyage, Laetitia Bataille (« Guide ANTE ») propose ici une nouvelle façon de partir.

Aimé-Félix Tschiffely
LE RAID
à cheval de Buenos Aires à New York
(1925-1928)

(présentation de Jean-François Ballereau)
145 x 230 mm / 300 pages
ISBN 2-8289-0501-2 (1991)
[cet ouvrage a été réédité en 2002
par les éditions Belin sous le titre
« Le grand raid » (voir plus loin)]

Dans les années vingt, un paisible maître d'école en Argentine, Aimé-Félix Tschiffely, réalisa un des exploits les plus fous du siècle.

Il couvrit avec deux chevaux, de braves criollos de quinze et seize ans, la formidable distance de 16 000 kilomètres, reliant Buenos Aires à New York !

Le grand raid de Tschiffely est, pour tous les cavaliers, le modèle absolu, l'exemple idéal de l'aventure à cheval.

Toutefois, le récit détaillé du voyage mouvementé du petit instituteur argentin (d'origine suisse) était introuvable. Il avait bien été publié, voici près d'un demi-siècle, dans une traduction imparfaite, mais jamais réédité depuis.

Aidé de Jean-François Ballereau, le célèbre écrivain randonneur, *caracole* a entrepris une réhabilitation du texte de Aimé-Félix Tschiffely qui a pris, avec le temps, encore plus de force, encore plus de saveur.

Mario Luraschi
avec la collaboration
de Annie Lorenzo et Éveline Hubert
MES SECRETS
DE DRESSAGE
traité d'équitation efficace

150 x 235 mm / 136 pages
ISBN 2-85030-108-6 (1991)
[cet ouvrage a connu depuis de nombreuses rééditions. Il est disponible aujourd'hui chez l'auteur (60 300 Fontaine-Chaalis)]

Mario Luraschi est probablement le plus grand cascadeur équestre du monde. Les Américains eux-mêmes, pourtant rompus aux nécessités et techniques du cinéma, font appel à lui pour régler et diriger leurs cascades les plus difficiles.

Il n'y a pas de trucs, de leurres, dans les prouesses équestres que réalise Mario Luraschi. Il y a seulement un formidable travail de dressage empirique, né d'une expérience hors du commun (et qui ne doit rien à aucun manuel d'équitation) que Mario Luraschi a décidé de révéler dans cet ouvrage.

Florence Vergnes (texte)
et Béatrice le Grand (photos)
LES CHEVAUX DE LA BALLE

215 x 300 mm / 72 pages
ISBN 2-85030-103-5 (1991)

Les chevaux de la balle ne sont, comme on pourrait se l'imaginer, ni les dribbleurs patentés d'un nouveau sport de ballon, ni des jouets rebondissants à l'usage des enfants.

Ce sont des chevaux dressés sous le chapiteau et destinés à y vivre pour tenir en haleine, de soirée en soirée, un public d'amateurs. Ils se font l'écho des *enfants de la balle*, terme choisi pour désigner ceux qui grandissent dans la profession de leur père, en coulisses ou sur une piste.

Ils partagent l'effort d'hommes et de femmes qui ont fait leur métier du spectacle, de l'art équestre et du dressage des animaux.

Véritables pierres d'assise des spectacles, ils contribuent, par leur alliance avec les artistes, à forger l'immense réputation de cette famille au nom prestigieux : les Gruss !

L'auteur, qui a vécu auprès d'eux, dans l'atmosphère magique du cirque, explore un à un les rouages de ce fabuleux mécanisme d'un art à part : le débourrage, le dressage, la préparation des numéros équestres, l'organisation des écuries, l'alimentation et l'entretien des chevaux, l'entraînement des enfants à la voltige et à leur futur métier d'écuyer.

Cet ouvrage dévoile au lecteur l'originalité d'un quotidien peu connu du public, et met l'accent sur la richesse de relations privilégiées où se mêlent affection, confiance et respect mutuel ; il se veut un témoignage de cette amitié, de cette complicité qui unissent, à travers leur travail, des hommes et des chevaux.

Jean-François Ballereau
MON RÊVE À CHEVAL
un tour de France insolite

150 x 220 mm / 160 pages
ISBN 2-85030-154-X (1992)
[réédition (enrichie) d'un ouvrage
paru en 1977 chez Arthaud]

1976 : Jean-François Ballereau enfourche son cheval, Dragon, et sans préparation, sans même avoir défini un itinéraire, se lance dans un tour de France.

Depuis cette époque, bien des raids équestres d'une autre envergure ont été effectués dans le monde, y compris par l'auteur. Mais la France d'alors, découverte au rythme d'un pas de cheval, présentait de nombreux attraits qui nous enchantent encore aujourd'hui. Et la finesse d'observation de notre cavalier solitaire ne laisse rien au hasard.

Les provinces et leurs costumes défilent au long des pages, mais l'auteur fournit également de précieuses indications pratiques aux randonneurs équestres d'aujourd'hui.

De ce voile levé sur un avant-hier se détache la relation amicale nouée par Jean-François Ballereau avec son cheval Dragon, véritable héros de cette belle histoire.

Jean-Yves Le Guillou
L'ÉQUITATION DE MAJESTÉ
traité d'équitation à l'ancienne

150 x 220 mm / 160 pages
ISBN 2-85030-151-5 (1992)

Tirant de l'enseignement des maîtres de l'équitation classique les bases de son ouvrage, Jean-Yves Le Guillou nous livre ici un traité exhaustif d'équitation à l'ancienne, enrichi par plus de vingt ans de pratique personnelle. L'auteur allie une véritable compréhension du cheval à une grande compétence technique, et invite le lecteur à la découverte de l'équitation artistique et des jeux équestres.

Mais loin d'une histoire de l'équitation, Jean-Yves Le Guillou veut démontrer l'actualité d'une discipline qui n'a d'ancienne que le nom. Il nous en convainc par des photographies où il réalise de véritables prouesses équestres.

Pour tous les cavaliers qui veulent réussir l'éducation de leur cheval, mais aussi pour ceux qui s'intéressent à l'équitation baroque, au dressage, pour les joueurs de polo, de horse-ball et autres jeux équestres, cet ouvrage sera un outil précieux.

[Lauréat du prix des éditeurs de langue française dans la catégorie sport-loisirs et récompensé par le grand prix de pédagogie sportive, Jean-Yves Le Guillou vit au Québec, où il consacre une grande partie de son temps à l'étude des écuyers du passé et enseigne l'équitation d'école.]

Les cavaliers de l'aventure

*Lorsque Guillaume Henry, instructeur d'équitation, fondateur du Prix Pégase
(et fils du créateur de la regrettée revue* Plaisirs équestres*) fut chargé par
Marie-Claude Brossollet, la pédégère des éditions Belin, de développer dans cette austère
et vénérable maison un catalogue « équitation », il m'annonça son intention de créer,
d'emblée, une collection consacrée aux récits de grands voyages équestres :*
les cavaliers de l'aventure. *Parmi une bonne demi-douzaine, je lui en recommandai tout
spécialement deux. Deux « classiques » : le récit du fameux voyage de Tschiffely et,
plus original encore, le récit, encore inédit en français, de l'incroyable chevauchée
de Ana Beker – que je venais de faire traduire (pour* caracole*) par mon très cher ami
Guy Georgy – projet que je cédai volontiers à mon nouveau confrère (qui, depuis,
a malheureusement abandonné, je crois, cette collection trop peu rentable).*

Ana Beker
L'AMAZONE DES AMÉRIQUES
l'intrépide chevauchée
de Buenos Aires à Ottawa
(1ᵉʳ octobre 1950- 6 juillet 1954)

(traduction et introduction de Guy Georgy ;
préface de Jean-Louis Gouraud)
170 x 240 mm / 176 pages
ISBN 2-7011-3149-9
éditions Belin, 2001
(collection *Les cavaliers de l'aventure*)

Le 1ᵉʳ octobre 1950, Ana Beker, une jeune femme, décide, par goût de l'aventure, de faire la liaison, seule avec ses chevaux, des deux capitales extrêmes des Amériques, Buenos Aires et Ottawa. Aucun homme sensé, aucun sportif aguerri ne se serait lancé dans une telle aventure.

Durant quatre ans de ce voyage à travers les Amériques, aucune épreuve ne lui sera épargnée : elle traversera des montagnes glaciales, des steppes arides, des forêts impénétrables, des marécages sans fin, escaladera des sommets, échappera aux naufrages dans les rapides des grands fleuves, et vivra les pires aventures sous des pluies torrentielles, le vent, les orages, la tempête et la faim.

Cette première traduction en français de son journal d'expédition est le récit d'un voyage-culte, épique, historique et incroyable qui illustre la vaillance et le courage d'une femme résolue.

Aimé-Félix Tschiffely
LE GRAND RAID
à cheval de Buenos Aires à New York
(1925-1928)

(adaptation et présentation
de Jean-François Ballereau ;
préface de Jean-Louis Gouraud)
170 x 240 mm / 272 pages
ISBN 2-7011-3427-7
éditions Belin, 2002
(collection *Les cavaliers de l'aventure*)

Dans les années vingt du siècle dernier, ce paisible maître d'école argentin (d'origine suisse) réalisa un des exploits les plus fous de son temps : Aimé-Félix Tschiffely couvrit avec deux chevaux, Mancha et Galo – de braves criollos de quinze et seize ans – la distance impressionnante de 16 000 kilomètres qui relie Buenos Aires à New York.

Ce raid est, pour tous les amateurs de grands espaces, d'expéditions équestres, de chevauchées fantastiques, de cavalcades au long cours, le modèle absolu, l'exemple idéal. Tschiffely, c'est l'archétype de l'aventurier à cheval, le type même du « cavalier de l'aventure ».

[Un autre ouvrage de Aimé-Félix Tschiffely a été édité en France : « Don Roberto » (voir biblio *cheval-chevaux*)]

collection *caracole*
seconde manière

Quatre ans après la faillite du groupe Sphère, Pierre-Marcel Favre parvient enfin à récupérer – non pas ses stocks, ni son fonds, ni même ses archives – mais au moins l'usage de son nom. Tel Sisyphe, il décide de tout recommencer à zéro. Début 1996, les éditions Favre redémarrent. PMF me propose de l'accompagner dans cette aventure.

J'accepte, avec entrain. Et lui propose la création de deux nouvelles collections:

– le Vagabond enchanté, *guides littéraires reproduisant les plus beaux textes consacrés à un lieu, une ville, un pays, une région, un fleuve, une montagne: une dizaine de volumes paraîtront sous cette jolie (mais bien peu commerciale) dénomination.*

– le Bestiaire divin, *petites anthologies réunissant les plus beaux textes consacrés à un animal: éditée avec le parrainage du Muséum National d'Histoire Naturelle, la collection comportera huit titres. Dont un volume dédié, bien sûr, au cheval.*

En ce qui concerne caracole, *je décide d'y mettre (un peu) d'ordre, en y publiant tous les volumes au même format et à un prix si possible toujours inférieur à 100 F (15 euros).*

En tête de chaque titre de cette formule new-look, *qui s'autodésigne désormais comme « la bibliothèque de l'honnête homme (de cheval) », on trouve une sorte de déclaration d'intention, de profession de foi – dont voici le texte:*

❝ *Il y a autant de définitions de la caracole qu'on veut. Pour Michel Henriquet et Alain Prévost (« L'équitation: un art, une passion »), il s'agirait d'une ancienne figure de manège consistant en une succession de demi-tours au galop à droite et à gauche. Pour le général Daumas (« Les chevaux du Sahara »), c'était un exercice auquel les Arabes soumettaient le jeune cheval, en le faisant marcher, « pour ainsi dire, sur les pieds de derrière » et s'élever à nouveau dès qu'il avait posé les antérieurs.*

D'autres, se référant sans doute à l'étymologie (en espagnol, caracol *signifie* escargot*) prétendent que c'est une façon de faire faire des spirales à son cheval. D'autres encore que c'est une sorte d'esbroufe désordonnée destinée à impressionner les fantassins en temps de guerre et les piétons en temps de paix.*

Pour nous, c'est une manière joyeuse de faire briller le cheval. C'est, du moins, ce que nous essayons de faire avec cette collection. ❞

Jules Pellier fils
L'ÉQUITATION PRATIQUE
140 x 210 mm / 184 pages
ISBN 2-8289-0508-X (1996)

Le petit chef-d'œuvre de J. Pellier fils enfin réédité! Son auteur fut l'élève des plus grands écuyers du siècle dernier: François Baucher, Laurent Franconi, et Jules Pellier, son père – tous trois associés au fameux Cirque des Champs-Élysées.

Publié en 1861, « L'Équitation pratique » est nullement démodé. Il est au contraire étonnamment moderne. Ce n'est pas, comme son titre l'indique, un traité théorique. C'est un manuel très concret, voire pragmatique. Il est recommandé par Bartabas, chamane de la tribu Zingaro et digne héritier des grands maîtres de manège du XIXe siècle.

John-Solomon Rarey
L'ART DE DOMPTER
LES CHEVAUX
140 x 210 mm / 144 pages
ISBN 2-8289-0611-6 (1996)

« L'homme qui murmurait à l'oreille des chevaux » a réellement existé: il s'appelait John-S. Rarey.

Au siècle dernier, cet Américain avait acquis une renommée internationale pour sa capacité à amadouer en quelques heures les chevaux les plus rétifs. Longtemps, il conserva secrète sa méthode, mais finit par la décrire dans un petit livre, qui fut publié en français en 1858 sous le titre « L'art de dompter les chevaux ».

Le voici enfin réédité et présenté par Mario Luraschi, un autre magicien du dressage.

L. V. Evdokimov
DEUX CHEVAUX
POUR UN CAVALIER
l'extraordinaire exploit
de Mikhaïl Vasilievitch Aseev
140 x 210 mm / 160 pages
ISBN 2-8289-0507-1 (1996)

Enfin traduit ! Le récit de l'incroyable exploit d'un jeune officier russe qui parvint à couvrir une distance de 2 633 km en 33 jours – à la prodigieuse moyenne de 80 km par jour !

Il avait quitté sa garnison du fin fond de l'Ukraine actuelle avec deux juments, Diana et Vlaga, dans le seul but d'aller à Paris, voir cette fameuse Tour Eiffel qui venait de s'achever. C'était en 1889. Utilisant en alternance ses deux montures, il démontra par sa fantastique performance la supériorité de l'équitation dite « à la turkmène ».

Le récit de L.V. Evdokimov, paru en 1890, n'avait jamais été publié en français. Le voici, traduit par Françoise Aubin, et présenté par Jean-Louis Gouraud qui expérimenta à son tour, un siècle plus tard, cette équitation « en paire », dont il indique ici les grands principes.

Heinrich von Kleist
MICHEL KOHLHAAS
ou l'honneur du cheval
140 x 210 mm / 160 pages
ISBN 2-8289-0514-4 (1997)

On connaît le dicton : « Mieux vaux un mauvais arrangement qu'un bon procès ». Il fait l'éloge de la médiocrité, du compromis, des à-peu-près qu'il faut bien accepter dans la vie.

Michel Kohlhaas a subi un tort. Il refuse les accommodements avec la justice. Il exige passionnément, aveuglément, qu'elle soit rendue. Quitte à s'enfoncer avec les siens dans le malheur et la mort.

À l'origine de cette aventure exemplaire, il y a un cheval. Michel Kohlhaas est éleveur et marchand de chevaux. Ce n'est pas un hasard. C'est que le cheval incarne la perfection vivante et le plus haut produit de la science biologique.

Kleist nous impose ici cet admirable et profond paradoxe : il n'est pas de pire offense à un homme que celle qu'on fait subir à son cheval.

[Michel Tournier]

Buffon (Georges-Louis Leclerc comte de)
« LA PLUS NOBLE CONQUÊTE
QUE L'HOMME
AIT JAMAIS FAITE
EST CELLE DE CE FIER
ET FOUGUEUX ANIMAL »
140 x 210 mm / 144 pages
ISBN 2-8289-0515-2 (1997)

Le cheval est la plus noble conquête de l'homme. L'expression est universellement connue, si célèbre qu'elle est devenue proverbiale, si courante qu'on oublie parfois le nom de son auteur, et si belle qu'on omet en général de lire la suite…

C'est par cette phrase qu'un des plus grands génies du XVIIIe siècle, Georges-Louis Leclerc, comte de Buffon commence le chapitre de sa fameuse et monumentale « Histoire Naturelle » consacré au cheval : un chef-d'œuvre d'une centaine de pages, dont voici, enfin accessible, le texte intégral, présenté par Pascale Heurtel, conservateur à la bibliothèque du Muséum et recommandé par un illustre homme de lettres – homme de cheval, François Nourissier.

Eugène Gayot
L'ACHAT DU CHEVAL
guide pratique

140 x 210 mm / 190 pages
ISBN 2-8289-0517-9 (1998)

Eugène Gayot est l'un des plus grands hippologues que la France ait connu. Vétérinaire, directeur des Haras Nationaux au milieu du siècle dernier, il est notamment « l'inventeur » de la race anglo-arabe. Ayant passé toute sa vie à observer les chevaux, il a appris à en détecter d'un simple coup d'œil les qualités et les défauts. Il a voulu faire profiter ses contemporains de son expérience et de son savoir-faire, les aider à choisir un cheval, en rédigeant ce guide pratique pour « l'achat du cheval ».

Un livre bref et pourtant exhaustif. Un livre ancien (1862) et pourtant pas démodé du tout. Ainsi qu'en témoigne Marcel Rozier, l'un des meilleurs cavaliers et des plus grands marchands de chevaux d'aujourd'hui.

Kikkuli
L'ART DE SOIGNER
ET D'ENTRAÎNER
LES CHEVAUX
le plus ancien traité d'équitation
du monde

140 x 210 mm / 128 pages
ISBN 2-8289-0542-X (1998)

Voici le plus ancien traité d'équitation du monde. Il a été écrit dix siècles avant celui de Xénophon – quinze siècles avant notre ère – par un maître écuyer nommé Kikkuli.

Gravé en caractères cunéiformes sur des tablettes d'argile, ce texte vieux de trente-cinq siècles a été découvert en 1906 à Hattusha (non loin d'Ankara).

Patiemment déchiffré par plusieurs générations de « hittitologues », le voici enfin accessible à tous, grâce à la traduction et à la présentation d'Émilia Masson (CNRS).

Nadejda Dourova
LA HUSSARDE QUI PRÉFÉRAIT
LES CHEVAUX AUX HOMMES

140 x 210 mm / 208 pages
ISBN 2-8289-0632-9 (1999)

Nadejda Dourova. Tout est extraordinaire, tout est prodigieux dans la vie de cette jeune aristocrate russe.

Née (en 1783) dans une ville de garnison, maltraitée par sa mère, élevée par un simple soldat, elle s'éprend, encore adolescente… de son cheval. À 23 ans, déguisée en garçon, elle parvient à se faire enrôler dans la cavalerie du tsar, et participe, en 1812, à la guerre contre Napoléon : elle sera même blessée à Borodino.

Démobilisée peu de temps après, elle soumet humblement ses mémoires à Pouchkine. Il s'enthousiasme aussitôt pour le magnifique récit de cette hussarde, qui préférait les animaux aux hommes.

Aussi incroyable que cela paraisse, ces souvenirs, qui ont fait rêver des générations de lecteurs en Russie, sont longtemps restés inédits en français. Il faut lire l'excellente traduction qu'en donne ici Carole Ferret.

[Jean Tulard]

Louis Champion
JEANNE D'ARC
ÉCUYÈRE

140 x 210 mm / 256 pages
ISBN 2-8289-0646-9 (1999)

La prodigieuse aventure de Jeanne d'Arc (1412-1431) n'a cessé de fasciner. Des milliers d'ouvrages lui ont été consacrés. Mais curieusement, aucun ne s'est intéressé, pendant près de cinq siècles, à celui qui fut pourtant le compagnon le plus proche, l'auxiliaire le plus précieux de Jeanne : le cheval ! Quelles montures utilisait-elle ? Quel genre d'équitation pratiquait-elle ? Quels types de harnachement préférait-elle ?

Au début du XXe siècle, enfin, un officier de cavalerie a étudié ces questions. Il s'appelait Louis-Gustave-Michel Champion et commandait le 5e Chasseurs. Son livre, « Jeanne d'Arc écuyère », publié en 1901, n'avait jamais été réédité. Il nous a paru utile de le faire au moment où le cinéma (un long-métrage de Luc Besson, une série sur TF1, etc.) semble redécouvrir la plus célèbre cavalière de l'Histoire de France. Mario Luraschi, qui a réglé les cascades équestres de tous ces nouveaux films, nous y a vivement encouragé.

Catherine Paysan
ÉCRIT POUR L'ÂME
DES CAVALIERS
anthologie personnelle

(préface de Laurent Desprez)
140 x 210 mm / 128 pages
ISBN 2-8289-0709-0 (2002)

Auteur d'une vingtaine d'ouvrages, Catherine Paysan est un écrivain dont le succès, depuis un demi-siècle, n'a jamais faibli : constamment réédités en poche, souvent adaptés au cinéma, ses romans lui ont valu la célébrité.

Du coup, on a un peu tendance aujourd'hui à oublier que Catherine Paysan est aussi (et peut-être même surtout) poète, grand poète : un de ses textes, intitulé tout simplement *Chevaux*, figure dans toutes les bonnes anthologies.

On trouvera dans le présent recueil le meilleur de son œuvre poétique. Sélectionnés par elle-même parmi les centaines de textes, poèmes et chansons, qu'elle a écrits tout au long de sa vie, ces « morceaux choisis » comportent quelques inédits, mais reprennent le joli titre d'un ouvrage paru en 1956 : « Écrit pour l'âme des cavaliers ».

Jan Krauze
CHEVAL, AMOUR ET PASSION
petit voyage initiatique
dans l'univers des courses

140 x 210 mm / 96 pages
ISBN 2-8289-0727-9 (2002)

Vu de loin, l'univers des courses est un monde mystérieux, fonctionnant selon des règles opaques : une société secrète, presque une secte ! C'est, dit-on, le royaume de la combine. Pire encore : il paraît que les chevaux y sont maltraités, et ceux qui ne rapportent pas sont envoyés illico à l'abattoir

Qu'y a-t-il de vrai dans tout cela ? À peu près rien, répond Jan Krauze après une enquête approfondie, réalisée pour *Le Monde*. Pendant plusieurs semaines, il a rencontré des éleveurs et des entraîneurs, des jockeys et des drivers ; il a fréquenté de près les milieux du plat, de l'obstacle, du trot. Il y a surtout trouvé amour et passion pour le cheval.

En une série de six articles, réunis et enrichis ici, il vous convie à ce qu'il appelle (trop) modestement « un petit voyage initiatique dans l'univers des courses ».

Maria Franchini
LES RECETTES
DES CHUCHOTEURS
foutaise ou panacée ?

140 x 210 mm / 128 pages
ISBN 2-8289-0760-0 (2004)

On ne jure plus que par eux. Ce sont les « nouveaux maîtres », les gourous de l'équitation dite « éthologique » : des magiciens en chapeau de cow-boy ou casquette de base-ball capables, paraît-il, de transformer en un tournemain un mustang fougueux en cheval de promenade, ou une débutante terrorisée en cavalière émérite.

Qu'y a-t-il de vrai (ou de faux) dans tout cela ? Comment faire le tri entre les authentiques chuchoteurs et les charlatans ? Disposent-ils vraiment des pouvoirs qu'ils s'attribuent (ou qu'on leur prête) ? Leur discours est-il aussi nouveau et leurs recettes sont-elles aussi efficaces qu'ils le disent ? Qu'y a-t-il d'« éthologique », de « naturel » dans le « partenariat » avec le cheval qu'ils proposent ? Bref, peut-on se fier à ces hommes (et femmes) qui prétendent murmurer à l'oreille des chevaux ?

Maria Franchini, qui a largement contribué à faire connaître en France quelques-uns de ces enchanteurs venus d'ailleurs, plaide non-coupable. Avec sa verve et sa sincérité habituelles, elle se fait ici tantôt avocate, tantôt accusatrice.

Xavier Lesage
LES CONSEILS
DU GÉNÉRAL DECARPENTRY
À UN JEUNE CAVALIER
Note sur l'instruction équestre
et *Théorie de dressage*

(inédit)
140 x 210 mm / 224 pages
ISBN 2-8289-0812-7 (2004)

C'est un des plus grands maîtres de l'art équestre : le général Albert Decarpentry (1878-1956) est l'auteur d'une demi-douzaine d'ouvrages (dont le fameux « Équitation académique ») qui font partie des classiques de la littérature équestre.

Dans ses livres, pourtant, il n'avait pas tout dit. Le meilleur était inédit, à l'état de notes manuscrites : ses cours, ses leçons à de jeunes cavaliers.

Ce sont ces précieux conseils que nous publions ici. Ils nous sont parvenus grâce à un des plus brillants disciples du célèbre écuyer, Xavier Lesage, qui avait eu la prudence de consigner par écrit ce que lui dictait son maître – avant de remporter lui-même (preuve de la qualité de l'enseignement) le bronze en dressage aux J.O. de 1924 et l'or aux J.O. de 1932 !

Préfacés et commentés par le général Pierre Durand, qui fut comme Xavier Lesage écuyer en chef du Cadre Noir, ces textes s'adressent à tout cavalier, débutant ou confirmé, à la recherche d'une méthode claire, cohérente – et efficace.

Étienne Beudant
VALLERINE
le testament d'un écuyer

(inédit)
140 x 210 mm
168 pages dont cahier photos de 8 p.
ISBN 2-8289-0811-9 (2005)

Vallerine est la dernière jument dressée par celui que le général Decarpentry avait surnommé « l'écuyer mirobolant » : Étienne Beudant (1863-1949), un des cavaliers les plus doués de son époque, auteur d'exploits équestres inouïs et d'ouvrages devenus des classiques (« Extérieur et haute-école » en 1923, « Main sans jambes » en 1945).

En 1927, trop âgé pour continuer à monter Vallerine, il en fait cadeau à un ami, et joint à son envoi une lettre de 81 pages, véritable mode d'emploi du cheval.

Véritable testament équestre, préfère dire Patrice Franchet d'Espèrey, écuyer du Cadre Noir de Saumur et éditeur de ce texte qui n'avait jamais été publié, dans lequel Beudant, en avance sur son temps, donne les vraies réponses aux questions que se posent les cavaliers d'aujourd'hui.

Eugène Sue et Maurice Druon
VIE(S) D'UN CHEVAL ILLUSTRE, GODOLPHIN

140 x 210 mm / 128 pages
ISBN 2-8289-0813-5 (2005)

À plus d'un siècle de distance, deux grands écrivains ont été inspirés par la même histoire (vraie) : celle d'un cheval offert par le bey de Tunis au roi de France (Louis XV), devenu, après de rocambolesques aventures, l'étalon fondateur de la race des galopeurs les plus rapides du monde : le pur-sang-anglais.

Le premier est Eugène Sue. Médecin militaire reconverti dans l'écriture, un des feuilletonistes les plus populaires du XIXe siècle (« Les Mystères de Paris ») a raconté en 1846 comment le barbe Scham est devenu Godolphin « arabian ».

Le second est Maurice Druon. Tour à tour résistant, ministre, secrétaire perpétuel de l'Académie Française, l'un des écrivains les plus populaires du XXe siècle (« Les Rois maudits ») a raconté en 1957 la merveilleuse idylle entre Godolphin, « le Prince noir » et Roxana, la belle alezane.

Deux époques, deux styles, deux tempéraments pour brosser le portrait du même animal. Parmi les chevaux illustres, il n'en est point qui ait reçu meilleure consécration littéraire.

Monsieur Genson
TRAITÉ SUR LA CONNAISSANCE
DU CHEVAL
professé à l'École des Pages
de la Grande Écurie du Roy
à Versailles (1774)

(inédit)
140 x 210 mm / 160 pages
ISBN 2-8289-0870-4 (2005)

Comment est-on passé de l'hippologie à la médecine vétérinaire ? Comment s'est produite la transition entre l'approche empirique et l'approche scientifique du cheval ? Entre les manuels de recettes hippiatriques d'un Gaspard de Saunier (« La parfaite connaissance du cheval », 1734) et les traités savants d'un Claude Bourgelat, fondateur de la première école vétérinaire d'Europe (à Lyon, en 1761) ?

Philippe Deblaise, historien de la littérature équestre, expert en livres anciens et libraire spécialisé (Philippica) a découvert le chaînon manquant. Il s'appelait Monsieur Genson, et professait à l'École des Pages de la Grande Écurie du Roy, à Versailles, dans les années 1774. Son enseignement est arrivé jusqu'à nous grâce aux notes manuscrites de ses élèves, en particulier celles d'un certain La Roque, miraculeusement sauvées de la disparition.

Présenté et annoté par Philippe Deblaise, cet INÉDIT constitue non seulement l'émouvant témoignage de l'état des connaissances hippologiques au XVIIIe siècle, mais un document d'une valeur historique inestimable.

Harald Bredlow
LES CONTES
MORAUX (ET IMMORAUX)
D'UN HOMME DE CHEVAL

(illustrés par Marine Oussedik)
140 x 210 mm / 112 pages
ISBN 2-8289-0897-6 (2006)

Homme de cheval (éleveur, cavalier de compétition, juge de CSO) et homme de lettres (agrégé en littérature comparée, il a enseigné l'anglais et l'allemand en France, puis en Suisse) Harald Bredlow est aussi un grand voyageur, et un grand conteur.

Situés en Chine et au Pérou, en Australie et au Népal, en Éthiopie et ailleurs, ses fabliaux ont séduit la plus illustre des illustratrices, Marine Oussedik (elle aussi cavalière) dont les dessins originaux accompagnent ici les vingt histoires imaginées par le narrateur enchanteur.

Moraux ou immoraux, les contes de Harald Bredlow peuvent être mis entre toutes les mains : ce sont, avant tout – et tout simplement – de belles histoires d'amour.

Miles Abernathy
LES GALOPINS MAGNIFIQUES
Âgés de 9 et 5 ans, Bud et Temple Abernathy ont parcouru des milliers de kilomètres à cheval à travers les États-Unis. Ce sont les plus jeunes cavaliers au long cours de l'histoire

140 x 210 mm / 160 pages
ISBN 2-8289-0903-4 (2006)

Voici l'incroyable histoire (vraie) de deux enfants, de 9 et 5 ans, qui ont parcouru – seuls, mais à cheval – de folles distances à travers les États-Unis.

Au cours des vacances scolaires de 1909, ils réalisent un premier périple équestre, de leur Oklahoma natal au Nouveau Mexique et retour : environ 1 500 kilomètres. L'année suivante, ils doublent la mise : ils couvrent 3 000 kilomètres en gagnant, cette fois, New York, où ils sont accueillis par un ami de leur père, le président Teddy Roosevelt. En 1911, enfin, ils doublent encore les enjeux : toujours seuls, et toujours à cheval, ils relient la côte est à la côte ouest des États-Unis – soit 6 000 kilomètres – en soixante-deux jours seulement.

Ces extraordinaires aventures des frères Abernathy, Bud (l'aîné) et Temple (le benjamin), étaient totalement inconnues en France. La traduction que Bernardine Cheviron donne ici du récit qu'en fît à l'époque un membre de la famille Abernathy (Miles) comble cet oubli et, surtout, répare cette injustice.

Jean-Claude Racinet
TRENTE-CINQ PROPOSITIONS
INSOLENTES POUR
COMPRENDRE L'ÉQUITATION
petit traité impertinent à l'usage
des cavaliers désarçonnés…
par les règlements
de la Fédération Internationale

(préface du général Pierre Durand)
140 x 210 mm / 128 pages
ISBN 978-2-8289-0986-4 (2007)

Les chroniques acidulées de Jean-Claude Racinet ont fait les beaux jours de la presse équestre française, avant qu'il ne s'exile aux États-Unis, où il enseigne l'équitation de légèreté, c'est-à-dire la belle équitation de tradition latine. Auteur de quelques ouvrages qui ont, chaque fois, fait grand bruit dans le petit monde du Dressage, il va ici plus loin encore dans l'insolence.

Ce livre est un cri de révolte contre l'équitation allemande moderne, qui a réussi à imposer ses règles à la Fédération Internationale. « Cette équitation n'est pas mauvaise parce qu'elle est allemande », dit Racinet. « Elle est mauvaise parce qu'elle est mauvaise. » Il s'en explique ici longuement. Et propose quelques antidotes.

collection

Grande Écurie
de Versailles

Elle a commencé par s'appeler Zingaro, du nom du fameux théâtre équestre d'Aubervilliers. Lorsqu'au tout début de l'an 2000, j'ai informé le fondateur dudit théâtre, l'ami Bartabas, de mon intention de créer, chez Favre toujours, une nouvelle collection, composée, cette fois, de beaux livres (et donc de livres chers – entre 40 et 50 euros –, mais réalisés avec un soin extrême, et sans précipitation : un volume par an, pas plus), afin de faire découvrir, ou redécouvrir, de grands artistes, connus ou inconnus, ayant consacré l'essentiel de leur œuvre au cheval, celui-ci, en effet, me proposa son aide, son parrainage, le soutien de sa déjà grande notoriété. C'est ainsi que le premier volume de la collection (« Svertchkov ») porte en surtitre le nom de Zingaro.

L'année suivante, Bartabas se voit confiée la mission de redonner vie à la Grande Écurie du château de Versailles. Avec son énergie, sa détermination, son talent habituels, il y crée une Académie du Spectacle Équestre, et décide qu'il y a plus de cohérence à associer une collection de livres d'art à cette Académie (dans laquelle on n'enseigne pas que l'art équestre – mais aussi l'art-tout-court) qu'à la troupe de saltimbanques d'Aubervilliers. Voilà la collection rebaptisée Grande Écurie de Versailles.

Bartabas, devenu parrain de la série (dont la directrice artistique est ma complice de toujours, Mireille Lejeune), me demande alors de soumettre à sa signature un petit texte de présentation, qui paraîtra en bonne place, sur la jaquette de chaque volume – ce que je fais aussitôt, sous la forme que voici :

❝ Quand les cavaliers cherchent à anoblir leur savoir-faire, ils parlent volontiers d'art équestre. Mais, dans ce couple improbable que forment l'homme et le cheval, l'artiste n'est peut-être pas celui qu'on croit.

Entre "l'art équestre" – autrement dit, l'équitation –, qui consiste à créer le mouvement, et les arts de la représentation, qui consistent plutôt à le fixer, peut-il exister un lien, une relation, un échange ? Le cheval, qui est, de très loin, l'animal le plus souvent représenté par les plasticiens n'est-il pas déjà un chef-d'œuvre ?

Depuis que je regarde les chevaux, que je les approche, que je les fréquente, que je vis et travaille avec eux, il me semble nécessaire de disposer d'un lieu qui favorise l'observation et la réflexion. Non point pour organiser des expositions ou des colloques, bien sûr, mais pour abriter une collection consacrée aux artistes dont le cheval a été la principale source d'inspiration. Cette célébration artistique du cheval s'apparente d'ailleurs à celle que nous menons à l'Académie du Spectacle Équestre.

La "collection Grande Écurie de Versailles" ne comportera qu'un seul volume par an. Cette lenteur du rythme non seulement convient parfaitement à la mentalité cavalière ("Ce n'est pas la vitesse qui fait comprendre, disent les Maîtres d'équitation, c'est la lenteur"), mais exprime assez bien notre désir, à l'Académie, de travailler sur la durée, et d'inscrire notre travail dans le temps.

Ce rythme de parution annuel n'est pas dû à la pauvreté ou à la rareté du sujet – le problème étant au contraire de résister au foisonnement, à la prolifération –, mais à la volonté de ne publier que des travaux soignés, nécessaires et originaux. Des travaux qui, donc, n'auraient probablement jamais pu voir le jour ailleurs. ❞

SVERTCHKOV
le peintre russe du cheval
Nikolaï Egorovitch Svertchkov
(1817-1898)

avec des textes de Natalia Chapochnikova, Jean-Louis Gouraud et David Gouriévitch
235 x 295 mm
176 pages dont 64 p. en couleurs
ISBN 2-8289-0713-9
(2000, première édition ; 2001, réédition)

Dans son célèbre « Voyage en Russie », Théophile Gautier évoque sa rencontre à Saint-Pétersbourg (fin 1858, début 1859) avec le peintre Nikolaï Egorovitch Svertchkov. Il s'étonne du talent avec lequel il peint les chevaux, et le compare à Horace Vernet, à Alfred De Dreux.

La comparaison est excellente. Svertchkov (né à Saint-Pétersbourg en 1817, mort à Tsarskoye Selo en 1898) est contemporain de H. Vernet (1789-1863) et de A. De Dreux (1810-1860). Comme eux, il a une passion pour les chevaux, qu'il représente en leur mille usages : courses, chasses, attelages élégants ou paysans, montés en amazone ou menés par des moujiks. Comme De Dreux, Svertchkov a été remarqué de son vivant par Napoléon III, qui l'a décoré, et lui a acheté un tableau (en 1863).

Comme les « petits maîtres » français du XIXᵉ siècle, Svertchkov sort enfin d'un long purgatoire – et l'on commence (ou plutôt, l'on recommence) à admirer son prodigieux talent, sa fantastique énergie, et son inépuisable imagination.

Jamais encore un livre ne lui avait été consacré. Ni en France, ni même en Russie. Pour réaliser celui-ci, nous avons fait appel à deux experts : Natalia Chapochnikova, historienne d'art et de littérature, et David Gouriévitch, directeur du musée du Cheval de Moscou, qui possède plus de deux cents toiles de Svertchkov. Une sélection de soixante d'entre elle est reproduite ici. Une véritable redécouverte.

STUBBS
le peintre "très-anglais" du cheval
George Stubbs
(1724-1806)

avec des textes de Judy Egerton,
Jean-Louis Gouraud et Alec Wildenstein
235 x 295 mm
160 pages dont 64 p. en couleurs
ISBN 2-8289-0703-1 (2002)

Pour ceux qui s'intéressent au cheval, pour ceux que fascine l'incomparable beauté plastique de cet animal, un peintre surpasse tous les autres. C'est George Stubbs. Un Anglais « très-anglais » de la fin du XVIIIe siècle (1724-1806).

Il n'est peut-être pas le premier à avoir « osé » prendre le cheval pour modèle et à avoir « osé » en faire le thème principal de son œuvre – mais il est à coup sûr le plus grand. Et surtout le plus exact.

George Stubbs a passé plusieurs années de sa vie à étudier, avec une minutie extrême, la morphologie : de ses observations, il a tiré un ouvrage, « The Anatomy of the Horse » (1766), composé d'une série de planches d'une incroyable précision, qui, deux siècles et demi plus tard, continuent à faire référence.

Mais, loin de restreindre (il faudrait dire ici : de brider) son inspiration, l'étude scrupuleuse de l'anatomie du cheval a donné au contraire à Stubbs une totale liberté descriptive. Les cinquante reproductions contenues dans cet ouvrage le prouvent. Stubbs a su peindre le cheval dans toutes les attitudes, à toutes les allures, dans toutes les situations.

Il a fait mieux : en peignant les chevaux – et leur entourage – il a su peindre une société, une époque, donnant ainsi ses lettres de noblesse à un genre que les Anglais désignent, avec un certain mépris, sous le nom de « peinture sportive ».

Stubbs, en effet, n'est pas un simple peintre animalier, un banal peintre « de genre » spécialisé dans les scènes de chasse ou les courses hippiques. C'est un grand, un très grand artiste, qui a influencé d'autres grands, très grands artistes (Géricault, pour n'en citer qu'un).

Il est étrange que jamais aucun livre ne lui ait été consacré en France – celui-ci est le premier –, et plus curieux encore qu'en Grande Bretagne même, la dernière publication sérieuse qui lui ait été consacrée est le catalogue d'une exposition que la Tate Gallery a organisée en son honneur voici… près de vingt ans.

C'est en coopération avec ce fameux musée londonien que nous avons réalisé le présent ouvrage.

PICASSO
et le cheval
(1881-1973)

par Dominique Dupuis-Labbé
235 x 295 mm
176 pages dont 64 p. en couleurs
ISBN 2-8289-0740-6 (2003)

On croyait tout savoir de Picasso. Son œuvre a été si souvent décrit, publié, analysé qu'on pensait en avoir fait le tour. Pourtant, non ! Aussi connue soit-elle, sa faramineuse production réserve encore des surprises.

Celle que nous offre le présent ouvrage est de taille. Jusque-là, on associait volontiers Picasso au *toro*, au minotaure, et autres avatars taurins ou tauromachiques – sans prendre conscience qu'un autre animal occupait dans l'imaginaire du maître une place primordiale : le cheval.

Chez Picasso, le cheval est omniprésent. Il traverse son œuvre de part en part : un de ses premiers tableaux, peint à l'âge de huit ans, représente un homme à cheval – et un de ses derniers dessins une sorte de pégase, un cheval ailé.

Ces deux œuvres figurent, naturellement dans le présent ouvrage, parmi une centaine d'autres – dont certaines sont reproduites ici pour la première fois.

Pour mettre en évidence cette réalité – qui avait échappé aussi bien aux connaisseurs de Picasso qu'aux amateurs de chevaux – nous avons fait appel à Dominique Dupuis-Labbé, professeur à l'École du Louvre et conservateur au musée Picasso de Paris : une des meilleures spécialistes de l'artiste le plus prodigieux du XXe siècle.

Commissaire de nombreuses rétrospectives Picasso (à Taïpei, à Tokyo, à Rio et à Paris), elle avait déjà révélé un aspect peu connu de l'œuvre picassien en organisant, en 2001, une retentissante exposition : « Picasso érotique » (Galerie nationale du Jeu de Paume).

Après avoir revisité, avec la complicité et l'aide des héritiers du maître, la quasi-totalité de sa production, Dominique Dupuis-Labbé conclut : « Picasso nous présente des images, variées à l'infini, de l'animal qui combine, au sein de son œuvre, la symbolique mâle et femelle, le solaire et les ténèbres, le jeu et le drame, le désir et la sagesse. Ce faisant, il nous parle également de son amour pour le compagnon immémorial de l'homme – dont il fit aussi le double de la femme. »

CASTIGLIONE
jésuite italien et peintre chinois
Giuseppe Castiglione
dit Lang Shining
(1688-1766)

avec des textes de Michel Cartier,
Yolaine Escande, Jean-Louis Gouraud,
Shih Shou-chien et Tu Cheng-sheng
235 x 295 mm
148 pages dont 23 p. en couleurs
et un dépliant de 24 p. (développé : 2 m 40)
ISBN 2-8289-0807-0 (2004)

À la fin du XVIIe siècle, la Chine est dirigée par un empereur, Kangxi (K'ang-hi), qu'on a parfois appelé le « Louis XIV chinois » principalement parce qu'il était, comme le Roi-Soleil, un « protecteur des arts et des lettres ». Il entretenait à sa Cour nombre de savants, architectes, décorateurs, jardiniers. Parmi eux, un personnage extraordinaire, un italien : Giuseppe Castiglione.

Né à Milan en 1688, novice de la Compagnie de Jésus en 1707, il est envoyé au Portugal (1710), puis en Chine (1715), où il est très vite admis dans l'entourage de l'Empereur. Car le jeune homme a, entre autres talents, celui d'être un artiste habile et délicat.

Conformément à la tradition jésuite, il s'intègre totalement à son milieu, prend un nom chinois, Lang Shining. Et devient, petit à petit, le peintre préféré du souverain, puis (à partir de 1735) de son successeur Qianlong (K'ien-long). Par atavisme, sans doute, ce dernier aime les chevaux (il est d'origine mandchoue). Le sachant, ses courtisans se décarcassent pour lui trouver, et lui offrir, les plus beaux chevaux qu'on puisse voir à l'époque, dans le royaume, et au-delà.

Ce sont ces animaux magnifiques que Qianlong charge Castiglione-Lang Shining d'immortaliser en les portraiturant – souvent grandeur nature – sur des rouleaux de soie.

L'un d'eux, le plus célèbre, mesure 7 m 76, et s'intitule *Cent Coursiers* – parce qu'il représente, en effet, cent chevaux, tous dans des positions, des postures, des allures différentes. Ce rouleau, comme l'essentiel de l'œuvre hippologique du jésuite hippophile, est conservé au Musée National du Palais, à Taipei (Taiwan), grâce à la coopération duquel le présent ouvrage a pu voir le jour.

Jamais à notre connaissance, les rouleaux de Castiglione n'ont été présentés dans de telles dimensions (le rouleau des *Cent Coursiers* est reproduit au cœur de ce volume sur un dépliant de 2 m 40 de long !) ; et jamais aucun livre en français n'a été consacré à ce grand artiste, trop longtemps boudé en Europe parce que son œuvre passait pour de la chinoiserie, et un peu méprisé par certains lettrés chinois parce que, bien que fortement sinisé, Lang Shining n'est pas un vrai Chinois. Grâce aux meilleurs spécialistes – chinois et européens – réunis ici, voici donc Giuseppe Castiglione réhabilité.

LANCERAY
le sculpteur russe du cheval
Evgueni Alexandrovitch Lanceray
(1848-1886)

par Geoffrey W. Sudbury
avec des textes de Édouard Papet,
Pavel Pavlinov-Lanceray
et Elena V. Karpova
235 x 295 mm
212 pages dont 48 p. en couleurs
ISBN 2-8289-0860-7 (2006)

Il y a un « cas » Lanceray, qui repose sur une double originalité. L'une, qu'on pourrait appeler dynastique, et l'autre, artistique.

Evgueni (Eugène) Lanceray, un des plus grands sculpteurs russes, est le descendant direct d'un Français arrivé en Russie en 1812, dans le sillage de Napoléon. Sérieusement blessé, il ne se joignit pas à la Grande Armée en retraite. Au contraire, resté sur place, il épousa une aristocrate balte, la baronne Olga Karlovna von Taube, qui lui donna un fils, Alexandre. Simple ingénieur des travaux publics, celui-ci donna à son tour naissance, le 12 août 1848, au prodigieux sculpteur de chevaux que cet ouvrage va nous faire (re)découvrir, et premier rejeton d'une incroyable descendance d'artistes.

Depuis lors, en effet, et de génération en génération, l'aîné des garçons – toujours prénommé Evgueni – se révèle doué pour les arts. Du côté des filles et des femmes, la fertilité (artistique) est tout aussi impressionnante. En 1874, Evgueni Ier épouse Catherine Nikolaïevna Benois, qui appartient à une grande famille d'architectes (d'où sera issu, plus tard, un des décorateurs préférés de Diaghilev). De ce mariage naîtront six enfants. L'aîné – Evgueni, bien sûr – deviendra un peintre fameux (1875-1946). Un autre fils, Nikolaï, sera un des principaux architectes du style dit « stalinien ». Enfin, une de leurs filles, Zinaïda (devenue par mariage Sérébriakova), fuira la révolution bolchevique pour se réfugier à Paris, où deux de ses enfants connaîtront à leur tour la célébrité comme peintres, illustrateurs ou décorateurs. Qui dit mieux ?

Sur le plan artistique, le « cas » Lanceray est un peu plus triste. Voila, en effet, un des plus grands sculpteurs russes, un des meilleurs portraitistes de chevaux du monde, un des artistes animaliers les plus inventifs presque totalement sinon inconnu, du moins ignoré en France, où l'on ne jure que par Antoine-Louis Barye (1795-1875), Pierre-Jules Mène (1810-1879), et quelques autres, bien loin, pourtant, d'avoir le talent et le brio du Russe, dont on orthographie d'ailleurs les nom et prénom de mille manières fantaisistes (Ievgenni, Eugen, Lanceré, Lanceret, Lansere etc.). Phénomène d'autant plus incompréhensible que, de son vivant, Lanceray vint deux fois à Paris, et y exposa ses sculptures. Même ingratitude aux États-Unis, où l'on ne jure que par Frédéric Remington (1861-1909), en oubliant que Lanceray fut son principal inspirateur.

Mais le pire est qu'en Russie même, Evgueni Lanceray est sinon méprisé, du moins rabaissé au rang de simple sculpteur de genre, dont les œuvres sont tout juste bonnes à orner les demeures bourgeoises.

Aucune étude, aucun ouvrage – ni en russe, ni en anglais, ni en français – n'a jamais été consacré à cet artiste majeur. Le présent album est le premier, et comble une grave lacune dans l'histoire de l'art du XIXe siècle.

Depuis une quinzaine d'années, le Britannique Geoffrey Walden Sudbury consacre tout son temps à l'établissement d'un catalogue raisonné de l'œuvre de Lanceray. Sur les quatre cents pièces que l'artiste a (probablement) produites, il en a retrouvé une bonne moitié. Nous lui avons demandé de présenter ici la cent cinquantaine dont le cheval est, à la fois, le sujet et l'objet.

Lanceray avait une passion pour les chevaux. Cela se sent, cela se voit : les chevaux, en effet, sont toujours les personnages principaux de ses compositions. Il en possédait une vingtaine en chair et en os. Dans sa maison-atelier de Neskoutchnoïe (dans l'Ukraine actuelle, détruite hélas en 1918), il vivait et travaillait parmi eux.

Lorsqu'à trente-sept ans seulement, il sentit sa mort prochaine, il fit venir à son chevet son cheval favori. Et s'éteignit alors, en paix, le 23 mars 1886.

Favre
quelques livres hors collection

Si, dans sa première manière, la collection caracole *pouvait, d'un volume à l'autre, changer radicalement d'aspect, de dimensions, de prix, elle se trouve au contraire, dans sa seconde manière, corsetée, bien sanglée dans son strict uniforme : format unique, prix plafonné, maquette de couverture standardisée. Surtout, elle n'accepte plus en son sein qu'un nombre limité de genres : rééditions ou reprints de livres anciens, de chefs-d'œuvre oubliés, inédits de grands maîtres, textes rares, poétiques ou insolites.*

Que faire, dès lors, des textes « normaux », des œuvres contemporaines : les romans, les essais, les récits ?

Lorsqu'ils ne savent pas comment refuser un manuscrit, les éditeurs le retournent à son auteur en déplorant que, bien qu'excellent, naturellement, ce manuscrit n'entre hélas dans le cadre d'aucune collection existante. À l'inverse, lorsqu'ils ont vraiment envie d'éditer un texte qui leur a plu mais qui n'entre, c'est vrai, dans aucune de leurs collections – alors ils le publient, les petits malins « hors collection » !

C'est ce que Favre, pour sa part, a fait pour quelques ouvrages connotés « cheval » sans être strictement caracole.

Homeric
(Prix Médicis 1998)
OURASI, LE ROI FAINÉANT
150 x 235 mm / 384 pages
ISBN 2-8289-0654-X (2000)
[réédition (enrichie) d'un ouvrage
paru en 1989 aux Presses de la Renaissance]

Plusieurs fois édité et réédité, ce premier livre de Homeric, – devenu célébrissime depuis l'immense succès de son roman « Le loup mongol » (Prix Médicis 1998) –, était devenu introuvable. Le voici à nouveau disponible.

L'histoire fabuleuse du plus grand trotteur de tous les temps. Pour les millions de Français qui l'admirent et qui l'aiment, Ourasi est une énigme. Un comportement brutal, irrationnel, une indifférence majestueuse, un « roi fainéant » qui ne se réveille que dans la dernière ligne droite pour coiffer avec mépris ses malheureux adversaires. Qui est Ourasi ?

De sa première matinée dans les prés de Saint-Étienne-l'Allier aux triomphes dans les grands prix, voici la vie d'un champion nonchalant qui gagna à quatre reprises le prix d'Amérique.

Mais le plus beau fleuron de l'élevage français représente aussi un enjeu financier considérable. Histoire d'héritage, de chèques, misère des coulisses, spleen des oubliés du peloton : la réalité hippique est plus cruelle qu'on ne l'imagine. À cet égard, la peinture de mœurs de l'entourage d'Ourasi donne à ce livre la dimension d'une exceptionnelle enquête, d'un grand document.

Jean-François Pré
UNE FIÈVRE DE CHEVAL
roman
150 x 235 mm / 288 pages
ISBN 2-8289-0560-8 (2000)

Un monde (et un cheval) les séparent...

Loïc est jeune, sans le sou, et se retrouve par hasard propriétaire d'un cheval que tout le monde prenait pour un toquard.

James est riche, peut tout acheter, tout s'offrir, sauf son rêve : gagner le Prix de l'Arc de Triomphe. Ce cheval, pourtant, était à lui... Et il l'a laissé partir, croyant que c'était un toquard.

Sylvia est riche, belle, intelligente. Que cherche-t-elle de plus, à travers ce cheval et son nouveau propriétaire ?

Amour, pouvoir et séduction s'articulent autour d'un cheval, personnage central du nouveau roman de Jean-François Pré, qui nous fait pénétrer dans le monde fermé des courses, sur le ton vif et cynique d'un polar... Mais ce n'est pas un polar.

Catherine Tourre-Malen
L'ÉQUITATION
EXPLIQUÉE AUX PARENTS
150 x 235 mm / 128 pages
ISBN 2-8289-0572-1 (2000)

Votre enfant souhaite monter à cheval? Vous désirez lui proposer cette activité? L'équitation est-elle dangereuse pour les enfants (et ruineuse pour les parents)? Comment choisir un poney club? Sport de garçon ou sport de fille?

Ce petit livre répond aux questions que vous vous posez. À quel âge débuter? La pratique de l'équitation est-elle une activité à risque? Existe-t-il des contre-indications? Faut-il commencer à cheval ou à poney? Combien cela coûte?

Ce véritable mode d'emploi de l'équitation vous apportera une foule de renseignements sur le cheval et sur le monde des activités équestres. Ces informations vous permettront non seulement d'être à l'aise parmi les gens de chevaux mais aussi de devenir des parents de cavalier, acteurs de la pratique de leur enfant. Et qui sait, peut-être, cette lecture vous donnera-t-elle l'envie d'essayer, par vous-même, un « brin » de galop!

Jacqueline Ripart
MA VIE AVEC LES CHEVAUX
DU BOUT DU MONDE
la véritable histoire
des chevaux du désert namibien
150 x 235 mm
252 pages + cahier photos de 16 p.
ISBN 2-8289-0668-X (2001)
[réédition (enrichie) d'un ouvrage
paru en 1994 chez Belfond
sous le titre« J'irai jusqu'au bout du monde »]

Depuis toute petite, Jacqueline Ripart ne vit que pour l'amour des chevaux. Une passion solitaire émaillée de liens singuliers et émouvants.

Un jour de 1989, elle apprend qu'un mystérieux troupeau de chevaux sauvages erre dans le désert brûlant de Namibie, là où personne ne soupçonne leur existence, tant les rigueurs du climat rendent leur présence incroyable. Depuis la découverte de diamants en 1907, ce territoire est déclaré zone interdite.

Déterminée et persévérante, elle réussit toutefois à obtenir l'autorisation de s'y rendre. Avec une tente pour tout abri, elle vit plusieurs mois à leurs côtés pour les connaître et étudier leur comportement. Parlant avec eux le langage universel des chevaux, elle réussit à faire sa place parmi ces fantômes du désert qui ignorent les humains.

Pourtant, les humains font partie de leur passé, car ils ne sont pas arrivés là par hasard. C'est en 1907 qu'un riche baron allemand s'installe avec des chevaux sur une ferme de cinquante mille hectares, aux confins du Namib, pour fournir la remonte de la cavalerie allemande détachée en Namibie depuis la signature du traité de Berlin en 1884. En 1913, l'armée sud-africaine envahit le pays, les cavaliers de Guillaume II s'enfuient, et les chevaux sont laissés à eux-mêmes dans ce territoire déserté par les hommes. C'est là que commencent le destin extraordinaire et l'évolution mystérieuse de ces chevaux oubliés de la civilisation.

[C'est hors collection également que Favre a édité mes deux romans (« Serko » en 1996, puis « Ganesh » en 1999), ainsi que trois autres ouvrages dont on trouvera le détail plus loin, dans ma bibliographie personnelle : « Femmes de cheval » (2004), « Pour la gloire (du cheval) » (2006) et « Le cheval, animal politique » (2009). Sans oublier, naturellement, le présent volume.]

collection *cheval-chevaux*

Un (beau) jour d'avril 2002, Jean-Paul Bertrand me demande de venir le voir. Il me reçoit dans le vaste bureau (qui fut aussi celui de Robert Laffont) situé au dernier étage du drôle de petit immeuble étroit, exigu, tout en hauteur de la place Saint-Sulpice, où se trouvent les éditions du Rocher. Tout au moins leur antenne parisienne – car le siège social, lui, est, comme leur nom l'indique, à Monaco.

S'il n'en est pas le fondateur « historique », Jean-Paul Bertrand est, du moins, celui qui a fait de la petite boutique monégasque une grande maison vivante, diversifiée (trop?), sympathique. En tout cas séduisante, comme on s'en apercevra un peu plus tard, lorsqu'elle sera mise en vente.

Bien que bâti tout en rondeurs, Jean-Paul Bertrand est un pédégé carré. Il va droit au but. Il pense que le cheval, l'équitation, tout ça, commence à constituer une véritable niche éditoriale – et me propose de vérifier son intuition en créant, hic et nunc, une collection couvrant le secteur.

Dans un premier temps, je cherche à le calmer : des collections, il y en a déjà – caracole, par exemple. Il y a aussi des éditeurs importants, comme Maloine, qui satisfait largement les besoins du marché en ce qui concerne l'hippologie : les soins aux chevaux, la médecine vétérinaire. Quant à l'équitation – c'est-à-dire les manuels, les traités, les ouvrages pratiques : difficile de faire mieux que Belin, qui s'est lancé depuis peu sur ce créneau.

Jean-Paul Bertrand n'aime pas les objections : il veut des propositions. C'est vrai, finis-je par lui dire, entre l'hippologie et l'équitation, il y a un champ immense – qui paraît libre, à peu près inexploré. Celui des sciences humaines : l'histoire, les récits, les biographies, les romans, la littérature…

« Proposez-moi rapidement un programme : six à huit titres par an », me dit JPB en se levant de son siège pour me signifier que l'entretien est terminé. Puis, la main sur la poignée de la porte de sortie : « d'ici à demain, réfléchissez à un titre de collection ».

Ce sera cheval-chevaux.

Léon Tolstoï,
Alexandre Kouprine,
Carl Sternhein
QUAND LES CHEVAUX
PARLENT AUX HOMMES
(présentation de Jean-Louis Gouraud)
140 x 225 mm
216 pages + cahier photos de 8 p.
ISBN 2-268-04587-0 (2003)

On trouve en Amérique des hommes qui, paraît-il, murmurent à l'oreille des chevaux. En Russie, c'est l'inverse : ce sont les chevaux qui murmurent à l'oreille des hommes…

Les plus grands écrivains russes ont rapporté les confidences de ces chevaux bavards, qui ont pour noms Kholstomier, Émeraude, Libussa.

Réunies pour la première fois, les nouvelles de Carl Sternheim, d'Alexandre Kouprine (inédite en France) et de Léon Tolstoï (accompagnée de photos rarissimes) nous en disent long sur les pensées secrètes des quadrupèdes – et davantage encore sur celles des bipèdes.

Faire parler les chevaux : ce vieux rêve d'écrivain a fini par constituer un genre à part entière, ce que, dans son introduction, Jean-Louis Gouraud appelle « la littérature hippophone » – et dont les trois textes rassemblés ici sont les chefs-d'œuvre.

Antoinette Delylle
L'ÉQUITATION SENTIMENTALE

140 x 225 mm / 160 pages
ISBN 2-268-04788-1 (2003)

Concours hippique, randonnée, équitation « éthologique » : avec les chevaux, Antoinette Delylle a tout essayé. Journaliste à *30 millions d'amis*, à *Cheval magazine*, à *Cheval star*, elle a rencontré tous les nouveaux maîtres : Pat Parelli, Michel Henriquet et les autres…

De ces expériences et de ces fréquentations, elle a tiré un livre qui, sous l'aspect modeste d'un récit, est en fait un véritable manuel de savoir-vivre avec les chevaux.

En racontant avec simplicité et tendresse ses mésaventures de débutante, ses joies de cavalière, son apprentissage de palefrenière, ses déboires et ses succès de propriétaire, Antoinette Delylle nous donne une sorte de traité sur l'art d'approcher les chevaux, de les choisir, de les soigner, de jouer et travailler avec eux… Et de les rendre heureux.

Pour Antoinette, mariée à un piéton endurci qu'elle a converti à l'équitation, mère d'une petite fille devenue très tôt cavalière, les chevaux font partie de la famille.

Jean-Louis Gouraud
(et Compagnie)
« C'EST PAS CON UN CHEVAL.
C'EST PAS CON !…»
pot-pourri de dits, édits et inédits

140 x 225 mm / 304 pages
ISBN 2-268-04792-X (2003)

Pour Jean-Louis Gouraud la passion du cheval n'est pas un amour platonique.

Auteur d'innombrables articles, romans, scénarios, spectacles et anthologies à la gloire des chevaux, il a fait aussi ses preuves en selle (Paris-Moscou en 75 jours), suscité la création de l'Organisation Mondiale du Cheval Barbe, contribué à faire connaître, en France, la race akhal-téké, entrepris la restauration du cimetière équin de Tsarskoye Selo (Russie)…

Il milite aujourd'hui pour la création d'une Maison du Cheval à Paris, pour l'édification d'un Monument aux Chevaux Morts, et deux ou trois autres causes dont on trouvera trace dans ce recueil de textes souvent insolites, et toujours insolents, souvent inédits et toujours inattendus, souvent drôles et toujours tendres.

Pour Jean-Louis Gouraud, l'amour du cheval n'est pas un plaisir solitaire.

C'est un bonheur qu'il partage, avec ses montures, bien sûr, mais aussi avec quelques piétons célèbres ou inconnus : des peintres, des musiciens, des poètes. Les uns très recommandables, comme Victor Hugo ou Max Jacob, d'autres beaucoup moins comme Céline, auquel il a pourtant emprunté le titre de cet ouvrage. D'autres enfin carrément infréquentables…

En mêlant leurs œuvres aux siennes, il a composé le présent ouvrage. Avec ces artistes, ces écrivains, il a constitué une écurie merveilleuse, une sorte de caverne d'Ali Dada, dans laquelle chacun pourra trouver son bonheur.

Adnan Azzam
À CHEVAL ENTRE ORIENT
ET OCCIDENT
mon tour du monde à cheval

155 x 240 mm
300 pages + 16 p. photos (2 cahiers de 8 p.)
ISBN 2-268-05007-6 (2004)
[réédition (enrichie) d'un ouvrage paru en 1989 chez Stock sous le titre « Le cavalier de l'espoir »]

Le récit des pérégrinations équestres d'un jeune Syrien qui, entre 1982 et 1986, après avoir longé la rive nord de la Méditerranée, ralliant Damas à Paris via la Turquie, la Grèce et l'Italie, puis traversé les États-Unis d'ouest en est, a regagné son pays natal par l'Afrique du Nord, La Mecque, le Golfe arabo-persique et enfin la Jordanie !

Ce voyage extraordinaire n'était pas qu'une simple promenade, ni un pèlerinage mais plutôt une croisade à l'envers : une tentative de rapprocher l'Orient et l'Occident.

Au moment où tant de fanatismes s'acharnent à creuser entre les deux civilisations un fossé infranchissable, à installer l'incompréhension, voire la haine entre les deux mondes – l'oriental et l'occidental –, il nous a paru salutaire de rééditer ce récit de voyage, de saisir cette main tendue, faire en sorte que le long périple équestre du jeune Syrien n'ait pas été une vaine entreprise, un exploit inutile.

Le fait que ce tour du monde de l'espoir ait été réalisé à cheval n'est pas indifférent : le cheval, depuis toujours, a servi de médiateur, de passerelle entre l'Est et l'Ouest.

Et les plus belles réussites de l'élevage équin sont nées du mariage des chevaux d'Orient et des chevaux d'Occident !

Adnan Azzam, aujourd'hui âgé de 46 ans, s'est finalement établi à Paris, mais continue son voyage, « à cheval entre Orient et Occident », en animant une sorte de centre culturel oriental convivial (restaurant, conférences, débats, rencontres), « La Reine Zénobie », et en s'impliquant dans la vie politique française.

Pierre Pradier
L'ÉCOLE DES CENTAURES

roman
140 x 225 mm / 256 pages
ISBN 2-268-05008-4 (2004)

L'équitation n'est pas seulement une technique, n'est pas un simple savoir-faire. L'équitation est mieux et plus qu'un art : c'est une éthique, une façon de se comporter, une manière de vivre.

C'est, du moins, ce dont Deflandre est persuadé, aimant citer Plutarque : « L'équitation est ce qu'un jeune prince peut apprendre de mieux, car jamais son cheval ne le flattera. »

Ses connaissances équestres, le personnage principal de ce livre les tient d'un maître exceptionnel, qui excellait dans l'art non seulement de dresser les chevaux, mais d'éveiller chez ses élèves la vocation.

Sa science du cheval, Deflandre va la communiquer à son tour à un jeune stagiaire passionné.

Le roman de Pierre Pradier, c'est l'histoire de trois générations d'écuyers, le récit d'une transmission initiatique, de la révélation progressive des secrets de l'art équestre.

Mais c'est aussi le récit de l'apprentissage de la vie : un grand roman d'amour, où les femmes communient avec les chevaux, et avec ces hommes sensibles.

[Pierre Pradier (né en 1933) est le prototype de ce qu'on appelait autrefois l'homme de cheval (une espèce en voie de disparition) : cavalier de haut niveau et vétérinaire de haut vol, il cumule – fait rarissime – compétence équestre (il est instructeur d'équitation) et connaissances médicales (il a été le vétérinaire officiel de la Fédération française d'équitation de 1968 à 1973). Il est l'auteur d'ouvrages savants sur la « mécanique équestre » (Maloine, 1995, 1999).]

Adeline Wirth
CHEVAL DE CŒUR

roman
140 x 225 mm / 252 pages
ISBN 2-268-05205-2 (2004)

Fils unique, rêveur et solitaire, Jean Larcourt n'a qu'une passion : les chevaux – avec lesquels il a d'ailleurs de troublantes affinités.

Malgré les réticences de sa mère, il entre au cercle hippique Saint-Georges, où il rencontre Olaf, un personnage à la fois énigmatique et attachant, qui va l'initier.

Grâce à lui, Jean découvre un univers dans lequel il s'épanouit, prenant petit à petit conscience de son exceptionnelle relation aux chevaux, faite d'intuition et de tact.

Cette rencontre bouleversera profondément la vie de tous les protagonistes.

[Adeline Wirth est née en 1955 et commence à monter à cheval dès l'âge de quatre ans dans les bras de sa mère. Célèbre cavalière de haut niveau, elle est championne de France en 1986, et seule femme (de 1987 à 1990) de l'équipe de France de saut d'obstacle. Elle a déjà publié « Cavalière » (Stock, 2001) et commente régulièrement sur Equidia les compétitions internationales.]

Jean d'Orgeix
MES VICTOIRES, MA DÉFAITE

155 x 240 mm / 320 pages
ISBN 2-268-05130-7 (2004)

Le chevalier d'Orgeix fait preuve, à 80 ans comme à 20 ans, d'une énergie souveraine et d'une capacité de réflexion incessante. Et le texte de ce livre en est comme magnifié.

Il fut acteur de théâtre, cavalier olympique, explorateur fou d'Afrique, champion de voltige aérienne, auteur, à 70 ans, d'un raid en bateau pneumatique qui le conduisit de Marseille à Calcutta...

Jean d'Orgeix est aussi écrivain. Une quinzaine de livres relatent ses aventures.

Cette fois, il revient sur deux périodes mal connues de sa vie équestre : l'ère de ses victoires, dans les années cinquante, et celle de son mandat d'entraîneur de l'équipe de France de saut d'obstacle, vingt ans plus tard.

Pour nous, il se souvient de ses quelque cent coupes gagnées en sept ans dans les plus grandes compétitions mondiales, à une époque où le « jumping » se cherchait encore.

Il raconte, pour la première fois, les quatre années pendant lesquelles il entraîna l'équipe de France de saut d'obstacle qui remporta la médaille d'or aux jeux Olympiques de Montréal en 1976.

Il analyse l'évolution des compétitions depuis l'époque où elles s'appelaient « concours hippiques » jusqu'au « saut d'obstacle » d'aujourd'hui.

Pour la première fois aussi, il dévoile son grand échec, sa défaite dans le domaine équestre, dont il avoue avoir beaucoup souffert.

Et sans doute est-ce nous qui en subissons aujourd'hui les conséquences.

Angel Cabrera
CHEVAUX D'AMÉRIQUE

(présentation de Jacqueline Ripart ;
traduit de l'espagnol par Christine Bellec)
155 x 240 mm / 432 pages
ISBN 2-268-05129-3 (2004)

Lorsque Christophe Colomb débarque pour la première fois aux Amériques, il a deux grandes surprises. La première est de ne pas être arrivé en Inde – mais cela ne fait rien : on appellera tout de même les habitants de ce nouveau monde les Indiens. La seconde est de ne pas y trouver un seul cheval – qu'à cela ne tienne : on en fera venir d'Espagne.

Les premiers arrivent le 28 novembre 1493 à Hispaniola (devenue Haïti, Saint-Domingue). Cinq ans plus tard, la jumenterie créée sur place possède une soixantaine de poulinières. Moins d'un siècle plus tard, les chevaux pullulent sur l'ensemble du continent. Au point que, de nos jours, l'Amérique passe pour être, sinon le berceau, du moins le paradis du cheval.

Il est normal qu'une si fabuleuse histoire ait donné naissance à mille légendes, entretenues par la triple fantaisie de l'imaginaire « peaurouge », de la mythologie « cow-boy » et de la cinématographie hollywoodienne.

Dans cet univers fantastique, où galopent en tous sens mustangs et criollos, quarter-horses et broncos cayouses, chevaux barbes et andalous, chevaux d'origine anglaise ou française, comment démêler le vrai du faux, faire le tri entre ce qui relève du conte et ce qui est historiquement avéré ?

C'est à cette tâche que s'est attelée au début du siècle dernier un chercheur espagnol, émigré en Argentine. À la fois paléontologiste et zoologue, historien et hippologue, Angel Cabrera a publié, en 1945 à Buenos Aires, le résultat de ses recherches : « Caballos de America ». Une bible : sans être un ouvrage pour spécialistes (il a été écrit, au contraire, pour un large public), c'est « le » livre de la spécialité. Ce chef-d'œuvre était inconnu en France où, du coup, on continuait à croire aux vieilles fables. Avec cette magistrale traduction, il ne sera plus possible d'ignorer la véritable histoire des chevaux d'Amérique.

Philippe Deblaise
GASPARD DES CHEVAUX

roman
155 x 240 mm / 312 pages
ISBN 2-268-05085-8 (2004)

En juin 1669, aux écuries de Saint-Germain, monsieur Jean, le maréchal du duc de Lude, présente à la Cour les chevaux que le bey de Tunis a envoyés en présent au roi Louis XIV. Caché dans le foin, un témoin d'une douzaine d'années, Gaspard, est fasciné par ce qu'il aperçoit. Des chevaux, il en a déjà vu des centaines. Mais là, le spectacle lui coupe le souffle. Il vient de tomber sous le charme du Turc, un petit étalon alezan brûlé dont la fougue et la beauté ne sont en rien comparables à tout ce qu'il connaît déjà : Gaspard vient de découvrir ce qu'est le « sang », et cela le marquera pour toujours. Désormais, son destin sera lié aux chevaux : Gaspard deviendra un des plus brillants vétérinaires et écuyers de son époque.

Inspiré de la vie d'un des plus grands hommes de cheval du temps de Louis XIV, Gaspard de Saunier, ce roman picaresque a été écrit par un des meilleurs spécialistes de la littérature équestre, Philippe Deblaise. Fondateur de la librairie Philippica, bien connue des amateurs de livres anciens, Deblaise est non seulement un expert mondialement respecté, mais aussi un éleveur de chevaux passionné.

Avec ce premier roman, il mène ses deux passions, la littérature et la pratique des chevaux, un peu comme Gaspard de Saunier qui partagea sa vie entre l'écriture et l'équitation. Si bien qu'on ne sait plus qui, de Gaspard Deblaise ou de Philippe de Saunier, détient la clé de ce grand roman de culture et d'aventures.

[Cet ouvrage à reçu en 2004 le Prix Pégase]

Christian Delâge
FOU DU ROI

roman
140 x 225 mm / 168 pages
ISBN 2-268-05414-4 (2005)

Artiste peintre reconnu, éleveur de pur-sang chanceux, cultivant l'humour, la sagesse et le bien-être conjugal, William Dicken avait tout pour finir sa vie aussi agréablement qu'il l'avait commencée.

Quel malin hasard lui fit croiser à son instant critique le chemin d'une cavalière un peu trop émouvante, Léa, et celui d'un cheval de jumping un peu trop ardent, Fou du Roi ?

Deux noms qu'il n'est pas près d'oublier...

Une rencontre sensible sur fond de prairies et de côtes normandes, rythmée par le stress des compétitions internationales, entraînée dans la spirale des enjeux, des manigances et des vanités, jusqu'à l'extrême déraison.

[Christian Delâge a consacré sa vie aux chevaux de sport et de course. Formé chez Marcel Rozier, il engage une carrière de cavalier de concours, interrompue par un accident. Il devient entraîneur de galopeurs, à Maisons-Laffitte, puis en Anjou. Il anime aujourd'hui les grands événements équestres, dont il est un des plus célèbres commentateurs. « Fou du Roi » est son premier roman.]

Aimé-Félix Tschiffely
DON ROBERTO

(traduit de l'anglais et de l'espagnol par Bernardine Cheviron)
155 x 240 mm
360 pages + cahier photos de 8 p.
ISBN 2-268-05274-5 (2005)

« Il peut paraître surprenant qu'un homme, dont la vie fut aussi passionnante et riche d'aventures extraordinaires que celles d'un héros de roman ou de film, un homme qui, [...] descendant des rois d'Écosse, fut gaucho, marin, éleveur de chevaux, conducteur de bétail du Texas au sud de la pampa argentine, maître d'escrime au Mexique, membre de la Chambre des Communes, chercheur d'or en Espagne, prisonnier d'un caïd de l'Atlas […], demeurant dans toutes ses activités un grand seigneur, et qui, politicien, explorateur, écrivain, eut l'amitié et l'admiration des plus illustres personnalités de la politique, des arts et des lettres en Europe et dans les deux Amériques, oui, il peut paraître surprenant qu'un tel homme soit […] totalement ignoré du public français. »

Ainsi s'exprimait en 1956 la célèbre aventurière Odette du Puigaudeau. Un demi-siècle plus tard, voici l'anomalie réparée.

L'extraordinaire personnage qu'elle évoque n'est autre que ce Don Roberto, dont la vie est racontée ici par un autre grand aventurier, Aimé-Félix Tschiffely qui, dix ans avant d'avoir écrit cette biographie, avait réalisé lui-même un exploit extraordinaire : la traversée des Amériques à cheval.

Collectif
HISTOIRES D'AMOUR
ET DE CHEVAUX
40 écrivains racontent

(présentation de Jean-Louis Gouraud)
155 x 240 mm / 448 pages
ISBN 2-268-05328-8 (2005)

Stéphane Bigo, Steen Steensen Blicher, Laurence Bougault, André Bourlet-Slavkov, Harald Bredlow, Bruno de Cessole, Dominique Cordier, Olivier Courthiade, Christian Delâge, Antoinette Delylle, Laurent Desprez, Nur Dolay, Christophe Donner, (général) Pierre Durand, Yolaine Escande, Gonzague d'Ete, Maria Franchini, Michel Henriquet, Guilhèm Jouanjòrdi, Alexandre Karine, Bernard Lecherbonnier, Anne-Marie Le Mut, Émilie Maj, Jean-Noël Marie, Robin de la Meuse, Marine Oussedik, Catherine Paysan, Colette Piat, Claire Pradier, Pierre Pradier, Jean-François Pré, Patricia Reinig, Danièle Rosadoni, Sylvain Tesson, Thanh-Van Ton-That.

Une quarantaine d'écrivains, rassemblés par Jean-Louis Gouraud, racontent ici de belles histoires d'amour. Des histoires vraies (ou presque), auxquelles les chevaux sont intimement mêlés. Des histoires véridiques (ou imaginaires), dans lesquelles le cheval a joué le rôle d'intercesseur amoureux. Quarante manières, quarante styles, quarante façons d'aboutir à la même conclusion, là où il y a des chevaux, il y a de l'amour.

Bernard Sachsé
en collaboration avec
Véronique Pellerin
SUR MES QUATRE JAMBES

récit
140 x 225 mm / 192 pages
ISBN 2-268-05638-4 (2005)

Bernard Sachsé a une passion : il aime les chevaux depuis qu'il est gamin. Il a la chance d'en faire son métier et devient cavalier cascadeur.

Il enchaîne films et spectacles jusqu'à l'âge de trente ans, jusqu'à ce qu'une cascade malheureuse le cloue dans un fauteuil roulant.

Fini les chevaux et l'équitation ? Ce serait mal le connaître. Il décide – juste – de tout reprendre à zéro.

Astolfo Cagnacci
CHEVAUX EXTRAORDINAIRES

140 x 225 mm
204 pages + cahier photos de 16 p.
ISBN 2-268-05506-X (2005)

Il y a beaucoup de chevaux célèbres. Mais leur notoriété est fugitive. Peu nombreux sont ceux dont le souvenir reste vivace après leur retraite – encore moins au-delà de la mort. Cela arrive pourtant parfois…

Ce ne sont pas toujours des cracks exceptionnels, mais ce sont toujours des *chevaux extraordinaires*. Des chevaux qui, à cause de leur personnalité, de leur charme, des aléas de leur carrière, ont acquis le statut de gloire nationale et symbolisé leur époque.

Journaliste au service des sports de l'Agence France-Presse, Astolfo Cagnacci est depuis plus de vingt ans un observateur attentif du monde hippique, mais aussi des sociétés dans lesquelles surgissent, de façon imprévisible, des chevaux prodigieux.

Il raconte ici l'irrésistible ascension de six d'entre eux : six galopeurs issus des élevages d'Europe, d'Amérique ou d'Australie, six pur-sang devenus bien mieux que des champions : de véritables héros.

Jean-Louis Gouraud
SERKO
suivi de deux autres ciné-romans
RIBOY et GANESH
180 x 240 mm / 480 pages
ISBN 2-268-05755-0 (2006)

Pour empêcher un massacre de chevaux, quelque part au fin fond de la Sibérie, un cosaque décide de faire appel au tsar lui-même. En novembre 1889, il quitte son village, traverse tout l'empire russe, et parvient à Saint-Pétersbourg en mai 1890 : près de 9 000 km en moins de 200 jours, sans changer de monture ! Le véritable héros de ce prodigieux exploit, c'est un cheval. Il s'appelle Serko.

Du roman que Jean-Louis Gouraud a tiré de cette histoire vraie, Joël Farges a fait un film.

[Dans ce livre collector, de nombreux bonus :
– le making-of du film que Joël Farges a tiré de « Serko » : l'histoire de l'histoire, le casting des chevaux (comment on choisit les chevaux comédiens, combien de chevaux pour un seul rôle, etc.)

– deux ciné-romans du même auteur : « Riboy », qui a inspiré à Bartabas son film « Chamane » : l'étrange pérégrination d'un violoniste et de son extraordinaire petit cheval bigarré. « Ganesh », où l'on découvre que le facétieux petit dieu hindou à tête d'éléphant peut incarner un homme en cheval ou un cheval en homme.]

[Cet ouvrage a reçu en 2006 le Prix de l'Académie Vétérinaire de France.]

Philippe Deblaise
LES CHEVAUX DE VENAFRO
roman
155 x 240 mm / 336 pages
ISBN 2-268-05728-3 (2006)

Naples, 1538. Enfant d'une prostituée, Pipo est miraculeusement épargné par l'homme chargé de le faire disparaître. Celui-ci parvient à l'élever, le nourrissant au lait de sa jument. À la mort de son protecteur, Pipo est recueilli par des moines affameurs, puis par des voleurs de chevaux, et finit par entrer au service du premier écuyer du roi Henri II. Il devient ensuite Cavalcadour de Bardelle et apprend l'art de dresser les poulains.

Sur ordre du roi, Pipo est envoyé à Mantoue, à la cour des Gonzague, pour y acheter des juments. Conquis par le charme de cette Italie renaissante où il tombe amoureux, Pipo va percer le secret de la médaille que sa mère lui avait laissée à sa naissance et découvrir les principes de l'Art équestre.

Spécialiste de l'histoire du cheval et libraire en livres anciens, Philippe Deblaise mêle vérité historique et trame romanesque comme dans son précédent roman « Gaspard des chevaux » (prix Pégase 2005).

« Les Chevaux de Venafro » est un roman d'action au cœur des peurs, des émotions et des espoirs d'une époque partagée entre obscurantisme et humanisme.

Bernard Mahoux
MON CHEVAL, MA FEMME ET MOI
roman
140 x 220 mm / 168 pages
ISBN 2-268-05841-7 (2006)

« Ma femme trouvait Dalton "magnifique". Ma femme trouve tous les chevaux "magnifiques", même sa vieille jument Malika, qui mange plus vite que son ombre. Je tentai de me rendre maître de Dalton dès le lendemain. Je m'étais dit : si tu ne le montes pas tout de suite, tu ne le monteras jamais. Je me connais. »

Quand une femme dévoile son désir de chevaux, que peut faire son mari, la première sur-prise passée ? Monter à cheval, comme tout le monde. Au moins pour ne pas rester seul.

Mais quels rapports établir avec une créa-ture que l'institution scientifique déclare n'avoir qu'un Q.I. à un chiffre mais qui, dans la com-pétition pour le pouvoir sur le cavalier, mani-feste une redoutable efficacité ? Au point d'ac-caparer radicalement les bons sentiments de l'épouse et de mettre en péril la survie du couple ?

Dans ce récit plein de charme et de drôlerie qui met en scène un ménage commencé à deux et poursuivi à trois et davantage, l'auteur raconte sur un ton inimitable, plaisant et (faus-sement) naïf, sa découverte stupéfiante (et stu-péfaite) du monde équin, et sa rencontre inou-bliable avec Dalton, un cheval cabotin, trop intelligent pour être honnête.

Le roman de Bernard Mahoux aura au moins le mérite de rétablir la vérité, c'est l'homme qui est la plus belle conquête du cheval.

[Bernard Mahoux est l'auteur d'une saga en sept volumes intitulée « La Malédiction des Trencavel », qui fait revivre le Midi à l'époque des troubadours et des Cathares. Quatre volu-mes sont aujourd'hui disponibles en livre de poche (*Pocket*), les trois autres prochaine-ment.]

Philippe Thomas-Derevoge
LE VIZIR
le plus illustre cheval de Napoléon
roman
140 x 220 mm / 336 pages
ISBN 2-268-05893-X (2006)

Au début de son règne, Napoléon reçoit du sultan Selim III un somptueux cadeau : un bel étalon gris appelé Le Vizir.

Au moment de s'en séparer, le souverain ottoman s'adresse au pur-sang : « Va, mon cher Vizir. Va pour Mahomet, va pour ton sultan, va et deviens le plus illustre cheval de Napoléon. »

Le plus extraordinaire est qu'il le devint, en effet. Non seulement le plus illustre, mais le plus fidèle, accompagnant l'Empereur déchu jusque dans son exil à l'île d'Elbe.

C'est cet extraordinaire compagnonnage que raconte ici, de façon certes romancée mais toujours scrupuleusement exacte, l'écrivain et cavalier Philippe Thomas-Derevoge.

Tout en immortalisant le souvenir du Vizir, il répare une injustice : pour la première fois, la vie de ces héros anonymes que furent les mille cinq cents chevaux réservés à l'Empereur, de ces milliers d'autres qui composèrent la cava-lerie impériale, de ces hommes et de ces fem-mes qui les entouraient de leurs soins, de leur science et de leur affection, est restituée dans toute sa touchante réalité.

[Né en 1949 à Maisons-Laffitte, ville du cheval, Philippe Thomas-Derevoge vit aujourd'hui à Fontainebleau, ville impériale. Après une carrière professionnelle dans les métiers d'art (broderie, orfèvrerie), il s'est lancé dans l'écriture avec un premier livre, « Complicité au galop » (Crépin-Leblond, 2003) dédié à son cheval, un mecklembourg toisant 1 m 80 au garrot.]

[Cet ouvrage a reçu en 2007 le Prix de la Fondation Napoléon.]

Sherwood Anderson
LES CHEVAUX
DE L'ADOLESCENCE
nouvelles
(présentation de Claire Bruyère)
140 x 220 mm / 196 pages
ISBN 2-268-05950-2 (2006)

C'est un des meilleurs écrivains américains de la « grande époque », un des pionniers de cette littérature qu'on a appelée « moderniste ». Hemingway, à ses débuts, l'a imité (voire pla-gié). Faulkner l'a admiré, au point de le dési-gner comme « un géant parmi les pygmées ».

Sherwood Anderson (1876-1941), pourtant, est aujourd'hui, sinon vraiment inconnu, du moins un peu oublié. Et son œuvre, si elle a été largement traduite en français dans les années 1920-1930, puis dans les années 1960-1970, est de nos jours quasiment introuvable en librairie.

Cette raison suffirait à elle seule à justifier la présente édition. Mais il en est une autre : Sherwood Anderson aimait les chevaux ! Il a su en parler avec une justesse, une sensibilité, une émotion inégalées dans la littérature contemporaine.

Quatre de ses nouvelles ont pour contexte le monde des galopeurs. Quatre nouvelles dans lesquelles Anderson (qui rêvait « d'écrire aussi bien que courent les pur-sang ») déploie tout son art de la narration, et tout son génie à exprimer les ambiguïtés et incertitudes amoureuses de l'adolescence.

Dans ces quatre histoires, ancrées dans l'Amérique rurale (le Middlewest) à une époque déjà lointaine (« l'âge du cheval »), Sherwood Anderson met en scène des personnages à peine sortis, en effet, de l'enfance, et leur prête un langage – une sorte d'oralité réinventée – qui contribue beaucoup au charme (et à l'originalité) du style andersonnien.

Rédigées entre 1919 et 1923 (et publiées ici dans l'ordre chronologique), ces quatre nouvelles sont quatre petits chefs-d'œuvre, qui permettront une véritable redécouverte d'un des plus grands écrivains américains du XXe siècle.

Plusieurs annexes, dont une bio-bibliographie de Sherwood Anderson, complètent ce recueil, présenté par Claire Bruyère, éminente spécialiste de la littérature américaine (Paris VII-Denis Diderot), qui a consacré à Anderson sa thèse de Doctorat et deux ouvrages.

Mayeul Caire
GAGNANT
portrait d'un parieur professionnel
140 x 220 mm / 192 pages
ISBN 2-268-05920-0 (2006)

Il a gagné des millions d'euros aux courses. Il est probablement le plus grand turfiste français de ces trente dernières années. Pour lui, parier n'est pas jouer : c'est un métier.

Les hommes qui vivent véritablement du jeu sont rares. Et généralement discrets, pour ne pas dire secrets (par superstition ? par peur des jalousies ? par crainte du fisc ? par un vieux fonds d'interdit moral ?).

Mayeul Caire, chroniqueur à *Libération* et figure du journalisme hippique, a pourtant réussi à convaincre l'un d'eux – le plus grand – à tout dire, à raconter ses meilleurs coups, à livrer ses « trucs » – à réfléchir, aussi, sur la vie hors norme d'un accro des hippodromes.

Car, même si elle en contient beaucoup, cette confession n'est pas un simple recueil de recettes pour gagner aux courses. C'est un reportage au cœur de la vie du turf et, surtout, le portrait d'un homme extraordinaire… bien qu'obsédé par le désir de paraître ordinaire.

Marc-André Wagner
DICTIONNAIRE MYTHOLOGIQUE
ET HISTORIQUE DU CHEVAL
180 x 240 mm / 208 pages
ISBN 2-268-05996-0 (2006)

Le cheval n'est décidément pas un animal ordinaire.

De Pégase à Bucéphale, des centaures aux hippogriffes, des amazones aux valkyries, d'Epona (la déesse cavalière) au roi Marc (affligé d'oreilles de cheval), il est à la fois le sujet et l'objet d'innombrables légendes, croyances et superstitions – qui se transforment et se prolongent parfois en véritables cultes.

Non contents d'en faire une monture, les hommes en ont fait le véhicule de leur imaginaire.

Symbole tantôt de virilité, tantôt de féminité ; alternativement incarnation des forces vitales et messager de la mort ; allégorie de la force, de la vitesse, de la liberté, de la fécondité, de l'amour, le cheval est certainement l'animal le plus « connoté » de la création.

La matière est si riche, si variée, si proliférante, mais en même temps si dispersée et si mouvante, que nul n'avait jamais tenté d'établir un inventaire des mythes et des rituels auxquels le cheval est lié, des archétypes auxquels il est associé.

Marc-André Wagner s'y est essayé – en se limitant, pour commencer, à l'univers eurasiatique (c'est-à-dire le nôtre). Les quelque cent cinquante articles de ce « Dictionnaire » unique en son genre constituent un répertoire systématique des mythes et rites grecs, romains, celtiques, germaniques, scandinaves et slaves, mais aussi indiens, iraniens, turcs et mongols. Encyclopédie fabuleuse, ce livre a pour ambition de fournir les clés de l'ultra-histoire et des récits qui ont forgé les images équestres gravées dans notre mémoire et notre inconscient.

Historien et cavalier, Marc-André Wagner (1960) s'intéresse depuis de nombreuses années aux « cultes du cheval » dans l'Europe ancienne. Auteur de diverses études sur ces questions, il a publié en 2005 « Le cheval dans les croyances germaniques. Paganisme, christianisme et traditions » (Honoré Champion), adapté d'une thèse soutenue à la Sorbonne en 2003.

Christian Delâge
LA DERNIÈRE LIGNE DROITE

roman
140 x 220 mm / 180 pages
ISBN 978-2-268-06107-8 (2007)

Maurice est né (on ne peut trouver plus bel endroit) au Haras du Pin, « le Versailles du cheval », où son père est fonctionnaire. Très tôt, il a la vocation : il sait qu'il sera jockey.

Sa carrière commence sous les meilleurs auspices : Maurice est doué. Un peu trop, peut-être : il ne voit pas venir les dangers. Le poids, adversaire implacable des cavaliers de course. Les femmes, qui ne peuvent abandonner leur destinée à une tête brûlée jouant sa vie tous les jours. Les rêves, enfin, qui ne résistent pas aux convenances, aux obligations, à la réalité.

Des rêves, pourtant, il en a plein la tête. Celui du grand amour, Maurice croit pouvoir le réaliser enfin, le jour où il rencontre Hélène…

Ce roman est très largement inspiré d'une histoire vraie : la vie d'un entraîneur du Grand-Ouest, qui s'appelait aussi Maurice et qui fut, en son temps, une célébrité dans le monde hippique, plusieurs fois cravache d'or, puis tête de liste des entraîneurs à plusieurs reprises. Un homme mort prématurément : tué d'un coup de fusil en pleine tête par un médiocre personnage qu'il avait accepté d'héberger chez lui.

[Christian Delâge a consacré sa vie aux chevaux de sport et de course. Formé chez Marcel Rozier, il engage une carrière de cavalier de concours, interrompue par un accident. Il devient entraîneur de galopeurs, à Maisons-Laffitte, puis en Anjou. Il anime aujourd'hui les grands événements équestres, dont il est un des plus célèbres commentateurs. « La Dernière ligne droite » est son deuxième roman.]

Pier Antonio Quarantotti Gambini
LE CHEVAL TRIPOLI

roman
140 x 220 mm / 384 pages
ISBN 978-2-268-06219-8 (2007)
[réédition d'un ouvrage paru en 1959 chez Gallimard, traduit de l'italien par Michel Arnaud]
(postface de Pierre-Emmanuel Dauzat)

C'est la guerre. Cette Guerre de 14 qui semble ne jamais vouloir finir. Là-bas, en tout cas, au creux de l'Adriatique, elle paraît interminable.

Les Autrichiens, qui occupent l'Istrie, y ont enrôlé de force des soldats, et réquisitionné des chevaux.

Tandis que son père a été ainsi envoyé sur des fronts lointains, le jeune Paolo est placé à la campagne… Il y découvre les jeux étranges des adultes ; il y connaît ses premiers émois d'adolescent. Mais surtout, il y voit « en vrai » ces animaux – les chevaux – qui le font fantasmer depuis toujours. Spécialement depuis que son grand-père lui a parlé de l'un d'eux : un cheval appelé *Fulmine*, « si rapide que les roues de son cabriolet prenaient feu ! »

Un jour, les enfants d'un fermier parlent à Paolo d'un cheval extraordinaire. Un cheval tout blanc dont les Autrichiens, ne pouvant plus l'entretenir, vont bientôt se débarrasser.

Ce cheval le fait rêver. Ce cheval il le désire. Il le veut pour lui. Et commence par lui donner un nom, *Tripoli*.

Hélas ! À trois reprises, alors qu'il croit pouvoir le récupérer, l'obtenir enfin, l'affaire échoue, pour des raisons trois fois différentes, dont Paolo n'est pas responsable, mais dont il se sent tout de même coupable.

Cette émouvante histoire, racontée avec une infinie délicatesse, est le récit d'un échec amoureux, d'un amour fantasmé, d'une relation impossible entre un enfant et un cheval.

On retrouve dans ce magnifique roman cette même faculté à saisir les émotions, la fragilité, les troubles de l'adolescence que celle dont Quarantotti Gambini avait fait preuve dans « Les Régates de San Francisco ». Mais l'immense succès de ce dernier a fait de l'ombre au « Cheval Tripoli » publié dix ans plus tard (1959) en France et jamais réédité depuis : un chef-d'œuvre peut en cacher un autre…

Sophie Nauleau
UNE ANTHOLOGIE
DE LA LITTÉRATURE ÉQUESTRE
FÉMININE
« La plus noble conquête du cheval,
c'est la femme »

140 x 220 mm / 256 pages
ISBN 978-2-268-06388-1 (2007)

Textes de Sapphô, Christine de Pisan, Jeanne d'Arc, Marguerite de Navarre, Thérèse d'Avila, Louise Labé, Madeleine de Scudéry, Mesdames de Sévigné et La Fayette, Marie-Antoinette, Jane Austen, la comtesse de Ségur, George Sand, Emily Brontë, Anna Blunt, Elisabeth de Wittelsbach, Gyp, Jane Dieulafoy, Calamity Jane, Rachilde, Alexandra David-Néel, Willa Cather, Colette, Natalie Clifford Barney, Marie Bonaparte, Virginia Woolf, Karen Blixen, Agatha Christie, Caroline Quine, Clara Malraux, Marguerite Mitchell, Marguerite Yourcenar, Daphné Du Maurier, Marguerite Duras, Carson McCullers, Doris Lessing, Françoise Gilot, Françoise Sagan, Sarah Dars, Sylvie Germain, Dominique Mainard, Anna Gavalda et Priscilla Telmon.

[Doctorante en lettres modernes et diplômée de l'École du Louvre, Sophie Nauleau, née en 1977, est une cavalière passionnée.

Elle a publié « La Main d'oublies » aux éditions Galilée, plusieurs anthologies (« À toi je parle », *Poésie/Gallimard*, « Le goût de l'Égypte », Mercure de France) et « Un verbe à cheval » à L'Atelier des Brisants.

Productrice sur *France Culture*, elle a fait partager son intérêt pour l'art équestre dans plusieurs émissions, en particulier « Habiter cavalièrement le monde, de Nuno Oliveira à Bartabas » ou « Bartabas, la folle allure ».

Marion Scali,
Jacques Papin,
Adeline Wirth
« LE JOUR OU LES CHEVAUX
PARLERONT… »
…ce sera pour les hommes
une catastrophe sans précédent

nouvelles
140 x 220 mm / 224 pages
ISBN 978-2-268-06303-4 (2007)

« Le jour ou les chevaux parleront… ce sera une catastrophe sans précédent » a prédit l'écrivain Ismaïl Kadaré.

S'ils ont été jusqu'ici les témoins silencieux de nos agissements, de nos faiblesses, voire de nos crimes, les chevaux, en effet, décideront peut-être un jour de tout raconter. De vider leur sac. De dire aux hommes leurs quatre vérités. Cela risque de faire mal.

Ce jour-là est arrivé.

Trois écrivains, tous trois cavaliers, ont donné la parole aux chevaux. Ceux-ci ne se sont pas fait prier, et disent ici tout ce qu'ils ont sur le cœur. C'est parfois très tendre. Parfois, aussi, très féroce.

[Marion Scali, journaliste (*Libération, nouvel Observateur, Elle*), monitrice diplômée d'équitation, est l'auteur d'ouvrages de vulgarisation sur les grands écuyers de l'histoire.

Jacques Papin, cavalier de dressage, instructeur d'équitation, est un des disciples les plus proches du grand maître portugais feu Nuno Oliveira.

Adeline Wirth, célèbre cavalière de haut niveau (championne de France 1986) est l'auteur d'un roman publié dans la même collection : « Cheval de cœur » (2004).]

C. Virgil Gheorghiu
LES NOIRS CHEVAUX DES CARPATES

roman
(préface de Thierry Gillybœuf)
140 x 220 mm / 304 pages
ISBN 978-2-268-06492-5 (2008)
[réédition d'un ouvrage paru en 1961
chez Plon sous le titre
« La Maison de Petrodava »,
traduit du roumain par Livia Lamoure.]

L'immense succès remporté par « La 25e heure » ferait presque négliger le reste de l'œuvre de Virgil Gheorghiu (1916-1992).

L'exemple le plus choquant de cette tendance à l'oubli est le roman que voici. Paru initialement, en 1961, sous le titre « La Maison de Petrodava », depuis longtemps introuvable, cette « rhapsodie roumaine », comme la qualifie Thierry Gillybœuf dans sa préface, est « l'autre » chef-d'œuvre du grand écrivain.

Mélange de roman et d'épopée, il raconte l'histoire à la fois grandiose et tragique d'une dynastie de montagnardes courageuses, de femmes inflexibles, intransigeantes jusqu'à l'extrême – c'est-à-dire jusqu'à la mort.

« Ce n'est pas une œuvre de fiction pure, nous avertit Gheorghiu, mais plutôt une chronique du monde d'où je viens. »

Un monde peuplé – hanté, pourrait-on dire – d'animaux magnifiques et mystérieux, dotés de pouvoirs étranges : « les noirs chevaux des Carpates ».

Bernard Lecherbonnier
L'ALEZAN DE CRIMÉE

roman
150 x 240 mm / 258 pages
ISBN 978-2-268-06631-8 (2008)

Jeune aristocrate sans fortune, Adelaïde de Verneuil n'a pour tout bien qu'un étalon ramené de la guerre de Crimée par son fiancé. Kiev, l'alezan de Crimée est toute sa passion. Réussira-t-elle à sauver le domaine de ses aïeux grâce à ce crack aux chevilles fragiles ?

À la jalousie d'un voisinage sans merci, à la violence d'une époque où le faste impérial contraste avec la misère populaire, Adelaïde oppose une volonté de fer. Son amour pour les chevaux, son sens de l'honneur, son culte de la liberté suffiront-ils à la sauver des traquenards qui la menacent de toutes parts ?

Adelaïde se veut une femme moderne dans cette période, la fin du XIXe siècle, où la vieille France bascule dans l'ère industrielle. Au fond de la Normandie paysanne, sur les champs de course de Deauville et de Longchamp, au bal des Tuileries, dans les appartements de l'impératrice ou emprisonnée à Saint-Anne, elle ne déroge en aucune façon aux valeurs qui la meuvent. Elle ne trahit jamais le sens de l'honneur légué par son père et son désir de se réaliser pleinement, corps et âme.

La restitution méticuleuse des lieux, des usages, de la mode fait pénétrer le lecteur dans la vie secrète d'un Second Empire élégant et libertin, l'invite dans l'intimité des grands hommes de ce temps, le duc de Morny ou Léon Gambetta, et de célèbres « horizontales ». À lire par les amateurs de grands destins romanesques, les amoureux des chevaux, les passionnés de la grande et la petite histoire.

[Auteur de nombreux livres, Bernard Lecherbonnier a notamment publié des romans chez Denoël et des essais chez Albin Michel. Il est professeur d'université, agrégé des lettres et docteur ès lettres.]

Kay Boyle
LE CHEVAL AVEUGLE

roman
(traduit de l'anglais par Robert Davreu ;
postface de Florence Sapinart)
135 x 205 mm / 216 pages
ISBN 978-2-268-06215-0 (2008)

Le père de Nan est, plus ou moins, « un raté » : incapable d'engagement, oisif, un peu rêveur, il dilapide tranquillement la fortune de sa femme. En achetant, par exemple, des chevaux qui se révèlent n'être que des toquards. Et pire encore parfois : l'un d'eux est aveugle. Non seulement inutilisable, mais dangereux.

Nan s'entiche de cet animal à problème, et

décide d'en faire un bon cheval de dressage, et même un bon cheval d'obstacle !

Profitant d'une brève absence de Nan, sa mère, suivant les recommandations des vétérinaires, s'apprête à faire euthanasier ce *hunter* « fou ». C'est alors que le père de la fillette, sortant soudain de sa torpeur, prend une surprenante décision.

[Femme aux multiples visages (portraiturée par Man Ray) architecte de formation, mère de six enfants, mariée à trois reprises, écrivain prolifique, féministe malgré elle, activiste politique, emprisonnée pour ses convictions, Kay Boyle (1902-1992) est un personnage inclassable.

Il faut pourtant la classer parmi les écrivains américains les plus originaux et les plus importants du XXᵉ siècle.

Hélas, son œuvre (considérable : une cinquantaine de livres !) est à peu près inconnue en France.

« Le cheval aveugle » (The crazy Hunter) était son roman préféré. Kay Boyle avait commencé à l'écrire en France, en 1937. Publié aux États-Unis en 1940, il connut un succès fulgurant : la critique la compara alors à Faulkner. Paradoxalement, il ne fut jamais traduit en français : à cause, peut-être, de la difficulté à restituer l'originalité de son style, à la syntaxe sophistiquée.

La présente traduction, due à un orfèvre en la matière, peut donc être considérée comme un véritable événement littéraire. Il permet de découvrir (enfin) l'œuvre d'un grand écrivain, amoureux des mots. Et des chevaux.

Susan Richards
CHOISIE
_____

roman
(traduit de l'américain
par Bernardine Cheviron)
135 x 205 mm / 276 pages
ISBN 978-2-268-06616-5 (2008)

Susan porte le lourd fardeau d'une enfance malheureuse. Après une jeunesse tumultueuse, un échec conjugal la pousse à opter pour une vie solitaire dans sa ferme avec ses trois chevaux. Quand la vie vous malmène à ce point, d'instinct la solution la meilleure vous apparaît : celle de fuir la réalité.

Alors, comment faire lorsqu'un événement imprévu s'impose, qui vient changer le cours de cette vie ?

La jument famélique que la SPA lui demande d'héberger sera le moteur de ce changement lent et magnifique.

Merveilleuse et fortuite rencontre de deux êtres étonnants qui font faire un bout de chemin ensemble.

Susan Richards signe ici un roman sincère et émouvant, une histoire de courage et d'espoir. Une remarquable leçon de vie et une histoire d'amour.

Paru en juin 2006 aux États-Unis, « Chosen by a Horse » remporte un immense succès et la presse, unanime, salue un grand roman.

[Diplômée de l'université du Colorado, Susan Richards est professeur de lettres dans l'État de New York. Elle a aussi une maîtrise de sciences sociales obtenue à l'université d'Adelphi et a travaillé pendant quinze ans en tant que psychothérapeute dans une clinique psychiatrique privée.]

Laurence Bougault
CHEVAUX ENTIERS
ET ÉTALONS
mieux les connaître,
mieux les comprendre
_____
140 x 220 mm / 144 pages
ISBN 978-2-268-06704-9 (2008)

Un cheval castré est-il plus dangereux (ou tout simplement plus généreux) qu'un hongre ou une jument ? Pourquoi les écuyers de cirque préfèrent-ils les chevaux entiers aux autres ? Pourquoi ne castre-t-on jamais les mâles de certaines races ? Une femme aura-t-elle plus de difficultés qu'un homme à se débrouiller avec un cheval entier ?

À cette dernière question, l'auteur de ce livre répond par la négative. Elle sait de quoi elle parle : Laurence Bougault possède plusieurs étalons et élève des chevaux (akhal-tékés).

Voici le premier ouvrage entièrement consacré au cheval... entier.

Intrépide cavalière, Laurence Bougault a une connaissance « de terrain » exceptionnelle : elle a parcouru, entre septembre 2001 et avril 2002, avec deux petits chevaux basothos, plus de 3 000 km à travers l'Afrique du Sud et de l'Est.

Son livre, toutefois, ne repose pas seulement sur son expérience personnelle mais également sur le témoignage d'éleveurs, de dresseurs et de cavaliers célèbres.

[Laurence Bougault est maître de conférences à l'université de Rennes II. Sa spécialité ? La stylistique.]

Philippe Deblaise
LE MANUSCRIT
DE PIGNATELLI
roman
150 x 240 mm / 204 pages
ISBN 978-2-268-06675-2 (2009)

« Tant de morts autour de ce manuscrit…

Me remémorant le fil de ces dernières années, je revoyais en pensée la portraiture d'Évonyme Philiastre, mon empoisonneur. Il m'avait volé le manuscrit et avait été le premier à tenter d'en tirer profit : on l'avait trouvé sans vie dans sa cellule, emporté par une crise d'apoplexie ; je me souviens également de Joachim Beauvais, le jeune libraire de la rue des Amandiers, arrêté quand il s'apprêtait à en donner une traduction.

Il y avait eu ensuite l'infortuné Jehan Davesnes, mis au pilori de l'abbaye de Saint-Germain-des-Prés puis assassiné pour l'avoir soustrait aux griffes du Parlement. Sentant l'étau se refermer sur lui, il avait eu le temps de le confier à François d'Aubijoux que je venais de rencontrer dans un hôtel proche du Louvre, peu avant qu'il ne trépasse d'une horrible infection gangreneuse.

Un certain Guignard, faisant profession d'imprimeur-libraire au Palais, l'avait récupéré puis s'était enfui pour cause de proscription. Je l'avais retrouvé à Xaintes, vivant ses dernières heures avant que la peste contractée à Paris ne l'emporte. Puis dernièrement, le malheureux Girolamo, victime de l'ardeur de sa jeunesse et d'un amour immodéré des putains, et maintenant ce courtier bâlois, dont je n'avais pas de nouvelles, mais dont il était aisé de prédire le destin.

Sept… Je recomptais encore une fois sur mes doigts comme un enfant appliqué ; c'était bien cela, j'en dénombrais sept, sept personnes mortes après l'avoir simplement tenu en main ou avoir travaillé dessus… Hasard ? Volonté occulte ? Châtiment divin ? »

[Né en 1956 à Saintes, Philippe Deblaise est auteur et libraire d'ancien, expert en ventes publiques. Spécialiste du cheval et de l'histoire du livre d'équitation, il est l'auteur des ouvrages suivants : « De Rusius à La Broue », éditions Philippica (2002) ; « Gaspard des chevaux », éditions du Rocher (2004), Prix Pégase 2005 ; « Monsieur Genson », Favre/caracole (2005) ; « Les chevaux de Venafro », éditions du Rocher (2006) et « Nouvelles d'un livre », Actes Sud (2007).]

Adeline Wirth
PALEFRENIÈRE
roman
140 x 220 mm / 174 pages
ISBN 978-2-268-06827-5 (2009)

L'héroïne, ancienne palefrenière, a dédié sa vie aux chevaux de compétition. Mais à l'âge de 65 ans, à la suite d'un drame, elle se retrouve seule, sans mari et sans enfants, en maison de retraite. Là, au rythme de ses souvenirs et à la faveur d'une rencontre avec un homme mystérieux, elle revit son histoire, son amour fou pour un cheval, sa fascination et son dévouement pour une cavalière, explorant la complexité des relations qui régissent ce ménage à trois : le cheval, la cavalière et la palefrenière. Elle dévoile ainsi sa vie passée dans l'ombre, entre abnégation et pouvoir.

Le portrait émouvant d'une « femme de cheval »…

[Cavalière de renom née en 1965, Adeline Wirth fut championne de France de saut d'obstacles en 1985. Toujours très influente dans le milieu équestre, elle a déjà publié deux romans, « Cavalière » (Stock, 2001) et « Cheval de cœur » (éditions du Rocher, 2005), ainsi qu'une nouvelle dans le recueil « Le jour où les chevaux parleront… » (éditions du Rocher, 2007).]

[Cet ouvrage a reçu en 2010 le Prix Pégase.]

Don Höglund
CHEVAUX DE PERSONNE

(traduit de l'américain
par Bernardine Cheviron ;
présentation de Mario Luraschi)
140 x 220 mm / 368 pages
ISBN 978-2-268-06799-5 (2009)

Descendants des fameux chevaux du Wild West américain, les mustangs du Nouveau-Mexique ont failli disparaître par la faute des rigueurs d'une nature inhospitalière, et surtout de l'incroyable négligence des hommes.

Parqués dans une zone militaire, sur laquelle l'armée se livrait à toutes sortes d'expérimentations, c'est par dizaines que ces chevaux furent soudain frappés, en 1994, d'une mort aussi subite que mystérieuse.

Afin de sauver les deux mille survivants, on fit appel à Don Höglund, vétérinaire équin réputé. Il organisa et mena une équipe de cow-boys, de soldats, de professionnels, afin de les évacuer et de les sauver ainsi d'une mort certaine.

C'est cette extraordinaire aventure que raconte ici Don Höglund.

[Mario Luraschi, le célèbre dresseur-cascadeur, a bien connu le héros de cette magnifique histoire qu'il présente, dans sa préface, avec enthousiasme et amitié.]

Nelly Davies
JOCKEY, NOIR ET CÉLÈBRE
mon père, cet inconnu

(présentation de Christian Delâge)
140 x 220 mm / 210 pages
ISBN 978-2-268-06671-4 (2009)

Venir au monde à la fin du XIXe siècle avec la peau noire, en pleine ségrégation, dans une famille pauvre du Kentucky, et se transformer en une vedette internationale du turf, riche et admirée, de nombreuses fois « cravache d'or »,

c'est le tour de force accompli par Jacques Winkfield, le père de Nelly Davies.

Née d'un amour hors mariage, alors que vient d'éclater la Seconde Guerre mondiale, Nelly grandit au royaume des galopeurs, qui s'étend à l'époque entre la Seine et la forêt de Saint-Germain-en-Laye. Dès son plus jeune âge, elle éprouve des sentiments très forts pour ce père, cet étranger, que son cœur réclame à grands cris mais dont elle ne fera la connaissance qu'à l'âge de treize ans. Une rencontre qu'elle espérait tout autre… Ils auront d'abord du mal à se comprendre et à dialoguer. Mais peu à peu, une osmose se crée entre Nelly et ce père à la fois célèbre et inconnu qu'elle admirant tant et qui, au fil du temps, lève le voile sur ses sentiments.

La fille de la star, dans le style de la sincérité qui n'a qu'un seul langage, celui du cœur, décrit ce que nous ignorons lorsque nous admirons les fabuleux destins : les « dégâts collatéraux ». Ce que les vies extraordinaires laissent autour d'elles d'attentes, de regards mendiés, de baisers gardés, d'espoirs déçus, sans que jamais, pourtant, le lien se dénoue.

Un chant d'amour qui ne finit jamais.

[Nelly Davies est née à Maisons-Laffitte le 30 octobre 1940.

Roman aux accents autobiographiques, « Jockey, noir et célèbre » n'est pas sa première œuvre littéraire : en 1977, une de ses nouvelles avait été récompensée.]

Jan Krauze
LES CHEVAUX N'IRONT PAS
EN ENFER

roman
140 x 220 mm / 224 pages
ISBN 978-2-268-06950-0 (2010)

Une jeune femme et un homme d'âge mûr, sans vraiment savoir pourquoi, choisissent de lier leur sort à celui de quelques centaines de pur-sang arabes d'un grand haras polonais, ballottés, pendant toute la Seconde Guerre mondiale, entre l'est et l'ouest.

Avec eux, ils fuient d'abord les Allemands, puis les Soviétiques, jusqu'à se retrouver au cœur d'une Allemagne en pleine débâcle, sous le grand bombardement de Dresde ou dans des wagons réquisitionnés par Himmler, le chef des SS. Pour l'un et l'autre, il s'agit d'un second exode, après celui qu'ils ont subi vingt ans plus tôt, au lendemain de la révolution russe. Comme les hommes, les chevaux sont frappés par la guerre, mais différemment. Ils la traversent avec un mélange de courage opiniâtre, de souffrance mais aussi d'indifférence souveraine.

Quand aux héros du roman, ils se demandent si ce qu'ils font a un sens. Pourquoi, au milieu d'un monde qui s'écroule, privilégier l'accessoire, trouver une sorte de refuge auprès d'animaux étrangers à la folie de l'histoire ?

Si les deux héros principaux sont imaginaires, la plupart des autres personnages du livre ont réellement existé, et l'histoire de cet invraisemblable exode est strictement conforme à la réalité historique.

[Ancien correspondant du quotidien *Le Monde* à Varsovie, Washington et Moscou, Jan Krauze est aujourd'hui éleveur de chevaux de course en Normandie.]

[Cet ouvrage a reçu en 2010 le Prix Fernand Méry.]

Pascal Renauldon
YVES BIENAIMÉ
L'ÉCUYER JARDINIER

(présentation de Alain Decaux)
140 x 220 mm / 224 pages
ISBN 978-2-268-06897-8 (2010)

« Enfant, j'étais si affecté moralement par mon handicap que j'ai souvent envisagé de faire une grave bêtise. C'est un cheval qui m'a sauvé et, en retour, j'ai consacré ma vie aux chevaux.

En acceptant de raconter ici mon itinéraire personnel, j'ai voulu montrer qu'étant né avec un handicap on peut malgré tout réussir sa vie et que ce handicap peut même se révéler bénéfique quand, par compensation, il oblige à développer d'autres talents. »

Yves Bienaimé
(fondateur du Musée Vivant du Cheval)

« Au cours de ma vie déjà longue, le destin m'a fait connaître un certain nombre de gens extraordinaires. J'ose l'affirmer : en l'occurrence, Yves Bienaimé emporte la palme.

Son acharnement, ses échecs suivis d'autant de succès ; sa découverte à Chantilly d'un club équestre ignoré ; la conviction qu'il pouvait, lui, lui seul, y faire naître un musée du cheval ; la vente de sa maison familiale pour s'en donner les moyens ; la réussite qui a suivi, sans un sou de subvention ; la naissance de la plus charmante famille hippique de l'histoire : tout cela laisse abasourdi. »

Alain Decaux (de l'Académie française)

[Pascal Renauldon est journaliste, spécialiste des sports et arts équestres.]

Agnès Galletier
POURQUOI LES CHEVAUX
NOUS FONT TANT DE BIEN

(entretiens avec Isabelle Claude, Martine Chabannes, Christelle Pernot, Kevin Staut, Frédéric Pignon, Martine Laffon, Hervé Baldassari, Yves Grange, Monique Miserez, Eric Ancelet, Marc-André Wagner et Guillaume Antoine)
140 x 220 mm / 244 pages
ISBN 978-2-268-07037-7 (2010)

Pourquoi le cheval continue-t-il à exercer une telle fascination, un tel enthousiasme, de telles passions, alors qu'il a cessé depuis longtemps d'être un animal utilitaire ?

Pourquoi tant d'hommes et de femmes, de garçons et de filles trouvent-ils auprès du cheval un refuge, un exutoire, une solution à leurs problèmes de toutes natures : manque de confiance en soi, manque d'amour, difficulté d'affronter une vie professionnelle ou sentimentale compliquée ?

C'est ce mystère que cherche à percer ici Agnès Galletier, en s'appuyant sur son expérience personnelle, mais aussi sur l'avis d'une douzaine de praticiens aux compétences reconnues : psychologues, équithérapeutes, spécialistes du développement personnel.

Parmi les personnalités consultées par

Agnès Galletier, on trouve aussi bien de grands cavaliers, comme Kevin Staut (champion d'Europe de CSO), de très célèbres dresseurs, comme Frédéric Pignon, mais aussi un vétérinaire, un historien, un politologue et des représentants de médecines ou techniques nouvelles : shiatsu, ostéopathie…

[Seule une enquêtrice aussi expérimentée que Agnès Galletier pouvait mener à son terme une enquête d'une telle ampleur.

Après avoir assuré la rédaction en chef de *Cheval magazine*, elle écrit depuis plus de dix ans des ouvrages sur le cheval. Elle est notamment l'auteur de « L'Homme et le cheval » et de « L'Encyclopédie du cheval et du poney », parus chez Milan.]

revue
(à peu près)
semestrielle

[Les éditions du Rocher ont connu, depuis leur cession par Jean-Paul Bertrand aux laboratoires Fabre (en 2005), quelques turbulences : changement de direction, changement de politique, changement d'adresse, changement d'image, changement de look…
Avec Favre en Suisse et Fabre à Monaco, je me suis cru un moment condamné aux homonymies et aux paradis fiscaux. Jusqu'à ce que Fabre, dégoûté sans doute par les difficultés du métier d'éditeur, cède à son tour Le Rocher (en 2009) à un groupe (suisse !), Parole et Silence, déjà propriétaire d'une des principales maisons d'édition catholiques de France, Desclée de Brouwer (DDB).
Frêle esquif ballotté au milieu de ces tempêtes, la collection *cheval-chevaux* a survécu tant bien que mal à tous ces tourments. Mieux que cela, elle s'est enrichie, à la fin de 2007, d'une publication périodique, une revue littéraire, un semestriel éponyme : voir ci-contre.]

Encore une revue équestre ? Une de plus ? !
Et oui, et non.

Il n'y a jamais eu, c'est vrai, autant de magazines, de gazettes, de feuilles de chou consacrés au cheval, aux mille façons de s'occuper de lui et aux mille manières de s'en servir.

Il ne faut pas s'en plaindre. Cette prolifération n'est que le reflet de l'extraordinaire engouement dont le cheval et l'équitation font l'objet.

Après un long purgatoire (« distraction de riches », « activité snob », « sport dangereux »), l'équitation connaît aujourd'hui un succès « populaire » considérable : le nombre de licenciés à la Fédération française d'équitation dépasse le demi-million, et « le nombre d'équitants habituels ou occasionnels est estimé à plus de un million » (Annuaire statistique des Haras nationaux, 2006).

Après avoir failli disparaître presque totalement (mécanisation, urbanisation), le cheval peuple à nouveau nos campagnes et la périphérie de nos villes : il y a en France plus d'un million de chevaux, dont le quart vit chez des particuliers. Deux cent cinquante mille chevaux sont ainsi logés, pourrait-on dire, « chez l'habitant ».

Il s'agit d'un véritable retour en grâce, dont on ne mesurait pas encore bien l'ampleur lorsque furent publiés, tout récemment, les résultats d'une enquête réalisée à la demande des Haras nationaux, qui révèle que un tiers – tenez-vous bien – un tiers des Français (ou pas loin : 29 %) rêve de posséder un cheval, de pratiquer l'équitation, de fréquenter, d'une façon ou d'une autre, les chevaux !

L'étude précise que cette masse énorme de « cavaliers potentiels » chercherait auprès du cheval « un épanouissement personnel ». Et qu'il ne s'agirait pas là d'une lubie passagère, d'une marotte de « bobos », mais d'une tendance lourde, d'une attirance « puissante, constante et durable ».

Une vague d'une telle ampleur, il fallait s'y attendre, a créé un véritable tsunami sur les kiosques à journaux, ensevelis aujourd'hui sous une masse incroyable de publications spécialisées. Plusieurs magazines sont proposés aux passionnés des sports équestres, des disciplines olympiques. Trois ou quatre autres s'arrachent la clientèle des amateurs de balades, de randonnées, d'équitation « de plein air ». D'autres sont spécifiquement destinés aux éleveurs, aux soigneurs, aux écolos, aux étholos, aux collectionneurs. À chaque discipline – attelage, western, polo – sa gazette. À chaque race (ou presque) son périodique. À chaque tranche d'âge son journal – à grands renforts de BD, de posters, de calendriers, d'autocollants. Et même, depuis peu, à chaque sexe : constatant la féminisation galopante du monde du cheval, un éditeur a lancé un magazine strictement réservé aux filles.

Paradoxalement, plus elle s'est ainsi diversifiée, plus la presse dite « équestre » s'est, en fait, appauvrie. En se spécialisant à l'extrême, elle a réduit ses centres d'intérêt. En se segmentant à l'infini, elle n'offre plus de place aux études originales, aux travaux érudits, aux expérimentations, aux débats de fond, aux approches « différentes » – artistiques, sportives, ou scientifiques.

Notre ambition est de combler cette lacune, de proposer une vitrine à cette créativité tous azimuts, d'offrir une structure d'accueil à cette production orpheline. Couvrant l'immense champ de la littérature et des sciences humaines (et chevalines), notre revue s'adresse à – disons – « l'honnête homme de cheval » : à ceux qui aiment le cheval, et, ce n'est pas tout à fait la même chose, les chevaux, tous les chevaux.

D'où notre titre – qui est celui d'une collection dans laquelle plus de vingt volumes sont parus en quatre ans : des romans, des nouvelles, des récits de voyage, des portraits d'hommes et de chevaux, des essais historiques, des dictionnaires, des anthologies – donnant ainsi une idée de ce que nous espérons faire ici, à raison de deux parutions annuelles.

Pour mieux illustrer notre propos, nous avons demandé à Jean-Louis Sauvat, qui est non seulement un grand artiste mais un fin cavalier, de dessiner notre logo : comme vous l'avez déjà remarqué, ces chevaux tête-bêche forment presque un cercle, un soleil, une roue, un yin et un yang.

Tout un programme !

[Éditorial du premier numéro de la revue (octobre 2007).]

L'ÉQUITATION, UNE PASSION PUÉRILE?

cheval-chevaux n° 1
(octobre 2007-mars 2008)
180 x 240 mm / 240 pages
ISBN 978-2-268-06302-7
rédacteur en chef de ce numéro :
Jean-Louis Gouraud

THEMA : nouvelles de Claire Veillères et Christian Delâge.
CHRONIQUES : de Jan Krauze, Xavier Patier, Jean-Louis Andréani et Marion Scali.
VARIA : textes de Buffon, Bertrand-Pierre-Galey, Marguerite Duras, François Nadal, Jean-Louis Gouraud, Emilie Maj, Tomas Ingi Olrich, Jean-Claude Racinet et Laurent Desprez.
TRAIT : dessins du major Paul Remi.

LE CHEVAL, ANIMAL FÉMININ OU MASCULIN?

cheval-chevaux n° 2
(avril-septembre 2008)
180 x 240 mm / 272 pages
ISBN 978-2-268-06520-5
rédacteur en chef de ce numéro:
Chérif Khaznadar

THEMA: textes de Franck Évrard, Catherine Tourre-Malen, Sylvie Brunel et Claire Veillères
CHRONIQUES: de Jan Krauze, Xavier Patier, Jean-Louis Andreani, Marion Scali, Jean-Louis Gouraud, Bartabas, Hervé Godignon et Pierre Pradier.
VARIA: textes de Alexandre Soljenitsyne, Hortense Dufour, Françoise Gründ, Homeric, Eliane Melon, Jean-Louis Gouraud, Jean-Noël Marie, Vittorio Alfieri et Camilla M. Cederna.
TRAIT: calligraphies de Chaval, Picasso et illustrateurs divers des XVIIᵉ et XVIIIᵉ siècles.

POUR L'AMOUR DU CHEVAL, OF COURSE!

cheval-chevaux n° 3
(octobre 2008-mars 2009)
180 x 240 mm / 256 pages
ISBN 978-2-268-06632-5
rédacteur en chef de ce numéro:
Christophe Donner

VARIA: textes de Tchinguiz Aïtmatov, Paul Morand, Jean-Louis Gouraud, Albert Flament, Antoinette Delylle, Sylvie Brunel et Ariane Fornia.
CHRONIQUES: de Jan Krauze, Jean-Louis Gouraud, Jean-Pierre Digard, Bertrand-Pierre Galey, Jean-Marie Donegani, Marion Scali, Jean-Claude Racinet et Fernand Bertaux.
THEMA: textes de Christophe Donner, Mayeul Caire, Laurent Causseron, Christian Delâge, Emmanuel Roussel, Marcel Proust, Franz Kafka, Ernest Hemingway et Pascal Polisset.
TRAIT: les courses dans la bande-dessinée (Charlot, Mickey, Bibi Fricotin, etc.).

PUR SANG, ET SANG IMPUR

cheval-chevaux n° 4
(juillet-décembre 2009)
180 x 240 mm / 210 pages
ISBN 978-2-268-06771-1
rédacteur en chef de ce numéro:
Axel Kahn

THEMA: textes de Axel Kahn, Jean-Pierre Digard, Alexandre Blaineau, Friedrich Wilhelm Hackländer, Abd el-Kader, Guy Thibault, Ephrem-Gabriel Houël, Philippe Deblaise et Marie-Laure Peretti.
TRAIT: les chevaux merveilleux de George Simon Winter.
CHRONIQUES: de Jan Krauze, Jean-Claude Racinet, Marion Scali, Marc-André Wagner, Jean-Louis Andréani, Sylvie Brunel et Jacques Piatigorsky.
VARIA: textes de Jean de La Varende, Marie-Aymery de Comminges, Jean-Pierre Sicre et Robert Margerit.

LA MUSIQUE DU CHEVAL

cheval-chevaux n° 5
(printemps-été 2010)
180 x 240 mm / 216 pages
ISBN 978-2-268-06962-3
rédacteur en chef de ce numéro:
Stéphane Béchy

THEMA: textes de Stéphane Béchy, Michaël Levinas, Claire Veillères, Patrice Franchet d'Espèrey, Cesare Fiaschi, Jean-Claude Racinet et Adamo Walti.
CHRONIQUES: de Jan Krauze, Denis Bogros, Marc Lhotka, Jean-Louis Gouraud et Sylvie Brunel.
VARIA: textes de Catherine Tourre-Malen, Jean-Louis Andréani, Natacha Houtcieff, Pierre-Marc de Biasi, Bruno de Cessole, Bertrand Ailleret et Jean-Louis Gouraud.
TRAIT: Caran d'Ache le franco-russe.

collection *Arts équestres*

*C'est une des plus belles réussites éditoriales de la fin du XX*e *siècle: créées à Arles en 1978 par l'écrivain (belge) Hubert Nyssen, les éditions Actes Sud jouent aujourd'hui dans la cour des « grands » (Gallimard, Grasset, Le Seuil).*

Quelques années plus tard, le fondateur a eu la sagesse de céder la direction de son entreprise à sa fille Françoise, qui a eu la bonne idée d'épouser un sympathique amateur de chevaux (camargues), Jean-Paul Capitani.

D'un premier mariage Jean-Paul avait eu une fille, que tout le monde appelle Pouny, mais se prénomme en réalité Anne-Sylvie. J'ai connu Pouny en 2006, lors d'une rocambolesque traversée de Paris à cheval (les curieux pourront en lire un récit détaillé dans mon livre « La terre vue de ma selle »), qui m'a ensuite fait connaître son père.

Dès notre première rencontre, ce dernier m'a proposé de créer et diriger une collection d'ouvrages de référence relatifs à l'équitation et, d'une manière plus générale, à l'univers du cheval.

Je donnai à cette nouvelle série, créée en 2008, le titre de Arts équestres, *avec des « s », c'est-à-dire au pluriel, afin de bien montrer que nous n'avions pas l'intention de nous en tenir au seul art de monter à cheval, mais de nous autoriser au contraire des incursions dans d'autres arts – l'histoire, la littérature, l'architecture, etc. – dans lesquelles le cheval est le personnage central.*

Textes de grands maîtres d'autrefois ou d'aujourd'hui, réédition de chefs-d'œuvre introuvables, traductions inédites, trésors de la littérature spécialisée: la collection Arts équestres *propose à ceux qui s'intéressent au cheval et à ses mille emplois, quelques ouvrages indispensables à leur documentation et leur culture.*

Étienne Beudant
**EXTÉRIEUR
ET HAUTE-ÉCOLE**
l'édition originale (1923)
enrichie d'une version inédite (1948)
revue par l'auteur

(avant-propos de Jean-Louis Gouraud;
introduction de Patrice Franchet d'Espèrey)
185 x 240 mm / 300 pages
ISBN 978-2-7427-7629-0 (2008)

Pour les amateurs de dressage, pour les cavaliers persuadés qu'il n'y a pas d'incompatibilité entre équitation sportive et équitation savante, c'est un peu « la Bible ». Son auteur, Étienne Beudant (1863-1949) appartient à la légende dorée de l'équitation française. Disciple surdoué de l'illustre Faverot de Kerbrech (lui-même élève de Baucher), Beudant a fait l'admiration de ses contemporains. Le général Decarpentry l'a appelé un jour « l'écuyer mirobolant ». D'autres ont dit qu'il était « le Mozart de l'équitation »!

Beudant est l'auteur de plusieurs traités, mais c'est dans « Extérieur et Haute-Ecole » qu'il exprime le mieux sa doctrine: le dressage d'un cheval doit aboutir à son utilisation optimale aussi bien, comme l'indique clairement le titre, en terrain varié qu'au manège, à l'obstacle que sur le plat.

Paru en 1923, aujourd'hui réservé aux collectionneurs, on en trouvera ici le « reprint », c'est-à-dire la reproduction à l'identique. On y trouvera plus et mieux encore: la version entièrement remaniée – et totalement inédite – que Beudant lui-même envisageait de publier en 1948, peu de temps avant sa mort.

C'est un événement, aussi important que le serait la découverte d'une partition inédite – reprenons la comparaison – de Mozart! La juxtaposition, la confrontation, de ces deux versions (présentées et commentées par Patrice Franchet d'Espèrey, écuyer au Cadre Noir de Saumur) est passionnante : elle permet de mesurer, de visualiser l'évolution de la pensée, à vingt-cinq ans de distance (et quelque quarante chevaux dressés plus tard) d'un des plus grands « maîtres de l'œuvre équestre » du XXᵉ siècle.

général Pierre Durand
L'ÉQUITATION FRANÇAISE
mon choix de cœur et de raison

(préface de George H. Morris)
185 x 240 mm / 218 pages
ISBN 978-2-7427-7630-6 (2008)

Cet ouvrage n'est pas une méthode d'équitation de plus. Il est bien mieux que cela : le fruit, le bilan, la synthèse d'une vie entière de cavalier. Et pas n'importe quel cavalier : élève privilégié du colonel Margot, qui fut l'un des plus brillants « Grand Dieu » de Saumur, Pierre Durand a achevé sa carrière militaire comme écuyer en chef au Cadre Noir, puis comme directeur de l'École Nationale d'Équitation. Son palmarès sportif est tout aussi impressionnant : il compte deux sélections aux Jeux Olympiques en concours complet et saut d'obstacles, plus de vingt-cinq participations en Coupe des Nations, des dizaines de victoires individuelles nationales et internationales en CSO, discipline reine dans laquelle il fut aussi plusieurs fois champion de France militaire et champion du monde (en 1962).

L'écuyer Pierre Durand a talentueusement promené sa légère et élégante silhouette au-dessus des barres, tout en pratiquant aussi les airs de haute école. Car pour lui, équitation sportive et équitation savante, travail d'obstacles et travail sur le plat sont de même nature, nécessitant harmonie musculaire, rassembler, légèreté.

Persuadé qu'à cheval on n'a jamais fini d'apprendre, le général Durand s'était refusé, jusque-là, à publier quelque traité, quelque ouvrage « définitif » que ce soit. S'il s'est finalement décidé, à l'issue d'une carrière exceptionnelle, à rassembler ses observations d'homme de cheval à la fois expérimenté et cultivé, à réunir dans ce livre – très attendu – souvenirs et réflexions, propos techniques et anecdotes édifiantes, c'est pour témoigner qu'efficacité équestre et respect du cheval sont infiniment compatibles, et pour rappeler les principes qui président à l'accomplissement et à la pérennisation de la belle équitation française.

émir Abd el-Kader
général Eugène Daumas
DIALOGUES SUR L'HIPPOLOGIE ARABE
les chevaux du Sahara et les mœurs du désert
édition intégrale établie
par François Pouillon

185 x 240 mm / 580 pages
ISBN 978-2-7427-8066-2 (2008)

Au retour d'un séjour de près de quinze ans en Algérie, où il a eu à affronter la résistance organisée par l'émir Abd el-Kader, le général Daumas (1803-1871), se lance dans la rédaction d'un ouvrage dans lequel il consigne l'ensemble de ses observations de terrain. Officier de cavalerie, il a été en contact permanent avec des troupes indigènes ou des aristocraties tribales, chez lesquelles le cheval n'est pas un simple moyen de transport.

Publié en 1851, cet ouvrage, intitulé « Les chevaux du Sahara », est une somme inédite, la première du genre, qui rassemble tout ce que l'on peut dire des relations que les Arabes entretiennent avec le cheval : son élevage, son éducation, les soins à y apporter et les mille manières de l'utiliser – à la guerre, à la chasse ou à la parade –, vaste corpus dans lequel s'entremêlent approche empirique et scientifique, religion et superstition, équitation et hippologie.

Alors même qu'il travaillait son ouvrage, le général Daumas est dépêché auprès d'Abd el-Kader qui, ayant rendu les armes, est détenu à Toulon, avant d'être assigné à résidence à Pau, puis à Amboise. Entre les deux hommes, qui se respectent et s'estiment, ayant en commun, aussi, la passion des chevaux, s'instaure un dialogue qui ira en s'enrichissant. Ce sont ainsi des remarques informelles, puis des lettres et même un long texte que Daumas va soigneusement incorporer à son livre, conférant à celui-ci une autorité et une couleur orientales. De multiples rééditions de l'ouvrage permettent d'intégrer ces apports successifs, avec une correspondance qui se prolongera alors que l'émir, libéré, est parti en résidence à Damas, où il exerce un magistère spirituel et politique important.

François Pouillon, directeur d'études à l'École des Hautes Études en Sciences Sociales, s'est attaché à dresser un inventaire exhaustif de cette littérature équestre et, mieux que cela, à restituer ici certains originaux, écrits en arabe bien sûr : bonne occasion de vérifier que les traductions publiées par Daumas n'étaient pas si mauvaises que certains l'ont craint.

Réunis en un seul volume, ces textes constituent non seulement la somme la plus importante de l'hippiatrique arabe disponible en langue française, mais aussi, au moment où l'on célèbre le bicentenaire de sa naissance (1808), une manière d'honorer la mémoire d'Abd el-Kader, qui fut outre un grand hippologue, surtout l'homme du dialogue des cultures.

Karl Wilhelm Ammon
CHEVAUX DES ARABES
ET CHEVAUX ARABES
traduit de l'allemand et présenté
par Jean-Pierre Portmann

(préface de Philippe Deblaise)
185 x 240 mm / 300 pages
ISBN 978-2-7427-8065-5 (2008)

Publié pour la première fois en Allemagne en 1834, l'ouvrage que voici y est régulièrement réédité. En Angleterre, une traduction en a été proposée il y a déjà plus de dix ans. Il s'agit, en effet, d'un livre indispensable à tout amateur – un de ces grands classiques que tout honnête homme (de cheval) doit posséder dans sa bibliothèque.

Son auteur, Karl Wilhelm Ammon, vétérinaire passionné, gouverneur d'un prestigieux haras de Bavière, a consacré une grande partie de sa vie à se documenter sur les chevaux d'Orient et a réuni l'ensemble des connaissances ainsi acquises dans l'ouvrage dont Jean-Pierre Portmann nous donne ici une traduction en français.

La somme de K.W. Ammon est parue à un moment que l'on pourrait appeler l'âge d'or, ou la grande époque – la belle époque – du cheval arabe.

Si Napoléon n'est pas le premier Européen à « découvrir » l'extraordinaire vaillance des petits chevaux orientaux, il est certain que sa campagne en Égypte, menée une trentaine d'années auparavant, a suscité des vocations, déclenché un engouement général pour ces montures vives et gracieuses.

Cela tombe bien : c'est aussi l'époque où les Bédouins d'Arabie, sortant de leur désert, commencent à se rapprocher des villes de Syrie, d'Irak, de Mésopotamie, et de proposer sur les marchés d'Alep, Bagdad ou Bassora, de magnifiques étalons dont l'Occident, à la recherche de chevaux « améliorateurs », se met à rêver.

Enquêtes, missions d'achat, simples voyages de découverte, dès lors, se multiplient.

Les relations de voyage, les rapports de mission font le miel de Karl Wilhelm Ammon, qui les lit avec attention, les compare entre eux, les confronte à des sources plus anciennes. Tout l'intéresse : son but est de retracer l'histoire du cheval oriental depuis… Salomon !

Il est proche de la soixantaine lorsque, réunissant l'ensemble de sa prodigieuse documentation, Ammon publie ses « Nachrichten von der Pferdezucht der Araber und den arabischen Pferden ».

En voici (enfin !) la version française, enrichie de nombreuses notes par un traducteur qui est, comme le fut l'auteur, à la fois un hippophile et un bibliophile.

Jean de La Varende
LE CHEVAL ROI
textes présentés et réunis
par Arnaud Dhermy

185 x 240 mm / 200 pages
ISBN 978-2-7427-8329-8 (2009)

La Varende n'est pas seulement l'auteur de quelques romans inoubliables : « Nez-de-cuir » (1936), « Les Manants du roi » (1938), « Le Centaure de Dieu » (1938) ; pas seulement un écrivain généreux et prolifique : plus de cent ouvrages, un bon millier de nouvelles, articles, chroniques en tous genres… Il fut, en son temps, bien mieux qu'un simple romancier : un modèle, une référence, dont on peine, aujourd'hui, à mesurer le rayonnement, l'influence [en particulier auprès de toute une génération d'écrivains dits « de droite » : Michel de Saint-Pierre, Guy des Cars, Michel Déon et quelques autres. Lui-même souvent catalogué comme monarcho-catholique, comme nostalgique d'une époque révolue, comme le représentant d'une classe sociale qui ne se serait jamais vraiment remise de la perte de ses privilèges, Jean Mallard, comte de La Varende (1887-1959) est, en fait, un auteur inclassable – si ce n'est dans la catégorie des grands écrivains : ceux dont l'imagination fertile, la forte personnalité, le style inimitable marquent à jamais l'histoire littéraire.]

Ce hobereau normand tenait d'un grand-père amiral la passion de la mer, des bateaux, des grands capitaines, dont il écrivit plusieurs biographies. Mais c'est à la terre, la belle terre de sa chère Normandie qu'il consacra l'essentiel de son œuvre. Rien d'étonnant donc que le cheval, dont ce pays est un des berceaux, y soit omniprésent.

Critique d'art (ce qu'il faillit devenir), La Varende est ému par la beauté, la grâce de l'animal. Historien (et témoin), il est conscient de la place unique qu'il a occupée, et qu'il occupe toujours, aux côtés de l'homme. On sent bien, à lire l'ensemble des textes qu'il a consacrés au noble animal, réunis ici pour la première fois, qu'avec le cheval, La Varende a trouvé un sujet à la mesure de son immense talent.

Très peu connus, voire quasiment inédits pour la plupart, ou au contraire puisés au cœur même de ses œuvres les plus célèbres, ces textes ont été choisis et présentés par un des meilleurs connaisseurs de l'écrivain, Arnaud Dhermy.

[Bibliothécaire à la BnF, ce dernier est conseiller littéraire de l'association « Présence de La Varende », une amicale dont la vitalité prouve que, cinquante ans exactement après la mort du maître, La Varende est encore bien vivant.]

[N.B. : J'ai mis entre crochets les passages de ce texte que mon éditeur a cru bon de supprimer et qui pourtant me paraissent dignes d'intérêt.]

André Monteilhet
LES MAÎTRES
DE L'ŒUVRE ÉQUESTRE
suivi de Les mémorables du cheval

(avant-propos du général Pierre Durand ; préface de François-Henri Monteilhet)
185 x 240 mm / 500 pages
ISBN 978-2-7427-8633-6 (2009)

Voici la réédition, très attendue, d'un ouvrage dont l'unique tirage, réalisé en 1979 – il y a tout juste trente ans –, est épuisé depuis longtemps.

Pour les amateurs, « les Maîtres de l'œuvre équestre » constituent une sorte de bible : c'est « la » référence absolue en la matière. Pour tous ceux qui s'intéressent à l'équitation, à son histoire, à sa richesse, à sa diversité, c'est en tout cas un outil de travail indispensable.

On y trouve, en effet, en cent quarante notices détaillées, la biographie de tous les écuyers-écrivains qui, de Xénophon au général L'Hotte, ont fait évoluer l'art équestre, ainsi que la connaissance du cheval, son approche et son emploi.

Véritable dictionnaire de la littérature équestre de langue française (d'origine ou par traduction), « les Maîtres de l'œuvre équestre » sont enrichis dans la présente édition d'un inventaire de tous ceux qui, sans avoir nécessairement laissé une œuvre écrite, ont marqué, d'une façon ou d'une autre, l'histoire des relations entre l'homme et le cheval : grands soldats, écuyers, peintres, poètes, savants, chasseurs ou voyageurs.

Réunies par leur auteur sous le titre « les Mémorables du cheval », la centaine de notices qui composent ce fabuleux catalogue sont classées cette fois par ordre chronologique, balayant en effet les siècles, en une vaste perspective cavalière, de la préhistoire à nos jours, de l'Antiquité aux temps modernes, de la mythologie à la féminisation de l'univers équestre.

Quasiment inédites, si ce n'est en feuilleton, au cours des années soixante-dix du siècle dernier, dans un magazine aujourd'hui disparu (*Plaisirs équestres*), « les Mémorables du cheval » constituent le complément naturel des « Maîtres de l'œuvre équestre » pour former une encyclopédie de la culture équestre.

Son auteur, André Monteilhet est le prototype de ce qu'on appelait autrefois un homme de cheval, pour qui théorie et pratique sont indissociables. Fréquentant à parts égales les bibliothèques et les manèges, André Monteilhet a consacré autant de temps à sa passion – l'art équestre – qu'à son métier. Reçu à Saint-Cyr, il n'embrassa toutefois pas la carrière des armes, mais s'orienta vers le Droit, pour diriger jusqu'à sa mort, en 1977 (à l'âge de soixante et onze ans) un cabinet de conseil en propriété industrielle.

Paul Morand
ANTHOLOGIE
DE LA LITTÉRATURE ÉQUESTRE
présentée par Jérôme Garcin
185 x 240 mm / 458 pages
ISBN 978-2-7427-8917-7 (2010)

Un des écrivains majeurs du XXᵉ siècle, Paul Morand, auteur de quelques chefs-d'œuvre, en tête desquels il faut placer « Milady », bouleversante histoire d'amour d'un écuyer pour sa jument, a composé en 1966, pour son éditeur aujourd'hui disparu, une « Anthologie de la littérature équestre » réunissant les plus beaux textes, ou les textes à ses yeux les plus importants, consacrés au cheval et à son utilisation.

Traité d'équitation, précis vétérinaires, manuels d'hippologie: de l'Antiquité à nos jours, Paul Morand n'oublie aucun des grands maîtres de l'œuvre équestre.

Depuis longtemps introuvable, cette anthologie méritait une réédition. La voici, enrichie d'une présentation de l'écrivain Jérôme Garcin, qui partage avec Paul Morand l'amour de la (bonne) littérature et la passion de la (belle) équitation.

sous la direction de
Pascal Liévaux et
Patrice Franchet d'Espèrey
ARCHITECTURE ÉQUESTRE
hauts lieux dédiés au cheval en Europe
185 x 240 mm / 380 pages
ISBN 978-2-7427-9338-9 (2010)

Écuries, manèges, académies, écoles et quartiers de cavalerie, haras privés, royaux ou nationaux: les multiples usages du cheval ont nécessité la construction de bâtiments d'une extrême diversité. C'est cet ensemble, à la fois abondant et hétéroclite, que les auteurs du présent ouvrage appellent l'« Architecture équestre ».

Si de nombreux édifices, destinés à l'origine au cheval, ont, sous l'effet de la modernisation, changé d'affectation, ce patrimoine reste de nos jours encore d'une extraordinaire richesse et pourtant fort peu étudié – exception faite de quelques bâtiments célèbres, tels ceux de Chantilly où, selon la légende, le duc de Condé, persuadé d'être après sa mort réincarné en cheval, fit construire les fameuses et somptueuses Grandes Écuries, dignes de le recevoir un jour.

Sous l'égide de l'Ecole Nationale d'Equitation (Saumur), Patrice Franchet d'Espèrey, écuyer du Cadre Noir, et Pascal Liévaux, conservateur en chef du Patrimoine, ont mis fin à cette anomalie en réunissant une équipe interdisciplinaire d'une vingtaine de spécialistes, dont on trouvera ici les contributions. Celles-ci attirent l'attention sur des monuments et hauts lieux souvent trop peu connus, les replaçant dans leur contexte hippologique, politique, social et culturel.

Volontairement limité au patrimoine européen, de la fin du Moyen Âge à nos jours, le champ d'étude du présent ouvrage englobe l'architecture équestre sous toutes ses formes – que ce soit à des fins militaires, académiques, économiques, de loisir ou de représentation – et sous ses différents aspects : le rôle des commanditaires et des architectes, la disposition des bâtiments, les matériaux et techniques employés, le style et le décor architectural, les influences, enfin, au plan national et international.

---

collection *pur-cent*

« Il faut que j'arrête d'imprimer à mille exemplaires des livres (passionnants) qui ne trouveront que cent acheteurs », proclamai-je en cherchant à faire le bilan de vingt ans d'édition spécialisée (« Pour la gloire (du cheval) », Favre, 2006, page 60). Avant d'ajouter, en note de bas de page, « Tiens ! Cela me donne une idée : et si je n'imprimais mes livres qu'à cent exemplaires ? C'est à creuser. »

Je n'eus pas à creuser beaucoup. Si ce n'est ma propre tombe (financière).

Courant 2007, en effet, je décidai de passer aux actes, en créant une collection d'ouvrages rares, précieux, inattendus, originaux – mais toujours de très haute tenue – célébrant le cheval et réservés à quelques amateurs éclairés, collectionneurs avertis, connaisseurs cultivés et autres hommes (et femmes) de goût. Sachant qu'une clientèle aussi raffinée ne devait guère dépasser la centaine de personnes, je limitai la fabrication des ouvrages de cette collection à cent exemplaires dûment numérotés et, afin que ce soit bien clair, lui donnait le nom de pur-cent.

Je me faisais, hélas, des illusions ! La clientèle espérée n'existe pas. Les deux ouvrages de la collection (promis, juré : je n'en ferai pas un troisième) n'ont pas trouvé preneur. À l'exception toutefois de quelques dizaines de bibliophiles, auxquels je suis heureux de rendre hommage ici.

ÉLOGE DU CROTTIN

présentation de Jean-Louis Gouraud ;
textes de (dans l'ordre de parution) :
Patrick Grainville, Jérôme Garcin, Bartabas,
Tomas Ingi Olrich, André Velter,
Bernard du Boucheron, Jean-Paul Guerlain,
Jean-Loup Trassard, Sylvain Tesson,
Christian Delâge, Christophe Donner,
Jean-Noël Marie, Jean-Pierre Digard.
coffret 220 x 300 x 20 mm
ISBN 978-2-9530629-08
début de la commercialisation : 1er janvier 2008

Le papier fabriqué à partir du crottin de cheval a souvent servi d'emballage (pour la pâtisserie, en particulier). Juste retour des choses, il nous a paru convenable d'apporter le plus grand soin à l'empaquetage des feuilles en crottin qui composent le présent recueil. Réunies sous une chemise en carte couchée mat de 350 grammes, elles sont protégées par un emboîtage conçu par la société Atlantis, sans agrafe et sans colle, confectionné (sur mesure) en « boxboard », carton permanent à fibres longues de 650 microns sans azurant, sans lignine, sans acide et offrant une résistance prolongée aux impuretés, graisses et abrasions. Le tout est clos par un cachet de cire. Notre fournisseur, la société Herbin fabrique ses cires à cacheter (depuis 1670) selon un procédé traditionnel : savant mélange de résine de pin, de calcaire broyé et d'une gomme-laque provenant d'une cochenille d'Inde. Parmi les différents types que propose ce fabriquant, nous avons choisi la « cire banque » : la même que celle qu'utilisaient les rois de France pour apposer leurs sceaux. Enfin, pour faciliter l'ouverture, nous avons coulé dans la cire quelques brins d'une fibre naturelle provenant, elle aussi du cheval : ce sont de véritables crins, traités en Chine et probablement originaires de Mongolie.

EVA MARIA
poème de Alfred de Musset
planches photographiques
de Gilles Tondini
coffret 220 x 300 x 20 mm
ISBN 978-2-9530629-1-5
tirages achevés le 24 mars 2008 ;
début de la commercialisation : 16 avril 2009

Certes moins poétiques que les Stances, mais non dépourvues d'intérêt, voici quelques précisions techniques concernant le présent ouvrage. Il se compose de trois éléments distincts : le cahier de présentation, les planches photographiques, et l'« emballage ».

Le cahier de présentation, imprimé en offset sur un papier classé dans « les papiers de création à grain subtil », qualité Rives Tradition de 170 gr/m2, coloris blanc naturel, contient un texte exposant brièvement les raisons qui justifient, espérons-nous, notre entreprise, suivi du long poème de Alfred de Musset, des précisions techniques que voici et, en dernière page, de la certification manuscrite par l'éditeur (ainsi que le numéro international d'identification ISBN).

Les planches photographiques qui suivent sont au nombre de vingt-trois. Ce sont des tirages uniques, imprimés un à un, et manuellement, par Gilles Tondini. Ces planches sont foliotées (en lettres) de un à vingt-trois, afin d'indiquer l'ordre de lecture proposé, de rassurer le collectionneur sur la complétude de la série, et d'éviter, autant que possible, sa dispersion.

Le support utilisé ici est un papier d'une exceptionnelle qualité, de marque Moab, proposé par le premier distributeur nord-américain de papiers « fine art », Legion Paper. Il s'agit d'un pur-chiffon, blanc naturel, sans acide, de 300 gr/m2.

Le procédé choisi pour y reproduire les interprétations graphiques par Gilles Tondini

des photographies de Stéphane Laisné est l'impression dite au « jet d'encre ». L'imprimante utilisée appartient à la génération la plus récente, permettant une très haute résolution, à l'ordre de 2 440 dpi (dots per inch) ou ppp (points par pouce). Ce qui signifie que le nombre de « gouttes » ou de points d'encre par inch ou par pouce carré (moins d'un cm2) est de 2440, ce qui donne aux documents reproduits une définition quasi parfaite.

Les encres liquides utilisées sont de type K3, c'est-à-dire que chaque goutte est « encapsulée » dans une gangue de résine résistant aux rayons ultraviolets – ce qui évite une altération de l'encre, et donc des couleurs, et du contraste de l'épreuve.

L'authenticité et la qualité de ces matériaux et procédés sont garanties par un gaufrage de la dernière planche de chaque série (folio vingt-trois) : la certification EPSON accordée au tireur témoigne, outre de son savoir-faire, d'un usage exclusif des produits (papier et encre) assurant une longue conservation, estimée entre soixante-dix et quatre-vingts ans dans des conditions standard d'exposition à l'air et à la lumière. Ce temps sera multiplié au moins par deux si les planches sont conservées à l'abri du coffret dans lequel elles sont présentées.

Réalisé en « boxboard », carton permanent à fibres longues de 650 microns sans azurant, sans lignine et sans acide, offrant une résistance prolongée aux impuretés, graisses et abrasions, ce coffret a été astucieusement conçu sans agrafe ni colle par la société Atlantis (fournisseur, entre autres, de la BnF) et fabriqué sur mesure pour notre usage.

Protégeant l'ensemble, cet « emballage » de sécurité est clos par un cachet. Parmi les différents types de cire disponibles, nous avons choisi la « cire banque » : la même que celle qu'utilisaient les rois de France pour apposer leurs sceaux.

Enfin, pour faciliter le décachetage, nous avons introduit dans la coulée de cire quelques brins d'une fibre naturelle : des crins de cheval. De véritables crins : ceux-là mêmes du cheval Raspoutine, dont Eva avait religieusement conservé la crinière.

bibliographie personnelle

Les petits textes qui figurent au dos des livres ont une telle importance que les éditeurs s'en réservent jalousement la rédaction. C'est, avec le choix du titre et du document de couverture, une de leurs prérogatives exclusives – mentionnées d'ailleurs au contrat qui les lie à leurs auteurs.

Appelés « prière d'insérer » par les attachés de presse, « argumentaires » par les représentants, « quatrième de couv' » par les maquettistes, ces petits textes sont censés donner au lecteur hésitant l'irrépressible envie d'acheter le livre. Aussi ont-ils souvent un peu tendance à l'exagération : de la qualité du style, de l'intérêt du contenu et du génie de l'auteur.

Autant je revendique la paternité des petits textes qui figurent au dos des livres que j'ai édités (caracole, Grande Écurie de Versailles, cheval-chevaux), auxquels j'ai apporté, en effet, un certain soin, autant je dégage toute responsabilité sur la façon dont mes propres œuvrettes ont été présentées par les éditeurs.

Reproduits ici sans rien y changer, les argumentaires des dos de couverture des livres dont je suis l'auteur ne sont pas de moi. Je ne me sens donc ni responsable ni coupable des excès de certains d'entre eux. Responsable (et éventuellement coupable), par contre, de leur classement.

Alors que dans les catalogues de collections qui précèdent j'ai privilégié l'ordre chronologique, j'ai préféré ici les regroupements thématiques. Dans le but, peut-être, de donner un semblant de cohérence à une production apparemment proliférante et désordonnée ?

❑ ROMANS ET FICTIONS

SERKO
deux cents jours extraordinaires
de la vie d'un cosaque
et de son petit cheval gris

(vrai-faux roman)
150 x 235 mm / 224 pages
Première édition chez Favre (Lausanne)
en 1996 (réédition en 1997)
sous l'ISBN 2-8289-0505-5.
Réédition par France-Loisirs (Paris)
en 1997 sous l'ISBN 2-7441-0950-9.
Traduction russe éditée par Terra (Moscou)
en 1999 sous l'ISBN 5-300-02586-0.
Réédition (corrigée et augmentée)
par les éditions du Rocher (Monaco)
en 2006 sous l'ISBN 2-268-05755-0
(avec deux autres ciné-romans : voir plus loin).

Dans la prodigieuse histoire qui est racontée ici, tout est vrai. Un matin de novembre 1889, monté sur Serko, son petit cheval gris, un cosaque nommé Pechkov a réellement quitté sa garnison des confins asiatiques de l'empire russe, sur les bords du fleuve Amour. Après d'extraordinaires péripéties, tous deux sont effectivement arrivés à Saint-Pétersbourg, la capitale des tsars, le 19 mai 1890. Ayant couvert plus de 9 000 kilomètres en moins de 200 jours – et réalisé ainsi le plus fantastique exploit équestre de tous les temps.

Comment ont-ils pu survivre aux mille difficultés d'un tel voyage, résister au froid extrême de l'hiver sibérien, surmonter les mille obstacles dressés sur leur chemin par une nature inhospitalière et des populations pas toujours très accueillantes ? Et tout spécialement par ces voyous venus – au nom de l'empereur ! – entreprendre le massacre systématique des petits chevaux de l'Amour, à cause desquels Pechkov s'est lancé dans sa folle aventure ? Alors là, méfiez-vous, car tout est faux.

RIBOY
l'étrange pérégrination dans la taïga
d'un musicien
et de son extraordinaire
petit cheval bigarré

(fugue pour violoncelle)
150 x 235 mm / 208 pages
ISBN 2-900 4971-38-6
Equilivres, 1999 (OptiPress/*Cheval magazine*)
[réédition corrigée et augmentée, en 2006,
aux éditions du Rocher
(avec « Serko » : voir ci-avant,
et « Ganesh » : voir ci-après)]

Nul ne peut s'échapper de ces camps de la mort. Pas besoin de barbelés : le froid suffit. Situés dans les régions les plus inhospitalières de Sibérie, ces « archipels du Goulag » sont la version glacée de l'enfer. Le thermomètre y tombe parfois jusqu'à moins 60 !

Nul ne peut s'en échapper – et pourtant !

Quelqu'un, un jour, y parvient : un certain Dimitri. Violoncelliste un peu myope et totalement innocent, il a été déporté ici sans que personne (en tout cas pas lui) sache pourquoi. Il y parvient grâce à un compagnon de chambrée aux pouvoirs exceptionnels, grâce aux esprits qui le protègent, grâce surtout à un petit cheval hirsute et à moitié sauvage, qu'il baptise Riboy.

Le plus difficile, toutefois, n'est pas de réussir une évasion. Il est plus simple, semble-t-il, de survivre dans une nature hostile, de surmonter le froid, la faim, la fatigue, et d'éviter les obstacles, les poursuites, les dénonciations que d'échapper… à son destin.

RÉCITS, ROMANS, FILMS ET NOVÉLISATIONS

Deux de ces fictions, qualifiées de *vrai-faux roman* ou de *fugue*, ont été adaptées au cinéma, à tout juste dix ans de distance.

EN 1996, Bartabas a tiré de « Riboy » un long-métrage intitulé « Chamane », qui a donné lieu à son tour à plusieurs ouvrages :

– une novélisation, par Luba Jurgenson, parue chez Calmann-Lévy sous le titre « Chamane » et sous l'ISBN 2-7021-2570-0 (1996) ;

– un album réunissant les (magnifiques) photos prises par Antoine Poupel avant, pendant et après le tournage du film, paru chez Médianes (Rouen), également sous le titre « Chamane » et sous l'ISBN 2-908345-44-7 (1996).

EN 2006, Joël Farges a tiré de « Serko » un long-métrage auquel il a conservé le titre « Serko », le nom du cheval héros. C'est sous ce titre également que sont parues deux novélisations, toutes deux aux éditions du Chêne (Hachette-Livres) :

– le journal de Dimitri Pechkov, rédigé par Joël Farges et illustré des photos de Matthieu Paley prises lors du tournage. Ce récit imaginaire est enrichi de cahiers documentaires rédigés par Jean-Louis Gouraud et illustrés de documents « d'époque ». (ISBN 2-842-776-852) ;

– l'histoire de Serko telle qu'elle est racontée dans le film : un album « jeunesse », rédigé également par le réalisateur Joël Farges et illustré des photos de Matthieu Paley (ISBN 2-842-776-313).

À SIGNALER AUSSI

Les authentiques carnets de voyage du véritable Dimitri Pechkov ont été traduits en français (par Carole Ferret) et publiés par Payot en 1994, accompagnés d'un reportage du journaliste américain Thomas Stevens qui, au cours de sa traversée de la Russie, rencontra Dimitri Pechkov (et aussi Léon Tolstoï).

Précédés d'une longue présentation de Jean-Louis Gouraud ces textes ont été publiés sous le titre « La Russie à cheval : récits croisés d'un cosaque et d'un reporter » (ISBN 2-228-88833-8). Cet ouvrage a été réédité en 2002 dans la *Petite Bibliothèque* Payot (ISBN 2-228-89564-4).

GANESH
petite promenade (touristique)
à travers l'éternité
et découverte (inattendue)
de l'immortalité

(chronique d'une réincarnation)
150 x 235 mm / 224 pages
ISBN 2-8289-0645-0
Favre, 1999.
[réédition corrigée et augmentée, en 2006,
aux éditions du Rocher (avec « Serko »
et « Riboy » : voir précédemment)]
[traduction russe éditée par Européïski Dom
(Saint-Pétersbourg) en 2010
sous l'ISBN 978-5-8015-0254-0]

Zarah est jolie. Et même très jolie. Ce n'est pas sa seule qualité. Elle en a beaucoup d'autres : intelligente, avenante, sensible... Métis, elle ignore ses véritables origines, mais se sent irrésistiblement attirée par l'Inde. Le karma, la réincarnation, elle y croit – du moins, elle veut bien y croire...

Son copain François, lui, a plutôt tendance à penser que « tout ça c'est des conneries ». Mais comme il aime beaucoup Zarah, et qu'il veut lui faire plaisir, il lui offre un jour un voyage à Bombay.

Ils arrivent en pleine fête. Une fête gigantesque, un délire collectif : cinq millions d'Indiens sont dans la rue pour célébrer Ganesh, le dieu le plus sympathique (mais aussi le plus facétieux) du panthéon hindou, bonne grosse tête d'éléphant sur un corps d'enfant.

François a-t-il tort de – gentiment – se moquer de l'idole à trompe ? Toujours est-il que, dans cette foule grouillante, bruyante et bariolée, Zarah ne le retrouve plus. François a disparu ! Volatilisé ! Réincarné, peut-être ?

❏ ANTHOLOGIES ET FLORILÈGES

CÉLÉBRATION DU CHEVAL
les plus beaux textes et poèmes

(Prix Pégase 1996)
155 x 220 mm / 350 pages
ISBN 2-8627-405-0
le cherche midi éditeur, 1995,
(collection *Espaces*).
Sous le même titre :
– un disque CD édité en 1998
par la Maison des Cultures du Monde,
collection *INÉDIT* (code 298492-600854)
– une cassette VHS éditée en 2001
par l'ADCE (Association pour le
développement de la Culture Équestre)

D'Homère à Saint-John Perse, de Léon Tolstoï à Françoise Sagan, de Jonathan Swift à Alain Robbe-Grillet, le présent ouvrage rassemble cent cinquante textes et poèmes rares, surprenants, inconnus, parfois même inédits, en provenance du monde entier. Tous ces textes ont un point commun : ils furent écrits à la gloire du cheval, ce « piédestal de l'homme » pour reprendre la formule de Jean-Pierre Digard. Henri Michaux, Francis Ponge ou Jacques Prévert ont chanté le noble animal, mais aussi des bardes mongols ou kirghizes, des poètes kiowas ou bengalis, et même le peintre Degas ou Raymond Devos.

Un très surprenant florilège, unique en son genre.

LE CHEVAL
romans et nouvelles

en collaboration avec Jean-Pierre Digard
130 x 200 mm / 1096 pages
ISBN 2-258-04006-X
Omnibus, 1995.

Animal incomparable, le cheval incarne à la fois la puissance, la vitesse, la fougue, l'harmonie des formes, l'élégance des allures. Il représente aussi la résistance à l'homme : sa domestication a été tardive et sa conquête difficile.

Mais une fois soumis — encore ne l'est-il jamais totalement ni définitivement —, aucun autre animal ne s'est autant dévoué que lui à son maître. Car il ne s'est pas contenté de le servir en lui prêtant sa taille, sa rapidité et sa puissance, il l'a fortifié, grandi, hissé sur un piédestal. En retour, l'homme a voué au cheval des trésors d'attention, de patience, d'intelligence. La place qu'il lui a accordée s'est traduite par tout un échafaudage d'usages et d'idées, qui va bien au-delà de ce qui est nécessaire pour entretenir et utiliser l'animal : l'irrationnel, le romanesque, le fantastique y sont partout présents.

La littérature a puisé dans ce terreau maintes sources d'inspiration.

Elle a peint de multiples portraits d'équidés, exalté le compagnonnage de l'homme et du cheval, confondu parfois l'animal et l'amour, rêvé des montures parfaites et édifiantes ou, au contraire, cauchemardesques, pleuré la mort mêlée des hommes et des bêtes, en des œuvres envoûtantes et fortes, qui constituent autant de témoignages de la fertilité de l'imagination humaine et d'hommages rendus a la puissance évocatrice du cheval.

LE CHEVAL
les plus beaux poèmes
de tous les temps

en collaboration avec les Haras Nationaux
et le Muséum National d'Histoire Naturelle
140 x 210 mm / 192 pages
ISBN 2-8289-0561-6
Favre, 2000 (collection *le Bestiaire divin*).

Les plus beaux poèmes de tous les temps par Rafael Alberti, Aristote, Hugues Aufray, Bartabas, du Bartas, Joseph Brodsky, Jean-Roger Caussimon, René Char, Ésope, Léo Ferré, Federico Garcia Lorca, Victor Hugo, Ismaïl Kadaré, Omar Khayyam, La Fontaine, Lucrèce, Groucho Marx, Molière, Pouchkine, António Ramos Rosa, Danièle Rosadoni, Oljas Souleïmenov, Fabienne Thibeault, André Velter, Voltaire, Xénophon, etc. réunis par Jean-Louis Gouraud à l'occasion du Printemps des Poètes 2000.

LE GOÛT DU CHEVAL

(le petit Mercure)
100 x 160 mm / 144 pages
ISBN 978-2-7152-2825-2
Mercure de France, 2009,
(collection *le goût de…*).

De trait, de selle, de loisir, de travail, de guerre… à chaque type de cheval son usage.

Sauvage et domestiquée à la fois, « la plus noble conquête de l'homme » ne cesse d'intriguer, de fasciner et même d'envoûter. Depuis l'Antiquité, cheval et littérature ont partie liée : c'est Pégase, le cheval ailé, qui fit un jour jaillir d'un simple coup de sabot *Hippocrène* (« la fontaine du cheval »), la source de toute poésie où les Muses aimaient venir se désaltérer.

Le cheval passionne les écrivains qui le tiennent en haute estime. Au pas, au trot ou au galop, balade en compagnie de Jules Renard, Edgar Allan Poe, Robert Musil, Henri Michaux, Patrick Grainville, Michel Tournier, Claire Lispector, Xénophon, Francis Jammes, Georges Bataille, Jérôme Garcin, René Char, Jean-Louis Barrault, Jean d'Ormesson, Jean Echenoz et bien d'autres.

❑ EQUUS ET VÉNUS

LE CHEVAL EST UNE FEMME COMME UNE AUTRE

(préface de François Nourissier;
avant-propos photographique
de Michèle Le Braz)
150 x 235 mm / 452 pages
ISBN 2-720-21416-7
Pauvert (Fayard), 2001; réimpression, 2002.

Au cours d'une longue carrière de chevauchées et de cavalcades, Jean-Louis Gouraud a sillonné le monde : l'Afrique (il a été rédacteur en chef de *Jeune Afrique* pendant près de dix ans), la Russie (en 1990, il a rallié à cheval Paris à Moscou : 3 333 km en 75 jours), et aussi l'Asie centrale, l'Inde, la Chine.

Journaliste, éditeur, cavalier (cavaleur?), galopeur (galopin?), il pense comme le poète arabe que « Le paradis de la terre se trouve sur le dos des chevaux, / Dans le fouillement des livres, / Ou bien entre les deux seins d'une femme ».

Amateur de chevaux, amoureux des femmes, il leur trouve une stupéfiante ressemblance. Depuis quinze ans il collectionne les témoignages de ceux qui, comme lui, s'interrogent : « le cheval est-il une femme comme les autres? »

De la Bible à nos jours, d'Aristote à Apollinaire, des poètes et des prophètes, des cavaliers et des piétons ont établi des comparaisons, osé des amalgames, fait des constatations qui constituent la présente anthologie.

Les deux cents textes, de cent cinquante auteurs, réunis ici par Jean-Louis Gouraud le prouvent : « féminin » par son aspect (croupe, crinière) ou par son tempérament (imprévisible), le cheval est aussi symbole de force, de fougue amoureuse, de virilité. Il est à la fois celui qu'on monte et celui qui monte. Bref, l'animal le plus sexué de la création, et, par excellence, l'animal de l'amour.

ÉROS & HIPPOS

110 x 175 mm / 160 pages
ISBN 2-7427-3201-2
Maison des Cultures du Monde, 2001
et Babel n° 489 (Actes Sud)
(*Internationale de l'Imaginaire*,
nouvelle série n°14).

Rassemblés ici par Jean-Louis Gouraud, des textes inédits de Dominique Bourlet, Muriel Estrade, Gonzague d'Été, Maria Franchini, Michel-Alain Garcia, Jérôme Garcin, Roberte Hamayon, Armelle Le Bras-Chopard, Gérard Lenne, Karine Lou-Matignon, Claude Ribbe, Catherine Tourre-Malen, Marc-André Wagner et Karin Wolff.

Avec une préface de Jean Duvignaud et une introduction de Chérif Khaznadar.

FEMMES DE CHEVAL
dix mille ans de relations amoureuses

avec la collaboration de Mireille Lejeune
240 x 240 mm / 352 pages
ISBN 2-8289-0785-6; Favre, 2004.

Entre la femme et le cheval, c'est une très belle, très longue et très ancienne histoire d'amour.

Sur une fresque préhistorique, déjà, on les voit juxtaposés : depuis l'aube des temps, les artistes ont associé ces deux êtres « chevelus et fessus » (*dixit* Michel Tournier), entre lesquels ils ont trouvé, outre une indiscutable ressemblance physique, une inépuisable matière à fantasmer.

Gibiers ou montures, esclaves ou partenaires, outils de travail ou bêtes à plaisir, le cheval et la femme sont, de très loin, les deux créatures les plus représentées dans les arts de tous les temps et de tous les pays. Ils ont été souvent réunis, comparés, voire confondus dans un culte commun.

C'est ce que démontre ici, de façon spectaculaire, et de sa manière toujours aussi peu conventionnelle, l'encyclopédiste du cheval Jean-Louis Gouraud, dans une sorte d'anthologie iconographique qui réserve quelques surprises – et quelques découvertes.

Assemblage parfois très audacieux de plusieurs centaines de reproductions, cette *imagerie* puise sans restriction dans toutes les formes d'expression – peinture, sculpture, photo, bande dessinée –, toutes les époques et toutes les cultures.

On y trouve, côte à côte, Botticelli et Toscani, Pablo Picasso et Guido Crepax. On y croise Jeanne d'Arc et Lady Godiva, Penthésilée et Brigitte Bardot. Ces rencontres insolites permettent de mieux comprendre que l'étonnante communauté de destin entre la femme et le cheval ait forgé entre eux des relations privilégiées, pour ne pas dire particulières, qui trouvent leur éclosion de nos jours, où la féminisation du monde équestre est telle qu'aujourd'hui deux cavaliers sur trois sont… des cavalières.

« La femme est l'avenir du cheval » n'hésite pas à en conclure Jean-Louis Gouraud qui, pour préfacer son livre, a fait appel à une demi-douzaine de ces *femmes de cheval*. Parmi lesquelles on trouve Madeleine Chapsal, Andrée Chedid, Karine Lou Matignon, Lorette Nobécourt et quelques autres écrivaines ou écuyères célèbres et inattendues.

❏ CHEVAUX DU MONDE

UN PETIT CHEVAL DANS LA TÊTE

recueil d'articles, rapports, interviews sur le cheval en Albanie, Algérie, Chine, Libye, Wyoming, Russie, Kazakhstan, Mongolie, etc.

(préfaces et postfaces de Chérif Khaznadar, Bartabas, Jean-Pierre Digard, Françoise Aubin et M.S. Budiony)
160 x 220 mm / 176 pages
Maison des Cultures du Monde, 1991
(*Internationale de l'Imaginaire*, n°15-16, hiver 90 / printemps 91).

Saluons l'insatiable curiosité qui habite Jean-Louis Gouraud, celle que nourrit la passion, ainsi que l'élan qui l'a poussé à lancer des défis peu communs.

Partageons sa volonté peut-être naïve de voir une humanité ébranlée se réunir et peut-être se comprendre un instant autour du cheval, créature mythique qui traverse l'histoire et en témoigne, compagnon de l'aventure humaine à travers le temps et l'espace.

Nourriture, outil de travail, complice de guerre, de loisir, de sport, objet d'œuvre d'art : aucun autre animal n'a eu autant de pouvoirs et de connotations. […]

Pour Jean-Louis Gouraud le cheval est encore un prétexte d'aventures, une occasion de conjuguer le courage et la beauté.

Il aime les chevaux ; pas seulement ceux dont se sert l'homme pour se faire valoir mais aussi ces « braves bidets », ces « canassons », ces « bourrins », ces parents paumés de la famille équine dont il parle avec une tendresse indulgente. Il se réjouit et se rassure de découvrir au cours de ses voyages un échantillon de l'espèce qui l'obsède, résultat plus ou moins chanceux de l'histoire et du pays qui l'a façonné.

La présence du cheval est pour lui garante que l'homme qui le côtoie ne peut pas être totalement étranger. Un homme qui aime les chevaux ne peut pas être complètement mauvais.

[Extrait de la préface de Bartabas]

CHEVAUX D'ORIENT

125 x 175 mm / 52 pages
ISBN 2-07-076683-7
Gallimard, 2002 (*Hors Série / Découvertes*),
en collaboration avec
l'Institut du Monde Arabe.

Allah prit une poignée de vent, raconte la légende, et en créa un cheval auquel il dit : « J'ai attaché aux crins de ton front le succès, je t'établis roi des quadrupèdes domestiques. » L'Orient est en effet le berceau de quelques-uns des meilleurs chevaux : l'akhal-téké en Asie centrale, le barbe en Afrique du Nord et, bien sûr, l'archétype de l'espèce, le pur-sang arabe. De Marrakech à Samarcande, le cheval, symbole de noblesse, de droiture et de bravoure, devint l'infatigable auxiliaire des conquérants, l'idéal compagnon d'armes, de chasse et des jeux princiers. Paré de toutes les vertus, objet parfois de superstitions, il a inspiré une abondante littérature arabe — poésie ou manuels d'hippiatrie dits traités de *furûsiyya* —, et de riches miniatures, principalement persanes ou mogholes. Au XVIIIe siècle, l'Occident est à son tour conquis : tout en contribuant à la création ou à l'amélioration d'autres races, les chevaux d'Orient font leur entrée dans les plus grandes cours d'Europe, avant d'inspirer les peintres orientalistes par l'élégance de leurs formes. Aujourd'hui comme hier, c'est dans le respect des traditions ancestrales que les Orientaux continuent à célébrer ces nobles coursiers, « buveurs de vent ».

CHEVAUX

photographies de Yann Arthus-Bertrand
400 x 280 mm / 224 pages
ISBN 2-842-77387-X (première édition)
Éditions du Chêne, Hachette-Livre, 2003.
[rééditions en 2004 et suiv ; traductions
et éditions dans une quinzaine de versions]

Yann Arthus-Bertrand a parcouru le monde pendant quinze ans pour réaliser ce livre. Quinze années de prises de vues pour nous proposer un atlas mondial du cheval très personnel où, encore plus que la beauté et la diversité des races, il a voulu montrer le lien fascinant qui unit, depuis les origines, l'homme et l'animal.

Ce remarquable travail photographique et les textes de Jean-Louis Gouraud, éminent spécialiste du cheval, qui le complètent, font de cet ouvrage une véritable bible de l'espèce équine.

❏ GÉOGRAPHIE AMOUREUSE

RUSSIE : DES CHEVAUX, DES HOMMES ET DES SAINTS

(photos de Thierry Prat)
170 x 240 mm / 160 pages
ISBN 2-7011-3019-0
Belin, 2001.

Au moment où l'humanité tout entière s'engouffre avec enthousiasme dans le troisième millénaire, saute à pieds joints dans un XXIe siècle qui sera forcément meilleur que les précédents, la Russie, elle, amorce un mouvement inverse : avec calme et détermination, elle s'achemine… vers le XIXe siècle.

Témoin privilégié de cette marche à reculons : le cheval.

Retour, dans les campagnes, à la traction animale ; engouement, chez les nouveaux riches, pour des pratiques équestres aristocratiques ; résurgence de cérémonies hippico-religieuses ; réhabilitation de races équines en voie de disparition ; héroisation d'un passé cosaque pourtant pas toujours reluisant : par tous les moyens, la Russie de Poutine cherche à renouer avec celle de Raspoutine.

… Il n'est d'ailleurs pas tout à fait certain qu'elle ait tort.

L'AFRIQUE, PAR MONTS ET PAR CHEVAUX

170 x 240 mm / 176 pages
ISBN 2-7011-3418-8
Belin, 2002.

Évoquer la place, le rôle, l'importance du cheval en Amérique n'étonne personne. L'Amérique, c'est bien connu, grouille de ponies tachetés et de mustangs indomptables que des chuchoteurs surdoués parviennent tout de même à dompter. L'Amérique, on a tous vu ça, est peuplée de cow-boys et d'Indiens qui galopent à tout bout de films.

Évoquer la place, le rôle, l'importance du cheval en Europe ? Rien de plus banal. Tout le monde le sait : les vrais pur-sang sont nécessairement anglais, les bons sauteurs allemands et les chevaux doués pour la cabriole hispaniques.

La place, le rôle, l'importance du cheval en Asie ? Oui, on en a entendu parler : les hordes mongoles, les tombes des empereurs chinois remplies de chevaux en terre cuite. En Orient, c'est pareil. Les Arabes, les Mamelouks, les spahis : toutes ces peuplades pagailleuses se chamaillaient à cheval.

Mais l'Afrique, ça non. Nul n'a jamais entendu dire qu'il y avait des chevaux en Afrique – ou que les pauvres haridelles qui y subsistent y aient la moindre importance.

Erreur ! Grossière erreur, que Jean-Louis Gouraud, qui sillonne l'Afrique depuis si longtemps (il a été rédacteur en chef de *Jeune Afrique* pendant sept ans) s'attache à réparer ici, à sa manière, c'est-à-dire avec un peu d'humour et beaucoup d'amour.

Symbole de pouvoir, monture de guerre, objet de culte. Contrairement à ce qu'on croit, en Afrique, le cheval est omniprésent : dans l'histoire, les croyances, la sculpture, les contes, la littérature – mais aussi dans la vie politique, la vie quotidienne et la vie tout court.

Une vraie découverte !

L'ASIE CENTRALE, CENTRE DU MONDE (DU CHEVAL)

170 x 240 mm / 208 pages
ISBN 2-7011-4185-0
Belin, 2005.

L'Asie Centrale mérite bien son nom. D'abord parce qu'elle se trouve, en effet, au centre de l'Asie. Mais aussi parce que les jeux des grandes puissances en ont fait, à plusieurs reprises, le centre du monde.

Ce que montre ici Jean-Louis Gouraud, c'est que cette vaste région de steppes et de déserts, berceau du cheval de prjewalski et de l'akhal-téké, de Gengis Khan et de Tamerlan, peut également être considérée comme le centre du monde… du cheval. En tout cas, comme un des principaux foyers de création et d'expansion de variétés chevalines et de techniques équestres.

Simultanément creuset de civilisations et théâtre d'affrontements sanglants, carrefour du commerce entre l'Orient et l'Occident (par les fameuses Routes de la Soie) et champ de batailles ininterrompues, l'Asie Centrale fut à la fois l'enfer et le paradis des hommes — et de leurs chevaux.

Mongolie et Mandchourie, Afghanistan et Turkménistan, Sinkiang et Ferghana, Kirghizie et Kazakhstan : ces noms résonnent comme une litanie, un poème, une incantation dans l'imaginaire de tout cavalier, tout amateur de chevaux, tout voyageur. C'est là que nous entraîne cette fois Jean-Louis Gouraud, « globe-trotteur » impénitent, qui nous avait déjà promené, dans ses ouvrages précédents (parus dans la même collection), à travers le monde pittoresque du cheval : « Russie, des chevaux, des hommes et des saints » (Belin, 2001), puis « L'Afrique, par monts et par chevaux » (Belin, 2002).

L'ORIENT, ENFER ET PARADIS DU CHEVAL

170 x 240 mm / 272 pages
ISBN 2978-2-7011-4666-9
Belin, 2007.

Avec ce quatrième volume, Jean-Louis Gouraud achève son tour du monde (du cheval).

Après nous avoir entraîné en Russie, en Afrique, en Asie centrale, ce « globe-trotteur » impertinent nous fait découvrir ici les fastes et les misères de l'Orient.

Un Orient dont il dessine avec précisions les contours : un Orient qui va de Marrakech à Delhi, de l'Atlantique au golfe du Bengale, de l'Atlas à l'Himalaya.

Berbère, arabe, turc ou persan, cet Orient « compliqué » offre, certes, bien des contrastes, mais aussi une communauté très forte : outre l'Islam, c'est la passion du cheval.

Un animal dont, c'est vrai, on use et on abuse. Un animal, à l'inverse, qu'on admire, qu'on maquille, qu'on respecte (jusqu'à l'enterrer), qu'on honore (jusqu'à le sacrifier). Un animal qu'on va même, parfois, jusqu'à diviniser. En tout cas, la plus belle créature du Dieu Unique et de tous les dieux d'Orient.

LA TERRE VUE DE MA SELLE

170 x 240 mm / 224 pages
ISBN 2978-2-7011-5470-1
Belin, 2009.

À chacun son point de vue. Pour les cosmonautes, la Terre est une jolie planète bleue. Photographiée par Arthus-Bertrand, le bel astre paraît courir au désastre. Vue par Jean-Louis Gouraud, la Terre n'est rien d'autre qu'un vaste pâturage, une sorte de gigantesque haras, un espace entièrement consacré au cheval.

Des chevaux, en tout cas, il en voit partout. Où qu'il aille, il en trouve. Qu'il y en ait ou qu'il n'y en ait pas, pour lui, les chevaux sont omniprésents : s'ils ne sont pas dans la vie, ils sont au moins dans les livres, dans les arts, dans les croyances, dans les esprits. Il en avait d'ailleurs fait le titre de son premier ouvrage : « Un petit cheval dans la tête ».

Vingt ans après, quelques milliers de kilomètres plus loin et quelques dizaines de livres plus tard, il confirme.

Après nous avoir entraîné, dans ses ouvrages précédents, en Russie, en Afrique, en Asie, ce « globe-trotteur » impertinent achève ici son petit tour du monde (du cheval), en nous promenant, aux trois allures, d'un bout à l'autre de ce qu'il appelle la planète des chevaux.

❏ COLLECTORS ET « COMPILS »

PREMIÈRE RENCONTRE:
le Cheval et l'Homme
(20 écrivains rêvent…)

140 x 203 mm / 272 pages
ISBN 2-85940-696-4
Phébus, 2001.

Vingt écrivains imaginent – sous forme de nouvelle, pour la plupart – la première « rencontre » qui a conduit le Cheval et l'Homme à s'associer – et à former ce couple qui *tient* depuis six mille ans.

Vingt écrivains « cavaliers » : soit autant de praticiens des arts équestres (presque tous rodés depuis longtemps à l'écriture) et d'écrivains confirmés captivés par le sujet.

Derrière Jean-Louis Gouraud (journaliste, éditeur, écrivain et cavalier émérite), initiateur de ce livre singulier, dix-neuf noms diversement célèbres, aimantés par la même passion : Bartabas, Dominique Fernandez, Laurent Desprez, Pierre Durand, Guy Georgy, Marc Trillard, Ismaïl Kadaré, Jean-Pierre Digard, Karine Lou Matignon, Jérôme Garcin, Jean-Pierre Perrin, Robin de la Meuse, Jean-Loup Trassard, Pascal Commère, Homeric, Pierre Vavasseur, Dominique Giniaux, André Velter, François Nourissier… Tous mobilisés par cette interrogation : quel démon a bien pu unir, parfois jusqu'à l'amour, le quadrupède inquiet et le bipède industrieux ? « Noble conquête » de l'un par l'autre, nous apprend une tradition qui a la vie dure. D'où l'homme a tiré, fidèle à l'ambivalence de son espèce, le pire et le meilleur…

On ajoutera ceci : les vingt qu'on vient de dire ont décidé, d'un commun accord, de renoncer à leurs droits d'auteur sur cet ouvrage, et d'en consacrer le produit à la restauration d'un site unique au monde, menacé de démolition : le légendaire cimetière de chevaux de Tsarskoye Selo, près de Saint-Pétersbourg.

« C'EST PAS CON UN CHEVAL. C'EST PAS CON !…»
pot-pourri de dits, édits et inédits

140 x 225 mm / 304 pages
ISBN 2-268-04792-X
Éditions du Rocher, 2003.
(collection *cheval-chevaux*)

Pour Jean-Louis Gouraud la passion du cheval n'est pas un amour platonique.

Auteur d'innombrables articles, romans, scénarios, spectacles et anthologies à la gloire des chevaux, il a fait aussi ses preuves en selle (Paris-Moscou en 75 jours), suscité la création de l'Organisation Mondiale du Cheval Barbe, contribué à faire connaître, en France, la race akhal-téké, entrepris la restauration du cimetière équin de Tsarskoye Selo (Russie)…

Il milite aujourd'hui pour la création d'une Maison du Cheval à Paris, pour l'édification d'un Monument aux Chevaux Morts, et deux ou trois autres causes dont on trouvera trace dans ce recueil de textes souvent insolites, et toujours insolents, souvent inédits et toujours inattendus, souvent drôles et toujours tendres.

Pour Jean-Louis Gouraud, l'amour du cheval n'est pas un plaisir solitaire.

C'est un bonheur qu'il partage, avec ses montures, bien sûr, mais aussi avec quelques piétons célèbres ou inconnus : des peintres, des musiciens, des poètes. Les uns très recommandables, comme Victor Hugo ou Max Jacob, d'autres beaucoup moins comme Céline, auquel il a pourtant emprunté le titre de cet ouvrage. D'autres enfin carrément infréquentables…

En mêlant leurs œuvres aux siennes, il a composé le présent ouvrage. Avec ces artistes, ces écrivains, il a constitué une écurie merveilleuse, une sorte de caverne d'Ali Dada, dans laquelle chacun pourra trouver son bonheur.

HISTOIRES D'AMOUR ET DE CHEVAUX
40 écrivains racontent

150 x 240 mm / 448 pages
ISBN 2-268-05328-8
Éditions du Rocher, 2005.
(collection *cheval-chevaux*)

Stéphane Bigo, Steen Steensen Blicher, Laurence Bougault, André Bourlet-Slavkov, Harald Bredlow, Bruno de Cessole, Dominique Cordier, Olivier Courthiade, Christian Delâge, Antoinette Delylle, Laurent Desprez, Nur Dolay, Christophe Donner, (général) Pierre Durand, Yolaine Escande, Gonzague d'Été, Maria Franchini, Michel Henriquet, Guilhèm Jouanjòrdi, Alexandre Karine, Bernard Lecherbonnier, Anne-Marie Le Mut, Émilie Maj, Jean-Noël Marie, Robin de la Meuse, Marine Oussedik, Catherine Paysan, Colette Piat, Claire Pradier, Pierre Pradier, Jean-François Pré, Patricia Reinig, Danièle Rosadoni, Sylvain Tesson, Thanh-Van Ton-That.

Une quarantaine d'écrivains, rassemblés par Jean-Louis Gouraud, racontent ici de belles histoires d'amour. Des histoires vraies (ou presque), auxquelles les chevaux sont intimement mêlés. Des histoires véridiques (ou imaginaires), dans lesquelles le cheval a joué le rôle d'intercesseur amoureux. Quarante manières, quarante styles, quarante façons d'aboutir à la même conclusion : là où il y a des chevaux, il y a de l'amour.

[Cette notice et la précédente figurent également dans la bibliographie (voir p. 632 et 636) de la collection *cheval-chevaux* dans laquelle ces deux ouvrages ont été, en effet, édités.]

POUR LA GLOIRE (DU CHEVAL)
textes majuscules et texticules

180 x 240 mm / 512 pages
ISBN 2-8289-0894-1
Favre, 2006.

En (presque) un quart de siècle, Jean-Louis Gouraud a publié une bonne centaine de livres consacrés aux chevaux. Tantôt comme auteur, tantôt comme anthologiste, tantôt comme éditeur. À l'occasion du vingtième anniversaire de *caracole*, première collection entièrement et exclusivement vouée au cheval, à l'équitation, à l'hippologie, qu'il a fondée en 1986, il a réuni ici ce que Raymond Queneau aurait appelé ses « texticules » (de cheval) : préfaces, articles, contributions diverses – pour composer une « compil » à la fois instructive et divertissante, ludique et savante, drôle et sérieuse, féroce et tendre. Comme son auteur qui, lorsqu'on lui demande pourquoi tant de livres sur le cheval, répond : « pour la gloire ».

Un site du web, <passiondulivre.com> m'ayant demandé de lui adresser une « dédicace » destinée à ses visiteurs, je me suis livré à ce difficile exercice d'autopromotion de la façon suivante :

Moi, vieux cheval à la retraite dans un pré merveilleux, j'en parle souvent aux poulains et aux pouliches qui m'entourent : d'où les hommes tiennent-ils ce besoin, cette manie de nous consacrer des livres, des livres et encore des livres ? Des bibliothèques entières ! Un général de cavalerie a même essayé, au début du XXᵉ siècle, de dresser un inventaire de tous les ouvrages qui nous ont été consacrés : sa biblio occupe près de mille pages !

À l'inverse, nous les chevaux, n'avons consacré aux hommes que très peu d'ouvrages. Il y a bien celui du russe Kholstomier, qui d'ailleurs, s'est fait aider d'un nègre, Léon Tolstoï. Plus récemment celui de Crac, le cheval de club de Sylvie Overnoy. Mais c'est à peu près tout. À quoi est-ce dû ? Au fait, sans doute, que les hommes sont plus faciles à comprendre que nous.

Il y en a un, au moins, qui doit commencer à

bien nous comprendre, depuis le temps qu'il nous observe, nous étudie, et nous consacre des livres : c'est Jean-Louis Gouraud.

À travers les collections qu'il dirige ici et là, les anthologies, les essais, les récits, les romans qu'il a publiés, c'est une bonne centaine de livres, en effet, qu'il nous a consacrés en vingt ans.

Pour fêter son centième livre, il vient d'en publier un cent-unième, intitulé « Pour la gloire (du cheval) » (Favre, diffusion Interforum). Un énorme pavé de 500 pages, bourré d'articles, conférences, études et textes divers dont, cette fois, je recommande la lecture à tous les poulains et pouliches qui m'entourent. Car voilà au moins un homme qui, en cherchant à mieux nous comprendre, a fini, à défaut de bien nous connaître, par reconnaître nos mérites. Tous les hommes ne sont donc pas aussi bêtes qu'on pouvait le croire.   Le Cheval

LE CHEVAL,
ANIMAL POLITIQUE

avec des contributions originales de :
Jean-Louis Andréani, Jean-Pierre Digard,
Christophe Donner, (général) Pierre Durand,
Valy Sidibé et Ismaïl Kadaré ;
réunies et présentées par Jean-Louis Gouraud
240 x 240 mm / 160 pages
ISBN 978-2-8289-1026-6
Favre, 2009.

Pourquoi Sarkozy croit-il nécessaire de s'exhiber à cheval dès qu'il en a la possibilité, en Camargue ou au pied des Pyramides (par référence à Bonaparte ?).

Pour les mêmes raisons, probablement, que celles qui ont motivé, avant lui, Poutine. Et, avant eux, Reagan, Saddam, Kaddafi. Ou, plus loin encore, Tito, Churchill et tant d'autres.

Qu'est-ce donc qui attire à ce point les hommes politiques vers le cheval ? Est-ce une façon pour eux de se montrer proche de la nature ? Une manière de se hisser au-dessus des autres, au-dessus des simples piétons, des simples citoyens ? Un moyen de se grandir ?

Alors que le cheval n'est plus, depuis longtemps, ni un outil ni un véhicule, il continue, c'est certain, à être utilisé comme piédestal. Serait-il resté une représentation du pouvoir ? Un symbole de la puissance ? Un signe d'appartenance à une caste supérieure : le cheval est-il toujours réservé à une chevalerie ? Une aristocratie, une oligarchie ?

Ces questions en induisent d'autres : le cheval serait-il donc un animal « de droite » ? Peut-on être de gauche et se montrer à cheval ?

Et d'autres encore : l'équitation n'est-elle pas une bonne préparation à la politique ? Comme les peuples, les foules, les opinions publiques, le cheval peut se déchaîner soudain : il faut apprendre à prévoir et gérer ses changements d'humeur, à imposer sa volonté à plus fort que soi. Cela a été souvent dit : il y a entre l'art de gouverner et l'art de monter à cheval de nombreux points communs.

Le cheval, en tout cas, n'est pas un animal ordinaire. Il participe, d'une façon ou d'une autre, au pouvoir des hommes. Il est, peu ou prou, associé à leurs entreprises militaires et politiques. Raison pour laquelle il peut être, comme les bipèdes qui l'utilisent, tantôt honoré, tantôt déchu.

C'est ce que racontent ici avec talent de grands écrivains et/ou de grands cavaliers, hommes de lettres et/ou hommes de cheval, écuyers et/ou politiciens. Comment des chevaux ont été condamnés à la déportation, voire aux travaux forcés (Ismaïl Kadaré). Comment des chevaux ont été offerts (Gendjim, le cheval de Mitterrand), enlevés (Shergar, le cheval de l'Aga Khan), voire fusillés (Iris XVI, le cheval de Leclerc) !

Le cheval est souvent un enjeu politique, pas seulement en France (Jean-Louis Andréani), mais aussi en Afrique (Valy Sidibé) ou en République Islamique d'Iran (Jean-Pierre Digard).

Jamais ces sujets n'avaient été abordés de façon aussi talentueuse, grâce aux prestigieuses contributions réunies ici, ni de manière aussi spectaculaire, grâce à une iconographie abondante, rare et qui, souvent, désarçonne.

index des noms cités

[Ne sont mentionnés dans cet index que les noms de personnages réels : les noms de personnages de la mythologie ou de fiction n'y figurent pas. N'y figurent pas non plus les noms de lieux, pas plus que les noms d'animaux. Comme toujours s'est posé ici le problème du classement des personnages à particule. Nous nous sommes laissés guider par l'usage : de Gaulle, par exemple, sera à la lettre D, parce qu'on ne parle jamais de lui en l'appelant Gaulle ; alors que Monsieur de La Guérinière sera classé à la lettre L, sa particule étant rarement usitée dans le langage parlé. Il en ira de même pour d'Artagnan, d'Aure ou d'Orgeix (classés à la lettre D) alors que Honoré de Balzac sera classé à la lettre B, Jean de La Varende à la lettre L et Tanneguy de Sainte-Marie à la lettre S. C'est l'usage, également, qui nous a poussé à placer Jeanne d'Arc à la lettre J plutôt qu'à la lettre D ou à la lettre A.]

INDEX / 679

table des matières

Dépôt légal : avril 2011
IMPRIMÉ EN FRANCE

Achevé d'imprimer le 29 mars 2011
sur les presses de l'imprimerie « La Source d'Or »
63039 Clermont-Ferrand
Imprimeur n° 15171